CHI FVR LI MAGGIOR TVI

I CLASSICI RIZZOLI

DIRETTI DA UGO OJETTI

GIACOMO BOSSI: VINCENZO MONTI
NEL 1793, SUL FRONTESPIZIO DELLA "BASSVILLIANA"

(Firenze, Biblioteca Nazionale)

VINCENZO MONTI

OPERE SCELTE

A CURA DI CESARE ANGELINI

CON 12 ILLUSTRAZIONI

RIZZOLI & C., EDITORI
MILANO - ROMA

PROPRIETÀ LETTERARIA
COPYRIGHT BY RIZZOLI & C., MILANO 1940-XVIII

*

RIZZOLI & C., ANONIMA PER L'ARTE DELLA STAMPA
MILANO

*

PRINTED IN ITALY

INTRODUZIONE

CARRIERA POETICA DI VINCENZO MONTI.

Sto tutto con Apollo
V. MONTI.

Alla pieve dell'Abate Monti le campane suonano roche e rade. Poca gente sale le gradinate consunte, un tempo fastose e solenni; e han l'aria di soprintendenti che vengano, ahimé, per restauri. In qualche parte dev'essere scritto « Monumento nazionale »: quasi tempio disabitato dalla divinitá. Visitatori, dunque, non fedeli; esperti, non oranti. A confidarsi, a consolarsi, la gente va altrove, verso altri santuari.

Ogni tanto (e da parte crociana) si sente fare il suo nome; e il bel suono par rivelarcelo ancora grande e splendente nella sua rovina. Ma è per poco: una ragione di scuola o di coltura, una celebrazione ufficiale o un motivo polemico, o una pezza d'appoggio al proprio gusto provvisorio. In tempi fieramente leopardiani, nessuno vorrebbe tornare al Monti, nessuno vorrebb'esser detto montiano; anche se montiani furono, in gioventú, Leopardi e Manzoni, e Carducci. (Ma la gloria dell'aggettivo torna piú sul maestro che sui discepoli). Anche il parlarne, l'occuparsene, è cosa « compatita » presso la gente d'oggi; se non ci fossero, a difenderci, le ragioni e i diritti di una collana e quelli sacrosanti della coltura.

La veritá è che il Monti non parla piú al nostro cuore. Non ha legato il sùo nome a nessun quadro, a nessuna viva figura, a nessun tono, a nessuna forma che resti, a nessun paese, a nessuna battuta immortale. Monti è una « poetica » piú che un poeta. È una « vena » piú che una « voce ». Dici Leopardi, e vedi fiorire ginestre, alzarsi l'*ermo colle* e *la torre antica* col passero solitario e grande come una creatura biblica: vedi paesi suoi, unicamente suoi, e eterni: la quiete dopo la tempesta e l'umido cielo, il sabato del villaggio e la donzelletta che vien dalla campagna: vecchierelle che filano, novellando, come in un quadro di dolci Parche; notti chiare e senza vento, le vie dorate e gli orti, e lune viaggiare e vaghe stelle scintillare e canti e colori dolenti; Silvia e Nerina, e un cuore che sempre duole e un dolore che fiorisce in un caro immaginare, in un perpetuo canto.

Dici Manzoni, e vedi avventure e paesi come li ha inventati lui o modificati secondo un suo ritmo interiore: voci d'acque e di campane, poggi aerei, interiori di case ridenti in feste cristiane. Vedi la popolazione delle sue creature, grandi all'orizzonte come cerchia di montagne: Federigo e l'Innominato, padre Cristoforo e Ermengarda, Adelchi, Martino, Lucia, Renzo, Don Abbondio; e Napoleone. Li ha mandati in giro vivi per sempre; e ognuno ha in mano una buona azione compiuta e in bocca una parola di quelle che non passano mai e fanno camminare il mondo. Dici Foscolo, e vedi lui con quella sua indimenticabile grinta e la sua passione di donne e il suo amore di gloria, fuggir di gente in gente, o sedere gemendo sulla pietra dei sepolcri. Rugge con Iacopo, scherza con Didimo, danza con le Grazie, e nessuno è piú elegante: *Le Grazie ai piedi suoi destano fiori...*

Ma del Monti, che figure restano in piedi? che quadri ci è ancor lecito ammirare? e paesi vagheggiare? Con che creature ha dialogato? Di lui, cosa sceglie la memoria? E poiché sappiamo che ha amato, quale nome di donna, tempestoso o soave, resta vivo nei versi?

I suoi quadri e paesi, le sue immagini e donne son tutti nella mitologia, splendida e lontana; o nella cronaca, che li ha suggeriti ed è caduta. La sua stessa fisionomia fisica ci sfugge, o è troppo spesso quella di un illustre tenore invaso da follía canora. Monti è senza intimitá e senza rispetto per essa. Ha solo dovizia di mezzi esteriori, e ne prodiga. Sicuro di queste ricchezze, cerca risonanza, rinomanza, e si perde. Il fatto stesso d'esser sempre un poeta d'occasione, non lo impegna sul serio; e Monti non è mai citato a testimoniare una veritá della vita, un'invenzione, un tono lirico, una ricerca del mistero; le grandi cose per le quali viviamo. Monti, per dirla con parole care al De Sanctis, non è un mondo poetico, è una forma letteraria; e lui, che per tutta la lunga vita ha continuato a scrivere *visioni*, non ha avuto mai una sua visione interiore su cui raccogliersi e coltivarsi per darci qualcosa di durevole, come si poteva aspettare dalla copia dei suoi doni. Di lui, resta un complesso di gesti; sopra tutti, quello abbastanza fatuo, — se non fosse tragico, — di continuare ad accarezzar come vive creature ben morte. Numi diventati nomi.

Eppure, anche dopo un secolo, il nome del Monti non ha perso il suo lucido; lo scrittore non è caduto nel limbo dei minori né dei puri tecnici. C'è in lui qualche cosa che lo difende sempre: il suo amore per la lingua, che fu la sua grande avventura; la sua strenua passione di letteratura — incanto di favole, ebbrezza d'immagini, invenzione di ritmi, danza di sillabe: « amor d'itale note » vagheggiate e idoleggiate per sé stesse, per l'armonia che fanno. « Odio il verso che suona e che non crea »? Lo potrá scrivere il Foscolo, a cui interessavano le passioni; non il Monti, a cui solo interessa il *decoro* dello scrivere. *Decoro,* da *decus,* ornamento; e di lí si formeranno i due aggettivi piú tipicamente montiani: decoroso e, ahimé, decorativo.

È interessantissima la carriera poetica di quest'uomo che per cinquant'anni con infaticabile penna ha continuato a verseggiare inventare tradurre, tradurre inventare verseggiare. Forse, solo di Metastasio si può lodare una piú corrente vena. Ma subito dopo c'è Monti, e le sue dieci mila pagine.

Seminarista a Faenza, tira giú versi a rotta di collo. Non c'è accademia in seminario o sagra di paese nella valle del Lamone, che non abbia suoi versi. A chi gli chiede un sonetto, ne manda due. « Guardate se io sono un ragazzo di garbo e svelto in servire le persone che mi premono. Appena voi mi avete domandato un sonetto per San Niccolò, che io ve ne mando due. Scegliete quello che v'aggrada; *et si neuter placet,* mandatemi la vita di San Niccolò, perché a me son cosí ignoti i fatti di questo santo, che non sapevo nemmeno fosse stato al mondo ». Monti scherza anche coi Santi. In questa abbondante disinvoltura di garzon di bottega, è giá tutto il Monti e la sua vena e la sua amena incoscienza. Che diventerá vanesia quando, piú tardi, mostrerá di credere alla lode che gli fanno, d'essere superiore allo stesso Dante: («Quest'idea, moderatela, e, se non altro, attribuite l'effetto della mia Cantica a una maggior grazia e disinvoltura del verso») e stoltissima ai tempi della famosa lettera al Salfi...

In Seminario (farsi frate? farsi prete? ma ne uscirá dopo sei anni per studiar medicina a Ferrara) aveva imparato molto latino. Tutta l'*Eneide* a memoria, ma soprattutto il gusto e l'uso della lingua. Fu la sua forza e il suo bel secreto. Perché è attraverso traduzioni latine dell'*Iliade* che egli, uomo senza greco, giunse a intendere Omero e a darcene quella versione leggiadrissima, valentissima e piú aderente al greco di Omero che non sia il Caro al latino di Virgilio. Del suo gusto umanistico restan varie elegie e epigrammi, in un latino baldo, attraente. In vacanza, si duole: « Da che sono in patria, non ho ancor fatto sentire alla penna l'odore dei versi latini. Ma se Apollo non si disgusta, vo' terminare le mie elegie latine». Sollecita lettere dagli amici: « Giacché, dal vertice dei capelli alla punta dei piedi, siete tutto eleganze latine, fate che ne gusti ancor io qualche volta: scrivetemi in latino invece che in italiano». E ne scrive anche lui, agili, ornate. Piace, un momento, sentirlo. « Ubi, ubi es, Ferri suavissime, aut quonam te nobis surripuisti? Itane vero tui absentiam tam moleste ferimus, ut quae antea, te praesente, mirifice nos recreabat Ferrariae celebritas et domicilium, modo ad nauseam usque sordescat? Ita profecto. In hoc tamen animi moerore id unum me reficit, quod te absentem litteris convenire, et meam qua semper maxima in te fui observantiam et studium satis perspectum facere potero... Scribam igitur, et quam saepissime scribam, tum quia litterulas nostras rudiusculas et nimis invenustas comiter, ut spero, excipies, tum quia in aequabili hoc scribendi genere non mediocriter, te Magistro, stilum exercebimus. Heri a prandio ad inambulationem me deferens, in Marchionem Obbitium forte fortuna incidi, qui de te multa sciscitatus est... ». Addestramenti, rivelazione di talenti; il cui frutto l'avremo piú tardi, in traduzioni da Orazio, da Virgilio, dal «tenebroso» Persio; e il poeta sempre si compiacerá degli amici che gli tradurranno in latino le piú alate liriche: *Al signore di Montgolfier, La bellezza dell'universo,* e certe anacreontiche fragili.

Quando Monti ha vent'anni (ma valeva la pena d'accennare anche al ragazzo) il Parini ne contava quarantacinque e da poco aveva pubblicato il *Meriggio;* e l'Alfieri, toccando i venticinque, si sciupava «in vili amori», nei momenti piú calmi pensando alla sua prima tragedia, *Cleopatra.* Dunque nel '74 l'aria non era certo ancora pariniana né alfieresca; e il Monti va considerato piú un contemporaneo che un erede del preciso impegno di quei due che, pure nello svolgersi spirituale della letteratura, lo precedono. La sua ereditá, Monti la deriva per altre vie e parentele: da Metastasio e da qualche altra maggior voce d'Arcadia. Questo è il punto d'innesto del Monti e della sua vocazione poetica; anche se poi, guardando a certi risultati, può parere altra cosa. Ereditá d'Arcadia, con tutti i pesi che le erano annessi. Primo, quello della lingua lavata ai «serbatoi»: i «vezzosi rai» la «crudele istoria» i «dolci palpiti», «vezzoso», «vezzosissimo», «grazioso», «grazie e amori»; e poi: «sí che sei candido, sí che sei bello». E poi: «To' un bacio, e vattene...». Alla *Frusta!* Alla *Frusta!* Secondo, quello — galante o venale — di far poesia su commissione. Con un'assenza di indipendenza che, a vent'anni, sconcerta, scrive: «Servirò e canterò per chi comanda». E par voglia dire per chi gliene dará incarico e per chi è potente: i due stimoli di tutta la sua attivitá. Con queste disposizioni, Monti è chiaro fin da principio: non ha complicazioni, non casi di coscienza, non crisi, non sviluppi: fioriture piuttosto, varie e ricche.

Ammesso in Arcadia col nome di Antonide Saturniano, scrive la *Visione di Ezechiele,* anzi di Ezechiello (Monti vuole i nomi rotondi; Anniballe, Maratte, caosse, ecc.), filza di terzine piene di vento, ma voltate via con perizia giá adulta. Qualcuna vuol esser ricordata ad esempio: — *Parlò della beltá del Paradiso — e fu sí vago il suo parlar che attenti — l'udiro i cieli e lampeggiar d'un riso.* E un particolare tinto in tragico, il ricomporsi delle ossa sotto la parola tonante del profeta: —

Tacque, e tosto un bisbiglio, un brulichío — ed un cozzar di crani e di mascelle — e di logore tibie allor s'udio. E forse per quella voglia che c'è dentro di sublime biblico, la *visione* gli valse la simpatia del cardinal legato. Anche l'altra *visione* per la nomina a cardinale di Guido Calcagnini, — non novitá, non estro, — è un riecheggiamento varaniano, d'un Varano non meno epitetante. Ma gli giovò presso un limbo d'abati, fatui cavalieri serventi della poesia, in Ferrara e fuori. Qualcuno eccelleva: Onofrio Minzoni che, col Frugoni e il Cassiani, son poi i suoi vicini modelli. Specialmente Frugoni, ch'era nell'orecchio di tutti, considerato come il guardiano della poesia. Ma frugoniano, il Monti non voleva esser detto. « Non vorrei mi si battezzasse per frugoniano: mi sarebbe cosa di somma mortificazione ». (Piú tardi chiamerá il Frugoni « padre incorrotto di corrotti figli »).

Nel '78, l'anno in cui nasce Foscolo, per i buoni uffici del cardinal legato il Monti va a Roma. Il Monti entra in Roma a fronte alta, col desiderio di destare maggior opinione di sé. Quanti poeti c'erano in Roma all'arrivo del Monti? Molti, ma egli apparve subito il primo, il principe. Bella presenza, voce sonora, faccia franca, l'abate Monti s'impone nei raduni d'Arcadia, che tornano a popolarsi di dame fruscianti, di magnifiche porpore e viola. Pensa che intanto giovi pubblicare un tometto di rime dedicandolo a Pio VI, il papa che recitava con molta grazia arie di Metastasio, e in quegli anni, accordando protezione alle lettere e arti, pareva rinnovare l'epoche piú splendide. C'era dentro un sonetto in lode del governatore, mons. Spinelli, che gli fruttò un camméo. Il campagnolo venuto dall'Alfonsine, ne scrive al padre, savio e pratico agricoltore: « Che bel *mestiere* quello del poeta, se i versi fossero tutti cosí rimunerati ». Ci turba questa coscienza molto andante, e non solo della poesia. Peggio; ha imparato che la poesia è cosa che può essere esibita, e scrive a un amico di Rovereto: « Se dalle vostre parti gl'impresari hanno bisogno di un dramma nuovo, io mi esibisco a un prezzo onesto ». Ma onesto non è questo parlare. E si pensa all'idea infinitamente schiva e ombrosa che avranno della poesia un Leopardi e un Manzoni, non ancor nati.

Il « dramma nuovo » era probabilmente la *Giunone placata,* una cantata scritta per nozze principesche, e raccolta nel *Saggio di poesie dell'Abate Vincenzo Monti,* dedicato a Sua Eccellenza la marchesa ecc. È il suo primo Canzoniere « sparso qua e lá d'alcune cose di galanteria », tanto che difficoltá di revisori ne tardarono la pubblicazione. Il Monti ne aveva naturalmente un buon concetto. (« Spererei che non dovesse essere un libro affatto miserabile »). Anche in Roma fu giudicato bene, specialmente la cantata, che fu detta non inferiore a quelle del Metastasio, uno specialista del genere e modello di perfezione poetica. La favola è tramata sulle gelosie di Giunone. Dice fin d'ora quale sará la sua tendenza costante: splendere nella favola mitologica, linguaggio confacente al suo genio immaginoso e bisognoso d'ornato, paesaggio pieno di seduzione, e modo di trasfigurare la sua contemporaneitá: quasi un purificare gli avvenimenti presenti allontanandoli, sollevandoli dentro il mito. In complesso, un libretto da poco, tutto ancora nella metrica, rel rimario. Però quel savio Giove che, sorridendo della gelosia di sua moglie, non vuol proprio arrabbiarsi e giura:

...Oggi non voglio
Respirar che allegrezza,

è giá un bel dio. E noi ci mettiamo ad aspettare se appaia il vero Monti.

E il Monti è qui, nella *Prosopopea di Pericle,* l'ode recitata in Arcadia con fanatico strepito. Alcuni, ed erano cardinali, la volevan copiata in caratteri d'oro e attaccata al busto di Pericle, scoperto di recente. Anche il papa ebbe voglia di leggerla. Il Monti commentava: « Io rido di tutto questo fanatismo, per destare il quale ci vuole cosí poco ». Ci voleva un'ode come questa, immaginosa e sonora; la sua prima vera ode che lo solleva sul gregge degli Arcadi anacreontici, portandolo in volo pindarico.

Arcade, pindarico... Parole. E noi vorremmo che significassero cose: un salire, un crescere in sodezza fantastica, in arte animatrice. Monti possedeva il divino privilegio dell'entusiasmo, il presupposto della poesia pindarica; ma, natura poco profonda, gli capitò spesso di sciuparlo, di renderlo fatuo, dandoci cosí, piú che uno sviluppo vero, un genere letterario. Per il Manzoni il passare da un genere all'altro indica sempre uno sviluppo dello spirito, che si amplia, si arricchisce; per il Monti, no; si tratta solo di situazioni d'uomo che, sentendosi capace di far tutto, sa trattare anche lo «stile» pindarico, e tutti gli stili. Con questa, si ricordano l'altre odi, anche piú famose: *Al signore di Montgolfier, La liberazione d'Italia.*

A dir dov'è piú bella, si citano solitamente i versi che descrivono l'operoso fervore degli artefici elleni:

> Per me nitenti e morbidi
> Sotto la man dei fabri
> Volto e vigor prendevano
> I massi informi e scabri.
> Ubbidiente e docile
> Il bronzo ricevea
> I capei crespi e tremuli
> Di qualche Ninfa o Dea.

Null'altro che un fiorire di sillabe, un'esultante festa di sillabe; ma è festa che rapisce. E il Croce un giorno s'è incantato a guardare «quei capei crespi e tremuli» che fioriscon nel bronzo, confessando di provarne qualche voluttá. Traduce da Virgilio?

> *Excudent alii spirantia mollius æra*
> *— credo equidem — vivos ducent de marmore voltus.*

Ma chi s'è mai accorto? Le reminiscenze si ricompongono nell'armonia della memoria, ed egli traduce in modo che pare un novellamente creare. E tutta la ricostruzione dell'etá di Pericle è lucida e spirante, in settenari che volano, anche se gravati di barocchismo. L'ode resta scenografica e decorativa. E fa sempre un po' meraviglia che il Carducci l'abbia detta «mirabile di virile parchezza». Ma sapete che il Carducci per il Monti aveva un debole.

Del resto ci fu chi per questa lirica chiamò il Monti «emulo di Pindaro». Il Monti protestava. Diceva che tra la sua ode e quelle di Pindaro c'era tanta differenza quanta tra l'abito di un Alcibiade e quello di un domenicano. Ma il protestare era una bella civetteria. Intanto sollecitava articoli, recensioni, soffietti. « Con questa posta riceverete copia d'una mia raccolta di versi. Spero che non mi negherete il piacere di stendermi un estratto critico e ragionato pel *Giornale* ». A un altro: « So che siete amico del Tiraboschi, onde potrete compiere le vostre grazie col far aggiungere qualche cosa nel *Giornale di Modena* che in Roma conta molto. Non mancherá tempo in cui scontarvi questi servigi ». Orecchio attentissimo, non gli sfuggiva nulla dell'eco della stampa. « Vi accludo un foglio delle *Effemeridi di Roma* dove si parla di me ». « Vi mando un ritaglio ecc. ecc. ». Confessava: — Io sono piú vanaglorioso del soldato di Plauto.

Nel libretto ci doveva essere anche un'anacreontica: « *Lo san Febo e le Dive...* », piú galante che estrosa: un inventario di capelli biondi e neri in una cornice mitologica e in settenari prosaici e inutilissimi. Un'interrogazione resta nella memoria: « Chi misurar mai puote — il valor d'un sorriso? ». E una affermazione di gioia, dove le sillabe s'allargano spaziando e han suono d'antico: « La gioia allor germoglia — nell'alma innamorata ». Il resto, è fraseria comune, settecentesca. Alla *Frusta!* C'era anche il famoso *Invito a Nice,* scritto per le feste notturne in onore del principe Borghese; e il Monti vi si mostra fabbro armonioso di leggiadrissime ottave. Quistioni metriche, insomma.

Nell'agosto dell'81 scrive: « Ha fatto e fa grande strepito per Roma un capitolo o canto che recitai Domenica passata al Bosco Parrasio per le nozze di Luigi Braschi Onesti e Costanza Falconieri ». *Arcades ambo* e nipoti del papa. Ci domandiamo: tutti i lavori del Monti nascono in mezzo a tutta questa mondanitá? Tutti, tra feste e fasto. E lo strepito è tanto, che non s'ha neppur tempo di avvertire come si formi il poeta e la sua poesia. Si pensa al silenzio stemmato di Brusuglio quando, nei giorni di bel lavoro, il servo del poeta usciva ad allontanar le rondini dal cortile ché disturbavano troppo. O al modo pudicissimo come nascevano i Canti in Recanati, sol comandati dal dolore, (« e di fuori — a nessuno giammai non ne fo segno »).

Il capitolo «strepitoso» subito tradotto in piú lingue (la radiodiffusione della poesia) era *La Bellezza dell'Universo.* «Un risonante inno di lode» alla Bellezza in funzione, prodiga di sé e delle sue invenzioni. Un fiume di suoni, d'armonia, dentro cui passa la creazione del cielo, della terra, del mare, dell'uomo. Traduce dalla Bibbia? Il concetto fondamentale che presiede al poemetto è derivato dalla *Sapienza;* lá, la Sapienza guida la creazione del mondo («cum eo eram cuncta componens»), qui è la Bellezza («con esso preparavi — di questo mondo l'ordine e le forme»). Le parti descrittive poi, si rifanno ai primi capitoli del *Genesi,* richiamati non piú che in funzione di colori e di favole. Sublime biblico (ma nella Bibbia è un'irraggiunta maestá) e abbondanza ovidiana (in Ovidio c'è un diverso brivido cosmico) sono le qualitá del canto; dov'è animazione di ritmi, immagini luminose, versi principeschi, evidenza e colore. E c'è giá tutto il linguaggio del Monti, spazioso, ubertoso, come il maggese omerico.

Ugo Ojetti, e non era ancora accademico, un giorno invitò i poeti dal verso d'una sillaba sola a rilegger il poemetto montiano; certo per temprarsi nella salda disciplina metrica delle sue terzine e nel loro effetto spaziante:

> Ancor sul dorso dei petrosi monti
> Talor t'assidi maestosa, e rendi
> Belle dell'Alpi le nevose fronti.

E non è quistione di scegliere qua o lá; dovunque l'occhio cada su quelle varie centinaia di versi, trova splendore, armonia, allegrezza:

> Poi, ministra di luce e di portenti,
> Del ciel volando pei deserti campi
> Seminasti di stelle i firmamenti.
> Tu coronasti di sereni lampi
> Al sol la fronte...

Bei versi, piacevoli, gentili, e curiosi:

> Di tante faci alla silente e bruna
> Notte trapunse la tua mano il lembo
> E il don le festi della bianca luna.

INTRODUZIONE

Ma, a guardar bene, mancano d'una loro intima orchestra, di un ritmo operoso. Scivolano. È una luna che non bagna, sono stelle che non ridono. Anche gli epiteti, sono vizzi e passivi, polluti da tutto il Settecento. Né adopreremo mai questi versi a salutare i cieli delle nostre notti. Insomma, troppa oleografia! Manca il sentimento schietto e diretto della viva natura.

Piuttosto, colpisce qualche visione cosmica, qua e lá; con effetti di commozione, direi, profonda, perché piú vero è il sentimento che l'ispira:

> Tu con essa alla grande opra scendesti,
> E con possente man del furibondo
> Cáos le tenebre indietro respingesti,
>   Che con muggito orribile e profondo
> Lá del creato su le rive estreme
> S'odon le mura flagellar del mondo.

E la finale, dove la stessa visione è ripresa con forza anche maggiore.

E si pensa cosa poteva diventare questo dotatissimo giovane se avesse avuto la forza di isolarsi e coltivarsi. Tornava invece a mischiarsi tra i rumori di Corte e tra brillanti estemporanei a giocar d'abilitá nell'improvvisar sonetti su la bocca e su gli occhi di «vaghe giovinette» di «belle donne» che si facevan ritrarre come Venere ignuda.

Ma il poemetto della *Creazione,* oltre un aumento di fama, gli fruttò anche la posizione: segretario del principe Braschi, «Nipote di Nostro Signore». Il Monti è *arrivato;* è l'abate Monti con tonsura e stipendio e alloggio signorile, e il destino di strisciar porpore e inchinar dame con inchino ad angolo retto.

Prima della nomina, erano corse intese tra il gran Zio e il Nipote. Diceva il papa: — L'abate Monti ci è noto; ne abbiamo sentito parlare piú volte Ci è stato dipinto come una testa piena di talento e di stravaganza». *Testa piena di talento:* una canonizzazione. L'arguto cesenate era contento d'aver tra i piedi questo «romagnolaccio». Intanto, lo vuol vedere. Monti quasi ne trema: «Fra poco avrò un abboccamento con Nostro Signore». Lo ha visto; gli ha parlato. Nostro Signore lo ha trattato come un amico. «Adesso, quando mi vede, mi fa sempre qualche carezza».

Monti ha ora un padrone da servire puntualmente, scodellandogli, cembalo benesonante, canzoni e cantate. Lavorerá come un asino. È subito incaricato di due componimenti drammatici. Si tratta di festeggiare la nascita del Delfino di Francia, il figlio di Luigi XVI. Cimarosa dará il suono. Il campagnolo delle Alfonsine ci fa dei calcoli. Scrive al padre: «Vi saprò dire poi quanto mi ha fruttato. Se il regalo è minore del valore di cento zecchini, rinuncio alla poesia». Strani questi patteggiamenti. E tornano a mente altre sue parole al padre, che giá abbiamo sentito: «Che bel mestiere, quello del poeta...».

(Se qui accenniamo, in parentesi, al viaggio del papa a Vienna per comporre certe liti con l'imperatore, è solo perché il Monti lo cantò in un poemetto miserrimo, in terzine che allora parvero squillare piú alte delle campane di Roma salutanti l'Augusto Pellegrino: *Il Pellegrino Apostolico*).

Sempre nell'82 (il Metastasio moriva a Vienna, vecchissimo e rauco come una cicala che ha troppo cantato) il Monti confida a qualcuno: «Ho acquistato un certo spirito di *malinconia*, che non istò bene se non quando son solo». Non par vero. S'aprono momenti nuovi per il Monti e per il suo cuore strapazzato? *Nasce la poesia quando malinconia...*

Monti era innamorato. A Firenze, in casa dell'improvvisatrice Fortunata Sugher Fantastici, aveva nell'autunno visto una fanciulla bionda, un'educanda, fiorentina e fior di bellezza: Carlotta. Un incendio. C'è tutto un gruppo di lettere alla Fantastici che descrivono questo amore violento. Senza di lei, Monti non può piú vivere. «Carlotta mi è necessaria. Senza Carlotta, tutto mi è noia. Fa d'uopo assolutamente che io possieda quest'amabile creatura». È la sola cosa che per tutto un anno gli tocca il piú vivo dell'animo. Sempre alla Fantastici: «Oh se vi fossero note le tempre del mio cuore... Non le intendo neppur io. Intendo solo che Carlotta mi è necessaria e che io l'amo incredibilmente. Custodisco il cerchietto ch'ella mi diede, come la cosa piú preziosa ch'io m'abbia, e

quando son solo lo bacio come la reliquia d'un qualche Santo».
« Qualunque volta io medito sopra l'amor mio, sempre piú mi confermo nella risoluzione di tentar tutto, e far tutto per possedere Carlotta. Ho in animo di parlarne francamente al papa... ». Tanto piú che il papa ora lo ha nominato palatino con una pensione annua, — non è gran che, — di scudi cinquanta. Scrive: « Io meno una vita da romito. La sera mi riduco a casa sempre di buon'ora. Ho abbandonato tutte le conversazioni. Mi alzo la mattina per tempo, mi pongo a studiare, penso tutto il giorno a Carlotta, l'unico oggetto che interrompe il mio studio; ed ecco come passo i miei giorni. Questo è un miracolo d'amore ». Ne nacquero i *Pensieri d'amore* che, con gli *sciolti a Sigismondo Chigi,* rappresentano una nuova interioritá del poeta, un modo piú modesto di scrivere: parole piú pure, accenti piú dolci. Il poeta canta finalmente per sé stesso, canta sé stesso, e ne nasce un canto di poeta. *Scribere iussit Amor;* e non piú il principe o l'occasione esteriore. Momenti buoni che, per fortuna, si ripeteranno, e avremo cosí un gruppo intimo, sorgivo, di canti; dove il poeta, spogliatosi d'ogni strepito esteriore, celebra i sentimenti d'amore e d'amicizia, gli affetti domestici: *Alla sua donna, Sopra il ritratto di Costanza, Sopra sé stesso, Per grave malattia d'occhi, Alla Marchesa Malaspina,* ecc. Nel paesaggio del Monti, questa parte rappresenta il domestico e l'ameno che tempera gradevolmente la urlante magnificenza delle altre vedute. Aiuole con rugiada.

Gente di gusto fine, che sa trovare la poesia anche dov'ella è sparsa a punta d'ago, — De Robertis, per esempio, — cita con qualche preferenza gli *sciolti* al Chigi. Ha ragione. Per la modestia insolita del tono, per l'eleganza affettuosa, per una maggior parchezza di gesti comandata dallo stesso tema, quest'è una cosa nuova; nuova, dico, nei confronti col Monti conosciuto. Momenti di malinconia, di raccoglimento puro, per i quali diamo volontieri altre cento e cento pagine sue:

> Allor che il sole (io lo rammento spesso)
> D'oriente sul balzo compariva
> A risvegliar dal suo silenzio il mondo,
> Ed agli occhi rendea piú vivi e freschi
> I color che rapiti avea la sera...

Momenti di contemplazione piena, serena:

> Allor sul fresco margine d'un rivo
> Supino mi giacea fosche mirando
> Pender le selve dall'opposta balza
> E fumar le colline, e tutte in faccia
> Di sparsi armenti biancheggiar la rupe;
> Or rivolto col fianco al ruscelletto,
> Io mi fermava a riguardar le nubi
> Che tremolando si vedean riflesse
> Nel puro trapassar specchio dell'onda...

E la tentazione è grande di nominar Leopardi e il suo dono di poetare divinamente.

C'è anche un blocco di versi d'un turbamento cosmico, direi, foscoliano; del Foscolo che nei *Sepolcri* parla delle cose e della forza operosa che le affatica di moto in moto:

> Questi gli oggetti e questi erano un tempo
> Gli eloquenti maestri che di pura
> Filosofia m'empiean la mente e il petto;
> Mentre soave mi sentia sul volto
> Spirar del nume onnipossente il soffio,
> Quel soffio che le viscere serpendo
> Dell'ampia terra, e ventilando il chiuso
> Elementar foco di vita, e tutta
> La materia agitando e le seguaci
> Forme che inerti le giaceano in grembo,
> L'une contro dell'altre in bel conflitto
> Arma le forze di natura, e tragge
> Da tanta guerra l'armonia del mondo.

Ma non abbiamo noi forse nominato invano il Leopardi e il Foscolo? Frutto d'orecchio molto esercitato, questi versi sono ben lontani dal profondo prolungamento dei versi leopardiani come dalla dignitá artistica e psicologica degli sciolti d'un Foscolo.

Mentre la chiusa, la preromantica chiusa, come ci pare perdutamente aleardiana!

> (Allor che d'un bel giorno in su la sera
> L'erta del monte ascenderai soletto
> Di me ti risovvenga, e su quel sasso,
> Che lagrimando del mio nome incisi,
> Su quel sasso fedel siedi e sospira).

Siamo al Prati; e non piú in su.

INTRODUZIONE

Legati agli *sciolti* chigiani per il filo werteriano e uguali per esecuzione, sono i *Pensieri d'amore*. Dentro vi ondeggia una treccia bionda, e quel biondo par che li scaldi. Ma è chiarore, non fiamma. Né tutti sono ugualmente belli. Anzi, il primo è decisamente brutto e goffo, con quelle porte del cuore che si spalancano, e il Dolore, — « terribile dio » « crudel mostro », — che siede su la mesta entrata guardandola con cento occhi e scacciandone la Gioia che vorrebbe entrare. Anche il secondo e il terzo sono mediocri. L'ottavo e il decimo sono invece due bei pezzi, con un lor tenue incanto e invenzione e sorpresa; piú trattenuta la vena, la parola piú esperta e insolitamente macerata. Due pezzi da antologia. E nel *Fiore della lirica italiana* di Enrico Falqui, antologia esigentissima dove l'idea della poesia è intesa in senso cosí stretto da escluderne l'Ariosto, e il Parini v'è accolto con l'assurda avarizia di undici versi e mezzo, il Monti v'entra con trentatré, l'ottavo *Pensiero*. La qual cosa ci porta a dire che anche il Carducci in *Primavera e fiore della lirica italiana* dá diciannove pagine al Manzoni e quattordici al Leopardi, ma al Monti quarantasei. Non vogliamo esagerare queste valutazioni statistiche; ma mi piace, a proposito del Monti, citare questi miei scaltri moderni.

A ogni modo, in tutto l'episodio degli *sciolti* e dei *pensieri,* la vita del sentimento vi è certo piú schietta, e il poeta, approfondendo le sue qualitá di visivo e di uditivo, può porgere orecchio « colá dove immenso gli astri dan suono » e sentire « l'armonia del mondo » e vedere « la dilatata luce » « le squarciate nuvole », « le vaghe stelle scintillanti »; può definire il suo amore con versi sapienti

> Fiamma immortal perché immortal lo spirto
> Entro cui vive e di cui vive e cresce.

Può chiedersi con sinceritá

> Perché dunque a venir lenta è cotanto,
> Quando è principio del gioir, la morte?

Traduce dal *Werther?* Del *Werther* sono spesso le parole: suo è il sentimento del bene e del male. Tanto che il Tommaseo, che non ignorava la parafrasi goethiana, disse che questi versi « resteranno immortali ». Noi pensiamo che su di essi Leopardi deve aver molto meditato.

« Carlotta, nome non fine... ». Ma fine è l'episodio di poesia che vi è unito.

Quando nell'83 escono i *Pensieri d'amore,* Carlotta è giá un « bene perduto », un ricordo, una nostalgia. O neanche. Monti ha giá sostituita la bionda con la bruna: la Clementina Ferretti, moglie dell'abate romano. Per lei scrisse il sonetto

Io t'amo e amar ti voglio in fin ch'io vivo...

E l'altro « Mormoravano i venti... » che le mandò da un convento ov'era a far gli Esercizi Spirituali, con un mazzo di viole fresche, e una freschissima letterina. « Mi alzo in questo punto, e sono le dodici. Ho messo il capo fuori della finestra, e ho salutato il sole che scappa dal Colosseo, e va scacciando la nebbia che gli manda incontro quest'orto, come un incenso. E sembra veramente tale, perché è tutta impregnata dell'odore di prezzemolo, di salvia e d'insalatina, che sono la ricchezza di quest'orto, confusi con una gran moltitudine di broccoli e di carciofi, che crescono con la benedizione del sole e di San Francesco, e sono il primo fondamento della enorme vegetazione di questi frati. Il divertimento piú bello però è un'orchestra di allegri uccelletti (essi godono la protezione dei zoccolanti), i quali rispondono di qua e di lá con una dissonanza gratissima. Questo solo piacere merita bene il fastidio di quattro giorni di ritiro. Veniteci anche voi, e staremo allegramente, e impareremo delle belle cose da questi uccelletti ». E un po' dopo: « Fate conto di questa carta perché santa è la mano che scrive. Un paziente e canuto servo di Dio mi ha rimesso nell'amicizia del Signore, e mi sento veramente allegro come una gallina che ha fatto l'ovo, la quale dura un quarto d'ora a cantare dalla consolazione... ». L'animo del Monti va preparandosi alla traduzione della *Pulcella* di Voltaire, dico per quello che è spirito scettico; per l'espressione, aggiungiamo che quando il Monti s'abbandona a scrivere di queste inezie, ci coglie bene: trova la prosa schietta, viva, di cui l'Italia aveva bisogno.

L'83 fu, a ogni modo, un anno felice per il Monti. E per la poesia. Il Parini pubblicava alcune delle sue odi piú belle; e l'Alfieri il *Saul* e la *Virginia,* ricchezze per sempre. Fu appunto nell'83 che avendo udito l'Alfieri recitare la *Virginia* in casa d'un letterato romano, il Monti sentí accendersi la voglia di scrivere tragedie. « Brucio dalla sete di scrivere tragedie ». E in versi: « Ben di tragiche forme pellegrine — Spesso il pensier Melpomene mi stampa ». Vuol far credere che quella del drammaturgo è la sua vocazione. È certo un'altra sua abilitá, un nuovo aspetto. E comincia a pensare all'*Aristodemo.*

S'è giá detto che il Monti, nella sua copiosissima vena, alterna i modi e i generi del poetare con facile indifferenza; e nell'84 stampa la sua piú famosa (e rumorosa) ode pindarica, *Al Signore di Montgolfier,* per l'invenzione del pallone aerostatico. Un giorno ci siamo divertiti a tirar sassi contro quest'ode e contro questo pallone. Era il discorso che lo voleva. Parlavamo del Manzoni e, innanzi alla divina modestia di quell'arte, tutto il barocco e il declamatorio di questi quadrupedanti settenari un poco ci urtava.

Vista fuor dei confronti, l'ode naturalmente ci guadagna; né ci sarebbe ragione di negarle certe eccellenti qualitá nate da sincero entusiasmo. Il Monti che cercava miti da per tutto, ne ha visto uno inverarsi sotto i suoi occhi, il mito di Icaro, e traduce il suo entusiasmo in termini mitologici, primitivi. Noi sentiamo che tutta questa mitologia è il peso dell'ode. Ma, o negare il valore dell'arte plastica, o riconoscere che la figurazione d'Orfeo che quieta col suono il fischio e l'ira dei venti (« e dolce errar sentivasi su l'alme greche il canto ») e le dee marine che accorrono stillanti acqua e maraviglia, creano un incantesimo al cui splendore non è facile sottrarsi. Forti immagini, ritmi tesi e vibrati, traslati arditi domano e velocizzano liricamente un linguaggio scientifico comandato dall'indole dell'ode: la legge di natura che mai « dalla potenza chimica soffrí piú bella offesa »; le scoperte, per quali apparvero le sorgenti della vita; le ali infrante dei fulmini; il secreto astronomico rivelato: « Svelaro il volto incognito — Le piú rimote stelle — Ed appresar le timide — Lor vergini fiammelle ». E le « rauche ipotesi » della scienza, e le « tenaci tenebre » della ignoranza. (Nella *Bellezza dell'Universo,* con non minore ardimento, aveva descritte « l'ombre ritrose », che è bellissimo). Ma non è quistione ora di sorprendere l'ode in questo particolare o in quello: lavoro che forse ha giá fatto qualche intelligente crociano sviluppando una simpatica definizione che il maestro ha dato del Monti. Benché assistiti nel nostro lavoro dal comandamento evangelico « Colligite fragmenta, ne pereant », noi siamo persuasi che l'ode è tutt'intera una testimonianza d'un particolar gusto di poesia, e d'un entusiasmo scientifico che, per essere schietto, l'alimenta in ogni sua parte. E il suo valore piú vero sta nello sforzo di trasfigurare un'invenzione scientifica in un'invenzione lirica: in una luce di mito, o di stupor primitivo.

L'85, l'anno in cui nasce il Manzoni, è per il Monti un momento di raccolti pensieri familiari. Gli muore il padre. « Nostro padre, — scrive ai fratelli, — sta meglio di noi ». E la madre prende un rilievo speciale nella sua vita, nelle sue lettere. « I miei saluti alla madre, a cui chiederete la benedizione per me ». Abbracciate mia madre e chiedetele la sua benedizione ». Piacciono queste parole sante, umane.

È anche pieno di debiti; ne ha perfino col Seminario di Faenza. E cerca scudi da tutte le parti. Si spiega: le mani buche, la vita romana, le donne... Scudi e zecchini balenano spesso nelle lettere di questi anni ai fratelli; lettere che hanno odore di terra. S'interessa dell'enfiteusi dei molini di Lugo; della « Mariana », vasta tenuta nel Ravennate della parrocchia del Bosco in diocesi di Cesena, sopra la quale ha una pensione; della siccitá che ha mandato a male il raccolto della canapa; del trapianto dei pioppi, della bonifica, della caccia alle quaglie. Il paesano non dimentica l'origine: « Io sono un plebeo di Fusignano... ». Parole che fan piacere come il principio di un'ode. O d'un sonetto alla Cecco Angiolieri.

Distratto in interessi familiari? Pareva. In realtá Monti badava al suo vero e solo dominio, il canto; che ora ha preso l'aspetto drammatico. Nel giugno dell'86 scrive al Bodoni che l'*Aristodemo* è pronto per la stampa. Il principe dei poeti, il poeta dei principi, scrive al re dei tipografi, il tipografo dei re. « Se mi chiameranno l'amico del Bodoni, l'avrò piú caro che sentirmi chiamare l'autore dell'*Aristodemo* ».

Uomo piú concreto, il Bodoni mira a far affari. In pochi mesi la stampa è pronta. Piace al poeta, piace all'editore, piace perfino al papa, che ne loda l'edizione « sorprendente ». Rappresentato a Roma, a Parma, altrove, piace a tutti. In Roma aveva applaudito, — summa laus, — anche il gran Goethe. La durezza dei versi d'Alfieri, qui, s'è rotta, ingentilita.

La fortuna dell'*Aristodemo* lo invoglia a lavorare per il teatro; e attacca il *Manfredi,* tragedia faentina. Padre Ireneo Affò, il pezzo piú grosso che viveva in quei tempi, — due metri di circonferenza, — lo rassicurava: — L'*Aristodemo* fará epoca gloriosa nella storia del teatro. — Il duca di Parma premiava il poeta con una medaglia d'oro. « Distinzione, — commentava il Monti, — di cui nessuno finora si può vantare ».

Nell'88 anche il *Manfredi* è finito. Scrive il Monti: « La seconda tragedia è migliore della prima. Lodatemi nell'*Aristodemo,* ma cercatemi nel *Manfredi* ». Il Tiraboschi la giudicava un salto indietro, e aveva piú ragione. Bettinelli, l'astioso Bettinelli, scriveva epigrammi pungenti su l'una e su l'altra. Ma il Monti era troppo fiducioso in sé stesso; e avviava il *Caio Gracco,* finito nell'800 e rappresentato la prima volta a Milano nel 1802.

Sui tre drammi, ai quali i manuali di storia letteraria non dedicano mai piú d'una pagina disattenta e inamena, diremo piú avanti il nostro debol parere. Ma quell'88 fu un anno di felice lavoro, se il poeta ci diede anche l'*Epistola alla Malaspina,* i quattro sonetti sulla morte di Giuda, e qualche anacreontica di levitá capricciosa. « Fin che l'etá ne invita — cerchiamo di goder; — l'aprile del piacer — passa e non dura ». Monti non lasciò una canzonetta che valesse una del Rolli o del Savioli o del Vittorelli. Non diciamo del Metastasio. Monti arriva in tempo ai belati d'Arcadia, ma non piú all'aerea grazia, all'adorabile frivolezza di quegli Arcadi veri. Però questa — *All'amica* — è un gioco di note segnato con segno leggiadro: quasi dalla mano di Lorenzo. L'*Epistola* cos'è? Il Bodoni aveva incaricato il poeta di preparare dei versi da mettere in fronte a una nuova e sontuosa edizione dell'*Aminta*. Monti accettò di scriverli, e intanto si leggeva e rileggeva la vita del Tasso per entrare sempre meglio nel dramma di quel grande infelice. Ne nacquero centotrenta sciolti che appartengono ai momenti buoni della sua poesia. È tutto un fiorire di situazioni gentili (un po' prolissamente svolte). Toccante è la rievocazione di Dante esule accolto alla Corte dei Malaspina e da essi nascosto contro i suoi nemici politici (« il venerando — Ghibellino parea Giove nascosto — nella casa di Pelope »); e la descrizione delle « fanciulle di Pindo » venute con lui, è redenta da ogni peso mitologico, ed è umanissima e dolce; quasi odore di menta che giunge dai giardini d'Olimpia o d'Epidauro. Monti s'era ricordato che una poesia che doveva introdurre l'*Aminta* aveva da essere semplice, naturale; e si studiò di far cosa greca. Non si dice che ci sia in tutto riuscito. Ma, per un lettore squisito, tutto l'idillio è sotto la magia del primo verso.

> I bei carmi divini onde i sospiri...

che pare delle *Grazie*, e dei piú belli. E la poesia italiana non è poi cosí ricca da poter buttar via quest'idillio senza sentirsi piú povera.

Tanto sommessi e lievi, pur nella loro esteriore vaghezza, i versi alla marchesa, quanto scalpitanti e accorrenti i quattro sonetti su la morte di Giuda; situazione per se stessa epica, ma sentita e eseguita liricamente, come Virgilio fa di certi temi e problemi cosmogonici. Hanno la firma del Monti; potrebbero avere quella del Frugoni o, meglio, del Cassiani, men banale inventore del sonetto descrittivo. Si loda il taglio del quadro, il disegno destro e maestro, la scolpitura egregia di certi bassorilievi. Ma anche il bassorilievo può essere, come qui, rettorico. Si citano i versi in cui la bravura è grande, da parere arte quasi. E a questo punto ci domandiamo: Qual è, dunque, la coscienza letteraria del Monti?

Per il Monti, non è il caso di parlare di coscienza letteraria; non l'ha mai acquistata. Si parli piuttosto di un dono, che è cosa istintiva. Dotato di gusto fortissimo, il Monti sente vivamente la bellezza; ed è questo senso che l'arresta sempre sul punto di diventare un retore, un fatuo. Ricco del suo possesso, — di lingua ritmo immagini, — il Monti dona e dá con orgoglioso piacere: *gaudet profundens*. Ma sta contento al suo dono, alla sua facile perfezione. Non cerca di piú. E proprio in questo suo non cercare di piú, è la sua insufficienza. Pensate come un Leopardi, un Manzoni han coltivata la loro coscienza; come l'hanno maturata, fatta progredire attraverso esigenze nuove, ricerche di forme, scontentezze, tormenti; come hanno sentito, presentito certi problemi: diffidenza contro il verso quale arnese sciupato, la novitá della prosa, eccetera. E Leopardi passa dalle canzoni petrarchesche all'assoluta novitá degl'*Idillii*, e inventa la prosa delle *Operette*. E in Manzoni? Anche se finemente dissimulata, è troppo chiara la continua e inquieta ricerca di novitá, intesa come perfezione piú difficile, piú alta: dal *Carme* all'Imbonati giá in alcun canto perfetto, alla sorpresa degl'inni sacri, degl'inni maggiori, dei drammi, del romanzo. Un continuo maturare, ampliarsi in forme nuove, in una umanitá piú profonda. Perfino in Carducci, l'impegno delle *Odi barbare* testimonia una voglia d'accenti nuovi (« Odio l'usata poesia, concede... » ecc.) e il suo cammino, da *Iuvenilia* a *Rime nuove*, alle *Odi*, è tutto un laborioso e cosciente e splendente salire.

Nel Monti, nessuna di queste preoccupazioni, nessun indizio di scavazione, d'approfondimento, nessuna scontentezza; nessuna disposizione a perdersi per guadagnarsi, a impoverirsi di fuori per arricchirsi di dentro, a concentrarsi, a intensificarsi.

Il Monti s'adagia in forme tradizionali, ereditate e accettate senz'impegno di rinverdirle, di fecondarle. Non ha il tormento di voler « giacere su l'orma propria ». E il suo linguaggio, il suo canto, è di un'evidenza tutta esteriore, superficiale, perché senza patimento. In lui, dunque, null'altro che un dono: dir bene ogni cosa, ogni sua cosa. Quel « decoro » che si diceva piú su e si dirá piú giú; che lo porta a ogni successo e lo fa rispettare, e che naturalmente va crescendo perché l'esercizio dello scrivere gli alleggerisce la mano, gli affina certe scaltrezze, gli dá piú vibrati splendori. Ma, ahimé, ancora un poco e forse dovremo dire che il Monti non ha mai maturato la sua coscienza letteraria, perché non ha mai maturato la coscienza morale. Destino, in parte, di poeta aulico, di poesia ufficiale. Per il Monti la poesia non era una cosa da dire, ma un rifar belle forme. E, sempre in quel fecondo '88, coltiva l'idea di dar bella forma all'*Iliade* — « il Vangelo d'Apollo » — e comincia a voltarla in ottave. Tralascia, riprende, tralascia di nuovo. La materia mal s'adagiava in quel metro? il taglio dell'ottava, le rime limitavano anche al versaiolo piú destro il respiro largo che esigono gli esametri per essere voltati? O, forse, non era ancor pronto a tutta quella fatica. Parve allora a qualcuno di dover lodare in quelle ottave la bella e disinvolta andatura delle stanze d'Ariosto... Ma quale nome non si sarebbe scomodato per esaltare il Monti? Ne abbiamo rilette alcune, parecchie; e in ognuna è qualche cosa che stride. E forse solo stride contro la nostra abitudine di legger l'*Iliade* in sciolti.

'89, '90, '91; corrono per il Monti anni riposati. Qualche sonetto sinceramente enfatico, qualche cantata teatrale, alcune canzonette; rose un po' patite, ma tra le foglie senti odore di Anacreonte.

Il Monti è occupato in pensieri nuziali. Nel '91 sposa Teresa Pikler: ventidue anni, intelligente, bellissima. Dentro l'anno nasce Costanza. Nome troppo pieno d'impegno in casa Monti? Ma il poeta voleva appena ricordare una sua mezza cotta per la Costanza Braschi, la nipote del papa.

E sopraggiungono anni pericolosi per la pace d'Italia e d'Europa. La tranquillitá dell'ordine è turbata; incalzano i piú gravi avvenimenti. « *Questi maledetti francesi...* », scrive il Monti in qualche sua lettera. Questi maledetti francesi cominciavano a invadere l'Italia. Nel '93 Ugo Basville, emissario della Repubblica, era entrato in Roma con altri a spargere il mal seme delle idee democratiche e rivoluzionarie. Il popolo di Roma, fanatico, lo aggredí e l'uccise. In quell'occasione la musa del Monti cantò. *Sponte? Spinte?* Ne uscí la famosa *Basvilliana*, una tirata contro i francesi, causa d'ogni disordine.

È la Cantica per la quale il Monti fu chiamato «Dante redivivo», «Dante ringiovanito», «Dante ingentilito». E non appena dal giovanissimo Manzoni che lo apostrofava

> Tu il gran cantor di Beatrice aggiungi
> E l'avanzi talor...

ma anche, piú tardi, dal Manzoni quarantatreenne nel famoso epigramma

> Salve, o Divino, a cui largí natura
> Il cuor di Dante e del suo Duca il canto.

Del resto, la *Basvilliana* strappò l'entusiasmo d'Alfieri, la lode del Parini. Qualcuno scriveva: «L'anima di Dante e l'anima del Monti si sono toccate in ogni parte». Altri parlava addirittura di un Dante maggiore. Contro queste amenitá, il Monti protestava (o fingeva). «È frenesia d'amicizia credere l'atomo superiore al monte, e Monti a Dante. Però il mio amor proprio vi assolve da questo delirio». Monti s'inebriava della lode come del vino. Se la ripeteva a voce alta, mentre, per civetteria, fingeva di respingerla. Cercava anche di spiegare l'impressione enorme che la gente aveva delle sue cose. «Vi prego di persuadervi che Dante ha scritto elegantissimamente, e che intanto la sua eleganza si è in parte perduta perché i termini hanno perduta e cangiata la loro convenienza, come una moda donnesca che oggi rapisce l'occhio e dopo dieci giorni diventa ridicola». Mai chiosatore inetto ha cianciato in modo piú frivolo di Dante; del quale è visto solo qualche rottame esteriore (eleganza, convenienza) tacendo le qualitá sovrane e fantasticatrici. Continuava: «Quello che potete dir con franchezza si è che lo stile di Dante non sempre è nobile... Al contrario, l'autore della *Cantica* parmi che mai si lordi nel fango comico, e che il suo stile senz'essere comico né caricato, sia sempre dignitoso e pieno di verecondia... Attribuite l'effetto della mia *Cantica* a una maggior grazia e disinvoltura...». *Disinvoltura*: credevamo d'avergliela trovata noi, questa parola, e invece, ecco, è sua. Ma questo Monti che s'invaghisce d'esser ritenuto maggiore di Dante, quasi non mostra d'avere né coscienza letteraria né coscienza morale.

Dunque nella *Basvilliana* cosa c'è di dantesco? Il titolo (Cantica), il metro (la terzina), la forma della visione (un viaggio di lá, con incontri d'anime e d'angeli); il disegno e il taglio dei canti, e molte molte appropriazioni di versi. Tutto questo, sí, è dantesco, o meglio è di Dante. Sarebbe un gioco ormai frusto e senza gusto adunare i versi tolti a Dante; e poi son troppi. Ma che effetto curioso fa sempre aprire la *Cantica* e leggere:

> Impiombate le cappe e il piè sí lento
> Che le lumache al paragon son veltri.
> Poi gli amplessi mescendo e le parole
> Dei proprii casi il satisfece anch'esso
> Siccome fra cortesi alme si suole.
> Di Dio cantaro la bontá che solve
> Le rupi in fonti ed ha sí larghe braccia
> Che tutto prende ciò che a lei si volve.

O un canto che attacca cosí:

> La bocca sollevò...

Il lettore s'arresta e chiede: Ugo o Ugolino? E il principio di un altro:

> Batte a vol piú sublime aura sicura
> La farfalletta dell'ingegno mio

(che pare una parodia). E quest'altro che dice

> Di crudi colpi allor rotta e percossa
> Mi sentii la persona...

non è Manfredi?

E non manca *il villanello che si batte l'anca*; né *l'anime del cielo pellegrine*; né l'indicazione astronomica «*E compita del dí la nona ancella*»... Cosí come dalla bocca delle vittime della rivoluzione «*uscia parole e sangue*». Quando non riesce addirittura a adunare piú poeti in una volta:

> Sul primo entrar della cittá dolente
> Stanno il Pianto, le Cure e la Follía
> Che salta e nulla vede e nulla sente.
> Evvi il turpe Bisogno e la restía
> Inerzia con le man sotto le ascelle...

INTRODUZIONE

Dove, il primo verso è chiaramente di Dante; gli altri copiano le personificazioni virgiliane dei mali sull'ingresso dell'Inferno; l'ultimo è del Minzoni. Abilitá, memoria; e l'impressione è disgustosa; quasi d'un centone che appena si può tollerare in un principiante, non in un uomo dell'etá e fama e forza d'un Monti. Torna a mente Leopardi: «Monti, poeta della memoria...; imitatore, anzi, copista di Dante». Cuciture di versi danteschi e, peggio, di situazioni e d'incontri che, se denunciano scarsa fantasia, non posson giustificarsi nemmeno coi piú larghi criteri classicisti, secondo i quali la perfezione consisteva nella imitazione d'alti modelli. Ma Francesco Flora, abilmente schiumando gl'incantati suoni e le adescanti luci della Cantica, dice che la *Basvilliana* «conquide col suo calore di alata giovinezza, con la sua aria fiabesca»; dice che essa «è un mondo di pura fantasia». E Francesco Flora è un uomo di gusto.

Certo è vano cercare nella *Basvilliana* un nucleo lirico che irraggi e adegui il disegno logico. Si cercano i punti felici, i momenti incantati; e si trovano cose molto belle. Terzine ineffabilmente dolci; questa, per esempio: un'offerta di cielo, che pare cosa illibata:

> E si fè del color che il cielo è quando
> Le nubi immote e rubiconde a sera
> Par che piangano il dí che va mancando.

Festa d'occhi, d'orecchi. Ma, un momento dopo, ci s'accorge che è una bellezza illusa, che s'esaurisce in suono vanissimo. E, a parte la storpiatura della reminiscenza dantesca dell'ultimo verso, quelle nubi estatiche e «rubiconde» non paion proprio fatte per piangere il giorno che muore. Ma Francesco Flora si ferma su questa terzina come su «uno dei momenti di maggior intensitá lirica». E Francesco Flora è un uomo di gusto. Non mancano davvero versi giovani, terzine vibrate, blocchi felici. L'anima d'Ugo passa per le vie del cielo:

> Rideano al suo passar le maestose
> Tremule figlie della luce...

È un anticipo di felicitá d'annunziana, dove essa è piú pura, come nell'*Oleandro;* e i versi paion fatti d'un oro che non pesa.

C'è una visione di larve, di ombre, che rivela un Monti delicatamente visivo. Ombre che vanno

> E tutta di lor bruna era la via.

La reminiscenza dantesca (« Cosí per entro loro schiera bruna ») stavolta non esce dalla pigra memoria ma dalla sensibilitá attiva, che l'ha nuovamente trovata. Di rara bellezza, la descrizione del silenzio sbigottito che occupa le vie di Parigi, al tempo del Terrore. Par che la voce s'ombri di suoni piú secreti:

> Muto dei bronzi il sacro squillo e mute
> L'opre del giorno...

È tutta una pagina di cui si dev'esser ricordato il Manzoni descrivendo le vie di Milano al tempo della peste.

E c'è un « verecondo raggio di luna » che è piaciuto, piú tardi, al Leopardi come un'invenzione di finezza; e se n'è giovato intonando l'*Ultimo canto di Saffo:*

> Placida notte e verecondo raggio
> Della cadente luna.

E quant'altre invenzioni liriche, — auree rime, rivi di melodia, immagini che si dorano, — potremmo trovare dentro le snelle terzine. Ma anche lá dove è piú bello, siamo lontani da Dante e dal « dantesco ». I versi di Dante sono segnati da « un'interna stampa » che fanno di lui un poeta formidabile e unico; quelli del Monti si vestono di disinvoltura e di grazia. Diremo anzi che Monti è l'anima meno dantesca della nostra letteratura, e pochi hanno piú di lui natura nettamente femminile. « Dante redivivo »? Era dunque una bella amenitá. E un'irriverenza verso il Parini e l'Alfieri che vivevano in quei medesimi anni; ed erano, essi sí erano, per la loro vasta virilitá assai vicini al midollo dantesco, all'energia della sua passione. Ma il Monti ci teneva a questa *Cantica.* Giá n'era preso al tempo della stesura. Scriveva al Torti: « Ho consegnato allo stampatore il manoscritto del quarto canto. Se gli altri tre vi hanno scosso sí forte, che farete alla lettura di questo? Torti mio, se l'amor proprio non m'inganna, egli è il piú bello di tutti ». Il candido Monti apriva il suo animo, confessava il suo gusto al lavoro e l'intenzione di non finir cosí presto. Sotto l'ingegno acceso, le formose terzine scrosciavano con rumor di molt'acque, cosí caro al suo orecchio irrimediabilmente frugoniano. E anche prima di morire, volendo ricordare il meglio del suo lavoro, la parte che non lo lascerá morir tutto, ecco, nomina Basville. Dice alla sua donna:

> ...Tutto io non morrò; pensa che un nome
> Non oscuro io ti lascio, e tal che un giorno
> Fra le italiche donne
> Ti fia bel vanto il dire: — Io fui l'amore
> Del cantor di Basville...

In quanto all'attenzione del pubblico, fu instancabile: in sei mesi, quattordici edizioni.

Eppure nella vita del Monti c'è un momento in cui il poeta maledirá questo successo, si vergognerá della *Cantica,* la rinneghera, la chiamerá « miserabile rapsodia ». Come fu? Come avvenne? Avvenne che « questi maledetti francesi » nel '96 erano scesi in Italia e gli avevan fatto dire che, entrando essi in Roma, egli non poteva sentirsi sicuro dopo il torto della *Basvilliana*... Al Monti vien la febbre terzana. Tanto piú che le cose precipitano davvero per lo Stato romano e per il papa. Bologna, perduta; Ferrara, caduta; anche Lugo, invasa. E la marcia è su Roma. Chi, in questo momento, somigliasse il Monti a Don Abbondio al calar dei lanzichenecchi, farebbe un bel paragone. Scrive: « È pazzo chi non cerca di salvarsi ». E al fratello: « State tranquillo, come non posso far io a cagione della Cantica di Basville. Non potete credere come mi dia fastidio questa faccenda ». La cosa migliore è piegarsi ai francesi, per i quali ormai volge tutta la fortuna. E commenta: « Se questo linguaggio è giacobino, spiacemi che la ragione sia giacobina ». Ed è tutto intento a far dimenticare la *Basvilliana*.

Nel '96 (Foscolo scrive l'*Oda a Bonaparte liberatore*) in Monti muore definitivamente l'*Abate* e nasce il *Cittadino*. Scrive: «Non v'ha titolo piú glorioso di quello di *Cittadino*.... E se verrá il caso di lasciar Roma, io lo farò in maniera degna del mio nome e del mio *carattere*». Candido Monti! (E si pensa a un altro *carattere*, al Parini, che proprio in questo '96, entrando i francesi in Milano, accettò per spirito di concordia di far parte della Municipalitá. Ma, disgustato delle violenze rivoluzionarie, fieramente si ritirò).

Gli avvenimenti precipitano. Anche in Roma, i francesi sono ormai padroni della situazione. Il papa ha perduto il potere. Il Direttorio stabilisce l'indennizzo di 50 mila franchi alla famiglia di Basville e la spedizione d'un inviato a Parigi per domandare scusa del massacro.

Anche il Monti ha oramai perduta la sua posizione. Bisogna farsela di nuovo, coi nuovi padroni. Scrive una lettera al cardinale segretario di Stato, in cui dichiara di volersi riprendere la sua libertá; reclama la proprietá delle sue oneste opinioni, e lascia il suo padrone. Prende subito contatto coi francesi; che ora sono «tutti bellissima gente e ben montata». Tutte le sere il cittadino Marmont, aiutante di campo del general Bonaparte, è in casa del cittadino Monti. La cronaca è deliziosamente pettegola... Dice che mai una bella moglie ha servito cosí bene a far dimenticare una brutta poesia. Ed è attraverso questa intimitá che il Monti si prepara a lasciar Roma. La notte sul 3 marzo 1797 sale sulla carrozza del Marmont diretta a Firenze e a Bologna.

Di notte, in carrozza, con francesi...; proprio quelli ch'eran venuti a umiliare il suo padrone servito per diciott'anni, esaltato, amato, celebrato come il restauratore dell'etá d'Augusto, di Pericle... Insomma, l'impressione non è bellissima. Ma Luigi Russo, riprendendo la difesa fatta centotrentanove anni fa dal Foscolo, dice che questa non è volubilitá né incoerenza: omnia munda mundis. E Luigi Russo è uomo d'onore. Si trattava di far dimenticare ai nuovi padroni il torto d'aver scritta la *Basvilliana;* e il Monti s'adopra in tutti i modi, anche i piú leggeri, anche i piú candidamente perfidi, anche scrivendo la famosa lettera del 18 giugno '97 a Francesco Salfi; nella quale tutto è inventato: che a scrivere la Cantica vi era stato obbligato dal suo padrone; ch'egli allora era nelle circostanze crudeli o di perire o di scrivere quello che ha scritto; che il papa l'aveva costantemente perseguitato: che perciò egli aveva gettata l'offa di miele (la *Basvilliana)* in bocca a Cerbero (il papa). — Ma Luigi Russo dice che questa non è coscienza morale diradata; dice che la moralitá di un uomo non è in questa robetta pettegola da moralisti mediocri, ma sta «nella sua umanitá letteraria, fenomeno di coltura, di tradizione». E Luigi Russo è uomo d'onore.

La sola cosa che il Monti salva della *Basvilliana* nella lettera al Salfi, è il suo valore formale, il decoro letterario. Contro l'accusa d'aver scritto con troppa efficacia e calore perché il suo animo non avesse profondamente sentito ciò che scriveva, il Monti risponde che «costretto a sacrificare la sua opinione, s'era adoprato di salvare, se non altro, la fama di non cattivo scrittore: prevalendo in lui l'amore di qualche gloria poetica al rossore del mal ragionare». Il Croce s'attacca a queste parole e si fa forte a documentare la fedeltá montiana al decoro letterario, come sua sola passione. Ma, — lasciando stare che la sinceritá del richiamo del Monti a detto decoro supporrebbe la sinceritá di tutta la lettera, e che lí, quel richiamo, è piú un meditato rampino a difendersi contro le accuse che una dichiarazione di spontanea fedeltá all'amore del bello stile, — Croce ha ragione: il Monti non ebbe mai altra passione che questa, né altra fedeltá; e il Croce ha buon gioco nel chiamarlo poeta della letteratura. L'errore comincia col Russo che parla di «umanitá letteraria» cioè vuol dare umanitá a un fatto che ne è privo. Riducendo il Monti a un poeta di puri suoni e immagini e fantasmi verbali, il Russo non *limita la sua umanitá,* scegliendone la parte migliore per l'eterno, ma la nega, la distrugge, la sostituisce con l'abilitá. Tant'è vero che, proprio per questo, il Russo dichiara il Monti sciolto da ogni accusa morale di volubilitá e incoerenza.

Ma è cosa interessante vedere come la salvezza dell'anima del Monti, la curino con tanta innocenza questi scaltri crociani.

Quando il Monti lascia Roma, ha 43 anni: è nella sua piena efficienza d'uomo e d'artista. Quante migliaia di versi ha giá scritto? Non si contano: versi di canzoni e canzonette, di sonetti e cantate, di idilli e drammi, lunghi e corti, profani e sacri, sciolti e in rima, improvvisi e pensati, a rime libere e obbligate, per parti e per aborti, per uomini e per Dei. Brutti (in un senso tecnico), nessuno. Ripensandoli in blocco, dán l'impressione d'un fiume d'armonia. Il *Caio Gracco* (il suo meglio come tragico) non è ancora in pubblico, ma è fatto, aspetta nei cassetti. La *Musogonía* è giá in giro con le sue ottave dette ariostee e col suo rivivimento di greche dolcezze. Anche la *Feroniade,* la bella musa del Monti, è bene avviata, ma vuol essere ancor piú « carezzata ». Versi, continuerá a scriverne, a fasci, a scrosci, aggiungendo ritmi a ritmi, forme a forme, immagini a immagini. Ma il tipo di bellezza vagheggiata, è ormai quello, è fisso. L'Europa è in continuo gorgoglio di novitá: rivoluzione, Napoleone...; e il poeta troverá temi nuovi; anzi, gli verranno *comandati* («Servirò e canterò per chi comanda»), e scriverá per Napoleone e per l'Austria, per massoni e per preti, per donne e per Dee. Cambierá i temi, come ha cambiato i padroni, ma non l'anima né lo stile.

Intanto com'è buffo e pietoso quel suo modo di comportarsi, quell'impegno di vilipendere puntualmente quel che ieri ha esaltato. «Ho abbandonato la città della cabala e dell'impostura... ». « Appena sará in esercizio la Costituzione Cispadana, verrò a Ferrara, e non mi mancherá l'occasione di servire la patria ». E l'ossessione di quella povera *Basvilliana!* « Io qui non sto ozioso. Redimo i torti che mi ha fatto la Cantica di Basville. I patriotti sanno le ragioni imperiose che mi costrinsero a scriverla. Io li ho resi entusiasti con *certi poemi* che saran pubblicati appena avrò sottratta mia moglie e i miei figli all'artiglio dei preti. Ed è pronto un *poema tutto repubblicano* in otto canti che porterá in fronte il nome di Bonaparte. In quanto al *Basville,* io ne farò la palinodia. Anzi, è giá fatta ».

Quei *certi poemi* erano *Il Fanatismo, La Superstizione, Il Pericolo*. Cantiche rivoluzionarie in terza rima; il *poema tutto repubblicano* era il *Prometeo* in sciolti. Le tre Cantiche respirano nell'ariditá e nella falsitá. Moralmente, vorrebbero essere atti di coraggio; sono invece atti di paura. Pensi, penitenze fatte a scontare la *Basvilliana*. Paion d'origine libera, finalmente libera, e son d'origine schiavissima e in nessun modo pulita. Inspirate a un motivo politico che giá le disabbellisce (bolso demagogismo, giacobinismo, tirate contro il Vaticano e i re, prosopopee, apostrofi, amplificazioni, ecc.) artisticamente sono zero. Inutilissime. Anche il *Pericolo,* che delle tre è la men peggio. Non mancano le solite zone di « bel canto », di virtuosismo montiano e versi vivi di vento e che van via col vento. Ma è vento di rettorica. Offriranno, piú tardi, qualche lepida volgaritá all'imprudente Carducci dei *Giambi ed epodi.*

Nient'altro da dire.

O solo questo: che la poesia nasce, talvolta, dal coraggio; mai dalla paura.

E il *Prometeo* cos'è? Il Prometeo è un'altra cosa, diversamente seria; e se lo nominiamo vicino a questa rauca bolsaggine, — superstiziosa pericolosa fanatica, — è solo per una ragione cronologica. Fallito come interpretazione del mito eschileo (ereditá toccata al Goethe), fallisce anche come intenzione celebrativa di Napoleone; perché il poema era appena al terzo canto che, camminando la storia piú veloce della poesia, i francesi eran cacciati dagli austro-russi. Tanto che solo il primo canto fu potuto pubblicare nel '97; gli altri due, molto piú tardi, quando il poeta, che aveva buon gusto, potè liberarlo d'ogni allusione politica. Dunque, *poema tutto repubblicano* ma della repubblica delle lettere, rimane come finzione poetica, come celebrazione lirica del mito: Prometeo che, visto l'errore del fratello Epimeteo nel distribuire ai bruti tutti i doni avuti da Giove, predice il decadimento dell'uomo e la sua inevitabile infelicitá. Francesco Flora ha cercato di redimere il mito presso il Monti, intendendolo in funzione cosmica; interpretazione del mondo primitivo, della « vita primigenia e naturale » sentita come estasi sonora, tacita maraviglia delle cose appena nate, fumanti d'origine. Luce d'infanzia. Solenne incanto biblico. E Flora è uomo d'ingegno.

Quando il *Prometeo* fu pubblicato nel 1825, scrissero gli editori milanesi che « piú bei versi il Monti non aveva mai fatto; e, dir questo, era dire gran cosa, poiché si parlava di chi aveva fatto i piú bei versi che vantar possa l'Italia ». Erano (può capitare) editori intelligenti. Portavano l'accento della loro lode sui *versi*, proprio sui versi come musica, come sonora estasi. Leggere il *Prometeo*, è un mettersi sulla nave delle Muse:

> Mentre una dolce melodia da lunge
> S'udia, che l'onde e l'aure innamorava.

E vi è certo dentro eco d'altre dolcezze, d'altre vaghezze (Dante, Poliziano) ma cosí finemente fuse da farne un incognito indistinto, una cosa inventata. Questa era l'intenzione costante e confessata del Monti: riportarci all'amore per i Greci, nello splendore dei miti sentiti come alimento della poesia per quello che è fatto inventivo, come lingua per il fatto espressivo. E il Monti possedeva tanto brio, da ringiovanirli in invenzioni smaglianti. Quello di Delo, l'isola che cammina:

> Navigava per l'onda la divina
> Cuna d'Apollo. Al suo passar festosa
> Sporgean dall'onde il capo a mano a mano
> Le sorelle isolette, e salutarla
> Parean d'intorno ed onorarla a gara.

(È il grande squillo biblico « Laetentur insulae multae...; o è un luogo dell'*Eneide* dove la fantasia di Virgilio è piú gentile, e le navi si trasformano in ninfe per andare incontro al loro signore?). Foscolo, artista di piú accorta eleganza, avrebbe diversamente mutato *le sorelle isolette,* di suono troppo francescano e affabile in questo genere di poesia squisita; ma avrebbe accolto i bei versi tra le sue *Grazie.* Non altre volte forse Foscolo e Monti sono entrati in gara di versi? Ripetiamo tutti il saluto al Pindemonte

> Né da te, dolce amico, udrò piú il canto
> *E la mesta armonia che lo governa;*

e men noto è il luogo montiano dove il poeta parla con le stelle e

> *Con la dolce armonia che le governa.*

INTRODUZIONE 41

Ove è solo da notare che il verso del Monti nasce nel '97 col *Prometeo;* quello del Foscolo, dieci anni dopo coi *Sepolcri*. (E quanto ci piacerebbe scoprire nei *Sepolcri* le correzioni, dico le correzioni, fatte di man del Monti, e che il Foscolo accettò dal suo finissimo gusto e puntualmente eseguí!).

Ci sarebbe anche facile dar ragione a quei cari editori milanesi, continuando a citare. Versi scaltrissimi come questo, chi sappia leggere:

> Tacito e cauto Prometéo cammina.

O, come quest'altri, ricchi di vibrazioni e di mistero cosmico:

> Tacean sul monte e nella selva i venti
> E sol nell'ombra mormorar da lungi
> Quinci il Caspio s'udia, quindi l'Eusino.

Questi son grandi versi. Dell'antico aspetto tragico, a *Prometeo* non resta piú nulla. Ma quest'eroe che, seduto sulla rupe, ogni notte guarda per uso

> Alle armoniche danze delle stelle
> E con lor ragionando, i vaghi errori
> Ne frena,

non dev'essere poi dispiaciuto al Leopardi delle *Ricordanze*. E quel suo fratello Epimeteo che a Mercurio dice

> All'Olimpo ti rendi, e questa reca
> Non ingrata novella al tuo Signore,

mentre Prometeo, singhiozzando come un fanciullo

> Con ambedue le man coprissi gli occhi,

e poi fa l'invocazione al sole, dev'esser molto piaciuto al Carducci della *Canzone di Legnano*.

Parve al Tommaseo che questo canto fosse « piú omerico della traduzione d'Omero ». Diceva cosa, in parte, giusta; sia per i motivi mitologici posseduti con pienezza e lavorati con estrema bravura; sia per il linguaggio giá adottato dal Monti, che è quello opimo ed epulante dell'*Iliade;* e soprattutto per le situazioni, immagini, movimenti, versi che derivan tutti di lá: cascami d'oro omerico. Perché, anche il lavoro in proprio del Monti, cos'è se non una costante e fervida preparazione a quella gran fatica, a quel gran tradurre la prima fantasia del mondo? Or ritoccando appena due versi dell'invocazione, vorremmo concludere che davvero

>Sovra italico labbro alcuna stilla
>D'antica *derivò* greca dolcezza.

E tutto questo è il classicismo del Monti.

Ma a chi ci domandasse se il Monti è in qualche luogo romantico e dove lo è piú, risponderemmo che tutto il *Prometeo,* sciolto dall'impegno del tragico antico, è un anticipo di novella romantica, coi « sentimenti » e i « presentimenti », coi « sospiri » e i « paesaggi » inquieti che un po' piú tardi caratterizzeranno quel particolare momento e movimento delle nostre lettere.

L'effetto pratico che n'aveva vagheggiato scrivendolo (placare l'irritazione antibasvilliana) il Monti non l'ottiene. È sempre in sospetto dei giacobini, i quali, anche alla famosa lettera al Salfi, credevano meno dei critici d'oggi; e un bel giorno gli bruciano la *Basvilliana* a Milano, in piazza del Duomo. Il Monti ne è avvilito. Ahimé, la Milano di Napoleone non val molto di piú della Roma del Papa. « Darei Milano per la piú solitaria capanna d'Appennino... Se tu vivi in campagna, salutami gli alberi e le bestie che ti circondano... Vi sono momenti in cui vorrei essere bruto, ruminar come bruto, pensar come bruto... ». Ma intanto raddoppia il suo fervore democratico. A Milano, in Romagna, a Venezia, fraternizza coi democratici; vota la soppressione delle corporazioni ecclesiastiche, sollecita la pensione agli ex frati, agli ex preti; chiama il papa « germe della superstizione », scrive sonetti contro la Chiesa (« Costei che, nata fra il giumento e il bue... »); si discolpa della *Basvilliana,* ripetendo a sazietá che gli era stata « comandata dalla fanatica Corte di Roma »; con eloquenza maestosa scrive il Canto, pur d'indole giacobina, *per il Congresso di Udine,* con

INTRODUZIONE 43

un attacco che pare uno spiegarsi di bandiera tricolore: lirico
e schietto e, anche di recente, patriottico:

> Agita in riva dell'Isonzo, il fato,
> Italia, la tua sorte...

Nel cuore del Monti, candidamente pronto agli entusiasmi
e ai vari fervori, c'era indubbiamente un sincero amore di
patria libera. Vedendo crollare il dispotismo e sorgere sulle
varie piazze gli «alberi della libertá» esclama: «Il cuore mi
s'allarga ai palpiti di libertá, che mi costa tanti sospiri». La
sospiravano tutti gli uomini di cuore e d'ingegno, in un presentimento di risorgimento vicino, preparato anche dai drammi d'Alfieri. La sospirava, con sinceritá, anche il Monti; benché poi non avesse la forza, mai, di domare gli avvenimenti
e sottometterli a sé, ma piuttosto sé ad essi.

E nell'aprile del '99, — che il Monti aveva appena finito di
scrivere l'*Anniversario del supplizio di Luigi XVI,* in cui Luigi,
«il piú gran re» della *Basvilliana,* diventa «il vil Capeto»,
— ecco un colpo di scena. Il Corpo Legislativo Cisalpino annunzia al popolo di Milano l'abbandono della capitale, che
veniva occupata dagli austro-russi. Il vecchio Parini, col cuore
straziato per lo scempio della patria, s'apparta in una maestosa povertá a ragionar con Plutarco e si prepara a serenamente morire. L'Alfieri è a Firenze a studiare la lingua.
Il Foscolo, giá ferito a Cento come capitano della Cisalpina,
ora a Genova partecipa all'assedio sostenuto dal general Massena. E il Monti scappa in Piemonie. Poi, a Chambery, vagando alla campagna e vivendo di frutti raccolti sotto gli alberi; poi, nell'autunno, va a Parigi. È l'esilio del Monti. Ma un
esilio piú *dannunziano* che *dantesco.* C'erano a Parigi molti
illustri italiani; c'era anche il Mascheroni che, nel luglio dell'800, senza piú rivedere l'Italia, muore. Monti, che gli era
amicissimo, ne è colpito; ne descrive la morte e il transito in
cielo. «*Sono tutto occupato in una seconda Basvilliana.* La
morte di Mascheroni — a cui unisco quella di Parini e Verri
e Spallanzani — me ne ha dato il soggetto». È anche l'impres-

sione del lettore, se guarda al disegno, alla qualitá della visione, viaggio d'anime, dialogo tra ombre. Ma la *Mascheroniana* le è superiore come esecuzione di poesia, e le è opposta negli spiriti: lá, si maledice la rivoluzione nel nome del papa e dei re, qui la si esalta nel nome di Napoleone liberatore. La *Basvilliana* deve gran parte del suo successo allo « scandalo » suscitato, alle sue vicende politiche; la *Mascheroniana,* pura d'ogni scandalo, è perciò meno nota, men letta; ma, pur nelle sue disuguaglianze, piú bella. Indichiamo tutto il canto primo e, particolarmente, la seconda metá del quarto (« I placidi cercai poggi felici... »), che ha momenti e movimenti di modestia pariniana. La tristezza del caso e l'esilio e l'umiliazioni patite hanno uno po' castigata l'anima del poeta sonoro. Come troppe cose del Monti (a Parigi traduce anche la *Pulcella* di Voltaire) la cantica manca d'unitá; e gli episodi, le scene paion spesso accostati. Ma li lega la luce delle immagini, l'onda dell'armonia, il richiamo dell'auree rime, la sceltezza del linguaggio, il moto dell'animo acceso. Molte situazioni sono, anche qui, dantesche o prese da Dante: l'anima del Mascheroni che passa d'astro in astro; il Parini che a Lorenzo appena giunto in cielo chiede come van le cose in Italia; la gogna a cui son condannati taluni viventi (l'inimicissimo Gianni, il Lattanzi); le apparizioni di figure simboliche; gli animati e lunghi elenchi di nomi d'individui e famiglie; le vittorie di Napoleone troppo ricalcate sull'orme di quelle di Cesare nel sesto del *Paradiso*. E l'ameno recesso in cui si ritirano le anime di Mascheroni e Parini e Verri e Beccaria, descritto sul finire del canto terzo, è ben la « valletta dei principi » nel Purgatorio. Il Monti, che non dimentica d'essere il « Dante redivivo », il « Dante ringiovanito », deve pur avere accarezzata l'idea di una sua « Commedia » col suo Paradiso e il suo Inferno, anche se poi la fusione dell'elemento cristiano e del classico avviene in modo molto molto meno felice che in Dante. Ad aiutar quell'idea, c'era anche il fatto dell'esilio... E giá parlava del lavoro che *l'aveva fatto macro*. Riguardo ai versi, sono ancor folti di echi danteschi, diversamente assorbiti, piú pudicamente espressi.

INTRODUZIONE

Ma vogliamo rileggerla, la Cantica?

> Come face al mancar dell'alimento
> Lambe gli aridi stami, e di pallore
> Veste il suo lume ognor piú scarso e lesto;
> E guizza irresoluta, e par che amore
> Di vita la richiami, infin che scioglie
> L'ultimo volo, e sfavillando muore...

E questa è la musica della *Mascheroniana*.

Uscita a pezzi nell'801, ogni canto era un avvenimento aspettato con festa. « Tutti ne vanno matti » scriveva il Monti agli amici. Tra quei che l'aspettavano con ansia c'era anche un giovane patrizio milanese: Alessandro Manzoni.

Dovevamo aver giá detto che nel giugno dell'800 la vittoria di Marengo aveva richiamato i francesi in Italia e, dopo alcun tempo, il poeta. Che, non contento d'aver celebrata la gloria di Napoleone a Marengo nel secondo della *Mascheroniana*, (« In Marengo discese fulminando »), tornò a cantarla in un inno svelto e pieno del respiro della patria liberata: — *Bell'Italia, amate sponde,* — *Pur vi torno a riveder...*, metro che sará caro poi ai romantici. Gli ottonari veloci squillano in tutte le antologie scolastiche, dove stanno benissimo. Del resto, qualche strofa è bella davvero: « *Tremar l'Alpi, e stupefatte* — *Suoni umani replicar;* — *E l'eterne nevi intatte* — *D'armi e armati fiammeggiar...* ». Il verso snello rende anche piú schiettamente quell'alto stupore di monti ch'era giá detto nella *Mascheroniana* (« *E per le rupi stupefatte udissi...* ecc.). Piace anche il modo com'è velocizzata la lode dell'uomo fatale e il quadro della storia (« *Di' che dove è Bonaparte* — *Sta vittoria e libertá* ») o il semprevivo grido patriottico (« *Il giardino di natura* — *No, pei barbari non è* »).

Eloquenza? Molta. Ma ha servito anch'essa a « fare la patria »: perciò sentiamo di amarla.

E fu proprio Napoleone che nell'801 nominò il Monti professore d'eloquenza a Pavia. Papi e re s'inchinavano al poeta che sapeva inchinarsi ad essi. Ma a Pavia, il Monti non ci veniva volentieri; tanto che il primo anno comparve solo nel maggio e per una lezione. Nei due anni seguenti invece le lezioni del professor Monti furono regolarissime, eloquentissime, affollatissime. Solo il Foscolo, suo non immediato successore, desterá un entusiasmo maggiore. La bella persona, la maestá dell'aspetto, il colore della voce, lo stile incantatore, il tono inventivo della sua eloquenza, l'aria romanticamente inspirata, e alcunché di ambiguamente femmineo chiamava gli studenti in massa. Da Milano veniva spesso a sentirlo il diciottenne Manzoni. Ché anche questo è bello a dire: questi son proprio gli anni in cui il piú maestoso poeta dell'800 italiano vedeva crescere con sicura forza il piú nuovo e piú grande poeta dell'800 europeo; il quale, innamorato di lui, offriva timidamente al suo giudizio le prime sue prove, e qualcuna glie la dedicava; come il non brutto idillio dell'*Adda*.

Ma « l'episodio del professore » cosa conta? Dico le lezioni del triennio pavese. S'è detto del successo, che fu grande: lezioni che insonorivano l'aria, abbarbagliavano gli occhi. E, nelle pagine che ce le conservano, par di trovare ancor oggi l'armonia della voce flautata, del gesto rotondo, e lo scroscio dei battimani. Pagine ancora mosse da quella ondante rettorica. Alcune sono isolabili come illustri modelli di eloquenza: quelle su Antistene, per esempio (« O Ateniesi, dite adesso che Antistene è povero, che Antistene è un cane, che Antistene è un pazzo; ma confessate che Antistene è un uomo felice »). O come bei precetti (« L'Italia è piena d'ingegni acutissimi e profondissimi. Tutti scrivono, tutti stampano, ma pochi passano alla memoria dei posteri, perché pochi imparano a scrivere con dignitá »). Qualche bel parere su autori e opere; sulla *Scienza nuova* del Vico che « è come la montagna di Golconda irta di scogli e gravida di diamanti, ecc. ». Ma il vero valore di queste lezioni è che esse ci rivelano anche meglio l'idea che il poeta aveva dell'arte, il suo ideale di bellezza puramente formale, rettorico, fisso sui modelli, fatto coi precetti. L'arte come risultanza degl'ingegnosi artifici della parola: fiori colti nei sacri orti delle Muse, vesti tolte all'*atelier* delle Grazie. Belletti per rifare il volto alle donne; e qui la donna è l'arte. Vogliamo segnalare la lezione quinta, su Socrate, per la similitudine che l'apre, della quale si serví il Manzoni nel fare il ritratto del cardinal Federigo. La « prolusione » che solitamente si stampa (ma si ristampa davvero?) non è quella dell'801, come uno supporrebbe, ma dell'803: *Dell'obbligo di onorare i primi scopritori del vero*; seguita dalla « prelezione » sulla *Necessitá dell'eloquenza*. Ma, prolusione e prelezione e lezioni sono, alla fine, uno stravincere della rettorica. E, sotto tanto rumore, quanto squallore! Ben altri segni lascerá nella scuola Ugo Foscolo, perché altra passione e umanitá porterá nella vita.

Nonostante lo strepito che per tutto l'anno gli fece intorno la *Mascheroniana,* l'801 è per il Monti un anno segnato da qualche interna tristezza. Monti non è contento delle cose d'Italia. Lo confida a un amico: « Per aprirti l'animo mio, comincio a pentirmi del mio eroe. Egli rimanda Blune nella Cisalpina... Nullameno, l'abitudine di lodare un uomo che finora mi è parso il piú grande di tutti, mi ha fatto nuovamente cadere nelle sue lodi, dimenticando i mali orribili che i suoi generali ci han cagionato. Vedilo nei versi che ti trasmetto. Li ho scritti per ordine del Governo, la cui prudenza ha troncato due strofe che il doloroso sentimento delle nostre miserie m'aveva suggerite e dettate ». *Il doloroso sentimento delle nostre miserie...* Rade volte abbiamo trovato un Monti piú disinteressato e piú uomo. Rade volte abbiamo sentito la sua voce cosí nuda. Quei *versi,* erano l'*Ode per la pace* (« Voi che dell'armi al suono impaurite... »): una cosa mediocre. E continuava nella confidenza dolente: « Mi sono proposto di scrivere e parlare libero come l'aria. Sono cosí inorridito dell'attuale ordine di cose, che il vivere dove vivo, mi è morte. Il diavolo si porti questa libertá bugiarona ». Insomma, dispiaceri.

Eppure gli onori fioccavano. A Genova, l'*Aristodemo* otteneva un successone, anche per merito della Ristori che aveva egregiamente adempita la parte di Cesira, anni prima adempita da Teresa Pikler. Di piú: il Governo, riconoscendo in lui « sommi talenti e perfezione di gusto, ecc. ecc. » lo invita a presentare almeno una tragedia all'anno, per cooperare ai progressi del Teatro Tragico in Italia. Compenso: cento zecchini l'una e stampa gratis. Il Monti presenta subito il *Caio Gracco*. E che suono grande hanno le parole del Marescalchi, ministro

Cisalpino, presso il Governo: «*Stamattina porto la tua Ode a Bonaparte...*». Si pensa a un'Ode di Bacchilide, giunta all'alba con una trireme da Ceo, per il re vittorioso. I versi del Monti nascon tutti in questi slanci pindarici, in queste cornici sonore, talvolta cosí sbalzate che paion soffocarli. Specialmente quando si tratta di miseri versi come questi, scritti per il *Congresso Cisalpino di Lione*:

> Duro, prole di Giove eterne Muse,
> Serva la patria aver...

Sono pure del 1803 (l'anno che muore l'Alfieri) le lettere filologiche sul *Cavallo d'Arsinoe* e la traduzione di Persio, del «tenebroso» Persio: due egregie e noiose fatiche che la scuola ha fatto bene a dimenticare.

Nel marzo del 1804 il Monti è incaricato di preparare una *Cantata* per musica, da eseguire alla Scala in occasione della Festa Nazionale. Consegnarla entro otto giorni. Che è l'ispirazione presa pel collo. Ma col Monti si poteva far questo e altro. E entro otto giorni, il poeta presenta il *Teseo*, azione drammatica d'un migliaio di versi diversi, dall'endecasillabo al quinario. Perché *Teseo*? Confessiamo che per il Monti, scarso di fantasia, il richiamo mitologico era, sí, un portare il fatto contemporaneo dentro la maraviglia poetica, ossia dentro la favola; ma era una gran cosa commoda, un bel repertorio: per ogni caso, per ogni fatto, lí c'era la sua brava figura. E si capisce come il Monti fosse sempre pronto a cantare. Fatti d'amore o di gloria? di religione o di patria? Mano alla mitologia. Cosa che svaluta un po' l'opinione di chi vorrebbe sostenere che la mitologia in Monti rappresenta il sentimento della vita primigenia e naturale. Qui Teseo, che libera la terra dai mostri che l'infestavano, era ben atto a rappresentare il Bonaparte, guerriero e liberatore di popoli. «*Suona il labbro Teseo — Ma Bonaparte il cor*». Per questi versi il poeta ebbe cento zecchini e una tabacchiera d'oro. Argento e oro mischiano spesso il loro frusciante baleno coi balenanti versi del Monti. Né meglio si poteva compensare il loro ufficio e beneficio pratico. Quanto al valor letterario, è un'altra cosa. Sul solito fatto mitologico, che rallentamento di fantasia!

INTRODUZIONE

Come *Cantata,* continua un genere letterario tutto metastasiano. Qualche seduzione, se c'è, è data, piú che altro, dal suono di nomi greci, da certe luci sul Partenone dove avviene l'azione. « *Mi nutrí quest'alma fronda — dell'Ilisso il sacro umore — Io la colsi su la sponda — Del Cefiso al primo albore* ». Son donne d'Atene che cantano a gara su l'Acropoli, lodando le loro fresche corone di lauro e d'ulivo. Che poi sia vera la definizione data dal Leopardi (« *Monti, poeta della memoria* ») si può forse veder meglio in queste cose minori: e se il motivo « della selva che cammina » è preso da Shakespeare, il lamento su Atene caduta, — « Atene giá fu... Noi fummo Ateniesi », — è di Virgilio (« Fuimus Troes, fuit Ilium »); il versetto biblico (« Initium sapientiae est timor Domini ») lo traduce « E dei Numi il timor solo è salute »; come dal petrarchesco « Spirto gentil che quelle membra reggi » riprende « Spirto che reggerá queste tue membra ». Ma è cosí folta d'echi, che il gioco potrebbe continuare senza edificazione. Era il modo come il Monti alimentava la propria espressione con quella dei poeti. D'altra parte Monti suggerirá al giovane Leopardi l'interrogazione patriottica « Chi la condusse a tale? ». E c'è, in tutta la Cantata, un compiaciuto gusto della rima al mezzo, che ne viene il sospetto da qui, piú che da altri illustri modelli, il Leopardi l'abbia derivato.

Seguono anni di grandi avvenimenti politici: incoronazione, in Parigi, dell'imperatore novello; incoronazione in Milano, del re d'Italia. Per la quale (maggio del 1805) il Monti è incaricato dal Governo di scrivere qualche cosa. Il Monti è tra il seccato e il lusingato. Ma, poiché ora è poeta regio, accetta. « Io vo toccando la corda pindarica per l'Imperatore Napoleone. Il Governo mi ha comandato, e m'è forza ubbidire. Ora sto tutto con Apollo, e farò cosa lirica e coraggiosa... Sono oramai al termine della mia fatica poetica, e veramente non vedo l'ora d'uscirne, perché mai mi è toccato di scrivere con tanti riguardi davanti alla mente; e voi intendete come *le Muse cantano male quando non sono liberissime* ». Si trattava del *Beneficio,* dov'è la solita figurazione dell'Italia bella e avvilita; e la comparsa di Napoleone (« Un guerrier discendea

pari ad un Dio») che l'avvicina, le tende la mano, le dice
« *Alzati e regna* »; le sorride: « *A quel riso tornò l'aria serena — Ogni riva di luce si dipinse* ». Non abbiamo giá detto
che a fare bei versi e a disegnare ardite prosopopee, Monti è
maestro? Lo ripetiamo anche qui: bei versi, ardite prosopopee, nitidi altorilievi. Roba dell'occhio, dell'orecchio. Nel cuore,
vorrebbe restarci l'ultimo verso delle 79 terzine, « *Il patrio
amor, che solo mi consiglia* ». Ma anch'esso, è un verso spento.
Nella *visione*, c'è anche una comparsa di Dante, che conforta
l'Italia ad avere fiducia nel suo nuovo Signore; e, prima d'andarsene, sorride al Monti... Scenografia. Finito il *Beneficio*, il
poeta lo mandò al Marescalchi. « Mi preme che siate il primo
a vedere la stampa dei versi ordinatimi dal Governo, acciò
trovandoli voi non indegni dello sguardo di Sua Maestá, vi
sieno raccomandati. Li pongo sotto la vostra protezione, lasciando al Ministro dell'Interno la cura di porli ai piedi del
Trono ». Parole che ci fanno un certo effetto... Ci si domanda:
— I versi esaltavano gli avvenimenti, o gli avvenimenti esaltavano i versi? E si vede che, piú che la poesia, è cosa che riguarda la storia del costume e del gusto.

Ma il Monti, musa di Corte, doveva dunque cantare. « Mi
si vuole anche addossare l'incarico d'una *Cantata* a tre voci
da eseguire la sera dell'incoronazione. Son risoluto di sottrarmi
a questa incombenza, perché il tempo manca, *e i versi non si
comandano, perché non si comanda alla fantasia.* L'esito è
come la pioggia che manco cade quando si vuole... ». Secondo
la sua natura di retore, Monti dettava bei precetti. La *Cantata*, poiché fece anche questa, era la *Supplica di Melpomene
e di Talia,* lavoro tra il drammatico e il satirico sulla riforma
del teatro italiano. La scena è in Parnaso, e Napoleone è
« l'italo Giove ». Scene fiacche, versi inutilissimi. C'è, sul finire,
un quasi buon pensiero: « Solo alle Muse è dato — Sottrarre i
nomi a morte. — Bella del re la sorte — Che il nostro amor
sentí ». Abbiamo scoperto che è tradotto da Esiodo: « Felice la sorte di quel re che le Muse amano ».

E l'incontro con Madama di Staël? È pure del 1805. Una
cotta, una cotta vera, che durerá nel 1806 e nel 1807 (gli anni
che a Brescia il Foscolo impazziva per Marzia Martinengo).

Le lettere che le manda sono un romanzetto sentimentale: « Tutte, insomma, le mie affezioni si legano, come vedete, alla vostra persona, e il mio desiderare e temere e sperare prende moto da voi ». Che è, tra l'altro, un periodo steso da un uomo di garbo.

E del 1805 è pure l'incontro con Napoleone. « Ho parlato, e non brevemente, con l'Imperatore e Re nostro. Mi tremavano le ginocchia, e io cadevo, se non era Oriani a prendermi, a spingermi verso di lui, dicendo: — Questo è il nostro celebre Monti ».

Questo è il nostro vanissimo Monti, *Istoriografo del Regno d'Italia* e di sé stesso.

L'incontro era avvenuto a Vienna, dove il Monti era andato con una Deputazione milanese a far complimenti a Napoleone per le vittorie ottenute su gli austro-russi. Quando torna a Milano, Monti ha la testa piena; piena, dice, delle cose che gli ha detto Napoleone. In realtá, aveva in mente il disegno di un vasto poema che cantasse tutte le campagne e le imprese di « questo grand'uomo ». È il *Bardo della Selva Nera*, pubblicato nel 1806. Successo straordinario. Lo stampa il Bodoni con un lusso mai visto. Il viceré ordina si diffonda in tutto il regno. L'imperatore ordina si diffonda in tutta la Francia. Lo legge; trova bellissimi i versi, divino il linguaggio. Decreta al poeta un regalo di duemila zecchini. Il poeta ringrazia e commenta: « Egli ha trovato il secreto di accendere l'estro poetico ». Il Pindemonte lo loda; lo loda il Foscolo. Si torna alla diceria d'un Monti « emulo di Dante », « supremo lume d'Italia », « il sommo del bivertice Parnaso », « sole fra le stelle », che è giá un bel miracolo. Ecc. ecc. In questo momento il Monti è davvero una specie di Giove che « accenna con le chiome ». Ma del *Bardo* cosa pensa la gente d'oggi? La gente d'oggi non legge il *Bardo*. Il nostro gusto è lontano da questa pienezza tutta sonora. Quante volte ci è venuto di dire che il Monti è tutto un equivoco rettorico? A dirlo, abbiamo aspettato fin qui, dove piú se lo merita. Migliaia e migliaia di versi; un toglimento di fiato, senza mai una zona fresca, senza la piú piccola sorpresa del sentimento, che è come l'incontro con l'acqua corrente, con le gemme nuove, con fiori giovani. Hanno detto che il variare dei metri (il *Bardo* va dall'endecasillabo sciolto al quinario, dalla quartina all'ottava) è una bella varietá e fa pensare al *Saul*. Ma nel *Saul* il cambiamento del metro è comandato da un variar di stati d'animo e di tema; qui è solo uno sbandarsi del ritmo perché non c'è un urgente moto dell'animo che lo sottometta e guidi. Sicché il *Bardo* è un canto che non ha trovato il suo metro. S'è detto tutto, quando s'aggiunga che è una costruzione macchinosa fatta con elementi ossianici, shakespeariani, miltoniani, preromantici, e con tutto il virtuosismo canoro del solito Monti.

> Amor di patria, amor di gloria un fiero
> Fan certame nel Duce, e d'armi instrutto
> Prepotenti è ciascun. Vince il primiero.
> In magnanimo cor la patria è tutto.

Auf! Chi ci libererá da questo intonarumori?

Ci affrettiamo a dire che anche *La spada di Federico* ve la diamo per giunta. E anche la *Palingenesi politica*. Giá i titoli discostanti ci metton di malumore. La ragione è che con questi poemetti anche piú palesemente continua la poesia « professionale » del Monti; l'uno e l'altro sono adempimenti puntuali e annoiatissimi del suo ufficio di poeta cesareo, con lodi obbligate, che è peggio che dire a rime obbligate. Nella *Spada* (1806) Napoleone visita la tomba di Federico di Prussia, luminosa anche se di guerriero nemico. Ne impugna la spada che v'è collocata sopra; ma una misteriosa mano gocciante sangue tenta di impedirglielo. Napoleone ride, e dice all'ombra di Federico: « Tu ti sei costruito il trono in sette anni, io te l'ho distrutto in sette giorni ». E se la porta via come trofeo della vittoria di Iena. Quando scrisse *la Spada,* il Monti era fresco della lettura del *Macbeth*: l'ombra di Banco abita in qualche parte. Tanto assorbente era la memoria del Monti. Dicono del sambuco che rapisce con violenza gli odori delle piante che ha vicino. Dieci edizioni si successero in cinque mesi; e versioni in latino e in francese, e le lodi dei baccalari del tempo: Bettinelli, Cesarotti... Certo qualcuno scrisse: « Si legge tutto d'un fiato ». A legger queste ottave, dove pure son versi che mentre vanno balenano, a noi manca il fiato.

INTRODUZIONE

E *La Palingenesi*? Dietro il nome di Giuseppe Napoleone re della Spagna e delle Indie, vorrebb'esserci la celebrazione di Napoleone, anima del mondo civile. Malata di sublime, la *Palingenesi* è un canto tutto stanco. Non bastano a ravvivarlo visioni d'Apocalisse, echi biblici, espressioni di Dante. Qualche particolare (« Per la vasta — Tumultüosa oscuritá diverse — Vagolar si vedean forme tremende — Di mostruosi Gnomi... ») si cita non tanto per scoprir parentele con altri poeti (« Vedea per l'ampia oscuritá scintille — Balenar d'elmi... »), quanto per segnalare un precoce ingemmamento d'elementi romantici nordici (proprio nell'autore del *Sermone...*) che verran presto di moda. Non invano erano corsi stretti colloqui con la Staël.

Al *Bardo*, alla *Spada*, eccetera, furon fatte anche critiche, aspre; che provocarono la famosa lunghissima lettera del Monti al Bettinelli; esempio di prosa vivace e documentazione di guerre tra letterati. Del resto, il Monti stesso confessava: « Fuori delle battaglie d'Achille e di Enea, tutte le altre a me vicine mi cagionano sdegno e malinconia ».

Il 1807 vorremmo festeggiarlo con tutta discrezione solo come l'anno dei *Sepolcri*; alla cui diffusione e conoscenza molto concorse il Monti con le sue letture perfette, coi suoi commenti entusiastici in salotti, cenacoli, ovunque. È l'anno in cui l'amicizia dei due poeti si fa piú stretta, feconda. Anno grande nella storia della nostra poesia: crescon le sue riserve auree. La vita vien dai sepolcri. Ma proprio nel 1807 il Monti fece un'ode (« *Fa Monti un'Ode...* ») che al Foscolo, parchissimo lodatore, parve « cosa in ogni senso perfetta ». Anche il Monti se la lodò: « Il cuore e la coscienza mi dicono che ho scritto bene ». Lasciamo stare il cuore, sempre pronto a ingannarsi; ma la coscienza, la coscienza artistica che aveva finissima, vedeva bene. *Per il parto della vice regina* è una bell'ode, è un intermezzo lieto fra il sudato lavoro *professionale*. Se dovessi affidare la mia sensazione a una parola sola, direi « fragranza ». La fantasia mitologica che nutre l'ode, si dora a un linguaggio sceltissimo, a immagini vereconde. Le Vergini Gamelie, curatrici del parto regale « roride — d'eterna ambrosia il crine » son raccolte nelle « arcane e tacite » stanze, fra i lini odorati della giovine madre. All'improvviso, ecco, appare folgorando Minerva, senz'armi. Le ha cedute all'eroe che combatte e trionfa in Polonia. Qui, ella è venuta come custode delle cose gentili, delle belle iniziative; poiché da questa cuna si spanderá luce di bontá e clemenza. Pegni di tutto questo, compaiono prima il patrio Amore, poi il Genio degli studi, e la Pittura e la Scultura. Ultime, le Muse cantano un inno che sa di primavera, di sole. Il mito torna giovane, lucido, e ogni sillaba respira dentro la maraviglia poetica. Se i molti sdruccioli (*tacite, vergini, roride, provvide, cerule, trepide,* ecc.) parran quasi silenziosamente ripresi, piú tardi, dal Manzoni dell'Ermengarda morente, ove è pur tutto montiano « *l'amabile terror* »; e l'apparizione maestosa di Minerva

> (Ti riconosco al cerulo
> Baleno delle ciglia
> E all'ondante su gli omeri
> Peplo che l'erettee nuore sudar)

pare un incontro col migliore e men noto Parini, anche per quella trasposizione apparentemente insoave e che solleva l'immagine e le dá nuovo grado di forza; tutto il disegno dell'ode e il dilettoso fluire del mito e la fine scultura dei particolari, son cosa non indegna del Foscolo delle *Odi*. (Appartiene a questi « lieti intermezzi » anche l'altr'ode dell'11, *Le Api Panacridi* e il suo fragrante attacco: « *Quest'aureo miele etereo — Sul timo e le viole — Dell'aprica Alvisopoli — Colto al levar del sole — Noi, caste api...* ». Canta la nascita del figlio di Napoleone). Ma il cuore dell'ode batte nell'inno delle Muse alla primavera, quando la terra, la madre antica, « Di gioventú s'imporpora — Rinnovando del capo il verde onor ». E c'è un gioco erboso di ninfe boscherecce, che è cosa tutta rappresentativa e umana:

> Delle celate Driadi
> Sotto la man giá senti
> Dentro il materno cortice
> Scaldarsi i petti algenti;
> Giá sporgonsi, giá saltano
> Fuor della buccia in lor natia beltá.

INTRODUZIONE 55

In *Versilia,* nel miracolo di *Versilia* («Erompo dalla corteccia — fragile io ninfa boschereccia — Versilia, perché tu mi tocchi. — Io ti spiava dal mio fusto —Scaglioso; ma tu non sentivi, — o uomo, battere i miei vivi — cigli presso il tuo collo adusto») D'Annunzio stravincerá in dolcezza sensitiva, non in nettezza di disegno e in maraviglia poetica. O, forse, a rendere la qualitá di quest'arte perfetta, bastava fare un nome: Canova, che proprio nel 1808 finiva il monumento a Napoleone.

Appartiene alla sua biografia viva la notizia che nel luglio di quest'anno il Monti va dal papa, e ne ha un'accoglienza piena di letizia e d'amicizia. Sulle scale dei Sacri Palazzi lo raggiunge una lettera del Petracchi, il venerabile della massoneria milanese, che lo nomina «oratore» alla Loggia ove è giá iscritto tra «i fratelli di prima classe» con Napoleone e il duca Melzi d'Eril. Con inchiostri vaticani Monti ringrazia «il fratello» «accettando di buon grado l'onore». Poco dopo, è a colazione col re di Napoli, dov'è andato per assistere ai *Pittagorici,* una sua azione drammatica di svolgimento metastasiano e d'ispirazione mitologica, musicata da Paisiello, e per la quale ha in dono dal re una tabacchiera d'oro. E nel gennaio seguente (1809) è a Pavia ad applaudire tra quattrocento studenti alla prolusione del Foscolo, a cui ha preparato la cattedra.

Questo Monti che fa colazione coi re, riceve lettere dalle regine, vede il suo nome elencato con quello di Napoleone, ha udienze speciali dal papa, ha versi musicati dal Paisiello e dal Cherubini; questo Monti che tiene sottobraccio i piú famosi letterati e scienziati del suo tempo («Pindemonte è qui; Foscolo è partito per Como; l'ottimo Volta mi porta i suoi saluti...») e tiene a battesimo le glorie nascenti («Io sono stato il profeta di questo nuovo splendore delle Muse»: parla del Manzoni); questo Monti che la gente chiama divino e pare ancor poco, e il cui nome fa miracoli nell'opinione pubblica, è ora nel momento piú alto della sua gloria.

È il momento in cui nasce l'*Iliade,* la versione dell'*Iliade,* il suo capolavoro. Vogliamo insisterci un poco. Leggendo il Monti, il Monti in proprio, sentiamo subito che è spirito privo d'un suo mondo, d'una sua vita intima, e che sotto la bellezza puramente formale, sotto la calligrafia, c'è il vuoto. L'*Iliade* è un'altra cosa. Leggendo l'*Iliade*, non piú preoccupati del mondo poetico, che è naturalmente quello dell'autore, al traduttore domandiamo soltanto di che veste l'ha vestita e quale aderenza ha conservata, raggiungendola dall'esterno. E qui il Monti è maestro. Per questo ripetiamo che l'*Iliade* è il suo capolavoro, in quanto attua pienamente il suo piú vero destino letterario, quello di traduttore.

Da quanto tempo il Monti vi attendeva? Dal tempo romano, quando portava il cappello a tre punte dell'abate, e anche piú indietro; da quando, cominciato a gustare erba in Parnaso, intuí che Omero è la prima fantasia del mondo, e restò sedotto da quel suo respiro di fiume. In vari modi la tentò: la voltò in ottave, in sciolti, in gara con altri (con Foscolo), da solo. La tralasciò, la riprese. La lavorò alacremente per tutto il 1808 e il 1809 e il 1810. Son giá del 1809 certe notizie liete: «Ho ripreso il mio Omero, e tiro a finirlo con alacritá». Ancora: «Il mio Omero prosegue felicemente». Un po' dopo: «Il mio Omero è sul punto di sbocciar tutto». E ancora nel '10: «Son dietro all'ultimo libro». Si sente la fiducia con cui lavora; l'armonia col suo lavoro. Nel '10, insomma, è finito. E può liberare la sua gioia nel cuore degli amici, delle amiche; nel cuore della contessa Margherita Grimaldi: «*Omero* è finito. Mantenetemi dunque la parola e venite a mangiar la polenta insieme con l'orso, dico vostro marito... Sono lietissimo. Il cuore mi brilla, e ho bisogno di spandere la mia gioia nei cuori che mi sono cari. Venite e farete beato il vostro amico». Aveva vinto una bella prova; ne godeva. La versione apparve tanto bella, che raccolse un subisso di lodi. Pareva quasi che l'*Iliade* l'avesse inventata lui per la prima volta. Ippolito, che aveva appena finito di tradurre l'*Odissea*, gli scriveva: «Che la traduzione sembri un originale, e non di meno sia traduzione, che è ciò che si deve dir della vostra, *hoc opus, hic labor*». Qualcuno si chiedeva: — Che sará Omero, se per avventura è piú bello di questa traduzione? Anche i cesarottiani ne erano contenti. I giornali, i giornali greci, si scioglievano in lodi pindariche.

Perfin le donne omereggiavano, monteggiavano. Napoleone, il vicerè, il re di Spagna, anche quello di Napoli che era intelligente, Sua Eccellenza la principessa Baciocchi, andavano a gara nell'averne una, due copie con dedica del Monti, e gli mandavano in dono napoleoni d'oro, spilloni d'oro, tabacchiere d'oro. Ori e tesori che formeranno la dote di Costanza, presto sposa. Una delle prime copie era stata spedita al Manzoni a Parigi; ma nel frattempo il Manzoni era tornato a Brusuglio, da dove scriveva al Monti: « Ho finalmente potuto carpire la tua Iliade, e me la sto leggendo con quel diletto ed ammirazione, che mi nasce dalle opere tue ». Era proprio quel 1810 in cui Manzoni lasciava Apollo per darsi tutto a Cristo.

E il Monti cosa ne pensava? Abituati a sentire il suo modesto parere su ogni cosa sua, lo vogliamo sentire anche qui. « Spero che questo ardito lavoro non mi farà disonore ». Il Monti conosce tutte le figure rettoriche, conosce anche la litote, con la quale tempera l'espressione del suo sentimento. Ma è persuaso che « l'ardito lavoro » gli farà molto onore; e quando, più tardi, vorrà ricordare il suo lavoro più durevole, quello a cui affiderà il suo nome nei secoli, nominerà

> ...il cantor che di care itale note
> Vestí l'ira d'Achille.

E il Monti non sapeva il greco; o, meglio, la sua perizia andava poco oltre l'alfabeto. Si servì di molte versioni latine, specialmente del Cunich; gli giovarono molto i suggerimenti del greco Mustoxidi, che intanto teneva d'occhio Costanza, e le correzioni del dottissimo Ennio Quirino Visconti. Ma il secreto di quel suo bel tradurre, va cercato nel suo istinto sagace di poeta, nella sua fantasia limpida, nel tremito musicale della sua anima in cui riecheggiava le varie traduzioni lette, rilette, ne intuiva la vera, e diventava l'eco fedele dei versi d'Omero. E questo è maraviglioso, che facendo una versione genialissima, spiritualissima, poeticissima, sapesse darci (non dico sempre) l'impressione d'una versione fedelissima alla stessa parola e al movimento della frase, sia pure con un più d'ornamento. Anche il Foscolo ne era preso: « Quand'io vi lessi la mia versione dell'*Iliade*, voi mi recitaste la vostra, confessandomi d'aver tradotto senza grammatica; e io nell'udirla mi confermavo nella sentenza di Socrate che l'intelletto altamente spirato dalle Muse è l'interprete migliore di Omero ».

Il lettore di qualche umanitá ha certo sott'occhio quello « scudo d'Achille » in cui l'arte del Monti fa miracoli di libertá e di intuizione, e, nel contempo, di aderenza al testo.

> ἐν δ'ἐτίθει νειὸν μαλακήν, πίειραν ἄρουραν,
> εὐρεῖαν τρίποδον · πολλοὶ δ'ἀροτῆρες ἐν αὐτῇ
> ζεύγεα δινεύοντες ἐλάστρεον ἔνθα καὶ ἔνθα,
> οἱ δ'ὁπότε στρέψαντες ἱκοίατο τέλσον ἀρούρης,
> τοῖσι δ'ἔπειτ' ἐν χερσὶ δέπας μελιηδέος οἴνου
> δόσκεν ἀνὴρ ἐπιών.....

Vogliamo darne la traduzione letterale, quasi interlineare:

> Vi poneva poi un maggese morbido, pingue campo,
> ampio, tre volte arato. Molti poi aratori in esso
> gioghi movendo, li spingevano qua e lá.
> Ogni qual volta poi essi movendo raggiungevano il termine del campo,
> ad essi poscia nelle mani una tazza di dolcissimo vino
> dava un uomo che andava loro incontro.

Superando la banalitá della traduzione interlineare, e conservando aderenza al testo, sapete come tradusse il Monti:

> Vi sculse poscia un morbido maggese
> Spazïoso, ubertoso e che tre volte
> Del vomero la piaga aveva sentito.
> Molti aratori lo venian solcando
> E sotto il giogo in questa parte e in quella
> Stimolando i giovenchi. E come al capo
> Giungean del solco, un uom, che giva in volta
> Lor ponea nelle man spumante un nappo
> Di dolcissimo Bacco...

Che è vera ri-creazione d'arte; quasi cosa nuovamente trovata. Sicché i compilatori del *Fiore della lirica italiana* confessano d'aver resistito alla tentazione di includere nella Antologia alcunché della *Iliade* del Monti, tanto pareva loro trasportata su un tono totalmente nuovo. E chi voglia meglio conoscere la serietá e l'impegno con cui il Monti assistette la sua traduzione e le risorse che vi impiegò e i dubbi che vinse, legga le *Considerazioni sulle difficoltá del tradurre la protasi dell'Iliade*. Ma egli le vinse, e in tal modo da lasciare a pochi speranza di superarlo; a molti il piacere di esaltarla. Cosí dunque Omero divenne italiano; e il Monti « l'italo Omero ».

Ma c'era uno in disparte, che non partecipava al coro delle pindariche lodi, e forse mandava giú amaro: il Foscolo. Complicate quistioni di carattere, riflessi di litigi con altri letterati (con l'Arici, per esempio, amicissimo del Monti e maltrattato dal Foscolo), un po' d'invidia letteraria e un po' di gelosia (anche il Foscolo aveva tradotto Omero) aveva rotta una delle piú belle e feconde amicizie dell'800. E si dissero un sacco di villanie, in versi e in prosa, in privato e in pubblico. Come di cose troppo ingrate, ne facciamo grazia al lettore. Fuor che due frasi caratteristiche, che son come l'eco indolita di quella inimicizia tremenda. Scrisse il Monti: « Se Foscolo m'attaccherá (nella traduzione dell'*Iliade*), lo farò ballare sopra la polvere dei suoi *Sepolcri* ». Gli rispondeva il Foscolo: « Monti mio, discenderemo tutt'e due nel sepolcro ». Per i buoni uffici d'amici comuni, i due poeti tornarono qualche volta vicini; amici non tornarono piú. Il Monti riprende la sua corsa verso la rumorosa gloria che lo inebbria; il Foscolo va verso l'esilio, amareggiato anche d'aver visto cadere, a Milano, l'*Aiace* e proibitane dal Governo la rappresentazione. E ancora per un quindicennio il Monti che non conobbe mai il *tempus tacendi*, continuerá a celebrare con lo stesso animo Napoleone e Francesco e a giocare di luminelli sopra fiori d'arancio; mentre il Foscolo, travolto dal torrente della sua passione, andrá fuggendo di gente in gente, o sederá gemendo sulla tomba d'un fratello suicida. Ma il Foscolo era, alla fine, un savio che sapeva trovare in sé stesso la felicitá. Proprio in questi anni scriveva: « Il passeggiare al sole, il dormire, l'amare e l'essere amati, il ciarlare al focolare con l'amico a quattr'occhi, il sorseggiare il caffè guardando l'alba sorgente e ricordarsi dei belli anni passati, non sono cose da poco; bensí il procacciarsi la stima d'uomini che non hanno giudizio proprio e sincero, l'andar dietro ai battimani di chi sarebbe pronto a fischiarti senza sapere perché... questi e simili perditempi son peccati di cui dovrò rendere strettissimo conto al Dio del tempo, e forse anche un giorno al Dio dell'eternitá ».

Ai primi del '12 in casa Monti c'è festa. Costanza, la figlia del poeta, sposa Giulio Perticari, bello, conte e letterato; piantando il Mustoxidi, povero, brutto e greco. Le nozze sono inghirlandate da dodici inni alle dodici Divinitá Consenti, e impreziosite di tutte le gioie che il padre aveva avuto in dono dall'imperatore, dai sovrani, dalle regine. Per l'occasione, la sposa aveva fatto anche un bel colore: « Costanza ha tondeggiato le gote e vi ha messo due rose che innamorano ». È il padre-poeta che lo dice, e par che traduca il principio di un'ode pariniana.

Sposata la figlia, Monti rimette mano alla *Feroniade,* il poema che gli stava a cuore. Intanto è nominato accademico della Crusca con qualche impegno di lavoro. Accetta, ringrazia; ma pare ci scherzi un po', il modo come ne parla: « Il supremo oracolo della Crusca... Il palladio del divino idioma italiano... Il tempio che custodisce il sacro deposito della divina italiana favella... ». A ogni modo, lavora. Lascia Milano e va a Pesaro, dal Perticari; dove piú decisamente, nel '13, comincia il suo lavoro sopra la Crusca, ed è beato. « Io vivo qui beatissimo, in braccio ai miei figli... Ho dato fine alla mia Appendice per la Crusca; cammin facendo, il lavoro mi si è cresciuto prodigiosamente tra le mani; tanti e sí gravi sono gli errori che d'ogni parte mi saltano fuori nel Santo Evangelio della nostra lingua ». Monti non scherza piú, fa sul serio, e medita un ampio lavoro di correzioni al gran vocabolario.

Fra il '13 e il '14, gli anni delle *Grazie* del Foscolo, padre Cesari, incauto!, pubblica il suo *Dialogo delle Grazie* che, viceversa, erano graziette. Libro pieno di buone intenzioni, ma disossato e scempio, inteso a diffondere il purismo ossia un intransigente ritorno al Trecento. Uno strozzamento del gusto, delle genialitá, della libertá, della sempre rinascente bellezza. Una sfida. Il Monti entra in lite col « grammuffastronzoli » di Verona, col « fiutasepolcri » ecc., e nelle ingiurie diventa pittoresco. Per lavorar meglio, torna a Milano, alle belle colline di Brianza dove l'Aureggi cosí volentieri l'ospita nella sua villa di Caraverio. E poi il Monti voleva bene a Milano. « E Milano, quando la mia ora sia giunta, avrá le mie ossa... In caso diverso, andrò a confonderle con le ossa paterne; e se prima di rassegnare alla terra il mio corpo, potrò pubblicare le molte cose che ho pronte, sarò contento ». Fra queste *cose*, c'era la *Feroniade*, il poema caro al suo cuore.

Il Monti dunque s'impegna fino al collo nelle cose di lingua, nel « grande affare della lingua »; e per vendicarla contro gli attacchi dei grammatici presenti e passati, e liberare la Crusca dalla pedanteria dei Salviati e dei Salvini, dei Cesari e dei fiorentini, di poeta si fa grammatico. Da questo momento, e per un bel po', le mani del Monti odorano solo di Crusca, ed egli parrá fatto il guardiano della lingua, impegnandovisi con un accanimento e un compiacimento come se non avesse fatto mai altro. Sul *Poligrafo* pubblica i primi mordaci Dialoghi contro il Cesari e i suoi.

L'8 maggio del '14, cambiamento di scena, o di governo. Bellegarde entra in Milano come plenipotenziario del Governo Austriaco. È la Restaurazione. Dopo alcun tempo il Monti scrive: « Il mio destino presso il nuovo Governo è ancora pendente. Ma qualunque debba riuscire, vivo tranquillo ». Uomo accomodante, non è il destino della patria, della libertá, che l'interessa; è il *suo destino*. « Rassegnato alla Provvidenza, sto in tutta pace, aspettando, qualunque sia la decisione del *mio destino* ». Ma cos'era poi questo *suo destino*? Una cosa semplice: il nuovo Governo gli aveva tolta la pensione di Istoriografo del Regno. Monti fa di tutto perché gli sia conservata. Ci riesce; il suo destino è risolto; e può scrivere al Perticari: « Io mi sto in piedi siccome prima, non senza speranza di migliorare la mia condizione; e, al momento che scrivo, cammina per Vienna un ministeriale rapporto sulla mia persona sí liberale e onorifico, ch'io mi sento legato a questo Governo d'una riconoscenza che non avrá fine che colla mia vita ». Monti passa presto al ditirambo. Non si rassegna al nuovo Governo: se ne esalta, e lo esalta.

Nel '15 scrive il *Mistico Omaggio* in lode dell'arciduca Giovanni d'Austria, una Cantata rappresentata alla Scala. Gorgheggi, lascivie drammatiche, ariette metastasiane senza piú la loro delizia; tutto si esaurisce nella didascalia, fra ghirlande di fiori e leggiadri movimenti di donne, in una falsa quiete dopo la tempesta. (Lasciateci dire che il vero dono di poesia, il '15 l'ebbe con gl'*Inni sacri).* Fu in quest'occasione, mi pare, che l'arciduca non senza malizia disse al poeta: — Belli i vostri versi; ma migliori quelli scritti per Napoleone. — E il Monti, pronto risponditore: — È vero, ma Vostra Altezza sa che noi poeti riusciamo meglio quando fingiamo. — Viene in mente un verso del Foscolo: « Monti canta per tutti, e niun gli crede ».

Il Governo che ora gli passa la pensione vuol ripagarsene, e gli comanda un'altra Cantata: *Il ritorno di Astrea,* rappresentata alla Scala, presenti l'imperatore Francesco I e l'imperatrice Maria Ludovica. Il poeta n'ebbe in dono duemila lire: ma il dono e la cantata son cose che interessano piú la cronaca che la poesia. Il soggetto mitologico aiuta a creare una monotonia di motivi, caparbiamente coltivata. (Anche l'*Invito a Pallade,* che è del '19; pieno di bei versi e d'un sereno lume di favola. Con un ardire moderno, il letto dell'Olona vi è chiamato « un'urna d'acque »).

E nel '16 cominciò a uscire la *Biblioteca Italiana,* la rivista che, diretta dall'Acerbi, aiutata dal Giordani, e pagata dal Governo, tentava di affratellare italiani e tedeschi, pronuba la letteratura. Anche il Monti vi pubblicò qualche Dialogo. Le sorgerá contro, anticlassico e antitedesco, *Il Conciliatore* che, pensato dal Di Breme, uscirá in carta azzurra e rappresenterá cuori piú vivi, gli italiani che aspettano la patria...

E « il grande affare della lingua »? Va diventando sempre piú concreto nella mente e sulla pagina del Monti, che oramai gli ha anche trovato il titolo: *Proposta d'alcune correzioni e aggiunte al vocabolario della Crusca.* « L'opera andrá divisa in sei parti e tutte importanti. Non sará lieve il rumore che desterá ». Monti dice tutto lui; e dice giusto, perché la *Proposta* ha sollevato molto rumore e resta cosa di molta importanza. Ci ha sudato due anni continui a farla, — '16-'18, — e nel '22 non ha ancora finito di stamparla. Pare un lavoro di vocabolario ed è, molto spesso, un piacere lirico, tanto è l'entusiasmo e la poesia della lingua che il Monti vi dimostra. La *Proposta* è un lavoro di molta pazienza e diligenza; ma è soprattutto uno splendore di sapere, di ingegnositá, di genialitá, di spirito libero, d'estro, di forza dialettica, di vigore polemico, d'arguzia, di calor d'eloquenza, di felice malizia. Monti qui è sfottente, strafottente e, finalmente, divertente. Diventa, come non altrove, scrittore copioso, spassoso, amenissimo. Ha 64 anni, ma non è mai stato cosí giovane e fantastico e ricco e trionfante, pieno di coincidenze, di erudizione etimologica, di sfogo, che s'adagia in dialoghi a piú pause, ricchi di invenzioni estrose, di richiami arditissimi, di situazioni amene, di sorprese, di prese in giro deliziosissime e, spesso, di pedanteria che nessun'altra cosa piú vale ad ammazzare, a sua volta, la pedanteria. Scopre debolezze e arbitrii nei gran custodi della Crusca, e li copre di lepidezze, di celie. Corregge, rivendica, suggerisce. Monti sa e dá, che è una delizia. Non sa e chiede, che è una edificazione. « Ho bisogno d'un valente grecista che mi risolva alcuni sospetti... ». Dice alla Crusca le sue veritá sonore e libere come l'aria: « Il Vangelo della Crusca non è quello di Marco o di Giovanni... ».

Ma, al disopra dei modi esteriori e delle polemiche in cui si esprime la *Proposta,* il suo vero significato qual era? qual è? Nata come risposta a padre Cesari e ai Cruscanti che sostenevano la *municipalitá* della lingua italiana (Firenze, e il '300), il Monti ne difende la *nazionalitá.* La lingua è d'origine italiana e non toscana; la lingua è quella custodita nei sacri testi dei buoni autori d'ogni secolo, non quella che si parla in Mercato vecchio e lungo il Mugnone. E s'appoggiava a Dante e al *De Vulgari Eloquentia...* Anni decisivi erano questi per la formazione della coscienza italiana. In che misura vi concorse il Monti? Piú d'una volta la domanda fu posta (e forse anche da noi) in modo un poco insidioso. L'abbiamo posta male. Anche il Monti vi concorse, alla sua maniera e secondo le risorse del suo destino. E mentre altri aiutavano a formare la coscienza civile, e altri la politica, e altri la religiosa, il Monti aiutò la formazione della coscienza linguistica, richiamandola alla sua origine e storia e potenza *nazionale.* La sua causa era dunque causa *italiana.*

Non si potrebbe chiudere il paragrafo sulla *Proposta,* senza aprire una parentesi per Giulio, Giulio Perticari, che in questi anni faceva scorrer la penna con placida nobiltá. Quel che scrisse di Dante e dei trecentisti, quel che portò d'aiuto alla *Proposta,* è nobilissima fatica che la storia delle nostre care lettere non ha ancora dimenticato. Giorni di forte ebbrezza, giorni filologicamente potenti, quelli in cui il grave genero lavorava accanto al suocero vivace, mettendo insieme ampiezza di sapere, sicurezza di gusto, leggiadria di erudizione, libertá di giudizio in fatto di lingua.

L'uscita della *Proposta* segnò vento sul vocabolario; vento e sole. E in quel momento il Monti parve la stessa gloria della lingua fatta persona.

S'è giá detto, mi pare, che alla *Proposta* il Monti ci travagliò giorno e notte fino a tutto il 1822. Lavoro paziente ma trionfante, in cui il poeta mischiava, quasi senza saperlo, il suo amore d'Italia, di patria libera. Scriveva: « Straniero al mondo politico, io vivo tutto a me stesso nel letterario ». Era la sua forza. Però non ci viveva tanto straniero da non sentire che anni inquieti erano quelli d'appena prima e appena dopo il 1821. Anni di teste calde, di cuori assorti, di aspirazioni santissime; gl'italiani che cominciavano a collocare la fiducia nei loro principi, e i principi nei letterati, « poiché la gloria di cui son desiderosi i principi non riposa giá sulla punta delle baionette ma sulle penne degli scrittori ». Non si poteva sentire piú *romanticamente* la funzione del letterato e la sua capacitá a imprese nazionali. Si doleva d'essere vecchio. « Io sono ormai vecchio, e non vedrò i *bei tempi del novello redentore* ». Parole che hanno alcunché di sciupato. Da troppo tempo siamo abituati a sentirgliele dire e per troppe circostanze diverse. Però la malinconia degli anni e dell'esperienza, stavolta par dia loro un accento piú schietto, un colore piú commosso. Parlava del principe di Carignano in cui s'accoglievano molte fiducie, e s'augurava di poter vivere ancora un po' per godere con tutti gl'italiani i benefici della liberazione. « Desidero di viver tanto da potere una volta vedere coi proprii occhi *questa cara speranza degli Italiani* ». (Tornano a mente alcuni versi del *Cajo Gracco*: « Itali siamo tutti, un popol solo, — Una sola famiglia: Italïani — Tutti, e fratelli »). Nel luglio del 1820, corre voce che il principe, — il futuro re Carlo Alberto, — viene a Milano. Monti gli scrive. « I miei anni

INTRODUZIONE

son giá vicini alla sera: ma se, prima di terminarli, mi sará dato vedere da vicino una sola volta questo italico sole, intonerò io pure il bel cantico di Simeone, e morirò consolato». E ancora si lamentava d'essere vecchio. «Io non vedrò la liberazione d'Italia. Nessun cambiamento può avvenire nel tempo mio; sono troppo vecchio». Intanto amava i giovani che speravano nella liberazione. Diceva: «Beati voi, giovani piemontesi, che vedrete la redenzione d'Italia. Voi avete il principe di Carignano. Questi è un sole che s'è levato sul nostro orizzonte. Adoratelo, adoratelo». E al principe mandava la sua *Iliade*. Naturale che, per questa corrispondenza col principe, il poeta fosse tenuto d'occhio dalla polizia austriaca, e perdesse la pensione. (Torna a mente l'ingiurioso epigramma del Foscolo: «Monti canta per tutti, e niun gli crede»...).

E la poesia?

Piú rade, in questi anni, le visite; ma, capitandoci, lasciava i suoi segni leggiadri in canzonette piene d'allegrezza aromatica; come nel *Cespuglio delle quattro Rose*, e nel *Ritorno d'Amore al Cespuglio*, ecc., che sono del '17, l'anno d'un famoso biglietto di Leopardi al Monti. Il contino gli aveva mandata la sua versione del secondo dell'*Eneide*, accompagnandola con una lettera. Lo chiamava suo principe, re, ecc. Il Monti risponde, lodandogli la versione che gli era piaciuta oltre ogni credere, per l'impasto dello stile, per le molte bellezze sparse per tutto il corpo del lavoro. Ma non ne tace i difetti, che «non sono pochi e qualcuno non lieve». Li tace ai principi che, in fondo, non lo riguardano; non li tace ai poeti, che molto lo riguardano, e solo essi. E se nel 1807 era cosa interessante sorprendere il Monti correttore, ascoltato, del Foscolo, non lo è meno ora sorprenderlo correttore discretissimo del Leopardi. Io dico che la cosa ha un suo bel peso nella storia delle lettere.

'19. '20; si scrivono grandi canti; ma non sono del Monti; s'intitolano *L'infinito, Alla luna, Il sogno, Frammento, Vita solitaria, Sera del dí di festa*.

Maggio '21; muore un grande uomo e nasce un capolavoro; ma non lo scrive il Monti. Monti lo aveva cantato, esaltato, celebrato quand'era sfolgorante in solio...; per la sua morte, che io sappia, non ha scritto un verso solo. Quanto scrivere di Napoleone! Poemi, cantate, canzoni. Ma quando vorremo citare un verso, una strofa, un inno dove Napoleone viva, viva sempre, nomineremo il *Cinque maggio*. E se vorremo ricordare un canto che riassuma tutte le speranze e gl'impeti del '21, intoneremo i decasillabi assorti « Soffermáti sull'arida sponda... ». Ma non li ha scritti il Monti. Monti continuava ad occuparsi di quistioni filologiche; o di malinconia. « Non ho con chi parlare de' miei studî e disannoiarmi dei tanti strepiti che mi stanno intorno, del mondo politico, del quale tu sai che io non voglio né posso vivere ». Eppure in Milano Monti è sempre « il lume dei letterati »; e se per caso un principe passa per la cittá, — poniamo, il principe di Danimarca, — Monti viene avvertito dal segretario di Gabinetto che S. A. R. « gradisce di fare la personale conoscenza con lui, ornamento dell'Italiana favella ». E il Monti tutto si rischiarava nell'omerica fronte. Vedere il Monti! era il desiderio di tutti, anche dei principi. E forse solo il D'Annunzio ha destato ai dí nostri un somigliante interesse.

Nel '22 (luglio), a 43 anni, muore il Perticari: « ingegno celeste », « ingegno divino », « perdita nazionale »: sono le parole delle lodi che lo accompagnano al sepolcro.

Monti ci soffre come non potete credere. Non è piú lui. È il principio del declino. Aggiungete una fistola all'occhio destro, di cui non guarirá piú. « Il mio dolore si risente un poco della mordente aria marina di Pesaro ». E scappa a Milano, a Caraverio in collina. « Non è piú di tre giorni che ho fatto qui ritorno da Pesaro con la sventurata mia figlia e con gli occhi nuovamente sí offesi da quella pungente aria marina, ma piú dalle tante lacrime che mi costa la perdita del mio Giulio, che la stanca mia vista è minacciata di tenebre sempiterne. Sicché il leggere e lo scrivere mi è pure interdetto... Mi si conviene per venti o trenta giorni, star come cieco ».

L'ottobre del '22 muore il Canova, l'innamorato creatore di forme, il Fidia moderno. La solitudine aumenta intorno al poeta; e i guai. È un uomo disancorato; par castigato della troppa felicitá goduta. Perduta anche la pensione, deve lavorare per vivere. « Passo i miei giorni in fiera malinconia ».

E il '24, lo passa tutto su Dante. Cura (con quella vista!) la *Vita Nova,* il *Convito,* il *Canzoniere.* Gli amici reclamano la *Feroniade*: « S'attende ansiosamente il vostro poema della *Feroniade* ». « Dimmi a che tende il tuo divino ingegno, e se la *Feroniade* è giá sotto i torchi... ». La *Feroniade* è ancora nei cassetti. Intanto scrive un'Ode, un Idillio, un Sermone.

L'Ode, scritta per nozze, è cosa tutta « dorata » e di sapore stilnovista, di un Dante giovane. Loda la sposa:

> Vedi come si toglie
> Fuor della propria schiera!
> Vedi quanta raccoglie
> In sé virtude, onestamente altera.
> Ogni cor la saluta
> Ma non osa dir *T'amo,* e vinto ammuta.
>   Compagni a lei van sempre
> Il decoro, e ridente
> Una grazia che tempre
> Mai non cangia, ed il cor ruba e la mente.
> Ov'ella appar, di vile
> Ogni pensier si fa tosto gentile.

Aria trionfante ha la chiusa:

> Felice l'uomo allora
> Che bei costumi in bella donna adora.

L'idillio, il « ben nato » idillio, canta le *Nozze di Cadmo e d'Ermione.* Sempre mitologia. Piacque. Forse piace ancora; specialmente ai buongustai. La sonoritá montiana è smorzata, e la fantasia piú mossa; e, nella seconda parte, anche piú, quando piega alla lode del Trivulzio e delle sue figliuole spose, l'altre due del *Cespuglio.* Il Flora, — uno dei buongustai, — s'augura che l'idillio entri nelle Antologie « fra le cose piú gagliarde e a un tempo piú nitide dell'Ottocento ». *Gagliarde,* forse è troppo per un idillio tanto gracile; ma *nitide,* è vero; d'una nitidezza rapita, attonita. C'è dentro un verso, che vorremmo adoprarlo per definire la qualitá dell'idillio:

> E tutto odor d'Olimpo era la reggia.

Monti era nato per custodire le urne degli aromi celesti; per vivere in Olimpo. È il poeta secondo la definizione arguta del Manzoni, « abitatore del Pindo, sacro ingegno, ecc. ». Il congedo è anche accorato, o pare. Il poeta invia l'idillio al Trivulzio, il padre delle spose per le quali ha cantato:

> ...e s'ei dimanda
> Come del viver mio si volga il corso,
> Di' che ad umil ruscello egli è simíle
> Su le cui rive impetuosa e dura
> I fior piú cari la tempesta uccise.

Il piú sentimentale dei romantici, l'Aleardi, un po' piú tardi si esprimerá cosí.

Il *Sermone sulla Mitologia,* pure del '25, è la sua « poetica »; una difesa del mito, una difesa della propria poesia contro la nuova scuola romantica, — « l'audace scuola boreal », — che la mitologia, l'aveva abolita. I miti, pensa il Monti, son necessari per alimentare la fantasia, per conservare alla poesia la giovinezza degli Dei, per custodire nel mondo il senso del meraviglioso, del primigenio:

> Senza portento, senza meraviglia
> Nulla è l'arte dei carmi, e mal s'accorda
> La meraviglia ed il portento al nudo
> Arido vero che dei vati è tomba.

Dannare a morte gli Dei « che di leggiadre — Fantasie giá fiorir le carte argive — E le latine », proscrivere le Grazie « senza il cui riso nulla cosa è bella » è un distruggere i fonti della gentile poesia, i serbatoi della bellezza. Monti è contro il *vero, il nudo vero,* l'*arido vero;* ma della parola fa un uso approssimativo, un abuso. E il Manzoni, che proprio s'era proposto « il vero » per soggetto, e l'intendeva in un senso ben diversamente sincero, gli rispondeva coi *Promessi Sposi.* La mitologia noi l'accettiamo nelle *Stanze* del Poliziano, nelle *Odi* del Foscolo, nelle *Grazie,* non nel *Sermone* del Monti, stoltissima lode di sepolcri imbiancati. Del resto nemmeno il Monti faceva sul serio; e il *Sermone* è una quistione di stile e non d'anima, di caparbietá e non di persuasione. È una pezza d'appoggio alle pompose favole che per tutta la vita ha leggiadramente versificato. Piú tardi, gli accadrá di scrivere: « Sermon mio meschinello... » e avrá piú ragione.

INTRODUZIONE

Il '26 è un brutto anno per il Monti; gli peggiora il mal d'occhi, s'aggiunge il mal di gengive, compie 72 anni. Scrive: «Non altro son divenuto che un tronco». Sorprende l'immagine per il suo suono tragico. Anche perché è proprio quella che, presto e senza saperlo, riprenderá il Leopardi, sviluppandola, nella lettera agli amici di Toscana: «Sono un tronco che sente e pena ».

Un colpo apoplettico alla parte sinistra gl'immobilizza la persona. Monti è in un eccesso di mali che gli limano la vita. Nell'occasione dell'onomastico, scrive l'*ode alla moglie*. Dicono tutti che son versi molto belli. Il Momigliano dice che sono il suo capolavoro. Non è troppo? Intanto c'è dentro una gran svogliatezza. Comincia con un verso (« Donna, dell'alma mia parte piú cara...») ripreso passivamente in prestito da una piú vecchia Ode alla figlia (« Se tu, dell'alma mia parte piú cara...). O ripreso ancor piú da lontano, dal *Cajo Gracco*; dove Licinia, parlando del marito dice: «Questo dell'alma mia parte piú cara ». Continua raccogliendo dalla memoria piú d'uno straccio d'altri poeti. Ha, qua e lá, (cosa strana nel Monti) qualche verso decisamente banale: «Ma con ciò tutto nella mente poni ». E quasi buffo è quel suo vedersi giá in paradiso dove, tramutato in *cigno immortal,* continuerá a cantare le lodi della sua donna, fin che anch'ella vi giunga. Anche l'accenno del suo parlar con Dio di lei e dei suoi bei costumi, è giá nella *Basvilliana*, canto 3º: « Quindi vêr lui di tutto il dover mio — Sdebiterommi in cielo, e fin ch'ei vegna — Di sua virtú ragionerò con Dio ». Ma è giá situazione dantesca: « Quando sarò davanti al Signor mio — Di te mi loderò sovente a lui ».

Diciamo piuttosto che qui si tratta di un tono piú intimo, raccolto, solitamente ignoto alla sfolgorante e maestosa poesia del Monti, intenta ad accarezzare gli aspetti esteriori delle cose, e a inebriarsi di essi. Delusione delle vicende terrene, nostalgia di cielo, e un sospirar secreto, danno ora alle sue parole echi, se non profondi, serii. La ricorrenza familiare è detta familiarmente. Non sono versi scritti per esser declamati, recitati, ma solo per esser letti, detti nel lume dell'*abat-jour* casalingo. Nel lume dell'*abat-jour* della morte.

Vicino, che è dello stesso tempo e tono, mettiamo il sonetto famoso sul ritratto di Costanza: « Piú la contemplo e piú vaneggio in quella — Mirabil tela... ». C'è sopra un riflesso d'anima, e un gentilissimo sereno («D'un gentil sereno — ridon sue forme ») che non si dimentica piú. Non tutto va via con la voce che legge. Il cuore che se lo ripete, gode. Altri sonetti « Sopra sé stesso », « A Violante Perticari » sono d'un Monti intimo, e nati nel pensier della morte. Erano i giorni in cui scriveva: « Il mio stato è tuttora compassionevole. E il sará, finché l'amica degli infelici, la morte, mi liberi da ogni male ». E ancora: « La morte mi tira giú dentro la fossa, e la mia piccola stella è sul tramonto ».

E la *Feroniade?* Scrive nel '27: « Non mi mancano che pochi versi per terminarla. Tutti i giorni vi penso un po', e ancora non so contentarmi del fine a cui bisogna venire... Non son piú atto a far versi... » Da quanto tempo se la portava nel cuore? Cominciata nell'84, non la dimenticò mai; infatti, in ogni sua parte, porta i segni delle lunghe carezze. In essa il Monti aveva posto qualche fiducia; come a dire speranza di lasciar vivo il suo nome dopo il sepolcro.

Se dovessi citare i piú bei versi del Monti, li sceglierei dalla *Feroniade*:

> Chioma e volto di lauro ha l'almo arbusto,
> Candidissimo è il fior di che s'ingemma.

(Ne ha di piú belli Poliziano?).

> L'odorato dei Medi arbor felice

(Con piú squisitezza, Foscolo lo fará femminile: « E di fiori odorata arbore amica »).

> Rallegrando di molli ombre il sentiero

(Ancora Foscolo, ma dove è piú grande: « Le ceneri di molli ombre consoli ».

> Dell'ardue torri e dell'aeree querce

(Lo imiterá Pascoli: « Sotto ardue rupi e sopra aerei ponti »).

INTRODUZIONE

> E la gran madre d'ogni cosa bella,
> L'Itala terra...,

che sa di Virgilio e della sua aura e di certe sue misteriose penombre; benché il Monti, cominciando a cantare di Feronia, invochi un po' d'omerica dolcezza. E Feronia che è lieta «ognor cantando — E con l'arguto pettine la tela — Percorrendo...» somiglia un po' a Silvia, «al suo perpetuo canto — ed alla man veloce — che percorrea la faticosa tela».

Ma la *Feroniade* non va gustata cosí, a versi spiccati, quasi rami recisi che dalla fresca piaga cacciano fragranza. La *Feroniade* è felice tutta in blocco: nel rivivimento commosso della favola: nell'invenzione delle scene e pitture; nella temperata luce delle immagini; nella rara perfezione dei versi. Ardengo Soffici, uomo di gusto sicuro, esaltava or non è molto questi sciolti, roridi di saltante luce:

> Era a vedersi da una parte il lago
> Tutto d'argento...

In piú d'un punto, solo che s'abbandoni, il lettore può credere che stia leggendo le *Grazie* o il piú squisito Foscolo; il quale molto amò la *Feroniade,* dichiarando che l'ammirava piú di tutti gli altri versi montiani.

Il 15 giugno '27 (l'anno che muore il Foscolo), il Manzoni gli manda i *Promessi Sposi;* e sentite che garbo: «Questa cantafavola vi doveva essere presentata cosí, senza parola e con molto rossore, dalla Giulietta mia, e, dirò anche, un po' vostra per ammirazione e riconoscenza; e io mi godevo tutto nell'immaginarmi un cosí caro pudore dinanzi a una fama pur tanto cara...». E il Monti a rispondere in giornata: «...temendo che la vostra imminente mossa per Roma mi tolga la consolazione di piú rivedervi, poiché l'un dí piú che l'altro sento avvicinarsi il mio fine, mi vi presento in iscritto per dirvi che vado ad aspettarvi in cielo, ove ho certa speranza di rivedervi a suo tempo... Dei vostri *Promessi Sposi,* vi dirò che vorrei esserne io l'autore...».

Apertura serena e fiduciosa in mezzo a dolori, abbandono d'amici, strettezze finanziarie, dispiaceri familiari, gli limano giorno per giorno la vita. Malata di nervi, Costanza credeva d'essere odiata e perseguitata dalla madre; e, nello stesso tempo, accusava il padre di pessima amministrazione. Guerre in famiglia. Sincero desiderio nel poeta di andarsene, finire di soffrire. Molto interessanti sono le lettere che il Monti scrive in questo periodo. Chi le scegliesse tra l'altre e le raccogliesse, farebbe un bel servizio all'*uomo Monti*. Scrive: « Lo stato della mia salute è sempre lo stesso, col desiderio sempre vivo di poter venire a Fusignano a confondere le mie con le sante ossa di mio padre e mia madre ». Ancora: « Prossimo all'ultimo mio fine, vengo con queste poche righe a prender congedo per l'altro mondo; e non credere che m'inganni. Ho già nel cuore la morte, e sinceramente sono stanco di vivere. Né mi duole di cessare una vita amareggiata dai piú crudeli disgusti che mai possano opprimere il tuo povero Monti. Sí, mio caro, io muoio infelicissimo e direi quasi disperato per la mala condotta di quelli che piú amo... ». Era stato chiamato il Napoleone delle lettere; aveva cantato Napoleone per metá la sua vita; e anch'egli ha un ben triste tramonto.

Scriveva: « Ben veggo che da un momento all'altro può suonare la mia ultima ora: perciò mi ci vado preparando, leggendo e meditando le divine lettere di Seneca sul disprezzo della morte. La quale nel mio pensiero giá comincia a prendere la faccia d'un bene da desiderare... ».

Dico che farebbe un bel servizio al Monti chi scegliesse, fra le mille e mille, le lettere specialmente degli ultimi anni; ma non di questi soli. Di buone, ce n'è in tutti i periodi della sua varia vita; ed è facile trovarle ora che il Bertoldi, con puntualitá e amore rari, ce le ha offerte tutte in sei grossi volumi.

Faremo ora l'elogio dell'Epistolario? Lo abbiamo giá fatto, e in un modo nostro. Il lettore s'è accorto che il nostro breve saggio (ma domani potrebbe allungarsi) s'è fatto piú con parole sue che nostre.

Visto che il meglio dell'umanitá del Monti affiora proprio dalle lettere, abbiamo citato e citato e citato, per circondare il discorso piú propriamente letterario della sua voce dove ella è piú umana. Una piccola abilitá? L'abbiamo voluto confessare, per perderne (direbbe Serra) per perderne il merito.

Morí la mattina del 13 ottobre 1828, in Milano, e fu sepolto nel cimitero di San Gregorio, che non esiste piú.

Il suo cuore, chiuso in un'urna d'ebano, fu donato dalla figlia Costanza alla cittá di Ferrara. Avremmo preferito sapere che è nella sua poesia. Ma alla poesia, — disse il Leopardi, — il cuore non l'aveva mai dato.

CESARE ANGELINI.

L'ARCADE.

ALL'AMICA. [1]

Finché l'etá n'invita
Cerchiamo di goder.
L'Aprile del piacer
Passa e non torna.

Grave divien la vita
Se non ne cogli il fior.
Di fresche rose Amor
Solo s'adorna.

A che vantar, mia cara,
Del cor la libertá?
Cotanta vanitá,
Ben mio, disdice.

I nostri cuori a gara
Lasciamo delirar.
Chi sa fervente amar
Solo è felice.

Fonte d'affanni e pianti
Si grida Amor, lo so.
Tu non pensarlo, no,
Sgombra il sospetto.

Per due fedeli amanti
Tutto, tutto è gioir,
Né destasi un sospir
Senza diletto.

Piú sei bella, piú devi
Ad Amor voti e fè.

Della beltade egli è
Questo il tributo.

Amiam, che i dí son brevi;
Un giorno senza amor
È giorno di dolor,
Giorno perduto.

A FILLE. [1)]

La tua voce il cor mi tocca.
Perché render non poss'io
Quel piacere alla tua bocca
Ch'essa desta nel cor mio?

Bocca amabile, che sei
La miglior che veda il sole,
Che piú ancor dei favi iblei [2)]
Dolci mandi le parole;

Ben in terra è fortunato
Chi d'appresso ti rimira,
Ben tre volte è piú beato
Chi d'amor per te sospira;

Ben tre volte è piú felice
Chi udir può la tua dolente
Melodia lusingatrice
Che nell'anima si sente.

Ma frattanto io ben sarei
Mille volte e mille e mille
Piú felice degli Dei,
Se allorquando, o bella Fille,

La tua voce il cor mi tocca,
Render tutto potess'io
Quel piacere alla tua bocca
Ch'essa desta nel cor mio.

DAL « POEMETTO ANACREONTICO ».

 Una Ninfa eridanina [1]
Di sembianze pellegrina,
Che palesa quanto belle
Sian del Po le pastorelle;
Una Ninfa dolce dolce
Che ogni cuor rapisce e molce,
Con un ciglio che può fare
Tigri ed orsi innamorare,
Ciglio nero rubatore
Mi legò, mi tolse il core,
Ed appena la guardai
Che mi piacque, ch'io l'amai;
Anzi parve ch'io l'amassi
Prima ancor che la guardassi.
 Mentre io fiso la mirava,
Ovunqu'ella indirizzava
Delle luci il bel sereno,
Ivi i fiori all'erbe in seno
Rugiadoso il capo alzavano
E piú vaghi diventavano
Desiosi d'esser tocchi
Dal chiaror di quei begli occhi.
L'aere istesso a lei d'intorno
Scintillar vedeasi adorno
Di faville tremolanti
Che spargea da' bei sembianti
Questa cara benedetta
Vezzosissima angioletta.
 E frattanto i venticelli
Correan giú dagli arbuscelli
A lambirle lievemente

Or la bocca sorridente,
Or le guance porporine,
Or le trecce del bel crine,
Ben mostrando ai molli fiati
D'esser tutti innamorati
Di quel vago e gentil viso
Che fea in terra un paradiso.

A tal vista, oh come mai
Sospirando anch'io bramai
Di cangiarmi in qualche auretta
Per volare sulla vetta
Di quei labbri ivi accogliendo
Tutta l'alma e confondendo
Co' suoi placidi respiri
Il calor de' miei sospiri!
Ma quand'ella in dolci guise
Riguardommi e poi sorrise,
A quel guardo, a quel sorriso
Che anche un serpe avria conquiso,
I nervetti piú sottili
E le fibre piú gentili
Con tremor soave e caro
Per le membra s'agitaro.
A quell'impeto, a quel moto,
Poiché insolito ed ignoto
Fino all'alma penetrò,
Ogni forza mi mancò
E sui piedi vacillando
E tremando e palpitando
Di morire io mi credetti
Nel pugnar di tanti affetti.

Cento volte io volli dirle,
Bella, io t'amo; e poi scoprirle
La mia lingua invan tentò
Il desio che m'infiammò,

Ché la voce in sull'uscita
Cento volte impaurita
Palesarsi non ardí,
E sul labbro mi morí,
O cangiossi in un sospiro
Testimon del mio martiro.
  Alfin, senza nulla dire
Pien di tema e insiem d'ardire,
Al mio ben m'avvicinai
E al suo fianco mi posai.
Ci guardammo, e in quei dolcissimi
Cari sguardi languidissimi
Col silenzio mille cose
Disser l'anime amorose.
Mentre muto io non sapea
Aprir labbro, e mi credea
D'aver tronca la favella:
Perché tanto, alfin diss'ella,
Tu mi guardi, e il core in petto
Ti sospira, o giovinetto?
Bella Ninfa, io rispondei,
Anch'io forse ti vedrei
Sospirar, se un sol momento
Tu provassi quel ch'io sento.
Ella rise, e si compiacque
D'ascoltar ch'io l'amo, e tacque;
Poi mi diede un porporino
Ben tessuto fiorellino,
Ch'io baciai d'amor ripieno
Mille volte o poco meno:
E la man che mel donò
Sul mio petto l'adattò,
Ove ascoso il porto ancora
Per portarlo infin ch'io mora.

. . . .

CANZONETTA.

Lo san Febo e le Dive
Delle Castalie rive [1)]
Quante volte giurai
Di non amar piú mai.
Ecco il mio giuramento
Ir ludibrio del vento,
Ecco in preda d'amore
Un'altra volta il core.
Amo, ed ardo per cosa
Sí vaga e graziosa,
Che, vederla e trafitto
Non sentirsi, è delitto.
Io ritrarla vorrei
In colori febèi; [2)]
Ma di Febo il colore
Troppo langue, e minore
Del soggetto gentile
Si smarrisce lo stile.
Pur su l'aonie carte [3)]
Adombreronne in parte
La sembianza divina.
Non sdegnarti, e perdona,
O beltá peregrina,
Se di te parla, e suona
Presuntuosa e frale
Una lingua mortale.
Ma qual dei vanti tuoi
Dirò prima, e qual poi?
Di mie semplici rime
Abbia il bel crin le prime.
 Ben fu maligno o stolto
Chi dei neri men belli

Disse i biondi capelli.
Solo all'adusto volto
Dell'irte spose alpine
Nero conviensi il crine;
O alla fronte di cruda
Vergine americana,
Che cacciatrice ignuda
Sul barbaro Parana [4]
Coll'arco nelle selve
Affatica le belve.
  Quanto al raggio diurno
Cede l'orror notturno,
Tanto i neri men belli
Son dei biondi capelli.
Bionde del sol fiammeggiano,
E degli astri vaganti
Le chiome tremolanti;
Bionde le trecce ondeggiano
Sul collo dell'Aurora,
Di Citeréa, di Flora; [5]
Biondi i ricciuti crini
Dei giocosi Amorini:
E biondo piú dell'oro
Il crin del mio tesoro.
Bello quand'è raccolto,
Piú bel quand'è disciolto,
E scherza errante e lieve
Su la fronte di neve;
Come striscia leggera
Di vapore che a sera
Va serpeggiando e splende
Davanti al sol cadente,
O sulla faccia pende
Della Luna sorgente.

Ardon dolci e tranquille
Le cerulee pupille.
O pupille beate!
Stolto è ben chi vi mira
E d'amor non sospira.
Benché brune non siate,
Fra mille brune e mille
Chi v'eguaglia, o pupille?
Dal color non dipende
Degli occhi la bellezza,
Ma sol dalla dolcezza
Che da lor piove e scende.
I lor fasti e le glorie
Son dei cuor le vittorie,
Ed è il color migliore
Quel che piú parla al core.
Quante pupille brune
Passano disprezzate
Senza palme e fortune,
Perché mute, insensate
Non san spiegarsi in giro,
Né destare un sospiro?
Ma voi, pupille amabili,
Pupille incomparabili,
Se unó sguardo volgete,
Giá il cor rapito avete.
Un trionfo non tardo
Non vi costa che un guardo,
O cerulee tranquille
Vincitrici pupille.
E son puri, innocenti
Questi sguardi possenti,
Come innocente e pura
È nella notte oscura

La modesta fiammella
Di solitaria stella.
 Chi misurar mai puote
Il valor d'un sorriso,
Che ravviva le gote
D'un delicato viso?
Egli è d'amor foriero
E interprete sincero;
Ei nell'alma raccende
La languente speranza;
Degli affanni sospende
La cruda rimembranza,
E prepara la via
Al ben che si desia.
Caro labbro cortese
Di colei che m'accese,
Tu rapisci e conquidi
Quando parli e sorridi.
La gioia allor germoglia
Nell'alma innamorata;
Fuggesi allor la doglia
Del cuor che si dilata
Combattuto da dolce
Palpito che lo molce,
Al respiro simíle
D'un'auretta gentile,
Che sotto il capo vola
D'una fresca viola.
Oh peregrin sorriso
Degno di Paradiso!
Oh sorriso che al mare
Potria l'onda placare,
E pel campo celeste
Serenar le tempeste,

E le glebe ritrose
Vestir d'erbe e di rose!
 Ma di beltá mortale
A che, Musa, si loda
L'onor fugace e frale?
Ne insuperbisca e goda
Chi poca in sen racchiude
Ricchezza di virtude.
 So che immago è del core
La forma esteriore,
Ma l'immago sovente
È fallace, o languente.
Dunque, di questa eletta
Bellissima Angioletta
Cantiam gli aurei costumi
Maraviglia dei Numi.

. . . .

ANACREONTICA.

Alla nobil donna la signora contessa Eleonora Cicognara che mirabilmente recitò la parte di Lisetta *nella Commedia delle due Vedove innamorate.* 1779

 Duri ghiacci, acute brine
Scuote al suol dal bianco crine
L'aspro Inverno, e fuggitivi
Lá sull'alpi arresta i rivi;
Ma del gelo i danni e l'onte
Non paventa il tuo bel fonte,
Biondo Dio, [1] né mai lo vieti
Alle labbra dei poeti.
Or che Bacco a noi sen viene
Vincitor dall'inde arene,

E a dispetto delle grevi
Di Gennaio orride nevi
Festeggiante empie le vie
Di piaceri e di follie,
Ed appresta agli occhi intanto
Sulle scene un dolce incanto
La vispetta, la furbetta
Vezzosissima *Lisetta*,
Dammi, Euterpe, [2] un nappo o dui
Di quell'onda, senza cui
Vuoti d'estro e disarmati
Sono i cerebri de' vati.
Cianci allora, allor mi vanti
Flacco i suoi fiaschi fumanti
Di falerno, e sulla lira
Col desío che Bacco inspira
Porga preghi al suo vezzoso
Ligurino dispettoso. [3]
Cianci allora Anacreonte
Coll'Idalio [4] mirto in fronte,
E sturando un botticino
Tutto colmo di buon vino
Canti i baci, e il delicato
Mento imberbe, e il bianco lato,
E il gentil braccio tornito
Di Batillo catamito. [5]
Tanto accieca, ohimè, le menti
Bacco ai vati incontinenti!
Fuorché il fonte intatto e puro,
Altro nettare io non curo.
Lungi dunque dal mio seno
Lungi, o Bromio, il tuo veleno.
Vanne, e récalo ad un Geta, [6]
A un tedesco, o ad un poeta

Che di Pindo onta e flagello
Sia cantor d'ogni bordello.
Sí profano, no, per Dio,
Non è il plettro e il canto mio.
Io lodar vo' sol le cose
Belle, vaghe, grazïose;
Io di versi aurea corona
Tesser voglio in Elicona
Solo al crin della furbetta
Vezzosissima *Lisetta*.

Grazie, Amori, qua correte
Se imparar da lei volete
Qualche nuova leggiadría,
Qualche nuova furberia.
Quei begli occhi feritori
Che dan guasto a tanti cuori;
Quelle guance a bianco e lieve
Fiotto simili di neve,
Che discende in balza alpina
Quando è cheta la collina;
Quella bocca che dischiude
Certa incognita virtude,
Certo amabile sorriso
Ch'apre in terra il paradiso;
Grazie, Amori, si permetta
Ch'io la dica schietta schietta,
Altro è ben che il bruno ciglio,
E il gentil labbro vermiglio
E le gote sí leggiadre
Di Ciprigna vostra madre.
Son tant'anni e tante etá,
Che famosa è sua beltá,
Fin da quando il pomo ell'ebbe
Ch'esser vecchia omai dovrebbe.

Ma *Lisetta* ha in sua bellezza
Tutto il fior di giovinezza,
Che del tempo i danni e l'ire
Non paventa, e sembra dire:
Il model di questo volto
La natura in ciel l'ha tolto,
E allor quando l'adoprò
Con Amor si consigliò
Che occhi, guance, labbra e mento
Impastonne a suo talento
Coll'odor di tenerini
Olezzanti gelsomini,
E col succo distillato
D'ogni fior ch'è piú pregiato
Fra la pompa lusinghiera
Di ridente primavera.

. . . .

CANZONETTA.

Alla medesima, quando recitò la parte di Clarice *nella Tragicommedia di questo nome.* 1779

Fiamma gentil dell'anime,
Periglio d'ogni cor,
Odi, o *Clarice*, un libero
Di Pindo abitator. [1]

Questa d'avorio e d'ebano
Cetra che un Dio mi diè,
Lá su quel fresco margine
Io la temprai per te.

Maravigliando taciti
I boschi l'ascoltar,
E di *Lisetta* appresero
Il nome a risuonar.

Dal tronco lor le Driadi [2]
Col verde capo uscir,
E innanzi a te d'invidia
Men belle impallidir.

Fauni cessaro e satiri
Al suono repentin
Di sdrucciolar sul lubrico
Ghiaccio del rio vicin.

Ed aguzzando attoniti
L'orecchio al mio cantar
Fer plauso, e poi tornarono
Sul rivo a saltellar.

Mentre di tue mirabili
Pupille allo splendor
L'etra d'intorno empieasi
D'insolito chiaror;

E dall'antica e rigida
Fronte scuotendo il gel
Gli olmi stillar parevano
Di rugiadoso mel.

Tal dalle sue bell'isole
Se a riveder l'april
Vien sulla conca lucida
Del mar la Dea gentil; [3]

Sciolgono a gara i zefiri
Dalla collina il vol;
Ridono i mirti, e smaltasi
Di fior leggiadri il suol.

Ella si allegra, e il placido
Girando occhio divin,
Odor d'ambrosia e balsamo
Sparge dall'aureo crin.

Ma perché mai, Bellissima,
Il tuo gioir sparí?

L'ARCADE

E perché tanto in lagrime
Ti struggi in questo dí?

Que' tuoi begli occhi fulgidi,
Dolce albergo d'amor,
In fonti si conversero
Di pianto e di dolor.

Quei labbri che soleansi
Di riso in pria vestir,
Ohimé! di lunghi or suonano
Singulti e di sospir.

La fallace, l'instabile
Lisetta or dove andò?
Sparve la scena ignobile,
E in altra si cangiò.

Qui le scherzanti Grazie
Condur Talia [4] non sa,
Non tradimenti, o immagini
Di varia infedeltá.

Ma, per dolce dell'anime
Amabile terror, [5]
I palchi empie Melpomene [6]
Di lugubre squallor.

Aura feral, che mormori
Sí dolente fra te,
E vieni in tuon patetico
A sospirar con me;

Ferma quel roco sibilo
Che l'alma mia ferí,
E di *Clarice* i gemiti
Non mi turbar cosí.

. . . .

IL CONSIGLIO.

Le tue vaghe alme pupille,
I celesti tuoi sembianti
Giá t'acquistano, o mia Fille,
I sospir di cento amanti.

Ciascheduno i merti suoi
Spiega in pompa lusinghiera,
E sui cari affetti tuoi
Ciaschedun gareggia e spera.

Io devoto e non indegno
Tuo novello adoratore,
La conquista anch'io qua vegno
A tentar del tuo bel core.

Giá sí rigida non sei,
Che tu voglia i dolci affanni
Del piú caro fra gli Dei
Dipartir da' tuoi verd'anni;

E uno sguardo a quel girando,
E donando a questi un detto,
D'ogni laccio andar serbando
Sciolto il cor frattanto in petto.

Se d'Amor l'acuto strale
A ferirti il sen non va,
Che ti giova, che ti vale,
Fille mia, la tua beltá?

Dunque scegli qual piú vuoi
Cui del cuore aprir le porte.
Fortunato chi di noi
Venga eletto a tanta sorte!

Ma non prendere consiglio
Sol dagli occhi, e saggia intanto
Della scelta sul periglio
I miei atti ascolta alquanto.

Fra lo stuolo numeroso
Dei molesti supplicanti
Altri vassene fastoso
Per sembianze trionfanti;

  Altri ha il guardo lusinghiero,
Il parlar tutto di mele,
E protesta un cor sincero,
E promette un cor fedele;

  Poi d'amor pel vario regno
Fuoruscito fraudolento
Cerca solo il vanto indegno
D'un difficil tradimento.

  Io ti reco innanzi un viso
Fosco, pallido, infelice;
Io non ho su i labbri il riso,
L'eloquenza incantatrice:

  Ma il color del volto oscuro
Dentro l'alma non passò;
La menzogna, lo spergiuro
Le mie labbra non macchiò.

  Né per me donzella alcuna
Pianse mai gli amor, svelati,
Sol degli astri e della luna
Al bel raggio illuminati.

  Questi vanta un sangue egregio
Da grand'avi in lui disceso;
Quegli conta per suo pregio
Di molt'oro e argento il peso.

  Io vantarti altro non so
Che un cuor tenero, ed un canto
Finor chioccio; ma farò
Che un dí tolga ad altri il vanto.

  Le amorose giovinette,
Chi nol sa? ben altro chieggono

Che leziose canzonette,
Che al bisogno mal provveggono.

  Pur sovente in bocca a un vate
Della lode il suon seduce,
Ed acquista una beltate
Maggior grido e maggior luce.

  Quante belle, quante v'hanno
Deitá, che sono ignote,
Perché un vate aver non sanno
Per amante e sacerdote!

  Tal saravvi che geloso
D'un sol guardo, d'un sol detto,
Turbi ognora il tuo riposo
Co' lamenti e col sospetto;

  Cui dispiaccia un certo orgoglio,
Che piú vaga assai ti rende;
Quel tuo voglio, e poi non voglio,
Ch'è piú bello allor che offende.

  Quel vivace tuo talento
Qualche volta un po' incostante,
Che ti fa con bel portento
Presto irata, e presto amante.

  Ciò che importa? Un genio instabile
Colpa è sol di fresca etá;
Non saresti sí adorabile
Senza qualche infedeltá.

  Essa annunzia nel tuo petto
Fervid'alma e cor pieghevole.
Come odiar poss'io l'effetto
D'una causa sí giovevole?

  Questa in sen potria talora
Consigliarti un bello errore,
E potria talvolta ancora
Consigliarlo a mio favore.

D'una facile incostanza
Se tal frutto attender lice,
Ah, sii pure, o mia speranza.
Spesso infida e traditrice.

Tal saravvi che dolente
Sempre in atto di morire,
Sempre muto e penitente
Avveleni il tuo gioire.

Norma e legge io prenderò
Dallo stato del tuo viso,
E fedele alternerò
Teco il pianto e teco il riso.

Troverai tal altro ancora
Che noioso ognor sospira,
Ch'ognor dice che t'adora,
E per troppo amor delira.

Dell'affetto mio nascoso
Gli occhi miei ti parleranno,
E del labbro timoroso
Il silenzio emenderanno.

Né con supplica indiscreta
Io vo' poi ch'ogni momento
La tua bocca mi ripeta
La promessa, il giuramento.

Ch'un per uno mi ridica
I pensieri in cor celati,
Che sul volto dell'amica
Esser denno interpretati.

Uno sguardo che furtivo
Mi tramandi il non confesso
Tuo secreto, assai piú vivo
Parlerá che il labbro istesso.

Quante vergini ritrose
Con gli sguardi un dí svelarono

Quel desio che vergognose
Alle labbra non fidarono.

   Vuoi che d'Egle e d'Amarille [1)]
Il sembiante a me dispiaccia?
Che mi caschin le pupille
Se mai piú le guardo in faccia.

   Alla madre tua degg'io
Finger vezzi e farle il vago?
Chiedi assai, bell'idol mio,
Ma sarai contento e pago.

   Vuoi che io parta allor che a lato
Il rival ti troverò?
Il comando è dispietato,
Ma fedel l'eseguirò.

   Non v'è cenno ch'io ricusi,
Fuor che quel di non amarti:
Il tuo volto in ciò mi scusi
Della colpa d'adorarti.

   Se un piú comodo amatore
Trovi, o Fille, in tua balia
Tosto il ferma, e ben di core
Ne ringrazia la Follia.

LA FECONDITÁ. [1)]

Piacer del mondo, origine
Delle corporee vite,
Che terra e mar riempiono
Diverse ed infinite;

   Sospiro e desiderio
Di giovinette spose,
Che la speranza pubblica
Incoronò di rose;

ANDREA APPIANI: VINCENZO MONTI
(Roma, Galleria d'Arte moderna)

Bella del Tebro, guardami:
Feconditá son io. [2)]
Per te qua mossi, arréstati:
Qui siedi al fianco mio.

Giá sul tuo casto talamo
Assisa mi vedesti
Un'altra volta, e il titolo
Per me di madre avesti.

Brevi i contenti furono;
E su l'estinta figlia
Presto sgorgar le lagrime
Dalle materne ciglia.

Lo sposo inconsolabile
Allor ti pianse accanto;
Fu visto allor confondersi
Al suo di Roma il pianto;

Mentre un profondo gémito
Uscir s'udia dal trono.
Intorno ancor ne mormora,
Se tu l'ascolti, il suono. [3)]

E al tuo desir propizia
Di nuovo io giá scendea:
Il mio secondo tremito
Giá scosso il sen t'avea.

Dalla lusinga amabile
D'un avvenir migliore
Su la funesta perdita
Prendea conforto il core.

Ma tosto un dio contrario
Sí bella speme uccise,
E me tradita e debole
Dal fianco tuo divise.

Piú forte allor bagnarono
Le amare stille il petto

Ed abbondanti scorsero
Su l'infecondo letto:
 E scapigliata e supplice
Mi richiamasti invano;
E io volli invan soccorrerti
Colla fuggente mano.

 Vietollo il Fato. Impavida
Tu poi di tanto affanno
Colla ragion pacifica
Temprar sapesti il danno;

 Ché dentro membra tenere
Nei casi avversi e crudi
Tu saldo spirto ed anima
Filosofante chiudi.

 Le Grazie a te sorridono,
E Giovinezza illesa;
Qual mai si puote attendere
Dal quarto lustro offesa?

 Dunque gl'iddii non tolsero
Ma prepararo i giorni
In cui di madre il giubilo ·
A consolar ti torni.

 Sul celebrato margine
Di questa fonte amica
Che occulto foco ed alcali [4]
A sanitá nutrica,

 Qui del tuo ben sollecita
Ad aspettarti io venni;
Qui deggio, o bella, adempiere
Del gran Tonante i cenni.

 L'eccelsa pianta ed inclita
Che colla tua s'infiora,
Son sette e sette secoli
Che cresce e temi ancora?

Giá nuova prole al timido
Tuo grembo il cielo invia;
Asciuga il pianto ed ilare
Gli andati affanni oblia.

All'onda salutifera
Le care membra affida;
Ecco, son io la Naiade [5]
Che la governa e guida.

Intanto Amor del Talamo
Preparerá le piume,
E dei cristalli incomodi
Verrá scemando il lume.

Di velo, il sai, compiacesi
Amor modesto e puro.
Va: fra quell'ombre tacite
Mi troverai, tel giuro.

IL
CESPUGLIO DELLE QUATTRO ROSE. [1]

Dimmi, Amore: In questo eletto
Giardin sacro alla pudica
Dea del senno e tua nemica, [2]
Temerario fanciulletto,
A che vieni? O fuggi, o l'ali
Tu vi perdi, ed arco e strali.

Al tiranno iddio dei cuori
Ogni passo qui si chiude:
Qui Minerva alla Virtude,
A lei sola educa i fiori.
Fuggi, incauto; o preso al varco
Perderai gli strali e l'arco.

Ride Amore; e, In error vai,
Mi risponde. Amico io sono

A Minerva, e ti perdono
Se mi oltraggi, e ancor non sai
Che a Virtude io serbo fede
Piú che il volgo non si crede.

E per lei qui appunto or vegno
A spiccar dal cespo un raro
Fior gentile, un fior che caro
A lei crebbe, e di me degno.
Cosí parla; e con baldanza
Nella chiostra il passo avanza.

E di quattro intatte Rose
Ad un cespo s'avvicina:
Tre che aperte in su la spina,
Ma guardate e mezzo ascose
Riempian quel chiuso rezzo
D'un divino e dolce olezzo.

E la quarta il bel tesoro
Di sue foglie amorosette
All'aperto ancor non mette.
Ma la prima in suo decoro
Dir parea: — Nessun m'adocchi,
Ch'io son d'altri, e non mi tocchi.

Allor dissi: Ingiusto cielo,
Perché tarda il suo desire?
Perché farla, o Dio! languire?
E sí vaga in su lo stelo
Risplendea, che m'era avviso
Fosse nata in Paradiso.

Uno sguardo che dicea:
Non temer, le porse Amore,
E baciolla. In bel rossore
A quel bacio io la vedea
Infiammarsi, e poi modesta
Inchinar la rosea testa.

Lieto intanto il dio gentile
Con un dardo aperse il folto
Delle spine, ond'era involto
Del cespuglio il verde aprile:
E la man tra fronda e fronda
Ratto stese alla seconda.

Quella rosa che in Citera
Fu dal sangue colorita
Di Ciprigna il piè ferita,
Sí vezzosa ah no, non era.
Questa, il giuro (e sia con pace
Della Diva) è piú vivace.

Dolce l'aura l'accarezza,
Schietto il sol di rai l'indora.
Fresca piove a lei l'aurora
Le sue perle; e una vaghezza,
Uno spirto intorno gira
Che ti grida al cor: Sospira.

Tale e tanta in sua beltade
Dallo stelo ancor crescente
La divise quel potente
Re dell'alme innamorate.
L'agitò, le luci affisse
Nel bel fiore, e cosí disse:

Desio d'alma generosa,
Di Minerva dolce cura,
Dolce riso di natura,
Cara al ciel Trivulzia Rosa,
Il tesor che in te si chiude
Io consacro alla Virtude.

E Virtú, che sola al mondo
Fa l'uom chiaro e lo sublima,
La Virtú che sola è cima
Di grandezza, e il resto è fondo,

Fará lieta in suo giardino
La tua vita, o fior divino.

Or tu, vate (se felice
Mai ti feci, o mio cantore)
Scrivi il fatto che d'Amore
Qui vedesti; e all'alma Bice [3]
Dí che saggio ognor sarò,
Dí che al cespo tornerò.

E corrò... Ma posto il dito
Su le labbra il dir sostenne,
E disparve. Allor mi venne
Nella mente appien chiarito
Che a Virtude Amor tien fede
Piú che il volgo non si crede.

IL RITORNO D'AMORE
AL CESPUGLIO DELLE QUATTRO ROSE. [1]

Al bel cespo delle Rose
Ritornar promise Amore,
E tornò. L'aspro rigore
Delle brine ai fior dannose
Si dilegua; ed ecco ei coglie
L'altra rosa, e sua fé scioglie;

L'altra rosa che, languente
Per timor d'un tardo aprile,
Ravvivò quel dio gentile
Col suo bacio onnipossente;
Onde fatta era sí bella
Che del dí parea la stella.

E sí dolce innamorava,
Sí rapia, che fermi e fissi
Gli occhi in lei sovente io dissi

Come il cor significava:
Se piú tarda il suo desio
Ah, l'invola un altro Dio.

Ma lo sguardo dei mortali
Mal dei Numi all'opre arriva,
E la nostra estimativa
Dietro a quelle ha corte l'ali.
Congiurato con Amore
Custodia quest'almo fiore

Quel diritto Iddio severo
Che suo trono sempre pose
Sol nell'alme generose:
Quell'Iddio che, lieto o nero
Volga il tempo, non cancella
Mai decreto, e Onor s'appella.

Ed Amor che tolto avea
A compirne il giuramento,
Alla sua bell'opra intento
Degli stolti in sé ridea:
Degli stolti a cui secrete
Son le vie delle sue mete.

Ma secrete a te non furo,
Genio Insubre, di leggiadre
Nobil alme antico padre,
Che presente all'alto giuro
Suonar festi i voti ardenti
Del tuo petto in questi accenti.

Delle Grazie e di Minerva
Dolce studio e caro orgoglio,
Di bel ramo bel germoglio,
Salve; e sempre arrida e serva
Alla tua beltá pudica
La stagion dei fiori amica.

Sia perenne in su lo stelo
Il fiorir delle tue foglie;

La virtú che in te s'accoglie
Mai non stringa acuto gelo,
E del cielo ingiusto l'ire
Mai non faccia il tuo languire.

Voi che morte saettate
Alle piante tenerelle,
Vampe estive, e voi procelle,
Via fuggite, non toccate
Questo fior che tutto è riso,
Tutto fior di Paradiso.

A blandir sue caste frondi
Vien tu solo, o carezzante
Venticel di Clori amante;
Vieni, e l'aura lo fecondi
Che dal verno resoluta
Ogni pianta al parto aiuta.

E se muove atro livore
All'offese i serpi infidi,
Dei tuoi strali ah tu gli uccidi,
Della luce almo signore,
E sia sempre tutto riso
Questo fior di Paradiso.

Cosí disse; e piú lucente
Al finir delle parole
Fiammeggiò dall'alto il sole;
E tuonar s'udí repente
Questa voce: O mia diletta,
Dell'invidia avrai vendetta.

Sí l'avrai, mia fede è pura:
Ed Amor felice appieno
Ti farà su questo seno:
Ad Amore Onor lo giura,
Quell'Onor che a mille prove
Agl'Insubri è piú che Giove.

Quale in Cielo è la fragranza
Che di Venere il vermiglio
Labbro spira e il sen di giglio
Fuor di tutta umana usanza,
Sí che Giove pon giú l'ira
E ogni Dio d'amor sospira;
 Tale al suon della nascosa
Voce amica si dischiuse,
E un divino odor diffuse
La gentil Trivulzia Rosa.
Infiammossi in vaga mostra
Del color che il volto innostra;
 E parea d'amor la Diva
Quando intatta e vereconda
Verginetta uscia dall'onda.
Cosí questa: e ardea sí viva
La sua porpora e sí bella
Che del dí vincea la stella.

LE GRAZIE RIFORMATE. [1)]

Ier l'altro Citerea
Alle Grazie dicea:
Mie carissime ancelle,
Siete, è vero, ancor belle,
Ma un po' vecchie. E da poi
Che i romantici vati
Si fan beffe di voi,
 E di quanti Beati
 Creò l'alto pensiero
Del santo padre Omero,
Ogni vostro bel vezzo
È caduto di prezzo;
Ed a ragion, ché fatto

S'è di voi dai poeti,
Sempre pazzi e indiscreti,
Un consumo sí matto
Con onta vostra espressa,
Che n'arrossisco io stessa.

Or vizze e lungi tanto
Da quel che foste accanto
Al vecchio Anacreonte,
Che vi riman? La fronte
Abbassar per prudenza,
E in santa pazienza
Servire alla *tolette*
Delle grinze Civette.

Quindi (il soffrite in pace)
Giubilarvi mi piace,
E la corte d'Amore
Riformar con novelle
Elette damigelle,
In cui degli anni il fiore
Spieghi le pompe sue:
E me ne bastan due.

Ciò detto appena, in meno
Che non guizza il baleno
Giú dalla terza stella
Si calò con baldanza
Nella secreta stanza
D'Emilia e d'Isabella.
E in note affettuose
La cagion del venire,
Senza star altro a dire,
Alle fanciulle espose.
Vano disegno! Il Nume
D'ogni gentil costume,
La divina Aretea [2)]
Giá fatte sue le avea.

PER L'ALBO DI BELLA PITTRICE.

Donna d'alto intelletto e d'alto core,
Onor della divina arte d'Apelle,
Pingi, ti dice Amore,
Pingi a tua fantasia
Una figura femminil che sia
Per forme amate e belle
Somigliante alla mia
Diva madre Afrodite, [1]
Qual giá parve quel dí che senza velo
Uscia dall'onde innamorando il cielo.
    Pingi nel caro viso
Delle Grazie il sorriso;
Sembri Minerva nel decoro, e Giuno
Nel portamento; e se tu vuoi d'ognuno
Di tanti pregi in un sol volto espressa
La peregrina idea, pingi te stessa.

SONETTO ESTEMPORANEO
CON RIME OBBLIGATE SOPRA GLI OCCHI. [1]

Sotto due neri sottilissimi *archi*,
Quando ti pose Amor luci sí *belle*,
Io giurerei che per gli aerei *varchi*
In quel dí si perdettero due *stelle*.
    Da voi, begli occhi, a riguardar sí *parchi*
Piovon dolci sul cuore auree *fiammelle*,
Voi plachereste gli Aquilon, che *carchi*
Vanno d'orridi nembi e di *procelle*.
    Occhi piú bei d'Alcina in fronte *Astolfo*
Non vide, e vostra luminosa *lampa*
Domar può l'ombre dello stigio *golfo*.
    E fra la luce, che sull'alme *avvampa*,
In voi sta scritto, ardenti occhi di *zolfo*:
« Vi fe' natura, e poi ruppe la stampa ».

IO D'ELICONA...

Io d'Elicona abitator tranquillo,
Solo del rezzo d'un allor contento
E d'un fonte che dolce abbia il zampillo,

Non mi rattristo se per me non sento
Muggir mille giovenche, e la campagna
Rotta non va da cento aratri e cento;

Non mi cal che di Francia o di Bretagna
Sul lido American prevalga il fato,
E che tutta di guerra arda Lamagna.

Cerco sol che non sia meco sdegnato
Apollo, e tempri colle rosee dita
La non vil cetra che mi pende a lato;

Né questa mi contenda ombra romita,
Né quest'erbetta, dal corrente umore
E dall'aura d'april scossa e nudrita.

Qui vo cantando come detta il core,
E sul margo dell'onde cristalline
Ora questo raccolgo ed or quel fiore.

Poi m'insegnan le bionde Eliconine
A comporne di vergini vezzose,
O di lodato eroe ghirlanda al crine.

IL PINDARICO.

PROSOPOPEA DI PERICLE.

Alla santità di Pio VI. [1]

Io de' forti Cecropidi [2]
Nell'inclita famiglia
D'Atene un dí non ultimo
Splendore e maraviglia,
 A riveder io Pericle
Ritorno il ciel latino,
Trionfator de' barbari,
Del tempo e del destino.
 In grembo al suol di Catilo [3]
(Funesta rimembranza!)
Mi seppellí del Vandalo
La rabbia e l'ignoranza.
 Ne ricercaro i posteri
Gelosi il loco e l'orme,
E il fato incerto piansero
Di mie perdute forme.
 Roma di me sollecita
Sen dolse, e a' figli sui
Narrò l'infando eccidio
Ove ravvolto io fui.
 Carca d'alto rammarico
Sen dolse l'infelice
Del marmo freddo e ruvido
Bell'arte animatrice;

E d'Adriano e Cassio,
Sparsa le belle chiome, [4]
Fra gl'insepolti ruderi
M'andò chiamando a nome:
  Ma invan; ché occulto e memore
Del giá sofferto scorno
Temei novella ingiuria,
Ed ebbi orror del giorno.

  Ed aspettai benefica
Etade in cui sicuro
Levar la fronte, e l'etere
Fruir tranquillo e puro.

  Al mio desir propizia
L'etá bramata uscio,
E tu sul sacro Tevere
La conducesti, o Pio. [5]

  Per lei giá l'altre caddero
Men luminose e conte,
Perché di Pio non ebbero
L'augusto nome in fronte.

  Per lei di greco artefice
Le belle opre felici
Van del furor de' secoli
E dell'obblio vittrici.

  Vedi dal suolo emergere
Ancor parlanti e vive
Di Periandro e Antistene [6]
Le sculte forme argive.

  Da rotte glebe incognite
Qua mira uscir Biante,
Ed ostentar l'intrepido
Disprezzator sembiante:
  Lá sollevarsi d'Eschine
La testa ardita e balda,

IL PINDARICO

Che col rival Demostene
Alla tenzon si scalda.

Forse restar doveami
Fra tanti io sol celato,
E miglior tempo attendere
Dall'ordine del Fato?

Io, che d'etá sí fulgida
Piú ch'altri assai son degno?
Io della man di Fidia
Lavoro e dell'ingegno?

Qui la fedele Aspasia
Consorte a me diletta,
Donna del cor di Pericle,
Al fianco suo m'aspetta.

Fra mille volti argolici
Dimessa ella qui siede,
E par che afflitta lagnisi,
Che il volto mio non vede.

Ma ben vedrallo: immemore
Non son del prisco ardore:
Amor lo desta, e serbalo
Dopo la tomba Amore.

Dunque a colei ritornano
I Fati ad accoppiarmi,
Per cui di Samo e Carnia [7)
Ruppi l'orgoglio e l'armi?

Dunque spiranti e lucide
Mi scorgerò dintorno
Di tanti eroi le immagini
Che furo Elleni un giorno?

Tardi nepoti e secoli,
Che dopo Pio verrete,
Quando lo sguardo attonito
Indietro volgerete,

Oh come fia che ignobile
Allor vi sembri e mesta
La bella etá di Pericle
Al paragon di questa!

Eppur d'Atene i portici,
I templi e l'ardue mura
Non mai piú belli apparvero
Che quando io l'ebbi in cura.

Per me nitenti e morbidi
Sotto la man de' fabri
Volto e vigor prendevano
I massi informi e scabri.

Ubbidiente e docile
Il bronzo ricevea
I capei crespi e tremoli
Di qualche ninfa o dea.

Al cenno mio le parie [8]
Montagne i fianchi apriro,
E dalle rotte viscere
Le gran colonne usciro.

Si lamentaro i tessali
Alpestri gioghi anch'essi
Impoveriti e vedovi
Di pini e di cipressi.

Il fragor dell'incudini,
De' carri il cigolio,
De' marmi offesi il gemere
Per tutto allor s'udio.

Il cielo arrise: Industria
Corse le vie d'Atene,
E n'ebbe Sparta invidia
Dalle propinque arene.

Ma che giovò? Dimentichi
Della mia patria i Numi,

Di Roma alfin prescelsero
Gli altari ed i costumi.

Grecia fu vinta, e videsi
Di Grecia la ruina
Render superba e splendida
La povertá latina.

Pianser deserte e squallide
Allor le spiagge achive,
E le bell'Arti corsero
Del Tebro sulle rive.

Qui poser franche e libere
Il fuggitivo piede,
E accolte si compiacquero
Della cangiata sede;

Ed or fastose obliano
L'onta del goto orrore,
Or che il gran Pio le vendica
Del vilipeso onore.

Vivi, o Signor; tardissimo
Al mondo il Ciel ti furi,
E coll'amor de' popoli
Il viver tuo misuri.

Spirto profan dell'Erebo
All'ombre avvezzo io sono;
Ma i voti miei non temono
La luce del tuo trono.

Anche del greco Elisio
Nel disprezzato regno
V'è qualche illustre spirito
Che d'adorarti è degno.

LA SCOPERTA DEI GLOBI AEREOSTATICI.

Al signor di Montgolfier.

Quando Giason dal Pelio
Spinse nel mar gli abeti,
E primo corse a fendere
Co' remi il seno a Teti,

Su l'alta poppa intrepido
Col fior del sangue acheo
Vide la Grecia ascendere
Il giovinetto Orfeo.

Stendea le dita eburnee
Sulla materna lira;
E al tracio suon chetavasi
De' venti il fischio e l'ira.

Meravigliando accorsero
Di Doride le figlie;
Nettuno ai verdi alipedi [1]
Lasciò cader le briglie.

Cantava il Vate odrisio [2]
D'Argo la gloria intanto,
E dolce errar sentivasi
Sull'alme greche il canto.

O della Senna ascoltami
Novello Tifi invitto: [3]
Vinse i portenti argolici
L'aereo tuo tragitto.

Tentar del mare i vortici
Forse è sí gran pensiero,
Come occupar de' fulmini
L'inviolato impero?

Deh! perché al nostro secolo
Non diè propizio il Fato
D'un altro Orfeo la cetera,
Se Montgolfier n'ha dato?

IL PINDARICO

    Maggior del prode Esonide [4]
Surse di Gallia il figlio. [5]
Applaudi, Europa attonita,
Al volator naviglio.

    Non mai Natura, all'ordine
Delle sue leggi intesa,
Dalla potenza chimica
Sortí piú bella offesa.

    Mirabil arte, ond'alzasi
Di Sthallio e Black la fama, [6]
Pera lo stolto Cinico
Che frenesia ti chiama.

    De' corpi entro le viscere
Tu l'acre sguardo avventi,
E invan celarsi tentano
Gl'indocili elementi.

    Dalle tenaci tenebre
La veritá traesti,
E delle rauche ipotesi
Tregua al furor ponesti.

    Brillò Sofia piú fulgida
Del tuo splendor vestita,
E le sorgenti apparvero,
Onde il creato ha vita.

    L'igneo terribil aere,
Che dentro il suol profondo
Pasce i tremuoti, e i cardini
Fa vacillar del mondo,

    Reso innocente or vedilo
Da' marzii corpi uscire,
E giá domato ed utile
Al domator servire.

    Per lui del pondo immemore,
Mirabil cosa! in alto

Va la materia, e insolito
Porta alle nubi assalto.

Il gran prodigio immobili
I riguardanti lassa,
E di terrore un palpito
In ogni cor trapassa.

Tace la terra, e suonano
Del ciel le vie deserte:
Stan mille volti pallidi,
E mille bocche aperte. [7]

Sorge il diletto e l'estasi
In mezzo allo spavento,
E i piè mal fermi agognano
Ir dietro al guardo attento.

Pace e silenzio, o turbini:
Deh! non vi prenda sdegno
Se umane salme varcano
Delle tempeste il regno.

Rattien la neve, o Borea,
Che giú dal crin ti cola;
L'etra sereno e libero
Cedi a *Robert* che vola.

Non egli vien d'Orizia [8]
A insidiar le voglie:
Costa rimorsi e lagrime
Tentar d'un Dio la moglie.

Mise Teséo nei talami
Dell'atro Dite il piede:
Punillo il Fato, e in Erebo
Fra ceppi eterni or siede. [9]

Ma giá di Francia il Dedalo
Nel mar dell'aure è lunge:
Lieve lo porta Zeffiro,
E l'occhio appena il giunge.

IL PINDARICO

Fosco di lá profondasi
Il suol fuggente ai lumi,
E come larve appaiono
Cittá, foreste e fiumi.

Certo la vista orribile
L'alme agghiacciar dovria;
Ma di *Robert* nell'anima
Chiusa è al terror la via.

E giá l'audace esempio
I piú ritrosi acquista;
Giá cento globi ascendono
Del Cielo alla conquista.

Umano ardir, pacifica
Filosofia sicura,
Qual forza mai, qual limite
Il tuo poter misura?

Rapisti al ciel le folgori,
Che debellate innante
Con tronche ali ti caddero,
E ti lambîr le piante.

Frenò guidato il calcolo
Dal tuo pensiero ardito
Degli astri il moto e l'orbite,
L'Olimpo e l'infinito.

Svelaro il volto incognito
Le piú rimote stelle,
Ed appressar le timide
Lor vergini fiammelle.

Del Sole i rai dividere,
Pesar quest'aria osasti;
La terra, il foco, il pelago,
Le fere e l'uom domasti.

Oggi a calcar le nuvole
Giunse la tua virtute,

E di natura stettero
Le leggi inerti e mute.
 Che piú ti resta? Infrangere
Anche alla Morte il telo,
E della vita il nettare
Libar con Giove in cielo.

LA BELLEZZA DELL'UNIVERSO. [1]

Della mente di Dio candida figlia,
Prima d'Amor germana, e di Natura
Amabile compagna e maraviglia,
 Madre de' dolci affetti, e dolce cura
Dell'uom, che varca pellegrino errante
Questa valle d'esilio e di sciagura,
 Vuoi tu, diva Bellezza, un risonante
Udir inno di lode, e nel mio petto
Un raggio tramandar del tuo sembiante?
 Senza la luce tua l'egro intelletto
Langue oscurato, e i miei pensier sen vanno
Smarriti in faccia al nobile subbietto.
 Ma qual principio al canto, o Dea, daranno
Le Muse? e dove mai degne parole
Dell'origine tua trovar potranno?
 Stavasi ancora la terrestre mole
Del Caos sepolta nell'abisso informe,
E sepolti con lei la Luna e il Sole;
 E tu del sommo Facitor su l'orme
Spazïando, con esso preparavi
Di questo Mondo l'ordine e le forme.
 V'era l'eterna Sapienza, e i gravi
Suoi pensier ti venia manifestando
Stretta in santi d'amor nodi soavi.

IL PINDARICO

Teco scorrea per l'Infinito; e quando
Dalle cupe del Nulla ombre ritrose
L'onnipossente creator comando

Uscir fe' tutte le mondane cose,
E al guerreggiar degli elementi infesti
Silenzio e calma inaspettata impose,

Tu con essa alla grande opra scendesti,
E con possente man del furibondo
Caos le tenebre indietro respingesti,

Che con muggito orribile e profondo
Lá del creato su le rive estreme
S'odon le mura flagellar del Mondo;

Simili a un mar che per burrasca freme,
E sdegnando il confine, le bollenti
Onde solleva, e il lido assorbe e preme.

Poi, ministra di luce e di portenti,
Del ciel volando pei deserti campi,
Seminasti di stelle i firmamenti.

Tu coronasti di sereni lampi
Al Sol la fronte; e per te avvien che il crine
Delle comete rubiconde avvampi;

Che agli occhi di quaggiú, spogliate alfine
Del reo presagio di feral fortuna,
Invian fiamme innocenti e porporine.

Di tante faci alla silente e bruna
Notte trapunse la tua mano il lembo,
E un don le festi della bianca Luna;

E di rose all'Aurora empiesti il grembo,
Che poi sovra i sopiti egri mortali
Piovon di perle rugiadose un nembo.

Quindi alla terra indirizzasti l'ali,
Ed ebber dal poter de' tuoi splendori
Vita le cose inanimate e frali.

Tumide allor di nutritivi umori
Si fecondar le glebe, e si fer manto
Di molli erbette e d'olezzanti fiori.

Allor degli occhi lusinghiero incanto,
Crebber le chiome ai boschi; e gli arbuscelli
Grato stillar dalle cortecce il pianto;

Allor dal monte corsero i ruscelli
Mormorando, e la florida riviera
Lambîr freschi e scherzosi i venticelli.

Tutta del suo bel manto Primavera
Copria la terra: ma la vasta idea
Del gran Fabbro, compita ancor non era.

Di sua vaghezza inutile parea
Lagnarsi il suolo; e con piú bel desiro
Sguardo e amor di viventi alme attendea.

Tu allor raggiante d'un sorriso in giro
Dei quattro venti su le penne tese
L'aura mandasti del divino Spiro.

La terra in sen l'accolse, e la comprese,
E un dolce movimento, un brividio
Serpeggiar per le viscere s'intese;

Onde un fremito diede, e concepio;
E il suol, che tutto giá s'ingrossa e figlia,
La brulicante superficie aprio.

Dalle gravide glebe, oh maraviglia!
Fuori allor si lanciò scherzante e presta
La vaga delle belve ampia famiglia.

Ecco dal suolo liberar la testa,
Scuoter le giubbe, e tutto uscir d'un salto
Il biondo imperator della foresta:

Ecco la tigre, e il leopardo in alto
Spiccarsi fuora della rotta bica,
E fuggir nelle selve a salto a salto.

IL PINDARICO

Vedi sotto la zolla, che l'implica,
Divincolarsi il bue, che pigro e lento
Isviluppa le gran membra a fatica.

Vedi pien di magnanimo ardimento
Sovra i piedi balzar ritto il destriero,
E nitrendo sfidar nel corso il vento;

Indi il cervo ramoso, ed il leggiero
Daino fugace, e mille altri animanti,
Qual mansueto, e qual ritroso e fiero.

Altri per valli e per campagne erranti,
Altri di tane abitator crudeli,
Altri dell'uomo difensori e amanti.

E lor di macchia differente i peli
Tu di tua mano dipingesti, o Diva,
Con quella mano che dipinse i cieli.

Poi de' color piú vaghi, onde l'estiva
Stagion delle campagne orna l'aspetto,
E de' freschi ruscei smalta la riva,

L'ale spruzzasti al vagabondo insetto,
E le lubriche anella serpentine
Del piú caduco vermicciuol negletto.

Né qui ponesti all'opra tua confine;
Ma vie piú innanzi la mirabil traccia
Stender ti piacque dell'idee divine.

Cinta adunque di calma e di bonaccia
Delle marine interminabil'onde
Lanciasti un guardo su l'azzurra faccia.

Penetrò nelle cupe acque profonde
Quel guardo, e con bollor grato Natura
Intiepidille, e diventar feconde;

E tosto varj d'indole e figura
Guizzaro i pesci, e fin dall'ime arene
Tutta incr123espar la liquida pianura.

I delfin snelli colle curve schiene
Uscir danzando; e mezzo il mar copriro
Col vastissimo ventre orche e balene.

Fin gli scogli e le sirti allor sentiro
Il vigor di quel guardo e la dolcezza,
E di coralli e d'erbe si vestiro.

Ma che? Non son, non sono, alma Bellezza,
Il mar, le belve, le campagne, i fonti
Il sol teatro della tua grandezza:

Anche sul dorso dei petrosi monti
Talor t'assidi maestosa, e rendi
Belle dell'alpi le nevose fronti:

Talor sul giogo abbrustolato ascendi
Del fumante Etna, e nell'orribil veste
Delle sue fiamme ti ravvolgi e splendi.

Tu del nero aquilon su le funeste
Ale per l'aria alteramente vieni,
E passeggi sul dorso alle tempeste:

Ivi spesso d'orror gli occhi sereni
Ti copri, e mille intorno al capo accenso
Rugghiano i tuoni, e strisciano i baleni.

Ma sotto il vel di tenebror sí denso
Non ti scorge del vulgo il debil lume,
Che si confonde nell'error del senso.

Sol ti ravvisa di Sofia l'acume,
Che nelle sedi di Natura ascose
Ardita spinge del pensier le piume.

Nel danzar delle stelle armoniose
Ella ti vede, e nell'occulto amore
Che informa e attragge le create cose.

Te ricerca con occhio indagatore
Di botaniche armato acute lenti
Nelle fibre or d'un'erba ed or d'un fiore:

Te dei corpi mirar negli elementi
Sogliono al gorgoglío d'acre vasello
I Chimici curvati e pazienti.

Ma piú le tracce del divin tuo bello
Discopre la sparuta Anatomia
Allorché armata di sottil coltello

I cadaveri incide, e l'armonia
Delle membra rivela, e il penetrale
Di nostra vita attentamente spia.

O uomo, o del divin dito immortale
Ineffabil lavor, forma, e ricetto
Di spirto e polve moribonda e frale,

Chi può cantar le tue bellezze? Al petto
Manca la lena, e il verso non ascende
Tanto, che arrivi all'alto mio concetto.

Fronte che guarda il cielo, e al cielo tende;
Chioma che sopra gli omeri cadente
Or bionda, or bruna, il capo orna e difende;

Occhio, dell'alma interprete eloquente,
Senza cui non avria dardi e faretra
Amor, né l'ali, né la face ardente;

Bocca dond'esce il riso che penetra
Dentro i cuori, e l'accento si disserra,
Ch'or severo comanda, or dolce impetra;

Mano che tutto sente e tutto afferra,
E nell'arti incallisce, e ardita e pronta
Cittadi innalza, e opposti monti atterra;

Piede, su cui l'uman tronco si ponta,
E parte e riede, e or ratto ed or restío
Varca pianure, e gioghi aspri sormonta;

E tutta la persona entro il cuor mio
La maraviglia piove, e mi favella
Di quell'alto Saper che la compio.

Taccion d'amor rapiti intorno ad ella
La terra, il cielo; ed io son io, v'è sculto,
Delle create cose la piú bella.

Ma qual nuovo d'idee dolce tumulto!
Qual raggio amico delle membra or viene
A rischiararmi il laberinto occulto?

Veggo muscoli ed ossa, e nervi e vene,
Veggo il sangue e le fibre, onde s'alterna
Quel moto che la vita urta e mantiene;

Ma nei legami della salma interna,
Ammiranda prigion; cerco, e non veggio
Lo spirto che la move e la governa.

Pur sento io che quivi ha stanza e seggio,
E dalla luce di ragion guidato
In tutte parti il trovo, e lo vagheggio:

O spirto, o immago dell'Eterno, e fiato
Di quelle labbra, alla cui voce il seno
Si squarciò dell'abisso fecondato,

Dove andar l'innocenza ed il sereno
Della pura beltá, di cui vestito
Discendesti nel carcere terreno?

Ahi, misero! t'han guasto e scolorito
Lascivia, ambizïon, ira ed orgoglio,
Che alla colpa ti fêro il turpe invito!

La tua ragione trabalzar dal soglio,
E lacero, deluso ed abbattuto
T'abbandonar nell'onta e nel cordoglio,

Siccome incauto pellegrin caduto
Nella man de' ladroni, allorché dorme
Il Mondo stanco e d'ogni luce muto;

Eppur sul volto le reliquie e l'orme,
Fra il turbo degli affetti e la rapina,
Serbi pur anco dell'antiche forme:

IL PINDARICO

Ancor dell'alta origine divina
I sacri segni riconosco; ancora
Sei bello e grande nella tua rovina.

Qual ardua antica mole, a cui talora
La folgore del cielo il fianco scuota,
Od il tempo che tutto urta e divora,

Piena di solchi, ma pur salda e immota
Stassi, e d'offese e d'anni carca aspetta
Un nemico maggior che la percota.

Fra l'eccidio e l'orror della soggetta
Colpevole Natura, ove l'immerse
Stolta lusinga e una fatal vendetta,

Piú bella intanto la Virtude emerse,
Qual astro che splendor nell'ombre acquista,
E in riso i pianti di quaggiú converse.

Per lei gioconda e lusinghiera in vista
S'appresenta la morte, e l'amarezza
D'ogni sventura col suo dolce è mista:

Lei guarda il ciel dalla superna altezza
Con amanti pupille; e per lei sola
S'apparenta dell'uomo alla bassezza.

Ma dove, o Diva del mio canto, vola
L'audace immaginar? dove il pensiero
Del tuo Vate guidasti e la parola?

Torna, amabile Dea, torna al primiero
Cammin terrestre, né mostrarti schiva
Di minor vanto e di minore impero.

Torna; e se cerchi errante fuggitiva
Devoti per l'Europa animi ligi,
E tempio degno di sí bella Diva,

Non t'aggirar dal morbido Parigi
Cotanto per le vie, né sulle sponde
Della Neva, dell'Istro e del Tamigi.

Volgi il guardo d'Italia alle gioconde
Alme contrade, e per miglior cagione
Del fiume Tiberin fermati all'onde.

Non è straniero il loco e la magione.
Qui fu dove dal Cigno Venosino
Vagheggiar ti lasciasti, e da Marone;

E qui reggesti del Pittor d'Urbino
I sovrani pennelli, e di quel d'Arno
« Michel piú che mortale Angel divino ».

Ferve d'alme sí grandi, e non indarno,
Il Genio redivivo. Al suol Romano
D'Augusto i tempi e di Leon tornarno.

Vedrai stender giulive a te la mano
Grandezza e Maestá, tue suore antiche,
Che ti chiaman da lungi in Vaticano.

T'infioreranno le bell'Arti amiche
La via dovunque volgerai le piante,
Te propizia invocando alle fatiche.

Per te all'occhio divien viva e parlante
La tela e il masso; ed il pensiero è in forsi
Di crederlo insensato, o palpitante:

Per te di marmi i duri alpestri dorsi
Spoglian le balze tiburtine, e il monte
Che Circe empieva di leoni e d'orsi;

Onde poi mani architettrici e pronte
Di moli aggravan la latina arena
D'eterni fianchi e di superba fronte:

Per te risuona la notturna scena
Di possente armonía che l'alme bea,
E gli affetti lusinga ed incatena;

E questa Selva, che la selva Ascrea [2)]
Imita, e suona di febeo concento,
Tutta è spirante del tuo nume, o Dea;

IL PINDARICO

E questi lauri che tremar fa il vento,
E queste che premiam tenere erbette
Sono d'un tuo sorriso opra e portento:
  E tue pur son le dolci canzonette
Che ad Imeneo cantar dianzi s'intese
L'Arcade schiera su le corde elette.
  Stettero al grato suon l'aure sospese,
E il bel Parrasio a replicar fra nui
Di Luigi e Costanza il nome apprese. [3]
  Ambo cari a te sono, e ad ambidui
Su l'amabil sembiante un feritore
Raggio imprimesti de' begli occhi tui;
  Raggio che prese poi la via del core,
E di virtú congiunto all'aurea face
Fe' nell'alme avvampar quella d'Amore.
  Vien dunque, amica Diva. Il Tempo edace,
Fatal nemico colla man rugosa
Ti combatte, ti vince e ti disface.
  Egli il color del giglio e della rosa
Toglie alle gote piú ridenti, e stende
Dappertutto la falce ruinosa.
  Ma se teco Virtú s'arma e discende
Nel cuor dell'uomo ad abitar sicura,
Passa il veglio rapace, e non t'offende;
  E solo, allorché fia che di Natura
Ei franga la catena, e urtate e rotte
Dell'Universo cadano le mura,
  E spalancando le voraci grotte
L'assorba il Nulla, e tutto lo sommerga
Nel muto orror della seconda notte,
  Al fracassato Mondo allor le terga
Darai fuggendo, e su l'eterea sede,
Ove non fia che Tempo ti disperga,
  Stabile fermerai l'eburneo piede.

PER LE QUATTRO TAVOLE

rappresentanti Beatrice con Dante, Laura col Petrarca, Alessandra coll'Ariosto, Leonora col Tasso, mirabilmente dipinte dal signor Filippo Agricola, per commissione di S. E. la duchessa di Sagan. 1821.

Nell'ora che piú l'alma è pellegrina
Dai sensi, e meno delle cure ancella
Segue i sogni che il raggio odian del sole,
Quattro gran donne di beltá divina
Nel romito silenzio di mia cella
Son venute a far meco alte parole.
Tutte in adorne stole
Splendean varie di foggia. E in varia veste
Quattro al par le seguian sovrane e gravi
Ombre in atti soavi
Di tutto amore. Io che adorai giá queste
Spesso in marmi ed in tele, immantinente
Le riconobbi e mi tremò la mente.

La mente mi tremò smarrita e vinta
Di stupor, di letizia e di rispetto,
E sclamar volli: Oh dell'ausonie Muse
Gran padri e duci! ma sul cor respinta
Morí la voce, ché il soverchio affetto
L'oppresse e dell'uscir la via le chiuse.
E con idee confuse
La riverenza mi stringea sí forte
Di quelle Dive, che i miei spiriti attenti
Agli aspettati accenti
Aprian giá tutte dell'udir le porte.
Fatta innanzi la prima ed in me fisse
Le luci, in dolce maestá sí disse:

IL PINDARICO

Beatrice son io. Questo d'oliva
Ramo al mio crine sovra bianco velo,
Se ben leggesti, il mostra e il verde manto
E la veste in color di fiamma viva.
Ma perché la bellezza ond'io m'incielo
Trascende la mortal vista, che il tanto
Non ne potria né il quanto,
Sculta in tuo cor ne assunsi una terrena.
Guardami ben. E i' tutto in lei m'affissi,
E intera allor chiarissi
La sembianza che pria venne non piena.
Ma qual si fosse aperto io nol favello,
Ché velato pensier spesso è piú bello.

Ben, senza frode al ver, dirò che quando
All'attonita mente appresentossi
La simiglianza dell'amato viso,
Come padre deliro lagrimando
Quella divina ad abbracciar mi mossi;
Sí m'avea tenerezza il cor conquiso.
Con un grave sorriso
Ella represse il mio non sano ardire,
E seguitò: Dell'altre a te venute
Donne d'alta virtute
Ti giovi il nome glorïoso udire.
Questa al mio fianco è Laura di Valchiusa,
Lungo sospir della piú dolce musa.

A dir quant'era il suo valor vien manco
Ogni umano parlar. Nel suo mortale
Di vero angiol sembianza ella tenea;
Tal che in mirarla ognun guatava al bianco
Omero, attento a riguardar se l'ale
Mettean la punta. E ognor ch'ella movea
Il bel fianco, parea
Spiccar suo volo al regno onde discese.

Colpa dunque non fu se come santa
Cosa adorolla e in tanta
Fiamma d'amore il suo fedel s'accese.
Colpa era non amarla, ed in sí vago
Volto sprezzar del suo Fattor l'imago.

  Minor di grido ma del vanto altera
(E ciò le basta) che suo saggio amante
Fu 'l Grande che cantò l'armi e gli amori,
Vedi Alessandra nella terza, e vera
In lei vedi onestate, alto sembiante,
E cortesía che tutti invola i cuori.
Negli adri suoi colori
Vedi il duol di che l'ange un caro estinto.
Vedi in lei tutta, contemplando fiso
Il delicato viso,
Tal di virtudi un misto, un indistinto,
Che dicon l'une all'intelletto: Ammira:
L'altre gridano al cor: Guarda e sospira.

  Quel caro volto che guardingo preme
Del cor l'arcano in portamento altero
Di Leonora il nome assai ti dice.
Regal contegno e amor mal vanno insieme.
Pur la bell'alma nel rival d'Omero
Piú che l'uom grande amò l'uomo infelice.
Or che il chiuso le lice
Arcano aprir, l'amor taciuto in terra
Gli fa palese in cielo. Ed ei beato
Nell'oggetto adorato
Dell'ingiusta fortuna oblia la guerra.
E tuttavolta dell'amata al piede
Trema, avvampa, assai brama e nulla chiede.

  Tali noi vide nella prima vita
Stupito il mondo. La beltá che pere,
E quella che del rogo esce piú viva,

IL PINDARICO

Sí de' nostri amador l'alma rapita
Infiammâr, che levandosi alle sfere
Di ciascuna di noi fece una Diva.
Sulla Romulea riva
Nuovo d'arte portento oggi c'indía
Pennelleggiando; e fa dubbiare a prova
Se piú potente mova
De' colori o de' carmi la balia:
Tanta, in mirarne, i riguardanti piglia
Riverenza, diletto e meraviglia.

   Or tu, di Clio cultor, cui grande amore
I volumi a cercar trasse di questi
Delle italiche Muse archimandriti,
(Qui d'un sorriso mi fer essi onore,
Che allegrommi i pensieri, e di modesti
Li fe', a seguirne le grand'orme, arditi).
Tu di strali forbiti
Alla lor cote arma la cetra, e segno
Fanne il valor del giovinetto Apelle,
Che di grazie novelle
Crebbe nostra beltá. Mostra che degno
Sei di laudarlo; e de' pennelli il vanto,
Se puossi, adegua col poter del canto.

   Bice sí disse. E a lei di generose
Laudi datrice si fer l'altre intorno
Col favellar che i grati sensi esprime,
E l'abbracciar. Poi volte alle famose
Ombre, il cui labbro cosí larga un giorno
Spandea la piena del parlar sublime,
Ridir le dolci rime
Godean che fatte a noi le avean sí conte.
Indi presa d'amor con casto amplesso
Ciascuna a un punto istesso
Baciò beata al suo cantor la fronte.

E di subiti rai lucente e bella
Ogni fronte brillò come una stella.

  Anzi come un bel sole. E tal negli occhi
Del repente splendor l'impeto venne,
Che l'inferma pupilla nol sofferse.
Tutti cadder gli spiriti come tocchi
Da fulmine: e stupor tanto mi tenne,
Che in gran bujo la mente si sommerse.
Finché l'erranti e sperse
Forze de' sensi alle lor vie tornando
Rivocâr seco la virtú che intende.
Sciolto dall'atre bende
Girai lo sguardo, e gli spiragli entrando
Giá dell'imposte il Sol, conobbi tutta
L'alta mia visione esser distrutta.

  Ma distrutta non è del sentimento
La fervida potenza, e quelle dive
Immagini davanti ancor mi stanno.
Ancor nell'alma risuonar ne sento
Le parole, e dar vita a forti e vive
Fantasie che volar basso non sanno.
E nondimen non hanno
Penne eguali al tuo vol, spirto gentile,
Che ravvivi dell'Angelo d'Urbino
Il pennello divino.
Troppo a onorarti la mia lingua è vile,
Troppo incarco mi dier quelle il cui velo
Qui fai sí bello, che men bello è in cielo.

  Ed elle di lassuso alle beate
Donne d'amor ne fan mostra col dito,
Sí che ognuna di te par s'innamori,
E brami d'acquistar nuova beltate
Nelle tue tele. E certo a te spedito
Cred'io qualcuno dai celesti Cori

A triarti i colori
A insegnar la grand'arte onde si crea
Beltá perfetta, di natura il bello
Armonizzando in quello
Cui rapita nel ciel porge l'idea:
Alta armonía, sí tua che giá Natura
Da' tuoi pennelli ir vinta s'impaura.

 Alla gentil che della Neva infiora [1]
Le sponde al folgorar di sue pupille,
Va, riverente mia Canzone, e dille:
Eccelsa Donna, che fai tua grandezza
Il santo amor dell'Arti,
A riferirti grazie, a salutarti
M'invian di loco ove virtú s'onora
Bice, Laura, Alessandra e Leonora;
E fra tanta bellezza
Ti pregano esser quinta. A lei di' questo,
Se chiede perché vai sí rozza e grama,
Di' che in lutto nascesti, e ch'io, di mesto
Vel gli occhi avvolto, sol di pianto ho brama.

PER LA BATTAGLIA DI MARENGO. [1]
1800

 Bella Italia, amate sponde,
Pur vi torno a riveder.
Trema in petto, e si confonde
L'alma oppressa dal piacer.

 Tua bellezza, che di pianti
Fonte amara ognor ti fu,
Di stranieri e crudi amanti
T'avea posta in servitú.

Ma bugiarda e mal sicura
La speranza fia de' re.
Il giardino di natura
No, pei barbari non è.

Bonaparte al tuo periglio
Dal mar libico volò,
Vide il pianto del tuo ciglio,
E il suo fulmine impugnò.

Tremar l'Alpi, e stupefatte
Suoni umani replicar,
E l'eterne nevi intatte
D'armi e armati fiammeggiar.

Del baleno al par veloce
Scese il Forte, e non s'udí;
Che men ratto il vol, la voce
Della Fama lo seguí.

D'ostil sangue i vasti campi
Di Marengo intiepidir,
E de' bronzi ai tuoni ai lampi
L'onde attonite fuggir.

Di Marengo la pianura
Al nemico tomba diè.
Il giardino di natura
No, pei barbari non è.

Bella Italia, amate sponde,
Pur vi torno a riveder.
Trema in petto, e si confonde
L'alma oppressa dal piacer.

Volgi l'onda al mar spedita,
O de' fiumi algoso re;
Dinne all'Adria che finita
La gran lite ancor non è.

Dí che l'asta il Franco Marte
Ancor fissa al suol non ha;

IL PINDARICO

Di' che dove è Bonaparte
Sta vittoria e libertá.

Libertá principio e fonte
Del coraggio e dell'onor,
Che il piè in terra, in ciel la fronte,
Sei del mondo il primo amor;

Questo lauro al crin circonda:
Virtú patria lo nutrí,
E Desaix la sacra fronda
Del suo sangue colorí.

Su quel lauro in chiome sparte
Pianse Francia, e palpitò.
Non lo pianse Bonaparte,
Ma invidiollo e sospirò.

Ombra illustre, ti conforti
Quell'invidia, e quel sospir:
Visse assai chi 'l duol de' forti
Meritò nel suo morir.

Ve' sull'Alpi doloroso
Della patria il santo amor,
Alle membra dar riposo
Che fur velo al tuo gran cor.

L'ali il Tempo riverenti
Al tuo piede abbasserá;
Fremeran procelle e venti,
E la tomba tua stará.

Per la cozia orrenda valle
Usa i nembi a calpestar
Torva l'ombra d'Anniballe
Verrá teco a ragionar.

Chiederá di quell'ardito,
Che secondo l'Alpe aprí.
Tu gli mostra il varco a dito,
E rispondi al fier cosí.

Di prontezza e di coraggio
Te quel grande superò.
Afro, cedi al suo paraggio;
Tu scendesti, ed ei volò.

Tu dell'itale contrade
Abborrito destruttor.
Ei le torna in libertade,
E ne porta seco il cor.

Di civili eterne risse
Tu a Cartago rea cagion:
Ei placolle, e le sconfisse
Col sorriso e col perdon.

Che piú chiedi? Tu ruína,
Ei salvezza al patrio suol.
Afro, cedi e il ciglio inchina:
Muore ogni astro in faccia al sol.

LE API PANACRIDI IN ALVISOPOLI.

PROSOPOPEA.

Solennizzandosi la nascita del Re di Roma. 1811

Quest'aureo miele etereo,
Sul timo e le viole
Dell'aprica Alvisopoli
Côlto al levar del sole,
 Noi caste Api Panacridi
Rechiamo al porporino
Tuo labbro, Augusto Pargolo,
Erede di Quirino;
 Noi del Tonante Egioco [1]
Famose un dí nutrici
Quando vagía fra i cembali
Su le Dittée pendici. [2]

IL PINDARICO

Mercé di questo ei vivere
Vita immortal ne diede,
E ovunque i fior piú ridono
Portar la cerea sede.

Volammo in Pilo, e a Nestore [3]
Fluîr di miele i rivi,
Ond'ei, parlando, l'anime
Molcea de' Regi Achivi.

Ne vide Ilisso; e il nettare
Quivi per noi stillato
Fuse de' Numi il liquido
Sermon sul labbro a Plato.

N'ebbe l'Ismeno; e Pindaro
Suonar di Dirce i versi
Fe' per la polve Olimpica
Del dolce nostro aspersi. [4]

E nostro è pur l'ambrosio
Odor, che spira il canto
Del caro all'Api e a Cesare
Cigno gentil di Manto.

Inviolate e libere
Di lido errando in lido
Del bel Lemene al margine [5]
Alfin ponemmo il nido.

E di novello popolo
Al buon desio pietose
De' piú bei fiori il calice
Suggendo industriose,

Quest'aureo miele etereo
Cogliemmo al porporino
Tuo labbro, Augusto Pargolo,
Erede di Quirino.

Celeste è il cibo; e, simbolo
D'alto regal consiglio,

Con piú felice auspizio
L'Ape successe al Giglio.

Ché noi parlante imagine
Siam di Re prode e degno,
E mente abbiamo ed indole
Guerriera, e nata al regno.

Il favo, che sul vergine
Tuo labricciuol si spande,
In Te sia dunque augurio
Di Sir prestante e grande.

E lo sarai: ché vivida
Le fibre tue commove
L'aura di tal Magnanimo;
Che sulla terra è Giove. [6]

Ma d'uguagliar del patrio
Valor le prove e il volo
Poni la speme: il Massimo
Che ti diè vita, è solo.

L'imita; e basti. Oh fulgida
Stella! Oh sospir di cento
Avventurosi popoli!
Del Padre alto incremento!

Cresci, e t'avvezza impavido
Con Lui dell'Orbe al pondo.
Ei l'Atlante, Tu l'Ercole;
Ei primo, e Tu secondo.

D'un guardo allor sorridere
Degna al terren, che questo
Ti manda Ibleo munuscolo,
Offeritor modesto.

Su quelle sponde industria
Una cittá giá crea
Cara a Minerva; e sentono
Giá scossi i cuor la Dea.

IL PINDARICO

Natura ivi spontanea
I suoi tesor comparte,
Ed operosa e dedala
Piú che natura è l'arte.

Le preziose e candide
Lane d'Ibera agnella [7]
Pianta rival dell'indaco
D'un vivo azzurro abbella.

La forosetta i morbidi
Velli all'Egizia noce [8]
Tragge; e ne storna l'opera
Amor, che rio la cuoce:

Amor del caro giovine,
Che del paterno campo
I solchi lascia, e intrepido
Vola dell'armi al lampo:

E seguirá la folgore,
Che adulto fra le squadre
Tu vibrerai; se a vincere
Nulla ti lascia il Padre.

Ma di Gradivo agl'impeti [9]
L'alme virtú sien freno,
Che all'adorata informano
Tua Genitrice il seno.

Germe divin, comincia
A ravvisarla al riso, [10]
Ai baci, ai vezzi, al giubilo,
Che le balena in viso.

La collocar benefici
Sul maggior Trono i Numi.
Ridi alla Madre, o tenero,
Apri, o leggiadro, i lumi.

Ve' che festanti esultano
Alla tua culla intorno

Le cose tutte, e limpido
Il Sol n'addoppia il giorno,

Suonar d'allegri cantici
Odi la valle e il monte,
Susurrar freschi i zefiri,
Dolce garrir la fonte.

Stille d'eletto balsamo
Sudan le querce annose;
Ogni sentier s'imporpora
Di mammolette e rose.

Tale il sacro incunabolo
Fioria di Giove in Ida: [11]
Ed ei, crescendo al sonito
Di rauchi bronzi e grida,

Rompea le fasce; e all'Etere
Spinto il viril pensiero
Giá meditava il fulmine,
Signor del Mondo intero.

ODE GENETLIACA

in occasione del parto di S. A. I. la Viceregina d'Italia. [1]

Fra le Gamelie vergini [2]
Curatrici divine
Del regal parto, e roride
D'eterna ambrosia il crine,
Qual negli arcani e taciti
Claustri gran Diva folgorando appar?

O del nemboso Egioco
Armipotente figlia,
Ti riconosco al cerulo
Baleno delle ciglia,

IL PINDARICO

E all'ondante su gli omeri
Peplo, che l'Erettée nuore sudar. [3]
  Ma dove, o Dea, dell'Egida
Son l'idre irate, e i lampi
Dell'asta che terribile
Scuotea di Flegra i campi [4]
E l'alte mura Iliache,
Quando i Numi feria braccio mortal?
  Armi, risponde, e turbini
Nella Rutenia lutta
Cessi all'Eroe che fulmina
L'acre Scita; né tutta,
Né tutta ancor sul barbaro
Del vincitor ruggí l'ira fatal.
  Su la redenta Vistula
Gli prepara Bellona
I procellosi alipedi [5]
E boreal corona
Tolta a due fronti e fulgida
Del sangue che l'avara Anglia comprò.
  E qui vengh'io, non cupida
Di battaglie e di pianto,
Ma inerme, e di pacifici
Studi amica e del canto,
Che a far piú lieti i talami
Di Reine al ciel care Ascra insegnò.
  Da questa Cuna, ov'auspice
Feconditá s'asside,
E alla pensosa e trepida
Donna Regal sorride,
Primo de' fior porgendole
La bruna che spuntò nunzia d'april;
  Da questa Cuna espandesi
D'alta clemenza un raggio,

Che i mesti padri esilara,
Tolti i figli all'oltraggio
Di povertá, che al misero
Chiude le forme d'ogni idea gentil. [6]

  Germe d'Eroe, che il pubblico
Voto giá vinse, e l'ira
Placò del Fato Ausonico,
Apri i begli occhi, e mira.
Disse: e tosto spontanee
Su i cardini le porte ecco suonar.

  Ecco avanzarsi, ed ilari
Raggiar celesti aspetti:
E si diffonde un subito
Odor per gli aurei tetti,
Che Numi annunzia, e insolito
Giá del petto gli avvisa il palpitar.

  Primiero, e Iddio bellissimo,
Favella il patrio Amore:
Cara di Dei progenie,
È tuo di tutti il core:
Salve. E libava un tenero
Bacio al bel labbro che le Grazie aprir.

  De' lieti studi il Genio
Dicea secondo: I regni
Per me son d'auro e splendono:
Splendon per te gl'ingegni:
Salve. E ligustri e anemoni
Sparge, che gli orti di Sofia nutrir.

  Le due Sorelle artefici [7]
Sclamar giulive e schiette:
Care son l'arti all'Italo;
Tu all'arti in te protette:
Salve; mercé del merito
Daran gli alunni, che tu svegli, un dí.

IL PINDARICO

Sí dicendo agitarono
L'una il vital pennello,
L'altra di marmi il fervido
Animator scarpello;
E di venuste immagini
Splendor la fronte pueril lambí.

Mal note in terra ed ultime,
Ma prime in ciel, le Muse
Mossero; il volto ingenuo
Di bel pudor suffuso,
Questo alle fibre armoniche
Maritar dilettoso inno d'amor.

Giá ne' fioretti scorrere
Di Zefiro l'amica [8)]
Fa dolce un rio di nettare,
E la gran madre antica
Di gioventú s'imporpora,
Rinnovando del capo il verde onor.

Delle celate Driadi [9)]
Sotto la man giá senti
Dentro il materno cortice
Scaldarsi i petti algenti;
Giá sporgonsi, giá saltano
Fuor della buccia in lor natia beltá.

E della luce il provvido
Eterno padre e fonte
Di vegetanti palpiti
Empie la valle e il monte,
E ne' corpi col rutilo
Strale la vita saettando va.

Oh del bel cielo italico,
Amalia, augusto Sole! [10)]
Aura d'april benefica
È la beata prole,

Che giá ti ride, e suscita
Di maggior frutto le speranze in sen.
 Odi esultar di giubilo
Gl'insubri gioghi; e lieti
Benedir le vindeliche [11]
Rive. Dagli antri queti
L'Iséro echeggia, e libero
Concede all'onda salutata il fren.

 Bella la marzia polvere
Di re guerrier sul crine;
Bello il lauro tra' fulmini
Cresciuto: e di reine
Bella sul crin la pronuba
Rosa che il fiato d'Ilitía creò. [12]

 Grato ai forti lo strepito
De' brandi, e l'improvviso
Fragor di tube e timpani:
Grato alle madri il riso
De' bamboletti, e il roseo
Balbo labbruccio che parlar non può.

 Sudor di guerra è balsamo
Del prode alle ferite.
Di bambinel la lagrima
Strazio è di cor piú mite.
Deh! non far mesto, o tenera
Vita, il bel seno che soffria per te.

 Al tuo natal dileguasi,
Vedi, ogni nostro affanno.
Sorridi, o bella, e calmati.
Al ritornar dell'anno
Non sarai sola: e giuralo
L'alta fortuna del maggior dei re.

 Tale, del Fato interpreti,
Sciogliean le Muse il canto.

In viva onda d'ambrosia
Lavò Minerva intanto
La pargoletta, e l'alito
Sacro inspirando, tu se' mia, gridò.
  E le Gamelie vergini,
Curatrici divine,
D'auree fasce l'avvolsero.
Fra le chiuse cortine
Vide l'opra mirabile
La Diva che m'assiste, e la cantò. [13]

L'EPICO.

IN MORTE DI UGO BASSVILLE. [1)]

CANTO PRIMO.

Giá vinta dell'Inferno era la pugna,
E lo spirto d'Abisso si partia,
Vota stringendo la terribil ugna.

Come lion per fame egli ruggia
Bestemmiando l'Eterno, e le commosse
Idre del capo sibilar per via. [2)]

Allor timide l'ali aperse e scosse
L'anima d'Ugo alla seconda vita
Fuor delle membra del suo sangue rosse:

E la mortal prigione ond'era uscita,
Subito indietro a riguardar si volse
Tutta ancor sospettosa e sbigottita.

Ma dolce con un riso la raccolse,
E confortolla l'Angelo beato,
Che contro Dite a conquistarla tolse. [3)]

E, salve, disse, o spirto fortunato,
Salve, sorella del bel numero una, [4)]
Cui rimesso è dal Cielo ogni peccato.

Non paventar; tu non berrai la bruna
Onda d'Averno, da cui volta è in fuga
Tutta speranza di miglior fortuna.

Ma la giustizia di lassú, che fruga,
Severa e in un pietosa in suo diritto,
Ogni labe dell'alma ed ogni ruga,

Nel suo registro adamantino ha scritto
Che all'amplesso di Dio non salirai,
Finché non sia di Francia ulto il delitto.

Le piaghe intanto e gl'infiniti guai,
Di che fosti gran parte, or per emenda
Piangendo in terra e contemplando andrai.

E supplicio ti fia la vista orrenda
Dell'empia patria tua, la cui lordura
Par che del puzzo i firmamenti offenda;

Sí che l'alta vendetta è giá matura,
Che fa dolce di Dio nel suo segreto
L'ira ond'è colma la fatal misura.

Cosí parlava; e riverente e cheto
Abbassò l'altro le pupille, e disse:
Giusto e mite, o Signor, è il tuo decreto.

Poscia l'ultimo sguardo al corpo affisse
Giá suo consorte in vita, a cui le vene
Sdegno di zelo e di ragion trafisse;

Dormi in pace, dicendo, o di mie pene
Caro compagno, infin che del gran die
L'orrido squillo a risvegliar ti viene. [5]

Lieve intanto la terra, e dolci e pie
Ti sian l'aure e le pioggie, e a te non dica
Parole il passeggier scortesi e rie.

Oltre il rogo non vive ira nemica, [6]
E nell'ospite suolo ov'io ti lasso,
Giuste son l'alme e la pietade è antica.

Torse, ciò detto, sospirando il passo
Quella mest'Ombra, e alla sua scorta dietro
Con volto s'avviò pensoso e basso;

Di ritroso fanciul tenendo il metro,
Quando la madre a' suoi trastulli il fura,
Che il piè va lento innanzi, e l'occhio indietro.

L'EPICO

Giá di sua veste rugiadosa e scura
Copria la notte il mondo, allor che diero
Quei duo le spalle alle Romulee mura.

E nel levarsi a volo, ecco di Piero
Sull'altissimo tempio alla lor vista
Un Cherubino minaccioso e fiero;

Un di quei sette che in argentea lista
Miró fra i sette candelabri ardenti
Il rapito di Patmo Evangelista. [7]

Rote di fiamme gli occhi rilucenti,
E cometa che morbi e sangue adduce
Parean le chiome abbandonate ai venti.

Di lugubre vermiglia orrida luce
Una spada brandia, che da lontano
Rompea la notte, e la rendea piú truce;

E scudo sostenea la manca mano
Grande cosí, che da nemica offesa
Tutto copria coll'ombra il Vaticano:

Com'aquila che sotto alla difesa
Di sue grand'ali rassicura i figli
Che non han l'arte delle penne appresa;

E mentre la bufera entro i covigli
Tremar fa gli altri augei, questi a riposo
Stansi allo schermo de' materni artigli.

Chinarsi in gentil atto ossequioso
Oltre volando i due minori Spirti
Dell'alme chiavi al difensor sdegnoso.

Indi, veloci in men che non so dirti,
Giunsero dove gemebondo e roco
Il mar si frange tra le Sarde sirti. [8]

Ed al raggio di luna incerto e fioco
Vider spezzate antenne, infrante vele,
Del regnator Libeccio orrendo gioco,

E sbattuti dall'aspra onda crudele
Cadaveri e bandiere; e disperdea
L'ira del vento i gridi e le querele.

Sul lido intanto il dito si mordea
La temeraria Libertá di Francia,
Che il cielo e l'acque disfidar parea.

Poi del suo ardire si battea la guancia,
Venir mirando la rival Brettagna
A fulminarle dritta al cor la lancia:

E dal silenzio suo scossa la Spagna
Tirar la spada anch'essa, e la vendetta
Accelerar d'Italia e di Lamagna.

Mentre il Tirren, che la gran preda aspetta,
Giá mormora, e si duol che la sua spuma
Ancor non va di Franco sangue infetta:

E l'ira nelle sponde invan consuma,
Di Nizza inulto rimirando il lutto,
Ed Oneglia che ancor combatte e fuma. [9]

Allor che vide la ruina e il brutto
Oltraggio la Francese anima schiva,
Non tenne il ciglio per pietade asciutto.

Ed il suo fido condottier seguiva
Vergognando e tacendo, infin che sopra
Fur di Marsiglia alla spietata riva.

Di feritá, di rabbia, orribil opra
Ei vider quivi, e Libertá che stolta
In Dio medesmo l'empie mani adopra.

Videro, ahi vista! in mezzo della folta
Starsi una croce col divin suo peso [10]
Bestemmiato e deriso un'altra volta.

E a piè del legno redentor, disteso
Uom coperto di sangue tuttoquanto,
Da cento punte in cento parti offeso.

L'EPICO

Ruppe a tal vista in un piú largo pianto
L'eterea pellegrina; ed una vaga
Ombra cortese le si trasse accanto.

Oh! tu, cui sí gran doglia il ciglio allaga,
Pietosa anima, disse, che qui giunta
Se' dove di virtude il fio si paga;

Sóstati e m'odi. In quella spoglia emunta
D'alma e di sangue (e l'accennò), per cui
Sí dolce in petto la pietá ti spunta,

Albergo io m'ebbi: manigoldo fui
E peccator; ma l'infinito amore
Di Quei mi valse che morí per nui.

Perocché dal costoro empio furore
A gittar strascinato (ahi! parlo, o taccio?)
De' ribaldi il capestro al mio Signore;

Di man mi cadde l'esecrato laccio,
E rizzârsi le chiome, e via per l'ossa
Correr m'intesi e per le gote il ghiaccio.

Di crudi colpi allor rotta e percossa
Mi sentii la persona, e quella croce
Fei del mio sangue anch'io fumante e rossa:

Mentre a Lui, che quaggiú manda veloce
Al par de' sospir nostri il suo perdono,
Il mio cor si volgea, piú che la voce.

Quind'ei m'accolse Iddio clemente e buono;
Quindi un desir mi valse il Paradiso,
Quindi beata eternamente io sono.

Mentre l'un sí parlò, l'altro in lui fiso
Tenea lo sguardo, e sí piangea che un velo
Le lagrime gli fean per tutto il viso;

Simigliante ad un fior che in su lo stelo
Di rugiada si copre in pria che il Sole
Co' raggi il venga a colorar dal cielo. [11]

Poi gli amplessi mescendo e le parole,
De' proprii casi il satisfece anch'esso,
Siccome fra cortesi alme si suole.

E questi, e l'altro, e il Cherubino appresso
Adorando la croce, e nella polve
In devoto cadendo atto sommesso,

Di Dio cantaro la bontá, che solve
Le rupi in fonte, ed ha sí larghe braccia,
Che tutto prende ciò che a lei si volve.

Sollecitando poscia la sua traccia
L'alato duca, l'Ombre benedette
Si disser vale, e si baciaro in faccia.

Ed una si rimase alle vedette,
Ad aspettar che su la rea Marsiglia
Sfreni l'arco di Dio le sue saette.

Sovra il Rodano l'altra il vol ripiglia,
E via trapassa d'Avignon la valle
Giá di sangue civil fatta vermiglia;

D'Avignon che, smarrito il miglior calle,
Alla pastura intemerata e fresca
Dell'Ovile Roman volse le spalle,

Per gir co' ciacchi di Parigi in tresca
A cibarsi di ghiande, onde la Senna
Novella Circe gli amatori adesca. [12]

Lasciò Garonna addietro, e di Gebenna
Le cave rupi, e la pianura immonda
Che ancor la strage Camisarda accenna. [13]

Lasciò l'irresoluta e stupid'onda
D'Arari a dritta, e Ligeri a mancina
Disdegnoso del ponte e della sponda. [14]

Indi varca la falda Tigurina,
A cui fe' Giulio dell'augel di Giove
Sentir la prima il morso e la rapina.

Poi Niverno trascorre, ed oltre move
Fino alla riva u' d'Arco la donzella
Fe' contra gli Angli le famose prove. [15]

Di lá ripiega inverso la Rocella
Il remeggio dell'ali, e tutto mira
Il suol che l'Aquitana onda flagella.

Quindi ai Celtici boschi si rigira
Pieni del canto che il chiomato Bardo
Sposava al suon di bellicosa lira. [16]

Traversa Normandía, traversa il tardo
Sbocco di Senna, e il lido che si fiede
Dal mar Brittanno infino al mar Piccardo

Poi si converte ai gioghi onde procede
La Mosa, e al piano che la Marna lava,
E orror per tutto, e sangue e pianto vede.

Libera vede andar la colpa, e schiava
La virtú, la giustizia, e sue bilance
In man del ladro e di vil ciurma prava,

A cui le membra grave-olenti e rance
Traspaiono da' sai sdrusciti e sozzi,
Né fur mai tinte per pudor le guance.

Vede luride forche e capi mozzi,
Vede piene le piazze e le contrade
Di fiamme, d'ululati e di singhiozzi.

Vede in preda al furor d'ingorde spade
Le caste Chiese, e Cristo in Sacramento
Fuggir ramingo per deserte strade. [17]

E i sacri bronzi in flebile lamento
Giú calar dalle torri, e liquefarsi
In rie bocche di morte e di spavento.

Squallide vede le campagne, ed arsi
I pingui colti; e le falci e le stive
In duri stocchi e in lance trasmutarsi.

Odi frattanto risonar le rive,
Non di giocondi pastorali accenti,
Non d'avene, di zuffoli e di pive;

Ma di tamburi e trombe e di tormenti:
E il barbaro soldato al villanello
Le messi invola e i lagrimati armenti.

E invan si batte l'anca il meschinello,
Invan si straccia il crin disperso e bianco
In su la soglia del deserto ostello:

Ché non pago d'avergli il ladron Franco
Rotta del caro pecoril la sbarra,
I figli, i figli strappagli dal fianco:

E del pungolo invece e della marra,
D'armi li cinge dispietate e strane,
E la ronca converte in scimitarra.

All'orbo padre intanto ahi! non rimane
Chi la cadente vita gli sostegna,
Chi sovra il desco gli divida il pane.

Quindi lasso la luce egli disdegna,
E brancolando per dolor giá cieco
Si querela che morte ancor non vegna;

Né pietá di lui sente altri, che l'Eco,
Che cupa ne ripete e lamentosa
Le querimonie dall'opposto speco.

Fremé d'orror, di doglia generosa
Allo spettacol fero e miserando
La conversa d'Ugon alma sdegnosa;

E si fe' del color ch'il cielo è quando
Le nubi immote e rubiconde a sera
Par che piangano il dí che va mancando.

E tutta pinta di rossor, com'era,
Parlar, dolersi, dimandar volea,
Ma non usciva la parola intera;

Ché la piena del cor lo contendea:
E tuttavolta il suo diverso affetto
Palesemente col tacer dicea.

Ma la scorta fedel, che dall'aspetto
Del pensier s'avvisò, dolce alla sua
Dolorosa seguace ebbe sí detto:

Sospendi il tuo terror, frena la tua
Indignata pietá, ché ancor non hai
Nell'immenso suo mar volta la prua.

S'or sí forte ti duoli, oh! che farai,
Quando l'orrido palco, e la bipenne...
Quando il colpo fatal... quando vedrai?...

E non finí; che tal gli sopravvenne
Per le membra immortali un brividio,
Che a quel truce pensier troncò le penne;

Sí che la voce in un sospir morío.

CANTO SECONDO.

Alle tronche parole, all'improvviso
Dolor che di pietá l'Angel dipinse,
Tremò quell'Ombra e si fe' smorta in viso:

E sull'orme cosí si risospinse
Del suo buon duca che davanti andava
Pien del crudo pensier che tutto il vinse.

Senza far motto il passo accelerava,
E l'aria intorno tenebrosa e mesta
Del suo volto la doglia accompagnava.

Non stormiva una fronda alla foresta,
E sol s'udía tra' sassi il rio lagnarsi,
Siccome all'appressar della tempesta.

Ed ecco manifeste al guardo farsi
Da lontano le torri, ecco l'orrenda
Babilonia francese approssimarsi.

Or qui vigor la fantasia riprenda,
E l'Ira e la Pietá mi sian la Musa
Che all'alto e fiero mio concetto ascenda.

Curva la fronte, e tutta in sé racchiusa
La taciturna coppia oltre cammina,
E giunge alfine alla cittá confusa,

Alla colma di vizi atra sentina,
A Parigi, che tardi e mal si pente
Della sovrana plebe cittadina.

Sul primo entrar della cittá dolente
Stanno il Pianto, le Cure, e la Follía
Che salta e nulla vede e nulla sente.

Evvi il turpe bisogno, e la restía
Inerzia colle man sotto le ascelle,
L'uno all'altra appoggiati in su la via.

Evvi l'arbitra fame, a cui la pelle
Informasi dall'ossa, e i lerci denti
Fanno orribile siepe alle mascelle.

Vi son le rubiconde Ire furenti,
E la Discordia pazza il capo avvolta
Di lacerate bende e di serpenti.

Vi son gli orbi desiri, e della stolta
Ciurmaglia i Sogni, e le Paure smorte
Sempre il crin rabbuffate e sempre in volta. [18]

Veglia custode delle meste porte,
E le chiude a suo senno e le disserra
L'ancella e insieme la rival di Morte;

La cruda, io dico, furibonda Guerra,
Che nel sangue s'abbevera e gavazza,
E sol del nome fa tremar la terra.

Stanle intorno l'Erinni, e le fan piazza,
E allacciando le van l'elmo e la maglia
Della gorgiera e della gran corazza;

Mentre un pugnal battuto alla tanaglia
De' fabbri di Cocito in man le caccia,
E la sprona e l'incuora alla battaglia

Un'altra Furia di piú acerba faccia,
Che in Flegra giá del cielo assalse il muro,
E armò di Briareo le cento braccia;

Di Diagora poscia e d'Epicuro [19)]
Dettò le carte, ed or le Franche scuole
Empie di nebbia e di blasfema impuro;

E con sistemi e con orrende fole
Sfida l'Eterno; e il tuono e le saette
Tenta rapirgli, e il padiglion del Sole.

Come vide le facce maledette
Arretrossi d'Ugon l'ombra turbata,
Ché in Inferno arrivar la si credette,

E in quel sospetto sospettò cangiata
La sua sentenza, e dimandar volea
Se fra l'alme perdute iva dannata.

Quindi tutta per tema sí stringea
Al suo conducitor, che pensieroso
Le triste soglie giá varcate avea.

Era il tempo che sotto al procelloso
Aquario il Sol corregge ad Eto il morso,
Scarso il raggio vibrando e neghittoso;

E dieci gradi e dieci avea trascorso
Giá di quel Segno, e via correndo in quella
Carriera, all'altro giá voltava il dorso;

E compito del dí la nona ancella
L'officio suo, il governo abbandonava
Del timon luminoso alla sorella:

Quando chiuso da nube oscura e cava
L'Angel coll'Ombra inosservato e queto
Nella cittá di tutti i mali entrava.

11. - V. Monti, *Opere scelte*.

Ei procedea depresso, ed inquieto
Nel portamento, i rai celesti empiendo
Di largo ad or ad or pianto segreto;

E l'Ombra si stupia quinci vedendo
Lagrimoso il suo duca, e possedute
Quindi le strade da silenzio orrendo.

Muto de' bronzi il sacro squillo, e mute
L'opre del giorno, e muto lo stridore
Dell'aspre incudi e delle seghe argute:

Sol per tutto un bisbiglio ed un terrore,
Un domandare, un sogguardar sospetto,
Una mestizia che ti piomba al core.

E cupe voci di confuso affetto,
Voci di madri pie, che gl'innocenti
Figli si serran trepidando al petto.

Voci di spose, che ai mariti ardenti
Contrastano l'uscita, e sulle soglie
Fan di lagrime intoppo e di lamenti.

Ma tenerezza e caritá di moglie
Vinta è da furia di maggior possanza,
Che dall'amplesso coniugal gli scioglie.

Poiché fera menando oscena danza
Scorrean di porta in porta affaccendati
Fantasmi di terribile sembianza;

De' Druidi i fantasmi insanguinati,
Che fieramente dalla sete antiqua
Di vittime nefande stimolati,

A sbramarsi venian la vista obliqua
Del maggior de' misfatti, onde mai possa
La loro superbir semenza iniqua.

Erano in veste d'uman sangue rossa,
Sangue e tabe grondava ogni capello,
E ne cadea una pioggia ad ogni scossa.

L'EPICO

Squassan altri un tizzone, altri un flagello
Di chelidri e di verdi anfesibene, [20]
Altri un nappo di tosco, altri un coltello.

E con quei serpi percotean le schiene
E le fronti mortali, e fean toccando
Con gli arsi tizzi, ribollir le vene.

Allora delle case infuriando
Uscian le genti, e si sfuggía smarrita
Da tutti i petti la pietade in bando.

Allor trema la terra oppressa e trita
Da cavalli, da rote e da pedoni;
E ne mormora l'aria sbigottita;

Simile al mugghio di remoti tuoni,
Al notturno del mar roco lamento,
Al profondo ruggir degli Aquiloni.

Che cor, misero UGON, che sentimento
Fu allora il tuo, che di morte vedesti
L'atro vessillo volteggiarsi al vento?

E il terribile palco erto scorgesti,
Ed alzata la scure, e al gran misfatto
Salir bramosi i manigoldi e presti;

E il tuo buon Rege, il Re piú grande, in atto
D'agno innocente fra digiuni lupi,
Sul letto de' ladroni a morir tratto;

E fra i silenzi delle turbe cupi
Lui sereno avanzar la fronte e il passo,
In vista che spetrar potea le rupi.

Spetrar le rupi, e sciorre in pianto un sasso,
Non le Galliche tigri. Ahi! dove spinto
L'avete, o crude? Ed ei v'amava! Oh lasso!

Ma piangea il Sole di gramaglia cinto,
E stava in forse di voltar le rote
Da questa Tebe, che l'antica ha vinto.

Piangevan l'aure per terrore immote,
E l'anime del cielo cittadine
Scendean col pianto anch'esse in su le gote;

L'anime che costanti e pellegrine
Per la causa di Cristo e di Luigi
Lassú per sangue diventar divine.

Il duol di Francia intanto e i gran litigi
Mirava Iddio dall'alto, e giusto e buono
Pesava il fato della rea Parigi.

Sedea sublime sul tremendo trono,
E sulla lance d'ôr quinci ponea
L'alta sua pazienza e il suo perdono;

Dell'iniqua città quindi mettea
Le scelleranze tutte; e nullo ancora
Piegar de' due gran carchi si vedea.

Quando il mortal giudizio e l'ultim'ora
Dell'augusto Infelice alfin v'impose
L'Onnipotente. Cigolando allora

Traboccar le bilance ponderose:
Grave in terra cozzò la mortal sorte,
Balzò l'altra alle sfere, e si nascose.

In quel punto al feral palco di morte
Giunge Luigi. Ei v'alza il guardo, e viene
Fermo alla scala, imperturbato e forte.

Giá vi monta, giá il sommo egli ne tiene,
E va sí pien di maestá l'aspetto,
Ch'ai manigoldi fa tremar le vene.

E giá battea furtiva ad ogni petto
La pietá rinascente, ed anco parve
Che del furor sviato avria l'effetto.

Ma fier portento in questo mezzo apparve:
Sul patibolo infame all'improvviso
Asceser quattro smisurate larve.

Stringe ognuna un pugnal di sangue intriso,
Alla strozza un capestro le molesta,
Torvo il cipiglio, dispietato il viso;

E scomposte le chiome in su la testa,
Come campo di biada giá matura,
Nel cui mezzo passata è la tempesta.

E sulla fronte arroncigliata e scura
Scritto in sangue ciascuna il nome avea,
Nome terror de' regi e di natura.

Damiens l'uno, Ankastrom l'altro dicea,
E l'altro Ravagliacco; ed il suo scritto
Il quarto colla man si nascondea. [21]

Da queste Dire avvinto il derelitto
Sire Capeto dal maggior de' troni
Alla mannaia giá facea tragitto.

E a quel Giusto simil che fra' ladroni
Perdonando spirava, ed esclamando:
Padre, Padre, perché tu m'abbandoni?

Per chi a morte lo tragge anch'ei pregando,
Il popol mio, dicea, che sí delira,
E il mio spirto, Signor, ti raccomando.

In questo dir con impeto e con ira
Un degli spettri sospingendo il venne
Sotto il taglio fatal; l'altro ve 'l tira.

Per le sacrate auguste chiome il tenne
La terza Furia, e la sottil rudente [22]
Quella quarta recise alla bipenne.

Alla caduta dell'acciar tagliente
S'aprí tonando il cielo, e la vermiglia
Terra si scosse, e il mare orribilmente.

Tremonne il mondo, e per la maraviglia
E pel terror dal freddo al caldo polo
Palpitando i Potenti alzar le ciglia.

Tremò Levante ed Occidente. Il solo
Barbaro Celta in suo furor piú saldo
Del ciel derise e della terra il duolo:

E di sua libertá spietato e baldo
Tuffò le stolte insegne e le man ladre
Nel sangue del suo Re fumante e caldo.

E si dolse ché misto a quel del Padre
Quello pur anco non scorreva, ahi rabbia!
Del regal Figlio e dell'augusta Madre.

Tal di lioni un branco, a cui non abbia
L'ucciso tauro appien sazie le canne,
Anche il sangue ne lambe in su la sabbia;

Poi ne' presepi insidiando vanne
La vedova giovenca ed il torello,
E rugghia, e arrota tuttavia le zanne:

Ed ella, che i ruggiti ode al cancello,
Di doppio timor trema, e di quell'ugne
Si crede ad ogni scroscio esser macello.

Tolta al dolor delle terrene pugne
Apriva intanto la grand'Alma il volo,
Che alla prima Cagion la ricongiugne.

E ratto intorno le si fea lo stuolo
Di quell'Ombre beate, onde la Fede
Stette, e di Francia sanguinossi il suolo.

E qual le corre al collo, e qual si vede
Stender le braccia, e chi l'amato volto,
E chi la destra, e chi le bacia il piede.

Quando repente della calca il folto
Ruppe un'Ombra dogliosa, e con un rio
Di largo pianto sulle guance sciolto,

Me, gridava, me me lasciate al mio
Signor prostrarmi, oh date il passo. E presta
Al piè regale il varco ella s'aprío.

Dolce un guardo abbassò su quella mesta
Luigi: e, Chi sei? disse: e qual ti tocca
Rimorso il core? e che ferita è questa?
Alzati, e schiudi al tuo dolor la bocca.

CANTO TERZO.

La fronte sollevò, rizzossi in piedi
L'addolorato Spirto e, le pupille
Tergendo, a dire incominciò: Tu vedi,
 Signor, nel tuo cospetto UGO BASSVILLE,
Della Francese Libertá mandato
Sul Tebro a suscitar le ree scintille.
 Stolto, che volli coll'immobil fato
Cozzar della gran Roma, onde ne porto
Rotta la tempia, e il fianco insanguinato.
 Ché di Giuda il Leon non anco è morto:
Ma vive e rugge, e il pelo arruffa e gli occhi,
Terror d'Egitto, e d'Israel conforto.
 E se monta in furor, l'aste e gli stocchi
Sa spezzar de' nemici, e par che gridi:
Son la forza di Dio, nessun mi tocchi.
 Questo Leone in Vaticano io vidi
Far coll'antico e venerato artiglio
Securi e sgombri di Quirino i lidi; [23]
 E a me, che nullo mi temea periglio,
Fe' con un crollo della sacra chioma
Tremanti i polsi, e riverente il ciglio.
 Allor conobbi che fatale è Roma,
Che la tremenda vanitá di Francia
Sul Tebro è nebbia che dal Sol si doma;
 E le minacce una sonora ciancia,
Un lieve insulto di villana auretta
D'abbronzato guerriero in su la guancia.

Spumava la Tirrena onda suggetta
Sotto le Franche prore, e la premea
Il timor della Gallica vendetta;

E tutta per terror dalla Scillea [24]
Latrante rupe la selvosa schiena
Infino all'Alpe l'Appennin scotea.

Taciturno ed umíl volgea l'arena
L'Arno frattanto, e paurosa e mesta
Chinava il volto la regal Sirena. [25]

Solo il Tebro levava alto la testa,
E all'elmo polveroso la sua donna
In Campidoglio rimettea la cresta.

E divina guerriera in corta gonna
Il cor piú che la spada all'ire e all'onte
Di Rodano opponeva e di Garonna;

In Dio fidando, che i trecento al fonte
D'Arad prescelse, e al Madianita altero
Fe' le spalle voltar, rotta la fronte. [26]

In Dio fidando, io dico, e nel severo
Petto del santo suo pastor, che solo
In saldo pose la ragion di Piero.

Dal suo pregar, che dritto spiega il volo
Dell'Eterno all'orecchio, e sulle stelle
Porta i sospiri della terra e il duolo,

I turbini fur mossi e le procelle,
Che dal Varo sommersero l'antenne
Per le sarde e le Corse onde sorelle.

Ei sol tarpò del Franco ardir le penne;
L'onor d'Italia vilipesa, e quello
Del Borbonico nome egli sostenne.

E cento volte sul destin tuo fello
Bagnò di pianto i rai. Per lo dolore
La tua Roma fedel pianse con ello.

ABBONDIO SANGIORGI: VINCENZO MONTI
(Milano, Galleria d'Arte moderna)

L'EPICO

Poi cangiate le lagrime in furore
Corse urlando col ferro, ed il mio petto
Cercò d'orrende faci allo splendore:

E spense il suo magnanimo dispetto
Sí nel mio sangue, ch'io fui pria di rabbia,
Poi di pietade miserando obbietto.

Eran sangue i capei, sangue le labbia,
E sangue il seno; fe' del resto un lago
La ferita, che miri, in su la sabbia.

E me, cui tema e amor rendean presago
Di maggior danno, e non avea consiglio,
Piú che la morte, combattea l'immago

Dell'innocente mio tenero figlio
E della sposa, ahi lasso! onde paura
Del lor mi strinse, non del mio periglio.

Ma come seppi che paterna cura
Di Pro salvi gli avea, brillommi il core,
E il suo sospese palpitar natura.

Lagrimai di rimorso, e sull'errore
Che giá lunga stagion l'alma travolse,
La caritá poteo, piú che il terrore.

Luce dal ciel vibrata allor mi sciolse
Dell'intelletto il buio, e il cor pentito
Al mar di tutta la pietá si volse.

L'ali apersi a un sospiro, e l'infinito
Amor nel libro, dove tutto è scritto,
Il mio peccato cancellò col dito.

Ma giustizia mi niega al ciel tragitto,
E vagante ombra qui mi danna, intanto
Che di Francia non venga ulto il delitto.

Questi mel disse, che mi viene accanto
(Ed accennò 'l suo duca), e che m'ha tolto
Alla fiumana dell'eterno pianto.

Tutte drizzaro allor quell'alme il volto
Al celeste campion, che in un sorriso
Dolcissimo le labbra avea disciolto.

Or tu per l'alto Sir del Paradiso,
Che al suo grembo t'aspetta e il ciel disserra,
(Proseguí l'Ombra piú infiammata in viso)

Per le pene tue tante in su la terra,
Alla mia stolta fellonia perdona,
Né raccontar lassú che ti fei guerra.

Tacque, e tacendo ancor dicea: Perdona;
E l'affollate intorno Ombre pietose
Concordemente replicar: Perdona.

Allor l'Alma regal con disiose
Braccia si strinse l'avversaria al seno,
E dolce in caro favellar rispose:

Questo amplesso ti parli, e noto appieno
Del Re, del padre il core e dell'amico
Ti faccia, e sgombri il tuo timor terreno.

Amai, potendo odiarlo, anco il nemico;
Or m'è tolto il poterlo, e l'alma spiega
Piú larghi i voli dell'amore antico.

Quindi lá dove meglio a Dio si prega,
Il pregherò che presto ti discioglia
Del divieto fatal che qui ti lega.

Se i tuoi destini intanto, o la tua voglia
Alla sponda giammai ti torneranno,
Ove lasciasti la trafitta spoglia;

Per me trova le due che lá si stanno
Mie regali Congiunte, e che gli orrendi
Piangon miei mali, ed il piú rio non sanno. [27]

Lieve sul capo ad ambedue discendi
Pietosa vision (se la tua scorta
Lo ti consente), e il pianto ne sospendi.

Di tutto che vedesti annunzio apporta
Alle dolenti: ma del mio morire
Deh! sia l'imago fuggitiva e corta.

Pingi loro piuttosto il mio gioire,
Pingi il mio capo di corona adorno
Che non si frange, né si può rapire.

Di' lor che feci in sen di Dio ritorno,
Ch'ivi le aspetto, e lá regnando in pace,
Le nostre pene narreremci un giorno.

Vanne poscia a quel grande, a quel verace [28]
Nume del Tebro, in cui la riverente
Europa affissa le pupille e tace;

Al sommo Dittator della vincente
Repubblica di Cristo, a Lui che il regno
Sortí minor del core e della mente:

Digli che tutta a sua pietá consegno
La Franca Fede combattuta; ed Egli
Ne sia campione e tutelar sostegno.

Digli che tuoni dal suo monte, e svegli
L'addormentata Italia, e alla ritrosa
Le man sacrate avvolga entro i capegli;

Sí che dal fango suo la neghittosa
Alzi la fronte; e sia delle sue tresche
Contristata una volta e vergognosa.

Digli che invan l'Ibere e le Tedesche
E l'armi Alpine e l'Angliche e le Prusse
Usciranno a cozzar colle Francesche;

Se non v'ha quella onde Mosè percusse
Amalecco quel dí che i lunghi preghi
Sul monte infino al tramontar produsse. [29]

Salga egli dunque sull'Orebbe, e spieghi
Alto le palme; e s'avverrá che stanco
Talvolta il polso al pio voler si nieghi,

Gli sosterranno il destro braccio e il manco
Gl'imporporati Aronni e i Calebidi, [30]
De' quai soffolto e coronato ha il fianco.

Parmi de' nuovi Amaleciti i gridi
Dall'Olimpo sentir, parmi che Pio
Di Francia, orando, ei sol gli scacci e snidi.

Quindi ver Lui di tutto il dover mio
Sdebiterommi in cielo, e finch'Ei vegna,
Di sua virtú ragionerò con Dio.

Brillò, ciò detto, e sparve; e non è degna
Ritrar terrena fantasia gli ardori,
Di ch'ella il cielo balenando segna.

Qual si solleva il Sol fra le minori
Folgoranti sostanze, allor che spinge
Sulla fervida curva i corridori,

Che d'un solo color tutta dipinge
L'eterea volta, e ogni altra stella un velo
Ponsi alla fronte, e di pallor si tinge;

Tal fiammeggiava di sidereo zelo,
E fra mille seguaci Ombre festose
Tale ascendeva la bell'Alma al cielo.

Rideano al suo passar le maestose
Tremule figlie della luce, e in giro
Scotean le chiome ardenti e rugiadose.

Ella tra lor d'amore e di desiro
Sfavillando s'estolle, infin che giunta
Dinanzi al Trino ed increato Spiro,

Ivi queta il suo volo, ivi s'appunta
In tre sguardi beata, ivi il cor tace
E tutta perde del desio la punta.

Poscia al crin la corona del vivace
Amaranto immortal, e sulle gote
Il bacio ottenne dell'eterna pace.

E allor s'udiro, consonanze e note
D'ineffabil dolcezza, e i tondi balli
Ricominciar delle stellate rote.

Piú veloci esultarono i cavalli
Portatori del giorno, e di grand'orme
Stampar l'arringo degli eterei calli.

Gioiva intanto del misfatto enorme
L'accecata Parigi, e sull'arena
Giacea la regal testa e il tronco informe.

E il caldo rivo della sacra vena
La ria terra bagnava, ancor piú ria
Di quella che mirò d'Atreo la cena. [31]

Nuda e squallida intorno vi venia
Turba di larve di quel sangue ghiotte,
E tutta di lor bruna era la via.

Qual da fesse muraglie e cave grotte
Sbucano di Mineo l'atre figliuole, [32]
Quando ai fiori il color toglie la notte;

Ch'ir le vedi e redire, e far carole
Sul capo al viandante, o sovra il lago,
Finché non esce a saettarle il Sole;

Non altrimenti a volo strano e vago
D'ogni parte erompea l'oscena schiera,
Ed ulular s'udiva, a quell'imago

Che fan sul margo d'una fonte nera
I lupi sospettosi e vagabondi
A ber venuti a truppa in su la sera.

Corrcan quei vani simulacri immondi
Al sanguigno ruscel, sporgendo il muso
L'un dall'altro incalzati e sitibondi.

Ma in guardia vi sedea nell'arme chiuso
Un fiero Cherubin che, steso il brando,
Quel barbaro sitir rendea deluso.

E le larve a dar volta, e mugolando
A stiparsi, e parer vento che rotto
Fra due scogli si vada lamentando.

Prime le quattro comparian che sotto
Poc'anzi al taglio dell'infame scure
L'infelice Capeto avean tradotto.

Di quei tristi seguian l'atre figure
Che d'uman sangue un dí macchiar le glebe
Lá di Marsiglia nelle selve impure.

Indi a guisa di pecore e di zebe
Venia lorda di piaghe il corpo tutto
D'Ombre una vile miserabil plebe.

Ed eran quelli che fecondo e brutto
Del proprio sangue fecero il mal tronco
Che diè di libertá sí amaro il frutto.

Altri forato il ventre, ed altri ha cionco
Di capo il busto, e chi trafitto il lombo,
E chi del braccio e chi del naso è monco;

E tutti intorno al regio sangue un rombo,
Un murmure facean, che cupo il fiume
Dai cavi gorghi ne rendea rimbombo.

Ma lungi la tenea la punta e il lume
Della celeste spada, che mandava
Su i foschi ceffi un pallido barlume.

Scendi, Pieria Dea, di questa prava [33]
Masnada i piú famosi a rammentarme,
Se l'orror la memoria non ti grava.

Dimmi tu, che li sai, gli assalti e l'arme
Onde il Soglio percossero e la Fede,
E di nobile bile empi il mio carme.

Capitano di mille alto si vede
Uno spettro passar lungo ed arcigno
Superbamente coturnato il piede.

L'EPICO

È costui di Ferney l'empio e maligno [34]
Filosofante, ch'or tra' morti è corbo,
E fu tra' vivi poetando un cigno.

Gli vien seguace il furibondo e torbo
Diderotto, e colui che dello spirto
Svolse il lavoro, e degli affetti il morbo.

Vassene solo l'eloquente ed irto
Orator del Contratto, e al par del manto
Di sofo ha caro l'Afrodisio mirto; [35]

Disdegnoso d'aver compagni accanto
Fra cotanta empietá, ché al trono e all'ara
Fe' guerra ei sí, ma non de' Santi al Santo.

Segue una coppia nequitosa e rara
Di due tali accigliate anime ree,
Che il diadema ne crolla e la tiara.

L'una raccolse dell'umane idee
L'infinito tesoro, e l'oceáno
Ove stillato ogni venen si bee:

Finse l'altra del fosco Americano [36]
Tonar la causa; e regi e sacerdoti
Col fulmine ferí del labbro insano.

Dove te lascio, che per l'alto roti
Sí strane ed empie le comete, e il varco
D'ogni delirio apristi a' tuoi nipoti? [37]

E te, che contro Luca e contro Marco,
E contro gli altri duo cosí librato
Scocchi lo stral dal sillogistic'arco? [38]

Questa d'insania tutta e di peccato
Tenebrosa falange il fronte avea
Dal fulmine celeste abbrustolato.

E della piaga il solco si vedea
Mandar fumo e faville, e forte ognuno
Di quel tormento dolorar parea.

Curvo il capo, ed in lungo abito bruno
Venía poscia uno stuol quasi di scheltri,
Dalle vigilie attriti e dal digiuno.

Sul ciglio rabbassati ha i larghi feltri,
Impiombate le cappe, e il piè sí lento,
Che le lumacce al paragon son veltri.

Ma sotto il faticoso vestimento
Celan ferri e veleni; e qual tra' vivi,
Tal vanno ancor tra' morti al tradimento.

Dell'Ipocrito d'Ipri ei son gli schivi [39]
Settator tristi, per via bieca e torta
Con Cesare e del par con Dio cattivi.

Sí crudo è il Nume di costor, sí morta,
Sí ripiena d'orror del ciel la strada,
Che a creder nulla, e a disperar ne porta.

Per lor sovrasta al Pastoral la Spada,
Per lor tant'alto il Soglio si sublima,
Ch'alfine è forza che nel fango cada.

Di lor empia fucina uscí la prima
Favilla, che segreta il casto seno
Della Donna di Pietro incende e lima

Né di tal peste sol va caldo e pieno
Borgofontana, ma d'Italia mia
Ne bulica e ne pute anco il terreno [40]

Ultimo al fier concilio comparía,
E su tutti gigante sollevarse
Coll'omero sovran si discopria,

E colle chiome rabbuffate e sparse,
Colui che al discoperto e senza tema
Venne contro l'Eterno ad accamparse;

E ne sfidò la folgore suprema,
Secondo Capaneo, sotto lo scudo
D'un gran delirio ch'ei chiamò Sistema.

L'EPICO

Dinanzi gli fuggia sprezzato e nudo
De' minor spettri il vulgo: anche Cocito
N'avea ribrezzo, ed aborria quel crudo.

Poich'ebber densi e torvi circuito
Il cadavero sacro, ed in lui sazio
Lo sguardo, e steso sorridendo il dito;

Con fiera dilettanza in poco spazio
Strinsersi tutti, e diersi a far parole,
Quasi sospeso il sempiterno strazio.

A me (dicea l'un d'essi) a me si vuole [41]
Dar dell'opra l'onor, che primo osai
Spezzar lo scettro, e lacerar le stole.

A me piuttosto; a me che disvelai
De' Potenti le frodi (un altro grida), [42]
E all'uom dischiusi sul suo dritto i rai.

Perché l'uom surga, e il suo tiranno uccida,
Uop'è (ripiglia un altro) in pria dal fianco
Dell'eterno timor torgli la guida.

Questo fe' lo mio stil leggiadro e franco,
E il sal Samosatense, onde condita
L'empietá piacque, e l'uom di Dio fu stanco. [43]

Allor fu questa orribil voce udita:
— I' fei di piú, che Dio distrussi: e tacque;
Ed ogni fronte apparve sbigottita.

Primamente un silenzio cupo nacque,
Poi tal s'intese un mormorio profondo,
Che lo spesso cader parea dell'acque,

Allor che tutto addormentato è il mondo.

CANTO QUARTO.

Batte a vol piú sublime aura sicura
La farfalletta dell'ingegno mio,
Lasciando la cittá della sozzura.

E dirò come congiurato uscio
A dannaggio di Francia il mondo tutto:
Tale il senno supremo era di Dio.

Canterò l'ira dell'Europa e il lutto,
Canterò le battaglie, ed in vermiglio
Tinto de' fiumi e di due mari il flutto.

E d'altro pianto andar bagnata il ciglio
La bell'alma vedrem, di che la Diva
Mi va cantando l'affannoso esiglio.

Il bestemmiar di quei superbi udiva
La dolorosa, ed accennando al duce
La fiera di Renallo ombra cattiva,

Come, disse, fra' morti si conduce
Colui? Di polpe non si veste e d'ossa?
Non bee per gli occhi tuttavia la luce?

E l'altro: La sua salma ancor la scossa
Di morte non sentí; ma la governa
Dentro Marsiglia d'un demón la possa:

E l'alma geme fra i perduti eterna-
Mente perduta; né a tal fato è sola,
Ma molte, che distingue Ira superna.

E in Erebo di queste assai ne vola
Dall'infame congrega, in che s'affida [44]
Cotanto Francia, ahi stolta! e si consola.

Quindi un demone spesso ivi s'annida
In uman corpo, e scaldane le vene,
E siede e scrive nel Senato e grida;

Mentre lo spirto alle cocenti pene
D'Averno si martira. Or leva il viso,
E vedi all'uopo chi dal ciel ne viene.

Levò lo sguardo; ed ecco all'improvviso
Lá dove il Cancro il piè d'Alcide abbranca
E discende la via del Paradiso, [45]

L'EPICO

Ecco aprirsi del ciel le porte a manca
Su i cardini di bronzo; e una virtude
Intrinseca le gira e le spalanca.

Risonò d'un fragor profondo e rude
Dell'Olimpo la volta, e tre guerrieri
Calar fur visti di sembianze crude.

Nere sul petto le corazze, e neri
Nella manca gli scudi, e nereggianti
Sul capo tremolavano i cimieri:

E furtive dall'elmo e folgoranti
Scorrean le chiome della bionda testa
Per lo collo e per l'omero ondeggianti.

La volubile bruna sopravvesta
Da brune penne ventilata addietro
Rendea rumor di pioggia e di tempesta.

Del sopracciglio sotto l'arco tetro
Uscian lampi dagli occhi, uscia paura,
E la faccia parea bollente vetro.

Questi, e l'altro campion seduto a cura
Dell'estinto Luigi, Angeli sono
Di terrore, di morte e di sventura.

Venir son usi dell'Eterno al trono
Quando acerba a' mortai volge la sorte
E rompe la ragion del suo perdono.

D'Egitto il primo l'incruente porte
Nell'arcana percosse orribil notte,
Che fur de' padri le speranze morte. [46]

L'altro è quel che sul campo estinte e rotte
Lasciò le forze che il superbo Assiro
Contro l'umile Giuda avea condotte. [47]

Dalla spada del terzo i colpi usciro,
Che di pianto sonanti e di ruina
Fischiar per l'aure di Sion s'udiro,

Quando la provocata ira divina
Al mite genitor fe' d'Absalone
Caro il censo costar di Palestina. [48]

L'ultimo fiero volator garzone
Uno è de' sei cui vide l'accigliato
Ezechiello arrivar dall'Aquilone,

In mano aventi uno stocco affilato,
E percotenti ognun che per la via
Del *Tau* la fronte non vedean segnato. [49]

Tale e tanta dal ciel se ne venía
Dei procellosi Arcangeli possenti
La terribile e nera compagnia;

Come gruppo di folgori cadenti
Sotto povero ciel, quando sparute
Taccion le stelle, e fremon l'onde e i venti.

Il sibilo sentí delle battute
Ale Parigi; ed arretrò la Senna
Le sue correnti stupefatte e mute.

Vogeso ne tremò, tremò Gebenna
E il Bebricio Pirene, e lungo e roco
Corse un lamento per la mesta Ardenna. [50]

Al lor primo apparir dier ratto il loco
L'assetate del Tartaro caterve,
Un grido alzando lamentoso e fioco.

Come fugge talor delle proterve
Mosche lo sciame che alla beva intento
Sul vaso pastoral brulica e ferve;

Che al toccar della conca in un momento
Levansi tutte, e quale alla muraglia,
Qual si lancia alla mano e quale al mento:

Tal si dilegua l'infernal ciurmaglia;
Ed altri una pendente nuvoletta,
D'ira sbuffando, a lacerar si scaglia;

Sovra il mar tremolante altri si getta,
E sveglia le procelle; altri s'avvolve
Nel nembo genitor della saetta;

Si turbina taluno entro la polve,
E tal altro col guizzo del baleno
Fende la terra, e in fumo si dissolve.

Dal sacro intanto orror del tempio usciéno
Di mezzo all'atterrate are deserte
Due Donne in atto d'amarezza pieno. [51]

L'una velate, e l'altra discoperte
Le dive luci avea, ma di gran pianto
D'ambo le gote si parean coverte.

Era un vel bianco della prima il manto
Che parte cela, e parte all'intelletto
Rivela il corpo immaculato e santo.

Una veste inconsutile di schietto
Color di fiamma l'altra si cingea,
Siccome il pellican piagata il petto. [52]

E nella manca l'una e l'altra Dea,
E nella dritta in mesto portamento
Una lucida coppa sostenea.

E sculto ciascheduna un argomento
Avea di duolo, in bei rilievi espresso
Di nitid'oro e di forbito argento.

In una sculto si vedea con esso
Il figlio e la consorte un Re fuggire [53]
Pensoso piú di lor che di sé stesso.

E un dar subito all'arme, ed un fremire
Di cruda plebe, e dietro al fuggitivo,
Siccome veltri dal guinzaglio, uscire;

Poi tra le spade ricondur cattivo,
E tra l'onte quel misero innocente
Morto al gioire, ed al patir sol vivo.

Mirasi dopo una perversa gente
Cercar furendo a morte una Regina, [54]
Dir non so se piú bella o piú dolente;

Ed ancisi i custodi alla meschina,
E per rabbia delusa (orrendo a dirsi!)
Trafitto il letto e la regal cortina.

V'era l'urto in un'altra, ed il ferirsi
Di cinquecento incontro a mille e mille,
E dell'armi il fragor parea sentirsi.

Formidabile il volto e le pupille,
La Discordia scorrea tra l'irte lance,
Tra la polve, tra 'l fumo e le faville,

E i tronchi capi e le squarciate pance,
Agitando la face che sanguigna
De' combattenti scoloria le guance.

Vienle appresso la Morte che digrigna
I bianchi denti, ed i feriti artiglia
Con la grand'unghia antica e ferrugigna.

E pria l'anime felle ne ronciglia
Fuor delle membra, e le rassegna in fretta
Fumanti e nude all'infernal famiglia;

Poi, ghermite le gambe, ne si getta
I pesanti cadaveri alle spalle,
Né piú vi bada, e innanzi il campo netta.

Dietro è tutto di morti ingombro il calle;
Il sangue a fiumi il rio terreno ingrassa,
E lubrico s'avvia verso la valle.

Scorre intorno il Furor coll'asta bassa,
Scorre il Tumulto temerario, e il Fato
Ch'un ne percuote, ed un ne salva e passa.

Scorre il lacero Sdegno insanguinato,
E l'Orror co' capelli in fronte ritti,
Come l'istrice gonfio e rabbuffato.

L'EPICO

Al fine in compagnía de' suoi delitti
Vien la proterva Libertá Francese,
Ch'ebbra il sangue si bee di quei trafitti:

E non sí vivi i volti e le contese,
Che non tacenti, ma parlanti e vere
Quelle immagini credi e quell'offese.

Altra scena di pianto, onde il pensiere
Rifugge, e in capo arricciasi ogni pelo,
Nella terza scultura il guardo fere.

Sacro all'inclita Donna del Carmelo [55]
Apriasi un tempio, e distendea la notte
Sul primo sonno de' mortali il velo.

Se non che dell'oscure Artiche grotte
Languian le mute abitatrici al cheto
Raggio di luna indebolite e rotte.

Strascinavasi quivi un mansueto
Di ministri di Dio sacro drappello,
Ch'empio dannava popolar decreto.

Un barbaro di lor si fea macello:
Ed ei, che schermo non avean di scudo
Al calar del sacrilego coltello,

Pietá, Signor, porgendo il collo ignudo,
Signor, pietá, gridavano: e venía
In quella il colpo inesorato e crudo.

Cadean le teste, e dalle gole uscia
Parole e sangue; per la polve il nome
Di Gesú gorgogliando e di Maria.

E l'un su l'altro si giacean siccome
Scannate pecorelle, e fean ribrezzo
L'aperte bocche e le riverse chiome.

La luna il raggio ai visi esangui in mezzo
Pauroso mandava e verecondo,
A tanta colpa non ben anco avvezzo;

Ed implorar parea d'un vagabondo
Nugolo il velo, ed affrettar raminga
Gli atterriti cavalli ad altro mondo.

Chi mi dará le voci, ond'io dipinga
Il subbietto feral che quarto avanza,
Sí ch'ogni ciglio a lagrimar costringa?

Uom d'affannosa, ma regal sembianza,
A cui, rapita la corona e il regno,
Sol del petto rimasta è la costanza,

Venia di morte a vil supplizio indegno
Chiamato, ahi lasso! e vel traevan quelli
Che fur dell'amor suo poc'anzi il segno.

Quinci e quindi accorrean sciolte i capelli
Consorte e suora ad abbracciarlo, e gli occhi
Ognuna avea conversi in due ruscelli.

Stretto al seno egli tiensi in su i ginocchi
Un dolente fanciullo, e par che tutto
Negli amplessi e ne' baci il cor trabocchi;

E sí gli dica: Da' miei mali istrutto
Apprendi, o figlio, la virtude, e cògli
Di mie fortune dolorose il frutto.

Stabile e santo nel tuo cor germogli
Il timor del tuo Dio, né mai d'un trono
Mai lo stolto desir l'alma t'invogli.

E se l'ira del Ciel sí tristo dono
Faratti, il padre ti rammenta, o figlio;
Ma serba a chi l'uccide il tuo perdono.

Questi accenti parea, questo consiglio
Profferir l'infelice; e chete intanto
Gli discorrean le lagrime dal ciglio.

Piangean tutti d'intorno, e dall'un canto
Le fiere guardie impietosite anch'esse
Sciogliean, poggiate sulle lance, il pianto.

L'EPICO

Cotai sul vaso acerbi fatti impresse
L'artefice divino; e se vietato,
Se conteso il dolor non gliel avesse,

Il resto de' tuoi casi effigiato
V'avria pur anco, o Re tradito, e degno
Di miglior scettro e di piú giusto fato.

E ben lo cominciò, ma l'alto sdegno
Quel lavoro interruppe, e alla pietate
Cesse alfin l'arte, ed all'orror l'ingegno.

Poiché di doglia piene e d'onestate
Si fur l'alme due Dive a quel feroce
Spettacolo di sangue approssimate,

Sul petto delle man fero una croce,
E sull'illustre estinto il guardo fise
Senza moto restarsi e senza voce.

Pallide e smorte come due recise
Caste viole, o due ligustri occulti,
Cui né l'aura né l'alba ancor sorrise.

Poi con lagrime rotte da' singulti
Baciar l'augusta fronte, e ne serraro
Gli occhi nel sonno del Signor sepulti;

Ed il corpo composto amato e caro,
Vi pregar sopra l'eterno riposo,
Disser l'ultimo vale, e sospiraro.

E quindi in riverente atto pietoso
Il sacro sangue, di che tutto orrendo
Era intorno il terreno abbominoso,

Nell'auree tazze accolsero piangendo,
Ed ai quattro guerrier vestiti a bruno
Le presentar spumanti, una dicendo:

Sorga da questo sangue un qualcheduno
Vendicator, che col ferro e col foco
Insegua chi lo sparse; né veruno

Del delitto si goda, né sia loco
Che lo ricovri: i flutti avversi ai flutti,
I monti ai monti, e l'armi all'armi invoco.

Il tradimento tradimento frutti;
L'esiglio, il laccio, la prigion, la spada
Tutti li perda, e li disperda tutti.

E chi sitia piú sangue per man cada [56]
D'una virago, ed anima funebre
A dissetarsi in Acheronte vada.

E chi riarso da superba febre
Del capo altrui si fea sgabello al soglio,
Sul patibolo chiuda le palpebre;

E gli emunga il carnefice l'orgoglio;
Né ciglio il pianga; né cor sia che, fuora
Del suo tardi morir, senta cordoglio.

La veneranda Dea parlava ancora,
E giá fuman le coppe, e a quei campioni
Il cherubico volto si scolora;

Pari a quel della Luna, allor che proni
Ruota i pallidi raggi, e in giú la tira
Il poter delle Tessali canzoni. [57]

E l'occhio sotto l'elmo un terror spira,
Che buia e muta l'aria ne divenne,
E tremò di quei sguardi e di quell'ira.

Dei quattro opposti venti in su le penne
Tutti a un tempo fer vela i Cherubini,
Ed ogni vento un Cherubin sostenne.

Giá il Sol lavava lagrimoso i crini
Nell'onde Maure, e dal timon scioglica
Impauriti i corridor divini;

Che la memoria ancor retrocedea
Dal veduto delitto; e chini e mesti
Espero all'auree stalle i conducea:

L'EPICO

Mentre la notte di pensier funesti
E di colpe nudrice e di rimorsi
Le mute riprendea danze celesti.

Quando per l'aria cheta erte levorsi
Le quattro oscure vision tremende,
E l'una all'altra tenea volti i dorsi.

Giunte lá dove la folgore prende
L'acuto volo, e furibonda il seno.
Della materna nuvola scoscende;

Inversero le coppe, e in un baleno
Imporporossi il cielo, e delle stelle
Livido fessi il virginal sereno.

Inversero le coppe, e piovver quelle
Il fatal sangue, che tempesta roggia
Par di vivi carboni e di fiammelle.

Sotto la strana rubiconda pioggia
Ferve irato il terren che la riceve
E rompe in fumo; e il fumo in alto poggia,

E i petti invade penetrante e lieve
E le menti mortali, e fa che d'ira
Alto incendio da tutte si solleve.

Arme fremon le genti, arme cospira
L'Orto e l'Occaso, l'Austro e l'Aquilone,
E tuttaquanta Europa arme delira.

Quind'escono del fier Settentrione
L'Aquile bellicose, e coll'artiglio [58]
Sfrondano il Franco tricolor bastone.

Quinci move dall'Anglico coviglio
Il biondo imperator della foresta
Il tronco stelo a vendicar del Giglio. [59]

Al fraterno ruggito alza la testa
L'Annoverese impavido cavallo,
E il campo colla soda unghia calpesta.

D'altra parte sdegnosa esce del vallo
E maestosa la gran Donna Ibera
Al crudele di Marte orrido ballo;

E scossa la cattolica bandiera,
In su la rupe Pirenea s'affaccia,
Tratto il brando e calata la visiera:

E la Celtica putta alto minaccia,
E l'osceno berretto alla ribalda
Scompiglia in capo, e per lo fango il caccia.

Ma del prisco valor ripiena e calda
La Sovrana dell'Alpi in su l'entrata
Ponsi d'Italia, e ferma tiensi e salda;

E alla nemica la fatal giornata [60]
Di Guastalla e d'Assietta ella rammenta,
E l'ombra di Bellisle invendicata,

Che rabbiosa s'aggira, e si lamenta
In val di Susa, e arretra per paura
Qualunque la vendetta ancor ritenta.

Mugge frattanto tempestosa e scura
Da lontan l'onda della Sarda Teti,
Scoglio del Franco ardire e sepoltura.

Mugge l'onda Tirrena, irrequieti
Levando i flutti, e non aver si pente
Da pria sommersi i mal raccolti abeti.

Mugge l'onda d'Atlante orribilmente,
Mugge l'onda Brittanna, e al suo muggito
Rimormorar la Baltica si sente.

Fin dall'estremo Americano lito
Il mar s'infuria, e il Lusitan n'ascolta
Nel buio della notte il gran ruggito.

Sgomentossi, ristette, e a quella volta
Drizzò l'orecchio di BASSVILLE anch'essa
L'attonit'Ombra in suo dolor sepolta.

Palpitando ristette, e alla convessa
Region sollevando la pupilla
Traverso all'ombra sanguinosa e spessa,

   Vide in su per la truce aria tranquilla
Correr spade infocate; ed aspri e cupi
N'intese i cozzi, ed un clangor di squilla.

   Quindi gemere i boschi, urlar le rupi,
E piangere le fonti, e le notturne
Strigi solinghe, e ulular cagne e lupi.

   E la quïete abbandonar dell'urne
Pallid'ombre fur viste, e per le vie
Vagolar sospirose e taciturne; [61]

   Starsi i fiumi, sudar sangue le pie
Immagini de' templi, ed involato
Temer le genti eternamente il die.

   O pietosa mia guida, che campato
M'hai dal lago d'Averno, e che mi porti
A sciogliere per gli occhi il mio peccato;

   Certo di stragi e di sangue e di morti
Segni orrendi vegg'io: ma come? e donde?
E a chi propizie volgeran le sorti?

   Al suo duca sí disse, e avea feconde
Di pianto la francese Ombra le ciglia.
Vienne meco, e il saprai: l'altro risponde;

   Ed amoroso per la man la piglia.

IN MORTE DI LORENZO MASCHERONI. [1]

CANTO PRIMO.

Come face al mancar dell'alimento
Lambe gli aridi stami, e di pallore
Veste il suo lume ognor piú scarso e lento;

E guizza irresoluta, e par che amore
Di vita la richiami, infin che scioglie
L'ultimo volo, e sfavillando muore:

Tal quest'alma gentil, che morte or toglie
All'Italica speme, e su lo stelo
Vital, che verde ancor fioria, la coglie;

Dopo molto affannarsi entro il suo velo,
E anelar stanca su l'uscita, alfine
L'ali aperse, e raggiando alzossi al cielo.

Le virtú, che diverse e pellegrine
La vestir mentre visse, il mesto letto
Cingean bagnate i rai, scomposte il crine.

Della patria l'Amor santo e perfetto,
Che amor di figlio e di fratello avanza,
Empie a mille la bocca, a dieci il petto.

L'Amor di libertá, bello, se stanza
Ha in cor gentile, e se in cor basso e lordo,
Non virtú, ma furore e scelleranza.

L'Amor di tutti, a cui dolce è il ricordo
Non del suo dritto, ma del suo dovere,
E l'altrui bene oprando al proprio è sordo.

Umiltá, che fa suo l'altrui volere;
Amistá, che precorre al prego e dona,
E il dono asconde con un bel tacere.

Poi le nove virtú che in Elicona
Danno al muto pensier con aurea rima
L'ali, il color, la voce e la persona. [2]

L'EPICO

Colei che gl'intelletti apre e sublima,
E col valor di finte cifre il vero
Valor de' corpi immaginati estima; [3]

Colei che li misura, e del primiero
Compasso armò di Dio la destra, quando
Il grand'arco curvò dell'emispero;

E spinse in giro i soli incoronando
L'ampio creato di fiammanti mura,
Contro cui del caosse il mar mugghiando,

E crollando le dighe, entro la scura
Eternitá rimbomba, e paurosa
Fa del suo regno dubitar Natura.

Eran queste le Dee, che lamentosa
Fean corona alla spoglia, che d'un tanto
Spirto, di vita nel cammin, fu sposa.

Ecco il cor, dicea l'una, in che sí santo,
Sí fervido del giusto arse il desiro:
E la man pose al core, e ruppe in pianto.

Ecco la dotta fronte onde s'apriro
Sí profondi pensieri, un'altra disse:
E la fronte toccò con un sospiro.

Ecco la destra, ohimè! che li descrisse,
Venia sclamando un'altra: e baci ardenti
Su la man fredda singhiozzando affisse. [4]

Poggia intanto quell'alma alle lucenti
Sideree rote, e or questa spera, or quella
Di sua luce l'invita entro i torrenti.

Vieni, dicea del terzo ciel la stella: [5]
Qui di Valchiusa è il cigno, e meno altera
La sua donna con seco, e assai piú bella.

Qui di Bice il cantor, qui l'altra schiera
De' vati amanti; e tu, cantor lodato
D'un'altra Lesbia, ascendi alla mia spera. [6]

Vien, di Giove dicea l'astro lunato:
Qui riposa quel grande che su l'Arno
Me di quattro pianeti ha coronato. [7]

Vien quegli occhi a mirar, che il ciel spiarno
Tuttoquanto, e lui visto, ebber disdegno
Veder oltre la terra, e s'oscurarno.

Tu, che dei raggi di quel divo ingegno
Filosofando ornasti i pensier tuoi,
Vien; tu con esso di goder se' degno.

Ma di rincontro folgorando i sui
Tabernacoli d'oro apriagli il Sole,
E viene, ei pur dicea, resta con nui.

Io son la mente della terra mole,
Io la vita ti diedi, io la favilla
Che in te trasfuse la Giapezia prole. [8]

Rendimi dunque l'immortal scintilla,
Che tua salma animò; nelle regali
Tende rientra del tuo padre, e brilla.

D'Italo nome troverai qui tali
Che dell'uman sapere archimandriti
Al tuo pronto intelletto impennar l'ali.

Colui, che strinse ne' suoi specchi arditi [9]
Di mia luce gli strali, e fe' parere
Cari a Marcello di Sicilia i liti;

Primo quadrò la curva dal cadere
De' proietti creata, e primo vide
Il contener delle contente sfere.

Seco è il Calabro antico, che precide [10]
Alle mie rote il giro, e del mio figlio
La sognata caduta ancor deride.

Qui Cassin, che in me tutto affisse il ciglio
Fortunato cosí, ch'altri giammai
Non fe' piú bello del veder periglio.

Qui Bianchin, qui Riccióli, ed altri assai
Del ciel conquistatori, ed *Oriano* [11]
L'amico tuo qui assunto un dí vedrai;

   Lui che primiero dell'intatto Urano
Co' numeri frenò la via segreta,
Orian degli astri indagator sovrano.

   Questi dal centro del maggior pianeta
Uscian richiami, e vieni, anima día,
Par ch'ogni stella per lo ciel ripeta.

   Sí dolce udiasi intanto un'armonia,
Che qual piú dolce suono arpa produce
Di lavoro mortal mugghio saria.

   E il Sol sí viva saettò la luce,
Che il piú puro tra noi giorno sereno
Notte agli occhi saria quando è piú truce.

   Qual tra mille fioretti in prato ameno
Vago parto d'april, la fanciulletta
Disiosa d'ornar la tempia e il seno,

   Or su questo, or su quel pronta si getta,
Vorria tutti predarli, e li divora
Tutti con gli occhi ingorda e semplicetta;

   Tal quell'alma trasvola, e s'innamora
Or di quel raggio, ed or di questo, e brama
Fruir di tutti, e niun l'acqueta ancora.

   Perocché piú possente a sé la chiama
Cura d'amore di quei cari in traccia,
Che amò fra' vivi, e piú fra gli astri or ama.

   Ella di Borda e Spallanzan la faccia, [12]
E di Parin sol cerca; ed ogni spera
N'inchiede, e prega che di lor non taccia.

   Ed ecco a suo rincontro una leggera
Lucida fiamma che nel grembo porta
Una dell'alme, di cui fea preghiera.

Qual fu suo studio in terra, iva l'accorta
Misurando del cielo alle vedette
L'arco che l'ombra fa cader piú corta.

— Oh mio Lorenzo! — oh Borda mio! Fur dette
Queste, e non piú, per lor parole: il resto
Disser le braccia al collo avvinte e strette.

— Pur ti trovo. — Pur giungi. — Io piansi mesto
L'amara tua partita, e su latino
Non vil plettro il mio duol fu manifesto.

— Io di quassú l'intesi, o pellegrino
Canoro spirto, e desiai che ratto
Fosse il vol che dovea farti divino.

— Anzi tempo, lo vedi, fu disfatto
Laggiú il mio frale. — Il veggo, e nondimeno
Qual di te lungo qui aspettar s'è fatto!

Cosí confusi l'un dell'altro in seno,
E alternando il parlar, spinser le piume
Lá dove fa la Lira il ciel sereno;

D'Orfeo la Lira, che il paterno nume
D'auree stelle ingemmò, mentre volgea
Sanguinosa la testa il Tracio fiume:

E, misera Euridice, ancor dicea
L'anima fuggitiva, ad Euridice, [13]
Euridice, la ripa rispondea.

Conversa in astro quella cetra elíce
Sí dolci i suoni ancor, che la dannata
Gente gli udendo si faria felice.

Giunte a quell'onda d'armonia beata
Le due celesti peregrine, un'alma
Scoprir, che grave al suon si gode e guata;

Sovra un lucido raggio assisa in calma,
L'un su l'altro il ginocchio, e su i ginocchi
L'una nell'altra delle man la palma.

L'EPICO

Torse ai due che venieno i fulgid'occhi,
Guardò Lorenzo, e in lei del caro aspetto
Destarsi i segni dall'oblio non tocchi.

Non assurse però, ma con diletto
La man protese, e balenò d'un riso
Per la memoria dell'antico affetto.

E, ben giunto, lui disse: alfin diviso
Ti se' dal mondo, da quel mondo, u' solo
Lieta è la colpa, ed il pudor deriso.

Dopo il tuo dipartir dal patrio suolo
Io misero Parini il fianco venni
Grave d'anni traendo, e piú di duolo.

E poich'oltre veder piú non sostenni
Della patria lo strazio e la ruina,
Bramai morire, e di morire ottenni.

Vidi prima il dolor della meschina
Di cotal nuova libertá vestita,
Che libertá nomossi, e fu rapina.

Serva la vidi, e ohimè! serva schernita,
E tutta piaghe e sangue al ciel dolersi
Che i suoi pur anco, i suoi l'avean tradita,

Altri stolti, altri vili, altri perversi,
Tiranni molti, cittadini pochi,
E i pochi o muti o insidiati o spersi.

Inique leggi, e per crearle, rochi
Su la tribuna i gorgozzuli, e in giro
La discordia co' mantici e co' fuochi;

E l'orgoglio con lei, l'odio, il deliro,
L'ignoranza, l'error, mentre alla sbarra
Sta del popolo il pianto ed il sospiro. [14]

Tal s'allaccia in Senato la zimarra,
Che d'elleboro ha d'uopo e d'esorcismo;
Tal vi tuona che il callo ha della marra.

Tal vi trama, che tutto è parossismo
Di Delfica mania, vate piú destro
La calunnia a filar che il sillogismo;

Vile! E tal altro del rubar maestro
A Caton si pareggia, e monta i rostri
Scappato al remo e al Tiberin capestro. [15]

Oh iniqui! E tutti in arroganti inchiostri
Parlar virtude, e sé dir Bruto e Gracco,
Genuzj essendo, Saturnini e mostri. [16]

Colmo era in somma di delitti il sacco;
In pianto il giusto, in gozzoviglia il ladro,
E i Bruti a desco con Ciprigna e Bacco. [17]

Venne il Nordico nembo, e quel leggiadro
Viver sommerse: ma novello stroppio
La patria n'ebbe, e l'ultimo soqquadro. [18]

Udii di Cristo i bronzi suonar doppio
Per laudarlo che giunto era il tiranno:
Ahi! che pensando ancor ne fremo e scoppio.

Vidi il Tartaro ferro e l'Alemanno [19]
Strugger la speme dell'Ausonie glebe
Sí, che i nepoti ancor ne piangeranno.

Vidi chierche e cocolle armar la plebe,
Consumar colpe, che d'Atreo le cene,
E le vendette vincerian di Tebe.

Vidi in cocchio Adelasio, ed in catene
Paradisi e Fontana. Oh sventurati! [20]
Virtú dunqu'ebbe del fallir le pene!

Cui non duol di Caprara e di Moscati? [21]
Lor ceppi al vile detrattor fan fede
Se amar la patria, o la tradir comprati.

Containi! Lamberti! oh ria mercede [22]
D'opre onorate! ma di re giustizia
Lo scellerato assolve, e il giusto fiede.

L'EPICO

Nella fiumana di tanta nequizia,
Deh trammi in porto, io dissi al mio Fattore,
Ed ei m'assunse all'immortal letizia.

Né il guardo vinto dal veduto orrore
Piú rivolsi laggiú, dove soltanto
S'acquista libertá quando si muore.

Ma tu, che approdi da quel mar di pianto;
Che rechi? Italia che si fa? L'artiglia [23]
L'Aquila ancora? O pur del suo gran manto
Tornò la Madre a ricoprir la Figlia? [24]
E Francia intanto è seco in pace? O in rio
Civil furore ancor la si periglia?

Tacquesi; e tutta la pupilla aprio
Incontro alla risposta alzando il mento.
Compose l'altro il volto, e quel desio
Fe' del seguente ragionar contento.

CANTO SECONDO.

Pace, austero Intelletto. Un'altra volta
Salva è la patria: un Nume entro le chiome
La man le pose, e lei dal fango ha tolta.

Bonaparte... Rizzossi a tanto nome
L'accigliato Parini, e la severa
Fronte spianando balenò, siccome

Raggio di sole che, rotta la nera
Nube, nel fior che giá parea morisse,
Desta il riso e l'amor di primavera.

Il suo labbro tacea, ma con le fisse
Luci, e con gli atti dell'intento volto,
Tutto, tacendo, quello spirto disse.

Sorrise l'altro, e poscia in sé raccolto,
Bonaparte, seguia, della sua figlia
Giurò la vita, e il suo gran giuro ha sciolto.

Sai che col senno e col valor la briglia
Messo alla gente avea che si rinserra
Tra la Libica sponda e la vermiglia. [25]

Sai che il truce Ottomano e d'Inghilterra
L'avaro traditor che secco il fonte
Giá dell'auro temea ch'India disserra,

Congiurati in suo danno alzar la fronte,
E denso di ladroni un nembo venne
Dall'Eufrate ululando e dall'Oronte. [26]

Egli mosse a rincontro, e nol rattenne
Il mar della bollente Araba sabbia;
I vortici sfidonne, e li sostenne.

Domò del folle assalitor la rabbia;
Iaffa, e Gaza crollarno, e in Ascalona
Il Britanno fellon morse le labbia.

Ciò che il prode fe' poi sallo Esdrelona,
Sallo il Taborre, e l'onda che sul dorso
Sofferse asciutto il piè di Bariona. [27]

Sallo il fiume che corse un dí retrorso,
E il suol dove Maria, siccome è grido,
Dell'uomo partorí l'alto soccorso. [28]

Doma del Siro la baldanza, al lido
Folgorando tornò, che al doloroso
Di Cesare rival fu sí mal fido. [29]

E di lunate antenne irto e selvoso
Del funesto Aboukir rivide il flutto,
E tant'oste che il piano avea nascoso. [30]

Ivi il Franco Alessandro il fresco lutto
Vendicò della patria, e l'onde infece
Di barbarico sangue, sí che tutto

Coprí la strage il lido, e lido fece:
Quei che il ferro non giunse il mar sommerse,
E d'ogni mille non campar li diece.

Ahi gioie umane d'amarezza asperse!
Suonò fra la vittoria orrendo avviso,
Che in doglia il gaudio al vincitor converse.

Narrò l'infamia di Scherer conquiso,
E dal Turco, dall'Unno, e dallo Scita
Desolato d'Italia il paradiso. [31]

Narrò da pravi cittadin tradita
Francia, e senza consiglio e senza polo
Del governo la nave andar smarrita.

Prima assalse l'Eroe stupore e duolo,
Poi dispetto e magnanimo disdegno,
E ne scoppiò da cento affetti un solo.

La vendetta scoppiò, quella che segno
Fu di Camillo all'ire generose,
E di lui che crollò de' Trenta il regno. [32]

Cosí partissi, e al suo partir si pose
Un vel la sorte d'Oriente, e l'urna,
Che d'Asia i fati racchiudea, nascose. [33]

Partissi; e di lá dove alla diurna
Lampa il corpo perd'ombra, la fortuna
Con lui mosse fedele e taciturna;

E nocchiera s'assise in su la bruna
Poppa che grave di cotanta spene
Giú di Libia fendea l'ampia laguna.

Innanzi vola la vittoria, e tiene
In man le palme ancor fumanti, e sparse
Della polve di Menfi e di Siene. [34]

La sentir da lontano approssimarse
Le Galliche falangi, ed ogni petto
Dell'antico valor tosto riarse.

Ella giunse, e a Massena, al suo diletto
Figlio gridò: son teco. Elvezia e Francia
Udir quel grido, e serenar l'aspetto.

L'Istro udillo e tremò. La Franca lancia
Ruppe gli Ungari petti, e si percosse
Il vinto Scita per furor la guancia. [35]

L'udir le rive di Batavia, e rosse
D'ostil sangue fumâr; e nullo forse
De' nemici rediva onde si mosse;

Ma vil patto il fiaccato Anglo soccorse:
Frutto del suo valor non colse intero
Gallia, ed obliquo il guardo Olanda torse. [36]

Carca frattanto del fatal guerriero
Il lido afferra la felice antenna:
Ne stupisce ogni sguardo, ogni pensiero.

Levossi per vederlo alto la Senna,
E mostrò le sue piaghe. Egli sanolle,
Né il come lo diria lingua né penna.

Ei la salute della patria volle,
E poté ciò che volle, e al suo volere
Fu norma la virtú che in cor gli bolle.

Fu di pietoso cittadin dovere,
Fu caritá di patria, a cui giá morte
Cinque tiranni avean le forze intere.

Fine agli odj promise: e di ritorte
Fu catenata la discordia; e tutte
Della rabbia civil chiuse le porte.

Fin promise al rigore: e ricondutte
Le mansuete idee, Giustizia rise
Su le sentenze del furor distrutte.

Verace e saggia libertá promise:
E i delirj fur queti, e senza velo
Secura in trono la ragion s'assise.

Gridò guerra: e per tutto il Franco cielo
Un fremere, un tuonar d'armi s'intese
Che al nemico portò per l'ossa il gelo.

L'EPICO

Invocò la vittoria: ed ella scese
Procellosa su l'Istro, e l'arrogante
Tedesco al piè d'un nuovo Fabio stese. [37]

Finalmente d'un Dio preso il sembiante
Apriti, o Alpe, ei disse: e l'Alpe aprissi,
E tremò dell'Eroe sotto le piante.

E per le rupi stupefatte udissi
Tal d'armi, di nitriti, e di timballi
Fragor, che tutti ne muggían gli abissi.

Liete da lungi le Lombarde valli
Risposero a quel mugghio, e fiumi intanto
Scendean d'aste, di bronzi, e di cavalli.

Levò la fronte Italia, e in mezzo al pianto
Che amaro e largo le scorrea dal ciglio
Carca di ferri, e lacerata il manto,

Pur venisti, gridava, amato figlio,
Venisti, e la pietá delle mie pene
Del tuo duro cammin vinse il periglio.

Questi ceppi rimira, e queste vene
Tutte quante solcate. E sí parlando
Scosse i polsi, e suonar fe' le catene.

Non rispose l'Eroe, ma trasse il brando,
E alla vendetta del materno affanno
In Marengo discese fulminando. [38]

Mancò alle stragi il campo; l'Alemanno
Sangue ondeggiava, e d'un sol dí la sorte
Valse di sette e sette lune il danno.

Dodici rôcche aprir le ferree porte
In un sol punto tutte, e ghirlandorno
Dodici lauri in un sol lauro il Forte. [39]

Cosí a noi fece libertá ritorno.
Libertade? interruppe aspro il cantore
Delle tre parti in che si parte il giorno. [40]

Libertá? di che guisa? ancor l'orrore
Mi dura della prima, e a cotal patto
Chi vuol franca la patria è traditore.

A che mani è commesso il suo riscatto?
Libera certo il vincitor lei vuole,
Ma chi conduce il buon volere all'atto?

Altra volta pur volle e fur parole;
Che con ugna rapace arpie digiune
Fero a noi ciò che Progne alla sua prole. [41]

Dal calzato allo scalzo le fortune
Migrar fur viste, e libertá divenne
Merce di ladri e furia di tribune.

V'eran leggi; il gran patto era solenne:
Ma fu calpesto. Si trattò; ma franse
L'asta il trattato, e servi ne ritenne.

Pietá gridammo; ma pietá non transe [42]
Al cor de'Cinque; di piú ria catena
Ne gravarno i crudeli, e invan si pianse.

Vuota il popol per fame avea la vena,
E il viver suo vedea fuso e distrutto
Da' suoi pieni tiranni in una cena.

Squallido macro il buon soldato, e brutto
Di polve, di sudor, di cicatrici,
Chiedea plorando del suo sangue il frutto.

Ma l'inghiottono l'arche voratrici
Di onnipossenti duci, e gl'ingordi alvi
Di questori, prefetti, e meretrici.

Or dí: come all'Eroe che ancor n'ha salvi
Son queste colpe? e rifaran gl'Insubri
Le tolte chiome, o andran piú mozzi e calvi?

Verran giorni piú lieti, o piú lugubri?
Ed egli, il gran Campione, è come pria
Circuito da vermi e da colubri?

L'EPICO

Sai come si arrabatta esta genia,
Che ambiziosa, obliqua, entra e penetra
E fora, e s'apre ai primi onor la via.

Di Nemi il galeotto, e di Libétra
Certo rettile sconcio, che supplizio
Di dotti orecchi cangiò l'ago in cetra; [43]

E quel sottile Ravegnan patrizio
Sí di frodi perito che Brunello
Saria tenuto un Mummio ed un Fabrizio,

Come in alto levarsi, e fur flagello
Della patria? Oh Licurghi! oh Cisalpina,
Non matrona, ma putta nel bordello!

Tacque; e l'altro riprese: la divina
Virtú che informa le create cose,
Ed infiora la valle e la collina,

D'acute spine circondò le rose,
Ed accanto al frumento e al cinnamomo
L'ispido cardo e la cicuta pose.

Vedi il rio vermicel che guasta il pomo,
Vedi misti i sereni alle procelle
Alternar l'allegrezza e il pianto all'uomo.

Penuria non fu mai d'anime felle;
Ma dritto guarda, amico, ed abbondante
Pur la patria vedrai d'anime belle.

Ve' quante Olona ne fan lieta, e quante
Val-di-Pado, Panaro, e il picciol Reno,
Picciolo d'onde e di valor gigante.

Reggio ancor non oblia, ché dal suo seno
La favilla scoppiò donde primiero
Di nostra libertá corse il baleno.

Mostrò Bergamo mia che puote il vero
Amor di patria, e lo mostrò l'ardita
Brescia sdegnosa d'ogni vil pensiero.

Né d'onorati spirti inaridita
In Emilia pur anco è la semenza;
Sterpane i bronchi, e la vedrai fiorita.

Molti iniqui fur posti in eminenza,
E il saran altri ancor: ma chi gli estolle
Forse è Quei che vede oltre all'apparenza?

Mira l'astro del dí. Siccome volle
Il suo Fattore ei brilla, e solve il germe
Or salubre, or maligno entro le zolle.

Su le sane sostanze, e su le inferme
Benefico del par gli sguardi abbassa;
E s'uno al fior dá vita, e l'altro al verme;

Ciò vien dal seme che la terrea massa
Diverso gli appresenta: egli sublime
E discolpato lo feconda, e passa.

Or procede alle tue dimande prime
La mia risposta. Di saper ti giova
Se fia scevra d'affanno, e senza crime

La nuova libertade, o se per prova
Sotto il sacro suo manto un'altra volta
Rapina, insulto e tirannia si cova?

Dirò verace. E dir volea: ma tolta
Da portentosa vision gli fue
La voce che dal labbro uscia giá sciolta.

Il trono apparve dell'Eterno, e due
Gli erano al fianco Cherubin sospesi
Su le penne, giá pronti a calar giue.

L'uno in sembianti di pietade accesi,
Sí terribile l'altro alla figura,
Che n'eran gli astri di spavento offesi.

Verde qual pruna non ancor matura
Cinge il primo la stola, e qual di cigno
Apre la piuma biancheggiante e pura.

L'EPICO

Ondeggiavano all'altro di sanguigno
Color le vestimenta, e tinto avea
Il remeggio dell'ali in ferrugigno.

Quegli d'olivo un ramoscel tenea,
Questi un brando rovente; e fisso i lumi
In Dio ciascun palpebra non battea.

Dal basso mondo alla cittá de' numi
Voci intanto salian gridando, pace,
Col sonito che fan cadendo i fiumi.

Pace la Senna, pace l'Elba, pace [44]
Iterava l'Ibero, ed alla terra
Rispondean pace i cieli, pace, pace.

Ma guerra i lidi d'Albione, e guerra
D'Inferno i mostri replicar s'udiro,
E l'Inferno era tutto in Inghilterra.

Sedea tranquillo l'increato Spiro
Sull'immobile trono, e tremebondo
Dal suo cenno pendea l'immenso Empiro.

La gran bilancia, su la qual profondo
E giusto libra l'uman fato, intanto
Iddio solleva e ne vacilla il mondo.

Quinci i sospiri, le catene, il pianto
De' mortali ponea; quindi versava
De' mortali i delitti, e a nessun canto

La tremenda bilancia ancor piegava.
Quando due donne di contrario affetto
Levarsi, e ognuna di parlar pregava.

Chi si fur elle, e che per lor fu detto,
Se mortal labbro di ridirlo è degno,
L'udrá chi al mio cantar prende diletto
Nel terzo volo dell'acceso ingegno.

CANTO TERZO.

Due virtú che nimiche e in un sorelle [45]
L'una grida rigor, l'altra perdono,
Care entrambe di Dio figlie ed ancelle,

Ritte in piè, dell'Eterno innanzi al trono
Ecco a gran lite. Ad ascoltarle intenti
Lascian l'arpa i Celesti in abbandono.

Lascian le sacre danze, e su lucenti
Di crisolito scanni e di berillo
Si locar taciturni e riverenti.

D'ogni parte quetato era lo squillo
Delle angeliche tube; il tuon dormiva,
E il fulmine giacea freddo e tranquillo.

Allor Giustizia, inesorabil Diva,
Incominciò: Sire del ciel che libri
Nell'alta tua tremenda estimativa

Le scelleranze tutte, e a tutte vibri
Il suo castigo; e fino a quando inulti
Fian d'Europa i misfatti, e di ludibri

Carco il tuo nume? Ve' tu come insulti
L'umano seme a tua bontade, e ingrato
Del par che stolto nella colpa esulti?

Vedi sozzi di strage e di peccato
I troni della terra, e dalla Forza
Il delitto regal santificato.

Vedi come la ria ne' petti ammorza
Di ragion la scintilla, e i sacri, eterni
Dell'uom diritti cancellar si sforza.

Mentre nuda al rigor di caldi e verni
Getta la vita una misera plebe
Che sol si ciba di dolor, di scherni.

E a rio macello spinta, come zebe, [46)]
Per l'utile d'un solo, in campo esangue
L'itale ingrassa e le tedesche glebe.

Di propria man squarciata intanto langue
La peccatrice Europa, ed Anglia cruda
L'onor ne compra, e coll'onore il sangue.

Per lei Megéra nell'Inferno suda
Armi esecrate, per lei toschi mesce;
Suo brando è l'oro, ed il suo Marte, Giuda.

Che di Francia direm? A che riesce
De' suoi sublimi scuotimenti il frutto?
Mira che agli altri, e a sé medesma incresce.

Potea col senno e col valor far tutto
Libero il mondo, e il fece di tremende
Follie teatro, e lo coprí di lutto.

Libertá che alle belle alme s'apprende,
Le spedisti dal ciel di tua divina
Luce adornata e di virginee bende;

Vaga sí che né greca né latina
Riva mai vista non l'avea, giammai,
Di piú cara sembianza e pellegrina.

Commossa al lampo di que' dolci rai
Ridea la terra intorno, ed io t'adoro,
Dir pareva ogni core, io ti chiamai.

Nobil fierezza, matronal decoro,
Candida fede, e tutto la seguia
Delle smarrite virtú prische il coro;

E maestosa al fianco le venia
Ragion d'adamantine armi vestita
Con la nemica dell'error Sofia.

Allor mal ferma in trono e sbigottita
La tirannia tremò; parve del mondo
Allor l'antica servitú finita.

Ma tutte pose le speranze al fondo
La delira Parigi, e Libertate
In Erinni cangiò, che furibondo

Spiegò l'artiglio; e prime al suol troncate
Cadder le teste de' suoi figli, e quante
Fur piú sacre e famose ed onorate.

Poi divenuta in suo furor gigante
L'orribil capo fra le nubi ascose,
E tentò porlo in ciel la tracotante;

E gli sdegni imitarne e le nembose
Folgori e i tuoni, e culto ambir divino
Fra le genti d'orror mute e pensose.

Tutta allor mareggiò di cittadino
Sangue la Gallia, ed in quel sangue il dito
Tinse il ladro, il pezzente e l'assassino,

E in trono si locò vile marito
Di piú vil Libertá, che di delitti
Sitibonda ruggia di lito in lito.

Quindi proscritte le cittá, proscritti
Popoli interi, e di taglienti scuri
Tutte ingombre le piazze e di trafitti.

Oh voi che state ad ascoltar, voi puri
Spiriti del ciel, cui veggio al rio pensiero
Farsi i bei volti per pietade oscuri;

Che cor fu il vostro allor che per sentiero
D'orrende stragi inferocir vedeste
E strugger Francia un solo, un Robespiero? 47)

Tacque; e al nome crudel su l'auree teste
Si sollevar le chiome agl'immortali
Frementi in suon di nembi e di tempeste.

Gli Angeli il volto si velar coll'ali,
E sotto ai piedi onnipossenti irato
Mugolò il tuono, e fiammeggiar gli strali.

L'EPICO

E giá bisbiglia il ciel, giá d'ogni lato
Grida vendetta, e vendetta iterava
Dell'Olimpo in convesso interminato.

Carca d'ire celesti cigolava
De' fati intanto la bilancia, e Dio
Dio sol si stava immoto, e riguardava.

Surse allor la Pietade; e non aprio
Il divin labbro ancor che giá tacea
Di quell'ire tremende il mormorio.

Col dolce strale d'un sol guardo avea
Giá conquiso ogni petto. In questo dire
La rosea bocca alfin sciolse la Dea.

Alte in mezzo de' giusti odo salire
Di vendetta le grida, ed io domando
Anch'io vendetta, sempiterno Sire.

Anch'io cacciata dai potenti in bando
Batto indarno ai lor cuori, e inesaudita
Vo scorrendo la terra e lagrimando.

Ma se i regnanti han mia ragion tradita,
Perché la colpa de' regnanti, o Padre,
Negl'innocenti popoli è punita?

Perché tante perir misere squadre
Per la causa de' vili? Ahi! caro i crudi
Fanno il sacro costar nome di madre.

Peccò Francia, gli è ver; ma spenti i drudi
D'insana libertá, perché in suo danno
Gemono ancora le nemiche incudi?

Dunque eterne laggiú l'ire saranno?
E solo al pianto in avvenir le spose,
Solo al ferro e al furor partoriranno?

Dunque Europa le guance lagrimose
Porterá sempre? E per chi poi? per una,
Per due, per poche in somma alme orgogliose.

Taccio il nembo di duol che denso imbruna
Tutto d'Olanda il ciel; taccio il lamento
Della prostrata Elvetica fortuna.

Ma l'affanno non taccio e il tradimento
Che Italia or grava, Italia in cui natura
Fe' tanto di bellezza esperimento.

Duro il servaggio la premea; piú dura
Una sognata libertá la preme,
Che colma de' suoi mali ha la misura.

Su i cruenti suoi campi piú non freme
Di Marte il tuono; ma che val, se in pace
Pur come in guerra si sospira e geme?

Prepotente rapina alla vorace
Squallida fame spalancò le porte,
E chi serrarle le dovea, si tace.

Meglio era pur dal ferro aver la morte,
Che spirar nudo e scarno e derelitto
Tra i famelici figli e la consorte.

Deh sia fine al furor, fine al delitto,
Fine ai pianti mortali, e della spada
Pera una volta e de' tiranni il dritto.

Paghi di sangue chi vuol sangue, e cada;
Ma l'innocente viva, e dell'oppresso
Il sospiro, o Signor, ti persuada.

La Dea qui ruppe il suo parlar con esso
Le lagrime sul ciglio; e chi per questa
Chi per quella fremea l'alto Consesso;

Qual freme d'aquilon chiuso in foresta
Il primo spiro, allor che ciechi aggira
I susurri forier della tempesta.

Mentre vario il favor ne' petti ispira
Desianze diverse, incerto ognuno
Qual fia vittrice, la Clemenza o l'Ira;

L'EPICO

Del ciel cangiossi il volto e si fe' bruno,
E caligine in cerchio orrenda e folta
Il trono avvolse dell'Eterno ed Uno.

E una voce n'uscí che l'ardua volta
Dell'Olimpo intronava. Attenta e muta
Trema natura e la gran voce ascolta.

Cieli udite, odi o terra, l'assoluta
Di Dio parola. Tu che l'alto spegni [48]
Patrio delirio, e Francia hai restituta;

Tu che vincendo moderanza insegni
All'orgoglio de' re, cui tua saggezza
Tolse la scusa di cotanti sdegni;

Fa cor: quel Dio che abbatte ogni grandezza,
Guerra e Pace a te fida, a te devolve
Il castigo d'Europa e la salvezza.

Tu sei polve al mio sguardo, ed io la polve
Strumento fo del mio voler. Qui tacque
Colui che immoto tutto move o volve.

Qui sparve l'alta vision: poi nacque
Per entro al negro vortice un confuso
Romor d'ali e di piè che di molt'acque

Parea lo scroscio. Ma repente schiuso
Fiammeggiò quel gran buio, e folgorando
Due Cherubini si calaro in giuso;

Quei due medesmi del divin comando
Esecutori, che nel pugno avieno
L'un d'oliva la fronda, e l'altro il brando.

Ratti a paro scendean come baleno,
E due gran solchi di mirabil vista
Paralleli traean per lo sereno.

L'uno è pura di luce argentea lista;
L'altro è turbo di fumo che lampeggia
E sangue piove che le stelle attrista.

Di qua tutto sorriso il ciel biancheggia;
Di lá son tuoni e nembi, e in suon di pianto
L'aria geme da lungi e romoreggia.

Seguían coll'ali del vedere un tanto
Prodigio stupefatti i due Lombardi
Coll'altro spirto di che parla il canto: [49]

Quando si vide a passi gravi e tardi
Dalla parte ove rota il suo viaggio
La terra, e obliqui al sole invia gli sguardi,

Pensierosa salir l'ombra d'un saggio, [50]
Che il dito al mento, e corrugata il ciglio,
Uom par che frema di veduto oltraggio.

Dalla fronte sublime e dal cipiglio
Nobilmente severo si procaccia
Testimonianza il senno ed il consiglio.

Come trasse vicino alzò la faccia,
Gl'Insubri ravvisò spirti diletti,
E mosse prima che il parlar le braccia.

Allor si vide con amor tre petti
Confondersi e serrarsi, ed affollarse
Gli uni su gli altri d'amicizia i detti.

Lo stringersi a vicenda e il dimandarse
Tra quell'alme finito ancor non era,
Che di note sembianze altra n'apparse; [51]

E corse anch'ella ed abbracciò la schiera
Concittadina. Il volto avea negletto,
Negletta la persona e la maniera.

Ma la fronte, prigion d'alto intelletto,
Ad or ad or s'infosca, e lampi invia
Dell'eminente suo divin concetto.

Scrisse quel primo l'alta economia
Che i popoli conserva, e tutta svolse
Del piacer la sottile anatomia.

L'EPICO

Intrepido a librar l'altro si volse
I delitti e le pene, ed al tiranno
L'insanguinato scettro di man tolse.

Poscia che le accoglienze, onde si fanno
Lieti gli amici, s'iterar fra questi
Che fur primieri tra color che sanno;

Disse Parini: perché irati e mesti
Son tuoi sguardi, o mio Verri? Ed ei rispose:
Piango la patria: e chinò gli occhi onesti.

E anch'io la piango, anch'io; con sospirose
Voci soggiunse Beccaria: poi mise
Su la fronte la mano, e la nascose.

Di duol, che sdegna testimon, conquise
Vide Borda quell'alme, e in atto umano
Disse a tutte, salvete; e si divise.

Col salutar degli occhi e della mano
Risposer quelle, e in preda alla lor cura
Mosser tacendo per l'etereo piano.

Come gli amici in tempo di sventura
Van talvolta per via, né alcun domanda
Per temenza d'udire cosa dura;

Tale andar si vedea quell'onoranda
Di sofi compagnia curva le fronti
Aspettando chi primo il suo cor spanda.

Luogo è d'Olimpo su gli eccelsi monti
Di piante chiuse che non han qui nome,
E rugiadoso di nettarei fonti,

Ch'eterno il verde edúcano alle chiome
Degli odorati rami, e i piú bei fiori
Di colei che fa il tutto, e cela il come. [52]

Poi cadendo precipiti e sonori
Tra scogli di smeraldo e di zaffiro
Scendono a valle per diversi errori.

E lá danzando del beato Empiro
A inebbriar si vanno i cittadini
Dell'ambrosia che spegne ogni desiro.

A quest'ermo recesso i peregrini
Spirti avviarsi; e qui seduti al rezzo
Tra color persi, azzurri e porporini,

Fer di sé stessi un cerchio. Oh tu che in mezzo
Di lor sedesti, Olimpia Dea, né l'ira [53]
Temi del forte, né del vil lo sprezzo,

Tu verace consegna alla mia lira
L'alte loro parole; e siano spiedi
A infame ciurma che alle forche aspira,

Né vale il fango che mi lorda i piedi.

CANTO QUARTO.

Sacro di patria amor, che forza acquista,
Ed eterno rivive oltre l'avello,
(Cominciò l'alto insubre Economista):

Desio, che pure ne' sepolti è bello,
Di visitar talvolta ombra romita
Le care mura del paterno ostello;

E con gli affetti della prima vita
Le vicende veder di quel pianeta,
Che l'alme al fango per patir marita; [54]

Mi fea poc'anzi abbandonar la lieta
Region delle stelle: e il patrio nido [55]
Fu dolce e prima del mio vol la meta.

Per tutto armi e guerrier, tripudio e grido
Di libertá; per tutto e danze e canti
Ed altari alle Grazie ed a Cupido;

E operose officine, e di volanti
Splendidi cocchi fervida la via,
E care donne e giovanette amanti,

L'EPICO

Sclamar mi fenno a prima giunta: Oh! mia
Gentil Milano, tu sei bella ancora,
Ancor bella e beata è Lombardia.

Poi nell'ascoso penetrai (che fuora
Sta le piú volte il riso, e dentro il pianto),
E venir mi credei nell'Antenora,

Nella Caina, o s'altro luogo è tanto
Maledetto in inferno, ove raccoglia
Tutte insieme le colpe Radamanto. [56)]

Dell'albergo fatal guardan la soglia
Le Cabale pensose, e l'Impostura,
Che, per vestirsi, la Virtú dispoglia, [57)]

La Fraude, che si tocca il petto e giura,
La fallace Amistá, che sul tuo danno
Piange, e poi t'abbandona alla ventura:

Carezzanti negli atti in volta vanno
Le bugiarde Promesse, accompagnate
Dalle garrule Ciance e dall'Inganno.

Sta su le soglie, a piè profan vietate,
Il Favor, che bizzarro or apre, or chiude,
E dice all'un: non puossi: e all'altro: entrate.

Su e giú sospinte le Speranze nude
Van zoppicando, e al fianco hanno per tutto
Colei che tutte le speranze esclude.

Con umil carta in man lurido e brutto
Grida il Bisogno, e sua ragion gli è scorta;
Ma duro niego de' suoi gridi è il frutto:

Che voce di ragion lá dentro è morta,
E de' pieni scaffali tra le borre
Dorme Giustizia in gran letargo assorta;

Né dall'alto suo sonno la può sciorre
Che il sonante cader di quella piova,
Che fe' lo stupro dell'acrisia torre. [58)]

Questo vidi nell'antro in cui si cova
Della patria il dolor, che con grand'arte
Tutto giorno s'affina e si rinnova;

Tal che guasta il bel corpo d'ogni parte,
Trae giá l'ultimo fiato, e muore in culla
La figlia del valor di Bonaparte. [59]

Circuisce la misera fanciulla
Moltiforme di mostri una congrega,
Che la sugge, la spolpa e la maciulla:

Il Furto che al Poter fatto è collega,
Tirannia che, col dito entro gli orecchi,
Scostati, grida, alla Pietá che prega.

Ignoranza, che losca fra gli specchi
Banchetta, e l'osso, che non unge, arcigna,
Gitta al Merto giacente in su gli stecchi.

E la Patria frattanto, empia matrigna,
Nega il passo a' suoi figli, e a tal lo dona
Stranier, cui meglio si daria gramigna.

Mossi piú addentro il piede, e in logra zona
Vidi l'inferma, che Finanza ha nome,
Che scheletro pareva e non persona.

Colle man disperate entro le chiome
Guarda i vuoti suoi scrigni, e stupefatta
Cerca e non trova dell'empirli il come.

Or la Forza le invia fusa e disfatta
La pubblica sostanza; or la meschina
Perdendo merca, e supplicando accatta.

Scorre a fiumi il denaro; e la Rapina
Di color mille a cento man l'ingozza,
E giú nell'empio ventre lo ruina.

Con sí gran fretta, che talor la strozza
Tutto nol cape, e il vome; e, vomitato,
Lo ricaccia nell'epa e lo rimpozza.

L'EPICO

Né del pubblico sazia, anco il privato
Aver divora; e il vede e lo consente
Suprema e muta Autoritá di stato.

Chiusa e stretta da forza prepotente,
(Dolce interruppe allor Lorenzo) e in forse
Di maggior danno, Autoritá prudente

Che far dovea? Ciò ch'io giá fei: deporse,
Gridò fiero Parini: e, steso il dito,
Gli occhi e la spalla brontolando torse.

Strinse allora le labbra in sé romito
Dei delitti il sottil ponderatore;
E fu giusto, poi disse, il tuo garrito.

Forza li vinse; e che può forza in core
Che verace virtute in sé raduna?
Cede il giusto la vita, e non l'onore:

L'onor, su cui né strale di fortuna,
Né brando, né tiranno, né lo stesso
Onnipossente non ha possa alcuna.

Qual madre che del figlio intende espresso
Grave fallo, si tace e non fa scusa,
Ma china il guardo per dolor dimesso,

E tuttavolta col tacer l'escusa;
Tal si stette Lorenzo, mansueta
Alma cortese a perdonar sol usa.

Mal col cenno del capo il fier Poeta
Plaude a quel dir, che il generoso fiele
De' bollenti precordi in parte acqueta.

Aprí di nuovo al ragionar le vele
Verri frattanto: e non ancor, soggiunse,
Tutto scorremmo questo mar crudele.

Poiché protetta la Rapina emunse
Del popolo le vene, e di ben doma
Putta sfacciata il portamento assunse;

La meretrice, che laggiú si noma
Libertá depurata, iva in bordello
Co' vizi tutti che dier morte a Roma.

Alla fronte lasciva era cappello
Il berretto di Bruto, ma di serva
Avea gli atti, il crin mozzo ed il mantello.

E la seguia di drudi una caterva,
Che da questa d'Italia a quella fogna
A fornicar correa colla proterva.

Altri, perduta nel peccar vergogna,
Fuggí la patria no, ma il manigoldo,
Altri è resto di scopa, altri di gogna.

Qual repe e busca, ruffianando il soldo,
Qual è spia, qual è falso testimonio
Pel quarto e meno ancor d'un Leopoldo. [60]

Quei chiede un Robespier che il sangue ausonio
Sparga; e le funi, e la Senavra impetra
Con questi che biscazza il patrimonio. [61]

V'ha chi ventoso raschiator di cetra
Il pudor caccia e sé medesmo in brago,
E marchiato da Dio corre alla Vetra. [62]

V'ha chi salta in bigoncia dallo spago,
V'ha chi truffa, chi ciurma, chi le quadre
Muta in tonde figure, e non è mago.

Disse rea d'adulterio altri la madre,
E di vile semenza di convento
Sparso il solco accusò del proprio padre.

Altri è schiuma di preti, e fraudolento
De' galeotti arringator, per fame
Trafficando va Cristo in Sacramento.

Tutto strame, letame e putridame
D'intollerando puzzo, e lo fermenta
Tutto quanto de' vizi il bulicame.

L'EPICO

E questa ciurma s'è colei che addenta
I migliori, colei che tuona e getta
D'itala libertá le fondamenta.

Oh inopia di capestri! oh maledetta
Lue cisalpina! oh patria, oh giusto Iddio!
Perché pigra in tua mano è la saetta?

Terror mi prese a tanto; e nell'oblio
Del mio stato immortale, al patrio tetto,
Per celarmi, tremante il piè fuggio.

O mia dolce consorte! o mio diletto
Fratello! o quanto nell'udir mi piacqui
Da voi nomarmi coll'antico affetto!

E ricordar siccome amai, né tacqui
La pubblica ragion, sin che giá franta
De' buon la speme, Addio, vi dissi, e giacqui.

Piansi di gioia nel veder cotanta
Caritá della patria; e come intera
De' miei figli nel cor la si trapianta.

Ed io vana allor corsi ombra leggera,
E gli strinsi e sentii tutta in quel punto
La dolcezza di padre, e piú sincera.

Ma il tenero lor petto al mio congiunto,
Ahi! quell'amplesso non intese; e invano
Vivi corpi abbracciai spirto defunto.

Mi staccai da' miei cari, e, di Milano
Ratto fuggendo, a quel sordo mi tolsi
Delle lagrime altrui gonfio oceano.

Cittá discorsi e campi: e pria mi volsi
Al longobardo piano, ove superbe
Strinser catene al re de' Franchi i polsi:

E il villan coll'aratro ancor tra l'erbe
Urta le gallich'ossa, e quell'aspetto
Par che il natío rancor gli disacerbe.

Vidi il campo ove Scipio giovinetto
Contro i punici dardi allo spirante
Padre fe' scudo del roman suo petto.

Vidi l'umile Agogna intollerante
Del suo fato novel; vidi la valle
Cui nome ed ubertá fa la sonante

Sesia: di lá varcai per arduo calle
L'alpe, che il nutritor di molte genti
Verbano adombra colle verdi spalle. [63]

Quindi del Lario attinsi le ridenti
Rive, e la terra ove alla luce aprirsi
I solerti di Plinio occhi veggenti.

Ed or l'odi di Volta insuperbirsi,
Che vita infonde pe' contatti estremi
Di due metalli (meraviglia a dirsi!)

Nei membri, giá di pelle e capo scemi,
Delle rauche di stagno abitatrici,
E di Galvan ricrea gli alti sistemi. [64]

I placidi cercai poggi felici
Che con dolce pendio cingon le liete
Dell'Eupili lagune irrigatrici.

E nel vederli mi sclamai: Salvete,
Piagge dilette al Ciel, che al mio Parini
Foste cortesi di vostr'ombre quete:

Quand'ei, fabro di numeri divini,
L'acre bile fe' dolce, e la vestia
Di tebani concetti e venosini.

Parea de' carmi suoi la melodia
Per quell'aure ancor viva; e l'aure e l'onde
E le selve eran tutte un'armonia.

Parean d'intorno i fior, l'erbe, le fronde
Animarli, e iterarmi in suon pietoso;
Il cantor nostro ov'è? chi lo nasconde?

Ed ecco in mezzo di recinto ombroso
Sculto un sasso funebre che dicea:
« Ai sacri Mani di Parin riposo ».

E donna di beltá, che dolce ardea
(Tese l'orecchio e, fiammeggiando il Vate,
Alzò l'arco del ciglio e sorridea),

Colle dita venia bianco-rosate
Spargendolo di fiori e di mortella,
Di rispetto atteggiata e di pietate.

Bella la guancia in suo pudor; piú bella
Su la fronte splendea l'alma serena,
Come in limpido rio raggio di stella.

Poscia che dati i mirti ebbe a man piena,
Di lauro, che parea lieto fiorisse
Tra le sue man, fe' al sasso una catena:

E un sospir trasse affettuoso, e disse:
Pace eterna all'amico: e, te chiamando,
I lumi al cielo sí pietosi affisse,

Che gli occhi anch'io levai, certa aspettando
La tua discesa. Ah! qual mai cura, o quale
Parte d'Olimpo ratteneati, quando

Di que' bei labbri il prego erse a te l'ale?
Se questa indarno l'udir tuo percuote,
Qual altra ascolterai voce mortale?

Riverente in disparte alle devote
Cerimonie assistea, colle tranquille
Luci nel volto della donna immote,

Uom d'alta cortesia, che il ciel sortille
Piú che consorte, amico. Ed ei che vuole
Il voler delle care alme pupille,

Ergea d'attico gusto eccelsa mole
Sovra cui d'ogni nube immacolato
Raggiava immemor del suo corso il sole.

E *Amalia* la dicea dal nome amato
Di costei che del loco era la Diva,
E piú del cor, che al suo congiunse il Fato.

Al pio rito funebre, a quella viva
Gara d'amor mirando, giá di mente
Del mio gir oltre la cagion m'usciva.

Mossi alfin, e quei colli, ove si sente
Tutto il bel di natura abbandonai,
L'orme segnando al cor contrarie e lente.

Vagai per tutto; nel tugurio entrai
Dell'infelice, e il ricco vidi in grembo
De' suoi tesori piú infelice assai.

Salii, discesi, e risalii lo sghembo
Sentier di balze e fiumi; e il mio cammino
Oltre l'Adda affrettando, ed oltre il Brembo,

Alla tua patria giunsi, o pellegrino
Di Bergamo splendor, che qui m'ascolti:
E mesta la trovai del repentino

Tuo dipartire, e lagrimosi i volti
Su la morta di Lesbia illustre salma,
Che al cielo i vanni per seguirti ha sciolti.

(Brillò di gaudio a quell'annunzio l'alma
Dell'amoroso Geométra, e uscire
Parve alcun poco dell'usata calma.

E giá surto movea per lo desire
Di riveder quel volto, che le penne
Di Pindo ai voli gli solea vestire,

Ma dignitosa coscienza il tenne,
E il narrar grave di quell'altro saggio,
Che sorrise alcun poco e il suo dir venne

Seguitando cosí). Dritto il viaggio
Di lá volsi al terren che il Mella irriga
Ricco d'onor, di ferro e di coraggio.

Quindi al Benaco che dal vento ha briga,
Pari al liquido grembo d'Anfitrite
Quando irato Aquilon l'onde castiga.

Quindi al fiume ove tardi definite
Fur l'italiche sorti, e non del duce,
Ma del soldato il cor vinse la lite;

E l'Adige seguii fino alla truce
Adria, ove stanchi giá del lungo corso
Trenta seguaci il re de' fiumi adduce.

Tutto insomma il paese ebbi trascorso
Che alla manca del Po tra il mare e il monte
Sente de' freni cisalpini il morso.

E di dolore, di bestemmie e d'onte
Per tutto intesi orribili favelle,
Che le chiome arricciar ti fanno in fronte.

Pianto di scarna plebe, a cui la pelle
Si figura dell'ossa, e per le vie
Famelica sonar fa le mascelle.

Pianto d'orbi fanciulli e madri pie
D'erbe e d'acqua cibate, onde di mulse
E d'orzo sagginar lupi ed arpie;

Pianto d'atrite meschinelle avulse
Ai sacri asili, e con tremanti petti
Di porta in porta ad accattar compulse.

Pianto di padri, ahi lassi! a dar costretti
L'aver, la dote, e tutto, anche le poche
Care memorie de' piú sacri affetti.

Cupi sospiri, e voci or alte or fioche
Di tutte genti per gridar pietade,
E per continuo maledir giá roche.

D'orror fremetti: e venni alla cittade
Che dal ferro si noma. Oh dalle Muse
Abitate mai sempre alme contrade.

Onde tanta pel mondo si diffuse
L'itala gloria, e tal di carmi vena
Che non Ascra, non Chio la maggior schiuse!

   D'onor di cortesia nutrice arena,
Come giaci deserta! e dal primiero
Splendor caduta, e di squallor sol piena!

   Questi sensi io volgea nel mio pensiero,
Quando un'ombra m'occorse alla veduta,
Mesta sí, ma sdegnosa, e in atto altero.

   Sovresso un marmo sepolcral seduta
Stava l'afflitta, e della manca il dosso
Era letto alla guancia irta e sparuta.

   Ombrata avea di lauro non mai scosso
La spaziosa fronte, e sui ginocchi
Epico plettro, che, dall'aura mosso,

   Dir tremando parea: Nessun mi tocchi.
Ver lei mi pinsi, e dissi: O tu che spiri
Dolor cotanto e maestá dagli occhi,

   Soddisfammi d'un detto a' miei desiri;
Parlami il nome tuo, spirto gentile,
Parlami la cagion de' tuoi sospiri,

   Se nulla puote onesto prego umíle.

CANTO QUINTO.

Non mi fece risposta quell'acerbo,
Ma riguardommi con la testa eretta
A guisa di leon queto e superbo.

   Qual uomo io stava che a scusar s'affretta
Involontaria offesa, e piú coll'atto
Che col disdirsi umíl fa sua disdetta.

   E lo spirto parea quei che distratto
Guata un oggetto, e in altro ha l'alma intesa,
Finché del suo pensier sbattuto e ratto

Gridò con voce d'acre bile accesa:
Oh d'ogni vizio fetida sentina,
Dormi, Italia imbriaca, e non ti pesa

Ch'or questa gente or quella è tua reina
Che giá serva ti fu? Dove lasciasti,
Poltra vegliarda, la virtú latina?

La gola e il sonno ti spogliar dei casti
Primi costumi, e tra l'altare e il trono
Co' tuoi mille tiranni adulterasti;

E mitre e gonne e ciondolini e suono
Di molli cetre abbandonar ti fenno
Elmo ed asta e tremar dell'armi al tuono.

Senza pace tra' figli e senza senno,
Senza un Camillo, a che stupir, se avaro
Un'altra volta ai danni tuoi vien Brenno?

Or va!, coltiva il crin, fatti riparo
Delle tre psalmodie; godi, se puoi,
D'aver cangiato in pastoral l'acciaro. [65]

Tacque ciò detto il disdegnoso. I suoi
Liberi accenti e al crin gli avvolti allori
Dei poeti superbia e degli eroi,

M'eran giá del tuo nome accusatori,
All'intelletto mio manifestando
Quel grande che cantò l'armi e gli amori.

Perch'io la fronte e il ciglio umil chinando,
Oh gran vate, sclamai, per cui va pare
D'Achille all'ira la follia d'Orlando!

Ben ti disdegni a dritto, e con amare
Parole Italia ne rampogni, in cui
Dell'antico valor orma non pare.

Ma dinne, o padre; chi da' marmi bui
Suscitò l'ombra tua. Concittadino
Amor, rispose, e dirò come il fui.

Fra boati di barbaro latino
Son tre secoli omai ch'io mi dormia
Nel tempio sacro al Divo di Cassino [66]

Pietosa cura della patria mia
Qui concesse piú degna e taciturna
Sede alla pietra che il mio fral copria.

Fra il canto delle Muse alla diurna
Luce fui tratto, e la mia polve anch'essa
Riviver parve, e s'agitò nell'urna.

Ma desto non foss'io, che manomessa
Non vedrei questa terra, e questi marmi
Molli del pianto di mia gente oppressa.

Oh, qualunque tu sia, non dimandarmi
Le sue piaghe per Dio! ma trar m'aita
Di lassú la vendetta a consolarmi.

Di ragion, di pietade hanno schernita
I tiranni la voce, e fu delitto
Supplicare e mostrar la sua ferita.

Fu chiamato ribelle ed interditto
Anco il sospiro; e il cittadin fedele
Or per odio percosso, or per profitto.

E le Preghiere intanto e le Querele
Derise e storpie gemono alle porte
Inesorate di pretor crudele.

Mentr'egli sí dicea, ferinne un forte
Muggir di fiumi, che tolte le sponde
S'avean sul corno, orror portando e morte.

Stendean Reno e Panar le indomit'onde
Con immensi volumi alla pianura,
E struggendo venian le furibonde

La speranza de' campi giá matura.
Co' piangenti figliuoi fugge compreso
Di pietade il villano e di paura:

L'EPICO

Ed uno in braccio, un altro per man preso,
Ad or ad or si volge, e studia il passo,
Pel compagno tremando e per lo peso;

Ch'alto il flutto l'insegue, e con fracasso
Le capanne ingoiando e i cari armenti,
Fa vortice di tutto e piomba al basso.

Ed allora un sonar d'alti lamenti,
Un lagrimare, un dimandar mercede
Con voce che faria miti i serpenti.

Ma non le ascolta chi in eccelso siede
Correttor delle cose, e con asperso
Auro di pianto al suo poter provvede.

Mentre che d'una parte in mar converso
Geme il pian ferrarese, ecco un secondo
Strano lutto dall'altra e piú diverso. [67]

In terra, in mare, e per lo ciel profondo
Ecco farsi silenzio; il sol tacere
All'improvviso, e parer morto il mondo. [68]

Le nubi in alto orribilmente nere,
Altre stan come rupi, altre ne miri
Senza vento passar basse e leggere.

Tutti dell'aure i garruli sospiri
Eran queti, e le foglie al suol cadute
Si movean roteando in presti giri.

D'ogni parte al coperto le pennute
Torme accorrono, e in tema di salvarse
Empiono il ciel di querimonie acute.

Fiutan l'aria le vacche, e immote e sparse
Invitan sotto alle materne poppe,
Mugolando, i lor nati a ripararse.

Ma con muso atterrato e avverse groppe
L'una all'altra s'addossano le agnelle,
Pria le gagliarde, e poi le stanche e zoppe.

Cupo regnava lo spavento; e in quelle
Meste sembianze di natura il core
L'appressar già sentia delle procelle.

Quando repente udissi alto un rumore,
Qual se a' tuoni commisto giú da' monti
Vien di molte e spezzate acque il fragore;

Quindi un grido: Ecco il turbo: e mille fronti
Si fan bianche; e le nebbie e le tenebre
Spazza il vento sí ratto, che piú pronti

Vanno appena i pensier. S'alza di crebre
Stipe un nembo, e di foglie e di rotata
Polvere, che serrar fa le palpebre.

Mugge, volta a ritroso e spaventata
Dell'Eridano l'onda, e sotto i piedi
Tremar senti la ripa affaticata.

Ruggiscono le selve; ed or le vedi
Come fiaccate rovesciarsi in giuso,
E inabissarsi, se allo sguardo credi:

Or gemebonde rialzar diffuso
L'enorme capo, e giú tornarlo ancora
Qual pendolo che fa l'arco all'insuso.

Batte il turbo crudel l'ala sonora,
Schianta, uccide le messi e le travolve,
Poi con rapido vortice le vora;

E tutte in alto le diffonde e solve
Con immenso sparpaglio. Il crin si straccia
Il pallido villan, che tra la polve

Scorge rasa de' campi giá la faccia,
E per l'aria dispersa la fatica
Onde ai figli la vita e a sé procaccia.

E percosso l'ovil; svelta l'aprica
Vite appiè del marito olmo, che geme
Con tronche braccia sulla tolta amica.

Oh giorno di dolor! giorno d'estreme
Lagrime! e crudo chi cader le vede
E non le asciuga, ma piú rio le spreme.

E chi le spreme? Chi in eccelso siede
Correttor delle cose e con or lordo
Di sangue e pianto al suo poter provvede.

Poiché al duol di sua gente ogni cor sordo
Vide il cantore della gran follia,
E di pietá sprezzato ogni ricordo,

Mise un grido, e sparí. Mentre fuggia,
Si percotea l'irata ombra la testa
Col chiuso pugno, e mormorar s'udia.

Giá il sol cadendo l'accogliea la mesta
Luce dal campo della strage orrenda,
Ed io, com'uom che pavido si desta,

Né sa ben per timor qual via si prenda,
Smarrito errava, e alla cittá giungea
Che spinge obliqua al ciel la Carisenda. [69]

Cercai la sua grandezza, e non vedea
Che mestizia e squallor, tanto che appena
Il memore pensier la conoscea.

Ne cercai l'ardimento; e nella piena
De' suoi mali esalava ire e disdegni
Che parean di lion messo in catena.

Ne cercai le bell'arti, i sacri ingegni
Che alzar sublime le facean la fronte,
E toccar tutti del sapere i segni:

Ed il Felsineo vidi Anacreonte
Cacciato di suo seggio, e da profani
Labbri inquinato d'eloquenza il fonte.

Vidi in vuoto liceo spander Palcani
Del suo senno i tesori, e in tenebroso
Ciel la stella languir di Canterzani. [70]

E per la notte intanto un lamentoso
Chieder pane s'udia di poveretti,
Che agli orecchi toglieva ogni riposo.

Giacean squallidi, nudi, irti i capelli,
E di lampe notturne al chiaror tetro
Larve uscite parean dai muffi avelli.

Batte la Fame ad ogni porta, dietro
Le vien la Febbre, e l'Angoscia, e la dira
Che locato il suo trono ha sul feretro.

Mentre presso al suo fin l'egro sospira,
Entra la Forza e grida: Cittadino,
Muori, ma paga: e il miser paga, e spira.

Oh virtú! come crudo è il tuo destino!
Io so ben che piú bello è mantenuto
Pur dai delitti il tuo splendor divino:

So che sono gli affanni il tuo tributo;
Ma perché spesso al cor, che ti rinserra,
Forza è il blasfema profferir di Bruto?

Con la sventura al fianco su la terra
Dio ti mandò, ma inerme ed impotente
De' tuoi nemici a sostener la guerra.

E il reo felice, e il misero innocente
Fan sull'eterno provveder pur anco
Del saggio vacillar dubbia la mente.

Come che intorno il guardo io mova e il fianco,
Strazio tanto vedea, tante ruine,
Che la memoria fugge e il dir vien manco.

Piange, cara a Minerva e alle divine
Muse, la donna del Panar, né quella
Piú sembra che fu invidia alle vicine;

Ma sul Crostolo assisa la sorella
Freme, e l'ira premendo in suo segreto,
Le sue piaghe contempla, e non favella.

L'EPICO

Freme Emilia, e col fianco irrequïeto
Stanco del rubro fiumicel la riva
Che Cesare saltò, rotto il decreto. [71]

E de' gemiti al suon che il ciel feriva
D'ogni parte iracondo e senza posa
L'adriaco flutto ed il tirren muggiva.

Ripetea quel muggir l'Alpe pietosa,
E alla Senna il mandava che pentita
Dell'indugio pareva e vergognosa.

E spero io ben che la promessa aita
Piena e presta sará, che la parola
Di lui che diella, non fu mai tradita:

Spero ben che il mio Melzi, a cui rivola [72]
Della patria il sospir... e piú bramava
Quel magnanimo dir; ma nella gola

Spense i detti una voce che gridava:
Pace al mondo: e quel grido un improvviso
Suon di cetere e d'arpe accompagnava.

Tutto quanto l'Olimpo era un sorriso
D'Amor: né dirlo, né spiegarlo appieno
Pur lingua lo potria di paradiso.

Si rizzar tutte e quattro in un baleno
L'alme lombarde in piedi; e ver la plaga,
Donde il forte venia nuovo sereno,

Con pupilla cercaro intenta e vaga
Quest'atomo rotante, ove dell'ire
E degli odii sí caro il fio si paga.

E largo un fiume dalla Senna uscire [73]
Vider di luce, che la terra inonda,
E ne fa parte al ciel nel suo salire.

Tutto di lei si fascia e si circonda
Un eroe, del cui brando alla ruina
Tacea muta l'Europa e tremebonda.

Ed ei l'amava: e, nella gran vagina
Rimesso il ferro, offrí l'olivo al crudo
Avversario maggior della meschina.

E col terror del nome e coll'ignudo
Petto, e col senno disarmollo, e pose
Fine al lungo di Marte orrido ludo.

Sopra il libero mar le rugiadose
Figlie di Dori uscir, che de' metalli
Fluttuanti il tonar tenea nascose:

Drimo, Nemerte e Glauce de' cavalli
Di Nettuno custode, e Toe vermiglia
Di zoofiti amante, e di coralli,

Galatea che nel sen della conchiglia
La prima perla invenne, e Doto e Proto,
E tutta di Nereo l'ampia famiglia;

Tra cui confuse de' Tritoni a nuoto
Van le torme proterve. In mezzo a tutti
Dell'onde il re dei gorghi imi commoto,

Sporge il capo divin, e al carro addutti
Gli alipedi immortali, il mar trascorre
Su le rote volanti, e adegua i flutti. [74]

Cadde al Commercio, che ritorte abborre,
Il britannico ceppo, e per le tarde
Vene la vita, che languia, ricorre. [75]

Al destarsi, al fiorir delle gagliarde
Membra del Nume, la percossa ed egra
Europa a nuova sanitá riarde.

Nuova lena le genti erge e rintegra;
E tu di questo, o patria mia, se saggio
Farai pensiero, andrai piú ch'altri allegra.

E le piaghe tue tante, e l'alto oltraggio
Emenderai che fêrti anime ingorde
Di libertá piú rea che lo servaggio;

Anime stolte, svergognate e lorde
D'ogni sozzura. Or fa che tu ti forba
Di tal peste, e il passato ti ricorde.

   E voi che in questa procellosa e torba
Laguna di dolore il piè ponete,
Onde il puzzo purgarne che n'ammorba;

   Voi che alla mano il temo vi mettete
Di conquassata nave (e tal vi move
Senno e valor che in porto la trarrete);

   Voi della patria le speranze nuove
Tutte adempite, e di giustizia il telo
Animosi vibrando, udir vi giove

   Che disse in terra, e che poi disse in cielo
Lo scrittor dei Delitti e delle Pene:
Ei di parlarvi, e voi rimosso il velo,

   D'ascoltar degni il ver che v'appartiene. [76]

IL PROMETEO. [1]

CANTO PRIMO.

L'accorto Prometéo, l'inclito figlio
A cantar di Giapeto il cor mi sprona,
E quanti sopportò travagli e pene
Per amor de' mortali, e qual raccolse
Di largo beneficio empia mercede,
Se la Diva, cui tutta a parte a parte
La peregrina istoria è manifesta,
Del suo favor m'aíta, e non disdegna
Sovra italico labbro alcuna stilla
D'antica derivar greca dolcezza.

   Ma de' suoi duri affanni, o mio pensiero,
Qual da prima direm? Forse la pena
Della rapita audacemente al sole

16. - V. Monti, *Opere scelte*.

Vital fiammella, che costò sí cara
Sulla scitica balza al rapitore?
Questa giá fu di tragiche querele
Alto subbietto su le scene argive,
E per sentier di grandi orme stampato
Debil piede non corre. O di Giapeto,
Innanzi a tutto, ne' celesti campi
Canterem la magnanima caduta,
Quand'ei co' fieri suoi fratelli incontro
Stette alle forze del Saturnio figlio
E lungamente del poter de' suoi
Fulminei strali dubitar lo fece?
Certo il grande conflitto, onde prostrata
Giacque d'Uran la generosa prole,
Che di sorte minor, ma non d'ardire,
Del ciel paterno la ragion perdea,
Di gran suono potrebbe empier la cetra,
E d'un bel serto al crin farmi l'acquisto.
Ma de' Titani e degli Dei sí chiara,
Sí sublime rimbomba la battaglia
Nel grave canto dell'Ascreo poeta, [2]
Che ogni altro si fa muto: e la sua lira
Al maggior lauro di Parnaso appesa
Del gran cieco vicina alla gran tuba
Nullo è sí stolto che toccarla ardisca.
Dall'umile mio verso adunque lungi
Di quell'alto certame la ruina,
Il tumulto, il furor; lungi il fracasso
Delle scagliate rupi, e il gran muggito
Della terra e del mar; lungi l'orrendo
Sibilar delle folgori e degli astri
Spaventati la fuga, e l'infinito
Tuon che tutte tremar dai fondamenti
Facea le cime del conteso Olimpo.
Fuggitivo dal cielo in quell'amara

Sconfitta, e ascoso nel segreto seno
Delle caucasee grotte, un canto chiede
Di pietoso tenor, canto di pace
Il solitario Prometéo che seco
Le rie vicende nel pensier volgendo
Di sua stirpe infelice, e l'ire ancora
Del superbo oppressor temendo accese
(Ché nel cor de' potenti a lunga prova
Ratto nasce lo sdegno, e tardo muore),
Su quell'orride balze sconosciuti
Tragge misero eroe giorni dolenti:
Se non che quando sotto il sacro velo
Delle tranquille tenebre notturne
Tace del biondo Iperion la luce [3]
Ei, sovra il sommo della rupe assiso,
Delle stelle, che son lingua del Fato,
Alle armoniche danze il guardo intende,
E con lor ragionando i vaghi errori
Co' numeri ne frena, e le fatiche,
Primo degli astri tentator felice.
Felice, se voler d'empio destino
Alla sciagura del suo lungo esiglio
Non aggiungea compagno Epimetéo,
L'incauto Epimetéo stolto fratello,
Pel cui folle ardimento in su la terra
Versò l'uomo ingannato il primo pianto,
E de' morbi sentí la punta acuta!
Come volgesse un sí gran danno il Fato
Ditelo, o sante Muse, e far vi piaccia
Al ver che teme di mostrar la fronte,
De' vostri accenti un verecondo velo.

Vita vivendo incolta, orrenda e dura
L'umana gente, di pudore in tutto,
D'accorgimento e di ragion spogliata,
E mal soffrendo del Saturnio Giove

Il superbo pensier, che alla tremenda
Sua deitá né tempio ancor sorgesse,
Né altar fumasse, né sonar s'udisse
Su le labbra terrene il suo gran nome,
Di sé mandar quaggiú prese consiglio
La conoscenza alfine e la paura,
E dell'alma del par che delle membra
Le consonanti qualitá diverse
Ond'abito novello e piú gentile
Dell'uom vestisse la mortal natura.
Volse anco ai bruti il guardo, e tutte manche
Le facoltá veggendone, e d'emenda
Necessitose, sí che nulla omai
Differenza avvisar sapea tra loro
Che di membra e di pelo e di figura,
Pietá n'ebbe il gran padre, e di lor pure
Fatto pensoso, noverarli a parte
Del nuovo beneficio in cor concluse.
  Agl'imperi di Giove obbediente
Scese adunque Mercurio, in aureo vase
Il celeste tesor seco recando,
E di partirlo fra gli umani e i bruti
Al saggio Prometéo diè norma e cura
Ed allo stolto Epimetéo, ché tale
Era il senno di Giove ed il consiglio.
Meravigliò, turbossi a quel comando
Il maggior Giapetíde; e perché tutti
E di prudenza e di saper vincea,
Arretrarsi modesto, ed escusarsi
E non atto chiamarsi a tanta impresa,
Del cui solo pensiero il cor tremava.
Ma l'altro che di senno e d'intelletto
Avea povero il capo e nondimeno
Presuntuosi, indocili e superbi
I pensieri nudria (che d'ignoranza

FILIPPO AGRICOLA: COSTANZA MONTI PERTICARI
(Roma, Galleria d'Arte moderna)

L'EPICO

Ostinato figliuol sempre è l'orgoglio),
Si trasse innanzi baldanzoso, e nullo
Timor prendendo di cotanto incarco,
Sopra l'omero suo l'assunse, e disse:
Onorato di Maja egregio figlio, [4]
All'Olimpo ti rendi e questa reca
Non ingrata novella al tuo signore,
Che del provvido suo supremo cenno
Esecutor lasciasti Epimetéo.

Disse: e Mercurio i bei talari aperse,
Caro dono d'Apollo, onde volando
Le preste superava ale de' venti,
E della verga da Pluton temuta
Agitando le serpi, in un baleno
Fra le nubi si spinse, e sparve agli occhi.

Ma del fraterno temerario ardire
Dolente Prometéo con amendue
Le man coprissi vergognando il volto,
E poiché tanta ad impedir follia
Opra invan fe' di preghi e di consigli,
S'involò sospirando, e al ciel converso:
Oh Sole, ei disse, oh tu che tutte osservi
Maestoso e tranquillo in tua carriera
De' mortali le cure e de' celesti,
Se nell'ampio tuo corso unqua t'avvegna
Mirar qualcuno di mia stirpe oppressa,
Fammi fede con esso, o Sole amico,
Che niuna colpa nella colpa io m'ebbi
Dell'incauto fratello. Oh aure, oh venti,
Che dell'etra non pur scorrete i campi,
Ma battete le penne anco sotterra
E le bufere generate in grembo
Al morto regno, se di voi taluno
Lá penetrar può dove il mio gran padre
Nel tenebroso Tartaro profondo

Di non giuste catene avvinto giace,
A lui portate le mie voci, e conto
Gli fate, o venti, il mio destin crudele;
Ma non gli dite del minor suo figlio
La demenza fatal, ché acerba al core
Saria del prode genitor ferita
Piú che il cielo perduto, e sempiterno
Di tristezza argomento e di vergogna.
Dileguossi ciò detto, e si nascose.

   Licto frattanto dell'assunta impresa,
E dell'alto suo senno persuaso,
Impose mano all'opra Epimetéo.
E primamente congregati i bruti,
Senza misura liberal fu loro
Dei tesori di Giove, e cosí larga
Quella sua stolta cortesia, che tutto
Scoperse il vaso in un momento il fondo.
Dell'uomo allor gli risovvenne, e gli occhi
Dentro l'urna ficcando, e sotto e sopra
L'agitando e scotendo onde un avanzo,
Una reliquia ritrovarvi ancora
Della celeste dote, esser del tutto
Giá consumata la conobbe alfine.
A quella vista stupefatto e muto
Le pupille abbassò, tremogli il core,
Gli tremar le ginocchia, e di man cadde
Il giá vuoto vasel, che cupamente
Risonò rotolando in sul terreno.
Indi qual meglio seppesi, e dell'uomo
Le rampogne temendo e le querele,
Senza far motto, senza levar ciglio,
Pauroso e confuso allontanossi.

   Or che fará l'insano? A qual de' Numi
O de' mortali chiederá consiglio
E con qual fronte? perocché del pari

Al cielo ei fece ed alla terra oltraggio.
Misero! Non gli avanza in quello stato
Altro piú scampo, che del buon germano
Implorar la pietá. Deposta adunque
Vergogna e tema (ché nel cor d'un folle
La tema sempre e la vergogna è breve),
A lui smarrito appresentossi e mesto,
Ed intero narrando il suo fallire:
Deh! porgi, disse, all'error mio riparo,
Dolce fratello, se non vuoi che l'ira
Mi percota di Giove, e mi distrugga;
Ch'egli ha ben d'onde fulminarmi, e troppo
Abbonda la ragion del mio castigo.
Ed in queste parole il delinquente
Singhiozzando e pregando lagrimava.

A quei preghi, a quel pianto il miglior figlio
Di Giapeto guatò con un sospiro
Il pentito fratello: indi raccolto
In se medesmo con lo sguardo chino
In un pensiero entrò che gli coperse
D'oscura nube la severa fronte.
Poi tutto foco i rai, foco le gote,
Del remoto futuro entro gli abissi
Spinse la mente, che l'antica Temi
Lunga stagion gli avea nella divina
Grand'arte de' profeti esercitata,
E in quel sacro furor tutto rapito
Che i secoli sormonta e alla potente
Interna vista il turbine veloce
Dell'umane vicende sottomette,
Aprí le labbra finalmente, e disse:

Dura mi chiedi e perigliosa impresa,
Miserando fratello; ed obliasti
Che da gran tempo dell'ingiusto Giove
Il sospetto m'osserva e la vendetta,

Da che spersi noi tutti e fulminati
E dell'Olimpo eternamente privi
Noi miseri Titani ha quel superbo
Del fulmine signor, che vinti ancora
Tuttavolta ne teme, e ne persegue
Iniquamente. Perocché spietati
Fa la tema i tiranni, i quai demenza
Estimano l'amor santo del giusto,
E prudenza di regno esser crudeli.
Quindi il barbaro in me da quel momento
Dell'oppresso Giapeto il sangue abborre,
E piú che il sangue di Giapeto, il core
Che fermo e puro mi riscalda il seno
E l'intelletto di saper nutrito
Ond'anco ai Numi mi pareggio, e tutta
Senza vel mi si mostra la Natura.
L'invidia, fratel mio, col suo veleno
Assale ancor degl'Immortali il petto,
E dove in trono non s'asside il giusto,
Colpa divien che mai non si perdona
Dell'ingegno l'altezza e la virtude,
E fortunata è l'ignoranza sola.
Quindi non giá tem'io di te, fratello,
Ché te dall'ira del tiranno astuto
L'insipienza tua pone in sicuro;
Né duolmi, no, del tuo destin, ché pochi
Son gli affanni ove poco è l'intelletto;
Dell'uom ben duolmi, un infinito a cui
Dannaggio partorí la tua stoltezza,
Sí che fatto è minor del bruto istesso,
Ed io tel dissi, sconsigliato, e tu,
E tu fede negasti a mie parole.
Qual dunque adesso a tanto error salute?
Poco ti parve al bruto aver largito
Scaltrezza, ardir, prudenza, e la virtude

L'EPICO

Che antivede e provvede e mai non erra,
Che il piú bello, il piú grande e prezioso
Hai lor profuso de' celesti doni,
L'istinto io dico, quel divino, occulto,
Non mai fallace e sempre vivo istinto
Che con tacito cenno imperioso
Ciò che nuoce insegnando e ciò che giova
Dirittamente il bruto alla verace
Sua natural felicitá conduce.
Ciò che ieri gli piacque, anche domani
Gli piacerá. De' suoi pochi desiri
Il termine sta fisso; e ciò ch'ei trova
Il suo bisogno a satisfar bastante,
Sempre buon lo ritrova e sempre bello.
Fortunato, ché l'arte ei non conosce
Funesta e ria di fabbricar sventure,
L'arte infelice di crear le brame.
Fortunato, ché docile la terra
E liberal gli partorisce il cibo,
Né col rastro gli è d'uopo o coll'aratro
Piagar sudando alla ritrosa il seno,
Né della vite spremere i funesti
Dolci veleni ad ammorzar la sete.
E fortunato ancor, ché contra i nembi,
Contra il furor de' verni, e l'aspro morso
Dell'algente aquilon né vestimento
Indossar gli è bisogno, né la fiamma
Ricercar di Vulcano entro la selce,
E de' lor rami dispogliar le piante.
A lui spontanee l'erbe e senza l'uopo
Di chimico tormento la segreta
Lor medica virtú fan manifesta.
A lui la pioggia il vento e la procella
Del lor muto appressar mandano il segno,
Perché cauto ne scampi, o se ne rallegri;

E a lui la terra (meraviglia a dirsi!)
I suoi profondi scuotimenti avvisa,
Quando a darle travaglio alza il tridente
L'irato Enosigéo. Fuggendo allora
Atterrito con fiochi e lunghi lai,
All'ingrato mortal prenunzia e grida
Il vicin crollo della madre antica,
Ed accorto fa lui del suo periglio,
Dell'uom non meno che di sé pietoso.
   Né la virtú soltanto a lui si svela,
Or innocente, or ria, che nelle fibre
De' vegetanti imprigionò Natura,
Né sol degli elementi ei sente, e dice
I vicini tumulti; (ahi nostro danno,
Che il sapiente favellar del bruto
Capir non puote in intelletto umano!)
Ma fra l'immenso popolo diverso
De' suoi simili, chi nel cuor gli desta
Dell'amico ad un tratto e del nemico
La conoscenza? E quale Iddio lo sforza
A tremar di paura innanzi a questo,
E innanzi a quello saltellar di gioia?
Chi tal gli diede e tanto e sí sublime
Accorgimento, e ne lasciò l'uom privo?
Fu la tua cieca largitate, o caro
Malaccorto fratello. Ahi che alla mano
Che lo profuse piú non torna il dono!
   Nudo intanto ed inerme e degl'insetti
Al pungolo protervo abbandonato
L'uom de' venti trastullo e delle piogge,
Or tremando di gelo, or da cocenti
Raggi del sole abbrustolato e bruno,
Ovunque fermi, ovunque volga il piede,
Sia lá dove d'Ammon ferve l'arena,
Sia dove ha cuna o dove ha tomba il sole,

Dappertutto di vesti è l'infelice
Il molle corpo a ricoprir dannato,
Furando adesso la sua spoglia ai soli
Quadrupedanti, per furarla un giorno
Al vermicciuol pur anco ed alla pianta.
Se talor tanto la gentil sua cute
Tollerando s'indura, che gli eterni
Ghiacci pur giunga a sostener d'Arturo,
E invan la pioggia lo flagelli, invano
D'Orizia il punga l'ispido marito, [5)]
Quanta beltade al suo sembiante è tolta!
Squallido, sozzo, rabbuffato ed irto
Di fiera il volto ei tien, di fiera il pelo,
E l'uom nell'uomo tu ricerchi indarno.

Né de' mali suoi tanti è qui la trista
Serie conclusa. Primamente l'aria
Co' vagiti a ferir l'invia Natura
Di tutte quante idee povero e nudo.
Misero! Il solo de' viventi, il solo
Cui d'aita sprovvisto in sul medesmo
Limitar della vita aspra madrigna
La gran madre abbandona, e della Parca
Al severo governo lo rassegna.
Egro, piangente, derelitto ei dunque
Né l'alimento suo né la materna
Poppa conosce, a suggere la morte
Pronto al par che la vita. Se vien manco
L'opra un istante della pia nutrice,
Qual nauseoso miserando obbietto!
Uopo è dal corpo tenerello e nudo
Degli elementi allontanar l'insulto,
Uopo è il passo insegnargli e la favella.
Né migliora crescendo il suo destino.
Se vuol la piena traversar d'un fiume,
Pria del nuoto imparar l'arte è costretto.

Se del ventre i latrati acquetar brama,
La dolce stilla del materno seno
Mutar gli è forza nel Caonio frutto, [6]
E coll'aspro cinghial nella foresta
Miseramente disputarsi il vitto.
    Verrá poi tempo, è ver (ché l'alma Temi
Delle sorti potente e del futuro
A me nell'antro del Parnaso il disse,
E molte rivelò meravigliose
Dell'oscuro avvenir tarde vicende),
Tempo verrá, che Cerere divina,
Delle provvide leggi ispiratrice
Dal ciel recando una gentil sua pianta,
Cortese ne fará dono alla terra,
E dagli alati suoi serpenti addotto
Trittolemo inviando, un cotal figlio
Di Metanira a propagarne il seme [7]
E l'uso ad insegnar del curvo aratro,
Fará col senno e l'arte e la pietade
All'uom corretto abbandonar le querce
Ed abborrir dell'irte fiere il cibo.
Ma parergli ben caro un sí bel dono
Gli fará di Giunon l'aspro marito.
Perocché Dio severo i petti umani
Sollecitando con pungenti cure
Comanderá di tutte l'erbe inique
L'empio parto alla terra, onde penoso
Del frutto cereal venga l'acquisto
Di triboli e di felce orridi i campi
Si vedran largamente. Aspra boscaglia,
L'ispido cardo, e la sdegnosa ortica
Abbonderá per tutto, e dei sudati
Nitidi colti si faran tiranni
L'ostinata gramigna, il maledetto
Loglio, e le vuote detestate avene;

Le quai proterve alla divina pianta
Il delicato corpo soffocando
E involando l'umor del pio terreno,
Ingiusta le daran morte crudele.
Né fian giá questi gli avversarii soli
Che palpitar di tema e di sospetto
Il faticoso agricoltor faranno.
Allorché volte al rapitor cornuto
Dell'Agenorea figlia il sol le terga
De' fratelli Ledéi la spera infiamma,[8]
E susurrando la matura spiga
Le bionde chiome inchina, e chiamar sembra
L'operoso villano a côrne il frutto;
Ecco nuovi terrori all'infelice,
Ecco nuovi perigli e nuovi affanni.
La saltante gragnuola, il caldo vento,
I torrenti, le belve e le voraci
Torme pennute gli saran sovente
Di lagrime cagione e di sospiri.
  So ben, che quando di Dodona il vitto[9]
In altro vitto cangeran le genti,
Nuove sembianze ancora e nuovo rito
Prenderá l'universo. All'auree stelle
Dará figura allor, sentiero e nome
L'audace navigante. Allor recise
Dai patrii gioghi scenderan le querce
Che su i flutti volando andran superbe
Co' venti a rinnovar la lite antica,
E in remote a portar barbare terre
Merci a vicenda, e piú d'assai che merci,
Costumanze, follie, morbi ed errori.
In uso volgerá dell'uomo allora
I suoi fuochi Vulcan, de' quai nascose
L'invido Giove nella fredda selce
Gli elementi immortali. Le sue care

Forme divine scoprirá Natura:
Germoglieran gli affetti, e tutte insomma
Si schiuderanno del desir le fonti,
Che dovran l'uman cuore impetuose
Irrigar sempre e non sbramarlo mai.
Generato il desir, tosto pur fia
Generato il bisogno. E questo sozzo
Mostro ingegnoso col dolore al fianco
Che acuto il punge, e col piacer da fronte
Che dolce il chiama e l'aspra via gl'infiora,
S'ammoglierá non pigro alla malvagia
Che tutto vince indomita fatica,
E con vile connubio alle pudiche
Arti dará la prima vita, all'arti
Di turpe genitor figlie vezzose.

  Dall'antico suo stato a mano a mano
Dunque l'uom tolto ed innocente, in prima
Nelle selve gli augei, nell'onde i pesci
Insidiando; e poi fidando avaro
Il frumento alla terra, al mar la vita;
Reggitor della sua, poscia di molte
Congregate famiglie; indi le mura
E le leggi ponendo in sua difesa;
Indi strappando con ardita mano
Il vel che l'opre di Natura asconde;
Alfin dal seggio, in che gli avea locati
Il suo primo timor, cacciando i Numi,
E sé stesso mettendo in quella vece
Dalla forza protetto e dal terrore;
L'uom, dico, a tanta di pensieri altezza
E delle cose alla cagion salito,
Sé stesso, ahi folle! estimerá felice,
E misero piú fia quanto piú lunge
L'arte vedrassi allontanar Natura.

Sorgeran le cittá, si cangeranno
In superbi palagi le divelte
Rupi, e morbide coltri e aurate travi
Difenderanno de'mortali il sonno.
Piú lauto il cibo, piú gentil la veste
Troveranno le membra, e su le labbra
Verrá d'amico piú frequente il nome,
E piú stretti gli amplessi, e piú soavi
Faransi i modi, e piú cortesi i detti.
Ma piú bugiardo batterá nel petto
Il cor pur anco, e latreran piú vivi
I suoi rimorsi; piú fugaci i sonni,
Piú fugace la vita; e con avaro
Confin divisi si vedranno i campi,
E risuonar la barbara parola
S'udrá del tuo, del mio. Sovra le mense
Manderan l'erbe i lor veleni, e colme
Delle madrigne ne saran le tazze,
E le tazze de' regi. Infame ordigno
Diverranno di morte il bronzo e il ferro:
E piú del ferro e piú del bronzo infame
L'oro esecrato a tutte colpe il varco
Spalancherá, poiché divelto un giorno
Un rio demon l'avrá dal violato
Sen della terra che il chiudea gelosa,
Del suo parto fatal forse pentita;
Di Temide per lui calcata e franta
Si vedrá la bilancia, ed il delitto
Lieto esultar dell'innocenza oppressa;
Per lui mendica la virtú, per lui
Prostrato il merto al piè della superba
Ricca ignoranza, e con nefandi incensi
Adorata, ahi delirio! anche la colpa.
E guai se il rio metallo avrassi in pugno

Quell'avversaria d'ogni patto e d'ogni
Malvagitá maestra e consigliera
Ambizion! La prepotente e astuta
Non pur la terra usurperá ma il cielo.
Quindi (iniquo mercato!) alla perversa
L'amico un giorno venderá l'amico,
Il padre i figli, e della patria i santi
Dritti perfido ed empio il cittadino;
A lei spergiuro le battaglie, e il sangue
De' suoi prodi guerrieri il capitano;
A lei le rocche il traditor custode:
E per lei nelle fervide fucine
Vulcan sudando in omicidi arnesi,
Stancherá i polsi e i mantici e la possa
De' sonori martelli; e gli daranno
All'opra aiuto le inventrici Erinni,
Onde l'arte di torre all'uom la vita
Di tutte venga un dí la piú perfetta,
E piú spedita la terribil via
D'acquistar colle stragi e gloria e regno,
Di sangue empiendo e di delitti il mondo.

Oh Marte! oh guerra! orribil mostro, nato
(Chi il crederia?) nel cielo; ove d'Olimpo
I cardini scuotesti, e colla tua
Sanguigna face violasti il puro
Delle vergini stelle almo candore,
E le prime saette in man ponesti
Contra Saturno di Saturno al figlio.
Oh guerra! oh delle Furie la piú ria,
La piú ria delle Furie, e la piú antica!
Al tremendo tuo nome il ciel si turba
Per la memoria della prisca offesa,
E sbigottita palpita Natura.
D'amor, di caritate i santi nodi
Tu rompesti primiera, e contra i padri

I figli armasti ambiziosi e crudi,
E i fratelli azzuffasti co' fratelli.
E calpestando con allegro piede
Squarciate membra, e tronche teste, e bocche
Spiranti, e petti palpitanti ancora
In tepida di strage atra laguna,
Con fiera gioia a quell'orror sorridi,
Crudele! e l'inno di vittoria intuoni,
Mentre ancor sulla gota a calde gocce
Gronda sangue l'allor che ti corona.
Ahi, che tu sulle stesse are de' Numi
Sovente arruoti i tuoi pugnali, ed osi
La vendetta arrogarti anco del cielo,
Del ciel che tutta a sé serbolla, ed alto
All'uom grida: *Mortal, perdona ed ama.*
E l'uom sordo a quel grido, e dai fischianti
Serpi d'Aletto flagellato e spinto,
L'un si squarcia coll'altro, e la piú bella
A struggere dell'opre s'affatica,
In che tanto pensier pose Natura.
Sangue corrono i campi, e sangue i fiumi,
Sangue si vende, oh Dio! sangue si compra;
E tradimento, ambizione e forza
Fan l'orrendo contratto. Occulta intanto
E d'atro velo ricoperta il viso
La celeste Pietá di porta in porta
Va degli orfani figli e delle madri
Asciugando le lagrime furtive,
Furtive, ahi lassi! e al mesto cor sol note,
Poiché aperto dolor colpa saria.

   Cosí parlava il ben veggente e giusto
Delle caucasee rupi abitatore
E in quel sacro furor l'alma rapito,
Che i secoli sormonta, e tutto al guardo
Il turbine veloce e la ruina

Delle umane vicende sottomette,
Mentre signor del Fato e del suo libro
Col piú tardo avvenir parla il pensiero,
Vedea quel saggio fra tempeste e nembi
Sopra libere penne al ciel levarsi
Della terra i sospiri, e seguitarli
Con obliqui occhi e con incerto passo
(Quali il greco cantor poscia le vide)
Le dolorose ed umili Preghiere
Di lagrime per via bagnando il viso,
E tutto alla pietá movendo il cielo.
Abbracciar le ginocchia le vedea
D'un Dio maggior di Giove, a cui salire
Distinto non sapeva il suo concetto,
Né nomarlo il suo labbro; e questo Dio
Stender la destra alle dolenti Dive,
Ed inchinar sovr'esse i maestosi
Suoi neri sopraccigli, onde le chiome
D'ambrosia rugiadose, tremolando
Sulla fronte immortal, diero una scossa
Che tutto fece traballar l'Olimpo
E ridestarsi a nuova vita il mondo.

  D'arcano velo circondati e chiusi
Eran questi i portenti, che per entro
La sacra notte del futur vedea
L'indovino Titano: e preso intanto
Di stupor, di rispetto e di paura
Non alitava, non battea palpebra
A quell'alte parole Epimetéo.
E come quando ne' Carpazii flutti,
Che avea turbati l'Aquilon, se chiude
L'enfiata bocca l'iperboreo Dio,
E gli muor la procella in su le labbra,
A poco a poco quetasi pur anco
La discordia dell'onde, e al sol che torna

Leggiadramente tremolar le vedi;
Allor la rete il pescator ripiglia,
Ed allegro il nocchier, lasciando il porto
E spiegando la vela, al mar di nuovo
Le sue speranze crede e la sua vita: [10]
Non altrimenti di Giapeto al figlio,
Poiché lo spirto racquetossi e il petto
Dal profetico ardor sconvolto e scosso,
Il primo volto venne e il color primo;
E calmato e sereno: Or via, fratello,
Datti pace, soggiunse; al tuo fallire
Non disperar salute: io te n'affido.
Sorgerá l'uomo dal suo basso stato,
E tanto al ciel si leverá sublime,
Che d'invidia n'andran pur tocchi i Numi.

  Disse; e nel cor magnanimo premendo
Il suo disegno, e dal disio soltanto
Di liberar le sue promesse acceso,
Verso la sacra argolica contrada
Per molta terra e molto mar divisa,
Come del Fato lo spingea la forza,
Senza piú dubitar prese la via.
E doloroso di lasciar l'antico
Dolce ricetto: Addio, sclamava, addio,
Care selve beate, che ramingo
Nel vostro sen mi riceveste il giorno
Che mal del cielo disputò l'impero
Il misero mio padre, e voi pietose
Agli strali di Giove in quel periglio
Mi nascondeste, né veruno il seppe
De' mortali gran tempo, e de' celesti.
Salve, rupe sublime, ov'io solea
Nei sacri della notte alti silenzi
Interrogar le stelle, e in quei lucenti
Volti del Fato esaminar le vie,

Mentre queti d'intorno e rispettosi
Tacean sul monte e nella selva i venti,
E sol nell'ombra mormorar da lunge
Quinci il Caspio s'udia, quindi l'Eusino.
Addio, sonante Arrago, addio veloce
Onda del Gerro, alle cui fonti assiso
Io salutava in oriente il sole,
E contemplar godea come all'aspetto
Dell'immortal sua lampa genitrice
Rivestivansi allegre e rugiadose
Del deposto color l'erbette e i fiori,
E tutta dal suo sonno uscia la terra.
Voi dunque di mie veglie e di mie pene
Confidenti pietosi, o boschi, o fiumi,
O spelonche, o dirupi, ricevete
Del fido vostro solitario amico
I dolenti congedi, io v'abbandono:
Ma il cor che spesso l'avvenir segreto
Co' suoi palpiti avvisa, il cor mi viene
Significando occultamente in petto,
Che tornerò pur anco al vostro seno,
Ed illustre darò perpetua fama
Con piú grandi sventure a queste rupi. [1]

CANTO SECONDO.

Cosí dicendo ancor, giá volte avea
Al Caucaso le spalle, e lo seguia
Con dimesso sembiante e guardo chino
La cagion d'ogni danno Epimetéo.
E giá premea di Colco la pianura
E del Fasi suonar l'onda s'udia,
Quando repente nel toccar la riva
Un orrendo gli apparve alto portento.

L'EPICO

Perché di mezzo all'acque una sublime
Immensa larva sollevava il petto,
Che con ambe le man martelli e chiovi
E catene gravissime scuotea,
Vietando il passo e minacciando offese;
E con aperte branche una crudele
Aquila incontro gli venía di brame
Sí nequitose, che nel cor giá fitto
Pareagli averne il dispietato artiglio.
 All'apparir che fece all'improvviso
La minacciosa vision, sentissi
Tremar le vene di Giapeto il figlio,
E palpitando di passar la riva
Giá stava in forse, o di voltar la fronte.
Quand'ecco dalla parte ove d'Atlante
Piombano tempestose in mar le figlie,
Venir scorrendo un rauco tuono il cielo,
E di procelle gravida e di lampi
Una nube avanzar lunghesso il fiume,
Che sbigottia la vista, e tutta in grembo
Portar parea d'inferno la ruina.
E dalla nube una donzella uscia
Tutta, fuorché la fronte, il petto armata
Di tersissimo usbergo adamantino,
Fuorché la fronte all'ire esposte ognora
Dei turbati elementi, e ognor serena.
Cosí talvolta il Sol, poiché di Giove
Tacquero i lampi procellosi e i tuoni,
Delle nuvole squarcia il fosco velo
E piú bella che pria mostra la fronte
Che tutto allegra del suo riso il mondo.
Lieti allora i fioretti alzano il capo
Dalla pioggia chinato, e contro il sole
Fan cristalline tremolar le perle
Di che tutti van carchi e rugiadosi.

Rasciugano coll'ale i zeffiretti
L'umor soverchio all'erbe e agli arboscelli,
E tra il rumor che dolce e in un confuso
Fan le selve, gli augei, gli armenti, i rivi,
Dalle valli e dai monti invia la terra
Al raggio che l'avviva il suo profumo,
E tutta esulta di piacer Natura.

Poiché quella di turbini e di nembi
Sprezzatrice divina alteramente
Apparve fuor della squarciata nube,
A lui, che fiso la guardava, in atto
Magnanimo e gentile approssimossi:
E fa cor, gli dicea; comunque volga
La Parca il fuso, col soffrir si doma
Ogni fortuna. Guardami: son io,
Io la Costanza, che ti parlo e guido.
Piú non disse la Dea, ma lusinghiera
Per man lo prese, e tale un guardo, un riso
Gli folgorò, che pur d'un sasso accesa
Nelle gelide vene avria la vita.
A quel riso, a quel guardo, a quel possente
Toccar di destra non mortal nel petto
Gli fiammeggiò lo spirto, e il cor per gioia
L'ali aprí che serrate avea paura.

Con questa al fianco amica guida invitta
Assalendo la larva minacciosa
L'animoso Titano oltre si spinse,
Né lo scosse il suonar delle catene,
Né l'avventar di quei bramosi artigli,
Che cessero qual fumo al suo passaggio
E come vento gli rombar sul petto.

Uscito appena alla contraria riva,
A mirar si converse il suo periglio,
Ned altro vide che il fasiaco flutto
Verso il gran seno camminar tranquillo

L'EPICO

Della pontica Teti, e in questo anch'essa
La bella donna, che sua scorta venne,
Folgorando sparir, quale sovente
Veggiam di notte scintillar baleno,
Onde prende smarrito in suo viaggio
Conforto e speme il pellegrin soletto
Cui della patria punge e della sposa
Dopo gran lontananza alto desio.
  Frettoloso egli dunque il Giapetíde
Che a custodia sentia del suo pensiero
Locata la Costanza, e piú veloci
Fatti i suoi piedi, e piú gagliardo il core,
Lasciò di Marte il bosco alla mancina,
Il fiero bosco a cui non anco avea
Il Caucaso mandato il drago orrendo,
Né l'inclito Vulcano i ferrei tori,
Che di pietade avrebbono e di tema
Fatto un dí palpitar l'amante maga
Nella famosa di Giason fatica.
De' Bizeri indi passa e de' Macroni [12]
L'inospitali arene; e procedendo
Non remota dal lido separarsi
L'isola vede, che Saturno empiea
D'amorosi nitriti; ed a rincontro
Uscir l'altra dall'onde a Marte sacra
Di bellicosi augelli orrido nido,
Cui lo stesso Gradivo nella sua
Terribil arte ammaestrar godea.
Di ferro il rostro, e tutto han pur di ferro
Il remeggio dell'ali, onde ferrate
Vibran saette che mortal fan piaga.
E voi di Minia lo saprete un giorno
Valorosi campioni, allor che in traccia
D'un aureo vello su pelíaco pino
Qua verrete a cercar perigli e fama. [13]

Quindi la terra di pudor nemica
De' Mossineci a trapassar s'affretta,
E del muliebre Tibareno i lieti
Opimi campi, inabitate allora
Senza nome contrade e senza grido; [14)
E i costumi frattanto e le vicende
Vaticinando al suo fratel ne viene
Il viator profeta, e del cammino
Con soave sermon le pene inganna.
   Come presero il suolo a cui dièr fama
I Calibi operosi: Ecco, dicea,
Ecco una terra a cui le colpe avranno
Obbligo molto. Un popolo malvagio
L'abiterá, che nei profondi fianchi
Delle rigide rupi andran primieri
A ricercar del ferro i latebrosi
Duri covili; e con fatal consiglio
A domarlo nel foco, a figurarlo
In arnesi di morte impareranno.
L'ire, gli odii, i rancor, le gelosie
E l'Erinni, che pigre ed incruente
Andar vagando fra' mortali or vedi,
Allor di spada armate e di coltello
Scorreran l'universo, e non il seno
Dell'avaro terren, non l'elce e l'orno,
Ma l'uman petto impiagheran crudeli;
E gli sdegni che un detto ed un sorriso
Nascenti or spegne, e il cor gli avvisa appena,
Non si vedranno allor, lasso! morire
Se non di sangue giá satolli e lordi.
Ecco gli antri, o fratello, e le caverne
Che ignota dall'aperte orrende bocche
Metton paura, e diverran fra poco
Di quell'empio lavor l'empie fucine.
Vedi Megera in gran faccende, vedi

Le sue sorelle orribilmente allegre
Ir preparando i mantici e l'incudi;
E assister liete all'infernal fatica
Il Furor, la Vendetta, il Tradimento,
Le Discordie, le Risse, e le Contese
Temerarie fanciulle. Odi il gavazzo
Che fan le rie lá dentro, odi il frastuono
Che il monte introna e dentro il cor rimbomba.
Fuggiam l'avaro lido; e tu rimanti
Alle furie, ai disastri ed alle colpe,
Terra dal Cielo maledetta, e stilla
Su l'infami tue glebe unqua non cada
Di benefica pioggia, ma nimico
Sempre il vento ti batta e la procella,
Né il Sol ti guardi, se non quando orrenda
Lo travaglia l'eclissi, e vengan macre
Sulle tue balze a partorir le lupe.
O, se giusto pregar d'ascolto è degno,
Col gran tridente, onde i tremuoti han vita,
Nettun ti colga, e ti crolli, e ti schianti
Da' fondamenti, e in mezzo al mar ti scagli,
E il mar t'inghiotta, e in lui sepolto e morto
Il tuo nome rimanga e il tuo delitto.

Sí profetando ed imprecando all'onda
Del Termodonte arriva, onda superba,
Ma non famosa allor, né da guerriero
Femminile remeggio ancor battuta.
Indi il campo traversa, che nomato
Fu poi Temiscireo; traversa il piano
Dove l'Iri impaluda; e via passando,
Di Sinópe tremar sulla marina
La grand'ombra rimira, di Sinópe
Cui la bella d'Asópo accorta figlia
Il nome diede e fama, il dí che feo
Del rapitor Tonante all'impudica

Stolida voglia un suo lodato inganno,
Ed ai profferti titoli divini
Quel di casta prepose e di fanciulla. [15]
   Superata del torbo Ali la ripa
Avean gl'illustri pellegrini, e lunge
Fra le nubi nascondere la fronte
Vedean l'alto Carambi alla diritta,
Che con immani fianchi e vaste braccia
Il pelago respinge, ed a Nettuno
Gran parte usurpa dell'Eusino impero.
   Era il tempo che stanche in occidente
Piegava il Sol le rote, e raccogliendo
Dalle cose i colori all'inimica
Notte del mondo concedea la cura.
Ed ella del regal suo velo eterno
Spiegando il lembo raccendea negli astri
La morta luce e la spegnea ne' fiori.
Un'aura che olezzava ed impregnate
Dalle rose di Cromna e dai mirteti
Del vicino Citóro avea le penne
Con un dolce soffiar, feria la fronte [16]
E rinfrescava le infiammate vene.
Muggia frattanto il mare, e quel muggito
Nella quiete universal del mondo
Scendea mesto sul cor, ma dilettoso.
E verso tramontana in lontananza
Un rugghio si sentia qual di remoto
Tuon che fra nembi discorrendo il cielo
Nell'estremo orizzonte si dilegua:
Ed era quel fragor che orrendo e cupo
Le Simplegadi fean quando sdegnosa [17]
Coll'Europa a cozzar l'Asia venía
Sgominando due mari, ed amendue
Col grand'urto scuotendo i continenti;
Finché d'Argo di lá passando il sacro

L'EPICO

Pino, fin pose, per voler del Fato,
Alla terribil zuffa, e immote rese
Le concorrenti furibonde rupi.

 E con questo rumor che dalle mute
Ombre notturne maestá prendea,
E sotto un ciel che limpidi e sereni
Tutti al guardo mostrava i suoi splendori,
Camminavano queti i Giapetidi
E la terra premean, dove preclara
Degli Éneti suonar dovea la fama;
Gente di gloria e de' bei fatti amica,
Che al volgere degli anni, e della rota
Di quella calva che scherzando tutte
Cangia l'opre mortali e mai non posa,
In Ausonia migrando avria nel lieto
Ultimo seno dell'Adriaca Dori
Dell'antico valor deposto il seme. [18]

 Calcando Prometéo l'almo terreno
Tale un cenno sentí nel suo pensiero,
Tale un moto nel cor, tale un tumulto,
Che dell'aura profetica lo spiro
Tosto conobbe e la divina voce
Che per entro la mente ragionava.
Meravigliando soffermossi, e vôlto
Al convesso del ciel sereno e puro:
Oh stelle, ei disse, oh della negra notte
Lucide, care, intelligenti figlie,
Che della madre intorno al fosco trono
Con vaghi errori carolar godete,
E dolce a lei persuadete il sonno
Colla dolce armonia che vi governa!
Oh leggiadre del Sole alme sorelle,
Che dai vostri grand'archi saettando
Strali di luce, ed agitando al vento
Le tremolanti accese capigliere,

Tutte piovete le vicende in terra!
Deh! se iniqua cometa unqua la gioia
Di vostre danze a conturbar non vegna,
Né mai rigida bruma i boreali
Vostri lavacri in aspro gelo induri,
Ma liete sempre e chiare ad incontrarvi
Il canuto Oceán l'onde sollevi,
Deh! la cagion ne dite, o venerande
Dei voleri del Fato annunziatrici,
Perché sí puri e tutti amor spiranti
Sulla terra che premo i rai scuotete?
Ond'è che con sí placidi sorrisi
Vi guardate a vicenda, e di Saturno
Par che perda la stella il suo livore?
E tu, fiero splendor, che volto prendi
D'orgoglioso lion, perché gli artigli
Spieghi per l'etra furibondi e ruggi?
Oh v'intendo, v'intendo! oh bellicoso
Éneto suol, che delle iliache torri
Col valor de' tuoi prodi incontro al Fato
Tarderai la caduta! oh forti eroi,
Che di nobile polve asperso il crine
Del veloce Partenio in su la riva
Di Sésamo i cavalli esercitate
E d'Egíalo risponde ai lor nitriti
Il curvo seno e l'eritina rupe; [19)]
Sciogliete dal calcagno i sanguinosi
Sproni, agli ardenti corridor togliete
Gli argentei morsi e le dorate briglie,
Dite alle care citoriache selve,
Dite l'ultimo vale, e al mar volate,
Ché vi chiaman le Parche ad altro lido;
Ed altro seggio ai vostri lari erranti
Giá prepara Nettuno. Oh d'Adria sacre
Fortunate lagune! ecco il promesso

Popolo audace, che valor vi porta
Fortuna e fama; e fra perigli e stenti
Libertá combattuta. Ecco la belva,
La forte belva dalle bionde giubbe
Che nelle vostre arene s'accovaccia
E co' ruggiti ingombra e con gli sguardi
Di tema intorno e riverenza i lidi
Arbitra sola dell'adriaco flutto.
Oh novella di Numi inclita casa!
Oh dalla destra di Nettun costrutta
Ammiranda cittá! senti la voce
Con che parmi che dentro la profonda
Nebbia degli anni di te parli il Fato.
Nido sarai d'onore e di virtude,
Abiteranno in te Marte e Sofia
Che per tranquilli e bellicosi studi
In pace e in guerra ti faran famosa.
Ma dell'origin tua, de' fermi ed alti
Tuoi fondamenti non andar superba,
Ch'altre pur vi saranno inclite mura
Di celesti architetti opra divina
Che vedran l'ultim'ora e caderanno,
E cadrá Troia di due Dei possenti
Celebrata fatica, e dalla destra
De' tuoi stessi grand'avi invan difesa.

 Qui diè fine all'arcane alte parole
Dell'aurea Temi il gran nipote, e lieta
Del promesso avvenir l'eneta terra
Sotto i piedi esultò. Piú mansueti
Le stelle incontro si vibrar gli sguardi,
E sola di livor tinta e di sdegno
Del celeste Lion parve la luce
Del suo scorno giá conscia, e dolorosa
Di perder fama ed onoranza in terra.

Del Partenio frattanto avean varcate
I due germani le santissim'onde,
Ove stanca di caccia ha per usanza
Lavar Diana i fianchi polverosi
Pria di recarsi alle celesti mense
E l'ambrosia libar cogli altri Eterni.
Indi spediti valicar le valli
Mariandine, e l'errabondo flutto
Del baccante Callicoro, e diritto
Cammin facendo, dopo corta via
Del Sangario fur sopra alla riviera. [20]
Ivi il Sol, che del Caucaso sull'erta
Sollevava la fronte, li raggiunse
E alle spalle sentir fe' loro il fiato
Degli aneli destrieri. E quei del fiume
La correntia seguendo, e la soave
Del mattin respirando aura odorata,
Quello strano trovar lungo la via
Mandorlo di portenti operatore,
Che senza l'uopo di virili amplessi
La Sangáride Ninfa un dí dovea
Far bella madre di figliuol piú bello,
Ma piú mal cauto insieme e sventurato.
Ahi misero garzone! Ati infelice!
Di Venere era degno il tuo bel viso
E di quante calpestano l'Olimpo
Vaghe e giovani Dive; e tu giá fatto
Di tal sei ligio, che la gota ha crespa,
Benché immortale, e giá canuto il pelo;
Né le val coronato aver di torri
L'antico capo, ed aggiogar leoni,
E di cento gran nomi andar superba
E di cento cittá, ch'anco fra' Numi
Di simili carezze Amor si sdegna,
E di lurido labbro i baci abborre.

L'EPICO

Quindi Ciprigna vergognosa in braccio
Va di marito affumicato e zoppo;
E dell'Aurora l'infeconde nozze
Son di riso argomento a tutto il cielo.
Ahi misero garzone! Ati infelice!
E di rugosa Dea, che lasso e carco
Di secoli strascina il fianco eterno,
Tu le blandizie soffri e i morti amplessi
Da cui schivo s'arretra anco Saturno?
E a lei tu sacri con nefando giuro
Di castitá, di giovinezza il fiore
A natura nemico ed a te stesso?
Ahi misero garzone! Ati infelice!
Giá de' tuoi sprezzi fa crudel vendetta
L'offesa Citerea, giá vinto avvampi
Per due vaghe pupille, e sei spergiuro.
Ohimè che il fio ne paghi! ohimè che torva
Ti raggira la Furia e forsennato
Per le balze di Dindimo ti mena. 21)
Ohimè le membra che peccar, giá veggo
D'oscena piaga sanguinose e sozze
E rugghi tu ne mandi ed ululati,
Finché deliro, e di perdon ben degno
(Se vecchia druda perdonar sapesse)
In irto pino il molle corpo induri.
E col rumor delle parlanti chiome
I sospiri a fuggir di grinza e vieta
Donna gl'incauti giovanetti avvisi.
Ahi misero garzone! Ati infelice!
   Mentre io parlo, alla bocca giá venuto
Dell'Acherusio speco è Prometéo. 22)
   Tra dirupi inaccessi e dal sonoro
Picchiar dell'onde flagellati e rosi
S'apre l'atra spelonca, a cui sublime
Di cipressi, di pioppi e di mesti olmi

Grava il dosso eminente una foresta;
E pigro al basso un vapor denso emerge
Che l'orribile entrata ingombra e serra,
Finché vien colle lucide saette
A dardeggiarlo sul merigge il Sole.
Né di passar s'attenta unqua il silenzio,
Non che regnar sull'agitato lido;
Ché sotto mugge il mar, di sopra il bosco,
E d'ogni lato il vento, che la nebbia
Turbinando e le foglie, con vorace
Ripidissimo vortice ruggisce
Sul tristo ingresso dell'orrenda grotta
Che dritto mena alla magion di Pluto.
E ben lo dice la mortal mefite
Che quindi-esala, e di pianti e di lai
E di cupi latrati il suon lugubre
Che l'orecchio percuote, e la paura
Commista alla pietade invia sul core.
Perché quella di Cerbero crudele
È la terribil voce, e quei lamenti
Son de' figliuoli della Terra i gridi,
Che nel fondo del Tartaro sepolti
Bestemmiano di Giove orribilmente
La dura onnipotenza, e si travolvono
Mugolando e fremendo nel gran báratro
E forsennati le catene addentano
Che i corpi immani eternamente avvincono.
Ma piú che la caligine profonda
Che con livido velo grave pesa
Sulle torve lor ciglia, piú che tutte
Del fulmine le fresche cicatrici
Ond'han le fronti ancor stridenti e rosse;
Piú che i rabidi serpi onde gli sferza
L'imperadrice dell'eterno pianto
Tisifone crudele, e con gran voce

L'EPICO

All'opra degli strazi e de' tormenti
L'aita invoca delle rie sorelle,
Piú che tutto li cruccia e li dispera
La rimembranza del perduto empiro,
E l'avido pensiero ai dolci rivi
Sempre ritorna dell'ambrosia, e sempre
All'orecchio, rimormora la fonte
Del nettare divin, che giú dal balzo
Fresco discende del nevoso Olimpo
E de' beati le convalli irriga.
Né mai penétra di conforto, mai
Altra stilla nel cor dei dolorosi,
Che la memoria delle prische imprese,
E l'immortal sublime sentimento
Dell'antico valor, quando del cielo
Pugnar sui campi con egual coraggio
Ma con arme inegual Titani e Numi
Per la conquista del maggior de' troni.
Seminata di fulmini stridea
Tutta in fuoco la terra, il mar bolliva
Con orrendo gorgoglio, e sotto il pondo
De' combattenti e all'impeto de' piedi
Vacillando gemea l'oppresso Olimpo.
E in cielo e in terra, e tra la terra e il cielo
Tutto era tuoni e folgori e rimbombo
E spavento e rovina e foco e fumo,
E smarrita la via per lo terrore
Avean le stelle, né restaro immoti
Che d'Atropo e del Fato i ferrei troni.
Allor di fiamme e di rabbiosi venti
Pregna la terra, con immensa doglia
Sentí dentro snodarsi le grand'ossa
E scindersi le viscere; e con vasto
Scoppio squarciato in quattro parti il seno,
Diè per quattro gran porte tenebrose

Al furibondo Tartaro l'uscita,
Ond'egli all'aura le sue vampe erutta:
Ed una la vallea di Menfi ammorba,
L'altra i lidi Cumani (ed oh! sol uno
Fosse questo il fetore, Italia mia,
Onde a' tempi, in che vivo, acerbi e tristi
Si corrompe e s'attosca il tuo bel cielo!),
Aprí la terza le sue fauci in mezzo
Alle Tesprozie rupi, e l'aura infece [23]
Di Betinio la quarta; alle quai tutte
L'infamia poscia e l'abborrito nome
D'Acheronte rimase. E queste sono
Dell'Inferno le gole, e primi furo
A piombarvi trafitti e capovolti
Gl'infelici Titani, e a intronar primi
Di gemiti e stridori il morto regno.

Ad ascoltarne il doloroso grido
Della mesta vorago in su la soglia
Stavasi fermo di Giapeto il figlio.
E fra i diversi orribili lamenti,
Che per l'antro scoppiando un indistinto
Facean tumulto e un mormorío crudele,
Udir del padre gli parea la voce
Che su l'alma gli suona. Immantinente
Gli corse il pianto su le ciglia, e come
Pietá di figlio l'esortava, e il core
Persuadendo gli venía nel petto,
Di cercar colá dentro si dispose
Le paterne sembianze, e satisfarsi
D'un solo sguardo, d'un accento solo
Dopo tanto desio. Da questi sproni
Punto adunque il magnanimo, e vincendo
Caritá di natura ogni riguardo,
Si mise dentro alla tartarea buca.

L'EPICO

Oh del Ciel, della Terra e degli Dei
Antenato tremendo e genitore
Erebo negro! Oh tu dell'ombre eterne
Possente regnator Saturnio figlio,
Al cui severo tribunal tremanti
Si presentan le colpe, e con allegra
Fronte secura la virtú mendica;
Deh nel mondo sepolto a questo pio
Dato sia penetrar, ché anch'esso è Nume,
Benché infelice, e del tuo sangue, o Pluto;
Né stolta brama di rapir lo guida
A te lo scettro, ed alle Parche il fuso,
Ma pietá che al suo cor dolce ragiona
E desiderio del paterno aspetto.

Per intricate vie caliginose
Tacito e cauto Prometéo cammina,
E soletto, soletto; ché portando
Sul cor l'usbergo del sentirsi puro
Altra seco non vuole in quel periglio,
Che del suo solo ardir la compagnia.
Piú s'inoltra, piú libero e spedito
Si dilata il sentiero, e piú vien meno
Il suon pur anco de' lamenti uditi.
Ben sente quasi ad ogni muover d'anca
Un acuto fischiar d'aria divisa,
Un gemere di spirti, ed un bisbiglio
Che mai non tace, e non è mai lo stesso.
È son l'ombre de' morti che novelle
Passan dai regni della luce a Dite,
O che senza destino e senza pena
Per quei mesti silenzi erran confusi.
Perocché di ragion l'anime prive,
Prive allor d'ogni colpa ivan sotterra,
Né dell'urna era d'uopo e della verga
De' due giusti fratei che Creta un giorno

Avria mandati a giudicar gli estinti;
Né d'Averno il novello imperadore
In quella prima novitá di regno
Ben disposte peranco e divisate
Dell'orrende sue case avea le sedi
E i futuri dell'uom premi e castighi.
Scarche quindi che son di polpe e d'ossa,
Per l'abisso volando a lor talento,
Van quell'anime nude, ove men trista
L'aria sospira e men la luce è muta.
E montagne vi sono e valli e boschi
Di cupo orezzo, e susurranti rivi;
Ove dell'ombre i vani simulacri,
Che sembrano persona e salda cosa,
Andar vedi e venire e vagolare
Quai lascive farfalle a primavera,
Che le d'oro spruzzate ali battendo
Deliban tutti i giovanetti fiori,
E parte con gentil lubrico volo
Fan tripudii per l'aria e dilettose
Zuffe e carole, parte si disperdono
Per le floride fratte, e de' fanciulli
Deludono con fughe repentine
L'avida mano e la proterva speme.
E tali di quell'ombre a riguardarle
Son le guise, le cure e le follie.
Altre con vano pueril trastullo
Di falsi fuochi per lo suol guizzanti
Inseguono la vampa fuggitiva
Che brillando le invita e le schernisce:
Altre nel gorgo tuffansi d'un rio,
E vi fan bolle gorgogliando e spuma,
E godonsi tra' sassi andar coll'onda
Travolte e rotte, e mormorar con quella:
Altre han altro diletto; e qual cogliendo

Va per la riva delle Parche il fiore,
L'almo narciso, e ne fa serto al crine;
Qual si piace a volar di ramo in ramo
Gorgheggiando sue dolci cantilene,
Che l'aure ed i ruscei de' luoghi inferni
Con ignoto piacer stanno ad udire;
E chi corre, e chi giace, e chi s'aggira
Solingo e muto per solinghe vie;
E chi tien questo insomma, e chi quel modo
Di spender l'ora in quei lugubri esigli,
Ove pianto non è, ma di sospiri
Senz'angoscia e dolor l'aria sol trema,
E vuota di dolcezza entra la gioia.

Con sollecito piè per questi abissi
Di Sol, di gaudio e di tormento privi
Il coraggioso Prometéo cammina;
Né fermasi a badar su quegli spiriti
Senza merto vissuti e senza colpa,
Ch'altra cura lo punge, altro desio.

Giá de' fiumi d'Averno ode vicino
L'alto rimbombo, giá sul margo è giunto
Del funesto Acheronte. E qui di nuovo
Piú forti e chiare e di spavento piene
Dei Titani tonar sentia le grida
Che, confuse e commiste al fragor cupo
De' torrenti infernali ed al trifauce
Latrar che i regni della morte introna,
Sospesero i suoi passi, e palpitogli
Di novella pietá l'alma compresa.
Qual fervido poledro, a cui non abbia
Dome ancora le groppe il cavaliero,
Se di trombe ode il suono o di tamburo
Gonfia le nari, e irrequiete e ritte
Vibra incontro al rumor le acute orecchie
Con erto collo e fiammeggianti sguardi;

Tal si fece a quegli urli, a quel profondo
Disperato compianto il pio Titano:
E piú vivo nel petto risorgendo
Il sublime desio che lo conduce,
Di Caronte va lungo la riviera
Vestigando la barca affumicata:
Né Megera gli mette al cor paura,
Né l'altre di Pluton tremende e nere
Sacerdotesse che di lá dal fiume
Gli fan su gli occhi con minacce crude
Risonar le ceraste e le catene.
E giá venuto il prode era lá dove
Le quattro dell'inferno orrende vie
Fean centro in una; e in infinito spazio
Dilatato l'Averno, un'infinita
Volta di bronzo il serra e lo coperchia,
Sopra la qual sdegnosi e procellosi
Fan peso ed urto dell'Eusino i flutti,
E l'Ionio e l'Egeo col mar che doppio
D'Italia bagna e di Sicilia i lidi,
E l'onda che da Libia e da Cirene
Va fino a Calpe a flagellar le rive.
E ben quando la porta Eolo disserra
Alle tempeste ed ai lottanti venti,
Che furendo s'aggrappano e con ira
Volan dell'onde a rabbuffar la faccia,
Ben si sente laggiú degli sconvolti
Mari il muggito, che muggir fa tutte
Dell'Erebo le valli e le caverne,
E lo scettro tremar nel pugno a Pluto.
Perocché teme allor l'orrido Dio
Che dal fiero dell'onde agitamento
Del sotterraneo mondo affaticati
Si fendano i convessi, e la fraterna
Onda giú piombi a divorar l'abisso.

L'EPICO

Né va senza ragion la sua paura:
Ché rimbombar vicine ode sul capo
Del superno tridente le percosse,
E del cielo infernal crollarsi intorno
I firmamenti vede, e i suoi grand'archi
Screpolati e scommessi, onde con vasta
Ruina il mar nell'Erebo dilaga
Per molte bocche, e con sí gran caduta,
Che sono al paragon zampilli e spruzzi
Dell'Aniene e del Velino i flutti.

 Da queste cieche cateratte origine
Han le cinque d'Averno atre fiumane,
Flegetonte, Acheronte e l'altre due
Del Pianto e dell'Oblio, colla tremenda
Inesorata Stige, che divise
Bagnano tutte una diversa arena,
Donde diversa traggono per via
La qualitade, il nome e la possanza.

 Arrestossi dinanzi alla rovina
De' lividi torrenti il Giapetíde
In suo cammin smarrito e in suo consiglio;
Ché salma viva non ancor calcata
Né segnata d'Averno avea la strada,
Né il Fato consentia ch'oltre quel punto
Ei procedesse nel viaggio impreso.
Mentre dubbioso del sentiero errava
Per le squallide rive, e l'ascendente
Vapor dell'onde contendea la vista,
Ecco lungo la via che spaziosa
Dall'Egizio Acherusio declinando
Sotto il Libico mar conduce a Dite,
Ecco ratto venirne alla sua volta
Un luminoso volator, che il capo
E i talloni d'aurate ali guernito
La pigra e queta oscuritá d'Averno

Con sollecite penne affaticava.
E un'ombra lo seguia, che in negro velo
Serrata e chiusa con dolor superbo
Fin sopra il mento nascondea la faccia.
Il cillenio Mercurio era quel primo,
Che l'alme esangui al Tartaro sospinge,
E al Tartaro le invola a suo talento.
Della Titania gente era il secondo
Un fulminato, a cui di sotto al manto
La recente ferita ancor fumava,
E faville mettea per lo sentiero.
Come dinanzi al suo congiunto venne,
Stupita si fermò l'ombra velata,
Lo guardò, lo conobbe e il manto aprendo:
Oh fratello, esclamò, dolce fratello,
Oh sei tu che qui veggo e alfin ritrovo
Dopo tanti sospiri? E sí dicendo,
Con gaudio che in Averno è sconosciuto,
Gli corse al collo e lo si strinse al petto.
Né l'abbracciato a ravvisar fu tardo
L'infelice Menezio, il tanto in terra
Desiato e ricerco suo germano.
Dal dí che in ciel precipitosa avvenne
Dei percossi Titani la caduta,
Lo spavento divise e lo scompiglio
I fratelli abbattuti; e due coll'alma
Genitrice Climene agli erti gioghi
Si ricovrar de' Mauritani adusti,
Menezio valoroso e Atlante saggio;
E gli altri due minor, l'accorto e il folle,
Dell'inospito Caucaso alle rupi.
Iterando gli amplessi, e confondendo
Col pianto le parole: E qual, dicea
L'intenerito Prometéo, qual diro
Destin ti porta all'infernal castigo?

L'EPICO

E che piaghe son queste? e chi commise
Sulle tue membra sí crudel vendetta?
Il lembo della veste insanguinata
Appressò quel dolente alle pupille,
E, tergendo le lagrime, rispose:
Perché del padre sulla ria sventura
Versai qualche di pianto occulta stilla,
E contro Giove al labbro mio permisi
Alcun lamento, e lo chiamai tiranno,
Per questo sol, col fulmine poc'anzi
Il dispietato mi percosse il petto.
Disse, e di rabbia e di dolor fremente
La ferita guardò, che rispondendo
Allo sdegno del cor fe' sangue e fumo.
Chinò le ciglia pensierose allora
L'ascoltante fratello, e poiché muto
Si stette alquanto, a dimandar seguia:
Dinne, misero, dinne, se pur conto
T'è il suo destin, dov'è la madre? dove
Atlante nostro? perocché novella
Mai di lor non pervenne a queste orecchie,
Da quel momento che lo stral di Giove
Il genitor ne tolse, e noi raminghi
Per lo mondo disperse e ne disgiunse.
E l'altro a questo replicò: La madre,
Misera madre e sconsolata vedova,
Mal sostenendo degli affanni il carco,
Fra gli scevri di colpa e di pensieri
Miti Etiópi si ritrasse e quivi
Di lai contrista la paterna casa,
Né le dive sorelle Oceanine
Quetar ponno i suoi pianti, e tutte indarno
Son le tenere cure e le parole
Del venerando genitor canuto.
Ché qualunque ne' mali è piú soave

All'anime conforto, ella il rifugge;
E sol de' figli e del consorte a lei
Dolce è il ricordo, e di ciò sol si pasce.
Ma di Prometeo suo ripete il nome
Principalmente, e a tutte l'onde, a tutti
Del mar lo chiede e della terra i Numi.
Né d'Atlante men empia è la fortuna:
Ché pur sovr'esso esercitò crudele
Il supremo Tonante il suo dispetto.
E qual fu colpa nel fratel punita?
L'aver del cielo ne' tremendi campi
Per la causa piú giusta combattuto,
L'aver dimostre in perigliosi tempi
Magnanime virtudi; altro non puote
Maggior delitto un oppressor punire.
Perciò del cielo la gran volta impose
Sulle valide spalle all'infelice,
Ed ei sotto il gran pondo or geme e suda
Miseramente, ed un funesto inoltre
Vaticinio lo turba, che fatali
Ancor di Giove gli saranno i figli.
Ma te qual caso, o sospirato e pianto
Caro fratello, con intatta salma
Per questi luoghi di dolor conduce?
La paterna pietá, l'altro rispose.
E qui tutto volea di sue vicende
Il tenor riferire e la cagione;
Ma l'alipede Dio contro il suo petto
Della verga abbassò gli angui temuti,
E quel pietoso ragionar sospese:
Esci, ardito Titáno, esci, dicendo,
Di questo luogo: temeraria e senza
Voler del Fato fu la tua venuta,
E il Tartaro giá chiama impaziente

L'EPICO

Ne' suoi gorghi quest'ombra alla sua pena.
Allor misero un grido i due germani
Di dolor, di pietade; e ad ambedue
Tutte a un tempo s'apersero le braccia,
E volandosi incontro desiosi,
L'un sul collo dell'altro abbandonossi.
Si confusero i voti, e con parole
Da singulti e da lagrime impedite
A vicenda s'udiva: Addio, Menezio.
Addio, Prometeo mio. Non rivedremci
Forse piú mai. Mai piú, fratello. Oh dura
Division che l'anima mi spezza!
Oh pensier che l'inferno mi raddoppia!
Laggiú l'amato genitor saluta.
Lassú consola la dolente madre.
Digli che per desio del suo cospetto
Fin l'Averno tentai. Dille che scesi
Di ciò sol fra gli spenti addolorato,
Del saperla infelice. Un altro amplesso.
Un altro bacio. E non avrian qui dato
All'abbracciar mai fine, al lagrimare,
Se Mercurio quell'ombra non battea
Col sonnifero scettro. Allor la misera
Come guizzo di folgore si sciolse
Dalle braccia fraterne, e mormorando
Dileguossi per l'aria tenebrosa
Via com'ala di vento o di baleno.

  Misero Prometéo! che cor, che mente
Fu allor la tua, che andar vedesti in nebbia
Quelle care sembianze, e con lor tutta
Sparir la gioia di sí dolce vista!
Stupido, immoto, e con aperta bocca,
E con le braccia spalancate ancora
Si rimase gran pezza; e simulacro

Detto lo avresti agli atti, alla figura,
Se viva cosa nol mostrava il pianto
Che tacito scorrea dalla pupilla.

  Come la mente si riscosse, e desti
Tornaro i sensi al consueto ufficio,
A ricalcar si diè l'orme battute
Col viso a terra. Ma contrario al piede
Il pietoso pensier facea cammino,
E fuor delle dannate ombre lo sguardo
Il Sol giá rivedea, che l'alma ancora
Laggiú nell'Orco immaginando errava.

CANTO TERZO.

  Qual veggiamo talvolta, o veramente
Avvisiam di veder per le notturne
Ombre gli spettri abbandonar le tombe,
E vagar per le case e per le vie
Quando pallida in ciel move la luna
E susurran le maghe i carmi orrendi,
Tal di stigia caligine cosperso,
Smorto le guance, ed irto i crini uscia
Il buon Titano dall'inferna buca;
E frattanto del mar lungo la riva
Con fanciullesco studio Epimetéo
Or cogliendo venia conche e lapilli,
De' quai ripiene aver godea le mani
E colmo il grembo; or neghittoso i flutti
Iva contando, che canuti e rochi
Faticavano il lido, e, in quella vana
Cura sepolto, del fratello avea
Posta in oblio l'impresa ed il periglio.

  Come sopra gli venne alla sprovvista
Il rabbuffato Prometéo, diè, colta
Da subita paura, un alto grido

L'EPICO

Quell'anima di senno diminuta,
E tutte a un tempo le fuggir dal pugno
Le raccolte crepunde, che cadendo
Fer strepito sul piede, e balzo al suolo.
Rise a quell'atto Prometéo d'un riso
Che a fior di labbro apparve, e lí morio
Dall'affanno del cor represso e spento.
Da tutto quindi il manto e dai capelli
La fuliggine scosse, che simile
A tenue fumo leggermente all'aura
Volvendosi levossi e si diffuse.
Poi mani e volto ad un vicin ruscello
Diligente lavando, alle primiere
Sembianze ritornar fe' la persona;
E livida e macchiata in lunga riga
Corse quell'onda mormorando al mare.
Quindi tacito e mesto, e tutto quanto
Pieno il pensier delle vedute cose,
Sospirando riprese il suo cammino.
E l'insano fratello, a cui ben queti
Non ancor permettea la tema i polsi,
Palpitando il seguia, che per rispetto
Del fraterno dolor, non che parlare,
Non ardia quasi calpestar l'arena.

Chi ha notato l'andar di due devoti
Pellegrini per via, quando a lontano
Riverito delubro han volto il passo,
Ch'umili il guardo, le man giunte al petto;
E pentiti e confessi, a piè dell'are
Van di lor colpe a dimandar perdono,
Né l'un turba dell'altro il pio pensiero,
S'appresenti cosí di questi due
Il tacer, la sembianza, il portamento.
E a questo modo procedendo, e fatti
Muto l'un per dolor, l'altro per tema,

Della bruna Propontide spediti
Attinsero la riva. Allor dappresso
Il muggito li scosse ed il conflitto
Delle furenti Cianée, che quinci
Veniano e quindi con superbe fronti [24]
Al fatal cozzo orrendo. A tergo poscia
Lasciar l'arena, a cui dar l'ossa e il nome
Il malaccorto Cizico dovea;
Lasciar d'Asepo il povero ruscello,
E Percote ed Arisbe, e quello stretto
A cui diè grido fra le genti eterno
Di Serse il ponte e di Leandro il fato.
Qui spalanca l'Egeo le sue gran gole,
E inghiotte e vome del Proponto il flutto;
Qui s'affaccia la terra ove sdegnosa
Con mille prode tutta Grecia venne
Del troiano adulterio alla vendetta
Donde infinito ai generosi ingegni
Di poesia s'aperse immenso fiume
Quando il gran padre delle Muse Argive
L'ira cantava del Pelide Achille.
Di qua getta nel mar l'ombra il Sigeo,
Di lá solleva il Gargaro la cima
Della gran madre degli Dei primiero
Gradito albergo, e piú gradito a Giove.
Che quivi le procelle e i lampi e i tuoni
E le folgori addusse e l'aureo carro
Quando giunse stagion nel suo consiglio
Di far Teucri ed Achei dolenti e tristi,
E maturo fu d'Ilio il gran destino.
Come passar dinanzi i Giapetídi
Alla sacra di pini ombrosa selva,
Udir per entro a quella alto di timpani
E di bossi e di cembali uno strepito,
E tal di danze e canti e di grand'ululi

Una fervida furia, ed un percotere
Di lance e scudi, che ne trema il monte
E ne rimbomba lungamente il lido.
Ché beata nel mezzo a quel trambusto
Siede in trono Cibele, e in cor ne gode,
E mansueti sulla riva intanto
Vanno errando del Xanto i suoi lëoni
Di nettare pasciuti e le forbite
Giubbe d'ambrosia rugiadosi e molli.
D'orror compreso e di pietá calcava
Questa d'acerbi fati e di sventure
Gravida terra il viator Titano,
Che correr sangue in suo pensier vedea
Simoenta e Scamandro, e lagrimava.
E la balza salendo, ove con Febo
Di Pergamo la rocca avria Nettuno
Per avara mercé sospinta al cielo,
E patteggiata la fatica indarno
Delle destre immortali: Oh Ilio, ei disse,
Oh futura di Numi e di guerrieri
Casa infelice! oh rendi, alfin deh rendi
Questa druda fatal. Ve' che le fiamme
Giá ti porta nel sen, ve' che in tuo danno
Congiurata de' Numi è la reina,
Che le tue spose per le chiome afferra,
E crudel le riversa nella polve.
Ve' Pallade Minerva aspra donzella,
Che percote coll'asta le tue mura
E dissolve le torri. A Menelao
Rendi, misera, rendi l'impudica;
Spezza l'imbelle cetra al profumato
Suo rapitor, scompiglia a quel codardo
Gli adulteri capelli, e al greco ferro
Del suo sangue assetato l'abbandona.
In lui le spade, in lui gli sdegni, o Greci,

In lui che solo è reo. Nulla commise
Ettore, nulla, che aver troppo amata
La patria terra e della patria i Numi.
Ahi ch'io parlo alle rupi, e inesaudita
Porta il vento che passa la mia voce!
Disse: e quale è colui che sulla sabbia
Calcò l'orrida biscia, alla cui vista
Spicca il salto fuggendo e della cruda
Aver giá pargli nel calcagno i denti;
Tal moss'egli le piante, e quella terra
Alle Furie devota abbandonava.
Sulla rupe di Tenedo seduto
Stavasi intanto ad ascoltar Neréo
Quei tremendi destini, e in suo pensiero
Facea conserva delle cose udite.
Poi, come venne il dí che fuggitivo
Trasse per l'onde sull'antenne Idee
Il perfido pastor la Greca infida,
Frenò l'ali de' venti, e, queti i flutti,
Sciolse a volo novello i lagrimosi
Fati dal labbro del Titano usciti,
Finché a stagion piú tarda in su la lira
Del numeroso Venosin posarsi
Dolce diletto di latine orecchie.
Dell'Ellesponto intanto in su la riva
Rabbuffato e pensoso il Giapetíde
Stampava di profonde orme l'arena,
Che garrula e minuta si sentia
Strider sotto i gran passi, e a tergo il vento
Ne fea turbine e rote e suo trastullo.
Nudo allora e diserto era quel lido
E inonorato; ma di forti eroi,
Che di sangue bagnar l'Iliaca terra,
Gli dier le tombe sempiterna fama,
Quando di Grecia il fior, quando de' Numi

Gl'incliti figli in riva al mar coperse
Polvere poca ed una rozza pietra.
Quindi grido suonò, che maestoso
Or sul dorso de' turbini e dell'onde,
Or sulle penne di notturne aurette
Lunghesso il mar vagando e trasvolando
Van quell'ombre divine, e dei passati
Illustri affanni ragionando insieme;
L'ombre, io dico, d'Ajace, e di Pelide,
E dell'amico di Pelide, e quella
Di Palamede, che dell'empia frode
D'Ulisse ancora si lamenta e freme.
Ma romito in disparte e sospirando
Va d'Ettore lo spettro insanguinato,
Che il cener freddo delle patrie mura
Colle mani pur tenta e de' suoi baci
E del suo pianto lo riscalda ancora.
Oh pietá non piú vista! oh prisca fede!
Oh generoso della patria amore
Che segue le grand'alme anco sotterra!
  Giá di Cilla, d'Antandro e d'Atramite [25]
Alle spalle restata era la costa,
E del Caíco il piè premea le sponde,
Dell'ameno Caíco, che del primo
Fonte pentito mormorando or volve
Fra nuove ripe piú contento i flutti.
Quindi il torbido d'auro Ermo trapassa,
E del Mimante in lontananza vede
Le nebulose spalle, a cui fioccando
Fa velo delle bianche ali la neve,
E curvargli sul capo il suo bell'arco
Gode beata la Taumanzia figlia,
Ch'ivi pose il suo trono, e serenate
Gli fan sgabello le tempeste al piede.

Del canoro Caistro alla riviera
Giungea la prole di Giapeto intanto.
E qui de' cigni traversando i prati,
Che la dolce del fiume onda rallegra,
Tosto una Ninfa occorsele alla vista,
Che al portamento, agli atti, alla sembianza
Palesava una Dea. Qual vi conduce,
Diss'ella, o cari pellegrin, ventura?
Di che luogo? chi siete? e qual poss'io
Far cosa che vi piaccia? Arbitra sono
Di queste rive, dell'ospizio i santi
Dritti conosco, e la virtude onoro.

Disse. E a rincontro Prometéo rispose:
Oh qualunque tu sia degli Immortali
Che sí benigna movi le parole,
Del misero Giapeto al tuo cospetto
Tu vedi i figli. Per voler del Fato
Dal Caucaso scendemmo, e ci sospinge
Oltre il mar che n'è contra alto pensiero.
Deh se risponde al favellar cortese
In celesti sembianti alma gentile,
Danne aita a varcar l'onda sdegnosa.
Ché noi siamo, noi pur stirpe divina,
Ma sventurata, e dal sommo caduta
Dell'antico splendor. Sola ne resta
Del cor l'altezza, incontro a cui di Giove
Vane son l'arme, ed impotenti i tuoni.
Dinne intanto il tuo nome, onde onorarte
Qual conviensi possiamo, e del cor grato
Manifestarti umilemente i sensi.

Disse. E l'altra rispose: Asia son io,
Del gran padre Oceán figlia non vile.
Son tre mila nel mar le mie sorelle,
Ed io qui starmi solitaria godo
Dei dolci laghi del Caistro oscura

Abitatrice, e del perpetuo canto
De' soavi suoi cigni innamorata.
Questa che vedi placida palude
Dal mio nome si noma; e qui pur giunse
Delle vicende di Giapeto il grido,
Né van senza pietá le sue sventure.
Se il Caucaso ti manda, e se verace
Corse la fama, Prometéo tu sei:
Sí, tu certo sei desso, e il cor che pria
Di vederti t'amava, assai mel dice:
Ché di te ragionar sovente intesi
Il mio canuto genitor, che molti
Del tuo senno e valor dicea bei fatti
Nelle guerre d'Olimpo, e molti affanni
Per la pugnata libertá del cielo.
Quindi giungi, mel credi, o generoso
Del maggior de' Titani inclito seme,
Desiato e gradito a queste rive.
E s'oltre il mar ti spinge alto destino,
Avrai da me, che a compiacerti aspiro,
Qual piú vuoi d'opra e di consiglio aita.

  La sua man sí dicendo alla man pose
Del Giapetíde, e in riva al mar l'addusse,
Che infinita stendea dinanzi al guardo
Mormorando la tremula pianura.
E qui giunta spiccò veloce al corso
Sull'azzurro cristallo il piè d'argento;
Né toccarlo parea, né seguitarla
Potea l'acume di mortal pupilla.
Lascivo il vento le gonfiava il seno
Del bel ceruleo velo, e steso a tergo
Iva il crin somigliante ad una stella,
Che di nembi foriera per la queta
Notte del ciel precipita e fa lungo
Dopo sé biancheggiar solco di luce.

Sacra in mezzo del pelago a Nettuno
E a Doride si cole un'isoletta,
Che mobile per l'onda e senza tregua
Qua e lá veloce camminar si vede
Come a suo senno il vento l'affatica.
A questa, che notando allor facea
Del Calcidico mar spumanti i flutti,
Volse il passo la Diva, e cosí disse:
Oh tu, qual piú ti piaccia esser nomata,
Del magnanimo Ceo casta figliuola
Asterie, o suora di Latona, o Delo,
O veramente Ortigia, il corso affrena,
O beata isoletta, e la preghiera,
Ch'io Dea del mar ti porto, odi cortese.
Stassi d'Ionia sull'opposta riva
Un saggio di Giapéto inclito figlio
Che dai Fati sospinto e da sublime
Pensier che in petto generoso annida,
All'altra sponda tragittar desia.
Vieni all'uopo pietosa, e tal n'avrai
Laude e mercede, che per fama un giorno
Diverrai delle Cicladi la prima.
Sí disse, e Delo a quel pregar benigna
Voltò ratta le prode; e, traversando
Come penna di vento il mar placato,
Corse alla foce del Caistro, e, dolce
Radendo il lido che tacea, rimpetto
All'aspettante Prometéo si stette.
Appressò le sue sponde; e in lei d'un salto
L'illustre Giapetíde impresse il piede,
E il germano raccolse, e seguitollo
Asia la figlia d'Oceán, che farsi,
Siccome Amor le ragionava al core,
De' suoi fati consorte ebbe desio.

Di tanto passegger maravigliose
Accorser tutte le Deliache Ninfe
Di sé facendo un cerchio, e da' suoi gorghi
Fuor mise il capo e fino al petto apparve
Per vederlo l'Inópo: e il vate intanto
Mercé rendendo al beneficio, e i lieti
Fati imminenti col pensiero aprendo:
Godi, o Delo, dicea, Delo t'allegra
Ché tua fama s'appressa. Ecco la Diva
Che il piú bello de' Numi in grembo reca,
E per vendetta di Giunon non puote
Terra al parto trovar che la riceva.
Fugge Corcira innanzi alla meschina,
E l'Echinadi fuggono, e l'Ambracia [26]
Fra i celesti cagion d'alta contesa.
Né del canuto Apidano la sponda,
Né di Larissa, né di Tempe immota
Si riman la pianura. Oh Pelio! oh talamo
Di Filira famoso! almen tu resta,
Restati e della Dea pietá ti prenda,
Poiché sovente sulle balze tue
Le lionesse vengono e le tigri
A depor de' lor fianchi il crudo peso.
Oh sacri del Peneo fronzuti allori,
Date voi la vostr'ombra, ed accogliete
Questa affannata cui manca la lena,
Ed ir piú oltre il piè stanco ricusa!
Ohimé, che tutti per terror di Giuno
Voltan la fronte! Ohimé! la ripa ancora
Dell'Enipéo sen fugge e dell'Anauro,
Dell'Anauro che mai nebbia non vide,
Né mai di vento un sol sospiro intese.
E giá veggo da lungi i folti pioppi
Dello Sperchio tremar, veggo le quercc
Camminar del santissimo Elicona, [27]

E le danze lasciar le Melie Ninfe
Di meraviglia prese e di paura.
Fugge d'Onchesto il sacro bosco; fugge
Stretto alla man delle atterrite figlie
Il fragoroso Ismen. Ma tu che pigro
Dal fulmine di Giove offesa ancora
Porti la coscia, perché fuggi, Asopo? [28]
Temp'era di fuggir quando le sacre
Onde ai Giganti sitibondi offristi,
E ne lavasti nella gran fontana
I polverosi fianchi e le ferite
Onde hai le spume ancor macchiate e sozze.
Ahimè! tu non m'ascolti e il tardo passo
Cogli altri affretti; e dell'Ilisso intanto
E del Sunio sassoso e dell'Euripo
L'onda stupisce nel sentir repente
Farsi sotto il suo piè veloci i lidi.
Né dell'errante Dea men sorda ai preghi
Di Pelope è la terra. Ella pur fugge,
E fuggono con lei quante d'intorno
Isole fanno del fervente Egeo
Co' gran fianchi spumar l'onde sdegnose.
Oh misera Latona! oh dispietata
Di Giunon gelosia! Tu sola, o Delo,
Non fuggisti, tu sola, e sul Pangeo
Colla terribil asta invan percosse
Marte lo scudo; invan Iri dall'erta
Ti sgridò del Mimante, e la vendetta
Ti minacciò dell'iraconda Giuno:
Ché in te poteo pietá piú che paura.
Cresci, o palma gentil, che della Diva
Farai colonna al travagliato fianco,
E pietosa dovrai dell'impedito
Suo lungo parto alleviar la doglia:

Cresci, e l'Inópo a te salubre ognora
Somministri l'umor, né le tue fronde
Verno giammai, giammai tempesta offenda;
Ma dolce l'aura t'accarezzi, e dolce
Ti bagni la rugiada, e a te ghirlanda
Faccian le Ninfe di perpetue rose;
Ché a te sola serbar, pianta cortese,
Le Parche il vanto d'aitar di Febo
Il natal faticoso. Allora, o Delo,
Tu porrai d'auro i fondamenti, e d'auro
Intero un giorno scorrerá l'Inópo,
E tutte pur fian d'auro le catene
Onde a Giaro e Micone eternamente
Avvinceratti il tuo divino alunno
Al tuo lungo vagar ponendo il fine.
Né sí cara sará Cencri a Nettuno,
A Mercurio Cillene, a Giove Creta,
Come Delo ad Apollo. Oh Delo! oh cuna
Del signor delle Muse e della luce,
Salve; né mai con sanguinoso piede
Ti giunga Marte a calpestar, né mai
S'acquisti Pluto in te ragione alcuna.
Salve, o terra beata, e sempre suoni
Sul labbro de' poeti il tuo bel nome.
Cosí dell'alma dolorosa Dea
Che i due begli occhi partorí del cielo
Profetava gli affanni e le fatiche
Il buon Titano e colla foga intanto
Di colei che le penne al tergo mise
Del sangue lorda del figliuol suo stesso
Navigava per l'onda la divina
Cuna d'Apollo. Al suo passar festosa
Sporgean dall'onde il capo a mano a mano
Le sorelle isolette, e salutarla

Parean d'intorno ed onorarla a gara.
Finché Cencri radendo e dell'angusto
Schene la proda nell'estremo grembo
Del Saronico mar rattenne il corso.
Qui riposata e lieve in su l'arena
L'errante Delo i passeggeri espone.
Poi veloce dispiccasi dal lido
E nell'alto si spinge come strale
Che da partico nervo si disfrena:
Mentre una dolce melodia da lunge
S'udia, che l'onde e l'aure innamorava;
E del beato Inópo eran le figlie
Che cantando soave e carolando
Ivan pel gaudio de' promessi onori.

Ma di gravi pensier carco la mente,
Poiché le tanto sospirate arene
Toccò l'accorto Giapetíde, alzando
Gli occhi, e del rauco Citeron l'opposte
Selve mirando: O Ninfe, ei disse, o care
Delle ruvide querce alme figliuole,
Che ligie al fato de' materni tronchi
In lor la vita, in lor la morte avete,
Qualunque vi raccolga o monte, o sacro
Di foreste recesso e di fontane,
Oreadi saltanti ed Amadriadi
E Driadi e Napee, voi ricevete
Cortesi il figlio di Giapeto, e voi
Del vostro Nume la sua santa impresa
Secondate pietose. E tu dal Fato
A mille prove di valor serbata,
Inclita terra, non volermi avara
Dal tuo grembo cacciar, ma la virtude
Che in te pose natura, e nel tuo seno
Move la vita, liberal mi scopri;

Ché certo, o terra al Ciel piú ch'altre cara,
In te vive uno spirto che possente
Nutre il tuo corpo, e per le vene infusa
Una mente t'invade e ti penétra
Che de' tuoi figli passerá nel petto,
E madre ti fará d'alme divine.
Oh! chi mi trae d'Eurota in su le rive,
Chi dell'Ismen mi chiama e dell'Ilisso
Sui campi bellicosi? E quai di Sparta
Nomi ascolto e d'Atene, onde commosso
Ferve il pensiero, e l'alma si solleva?
Salve, culla d'onor, salve ricetto
Di libertá. Tutte a' tuoi danni invano
Armerá l'Asia le sue forze, invano
Fará per darti le catene oltraggio
Di temerarii ponti al mar d'Abido;
Ché di braccio servil fiacca è la spada
Contro liberi petti, e sol sa vincere
Chi sa morir. Cosí parlando, e molto
Ragionando per via col suo pensiero,
Verso il monte cammina che sublime
Il ciel ferendo colla doppia fronte
Da lungi il guardo al pellegrino avvisa.
Larnasso lo nomar le genti prime,
Or mutato il valor del nome antico,
Parnaso è detto, e piú famoso ha grido.
Cupa e vera d'un Dio stanza temuta
S'apre a piè di quel monte una spelonca,
Ove, dal ciel dimentica e preposti
Al talamo di Giove i queti onori
Di soggiorno terren, Temide pose
Il suo peplo, il suo trono e i sacri tripodi
A lei da Vesta conceduti e poscia
Ad Apollo donati il dí che fatto

Fu re del canto e delle caste Muse.
Sul limitar dell'antro tenebroso
Stava l'inclita Dea nel suo gran seggio
Gravemente seduta, e in suo pensiero
Dell'avvenir presaga, il giorno, i fati
Maturando venia, che dell'accorto
Suo buon nipote promettean l'arrivo.
Come il vide da lunge alla sua volta
Co' due compagni taciturni al fianco
Per la valle appressar, rizzosi in piedi,
Liete incontro gli stese ambe le palme,
Ne lagrimò di gioia, e cosí disse:
Finalmente venisti, e la tua rara
Verso l'uom doloroso alta pietate
Vinse il duro cammin. Ma ben piú dura
Sappilo, o figlio, ti rimane impresa,
E di duol piú feconda e di perigli.
Fia redenta per te la stirpe umana,
Non dubitarne, e leverá sublime
Dalla polve natia la fronte al cielo.
Ma l'invidia di tal, che meno il debbe,
Fará cara costarti opra sí bella,
Impunemente non sarai pietoso,
E vedrai sventurato a lunga prova
In tuo danno tornar la tua virtude.
Ohimè! che parlo? e tu in chi poni, o figlio,
Cotanto beneficio? Ahi duri, ingrati
Umani petti! Ahi quanto sangue e quanti
Veggo delitti! ed in qual uso, ahi lassa!
Converso il dono di ragion divina!
Tu non far che ti domi la sventura;
Ma dovunque ti mena il tuo destino,
Piú ardito vanne ad incontrarla, e vinci.
Cosí dicendo lo si strinse al petto

Pietosamente, e di piú largo pianto
Rigò gli occhi divini. Asia, la figlia
Del profondo Oceán, piangea, pur ella,
E l'amor che segreto il cor le tocca
Quell'abbondante lagrimar tradiva.
Pianse anch'esso il fratello, e solo asciutte
Restar del forte Prometéo le ciglia.
Muto stava ogni labbro, ed atterrata
Ogni pupilla. Alfin l'eroe quel mesto
Silenzio ruppe coraggioso e disse:
Niuna di stenti, o Diva, e di fatiche
Faccia mi giunge inopinata e nuova:
Tutto ho in mente concetto e presentito
Che da te mi s'annunzia, e del futuro
Tutta ho dinanzi la presenza orrenda.
Ma vile è l'opra che sudor non costa,
E negli affanni esulta e nei perigli
La verace virtú. Dolce mi fia
Aver la fronte di tempeste oppressa,
E nel petto portar l'alma serena.
Securi ir lascia e fortunati e lieti
Solo i grandi delitti, e questo s'abbia
Infame vanto il mio nemico, il figlio
Dell'astuto Saturno; egli che crudo
E ciel mi tolse e padre, e mi persegue
Sol perché tormi la virtú non seppe.
Ma qual dinanzi al Sol che in alto poggia
Passa l'invida nube e non l'offende,
Quale il mar con irate onde lo scoglio
Flagella ed egli piú torreggia e sta,
Tal di Giove fia l'ira e il mio disprezzo.
Disse, e d'indugio impaziente all'opra
Che nel cor gli fervea volse l'ingegno,
E Temide era seco alma datrice
Di coraggio, di senno e di consiglio.

LA MUSOGONIA.

Cor di ferro ha nel petto, alma villana
Chi fa de' carmi alla bell'arte oltraggio,
Arte figlia del cielo, arte sovrana,
Voce di Giove e di sua mente raggio.
O Muse, o sante dee, la vostra arcana
Origine vo' dir con pio linguaggio,
Se mortal fantasia troppo non osa
Prendendo incarco di celeste cosa.

Ma come in pria v'invocherò? Trespíadi
Dovrò forse nomarvi o Aganippée?
O titolo di caste Eliconíadi
Piú vi diletta o di donzelle Ascrée?
So che ninfe Castalie e Citeríadi
Chiamarvi anco vi piace e Pegasée;
E vostro sulle rive d'Ippocrene
Di Pieridi è il nome e di Camene. [1]

Qualunque suoni a voi piú dolce al core
Di sí care memorie, a me venite;
E qual fuvvi tra' numi il genitore
E qual la madre tra le dee mi dite:
Ché ben privo è di senno e mentitore
Chi di seme mortal vi stima uscite;
Né Sicion sue figlie or piú vi chiama,
Né d'Osiride serve invida fama.

Ma il maggior degli dèi, l'onnipossente
Giove di nembi adunator v'è padre,
E a lui vi partorí diva prudente
Mnemosine di forme alme e leggiadre;
Diva del cor maestra e della mente,
E del caro pensier custode e madre,
All'Erebo nipote, e della bella
Temi e del biondo Iperion sorella.

L'EPICO

Reina della fertile Eleutera
Sovente errava la titania dea
Per la beozia selva, e di Piera
Visitava le fonti e di Pimplea.
Sotto il suo piè fioria la primavera;
E giacinti e melisse ella coglica,
Amor d'eteree nari, e quel che verno
Unqua non teme, l'amaranto eterno.

Il timo e la viola, onde il bel suolo
Soavemente d'ogni parte oliva,
Va depredando la sua mano, e solo,
Solo del loto e del narciso è schiva;
Ché argomento amendue di sonno e duolo
Crescon di Lete su la morta riva,
E l'uno di Morfeo le tempie adombra,
L'altro il crin bianco delle Parche ingombra.

Mieter dunque godea l'avventurosa
Il vario april dell'almo suo terreno:
Ella sovente un'infiammata rosa
Al labbro accosta ed un ligustro al seno;
E il candor del ligustro e l'amorosa
De' fior reina al paragon vien meno,
E dir sembra: Colei non è sí vaga
Che vermiglia mi fe' colla sua piaga.

Ma la varia beltade, onde natura
Le rive adorna de' ruscelli e il prato,
L'antica non potea superba cura
Acchetar, di che porta il cor piagato.
Incessante la punge ed aspra e dura
La memoria del cielo abbandonato,
Alla cara pensando olimpia sede
Venuta in preda di tiranno erede.

Quindi nell'alto della mente infissi
Stanle i fratelli al Tartaro sospinti,

Ivi in quei tenebrosi ultimi abissi
Dal fiero Giove di catene avvinti.
E molto è giá che in quell'orror son vissi,
Né gli sdegni lassú son anco estinti;
Ché nuova tirannia sta sempre in tema,
E cruda è sempre tirannia che trema.

Arroge, che del suo minor germano
Novella piú non intendea, da quando
Re Giove usurpator figlio inumano
Dal tolto Olimpo lo respinse in bando;
Né sapeva che Saturno iva di Giano
Per le quete contrade occulto errando,
Ai nepoti d'Enotro, al Lazio amico,
Del secol d'oro portator mendico.

In tante d'odio e d'ira e di cordoglio
Altissime cagioni ella smarrito
Del gran titanio sangue avea l'orgoglio;
E fior parea depresso, abbrividito,
Quando soffiar dall'iperboreo scoglio
Si sente d'Orizía l'aspro marito,
E tutta carca di soverchia brina
L'odorosa famiglia il capo inchina.

Sol che il nome tremendo oda talvolta
Del saturnio signor la sconsolata
Tutta nel volto turbasi, e per molta
Paura indietro palpitando guata.
Ma che? la Parca indietro era giá volta,
E decreto correa che alfin pacata
Del patrio ciel ricalcheria le soglie
Mnemosine di Giove amante e moglie.

Sotto vergine lauro un giorno assisa
Di Piera ei la vede alla sorgente.
La vede; e d'amor pronta ed improvvisa
Per le vene la fiamma andar si sente,
E dalle vene all'ossa; in quella guisa

L'EPICO

Che d'autunno balen squarcia repente
La fosca nube e con veloce riga
Di lucido meandro i nembi irriga.
 Per quell'almo adempir dolce disio
Che Venere gli pose in mezzo al core,
Che fará il caldo innamorato iddio?
Che far dovrá, che gli consigli, Amore?
Amor, che giá scendea propizio e pio,
Manifestossi in quella all'amatore;
E gli sorrise cosí caro un riso,
Che di dolcezza un sasso avria diviso.
 Ed umile pigliar sembianza e panno
L'esortò di pastore e portamento.
Villano e illiberal parea l'inganno
Al gran Tonante, e ne movea lamento.
Oh! gli rispose quel fanciul tiranno,
Oh! che dirai, superbo e frodolento,
Quando giovenco gli agenorei liti
Empirai di querele e di muggiti?
 Quando di serpe vestirai la squamma,
E or d'aquila le piume ora di cigno?
Quando pioggia sarai, quando una fiamma,
E l'erba calcherai con piè caprigno?
Sí dicendo lo tocca e piú l'infiamma,
E il bel labbro risolve in un sogghigno.
Pensoso intanto di Saturno il figlio
Né mover chioma si vedea né ciglio.
 Stavansi muti al suo silenzio i venti,
Muta stava la terra e il mar profondo;
Languia la luce delle sfere ardenti,
Parea sospesa l'armonia del mondo.
Allor l'idalio dio delle roventi
Folgori gli togliea di mano il pondo,
Arme fatali che trattar sol osa
Giove e Palla Minerva bellicosa.

Ed or le tratta Amore, e nella mano
Guizzar le sente irate, e non le teme;
E appiè d'un'elce le depon sul piano,
Che tócco fuma, e l'elce suda e geme.
Ne pute l'aria intorno e da lontano
Invita i nembi; e roco il vento freme,
Dir sembrando: Mortal, vattene altrove,
Ché il fulmine tremendo è qui di Giove.

Fatto inerme cosí l'egioco nume,
Tutta deposta la sembianza altera,
Di pastorel beoto il volto assume,
E questa di sue frodi è la primiera.
S'avvia lunghesso il solitario fiume:
La selva si rallegra e la riviera,
E del dio che s'appressa accorta l'onda
Piú loquace a baciar corre la sponda.

Guida al fervido amante è quell'alato
Garzon che l'alme a suo piacer corregge,
Contro cui poco s'assecura il fato,
Il fato a cui talor rompe la legge.
Egli alla diva l'appresenta, e aurato
Dardo allor tolto dalla cote elegge;
E al vergin fianco di tal forza tira,
Ch'ella tutta ne trema e ne sospira.

Loda il volto gentil, le rubiconde
Floride guance e il bel tornito collo;
Loda le braccia vigorose e tonde,
E l'omero che degno era d'Apollo;
Bel sorriso, bel guardo, e vereconde
Care parole, e tutto alfin lodollo.
Amor sí dolce le ragiona al core,
Che in lui questo pur loda, esser pastore.

Verrá poscia stagion ch'altre due dive
Faran la scusa del suo basso affetto,
Quando Anchise del Xanto in su le rive

E quel vago d'Arabia giovinetto,
Famoso incesto delle fole argive,
La dea piú bella stringeransi al petto;
E sul sasso di Latmo Endimione
Vendicherá Callisto ed Atteone.

In poter dunque di due tanti dei
Congiurati in suo danno, Amore e Giove,
Cess'ella al frodo, e castitate a lei
Porse l'ultimo bacio, e mosse altrove.
Forniro il letto allegri fiori e bei
Spontaneo-nati ed erbe molli e nuove,
E intonar consapevoli gli augelli
Il canto nuzial fra gli arboscelli.

Facean tenore alle lor dolci rime
L'aure fra i muti e ancor non dotti allori,
E il vicino Parnaso ambe le cime
Scotea, presago de' futuri onori.
Le scotea Pindo ed Elicon sublime,
Che i lor boschi sentian farsi canori;
E Temide di Vesta in compagnia
Dall'antro a Febo giá dovuto uscia.

Tre volte e sei l'onnipossente padre
Della figlia d'Urano in grembo scese,
Ed altrettante avventurosa madre
Di magnanima prole il dio la rese:
Di nove io dico vergini leggiadre,
Del canto amiche e delle belle imprese:
Melpomene che grave il cor conquide,
E Talia che l'error flagella e ride;

Calliopea che sol co' forti vive,
Ed or ne canta la pietáde or l'ira;
Euterpe amante delle doppie pive,
E Polinnia del gesto e della lira;
Tersicore che salta, e Clio che scrive,
Erato che d'amor dolce sospira;

Ed Urania che gode le carole
Temprar degli astri ed abitar nel sole.

 A toccar cetre, a tesser canti e balli
Si dier concordi l'inclite donzelle,
E pei larghi del ciel fulgidi calli
Al padre s'avviar festose e belle.
Dalle rupi ascendeva e dalle valli
Il soave concento all'auree stelle,
E l'ineffabil melodia le note
Rendea men dolci dell'eteree rote.

 Tacquero vinte al canto pellegrino
Le nove delle sfere alme sirene,
Quelle che viste da Platon divino
Cingono il ciel d'armoniche catene.
E giá l'olenio raggio era vicino,
E in nubi avvolta di tempesta piene
La gran porta apparia, donde ritorno
Fan gl'immortali all'immortal soggiorno.

 Alla prole di Temi, alle vermiglie
Ore l'ingresso i fati ne fidaro,
Pria che lor poste in man fosser le briglie
Del carro che a Feton costò sí caro.
Per questa di Mnemosine le figlie
Carolando e cantando oltrepassaro,
E bisbigliar di giubilo improvviso
Fer la cittad dell'eterno riso.

 Dagli alberghi di solido adamante
Tutta de' numi la famiglia uscia,
E dell'empiro fervida e sonante
Sotto i piedi immortali era la via.
All'affollarsi, al premere di tante
Eteree salme cupo si sentia
Tremar d'Olimpo; e nel segreto petto
Giove un immenso ne prendea diletto.

L'EPICO

Alle nuove del cielo cittadine
Surse dal trono; per la man le strinse,
E le care baciò fronti divine
Come paterna tenerezza il vinse.
Poi diè lor d'oro il seggio e di reine
L'adornamento, e il crin di lauro avvinse,
D'eterno lauro che d'accanto all'onda
Del nettare dispiega alto la fronda.

Strada è lassú regal sublime e bianca,
Che dal giunonio latte il nome toglie:
De' piú possenti numi a destra e a manca
Vi son gli alberghi con aperte soglie.
Ma dove piú del ciel la luce è stanca
Confuso il volgo degli dei s'accoglie:
Le Nebbie erran laggiú canute i crini,
E l'ignee Nubi delle nebbie affini,

E i Turbini rapaci, e le Tempeste
Co' Zefiri che l'ali han di farfalle,
Tal menando un rumor che la celeste
Ne risuona da lunge ampia convalle.
Un piú liquido lume infiora e veste
Le sponde intanto di quel latteo calle.
Ivi i palagi del Tonante sono,
Ivi le rocche tutte d'oro e il trono.

Ed in questa del ciel parte migliore
Giove accolse le Muse, e alle pudiche
Liberal concedette il genitore
Splendide case eternamente apriche;
A cui d'accanto la magion d'Amore
Sorge con quella delle Grazie amiche,
Dive senza il cui nume opra e favella
Nulla è che piaccia e nulla cosa è bella.

Fra le Grazie e Cupido e le Camene
Dolce allor d'Amistá patto si feo.

Poi qual pegno d'amor piú si conviene
Ogni nume lor porse; il Tegeeo
Le sette amate disuguali avene;
Ciprigna il mirto; i pampini Lieo;
E a Melpomene fiera il forte Alcide
Donar l'insegna del valor si vide.

Venne Mercurio, e alle fanciulle offerse
La prima lira di sua man costrutta:
Apollo venne, e del futuro aperse
Il chiuso libro e la scienza tutta:
Pito ancor essa, onde il bel dire emerse,
Le Muse a salutar si fu condutta,
E l'arte insegnò lor dolce e soave
Che dell'alma e del cor volge la chiave.

Piú volubili allor l'inclite dive
Mandar dal labbro d'eloquenza i fiumi;
Allor con voci piú sonanti e vive
La densa celebrar stirpe de' numi;
Quanti le selve e de' ruscei le rive
E de' monti frequentando i cacumi,
Quanti ne nutre il mar, quanti nel fonte
Del nettare lassú bagnan la fronte.

Primamente cantar l'opre d'Amore;
Non del figliuol di Venere impudico,
Che tiranno dell'alme feritore
La virtú calca di ragion nimico;
Ma delle cose Amor generatore,
Il piú bello de' numi ed il piú antico,
Che forte in sua possanza alta infinita
Pria del tempo e del moto ebbe la vita.

Ei del caosse sulla faccia oscura
Le dorate spiegò purpuree penne,
E d'Amor l'aura genitrice e pura
Scaldò l'abisso e fecondando il venne.
Del viver suo la vergine Natura

I fremiti primieri allor sostenne,
E da quell'ombre giá pregnanti e rotte
L'Erebo nacque e la pensosa Notte.

Poi la Notte d'amor, l'almo disio
Sentí pur essa, e all'Erebo mischiosse;
E dolce un tremor diede e concepio,
E doppia prole dal suo grembo scosse;
Il Giorno, io dico, luminoso e dio,
E l'Etere che lieve intorno mosse;
Onde i semi si svolsero dell'acque,
Della terra, del fuoco, e il mondo nacque.

Quindi la Terra all'Etere si giunse
Mirabilmente, e partorinne il Cielo,
Il Ciel che d'astri il manto si trapunse
Per farne al volto della madre un velo.
Ed ella allor piú bei sembianti assunse:
L'erbe, i fior si drizzaro in su lo stelo;
Chiomarsi i boschi, scaturiro i fonti,
Giacquer le valli, e alzar la testa i monti.

Forte muggendo allor le sue profonde
Sacre correnti l'Oceán diffuse,
E maestoso colle fervid'onde
Circondò l'Orbe e in grembo lo si chiuse.
Poi con alti imenei nelle feconde
Braccia di Teti antica dea s'infuse,
E di Proteo fatidico la feo
E di Doride madre e di Neréo,

E dei fiumi taurini e dei torrenti,
E di molte magnanime donzelle,
Cui del cielo son noti i cangiamenti
E del sol le fatiche e delle stelle.
Predir sann'anco lo spirar de' venti
E il destarsi e il dormir delle procelle,
San come il tuono il suo ruggito metta
E le prest'ale il lampo e la saetta.

San quale occulta formidabil esca
Pasce i cupi tremuoti e li commove;
San qual forza i vapori in alto adesca
E dell'arsa gran madre in sen li piove;
Come il flutto si gonfi e poi decresca,
E cento di natura arcane prove;
Ché natura alle vaghe Oceanine
Tutte le sue rivela opre divine.

E son tremila, di che il grembo ha pieno,
Del canuto Oceán l'alme figliuole,
Che l'etiopio pelago e il tirreno
Fanno spumar con libere carole.
Ed altre dell'Egeo fendono il seno,
Altre a quell'onda in cui si corca il sole,
Lá dove Atlante lo stridore ascolta
Del gran carro febeo che in mar dá volta.

Altre ad aprir conchiglie, altre si danno
Dai vivi scogli a svellere coralli;
Per le liquide vie tal altre vanno
Frenando verdi alipedi cavalli.
Qual tesse ad un Triton lascivo inganno,
Qual gl'invola la conca: e canti e balli
E di palme un gran battere e di piedi
Tutte assorda le cave umide sedi.

Cosí cantar dell'orbe giovinetto
Gli alti esordii le Muse e l'incremento;
E un insolito errava almo diletto
Sul cor de' numi all'immortal concento.
Poi disser come dal profondo petto
La Terra suscitò nuovo portento,
Col Ciel marito nequitosa e rea,
Che i suoi figli, crudel spenti volea.

Quindi i Titani di cor fero ed alto
Con parto ella creò nefando e diro,
Congiurati con Oto ed Efialto

L'EPICO

Ad espugnar l'intemerato Empiro.
La gioventú superba al grande assalto
Con grande orgoglio e gran possanza usciro,
E fragorosa la terra tremava
Sotto i vasti lor passi, e il mar mugghiava.

Ma Piracmon dall'altra parte e Bronte,
Co' lor fratelli affumicati e nudi,
Sudor gocciando dall'occhiuta fronte
Per la selva de' petti ispidi e rudi,
Cupamente facean l'eolio monte
Gemere al suon delle vulcanie incudi,
I fulmini temprando onde far guerra
Giove ai figli dovea dell'empia Terra.

. Tutte di ferro esercitato e greve
Son l'orrende saette; ed ogni strale
Tre raggi in sé di grandine riceve
E tre d'elementar foco immortale,
Tre di rapido vento e tre ne beve
D'acquosa nube, e larghe in mezzo ha l'ale.
Poi di lampi una livida mistura
E di tuoni vi cola e di paura;

E di furie e di fiamme e di fracasso
Che tutto introna orribilmente il mondo.
Prende il nume quest'arme e move il passo:
Il ciel s'incurva, e par che manchi al pondo.
Sentinne il re Pluton l'alto conquasso,
E gli occhi alzò smarrito e tremebondo;
Ché le volte di bronzo e i ferrei muri
All'impeto stimò poco securi.

Da' fulmini squarciata e tutta in foco
Stride la terra per immensa doglia.
Rimbombano le valli, e caldo e roco
Con fervide procelle il mar gorgoglia.
Vincitrice, di Giove in ogni loco
La vendetta s'aggira; e par che voglia

Sotto il carco de' numi il gran convesso
Slegarsi tutto dell'Olimpo oppresso.

 E in cielo e in terra e tra la terra e il cielo
Tutto è vampa e ruina e fumo e polve.
Fugge smarrita del signor di Delo
La luce, e indietro per terror si volve.
Fugge avvolta ogni stella in fosco velo,
Ed urtasi ogni sfera e si dissolve:
E immoto nell'orribile frastuono
Non riman che del Fato il ferreo trono.

 Ma coraggio non perde la terrestre
Stirpe, né par che troppo le ne caglia.
Di divelte montagne arman le destre,
E fan con rupi e scogli la battaglia.
Odonsi cigolar sotto l'alpestre
Peso le membra, e ognun fatica e scaglia
Tre volte all'arduo ciel diero la scossa,
Sovra Pelio imponendo Olimpo ed Ossa.

 E tre volte il gran padre fulminando,
Spezzò gl'imposti monti e li disperse,
E dalle stelle mal tentate in bando
Nel Tartaro cacciò le squadre avverse:
Nove giorni le venne in giú rotando,
E nel decimo al fondo le sommerse;
Orribil fondo d'ogni luce muto,
Che da perpetui venti è combattuto.

 E tanto della terra al centro scende,
Quanto lunge dal ciel scende la terra.
Di pianto in mezzo una fiumana il fende,
Di ferro intorno una muraglia il serra;
E di ferro son pur le porte orrende
Che Nettuno vi pose in quella guerra.
I Titani lá dentro eterna e vera
Mena in volta la pioggia e la bufera.

L'EPICO

Ivi Giapeto si rivolve a Ceo,
E l'altra turba che i celesti assalse;
Ivi Gige, ivi Coto e Briareo
Cui la forza centimana non valse.
Fuor dell'atra prigion restò Tifeo,
Ch'altramente punirlo a Giove calse:
Su l'ineffabil mostro in giú travolto
Lanciò Sicilia tutta; e non fu molto.

Peloro la diritta e gli comprime
Pachin la manca e Lilibeo le piante:
Schiaccia l'immensa fronte Etna sublime,
Di fornaci e d'incudi Etna tonante.
Quindi come il dolor dal petto esprime
E mutar tenta il fianco il gran gigante,
Fumo e fiamme dal sen mugghiando erutta.
Ne trema il monte e la Trinacria tutta.

Del sacrilego ardir sortí compagna
Encelado a Tifeo la pena e il loco.
Gli altri sulla flegrea vasta campagna
Rovesciati esalar di Giove il foco:
Ond'ivi ancor la valle e la montagna
Mandan fumo e rumor funesto e roco.
Della divina Creta alcun satolle
Fe' del suo sangue le feconde zolle.

E tu pur desti agli empii sepoltura,
Terribile Vesevo, che la piena
Versi rugghiando di tua lava impura
Vicino ahi troppo! alla regal Sirena.
Deh sul giardin d'Italia e di natura
I tuoi torrenti incenditori affrena;
E questa d'Acheloo leggiadra figlia
Non far che per te meste abbia le ciglia.

Il sacro delle Muse almo concento
Del ciel rapiti gli ascoltanti avea.

Tacean le dive; e desioso e attento
Ogni nume l'orecchio ancor porgea.
Del nettare il ruscello i piè d'argento
Fermare anch'esso per udir parea,
E lungo l'immortal santissim'onda
Né fior l'aure agitavano né fronda.

   Qual dell'alba discende il queto umore
Sull'erbe sitibonde in piaggia aprica,
Tal discese agli dei dolce sul core
La rimembranza della storia antica.
Rammentò ciaschedun del suo valore
In quel duro certame la fatica.
Polibote a Nettuno e gli Aloidi
Di gran vanto fur campo ai Latonidi.

   Favellò del crudel Porfirione,
Alto scotendo la fulminea clava,
L'indomato figliuol d'Anfitrione,
E con superbo incesso il capo alzava.
Ma delle Muse l'immortal canzone
Te piú ch'altri, o Minerva, dilettava,
Te che il primo recasti, o dea tremenda,
Soccorso al padre nella pugna orrenda.

   Né alle sacre cavalle in mar tergesti
I polverosi fianchi insanguinati,
Né il gradito a gustar le conducesti
Fresco trifoglio ne' cecropii prati,
S'ai Terrigeni in pria morder non festi
La sabbia in Flegra, e non fur pieni i fati,
I fati che ponean Giove in periglio
Senza il braccio d'Alcide e il tuo consiglio.

   Cosí gl'immani anguipedi pagaro
Di lor nefanda scelleranza il fio;
Ai superbi cosí costar fe' caro
Quel famoso ardimento il maggior dio.

L'EPICO

Egra la Terra in tanto caso amaro
Ai caduti suoi figli il grembo aprio,
E di cocenti lagrime cosparse
Le lor gran membra folgorate ed arse.

E ardea pur ella, e i folti incenerire
Sul capo si sentia verdi capelli
Dal fulmine combusti e in sen bollire
L'alte vene de' fiumi e de' ruscelli:
In sospiri esalava il suo soffrire,
Gli occhi alzando offuscati e non piú quelli:
Volea pregar, ma vinta dal vapore
La debil voce ricadea nel core.

Le volse un guardo di Saturno il figlio,
Pietá n'ebbe, e le folgori depose,
E tornò col chinar del sopracciglio.
Il primo volto alle create cose.
Scorse le sfere col divin consiglio
E la rotta armonia ne ricompose,
Alla traccia dell'orbite smarrite
Richiamando le stelle impaurite.

Scorse la terra, ed alle piante uccise
Ricondusse la vita e ai morti fiori;
E fuor di sue latebre il capo mise
Il fonte e sciolse i trepidanti umori.
Tu il mar scorresti ancora, e il mar sorrise,
Posti in silenzio i fremiti sonori.
Sdegnato lo guardasti, ed ei sdegnossi:
Lo guardasti placato, ed ei placossi.

Salve, massimo Giove: o che vaghezza
D'errar ti prenda per gli eterei campi
Sul carro in che Giustizia e Robustezza
Sublime ti locar fra tuoni e lampi;
O che deposta la regal grandezza
Pel nativo Liceo l'orma tu stampi;

O le Melie nutrici e la contrada
Della tua Creta visitando vada;
   O, le parlanti querce dodonee
E di Libia lasciando le cortine,
Nel sen ti piaccia delle selve Idee
Le stanche riposar membra divine;
O colle Muse su le rote elee
Ir d'olimpica polve asperso il crine,
Mentre il canto teban l'aquila molce
Che su l'aureo tuo scettro in pié si folce:

   Tu beato, tu saggio e onnipossente,
E degli uomini padre e degli dei:
Tu provvida del mondo anima e mente,
Tu regola de' casi o fausti o rei:
A te cade la pioggia obbediente:
A te son ligi i dí sereni e bei:
A te consorte è Temi e Palla è figlia,
E da te scende il saggio e ti somiglia.

   Sacri sono a Gradivo i buon guerrieri.
Gli artefici a Vulcano, a Febo i vati;
A Cinzia i cacciator selvaggi e feri
Della sposa fedel dimenticati;
De' popoli a te, Giove, i condottieri,
E tu la mente ne governi e i fati.
Deh! l'anime supreme, in cui s'affida
L'itala libertá, soccorri e guida.

   Proteggi insieme delle Muse il canto,
E ciò torni a tuo pro. Morta è la lode
De' numi e degli eroi dove del santo
Elicona sonar l'inno non s'ode:
Molta virtú sepolta giace accanto
Alla viltá, perché non ebbe un prode
Vate amico al suo fianco; e le bell'opre
Che non hanno cantor l'oblio ricopre.

LA FERONIADE.

CANTO PRIMO.

I lunghi affanni ed il perduto regno
Di Feronia dirò, Diva latina
Che del suo nome fe' beata un giorno
Di Saturno la terra. Ella per fiere
Balze e foreste errò gran tempo esclusa
Da' suoi santi delubri, e molto pianse
Dai superbi disdegni esercitata
D'una Diva maggior che l'inseguia,
Finché novelli sagrifici ottenne
Sugli altari sabini, e le fur resi
Per voler delle Parche i tolti onori.

Ma qual de' Numi l'infelice afflisse,
E lei, ch'era pur Diva, in tanto lutto
Avvolgere poteo? Fu la crudele
Moglie di Giove, e un suo furor geloso.
Tu che tutte ne sai l'alte cagioni,
Tu le mi narra, o Musa, e dall'oblio
Traggi alla luce il memorando fatto
Non ancor manifesto in Elicona.
E se dianzi di nuove itale note
L'ira vestendo del Pelide Achille,
Alcuna meritai grazia, o mercede,
Su questi carmi, che tentando or vegno,
Di quel nettare, o Dea, spargi una stilla,
Che dal meonio fonte si deriva,
Non giá quando con piena impetuosa
Gl'iliaci campi inonda, a tal che gonfi
Dell'alta strage Simoenta e Xanto
Al mar non ponno ritrovar la via,
Ma quando, lene mormorando, irriga
I feacii giardini: e dolce rendi
Su le mie labbra la pimplea favella. [1]

Lá dove imposto a biancheggianti sassi
Su la circéa marina Ansuro pende,
E nebulosa il piede aspro gli bagna
La pomezia palude, a cui fan lunga
Le montagne Lepine ombra e corona,
Una Ninfa giá fu delle propinque
Selve leggiadra abitatrice, ed era
Il suo nome Feronia. I laurentini
Boschi, e quei che la fulva onda nudrisce
Del sacro fiume tiberin, quantunque
Di Canente superbi e di Pomona,
Non videro giammai forme piú care.
Qual verno fiore che segreto nasce
In rinchiuso giardin, né piede il tocca
Di pastor, né di greggia; amorosetta
L'aura il molce, di sue tremole perle
L'alba l'ingemma, e lo dipinge il sole
Di sí vivo color, che il crine e il seno
D'ogni donzella innamorata il brama;
Tal di Feronia la beltá crescea,
Era diletto suo di peregrine
Piante, e di fiori in suolo estranio nati
L'odorosa educar dolce famiglia,
Propagarne le stirpi, e cittadina
Dell'Ausonio terren farne la prole.
Sotto la mano della pia cultrice
Ricevean nuove leggi e nuova vita
Le selvatiche madri, e, il fero ingegno
Mansuefatto e il barbaro costume,
Del ciel cangiato si godean superbe.
Ed essa la gentil Ninfa sagace
Con lungo studio e paziente cura
I tenerelli parti ne nudria,
Castigando i ritrosi, e a culto onesto
Traducendo i malnati. Essa il rigoglio

L'EPICO

Ne correggeva ed il non casto istinto,
Essa gli odii segreti e i morbi e i sonni
E gli amor ne curava e i maritaggi,
Securo a tutti procacciando il seggio,
E salubri ruscelli ed aure amiche;
Né violarli ardia co' morsi acuti
D'Orizia il rapitor, che irato altrove
Volgea le furie, e con le forti penne
L'antiche flagellava appule selve,
O di Lucrino i risonanti lidi.

  Ma chi potria di tutti a parte a parte
Il sesso riferir, la patria, il nome?
V'era la rosa, che mandar primieri
Di Damasco i giardini e di Mileto;
Quella rosa che poi, nel fortunato
Grembo translata dell'Ausonia terra,
Fu Pestana nomata e Prenestina.
Sua sorella minor, ma di piú grido,
Le fioriva da canto la modesta
Licnide figlia delle ambrosie linfe,
Di che le Grazie un dí le belle membra
Lavar di Citeréa, quando dai primi
Ruvidi amplessi di Vulcan si sciolse.

  Altro amor di Ciprigna in altra parte
L'amaraco olezzava. In su la sponda
L'avean del Xanto le sue rosee dita
Piantato; e il petto e le divine chiome
Adornarsi di questo ella solea,
Quando desire la pungea di farsi
Al suo fero amatore ancor piú bella.

  Ecco prole gentil d'egizia madre
Vivaci aprirsi su l'allegro stelo
Il sonnifero loto, e il molle acanto
Che alla soave colocasia gode
Intrecciar le sue fronde. Ecco il portento

Dell'arte, che talor vince natura,
Il superbo ranuncolo, un dí vile
Mal noto fiore, ed or per l'opra e il senno
Di Feronia, che molto amor gli pose,
Fatto sí bello, che il diresti rege
Degl'itali giardini. Aleppo e Cipro,
Candia, Rodi e Damasco in umil pompa
Il mandaro alla Diva: ed ella, esperta
De' botanici arcani, immantinenti
Di variate polveri ne sparse
L'ima radice, che le bebbe, e a lui
Di ben cento color tinse le chiome.
E tale or questo di bell'arte figlio
Di donzelle non solo e di fiorenti
Spose, a cui lode è la beltá nudrire,
Ma di matrone ancor cura e desio,
Ne' romani teatri e ne' conviti
Alle antiche patrizie il petto adorna,
Ove Amor spegne la sua face, e ride.

Ma piú cara alle Grazie ed alla casta
Man di Feronia, con piú pio riguardo
Educata tu cresci, o mammoletta,
Tu che negli orti cirenei dal fiato
Generata d'Amore, e dallo stesso
Amor sul colle pallantéo tradutta,
Di Zefiro la sposa innamorasti,
E del suo seno e de' pensier suoi primi
Conseguisti l'onor. Pudica e cara
Nunzia d'april, deh! quando per le siepi
Dell'ameno Cernobbio in sul mattino
Isabella ed Emilia, alme fanciulle, [2]
Di te fan preda e festa, e tu beata
Vai fra la neve de' virginei petti
Nuove fragranze ad acquistar, deh! movi,
Mammoletta gentil queste parole:

L'EPICO

Di primavera il primo fior saluta
Di Cernobbio le rose, onde s'ingemma
Della regale Olona il paradiso,
Che di bei fior penuria unqua non soffre.
Felice l'aura che vi bacia, e tutta
Di ben olenti spirti in voi s'imbeve;
E felice lo stelo, onde vi venne
Sí schietta leggiadria: ma mille volte
Piú felice e beato al par de' Numi
Chi con man pura da virtú guidata
Dispiccarvi saprá dalla natia
Fiorita spina, e d'Imeneo sull'ara
Con amoroso ardor farvi piú belle:
Ché senza amor non è beltá perfetta,
Né mai perfetto amor senza virtude.
  Dove te lascio ne' meonii campi
Sí lodato, o d'incanti e di malie
Possente domator, tu che dai Numi
Moly sei detto con parola al volgo
Non conceduta, e sol dal saggio intesa
(Ché al volgo corruttor d'ogni favella
Parlar la lingua degli Dei non lice).
Se lá di Circe fra le mandre Ulisse
Non stampò di ferine orme il terreno
Di questa erbetta e del suo latteo fiore
Alla virtú di dee: parlante emblema,
Del cui velo copria l'antico senno
La temperanza, che de' turpi affetti
Doma il poter. Di questo portentoso
Vegetante fra noi, siccome è grido,
Di Maia il figlio dal natio Cillene
La tenera portò bruna radice,
E dell'accorto Dio fu degno il dono.
Con questa ei tutti della maga i filtri
Contra l'itaco eroe fece impotenti;

E il suo bel fior, che da non casta mano
Sdegna esser tocco, di Feronia poscia
Dolce cura divenne, che di mille
Felici erbette gli fe' siepe intorno,
Altre d'eterno verde, altre dotate
Di medica virtude, onde il furore
Placar de' morbi, addormentar le serpi,
E sanarne i veleni, altre che il sonno
Inducono benigne, il dolce sonno
Degli afflitti sí caro alle palpebre.
E tal di tutte un indistinto uscia
Soave olezzo che apprendeasi al core.

  Che di mille dirò scelti arboscelli
Lieti a dovizia di nettarei frutti,
E di fiori e di chiome, in cui Natura
Per infinite variate guise
Spiegò la pompa della sua ricchezza?
Alle ben nate piante peregrine,
Qual d'arabo lignaggio e qual d'assiro,
Qual dall'Indo venuta e qual dal Nilo,
L'italo suolo arrise e sue le fece,
Sí che in lor della patria e della prima
Origine il ricordo oggi è perduto.
Tanto è l'amor del nuovo cielo, e tanta
Fu la cura di lei, che nel ben chiuso
Suo viridario ad educarle prese,
Or con arte confuse, ed or disposte
In bei filari, come stral diritti,
Rallegrando di molli ombre i sentieri.

  Ecco schiuder dal seno i bei rubini,
A Minerva e a Giunon pianta gradita,
E a Cerere cagion d'alto disdegno,
Il coronato melagrano, e tutti
Adescar gli occhi ed invitar le mani.
Ecco il melo cidonio alle gibbose

L'EPICO

Sue tarde figlie di lasciva e molle
Lanugine vestir le bionde gote,
Del cui fragrante sugo hanno in costume
Le amorose donzelle in Oriente
Nudrir la bocca ed il virgineo fiato,
Quando la face d'Imeneo le guida
Di bramoso garzone ai caldi amplessi.
Vedi il Perso arboscel, che i rosei frutti
Ne mostra di lontan; vedi il fratello
D'armena stirpe, che con gli aurei figli
Gli contende superbo i primi onori;
Perocché dai regali orti sconfitti
Dell'atterrata Cerasonte ancora [3]
Quel fiammante rival giunto non era,
Che di corpo minor, ma di più viva
Porpora acceso, avria lor tolto un giorno
E di bellezza e di dolcezza il vanto.
Ma stillante più ch'altri ibleo sapore
L'onor dispiega di sue larghe chiome
Il calcidico fico, il cui bel frutto,
Se verace è la fama, alle celesti
Mense sol noto, fra' mortali addusse,
E a Fitalo donò la vagabonda
Cerere, allor che tutta iva scorrendo
La terra in traccia della tolta figlia.
All'apparir della divina pianta
Di molte forme e molti nomi altera
Tutte esultar le rive; e Cipro e Chio
E gli orti ircani e i misii e il verde Egitto,
E la gran madre d'ogni bella cosa,
L'itala terra con attento amore
La coltivaro, e de' suoi dolci pomi,
Solo a Serse e a Cartago agri e funesti,
Fer gioconde le mense anche più vili.

Né te, quantunque umil pianta vulgare,
Lascerò ne' miei carmi inonorato,
Babilonico salcio, che piangente
Ami nomarti, e or sovra i laghi e i fonti
Spandi la pioggia de' tuoi lunghi crini,
Or su le tombe degli amati estinti,
Che ne' cupi silenzii della notte
Escono consolate ombre a raccorre
Sul freddo sasso degli amici il pianto.
Tu non vanti dei lauri e delle querce
Il trionfale onor, ma delle Muse,
Che di tenere idee pascon la mente,
Agli studi sei caro, e da' tuoi rami
Pendon l'arpe e le cetre, onde si sparge
Di pia dolcezza il cor degl'infelici.
Salve, sacra al dolor mistica pianta,
E l'umil zolla, che i mortali avanzi
Del mio Giulio nasconde, in cui sepolto
Giace il sostegno di mia stanca vita,
Della dolce ombra tua copri cortese.
E tu strazio d'amore e di fortuna,
Tu derelitta sua misera sposa,
Che del caldo tuo cor tempio ed avello
Festi a tanto marito, e quivi il vedi,
E gli parli, e ti struggi in voti amplessi
Da trista e cara illusion rapita,
Datti pace, o meschina, e ti conforti
Che non sei sola al danno. Odi il compianto
D'Italia tutta, i monumenti mira,
Che alla memoria di quel divo ingegno
Consacrano pietose anime belle.
E se tanto d'onore e di cordoglio
Argomento non salda la ferita
Che ti geme nel petto, e tuttavia
Il lagrimar ti giova, e forza cresce

Al generoso tuo dolor l'asciutto
Ciglio de' tristi, che alla voce sordi
Di natura e del ciel né d'un sospiro,
Né d'un sol fiore consolar l'estinto,
Dolce almeno ti sia, che su l'avaro
Di quell'ossa sacrate infando oblio
Freme il pubblico sdegno, e fa severa
Delle lagrime tue giusta vendetta.

   Ma dove, o Musa, di sentiero uscita
Ti tragge ira e pietá? Deh torna al riso
Del cantato giardin, torna ai profumi,
Alle fragranze che l'erbette e i fiori
Ti esalano d'intorno. A sé ti chiama
Principalmente ed il tuo canto aspetta
L'odorato de' Medi arbor felice,
Di cui non avvi piú possente e pronto
(Se fede acquista di Maron la Musa)
Medicame verun contra i veneni
Delle dire matrigne, allor che seco
Scellerate parole mormorando,
Empion le tazze di nocenti sughi.
Chioma e volto di lauro ha l'almo arbusto;
E se diverso e vivo in lontananza
Non gittasse l'odor, lauro saria.
Candidissimo è il fior di che s'ingemma,
Né per molto soffiar che faccia il vento,
L'onor mai perde della verde fronda.
Ora etrusco limone, or cedro, ed ora
Arancio lusitan l'appella il vulgo,
Sotto vario sembiante ognor lo stesso.
Questa è la pianta, che nel ciel creata,
L'aureo pomo fatal lassú produsse
Ch'Ilio in faville fe' cader: con questo
L'ardito Aconzio e Ippomene giá fero
(Che non insegni, Amor?) alle lor crude

Belle nemiche il fortunato inganno.
E fu pur questa, che ad immane drago
Die' negli orti a vegliar d'Esperetusa
Il sospettoso mauritano Atlante,
Finché di lá la svelse il forte Alcide,
Spento il fero custode, e peregrino
Seco l'addusse nell'Ausonio lito,
Quando di Spagna vincitor tornando
Nel Tevere lavò l'armento ibero,
E fe' sopra il ladron dell'Aventino
Delle tolte giovenche alta vendetta.
Poi com'egli d'Evandro abbandonate
Ebbe le mense e l'ospital ricetto,
E a quel giogo pervenne, ove nascoso
Agl'Itali mostrò la prima vite
Il ramingo dal ciel padre Saturno,
Ivi sul dorso edificò del monte
Sezia, un'umil cittá, donde Setina
Fu nomata la rupe; e qui di Giove
L'errante figlio alla saturnia terra
Primiero maritò. l'arbor divino
Che tutti empiè di meraviglia i colli ,
E d'invidia le selve. Al primo spiro
Del suo celeste odor vinta temette
(E fu giusto il timor) la sua fragranza
Di Preneste la rosa: al primo aspetto
Di quel candido fior vinte temette
Le sue vergini tinte il gelsomino.
A baciarlo lascive, a carezzarlo
D'ogni parte volar l'aure tirrene,
Desiose d'aver carchi del caro
Effluvio i vanni rugiadosi: corsero
A fregiarsene il crine e il colmo seno
D'Alba le Ninfe e di Laurento, e quelle
Del Vulturno arenoso e del Taburno.

L'EPICO

Corser da tutte le propinque rive
Gli Egipani protervi, e saltellando,
E via gittando ognun l'ispido pino,
Di questo ramo ghirlandar le fronti.
Lo volle il Dio d'Arcadia, e lo prepose
Agli ebuli sanguigni ed ai corimbi;
E lo volle Silvan, dimenticate
Le ferule fiorenti e i suoi gran gigli.
Venne anch'essa del Sol Circe la figlia,
E di sua mano un ramuscel spiccando
Della scesa dal ciel pianta diletta,
In grembo al sacro suo terreno il pose.
Cosí crebbe il divin bosco odorato,
Che di soave olezzo intorno tutte
Della maga spargea le rilucenti
Tremende case, ov'ella ognor cantando.
E con l'arguto pettine le tele
Percorrendo, facea dolce da lungi
E periglioso ai naviganti invito,
Mentre pel buio della tarda notte
Lamentarsi e ruggir s'udian leoni
Disdegnosi di sbarre e di catene,
Urlar lupi, e grugnire ed adirarsi
Nelle stalle cinghiali ed orsi orrendi,
Che fur uomini in prima, e della cruda
Incantatrice sventurati amanti.

   Queste ed altre infinite eran le piante,
E l'erbe e i fiori, che godea l'attenta
Di Feronia educar mano pudica;
Di tutti quanti i fiori ella il piú bello.
Ma sotto vago aspetto alma chiudendo
Superbetta, d'amor tutte parole
La ritrosa fanciulla ebbe in dispregio.
Né la vinse il pregar di madri afflitte,
Che la chiedeano in nuora, e per la schiva

Vedean languire i giovinetti figli;
Né mai lusinghe la piegar di quanti
Dei le latine ad abitar contrade
Dai pelasghi confini eran venuti.
Ch'ella a tutti s'invola, e non si cura
Conoscere d'amor l'alma dolcezza.
Ma di Giove non seppe un'amorosa
Frode fuggir. La vide, e da' begli occhi
Trafitto il Nume, la sembianza assunse
D'un imberbe fanciullo, e sí deluse
L'incauta Ninfa, e la si strinse al seno
Con divino imeneo. L'ombra d'un'elce
Del Dio protesse il dolce furto, e lieta
Sotto i lor fianchi germogliò la terra
La violetta, il croco ed il giacinto,
Ed abbondanti tenerelle erbette,
Che il talamo forniro; e le segrete
Opre d'amore una profonda e sacra
Caligine coprio: ma di baleni
Arse il ciel consapevole, ed i lunghi
Ululati iterar su la suprema
Vetta del monte le presaghe Ninfe.
Questi fur delle nozze inauspicate
I cantici, le faci, i testimoni;
Questo alla nuova del Tonante sposa
De' suoi mali il principio, e nol conobbe
L'infelice; ma ben di Giove il vide
L'eterno senno, né potendo il duro
Fato stornar, nel suo segreto il chiuse;
E la doglia, che solo il cor sapea,
Premendosi nel petto, a far piú mite
Il funesto avvenir volse il pensiero.
Primamente quel bosco e quella rupe
Sí gli piacque onorar, dove la Ninfa
Dell'occulto amor suo gli fu cortese,

L'EPICO

Che per loro obliò Dodona ed Ida,
E men care di Creta ebbe le selve:
Tal che le genti la presenza alfine
Sentir del Nume, e l'inchinar devote,
E Giove Imberbe l'invocar sull'are;
Ch'egli loro cosí mise in pensiero
Per la memoria del felice inganno.
Qui del culto novel consorte ei volle
La dolce amica sua; qui degli Eterni
In aurea tazza il nettare le porse,
E la fece immortal. Poscia, tonando,
Del monte il fianco occidental percosse;
E una subita fonte cristallina
Scaturí mormorando, e dalla balza
Comandò che perenne ella scorresse,
E da Feronia si nomasse: ed oggi
Serba quel nome ed il ricordo ancora
Dell'antico prodigio. Allor le volsche
Genti lor Diva l'adoraro, e lei
Antefora chiamaro e Filostefana,
E Persefone, e tutte a lei de' campi
Fur sacre le primizie. Ad inchinarla
Sovrana e Diva i Numi adunque tutti
Corser d'Ausonia; ché il voler tal era
Del supremo amator; e non pur quelli,
A cui per valli e campi e per montagne
Fuman l'are latine, e di plebeo
Rito van lieti, e di Minori han nome;
Ma mossero frequenti ad onorarla
Di cortese saluto anche i Maggiori.
Primo il padre Lieo, ch'indi non lungi
In un temuto e per antico orrore
Sacro delubro raccogliea benigno
Dal timor de' mortali incensi e voti:
E la bionda inventrice era con lui

Dell'auree spiche e delle sante leggi,
Cerere, che solea le pometine
Spesso anteporre alle trinacrie messi.
Né te d'Aricia il bosco, e il nemorense
Lago trattenne, o vergine Diana;
Ché tu pur del lunato argenteo carro
Al temo aggiunte le parrasie cerve,
Con gli altri Divi ad abbracciar venisti
La novella Immortale, e di te degna
Fu l'alta cortesia che ti condusse.
 Col favor di Feronia iva frattanto
Scorrendo i campi l'Abbondanza, e, tutto
Versando il corno, ben compiuta e ricca
Fea dell'avaro agricoltor la speme.
Ogni prato, ogni colle, ogni foresta
Di pastorali avene e di muggiti
E nitriti e belati alto risuona;
E prigioniera dall'opposte rupi
Le dolci querimonie Eco ripete.
Venti e quattro cittadi, onde l'immensa
Fertile valle si vedea cosparsa,
S'animar, s'abbelliro, e strette in nodo
Di care parentele in mezzo al sangue
De' torelli giurar dell'alleanza
Il sacramento; e l'invocata Diva
Le dilesse, e su lor piovve la piena
Di tranquilla ricchezza. Incontanente
Crebbero i Lari, crebbero le mura;
Di maestá, di forza e di rispetto
Le sante leggi si vestir; fur sacri
I reverendi magistrati; sacra
La patria caritá; sacro l'amore
Della fatica e dell'industria. Quindi
Tutte piene di strepito le vie,
E i teatri, e le curie; e dappertutto

L'EPICO

Un gemere di rote, un picchio assiduo
Di martelli e d'incudi, un suonar d'arme
Buone in pace ed in guerra, onde sí crebbe
La feroce de' Rutuli potenza,
Che al pietoso Troian tanto fe' poscia
Sotto il cimiero impallidir la fronte,
Quando gli disputar Camilla e Turno
Di Lavinia e d'Italia il grande acquisto.
    Eran le genti pometine adunque
Molte e forti e felici; e manifesta
Di Feronia apparia per ogni parte
La presenza, il favor, la possa e l'opra.
Però da cento altari a lei salia
Delle vittime il fumo, e ne godea
Il Tonante amator, che stanco e carco
Delle cure del mondo, a serenarle
Scendea sovente ne' segreti amplessi
Della diva fanciulla. Un aureo nembo
Li copriva; e oziosa al sole aprico
Col rostro della folgore ministro,
L'Aquila sacra si pulia le piume;
Mentre sicure dal furor di Giove
Tacean d'Ato e di Rodope le rupi,
E avea Bronte riposo in Mongibello. [4]
    Erasi intanto la Saturnia Giuno
Fatta accorta del dolo, e i suoi grand'occhi,
Che gelosia piú grandi anche facea,
Non fallibili segni avean giá scorto
Di nuova infedeltá. Raro il soggiorno
Del marito in Olimpo: alto il silenzio
Dei talami divini: inoltre mute
Della foresta dodonea le querce:
Cheti i tuoni dell'Ida, e dissipato
Il denso fumo che facea palese
La presenza del Nume: onde, turbata

In suo sospetto, alle nevose cime
Dell'Olimpo salita in giú rivolse
L'attento sguardo, e ricercò l'infido
Sul mar sidonio, sul nonacrio giogo,
Sull'Ismen, sull'Asopo, ove sovente
Delle vaghe mortali amor lo prese.
Indi in Ausonia declinando i lumi,
D'Ansuro nereggiar sul balzo vide
Tale un nugolo denso, che per vento
Non si movea di loco, ancorché tutta
Fosse in moto la selva. A cotal vista
Le si ristrinse il cor; le corse un gelo
Per le membra immortali, e si fer truci
I neri sopraccigli. Immantinente
Iri a sé chiama, e: Prestami, le dice,
Su via prestami, o fida, il tuo piovoso
Arco d'oro e di luce. E sí dicendo,
Né risposta aspettando, entro si chiude
A' taumanzii vapori, e taciturna
Su le rupi setine si precipita.
Tocca pur anco non avea la terra
Co' leggeri vestigi, che levarsi
L'invisibile Dea l'aquila vide,
L'aquila testimon del Dio marito;
E sotto l'ombra delle grandi penne
Furtiva e cheta camminar la nube,
E tra le piante dileguarsi. A lei
Dovunque passa riverenti e curvi
Dan loco i rami della selva; e l'aure
Non osano di far rissa e bisbiglio.
Volse indi l'occhio addietro, e, donde tolta
S'era la nube, in piè rizzarsi mira
Cosí bella una Ninfa, che alla stessa
Corrucciosa Giunon bella parea.
Sventurata beltá! L'ira e il dispetto

L'EPICO

Tu crescesti nel cor della gelosa,
Che spiccossi qual lampo, e rabbuffata
Con questi accenti alla rival fu sopra:
E qual ti prese insania ed arroganza
Insolente mortal, che una cotanta
A me far osi ingiuria, e non mi temi?
Ravvisami, proterva, io degli Dei
Son l'eterna reina, io la sorella,
Io la sposa di Giove. Scolorossi,
Tremò, si sgomentò, non fe' parola
La misera Feronia; e siccome era
Scomposta i veli e le bende e le chiome
Dell'amplesso celeste accusatrici,
Mise in tutto furor la sua nemica.
La qual su lei di rinnovar bramosa
Di Callisto la pena, ad un vincastro
Die' rabbiosa di piglio, e la percosse.
Attonito restò l'occhio e la mano
Dell'acerba Giunon, quando dell'altra
Vide al colpo divino inviolata
Resistere la salma, e le primiere
Sembianze rimaner: tosto conobbe
Che di tempra immortal fatta l'avea
L'onnipossente Nume; onde sdegnosa,
Ché a voto mira uscito il suo disegno,
E terribile e ria piú che mai fosse:
Questo, disse, al mio scorno anco mancava,
Adultera impudente, che dovesse
Farlosi eterno! Semele ed Alcmena
Eran poca vergogna all'onor mio,
E i due figli di Leda, e Ganimede;
Ch'altra ancor ne s'aggiunge, e di malnati
Mi si fan piene le celesti mense.
Ma inulta non andrò, se Giuno io sono,
Né tu senza castigo. Via di qua,

Via di qua, svergognata! E in questo dire
Il bianco braccio fieramente stese,
S'aggrandí, si scurò, gli occhi mandaro
Due fiamme a guisa di baleni in mezzo
Di tenebrosa nube; e la grand'ira,
Che il senno ancor degl'Immortali invola,
Quasi obliar di Diva e di reina
Le fe' modi e costumi. E di rincontro
Di Giove allor la dolorosa amante,
Che di rimorso trema e di rispetto,
Con basso ciglio e con incerto piede
Lagrimando partissi. Ella per monti
E per valli e per fiumi si dilunga,
E sempre a tergo ha la tremenda Giuno,
Che con minacce e dure onte e rampogne
Stimola e incalza l'infelice. Ahi! dunque
Era da tanto un amoroso errore?

E giá varcate avea le veliterne
Pendici, e gli ardui sassi, ove costrusse
Cora la sua cittá, Cora il fratello
Di Catillo e Tiburte; e non lontano
Era di Cinzia il sacro lago e il bosco,
Ove a Stige ritolto, e della Ninfa
Egeria in cura, Ippolito traeva
Cangiato in Virbio la seconda vita. [5]
Qui di Saturno l'adirata figlia
Sostenne i passi, e in balze aspre e deserte
Qui lasciò la meschina, e desiosa
Di vendetta maggior die' volta addietro.

Tra le priverne rupi e le setine [6]
S'apre immane spelonca, a cui di sopra
Grava il dosso una negra orrida selva,
E per lo mezzo la rinfresca un rivo,
Che con grato rumor casca e zampilla
Dalle fesse pareti. Ha di sedili

In vivo marmo una corona intorno,
E tal dalle mucose erbe si spande
Una fragranza, che da lungi avvisa
Veramente di Dei stanza e ricetto.
Qui da tutta la volsca regione
Per cento cave sotterranee vie
Vengon sovente a visitarsi i fiumi,
Il freddo Ufente, il lamentoso Astura,
Il sonoro Ninfeo, che tra le sacre
Sue danzanti isolette ad Anfitrite
Rapido volve e cristallino il flutto;
E il superbo Amasen che le gran corna
Mai non si terge, e strepitoso e torbo
Empie di loto i campi e di paura.
E cent'altri v'accorrono di fama
Poveri e d'onda fiumicei seguaci;
E cento Ninfe, che il cader degli astri
Conoscono del sole e della luna
Le armoniche vicende, e sanno i venti
E le piogge predire e le procelle.
Colá bieca sbuffando s'incammina
La di vendetta sitibonda Dea:
Simile a nembo di gragnuole gravido,
Che bruno il ciel viaggia, e orrendo stendesi
Su la bionda vallea, quando le Pleiadi,
Che d'Orion la spada incalza e stimola,
Negli atlantici flutti si sommergono,
E tutto ferve per burrasca il pelago.
Tal terribile in vista ella s'avanza;
E giunta in mezzo dello speco, in atto
Di maestá, di cruccio e di preghiera,
Fa dal labbro volar queste parole:
Fiumi, a cui delle volsche acque l'impero
Die' degli uomini il padre e degli Dei,
E voi le correggete, e a vostro senno

Le mandate a nudrir l'onda tirrena,
Una vil mia nemica, una spregiata
Di boschi abitatrice il cor mi tolse
Del mio consorte; e non è tutto. A lei,
A costei l'immortal vita è concessa,
Privilegio avvilito, e Dea l'adora
La bagnata da voi terra pontina.
Vendicate l'offesa; e s'io dall'etra
Vi dispenso le piogge, ite, abbattete,
Distruggete, spegnete. Altari e templi
E cittá rovesciate: io le vi dono,
E saran vostro regno; orma non resti
Dell'abborrito culto, e raddolcisca
La mia giust'ira di Feronia il pianto.
Disse; e per tutti a lei tosto l'Ufente
Diserto e chiaro parlator rispose:
A te l'esaminar conviensi, o Diva,
Il tuo desire, e l'adempirlo a noi.
Delle piove e de' nembi genitrice
Tu ne riempi l'urne, tu ne fai
Giove propizio, e ne concedi a mensa
Su l'Olimpo seder con gli altri Eterni.
Ciò detto, frettolosi e furiosi
Si dileguar per la caverna i fiumi,
Chi qua chi lá ciascuno alla sua sede;
E partendo ne fer tale un tumulto,
Tale un fracasso, che tremonne il monte.
N'udirono il fragor le pometine
Valli da lungi, e ne mandar muggiti
Di ruina presaghe; e palpitanti
Strinser le madri i pargoletti al seno.

 Mentre corrono quelli il rio precetto
A compir della Diva, e ai duri sassi
Aguzzano per via le corna e l'ira,
Levossi Giuno in aria, e spiegò il manto,

L'EPICO

In cui ravvolge le tempeste e i nembi,
E subito gonfiar le bocche i venti,
E le nubi aggruppar, che cielo e luce
Ai mortali rapiro, e si fe' notte,
Orrenda notte dal guizzar de' lampi
Rotta al fero de' tuoni fragor cupo.
Carco d'atre caligini la fronte
Vola l'umido Noto, ed afferrate
Con le gran palme le pendenti nubi,
Le squarcia risonante, e tenebrosa
Sgorga la piova; il rotto aere ne rugge;
E il suol ne geme, e le battute selve.
Scende un mar dalle rupi. Allora i fiumi
Versano l'urne abbeverate e colme,
E quattro di maggior superbia e lena
Da quattro parti sul soggetto piano,
Svelte, atterrate le tremanti ripe,
Con furor si devolvono. Spumosa
E fragorosa la terribil piena
Le capanne divora e i pingui colti,
E gli armenti e i pastori. E giá le mura
Delle cittadi assalta e le percote,
Di cadaveri ingombra e della fatta
Strage ne' campi: giá delle bastite
Crollano i fianchi: giá sfasciati piombano,
E dan la porta all'inimico flutto.
S'alza allor un compianto, un ululato
Di vergini, di vegli e di fanciulli:
Corrono ai templi, ed invocar Feronia,
E Feronia gridar odi piangenti
Le smorte turbe; e non le udia la Diva,
Ché maggior Diva il vieta. Essa, la fiera
Moglie di Giove, di sua man riversa
Dell'esule nemica i simulacri,
Ne sovverte gli altari; e la soccorre

Ministra al suo furor l'onda crudele,
Che tutte attorno le cittadi inghiotte.
Tre ne leva sul corno infuriando
Il veloce Ninfeo, che lutulenti
Spinse quel dí la prima volta i flutti,
L'umil Trapunzio e Longula e Polusca:
Tre la ferocia del possente Astura,
L'opima Mucamite, e l'alta Ulubra,
E la vetusta Satrico, a cui nulla
Il nume valse della dia Matuta.
E per te cadde, strepitoso Ufente,
Pomezia, la piú ricca e la piú bella. [7]
Pianse il giogo circeo la sua caduta,
E la pianser le Ninfe, a cui commessa
De' suoi vaghi giardini era la cura.
Il tremendo Amaseno avea frattanto
Sotto i vortici suoi sepolti intorno
I Barbarici campi, e fatto un lago
Della misera Ausona, e l'alte mura
D'Aurunca percotea, la piú guerriera
Delle volsche cittadi, e la piú antica.
Oltre gli anni di Dardano e Pelasgo
La sua fama ascendeva, e degli Aurunci
Venerevoli padri alto suonava
E glorioso fra le genti il grido.
L'avea quel fier divelta e conquassata
Dai fondamenti. Alle vicine rupi
Traggonsi in salvo gli abitanti; e il fiume
Li persegue mugghiando, e ne raggiunge
Altri al tallone, e li travolve, ed altri,
Che piú pronti afferrar giá la montagna,
Con l'immenso suo spruzzo li flagella,
E di paura li fa bianchi in viso.
Ben mille ne contorse entro i suoi gorghi
Quell'orribile Dio; ma di due soli,

L'EPICO

Timbro e Larina, il miserando fato
Non tacerò, se a tanto il cor resiste,
E pietoso il pensier non mi rifugge.
Amavansi cosí quegl'infelici,
Ch'altro mai tale non fu visto amore,
E d'Imeneo giá pronte eran le tede,
E consentian gioiosi al casto affetto
I genitori. Ahi brevi e false in terra
Le speranze e le gioie! In riva al mare,
Cui d'Anzio regge la Fortuna, avea
Pochi dí prima all'afrodisia madre
Porti i suoi voti, il giovinetto amante,
E abbracciato l'altar. Letta nel Fato
Del misero la sorte avea la Diva;
E della Diva il santo simulacro
Tremò, e sudante (maraviglia a dirsi!)
Torse altrove il bel capo, e non sostenne
Tanta pietá. Ma ben di Giuno il crudo
Cor la sostenne; e la virtude umana
Abbandonata si velò la fronte.
Nella comun sventura erasi Timbro,
Dopo molti in cercar la sua fedele
Scorsi perigli, l'ultimo su l'erta
Spinto in sicuro, e fra i dolenti amici
Di Larina inchiedea: Larina intorno,
Larina iva chiamando, e forsennato
Con le man tese e co' stillanti crini
Per la balza scorrea; quando spumosa
L'onda, che n'ebbe una pietá crudele,
La morta salma gliene spinse al piede.
Ahi vista! ahi, Timbro, che facesti, allora?
La raccolse quel misero, ed in braccio
La si recò; né pianse ei giá, ché tanto
Non permise il dolor; ma freddo e muto
Pendé gran pezza sul funesto incarco.

Poi mise un grido doloroso e disse:
Cosí mi torni? e son questi gli amplessi
Che mi dovevi? e questi i baci? e ch'io,
Ch'io sopravviva? E non seguí; ma stette
Sovr'essa immoto con le luci alquanto;
Poi sull'estinta abbandonossi, e i volti
E le labbra confuse, e cosí stretto
Si versò disperato entro dell'onda,
Che li ravvolse, e sovra lor si chiuse.

CANTO SECONDO.

Giá tutto di Feronia era il bel regno
In orrenda converso atra palude,
Che pelago parea; se non che rara
Dell'ardue torri e dell'aeree querce,
Non vinte ancor, l'interrompea la cima.
E giá su le placate onde leggeri
Spiravano i Favonii, e in curvi solchi
Arandole frangean sovra le molli
Crespe dell'acqua la saltante luce:
Quando di Circe la scoscesa balza
L'aspra Giuno salí. L'occhio rivolse
Alla vasta laguna, e, tutta intorno
La misurando con superbo sguardo,
Sorrise acerba su la sua vendetta.
Ma vista su la rupe in lontananza
Dall'incremento delle spume ultrici
Pur anco intatta alzar la fronte alcuna
Delle volsche cittá, che ree del culto
Dell'abborrita sua rival si fero,
Ed illeso agitar l'argute frondi
Non lungi il bosco di Feronia, il bosco
Che prestò l'ombra ai mal concessi amori,
Risorger si sentí l'ire nel petto

Giá moribonde; e poi che v'ebbe alquanto
Fisso il torbido sguardo, in cor si disse:
Io desister dall'opra, e del mio scorno
Patir che resti un monumento ancora?
Giá non fui sí pietosa inverso Egina,
E la stirpe di Cadmo abbominata;
Ché per quella mandai carca di fiera
Peste la morte su l'enopia terra; [8]
E sostenni per questa entro le case
Scendere io stessa dell'eterno pianto,
E di lá contra d'Atamante e d'Ino [9]
Tisifone invocar. Quei due superbi
Co' sonori serpenti ella percosse;
E allor nel figlio dispietate e crude
Fur le mani paterne, e de' suoi vanti
Ino furente mi scontò l'offesa.
E pur avola a Bacco era colei,
E a Venere nipote; e non m'avea,
Come questa malnata itala druda,
Tolti i miei dritti, e del maggior de' Numi
Aspirato alle nozze. Oh mia vergogna!
Poté Gradivo la feroce schiatta
Sterminar de' Lapiti: aver da Giove
Poté Diana al suo disdegno in preda
I Calidonii: e meritò poi tanto
De' Calidon la colpa e de' Lapiti?
Ed io progenie di Saturno, ed alta
De' Celesti reina, a mezzo corso
Ratterrò gli odi e l'ire, e dovrò tutte
Non consumarle? Oh mel contrasta il Fato;
E una fama pur or s'è sparsa in cielo,
Che al volgere de' lustri il senno e l'opra
D'Italici Potenti al mio furore
E all'impero dell'onde questi campi
Ritoglierá. Ritolgali: men giusta,

O men dolce uscirá forse per questo
La mia vendetta? Se cangiar non lice
Delle Parche il decreto, e chi ne vieta
L'indugiarlo, e tentar nuove ruine?
Del tuo delitto dolorose e care
Le pene pagherai, Ninfa superba:
Anche il Lazio s'avrá la sua Latona.
Non selva lascerò, non antro alcuno
Che ti riceva; scuoterò le rupi;
Crollerò le cittá dal tuo vil nume
Contaminate, e ne farò di tutte
Cenere e polve, che disperda il vento.
Nel turbato pensier seco volgendo
Queste cose la Dea, giunse d'un volo
Nell'eolie spelonche, orrendo albergo
Degli adusti Ciclopi e di Vulcano.
Stava questo dell'arti arbitro sommo
Intento a fabbricar per la pudica
Nemorense Diana un d'oro e bronzo
Gran piedestallo, su cui l'alma effigie
Collocar della Diva. E su le quattro
Fronti v'avea l'artefice divino
D'ammirando lavoro impresse e sculte
Di quell'almo paese avventurato
Le trascorse memorie e le future.

  Era a vedersi da una parte il lago
Tutto d'argento. Tremolar diresti
L'onde, e rotte spumar dai bianchi petti
Delle caste Amnisídi, a cui venute
Giá son men care le gargafie fonti, [10]
E d'Eurota le sponde. In su la riva
Della sacra laguna abbandonati
Giaccion gli archi e le frecce, onde famosi
Suonar di caccia fragorosa un giorno
Del Taigeto e d'Erimanto i boschi,

L'EPICO

Ed or la nemorense ne rimbomba
E la selva aricina. Indi non lunge
Stassi il carro lunato, e per la rupe
Sciolte dal giogo le parrasie cerve
Erran pascendo il tenero trifoglio,
Gradita erbetta, che gradir suol anco
Ai destrieri di Giove, ed alle caste
Di Minerva cavalle polverose.

  Alto a rimpetto, fra pudichi allori,
Di Trivia il tempio signoreggia, ed essa
La placabile Diva in su la soglia
Del grande Atride ad incontrar vien oltre
I pellegrini figli, Ifigenia
Sacerdotessa ed il fratello Oreste,
Pietoso Oreste e scellerato insieme,
Che per molti del mare e della terra
Duri perigli salvo le recavano
Il fatal simulacro insanguinato
Dalle tauriche sponde alle tirrene.

  In altro lato avea l'Ignipotente
Sculti i novelli sagrifici e l'are
Di Diana cruente, e i lagrimosi
Riti latini, e un contro l'altro armati
Di barbaro coltello i sacerdoti.

  Mirasi altrove il miserando caso
Del figliuol di Teséo. Gonfiata ed aspra
Spandeasi d'oro con argentee spume
La corinzia marina, a cui dal mezzo
Uscia sbuffando una cerulea foca.
E per orride balze ecco fuggire
Gli atterriti cavalli; ecco sul lido
Rovesciato dal carro e lacerato
L'innocente garzon. D'intorno al casto
Esangue corpo si batteano il petto
Di Trezene le vergini; e chiamando

Crudel Ciprigna, e piú crudel Nettuno,
Piú ch'altre in pianto si struggea Diana.
　Al pregar dell'afflitta indi seguia
D'Esculapio il prodigio e l'ardimento,
Ché, violato delle Parche il dritto,
Col poter della muta arte paterna
Torna il pudico giovinetto in vita;
Cui redivivo, e in densa nube avvolto,
Con mutati sembianti all'aricine
Selve poi reca la deliaca Diva,
E palpitando alla segreta cura
Il commette d'Egeria, inclita Ninfa
Delle leggi romane inspiratrice.
　S'apria di nero cianéo scolpita
Nel fianco della rupe una spelonca
Sacra di Pindo alle fanciulle, e cara
Piú che l'antro cirréo. Le serpe intorno
Con tortuoso piede una vivace
Edera d'oro, ed un ruscello in mezzo
Di purissimo elettro. Ivi furtivo
D'Egeria ai santi fortunati amplessi
(Ché di tanto fu degno) il successore
Di Romolo traeva. Ivi le scese
Leggi dal cielo ricevea sul labbro
Della diva consorte, e ai mansueti
Genii di pace traducea le genti
Col favor delle Muse e di quel grande
Spirto divin, che del troiano Euforbo
Pria la spoglia animò, poscia, migrando
Di corpo in corpo, la famosa salma
Del samio saggio ad informar pervenne,
E di Crotone empieo le mute scuole
Del saper dell'Assiria e dell'Egitto.
　V'era una balza dall'opposta fronte,
Che al bel lago sovrasta, orrendo nido

Di crude belve un tempo e di colubri,
Ed or vasta, ridente, aprica scena
Di lieti ulivi. Tra le verdi file
De' cecropii arboscelli alteramente
Minerva procedea, che del novello
Conquistato terren prendea diletto,
E con l'alta virtú, che dagli sguardi
E dall'alma presenza esce de' Numi,
Lieta facea le piante, e delle pingui
Bacche oleose nereggianti i rami.
L'accompagnava maestoso e bello
Alla manca un Signor d'alta fortuna,
Che con raro consiglio ed ardimento
Dell'antico orror suo giá spoglia avea
L'indocile montagna, e le ritrose
Alpestri glebe all'ostinata cura
Del pio cultore ad obbedir costrette.
Mentre all'ombra d'un'elce, e all'ozio in seno,
Che il suo Signor gli ha fatto, anzi il suo Dio,
Un poeta non vil l'aspre vicende
Di Feronia cantava, e per sentiero
Non calcato traeva l'itale Muse.

All'ultimo con raro magistero
L'indomito Vulcan v'avea scolpita
Una dolente giovinetta madre,
Che, con ambe le mani al crin facendo
Dispetto ed onta, su la fredda spoglia
Di tre figli piangea tolti alla poppa.
Taciturna e dimessa il padre Tebro
Volgea qui l'onda: su la mesta riva
Ploravano le Ninfe, e al Vaticano
Una nube di duol copria la fronte.
Lagrime tante alfin, tanti sospiri
Faceano forza al ciel, finché la santa
Madre d'Amore a consolar la donna

Dal terzo cerchio le piovea nel grembo
De' fecondi suoi raggi il quarto frutto.
Siccome vaga e tremula farfalla
Scendea quell'alma, e nel materno seno
L'avventurosa si venia vestendo
Di sí lucido vel, ch'altro non fece
Mai piú bell'ombra a piú leggiadro spirto.
Al felice natal presenti avea
Sculte il fabbro le Grazie, inclite Dive,
Senza il cui nume nulla cosa è bella.
V'era Lucina, a cui fur date in cura
Della vita le porte; eravi Giuno
Dei talami custode; e di Latona
L'alma figlia pur v'era, a cui dolenti
S'odon del parto sospirar le spose;
E in disparte frattanto un aureo stame
Al fatal fuso ravvolgean le Parche.
Delle rugose antiche Dee son tutte
Di pallid'oro le tremende facce,
E d'argento le chiome e i vestimenti.
Del narciso d'Averno incoronate
Van le rigide fronti, e un cotal misto
Mandan di riverenza e di paura,
Che l'occhio ne stupisce, e il cor ne trema.
 Dell'industre Vulcan l'opra tal era,
Mirabile, immortale. Affumicato,
E in gran faccenda l'indefesso Iddio
Di qua di lá scorrea per la fucina,
Visitando i lavori, e rampognando
I neghittosi: con le larghe pale
Altri il carbon nelle fornaci infonde
Scintillanti e ruggenti: altri, con rozze
Cantilene molcendo la fatica,
Dá il fiato e il toglie ai mantici ventosi
Che trenta ve n'avea di ventre enormi:

L'EPICO

Qual su l'incude le roventi masse
Del metallo castiga; e qual le tuffa
Nella fredda onda, che gorgoglia e stride.
Rimbomba la caverna, e dalle fronti
Di quei fieri garzoni in larga riga
Va il sudor per le gote e le mascelle
Sui gran petti pelosi. In questo mezzo
S'appresentò la veneranda Giuno
Nella negra spelonca e parve il fulgido
Volto del sole che fra dense nubi
Improvviso si mostra. E Bronte, il primo
Che la vide venir, die' segno agli altri
Di sostarsi e cessar per lo rispetto
Della moglie di Giove. Udí Vulcano
Della madre l'arrivo, e frettoloso,
Fra tanaglie e martelli e sgominate
Di metalli cataste zoppicando,
Le corse incontro: e presala per mano,
Di fuliggine tutta le ne tinse
La bianca neve. Prestamente quindi
Le trasse innanzi un elegante seggio,
Che d'oro avea le sponde, e lo sgabello
Di liscio cassitéro, ove la Diva
Posò l'eburnee piante; e cosí stando,
Di sua venuta le cagioni espose.
E primamente lamentossi a lungo
Dell'adultero Giove, alle cui voglie
Poco essendo la Grecia, ancor ripiena
De' suoi muggiti e de' suoi nembi d'oro,
E per tante or di cigno, or di serpente,
E di zampe caprigne, ed altre vili
Frodi d'amor contaminata e guasta,
Or ne venia d'Italia anco le belle
Spiagge a bruttar de' suoi lascivi ardori,
Della moglie dimentico e del cielo.

E qui fe' contra del fanciullo imberbe
La mentita sembianza, e i conceduti
Di Feronia complessi, e come assunta
Al concilio de' Numi era la druda;
E seguí, che per questo ella d'Olimpo
Lasciato avea le mense, e le cortine
De' talami celesti, e che desio
Sol di vendetta la traeva de' Volsci
Vagabonda sul lido, ove giá rotti
I primi sdegni avea, con alta mole
D'acque coprendo le pomezie valli
E le cittadi alla rival devote;
Ma non tutte però: ché salva alcuna
N'avean dall'onde le montagne intorno.
Quindi ben paga non andar, se tutto
Non abbatte, non guasta, non diserta
L'abborrito paese. Or prendi, o figlio,
Dell'eterno tuo foco una favilla;
Sveglia i tremuoti, che oziosi e pigri
Dormon nel fianco di quei monti: orrendo
Apri un lago di fiamme, ardi le rupi,
Struggi i campi e le selve; e piú non chieggo.
 Intento della madre alle parole
Stava Vulcano, ad una lunga mazza
Il cubito appoggiato; e poi che Giuno
Al ragionar diè fine, in questi accenti,
Su le piante mal fermo, egli rispose:
Ben io t'escuso, o madre, se di tanta
Ira t'accendi; ché d'amor tradito
Somma è la rabbia: ed io mel so per prova
Io misero e deforme, e ancor piú stolto,
Che bramai d'una Diva esser marito,
Bella, è ver, ma impudica e senza fede.
Pur ti conforta; ché per te son io
A tutto far disposto. Io sotto i muri

L'EPICO

Lagrimosi di Troia a tua preghiera
Giá col Xanto pugnai, quando spumoso
Co' vortici ei respinse il divo Achille,
Che di sangue troian gonfio lo fea;
E i salci gli avvampai, gli olmi, i ciperi
E l'alghe e le mirici in larga copia
Cresciute intorno alla sua verde ripa.
Or pensa se vorrò non adempire,
Di Giove in onta, il tuo desir, di Giove
Mio nemico del par che tuo tiranno.
Ti rammenta quel dí che fra voi surta
Su l'Olimpo contesa, avventurarmi
In tuo soccorso io volli. Egli d'un piede
M'afferrò furibondo, e fuor del cielo
Arrandellommi per l'immenso voto.
Intero un giorno rovinai col capo
In giú travolto, e con rapide rote
Vertiginose. Semivivo alfine
In Lenno caddi col cader del sole;
E chi sa quante in quell'alpestre balza
Lunghe e dure m'avrei doglie sofferte,
Se Eurinome la bella Oceanina,
E l'alma Teti doloroso e rotto
Non m'accogliean pietose in cavo speco,
A cui spumante intorno ed infinita
D'Oceán la corrente mormorava.
Ivi per tema del crudel mi vissi
Quasi due lustri sconosciuto e oscuro
Fabbro d'armille e di fermagli e d'altre
Opre al mio senno inferiori e vili.
Or i tuoi torti, o madre, io lo prometto,
E in uno i miei vendicherò: poi venga,
Se il vuol qua dentro a spaventarmi questo
Seduttor di fanciulle onnipossente,
Ingiusto padre ed infedel marito:

Vedrem che vaglia del suo carro il tuono
Senza il fulmine mio, senza l'aita
Del mio martello. In cosí dir l'irato
Dio sulla mazza con la man battea;
Poi gittolla in disparte, e corse ad una
Delle fornaci. All'infocate brage
Appressò le tanaglie: una ne trasse
D'inestinguibil tempra, e in cavo rame
L'imprigionò. Di cotal peste carchi
Della spelonca uscir Vulcano e Giuno,
Qual fameliche belve, che di notte
Lascian la tana, e taciturne e crude
Van nell'ovile a insanguinar l'artiglio.

  Della squallida grotta in su l'uscita
Di rugiadose stille allor raccolte
Dalle rose di Pesto Iri cosperse
La sua reina, e con ambrosia il divo
Corpo lavando, ne deterse il fumo
Ed ogni tristo odor. Dagl'immortali
Capelli della Dea quante sul suolo
Caddero gocce del licor celeste,
Tante nacquer viole ed asfodilli.

  Mosse, ciò fatto, la tremenda coppia
Circondata di nembi; e come lampo
Che solca il sen della materna nube
Con sí rapido vol, che la pupilla
Per quella riga a seguitarlo è tarda,
Tal di Giuno e Vulcano è la prestezza.
Su la vetta calar precipitosi
Delle rupi setine, onde la faccia
Scopriasi tutta del sommerso piano.
Guarda (disse Giunon), riguarda, o figlio,
Di mia vendetta le primizie. E in questo
Gli mostrava l'orribile palude
Da freschi venti combattuta e crespa,

L'EPICO

Mentre i raggi del Sol volti all'occaso
Scorrean vermigli su l'incerto flutto;
Del Sole, che parea dall'empia vista
Fuggir pietoso, e dietro ai colli albani
Pallida e mesta raccogliea la luce.
  Giá moria sulle cose ogni colore,
E terra e ciel tacea, fuor che del mare
L'incessante muggito; allor che pronto
Il fatal vase scoperchiò Vulcano,
E all'aura scintillar la rubiconda
Bragia ne fece. Ne sentiro il puzzo
I sotterranei zolfi e le piriti
E gli asfalti oleosi, e dal segreto
Amor sospinti, che tra loro i corpi
Lega, e l'un l'altro a desiar costrigne,
Ne concepir meraviglioso affetto,
E di salso umidor pasciuti e pingui
Si fermentaro, ed esalar di sopra
Improvvisa mefite. E pria le nari
Ne fur de' bruti e de' volanti offese,
Che tosto piene le contrade e i campi
Fer di lunghi stridori e di lamenti.
N'ululàrono i boschi e le caverne,
E tutti intorno paurosi i fonti
N'ebber senso d'orror. Corrotte allora
La prima volta le caronie linfe
Mandar l'alito rio, che tetro ancora
Spira, e infamato avvicinar non lascia
Né greggia, né pastor. L'almo ruscello
Di Feronia turbossi, e amare e sozze
Dalla pietra natia spinse le polle
Sí dolci in prima e cristalline. E Alcone
Pastor canuto, che v'avea sul margo
Il suo rustico tetto, a sé chiamando
Su l'uscio i figli, e il mar, le selve, il cielo

Esaminando, e palpitando: Oh! (disse)
Noi miseri, che fia? Mirate in quale
Fier silenzio sepolta è la natura!
Non stormisce virgulto, aura non muove,
Che un crin sollevi della fronte: il rivo,
Il sacro rivo di Feronia anch'esso
Ve' come sgorga lutulento, e fugge
Con insolito pianto; e lá Melampo,
Che in mezzo del cortil mette pietosi
Ululati, e da noi par che rifugga,
E a sé ne chiami. Ah chi sa quai sventure
L'amor suo n'ammonisce, e la sua fede!
Poniamo, o figli, le ginocchia a terra;
Supplichiamo agli Dei, che certo in ira
Son co' mortali. Avea ciò detto appena,
Che tingersi mirò l'aria in sanguigno,
E cupo un rombo propagossi. Il rombo
Venia dall'opra di Vulcan, che ratto
La montagna esplorando, ove piú vivo
Con lo spesso odorar sentia l'effluvio
De' commossi bitumi, entro un immane
Fendimento di rupi era disceso,
Buio baratro immenso, a cui di zolfi
Ferve in mezzo e d'asfalti un bulicame,
Che in cento rivi si dirama, e tutte
Per segreti cunicoli e sentieri
Pasce le membra degl'imposti monti.
In questa di tremuoti atra officina
Lasciò cader Mulcibero l'ardente
Irritato carbone. In un baleno
Fiammeggiò la vorago, e scoppi e tuoni
E turbini di fumo e di faville
Avvolser tutto l'incombusto Dio.
Piú veloce dell'ali del pensiero
Per le sulfuree vie corse la fiamma

L'EPICO

Licenziosa, ed abbracciò le immense
Ossa de' monti, e delle valli i fianchi,
E d'Anfitrite i gorghi. Allor dal fondo
Senza vento sospinti in gran tempesta
Saltano i flutti: ondeggiano le rupi,
E scuotono dal dosso le castella
E le svelte cittadi. Addolorata
Geme la terra, che snodar si sente
Le viscere e distrar le sue gran braccia.
E tu padre di mille incliti fiumi,
E di due mari nutritor, crollasti,
O nimboso Appennin, l'alte tue cime;
E spezzata temesti la catena
Che i tuoi gioghi all'estreme Alpi congiugne;
Siccome il dí, che col tridente eterno
Percotendo i tuoi fianchi il re Nettuno,
A tutta forza dall'esperio lido
Il siculo divise, e in mezzo all'onde
Procida spinse ed Ischia e Pitecusa.
Pluto istesso balzò forte atterrito
Dal suo lurido trono, e visti intorno
Crollar di Dite i muri e le colonne
(Ché dritto a piombo su l'inferna volta
Il tremoto ruggia), levò lo sguardo,
E violato dalla luce il regno
De' morti paventò. Stupore aggiunse
L'improvviso nitrito e calpestio
De' suoi neri cavalli che, le regie
Stalle intronando, inferocian da strano
Terror percossi, e le morate giubbe
E le briglie scuotean, foco sbuffando
Dalle larghe narici; infin che desta
A quel romor Proserpina, la bella
D'Averno imperatrice (che sovente
Prendea diletto con le rosee dita

Porger loro di Stige il saporoso
Melagrano divino), ad acchetarli
Corse, e per nome li chiamò, palpando
Soavemente di que' feri il petto
Con le palme amorose. Uscito intanto
Era Vulcan dalla tremenda buca
Lieto dell'opra, e con piacer crudele
Contemplava la polve e il denso fumo
Delle svelte cittá. Giace Mugilla,
E la ricca di pampani e d'olivi
Petrosa Ecetra, e la turrita Artena,
E l'illustre per salda intatta fede
Erculea Norba, a cui di cento greggi
Biancheggiavano i colli. E tu cadesti,
Cora infelice, e nelle tue ruine
Le ceneri perir sante del primo
Ausonio padre, né poter giovarti
Di Dardano i Penati, né degli almi
Figli di Leda la propizia stella
Che all'aprico tuo suol dolce ridea.
Voi sole a terra non andaste, o sacre
Ansure mura; ché di Giove amica
Vi sostenne la destra, e la caduta
Non permise dell'ara, ove tremenda
Riposava la folgore divina.
Sentí di voi pietade il Dio, di voi,
E non sentilla delle bianche chiome
D'Alcon, d'Alcone il piú giusto, il piú pio
Dell'Ausonia contrada. Umilemente
Al suol messo il ginocchio, il venerando
Veglio tenea levate al ciel le palme;
E a canto in quel medesmo atto composti
Gli eran due figli in vista sí pietosa,
Che fatto avria clementi anco le rupi.
Quando venne un tremor che violento

L'EPICO

Crollò la casa pastorale, e tutta
In un subito, ahi! tutta ebbe sepolta
L'innocente famiglia. Unico volle
La ria Parca lasciar Melampo in vita,
Raro di fede e d'amistade esempio.
Ei rimasto a plorar su la rovina,
Fra le macerie ricercando a lungo
Andò col fiuto il suo signor sepolto,
Immemore del cibo, e le notturne
Ombre rompendo d'ululati e pianti:
Finché quarto egli cadde, e non gl'increbbe,
Piú dal dolor che dal digiuno ucciso.
Fortunato Melampo! se qualcuna
Leggerá questi carmi alma cortese,
Spero io ben che n'andrá mesta e dolente
Sul tuo fin miserando. Il tuo bel nome
Ne' posteri sará quello de' veltri
Piú generosi; e noi malvagia stirpe
Dell'audace Giapeto, a cui peggiori
I figli seguiran, noi dalle belve
La verace amicizia apprenderemo.

CANTO TERZO.

All'ardua cima del sereno Olimpo
Risalia Giove intanto, e ad incontrarlo
Accorrean presti e riverenti i Numi
Su le porte del cielo. In mezzo a tutti,
In due schierati taciturne file,
Maestoso egli passa, a quella guisa
Che suol, calando al pallido Occidente,
Passar tra i verecondi astri minori
D'Iperione il luminoso figlio,
Quando dall'arsa eclittica il gran carro
Della luce ritira, e l'Ore ancelle

Sciolgono dal timon bianco di spuma
I fumanti cavalli. Ai sacri alberghi
Dell'aurea reggia rispettosi i Divi
Accompagnar l'Onnipotente; e giunti
Al grande limitar, per sé medesme
Si spalancar su cardini di bronzo
Le porte d'oro, che uno spirto move
Intrinseco e possente: e tale intorno
Nell'aprirsi mandar cupo un ruggito,
Che tutto ne tremò l'alto convesso.
Ivi in parte segreta, a cui nessuno
Non ardisce appressar degli altri Eterni
(Fuor che le meste e querule Preghiere,
Che libere pel ciel scorrono, e al Nume
Portano i voti degli oppressi e il pianto),
L'Egioco Padre in gran pensier s'assise
Sovra il balzo d'Olimpo il piú sublime.
Contemplava di lá giusto e pietoso
De' mortali gli affanni e le fatiche:
Mirò d'Ausonia i campi, e la pontina
Valle in orrendo pelago conversa;
Mirò per tutto (miserabil vista!)
Le sue tante cittadi, altre sommerse,
Altre per forza di tremuoto svelte
Dalle ondeggianti rupi, e la catena,
Donde pendon la terra e il mar sospesi,
Scuotersi ancora, ed oscillar commossa
Dalla tremenda di Vulcan possanza.
Ciò tutto contemplando in suo segreto
Non fu tardo a veder che tanto eccesso,
Tanta rovina saria poco all'ira
Della fiera consorte. In compagnia
Del potente de' fuochi egli la vide
Verso la sacra selva incamminarsi,
Ove Feronia nel maggior suo tempio

L'EPICO

Di vittime, d'incensi e di ghirlande
Dalle genti latine avea tributo.
Di Giuno ei quindi antivedendo il nuovo
Scellerato disegno, a sé chiamato
Di Maia il figlio esecutor veloce
De' suoi cenni, gli fe' queste parole:
Nuove furie gelose, o mio fedele,
Hanno turbato alla mia sposa il petto;
E quai del suo rancor giá sono usciti
Senza misura lagrimosi effetti,
Non t'è nascoso. Un simulacro avanza
Dell'esule Feronia, un tempio solo
Di tanti, che giá n'ebbe; e questo ancora
Vuole al suolo adeguar la furibonda.
Or che consiglio è il suo? Stolta, che tenta?
Se rispettar le nostre ire non sanno
Le sante cose in terra, e i monumenti
Dell'umana pietá, chi de' mortali
Sará che piú n'adori, e nella nostra
Divina qualitá piú ponga fede?
Prendi dunque sul mar tirreno il volo,
T'appresenta a Giunon carco de' miei
Forti comandi. Con le fiamme assalga,
Se tanto è il suo disdegno, anco la selva
(Ch'ella a ciò si prepara, e consentire
Io le vo' pur quest'ultima vendetta):
Ma se l'empia oserá stender la destra
Alle sacre pareti, e violarne
Il fatal simulacro, alla superba
Tu superbo farai queste parole:
Fisso è nel mio volere (e per la stigia
Onda lo giuro), che l'achea contrada
Lasciar debbano i Numi, e nell'opima
Itala terra stabilir piú fermo,
Piú temuto il lor seggio. Io le catene

Del mio padre Saturno ho giá disciolte,
E l'offesa obliai, che mi costrinse
A sbandirlo dal ciel. L'ospite suolo,
Che ramingo l'accolse e ascoso il tenne,
Sacro esser debbe, né aver dato asilo
Di Giove al genitor senza mercede.
Dopo il beato Olimpo in avvenire
Sia dunque Italia degli Dei la stanza;
E di lá parta un dí quanto valore
Della mente e del braccio in pace e in guerra
Fará suggetto il mondo, e quanta insieme
Civiltá, sapienza e gentilezza
Renderanno l'umana compagnia
Dalle belve divisa, e minor poco
Della divina. A secondar l'eccelso
Proponimento mio giá nello speco
Della rupe cumea rugge d'Apollo
La delfica cortina, ed esso il Dio,
Dimenticata la materna Delo,
Ai dipinti Agatirsi ama preporre
Del Soratte gli scalzi sacerdoti. [11]
Giá la sorella sua di Cinto i gioghi
Lieta abbandona, e le gargafie fonti,
Del nemorense lago innamorata.
Alle sorti di Licia han tolto il grido
Le prenestine, e di Laurento i boschi
Tacer giá fanno le parlanti querce
Della vinta Dodona. In su la spiaggia
D'Anzio diletta Venere trasporta
D'Amatunta i canestri, e Bacco, e Vesta,
E Cerere, e Minerva, e il re dell'onde
Son giá Numi latini. E alle latine
D'Elide l'are giá posposi io stesso,
E sul Tarpeo recai dell'Ida i tuoni

L'EPICO 351

E le procelle. Perocché maturo
Giá s'agita nell'urna il gran destino,
Che gloriosa dee fondar sul Tebro
La reina del mondo. Al sol bisbiglio
Che di lei fanno i tripodi cumani,
Tutta trema la terra: e giá s'appressa
D'Anchise il pio figliuol, seco adducendo
D'Ilio i Penati, che faran nel Lazio
La vendetta di Troia, e spezzeranno
D'Agamennon lo scettro in Campidoglio.
Cotal de' Fati è il giro; e disviarlo
Tenta indarno Giunon: da Samo indarno
Porta alla sua Cartago il cocchio e l'asta
E l'argolico scudo, armi che un giorno
Fian concedute con miglior fortuna
Di Dardano ai nepoti, allor che Giuno
Per quella stessa region, su cui
Tanta mole di flutti ora sospinse,
Placata scorrerá del Lazio i lidi.
Ivi su l'ara Sospita le genti [12]
L'invocheranno; ed ella, il fianco adorna
Delle pelli caprine, e dentro il fumo
De' lanuvini sagrificii avvolta,
Tutti a mensa accorrá d'Ausonia i Numi
Cortesemente, e porgerá di pace
A Feronia l'amplesso; onde giá fatte
Entrambe amiche, toccheran le tazze
Propinando a vicenda, e in larghi sorsi
L'oblio berran delle passate cose.
Va dunque, e sí le parla. Il suo pensiero
Volga in meglio l'altera, e alle sue stanze
Rieda in Olimpo; ché l'andar vagando
Piú lungamente in terra io le divieto.
E se niega obbedir, tu le rammenta

Le incudi un giorno al suo calcagno appese;
E dille, che la man che ve le avvinse,
Non ha perduta la possanza antica.

   Disse; e Mercurio ad eseguir del padre
Il precetto s'accinse. E pria l'alato
Petaso al capo adatta, ed alle piante
I bei talari, ond'ei vola sublime
Su la terra e sul mare, e la rattezza
Passa de' venti. Impugna indi l'avvinta
Verga di serpi, prezioso dono
Del fatidico Apollo il dí che a lui
L'Argicida fratel cesse la lira:
Con questa verga, tutta d'oro, in vita
Ei richiama le morte alme, ed a Pluto
Mena le vive, ed or sopore infonde
Nell'umane pupille, ed or ne 'l toglie.
Sí guernito, e con tal d'ali remeggio
Spiccasi a volo. Occhio mortal non puote
Seguitarne la foga; e in men che il lampo
Guizza e trapassa, egli è giá sceso, e preme
Il campano terreno, un dí nomato
Campo flegreo, famosa sepoltura
De' percossi Giganti. Intorno tutta
Manda globi di fumo la pianura
Ed ogni globo dal gran petto esala
D'un fulminato. A fronte alza il Vesevo
Brullo il colmigno, ed al suo piè la dolce
Lagrima di Lieo stillan le viti.

   Lieve lieve radendo il folgorato
Terren di Maia il figlio, e la marina
Sorvolando, levossi all'erte cime
Della balza circea, che di Feronia
Signoreggia la selva. Ivi fermossi,
Qual uom che tempo al suo disegno aspetta;
E di lá declinando il guardo attento

CARLO LABRUZZI: TERESA PIKLER MONTI

(Firenze, Galleria degli Uffizi)

L'EPICO

Al piano che s'avvalla spazioso
Fra l'ansure dirupo ed il circéo,
E tutto copre di Feronia il bosco,
A quella volta acceleranti il passo
Vide Giuno e Vulcano, armati entrambi
D'orrende faci, ed anelanti a nuova
Nefanda offesa. All'appressar di quelle
Vampe nemiche un lungo mise e cupo
Gemito la foresta: augelli e fiere,
A cui Natura, piú che all'uom cortese,
Presentimento diè quasi divino,
Da subito terror compresi, i dolci
Nidi e i covili abbandonar stridendo
E ululando smarriti, e senza legge
D'ogni parte fuggendo. I primi incendi
Eran giá desti, e giá di Giuno al cenno,
Giá la sua fida messaggera e ancella
Verso Eolia battea preste le penne
Con prego ai venti di soffiar gagliardi
Dentro le fiamme, e promettendo pingui
In nome della Dea vittime e doni:
Come il dí che d'Achille ai caldi voti,
Del morto amico gli avvampar la pira.

Giá stendendo venia l'umida notte
Sul volto della terra il negro velo,
E in grembo al suo pastor Cinzia dormia;
Quando i figli d'Astreo con gran fracasso
Dall'eolie spelonche sprigionati
S'avventar su l'incendio, e per la selva
Senza freno lo sparsero. La vampa
Esagitata rugge, e dalla quercia
Si devolve su l'olmo e su l'abete;
Crepita il lauro; e le loquaci chiome
Stridono in capo al berecinzio pino,
A sfidar nato su gli equorei campi

D'Africo e d'Euro i tempestosi assalti.
Giá tutta la gran selva è un mar di foco
E di terribil luce, a cui la notte
Spavento accresce, e orribilmente splende
Per lungo tratto la circea marina;
Simigliante al Sigeo, quando gli eletti
Guerrier di Grecia del cavallo usciti
In faville mandar d'Ilio le torri,
E atterrita la frigia onda si fea
Specchio al rogo di Troia; miserando
Di tanti eroi sepolcro e di tant'ire.

All'orrendo spettacolo il feroce
Cor di Giuno esultava; e impaziente
Di vendicarsi al tutto ché suprema
Voluttá de' potenti è la vendetta),
Un divampante tizzo alto agitando
E furiando, vola al gran delubro,
Ch'unico avanza della sua nemica,
Ferma in cor d'atterrarlo, incenerirlo,
E spegnere con esso ogni vestigio
Dell'abborrito culto. Armato ei pure
D'empia face Vulcan seguia non tardo
La fiera madre; e giá le sacre soglie
Calcano entrambi: dai commossi altari
Giá fugge la Pietá, fugge smarrita
La Fede avvolta nel suo bianco velo:
Con vivo senso di terrore anch'esso
Si commosse il tuo santo simulacro,
O misera Feronia, e un doloroso
Gemito mise (meraviglia a dirsi!),
Quasi accusando d'empietade il cielo.
Ma del figliuol di Maia, a ciò spedito,
Non fu tarda l'aita in tanto estremo:
E come stella che alle notti estive
Precipite labendo il cielo fende

Di momentaneo solco, e va sí ratta,
Che l'occhio appena nel passar l'avvisa;
Non altrimenti il Dio stretto nell'ali
Il sereno trascorse, e rilucente
Sul vestibolo sacro appresentossi.
All'improvvisa sua comparsa il passo
Stupefatti arrestar Vulcano e Giuno,
E si turbar vedendosi di fronte
Starsi ritto Mercurio, e imperioso
Contra il lor petto le temute serpi
Chinar dell'aurea verga, e cosí dire:
Fermati, o Diva; portator son io
Di severa ambasciata. A te comanda
L'onnipossente tuo consorte e sire
Di gettar quelle faci, e inviolata
Quest'effigie lasciar e queste mura.
Riedi alle stanze dell'Olimpo, e tosto:
Ché ti si vieta andar piú lungamente
Vagando in terra, e funestar di stragi
Le contrade latine, a cui l'impero
Promettono del mondo il Fato e Giove.
E di Giove e del Fato a mano a mano
Qui le aperse i voleri, e il tempo e il modo
De' futuri successi: e non diè fine
All'austero parlar, che ricordolle
Le incudi un giorno al suo calcagno appese,
E il braccio punitor, che non avea
Perduta ancora la possanza antica.

  Cadde il tizzo di mano a quegli accenti
Al Dio di Lenno, e tra le vampe e il fumo
Si dileguò, né disse addio, né parve
Aver mal fermo a pronta fuga il piede;
Ma con torvo sembiante e disdegnoso
Si ristette Giunon; ché rabbia e tema
Le stringono la mente, e par tra' ferri

La generosa belva che gli orrendi
Occhi travolve, e il correttor flagello
Fa tremar nella man del suo custode.
Senza dir motto alfin volse le spalle,
E rotando in partir la face in alto
Con quanta piú poteo forza la spinse:
Vola il ramo infiammato, e di sanguigna
Luce un grand'arco con immensa riga
Segna per l'etra taciturno e scuro.
Il Sidicino montanar v'affisse
Stupido il guardo, e sbigottissi, e un gelo
Corse per l'ossa al pescator d'Amsanto,
Quando sul capo ruinar sel vide,
E cader sibilando nella valle,
Ove suona rumor di fama antica,
Che del puzzo mortal, che ancor v'esala,
L'aria e l'onde corruppe, ed un orrendo
Spiraglio aperse, che conduce a Dite.

    Come allor che su i nostri occhi Morfeo
Sparger ricusa la letea rugiada,
D'ogni parte la mente va veloce,
E fugge, e torna, e slanciasi in un punto
Dall'aurora all'occaso, e dalla terra
Alla sfera di Giove e di Saturno;
Con tal prestezza si sospinse al cielo
La ritrosa Giunon. L'Ore custodi
Delle soglie d'Empiro incontanente
Alla reina degli Dei le porte
Spalancar dell'Olimpo, e la bionda Ebe
Ilare il volto, e l'abito succinta,
Le corse incontro con la tazza in mano
Del nettare celeste; ed ella un sorso
Né pur gustò dell'immortal bevanda;
Ché troppo d'amarezza e di rammarco
Avea l'anima piena. Onde con gli occhi

L'EPICO

In giú rivolti e d'allegrezza privi,
Né a verun degli Dei, che surti in piedi
Erano al suo passar, fatto un saluto,
Il passo accelerò verso i recessi
Del talamo divino; ed ivi entrata,
Serrò le porte rilucenti, e tutte
Ne furo escluse le fedeli ancelle.
Poiché sola rimase, al suo dispetto
Abbandonossi; lacerò le bende;
Ruppe armille e monili, e gettò lunge
La clamide regal che di sua mano
Tessè Minerva, e d'auree frange il lembo
Circondato n'avea. Né tu sicura
Da' suoi furori andar potesti, o sacra
Alla beltade, inaccessibil ara,
Che non hai nome in cielo, e, tra' mortali
Da barbarico accento lo traesti,
Cui le Muse abborrir. Cieca di sdegno
Ti riversò la Dea: cadde, e si franse
Con diverso fragor l'ampio cristallo,
Che in mezzo dell'altar sorgea sovrano
Maestoso e superbo, e in un confusi
N'andar sossopra i vasi d'oro e l'urna
Degli aromi celesti e de' profumi,
Onde tal si diffuse una fragranza,
Che tutta empiea la casa e il vasto Olimpo.
  Mentre cosí l'ire gelose in cielo
Disacerba Giunon, quai sono in terra
Di Feronia le lagrime, i sospiri?
Ditelo, d'Elicona alme fanciulle,
Voi che l'opere tutte e i pensier anco
De' mortali sapete e degli Dei.
Poi che si vide l'infelice in bando
Cacciata dal natio dolce terreno,
D'are priva e d'onori, e dallo stesso

(Ahi sconoscenza!), dallo stesso Giove
Lasciata in abbandono, ella dolente
Verso i boschi di Trivia incamminossi,
E ad or ad or volgea lo sguardo indietro,
E sospirava. Sul piè stanco alfine
Mal si reggendo, e dalla lunga via,
E piú dal duolo abbattuta e cadente,
Sotto un'elce s'assise: ivi facendo
Al volto letto d'ambedue le palme,
Tutta con esse si coprí la fronte,
E nascose le lagrime, che mute
Le bagnavan le gote, e le sapea
Solo il terren, che le bevea pietoso.
In quel misero stato la ravvolse
Dell'ombre sue la notte, e in sul mattino
Il Sol la ritrovò sparsa le chiome,
E di gelo grondante e di pruina;
Perocché per dolor posta in non cale
La sua celeste dignitade avea,
Onde al corpo divin l'aure notturne
Ingiuriose e irriverenti, furo,
Siccome a membra di mortal natura.
Lica intanto, di povero terreno
Piú povero cultor, dal letticciuolo
Era surto con l'alba, e del suo campo
Visitando venia le orrende piaghe,
Che fatte avean la pioggia, il ghiaccio, il vento
Agli arboscelli, ai solchi ed alle viti.
Lungo il calle passando, ove la Diva
In quell'atto sedea, da meraviglia
Tocco, e piú da pietá, ché fra le selve
Meglio che in mezzo alle cittadi alberga,
S'appressò palpitando, e la giacente
Non conoscendo (ché a mortal pupilla
Difficil cosa è il ravvisar gli Dei),

L'EPICO

Ma in lei della contrada argomentando
Una Ninfa smarrita: O tu, chi sei,
Chi sei (le disse), che sí care e belle
Hai le sembianze e dolor tanto in volto?
Per chi son queste lagrime? t'ha forse
Priva il ciel della madre o del fratello
O dell'amato sposo? ché son questi
Certo i primi de' mali, onde sovente
Giove n'affligge. Ma del tuo cordoglio
Qual si sia la cagion, prendi conforto,
E pazienza opponi alle sventure
Che ne mandano i Numi: essi nemici
Nostri non son; ma col rigor talvolta
Correggono i piú cari. Alzati, o donna;
Vieni, e t'adagia nella mia capanna,
Che non è lungi; e le forze languenti
Ivi di qualche cibo e di riposo
Ristorerai. La mia consorte poscia
Di tutto l'uopo ti sará cortese;
Ch'ella è prudente, e degli afflitti amica,
E qual figlia ambedue cara t'avremo.
 Alle parole del villan pietoso
S'intenerí la Diva, e in cor sentissi
La doglia mitigar, tanta fra' boschi
Gentilezza trovando e cortesia.
Levossi in piedi, ed ei le resse il fianco,
E la sostenne con la man callosa.
Nell'appressarsi, nel toccar ch'ei fece
Il divin vestimento, un brividío,
Un palpito lo prese, un cotal misto
Di rispetto, d'affetto e di paura,
Che parve uscir dei sensi, e su le labbra
La voce gli morí. Quindi il sentiero
Prese inver la capanna, e il fido cane
Nel mezzo del cortil gli corse incontro:

Volea latrar; ma sollevando il muso,
E attonite rizzando ambe le orecchie,
Guardolla, e muto su l'impressa arena
Ne fiutò le vestigia. In questo mentre
Alla cara sua moglie Telctusa
Il buon Lica dicea: Presto sul desco,
Spiega un candido lino, e passe ulive
Recavi e pomi e grappoli, che salvi
Dal morso abbiam dell'aspro verno, e un nappo
Di soave lambrusca, e s'altro in serbo
Tieni di meglio; ché mostrarci è d'uopo
Come piú puossi liberali a questa
Peregrina infelice. Allor spedita
Teletusa si mosse, e in un momento
Di cibo rustical coperse il desco,
Ed invitò la Dea, la quale assisa
Sul limitar si stava, e immota e grave
L'infinito suo duol premea nel petto;
Né giá tenne l'invito, ché mortale
Corruttibil vivanda non confassi
A palato immortal; ma ben di trito
Odoroso puleggio e di farina
D'acqua commisti una bevanda chiese,
Grata al labbro de' Numi, e l'ebbe in conto
Di sacra libagion. Forte di questo
Meravigliossi Teletusa, e fiso
Di Feronia il sembiante esaminando
(Poiché al sesso minor diero gli Dei
Curiose pupille, e accorgimento
Quasi divin), sospetto alto la prese,
Che si tenesse in quelle forme occulta
Cosa piú che terrena. Onde in disparte
Tratto il marito, il suo timor gli espose,
E creduta ne fu; ché facilmente
Cuor semplice ed onesto è persuaso.

L'EPICO

Allor Lica narrò quel che poc'anzi
Assalito l'avea strano tumulto,
Quando a sorgere in piè le porse aita,
E con la mano le soffolse il fianco.
Poi, seguendo, di Bauci e Filemone
Rammentar l'avventura, e quel che udito
Da' vecchi padri avean, siccome ascoso
Fra lor nelle capanne e nelle selve
Stette a lungo Saturno, e nol conobbe
Altri che Giano. In cotal dubbio errando,
Si ritrassero entrambi, e lasciar sola
La taciturna Diva. Ella dal seggio
Si tolse allora, e due e tre volte scorse
Pensierosa la stanza, e poi di nuovo
Sospirando s'assise, e in questi accenti
Al suo fiero dolor, le porte aperse:
Donde prima degg'io, Giove crudele,
Il mio lamento incominciar? Già tempo
Fu che, superba del tuo amor, chiamarmi
Potei felice ed onorata e diva.
Or eccomi deserta; e non mi resta
Che questo sol di non poter morire
Privilegio infelice. E fino a quando
Alla fierezza della tua consorte
Esporrai questa fronte? Il premio è questo
De' concessi imenei? Questi gli onori
E le tante in Ausonia are promesse,
Onde speme mi desti che la prima
Mi sarei stata delle Dee latine?
Tu m'ingannasti: l'ultima son io
Degl'immortali, ahi lassa! e non mi fero
Illustre e chiara, che le mie sventure.
Rendimi, ingrato, rendimi alla morte,
Alla qual mi togliesti. Entro quell'onde
Concedimi perir, che la tua Giuno

Sul mio regno sospinse, o ch'io ritrovi
Agli arsi boschi in mezzo e alle ruine
De' miei templi abbattuti il mio sepolcro.
   Cosí la Diva lamentossi, e tacque.
Era la notte, e d'ogni parte i venti
E l'onde e gli animanti avean riposo,
Fuorché l'insetto che ne' rozzi alberghi
A canto al focolar molce con lungo
Sonnifero stridor l'ombra notturna;
E Filomena nella siepe ascosa
Va iterando le sue dolci querele.
In quel silenzio universale anch'essa
Adagiossi la Dea vinta dal sonno,
Che dopo il lagrimar sempre sugli occhi
Dolcissimo discende, e la sua verga
Le pupille celesti anco sommette.
Quando il gran padre degli Dei, che udito
Dell'amica dolente il pianto avea,
A lei tacito venne; e poi che stette
Del letto alquanto su la sponda assiso
Di quel volto sí caro addormentato
La beltá contemplando, alfin la mano
Leggermente le scosse, e nell'orecchio
Bisbigliando soave: O mia diletta,
Svegliati (disse), svegliati; son io
Che ti chiamo; son Giove. A questa voce
Il sonno l'abbandona, apre le luci,
E stupefatta si ritrova in braccio
Del gran figliuolo di Saturno. Ed egli
Riconfortala in pria con un sorriso
Che di dolcezza avria spetrati i monti,
Ed acchetato il mar quando è in fortuna;
Poscia in tal modo a ragionar le prese:
Calma il duolo, Feronia; immoti e saldi
Stanno i tuoi fati e le promesse mie;

L'EPICO

Né ingannator son io, né si cancella
Mai sillaba di Giove. Ma profonde
Sono le vie del mio pensiero, e aperta
A me solo de' Fati è la cortina.
Non lagrimar sul tuo perduto impero:
Tempo verrá, che largamente reso
Tel vedrai, non temerne, e i muti altari
E le cittadi e i campi e le pianure
Dai ruderi e dall'onde e dalla polve
Sorger piú belle e numerose e colte.
D'Italia in questo i piú lodati eroi
Porran l'opra e l'ingegno. Io non ti nomo
Che i piú famosi; e in prima Appio, che in mezzo
Spingerá delle torbide Pontine
Delle vie la regina. Indi Cetego:
Indi il possente fortunato Augusto
Esecutor della paterna idea,
Al cui tempo felice un Venosino
Cantor sublime ne' tuoi fonti il volto
Laverassi e le mani; e tu di questo
Orgogliosa n'andrai piú che l'Anfriso,
Giá lavacro d'Apollo. Ecco venirne
Poscia il lume de' regi, il pio Traiano
Che, domata con l'armi Asia ed Europa,
Col senno domerá la tua palude;
E le partiche spade e le tedesche
In vomeri cangiata impiagheranno,
Meglio d'assai che de' Romani il petto,
Le glebe pometine. E qui trecento
Giri ti volve d'abbondanza il sole,
E di placido regno, infin che il Goto
Furor d'Italia guasterá la faccia.
Da boreal tempesta la ruina
Scenderá de' tuoi campi; ma del pari
Un'alma boreal, calda e ripiena

Del valor d'Occidente, al tuo bel regno
Porterá la salute, e poi di nuovo
(Ché tal de' Fati è il corso) alto squallore
Lo coprirá; né zelo, arte o possanza
Di sommi Sacerdoti all'onor primo
Interamente il renderan; ché l'opra
Immortal, gloriosa ed infinita
Ad un piú grande eroe serba il destino.
Lo diran Pio le genti e di quel nome
Sesto sará . . . .
. . . .

DAL «BARDO». [1)]

IL FERITO IN ALBECCO.

L'andar dei due pietosi illuminava
Tacita e pura la sorgente luna,
Che per veder sí santa opra scopria
Tutto il vergine volto, e rimovea
L'invido velo delle nubi. Ed ecco
Per l'orrendo sentier gli attenti sguardi
Ferir d'Ullino a un tempo e di Malvina
Giovin guerriero, che fra molti uccisi
Giace in lago di sangue, e stretta in pugno
La rubiconda spada, ancor respira.
L'alta strage che il cinge, il minaccioso
Tener del brando, ed il purpureo nastro,
Che argomento d'onor gli fregia il petto,
Fanno invito alla vista. Era il sembiante
Fiero, ma bello, e su la nuda fronte
Della luna scendea sí dolce il raggio,
Che rapito ti senti a riguardarla
Di pietade e d'amor, e qual sia primo
O non l'intende o non sa dirlo il core.

L'EPICO

Vide il bel volto del garzon ferito
La tenera Malvina, e pria che il piede
Corse l'alma in aiuto all'infelice,
Che di questo s'accorse, e coll'alzata
Languida mano, e co' natanti lumi
Le rendea la mercé che colla voce
Non potea. Molte, né però mortali
Gli solcavano tutta la persona,
E a poco a poco gli rapian la vita
Le ferite; ed uscia di ciascheduna
In un col sangue una segreta voce
Che al cor parlava di Malvina. Ond'ella
Sciolte ratto dal fianco e dalle chiome
Le caste bende con Ullin si diede
A fasciarle veloce; e della piaga,
Che occulto strale giá le apria nel seno,
La meschinella ancor non s'accorgea.

E giá lo spirto che fuggia col sangue
Le vie del cor ripiglia, e per le membra
Diffuso riede ai consueti offici.
Giá si folce sul cubito, giá sorge,
Giá in pié sostiensi il Cavaliero, e puote
Coll'aita de' duo che al fianco infermo
Gli fan colonna, imprimer l'orme, e lento
Movere il passo. Non sorgea lontano
D'Ullin l'umile tetto, e non fu lungo
Del venirvi lo stento. Ivi gioiosi
Sovra non ricco letticciuol, ma tutto
Bella spirante pastoral mondezza
Il corcar mollemente. E ciò che l'uopo
Chiedea dell'arte apparecchiato, e messo
Di medich'erbe un suo tal sugo in pronto,
A lavar diessi coll'esperta mano
Ogni piaga il buon vecchio, ad irrigarle
Di sanatrici stille, a farle tutte

Innocenti e sicure. In mezzo all'opra
Le guardava il ferito e sorridea,
E colla mano coraggiosa e ferma
Le misurava, e gli brillava il viso
Come raggio di Sol che dopo il nembo
Ravviva il fiore dal furor battuto
D'aquilon tempestoso. E in quel gioire
Il cor sospinse i suoi purpurei rivi
Novellamente a risvegliar le rose
Delle pallide guance; e nelle vene
Tornò piú lieta a circolar la vita.

Sciolse allor quell'intrepido la voce,
E con guardo sereno, e con parole
Che sul labbro gl'invia la conoscenza
Del ricevuto beneficio, disse:
Generoso mortal, che al fato estremo
Mi togli, e tanta dalla nobil fronte
Riverenza m'inspiri, e tu che mostri
D'angelo il volto, e la pietosa cura
Con lui dividi, amabile fanciulla,
Dite, se onesto è il mio pregar, chi siete?
Di che gente? Saper di chi m'ha salvo
Giovami il nome, e il cor lo chiede, il core
Che non ingrato mi fu posto in seno.
La mercede che scarsa io vi potrei
Render di tanto, vi fia larga e intera,
Pria dal ciel che le belle opre corona,
Poi dal possente mio Signor renduta;
Ché liberal, magnanimo, cortese
Del par che invitto è de' Francesi il Sire,
E nel far lieta la virtude esulta.

Guerrier, rispose Ullino, il tuo coraggio,
La tua ne' mali alacritá giá detto
M'avean la patria tua. Io dell'averti
Tolto a morte, e servato al tuo Signore

L'EPICO 367

Sento letizia, ch'ogni detto eccede.
Ma tu, figlio, tu fai misero e vile,
Promettendo mercede, il beneficio.
Sta qui dentro il mio premio, in questo petto,
Premio che darmi, né tu puoi, né il Grande
Per cui combatti. Né però disdegno
Del tuo cor grato i sensi, e mi fia dolce
(Ecco tutto che bramo) il saper vivi
Nella tua rimembranza il Bardo Ullino,
E costei, che pietosa in tuo soccorso
Volò primiera, ed è la speme, il raggio
Dell'inclinato viver mio. Nel fine
Di questo detto caramente ei prese
La fanciulla per man, che compiaciuta
Chinò i begli occhi verecondi, e tosto
Gli alzò furtivi e timidetti al volto
Del giá caro garzone; ed ei la stava
Giá contemplando, e l'ultime parole
Del buon canuto ripetea nel core.
Si scontrano gli sguardi, e negli sguardi
L'alme sospinte. In lei beossi, e ferma
La vista ei tenne: di color cangiossi
L'altra, e atterrò l'oneste luci. Il veglio
L'abbracciava, e seguia: Questo diletto
Di santissimi nodi unico frutto
(Nodi troppo per tempo, ohimé! recisi:
Ma troppa, o cielo, ti parea la gioia
De' sereni miei dí!), questa gentile
Tenera pianta, come valgo, all'aura
Della virtude coltivando io vegno,
E in lei comincia, in lei tutta finisce
La mia cura, il mio regno. Ella m'è tutto,
E la man cara della mia Malvina,
Questa mano innocente, allor che morte
Chiamerá la mia polve entro la tomba,

I lumi in pace chiuderammi. Aperse
A que' detti Malvina ambe le braccia,
Intenerita le ricinse al collo
Dell'amato vegliardo, e su lui tutta,
Senza veruna profferir parola,
Cadde col capo in abbandono, e pianse.
A quell'atto d'amor tanto, a quei volti
Dolcemente confusi, a quelle mute
Lagrime alterne si sentí sul ciglio
Correr pur esso una segreta stilla
Il sospeso guerriero, e per le membra
Il dolor tacque delle sue ferite:
Ma non giá tacque il cor, che il molto affetto
Dicea con gli occhi rugiadosi e fissi.
Ruppe alfin quella dolce estasi Ullino,
E rasciutta la guancia, amicamente
All'estatico disse: Io satisfeci,
Sconosciuto Francese, al tuo desire.
Mi nomai Bardo, e in questo nome apersi
Tutto che sono. Per te stesso or sai
Ch'io son de' buoni, e in un de' forti amico,
In solitaria povertá non vile,
Ricco di cor, di pace, e di contento.
Né, perché Bardo, argomentar che rozzo,
Qual giá piacque a' miei prischi, e scevro in tutt
Da civile dolcezza il tenor sia
Di mia vita. Ché care a me pur sono
Le virtú cittadine, e precettori
Nella somma de' carmi arte divina,
Non mi fur sole le tempeste e i nembi,
I torrenti, la luna, e le pensose
Equitanti le nubi ombre de' padri;
Ma i costumi ben anco e le dottrine,
E gli affetti, e i bisogni, e le vicende
Dell'uom, cui nodo social costringe;

Ché culta ancora la natura è bella.
Ben fu stagion che maestosa e diva,
Non che bella m'apparve, innanzi a quella
De' vostri vati, la natura espressa
Ne' bardi carmi, e grande io sí l'estimo
In suo rozzo vestir. Ma fantasia
Sempre avvolta di nembi, e sempre al lampo
Delle folgori accesa, ed al ruggito
D'uniformi procelle, a lunga prova
La bramosa di nuove dilettanze
Alma nel petto mi stancava; e dentro,
Sí qui dentro sentii, che d'un sol fiore
Ir contenta non può questa divina
Nostra farfalla. Allor vid'io che il Bardo
Pittor non era sí fedel, qual sembra,
Di natura; ché varia ella e infinita
Nell'opre sue risplende; e circoscritta
Sotto i bardi pennelli è ognor la stessa.
 Non che il mio stato, ti fei chiari, o figlio,
Quali in petto li serro i miei pensieri.
Or piacciati cortese a me tu pure
Nomarti, e dirne i genitori. È questo
L'interrogar che primo esce dal labbro
De' vegliardi, e mi so che dolce in petto
Di buon figlio risuona. Come poscia
Tua salute il consenta, di piú lungo
Desire antico mi farai contento.
Guerrier mi giova de' guerrieri udire
I magnanimi affanni; e del tuo Duce,
Che tutta del suo nome empie la terra,
E ne libra i destini, è tempo assai
Ch'io solingo di selve abitatore
Molto udir bramo. E molto udrai, rispose
Sollevando la testa il Cavaliero,
Ch'io su gl'Itali campi, ove le penne

Al primo volo la sua fama aperse,
E sul barbaro Nilo, e fra l'eterne
Nevi dell'Alpi il seguitai fedele,
E tutte del suo brando e del suo senno
L'opre vidi e conobbi, e nel volume
Tutte le porto della mente impresse.
Medicina sarammi all'egro fianco
Il narrarle. S'appaghi intanto il primo
Tuo dimando. Terigi è il nome mio.
D'Itala madre mi produsse in riva
Dell'umil Varo genitor Francese,
Un di que' prodi che passar fur visti
Su generose antenne alla vendetta
Dell'oltraggiato American. Me privo
Del morto padre in povera fortuna,
Ma in non bassi pensieri e sentimenti
Nudrí la madre coraggiosa. E quando
La non ben nota, né raccesa ancora
(Come fulmin che dorme entro la nube)
Virtú del magno Bonaparte scese
Nell'Italico piano, arse d'un bello
Desio di gloria il giovanil mio petto,
Né della patria la chiamata attesi,
Ma volontario mi proffersi. Al seno
Mi serrò la dolente genitrice,
Dolente sí, ma non tremante, e, alzate
Le luci al cielo, benedisse il figlio,
Con queste, che profonde mi riposi
Nel piú sacro dell'alma, alte parole:
Figlio, tu corri a guerreggiar la terra
Che mi diè vita. Non odiar tu dunque
La patria mia, che tua divien, che nullo
Fece oltraggio alla vostra. I suoi tiranni
V'oltraggiaro, non ella, che cortese
Arti dievvi e scienze, ed or bramosa

V'apre le braccia, e a sé vi chiama, e spera
Dal Francese valor, non danno ed onta,
Ma presidio e salute, e dell'antico
Suo beneficio la mercé. Calcando
L'Itala polve ti rammenta adunque
Che tutta è sacra; che il tuo piè calpesta
La tomba degli eroi; ch'ivi han riposo
L'ombre de' forti, e che de' forti i figli
Hanno al piè la catena, e non al core;
Che in que' cor non morí, ma dorme il foco
Dell'antica virtú; dorme il coraggio;
Dormon le grandi passioni. Oh sorga,
Sorga alfine alcun Dio che le risvegli,
Che la reina delle genti al primo
Splendor ritorni, ed il sepolto scettro
Della Terra rialzi in Campidoglio!
Questi voti al valor consacro, o figlio,
Dell'auspicato Bonaparte. Il fiero
Spirto che ferve in quel profondo petto
È dell'Italo Sole una scintilla,
E l'ardir delle prische alme Latine
Sul suo brando riposa. Or tu fra l'armi
Duce seguendo di cotanta speme,
Possa tu, figlio, meritarti il grido
Di buon, di prode, di leal guerriero,
E tornar salvo ad asciugarmi il pianto
Che mi lasci partendo. E qui troncaro
La lagrime la voce. Il cielo io chiamo
In testimonio, e te cara e sovente
Del mio sangue bagnata Ausonia terra,
Che della madre io fui fedele ognora
Ai santi avvisi, e rispettai le tue
Maestose sventure, e qual seconda
Patria t'amai; ché ben di senso è privo
Chi ti conosce, Italia, e non t'adora.

E voi di Dego e Montenotte orrendi
Dirupi, e voi dell'Adige e del Mincio
Onde battute, fatemi voi fede,
Che né disagio, né periglio alcuno
Schivai d'armi, né fui pugnando avaro
Della mia vita. Si commosse Ullino,
Si commosse Malvina a quel pietoso
Racconto, e i moti fea del cor palesi
L'alta eloquenza del tacer. Quetato
Degli affetti il tumulto, si riscosse
Il Bardo e disse: Nella tua favella
Una forte risplende alma sublime,
Valoroso Terigi, e l'ascoltarti
È gioia che si sente e non si parla.
Ma di quiete or le tue piaghe han d'uopo,
D'alta quiete: e il sanator di tutte
Cure, l'amico degli afflitti, il sonno,
Tempo è che scenda a riparar le spente
Tue forze. Avremo alle parole assai
Ore acconce altra volta. In questo dire
Surse il veglio, abbracciollo; e su le labbra
Ponendo in atto di silenzio il dito,
Allontanossi. Taciturna e lenta
Il seguia la donzella, e un guardo indietro
Dalla soglia piegò con un sospiro
Che dicea: parte il piè, ma resta il core.

IL 19 BRUMAIRE. [2]

Amor di patria, amor di gloria un fiero
Fan certame nel Duce; e d'armi instrutto
Prepotenti è ciascun. Vince il primiero.
In magnanimo cor la patria è tutto.
Sol di questa il dolor gli empie il pensiero:
Arde giá di partir, giá sopra il flutto

Vola il suo spirto, giá le rive afferra,
Giá vendica l'onor della sua terra.

D'Acri gli allori su l'infranto muro
Gli mostrava la Gloria, e gli dicea;
Vieni, prendi, son tuoi, monta securo:
Ed Ei voltate giá le spalle avea.
Un lauro piú d'assai bello e piú puro
Di qua dal monte il suo pensier vedea;
Di questo solo Ei vuol la fronte adorna.
Francia, t'allegra; Italia, sorgi: Ei torna.

Ma senza memoranda alta vendetta
Non fia no dell'Invitto il dipartire.
Intégra e degna dell'Eroe l'aspetta
De' prodi il sangue estinti in Abukire;
E tal l'ebbe. Su l'onda maledetta
Le Gallich'ombre si placaro e l'ire.
Di Turca strage il mar crebbe, e l'ondosa
Faccia sparí da tanti corpi ascosa.

Spente le forze de' nemici, e ogn'uopo
Dell'armata provvisto, al lido aduna
I suoi piú fidi il Duce, e dal Canopo
Salpa; e nocchiera in poppa ha la Fortuna.
Né fragil prora vi fu pria, né dopo
Mai l'onde ne vedranno altra veruna
Di tanto carco. Il cor cui poco è il mondo,
Quel cor si cela in quell'angusto fondo.

Contra le vele del fatal naviglio,
Consci forse del Dio ch'ei porta in grembo,
Non osano di far lite e scompiglio
I venti: dorme la procella e il nembo.
Solo increspa con placido bisbiglio
Dolce un Levante alla marina il lembo:
E l'onda intanto, Chi è Costui, dir pare,
A cui l'aria obbedisce, e serve il mare?

E certo il mar sentia che su quel legno
Navigava il valor, che al fier Britanno
Fará caro costar dell'onde il regno,
Finché ne spezzi lo scettro tiranno.
Quindi parve d'uman senso dar segno
Il tremendo elemento, e un bello inganno
Fatto all'Inglese insecutor schernito,
Pose il vindice suo salvo sul lito.

Come giunto s'udí l'alto Guerriero,
Di giubilo delire a lui davante
Si versar le cittá lungo il sentiero:
Mise a tutti il piacer l'ali alle piante.
Ognun s'affretta e incalza, ognun primiero
Esser vuole a gioir del suo sembiante.
Bonaparte gridare i vecchi padri,
Iterar Bonaparte odi le madri.

Bonaparte i fanciulli, Bonaparte
Rispondono le valli; e nell'ebbrezza
Di tanto nome, al vento inani e sparte
Van le memorie d'ogni ria tristezza.
Nel tripudio ognun corre ad abbracciarte
Sia nemico, od amico: l'allegrezza
Non distingue i sembianti; un caro errore
Dona gli amplessi, e negli amplessi il core.

Francia tutta del Magno alla venuta
Rizzossi; ne tremò l'Alpe, e l'avviso
Dienne all'Itala Donna. L'abbattuta
In mezzo al pianto lampeggiò d'un riso,
E serenossi. Ma in piè surta e muta
Di maraviglia, Europa il guardo fiso
Su la Senna converse, ove sentia
Che alfin soluto il suo destino andria.

Qual, pria che fosse il mar, la terra, il cielo,
Del caos l'orrenda apparve atra mistura,
Ove l'umido, il secco, il caldo, il gelo

Fean pugna, e muta si tacea natura;
Che tal, rimosso alla menzogna il velo,
Fusse di Francia il volto ti figura,
Quando il Magno a camparla dal ciel fisso,
Venne, quale giá Dio sovra l'abisso.

 E l'abisso in che l'egra era sepolta
Tutto il vide Egli sí.

DALL'« ILIADE ».

IL LIBRO PRIMO.

 Cantami, o Diva, del Pelide Achille
L'ira funesta che infiniti addusse
Lutti agli Achei, molte anzi tempo all'Orco
Generose travolse alme d'eroi,
E di cani e d'augelli orrido pasto
Lor salme abbandonò (cosí di Giove
L'alto consiglio s'adempia), da quando
Primamente disgiunse aspra contesa
Il re de' prodi Atride e il divo Achille.

 E qual de' numi inimicolli? Il figlio
Di Latona e di Giove. Irato al Sire
Destò quel Dio nel campo un feral morbo,
E la gente peria: colpa d'Atride
Che fece a Crise sacerdote oltraggio.

 Degli Achivi era Crise alle veloci
Prore venuto a riscattar la figlia
Con molto prezzo. In man le bende avea,
E l'aureo scettro dell'arciero Apollo:
E agli Achei tutti supplicando, e in prima
Ai due supremi condottieri Atridi:

 O Atridi, ei disse, o coturnati Achei,
Gl'immortali del cielo abitatori
Concedanvi espugnar la Priameia

Cittade, e salvi al patrio suol tornarvi.
Deh mi sciogliete la diletta figlia,
Ricevetene il prezzo e il saettante
Figlio di Giove rispettate. Al prego
Tutti acclamar: doversi il sacerdote
Riverire, e accettar le ricche offerte.
Ma la proposta al cor d'Agamennóne
Non talentando, in guise aspre il superbo
Accomiatollo, e minaccioso aggiunse:

Vecchio, non far che presso a queste navi
Né or né poscia piú ti colga io mai;
Ché forse nulla ti varrá lo scettro
Né l'infula del Dio. Franca non fia
Costei, se lungi dalla patria, in Argo,
Nella nostra magion pria non la sfiori
Vecchiezza, all'opra delle spole intenta,
E a parte assunta del regal mio letto.
Or va, né m'irritar, se salvo ir brami.

Impaurissi il vecchio, ed al comando
Obbedí. Taciturno incamminossi
Del risonante mar lungo la riva;
E in disparte venuto, al santo Apollo,
Di Latona figliuol, fe' questo prego:

Dio dall'arco d'argento, o tu che Crisa
Proteggi e l'alma Cilla, e sei di Ténedo
Possente imperador, Smintéo, deh m'odi.
Se di serti devoti unqua il leggiadro
Tuo delubro adornai, se di giovenchi
E di caprette io t'arsi i fianchi opimi,
Questo voto m'adempi; il pianto mio
Paghino i Greci per le tue saette.

Sí disse orando. L'udí Febo, e scese
Dalle cime d'Olimpo in gran disdegno
Coll'arco su le spalle, e la faretra
Tutta chiusa. Mettean le frecce orrendo

Su gli omeri all'irato un tintinnio
Al mutar de' gran passi; ed ei simíle
A fosca notte giú venia. Piantossi
Delle navi al cospetto: indi uno strale
Liberò dalla corda, ed un ronzio
Terribile mandò l'arco d'argento.
Prima i giumenti e i presti veltri assalse,
Poi le schiere a ferir prese, vibrando
Le mortifere punte; onde per tutto
Degli esanimi corpi ardean le pire.
Nove giorni volar pel campo acheo
Le divine quadrella. A parlamento
Nel decimo chiamò le turbe Achille;
Ché gli pose nel cor questo consiglio
Giuno la diva dalle bianche braccia,
De' moribondi Achei fatta pietosa.
Come fur giunti e in un raccolti, in mezzo
Levossi Achille piè-veloce, e disse:

Atride, or sí cred'io volta daremo
Nuovamente errabondi al patrio lido,
Se pur morte fuggir ne fia concesso;
Ché guerra e peste ad un medesmo tempo
Ne struggono. Ma via; qualche indovino
Interroghiamo, o sacerdote, o pure
Interprete di sogni (ché da Giove
Anche il sogno procede), onde ne dica
Perché tanta con noi d'Apollo è l'ira:
Se di preci o di vittime neglette
Il Dio n'incolpa, e se d'agnelli e scelte
Capre accettando l'odoroso fumo,
Il crudel morbo allontanar gli piaccia.

Cosí detto, s'assise. In piedi allora
Di Testore il figliuol Calcante alzossi,
De' veggenti il piú saggio, a cui le cose
Eran conte che fur, sono e saranno;

E per quella, che dono era d'Apollo,
Profetica virtú, de' Greci a Troia
Avea scorte le navi. Ei dunque in mezzo
Pien di senno parlò queste parole:
   Amor di Giove, generoso Achille,
Vuoi tu che dell'arcier sovrano Apollo
Ti riveli lo sdegno? Io t'obbedisco.
Ma del braccio l'aita e della voce
A me tu pria, signor prometti e giura:
Perché tal che qui grande ha su gli Argivi
Tutti possanza, e a cui l'Acheo s'inchina,
N'andrá, per mio pensar, molto sdegnoso.
Quando il potente col minor s'adira,
Reprime ei sí del suo rancor la vampa
Per alcun tempo, ma nel cor la cova,
Finché prorompa alla vendetta. Or dinne
Se salvo mi farai. Parla securo,
Rispose Achille, e del tuo cor l'arcano,
Qual ch'ei si sia, di' franco. Per Apollo
Che pregato da te ti squarcia il velo
De' fati, e aperto tu li mostri a noi,
Per questo Apollo a Giove caro io giuro:
Nessun, finch'io m'avrò spirto e pupilla,
Con empia mano innanzi a queste navi
Oserá violar la tua persona,
Nessuno degli Achei; no, s'anco parli
D'Agamennón che sé medesmo or vanta
Dell'esercito tutto il piú possente.
   Allor fe' core il buon profeta, e disse:
Né d'obliati sacrifici il Dio
Né di voti si duol, ma dell'oltraggio
Che al sacerdote fe' poc'anzi Atride,
Che francargli la figlia ed accettarne
Il riscatto negò. La colpa è questa

L'EPICO

Onde cotante ne diè strette, ed altre
L'arcier divino ne darà; né pria
Ritrarrá dal castigo la man grave
Che si rimandi la fatal donzella
Non redenta né compra al padre amato,
E si spedisca un'ecatombe a Crisa.
Cosí forse avverrá che il Dio si plachi.

   Tacque, e s'assise. Allor l'Atride eroe
Il re supremo Agamennón levossi
Corruccioso. Offuscavagli la grande
Ira il cor gonfio, e come bragia rossi
Fiammeggiavano gli occhi. E tale ei prima
Squadrò torvo Calcante, indi proruppe:

   Profeta di sciagure, unqua un accento
Non uscí di tua bocca a me gradito.
Al maligno tuo cor sempre fu dolce
Predir disastri, e d'onor vote e nude
Son l'opre tue del par che le parole.
E fra gli Argivi profetando or cianci
Che delle frecce sue Febo gl'impiaga,
Sol perch'io ricusai della fanciulla
Criseide il riscatto. Ed io bramava
Certo tenerla in signoria, tal sendo
Che a Clitennestra pur, da me condutta
Vergine sposa, io la prepongo, a cui
Di persona costei punto non cede,
Né di care sembianze, né d'ingegno
Ne' bei lavori di Minerva istrutto.
Ma libera sia pur, se questo è il meglio;
Ché la salvezza io cerco, e non la morte
Del popol mio. Ma voi mi preparate
Tosto il compenso, ché de' Greci io solo
Restarmi senza guiderdon non deggio;
Ed ingiusto ciò fora, or che una tanta
Preda, il vedete, dalle man mi fugge.

O d'avarizia al par che di grandezza
Famoso Atride, gli rispose Achille,
Qual premio ti daranno, e per che modo
I magnanimi Achei? Che molta in serbo
Vi sia ricchezza non partita, ignoro:
Delle vinte città tutte divise
Ne fur le spoglie, né diritto or torna
A nuove parti congregarle in una.
Ma tu la prigioniera al Dio rimanda,
Ché piú larga n'avrai tre volte e quattro
Ricompensa da noi, se Giove un giorno
L'eccelsa Troia saccheggiar ne dia.

E a lui l'Atride: Non tentar, quantunque
Ne' detti accorto, d'ingannarmi: in questo
Né gabbo tu mi fai, divino Achille,
Né persuaso al tuo voler mi rechi.
Dunque terrai tu la tua preda, ed io
Della mia privo rimarrommi? E imponi
Che costei sia renduta? Il sia. Ma giusti
Concedanmi gli Achivi altra captiva
Che questa adegui e al mio desir risponda.
Se non daranla, rapirolla io stesso,
Sia d'Aiace la schiava, o sia d'Ulisse,
O ben anco la tua: e quegli indarno
Fremerá d'ira alle cui tende io vegna.
Ma di ciò poscia parlerem. D'esperti
Rematori fornita or si sospinga
Nel pelago una nave, e vi s'imbarchi
Coll'ecatombe la rosata guancia
Della figlia di Crise, e ne sia duce
Alcun de' primi, o Aiace, o Idomenéo,
O il divo Ulisse, o tu medesmo pure,
Tremendissimo Achille, onde di tanto
Sacrificante il grato ministero
Il Dio ne plachi che da lunge impiaga.

Lo guatò bieco Achille, e gli rispose:
Anima invereconda, anima avara,
Chi fia tra i figli degli Achei sí vile
Che obbedisca al tuo cenno, o trar la spada
In agguati convegna o in ria battaglia?
Per odio de' Troiani io qua non venni
A portar l'armi, io no; ché meco ei sono
D'ogni colpa innocenti. Essi né mandre
Né destrier mi rapiro; essi le biade
Della feconda popolosa Ftia
Non saccheggiar; ché molti gioghi ombrosi
Ne son frapposti e il pelago sonoro.
Ma sol per tuo profitto, o svergognato,
E per l'onor di Menelao, pel tuo,
Pel tuo medesmo, o brutal ceffo, a Troia
Ti seguitammo alla vendetta. Ed oggi
Tu ne disprezzi ingrato, e ne calpesti,
E a me medesmo di rapir minacci
De' miei sudori bellicosi il frutto,
L'unico premio che l'Acheo mi diede.
Né pari al tuo d'averlo io giá mi spero
Quel dí che i Greci l'opulenta Troia
Conquisteran; ché mio dell'aspra guerra
Certo è il carco maggior, ma quando in mezzo
Si dividon le spoglie, è tua la prima,
Ed ultima la mia, di cui m'è forza
Tornar contento alla mia nave, e stanco
Di battaglia e di sangue. Or dunque a Ftia,
A Ftia si rieda; ché d'assai fia meglio
Al paterno terren volger la prora,
Che vilipeso adunator qui starmi
Di ricchezze e d'onori a chi m'offende.

Fuggi dunque, riprese Agamennóne,
Fuggi pur, se t'aggrada. Io non ti prego
Di rimanerti. Al fianco mio si stanno

Ben altri eroi, che a mia regal persona
Onor daranno, e il giusto Giove in prima.
Di quanti ei nudre regnatori abborro
Te piú ch'altri; sí te, che le contese
Sempre agogni e le zuffe e le battaglie.
Se fortissimo sei, d'un Dio fu dono
La tua fortezza. Or va, sciogli le navi,
Fa co' tuoi prodi al patrio suol ritorno,
Ai Mirmídoni impera; io non ti curo,
E l'ire tue derido; anzi m'ascolta.
Poiché Apollo Criseide mi toglie,
Parta. D'un mio naviglio, e da' miei fidi
Io la rimando accompagnata, e cedo.
Ma nel tuo padiglione ad involarti
Verrò la figlia di Briséo, la bella
Tua prigioniera, io stesso; onde t'avvegga
Quant'io t'avanzi di possanza, e quindi
Altri meco uguagliarsi e cozzar tema.

Di furore infiammar l'alma d'Achille
Queste parole. Due pensier gli fero
Terribile tenzon nell'irto petto,
Se dal fianco tirando il ferro acuto
La via s'aprisse tra la calca, e in seno
L'immergesse all'Atride; o se domasse
L'ira, e chetasse il tempestoso core.
Fra lo sdegno ondeggiando e la ragione
L'agitato pensier, corse la mano
Sovra la spada, e dalla gran vagina
Traendo la venia; quando veloce
Dal ciel Minerva accorse, a lui spedita
Dalla diva Giunon, che d'ambo i duci
Egual cura ed amor nudria nel petto.
Gli venne a tergo, e per la bionda chioma
Prese il fiero Pelide, a tutti occulta,
A lui sol manifesta. Stupefatto

L'EPICO

Si scosse Achille, si rivolse, e tosto
Riconobbe la Diva a cui dagli occhi
Uscian due fiamme di terribil luce,
E la chiamò per nome, e in ratti accenti,
Figlia, disse, di Giove, a che ne vieni?
Forse d'Atride a veder l'onte? Aperto
Io tel protesto, e avran miei detti effetto:
Ei col suo superbir cerca la morte,
E la morte si avrá. Frena lo sdegno,
La Dea rispose dalle luci azzurre:
Io qui dal ciel discesi ad acchetarti,
Se obbedirmi vorrai. Giuno spedimmi,
Giuno ch'entrambi vi difende ed ama.
Or via, ti calma, né trar brando, e solo
Di parole contendi. Io tel predíco,
E andrá pieno il mio detto: verrá tempo
Che tre volte maggior, per doni eletti,
Avrai riparo dell'ingiusta offesa.
Tu reprimi la furia, ed obbedisci.

E Achille a lei: Seguir m'è forza, o Diva,
Benché d'ira il cor arda, il tuo consiglio.
Questo fia lo miglior. Ai numi è caro
Chi de' numi al voler piega la fronte.

Disse; e rattenne su l'argenteo pomo
La poderosa mano, e il grande acciaro
Nel fodero respinse, alle parole
Docile di Minerva. Ed ella intanto
All'auree sedi dell'Egioco padre
Sul cielo risalí fra gli altri Eterni.

Achille allora con acerbi detti
Rinfrescando la lite, assalse Atride:

Ebbro! cane agli sguardi e cervo al core!
Tu non osi giammai nelle battaglie
Dar dentro colla turba; o negli agguati
Perigliarti co' primi infra gli Achei,

Ché ogni rischio t'è morte. Assai per certo
Meglio di torna di ciascun che franco
Nella grand'oste achea contra ti dica,
Gli avuti doni in securtá rapire.
Ma se questa non fosse, a cui comandi,
Spregiata gente e vil, tu non saresti
Del popol tuo divorator tiranno,
E l'ultimo de' torti avresti or fatto.
Ma ben t'annunzio, ed altamente il giuro
Per questo scettro (che diviso un giorno
Dal montano suo tronco unqua né ramo
Né fronda metterá, né mai virgulto
Germogliera, poiché gli tolse il ferro
Con la scorza le chiome, ed ora in pugno
Sel portano gli Achei che posti sono
Del giusto a guardia e delle sante leggi
Ricevute dal ciel), per questo io giuro,
E inviolato sacramento il tieni:
Stagion verrá che negli Achei si svegli
Desiderio d'Achille, e tu salvarli
Misero! non potrai, quando la spada
Dell'omicida Ettór fará vermigli
Di larga strage i campi: e allor di rabbia
Il cor ti roderai, ché sí villana
Al piú forte de' Greci onta facesti.

Disse; e gittò lo scettro a terra, adorno
D'aurei chiovi, e s'assise. Ardea l'Atride
Di novello furor, quando nel mezzo
Surse de' Pilii l'orator, Nestorre
Facondo sí, che di sua bocca usciéno
Piú che mel dolci d'eloquenza i rivi.
Di parlanti con lui nati e cresciuti
Nell'alma Pilo ei giá trascorse avea
Due vite, e nella terza allor regnava.
Con prudenti parole il santo veglio

Cosí loro a dir prese: Eterni Dei!
Quanto lutto alla Grecia, e quanta a Priamo
Gioia s'appresta ed a' suoi figli e a tutta
La dardania cittá, quando fra loro
Di voi s'intenda la fatal contesa,
Di voi che tutti di valor vincete
E di senno gli Achei! Deh m'ascoltate,
Ché minor d'anni di me siete entrambi;
Ed io pur con eroi son visso un tempo
Di voi piú prodi, e non fui loro a vile
Ned altri tali io vidi unqua, né spero
Di riveder piú mai, quale un Driante
Moderator di genti, e Piritòo,
Céneo ed Essadio e Polifemo uom divo,
E l'Egide Teseo pari ad un nume.
Alme piú forti non nudria la terra,
E forti essendo combattean co' forti,
Co' montani Centauri, e strage orrenda
Ne fean. Con questi, a lor preghiera, io spesso
Partendomi da Pilo e dal lontano
Apio confine, a conversar venia,
E secondo mie forze anch'io pugnava.
Ma di quanti mortali or crea la terra
Niun potria pareggiarli. E nondimeno
Da quei prestanti orecchio il mio consiglio
Ed il mio detto obbedienza ottenne.
E voi pur anco m'obbedite adunque,
Ché l'obbedirmi or giova. Inclito Atride,
Deh non voler, sebben sí grande, a questi
Tor la fanciulla; ma ch'ei s'abbia in pace
Da' Greci il dato guiderdon consenti:
Né tu cozzar con inimico petto
Contra il rege, o Pelide. Un re supremo,
Cui d'alta maestá Giove circonda,
Uguaglianza d'onore unqua non soffre.

Se generato d'una diva madre
Tu lui vinci di forza, ei vince, o figlio,
Te di poter, perché a piú genti impera.
Deh pon giú l'ira, Atride, e placherassi
Pure Achille al mio prego, ei che de' Greci
In sí ria guerra è principal sostegno.

Tu rettissimo parli, o saggio antico,
Pronto riprese il regnator Atride;
Ma costui tutti soverchiar presume,
Tutti a schiavi tener, dar legge a tutti,
Tutti gravar del suo comando. Ed io
Potrei patirlo? Io no. Se il fero i numi
Un invitto guerrier, forse pur anco
Di tanto insolentir gli diero il dritto?

Tagliò quel dire Achille, e gli rispose:
Un pauroso, un vil certo sarei
Se d'ogni cenno tuo ligio foss'io.
Altrui comanda, a me non giá; ch'io teco
Sciolto di tutta obbedienza or sono.
Questo solo vo' dirti, e tu nel mezzo
Lo rinserra del cor. Per la fanciulla
Un dí donata, ingiustamente or tolta,
Né con te né con altri il brando mio
Combatterá. Ma di quant'altre spoglie
Nella nave mi serbo, né pur una,
S'io la niego, t'avrai. Vien, se nol credi,
Vieni alla prova; e il sangue tuo scorrente
Dalla mia lancia fará saggio altrui.

Con questa di parole aspra tenzone
Levarsi, e sciolto fu l'acheo consesso.
Con Patròclo il Pelide e co' suoi prodi
Riede a sue navi nelle tende; e Atride
Varar fa tosto a venti remi eletti
Una celere prora colla sacra
Ecatombe. Di Crise egli medesmo

L'EPICO

Vi guida e posa l'avvenente figlia;
Duce v'ascende il saggio Ulisse, e tutti
Giá montati correan l'umide vie.

Ciò fatto, indisse al campo Agamennóne
Una sacra lavanda: e ognun devoto
Purificarsi, e via gittar nell'onde
Le sozzure, e del mar lungo la riva
Offrir di capri e di torelli intere
Ecatombi ad Apollo. Al ciel salia
Volubile col fumo il pingue odore.

Seguian nel campo questi riti. E fermo
Nel suo dispetto e nella dianzi fatta
Ria minaccia ad Achille, intanto Atride
Euribate e Taltibio a sé chiamando,
Fidi araldi e sergenti, Ite, lor disse,
Del Pelide alla tenda, e m'adducete
La bella figlia di Briseo. Se il niega,
Io ne verrò con molta mano, io stesso,
A gliela torre: e ciò gli fia piú duro.

Disse; e il cenno aggravando in via li pose.
Del mar lunghesso l'infecondo lido
Givan quelli a mal cuore, e pervenuti
De' Mirmidóni alla campal marina
Trovar l'eroe seduto appo le navi
Davanti al padiglion: né del vederli
Certo Achille fu lieto. Ambo al cospetto
Regal fermarsi trepidanti e chini,
Né far motto fur osi né dimando.
Ma tutto ei vide in suo pensiero, e disse:

Messaggieri di Giove e delle genti,
Salvete, araldi, e v'appressate. In voi
Niuna è colpa con meco. Il solo Atride,
Ei solo è reo, che voi per la fanciulla
Briseide qui manda. Or va, fuor mena,
Generoso Patròclo, la donzella,

E in man di questi guidator l'affida.
Ma voi medesmi innanzi ai santi numi
Ed innanzi ai mortali e al re crudele
Siatemi testimon, quando il dí splenda
Che a scampar gli altri di rovina il mio
Braccio abbisogni. Perocché delira
In suo danno costui, ned il presente
Vede, né il poi, né il come a sua difesa
Salvi alle navi pugneran gli Achei.

Disse; e Patròclo del diletto amico
Al comando obbedí. Fuor della tenda
Briseide menò, guancia gentile,
Ed agli araldi condottier la cesse.

Mentre ei fanno alle navi achee ritorno,
E ritrosa con lor partia la donna,
Proruppe Achille in un subito pianto,
E da' suoi scompagnato in su la riva
Del grigio mar s'assise, e il mar guardando
Le man stese, e dolente alla diletta
Madre pregando, Oh madre! è questo, disse,
Questo è l'onor che darmi il gran Tonante
A conforto dovea del viver breve
A cui mi partoristi? Ecco, ei mi lascia
Spregiato in tutto: il re superbo Atride
Agamennón mi disonora; il meglio
De' miei premii rapisce, e sel possiede.

Sí piangendo dicea. La veneranda
Genitrice l'udí, che ne' profondi
Gorghi del mare si sedea dappresso
Al vecchio padre; udillo, e tosto emerse,
Come nebbia, dall'onda: accanto al figlio
Che lagrime spargea, dolce s'assise,
E colla mano accarezzollo, e disse:
Figlio, a che piangi? e qual t'opprime affanno?
Di', non celarlo in cor, meco il dividi.

L'EPICO

Madre, tu il sai, rispose alto gemendo
Il piè-veloce eroe. Ridir che giova
Tutto il giá conto? Nella sacra sede
D'Eezion ne gimmo; la cittade
Ponemmo a sacco, e tutta a questo campo
Fu condotta la preda. In giuste parti
La diviser gli Achivi, e la leggiadra
Criseide fu scelta al primo Atride.
Crise d'Apollo sacerdote allora
Con l'infula del nume e l'aureo scettro
Venne alle navi a riscattar la figlia.
Molti doni offerí, molte agli Achivi
Porse preghiere, ed agli Atridi in prima.
Invan; ché preghi e doni e sacerdote
E degli Achei l'assenso ebbe in dispregio
Agamennón, che minaccioso e duro
Quel misero cacciò dal suo cospetto.
Partí sdegnato il veglio; e Apollo, a cui
Diletto capo egli era, il suo lamento
Esaudí dall'Olimpo, e contra i Greci
Pestiferi vibrò dardi mortali.
Peria la gente a torme, e d'ogni parte
Sibilanti del Dio pel campo tutto
Volavano gli strali. Alfine un saggio
Indovin ne fe' chiaro in assemblea
L'oracolo d'Apollo. Io tosto il primo
Esortai di placar l'ire divine.
Sdegnossene l'Atride, e in piè levato
Una minaccia mi fe' tal che pieno
Compimento sortí. Gli Achivi a Crisa
Sovr'agil nave giá la schiava adducono
Non senza doni a Febo; e dalla tenda
A me pur dianzi tolsero gli araldi,
E menar seco di Briseo la figlia,
La fanciulla da' Greci a me donata.

Ma tu che il puoi, tu al figlio tuo soccorri;
Vanne all'Olimpo, e porgi preghi a Giove,
S'unqua Giove per te fu nel bisogno
O d'opera aitato o di parole.
Nel patrio tetto, io ben lo mi ricordo,
Spesso t'intesi gloriarti, e dire
Che sola fra gli Dei da ria sciagura
Giove campasti adunator di nembi,
Il giorno che tentar Giuno e Nettuno
E Pallade Minerva in un con gli altri
Congiurati del ciel porlo in catene;
Ma tu nell'uopo sopraggiunta, o Dea,
L'involasti al periglio, all'alto Olimpo
Prestamente chiamando il gran Centimano,
Che dagli Dei nomato è Briareo,
Da' mortali Egeone, e di fortezza
Lo stesso genitor vincea d'assai.
Fiero di tanto onore alto ei s'assise
Di Giove al fianco, e n'ebber tema i numi,
Che poser di legarlo ogni pensiero.
Or tu questo rammentagli, e al suo lato
Siedi, e gli abbraccia le ginocchia, e il prega
Di dar soccorso ai Teucri, e far che tutte
Fino alle navi le falangi achee
Sien spinte e rotte e trucidate. Ognuno
Lo si goda cosí questo tiranno;
Senta egli stesso il gran regnante Atride
Qual commise follia quando superbo
Fe' de' Greci al piú forte un tanto oltraggio.

E lagrimando a lui Teti rispose:
Ahi figlio mio! se con sí reo destino
Ti partorii, perché allevarti, ahi lassa!
Oh potessi ozioso a questa riva
Senza pianto restarti e senza offese,

Ingannando la Parca che t'incalza,
Ed omai t'ha raggiunto! Ora i tuoi giorni
Brevi sono ad un tempo ed infelici,
Ché iniqua stella il dí ch'io ti produssi,
I talami paterni illuminava.
E nondimen d'Olimpo alle nevose
Vette n'andrò, ragionerò con Giove
Del fulmine signore, e al tuo desire
Piegarlo tenterò. Tu statti intanto
Alle navi; e nell'ozio del tuo brando
Senta l'Achivo de' tuoi sdegni il peso.
Perocché ieri in grembo all'Oceáno
Fra gl'innocenti Etiopi discese
Giove a convito, e il seguir tutti i numi.
Dopo la luce dodicesma al cielo
Tornerá. Recherommi allor di Giove
Agli eterni palagi; al suo ginocchio
Mi gitterò, supplicherò, né vana
D'espugnarne il voler speranza io porto.

   Partí ciò detto: e lui quivi di bile
Macerato lasciò per la fanciulla
Suo mal grado rapita. Intanto a Crisa
Colla sacra ecatombe Ulisse approda.
Nel seno entrati del profondo porto,
Le vele ammainar, le collocaro
Dentro il bruno naviglio, e prestamente
Dechinar colle gomene l'antenna,
E l'adagiar nella corsia. Co' remi
Il naviglio accostar quindi alla riva;
E l'ancore gittate, e della poppa
Annodati i ritegni, ecco sul lido
Tutta smontar la gente, ecco schierarsi
L'ecatombe d'Apollo, e dalla nave
Dell'onde viatrice ultima uscire

Criseide. All'altar l'accompagnava
L'accorto Ulisse, ed alla man del caro
Genitor la ponea con questi accenti:
 Crise, il re sommo Agamennón mi manda
A ti render la figlia, e offrir solenne
Un'ecatombe a Febo, onde gli sdegni
Placar del nume che gli Achei percosse
D'acerbissima piaga. In questo dire
L'amata figlia in man gli cesse; e il vecchio
La si raccolse giubilando al petto.
Tosto d'intorno al ben costrutto altare
In ordinanza statuir la bella
Ecatombe del Dio; levar le palme,
Presero il sacro farro, e Crise alzando
Colla voce la man, fe' questo prego:
 Dio che godi trattar l'arco d'argento
Tu che Crisa proteggi e la divina
Cilla, signor di Ténedo possente,
M'odi: se dianzi a mia preghiera il campo
Acheo gravasti di gran danno, e onore
Mi desti, or fammi di quest'altro voto
Contento appieno. La terribil lue,
Che i Dánai strugge, allontanar ti piaccia.
 Sí disse orando, ed esaudillo il nume.
Quindi fin posto alle preghiere, e sparso
Il salso farro, alzar fer suso in prima
Alle vittime il collo, e le sgozzaro.
Tratto il cuoio, fasciar le incise cosce
Di doppio omento, e le coprir di crudi
Brani. Il buon vecchio su l'accese schegge
Le abbrustolava, e di purpureo vino
Spruzzando le venia. Scelti garzoni
Al suo fianco tenean gli spiedi in pugno
Di cinque punte armati: e come furo
Rosolate le coste, e fatto il saggio

Delle viscere sacre, il resto in pezzi
Negli schidioni infissero; con molto
Avvedimento l'arrostiro, e poscia
Tolser tutto alle fiamme. Al fin dell'opra
Poste le mense a banchettar si diero,
E del cibo egualmente ripartito
Sbramarsi tutti. Del cibarsi estinto
E del bere il desio, d'almo lieo
Coronando il cratere, a tutti in giro
Ne porsero i donzelli, e fe' ciascuno
Libagion colle tazze. E cosí tutto
Cantando il dí la gioventude argiva
E un allegro peana alto intonando,
Laudi a Febo dicean, che nell'udirle
Sentiasi tocco di dolcezza il core.

Fugato il sole dalla notte, ei diersi
Presso i poppesi della nave al sonno.
Poi come il cielo colle rosee dita
La bella figlia del mattino aperse,
Conversero la prora al campo argivo,
E mandò loro in poppa il vento Apollo.
Rizzar l'antenna, e delle bianche vele
Il seno dispiegar. L'aura seconda
Le gonfiava per mezzo, e strepitoso,
Nel passar della nave, il flutto azzurro
Mormorava d'intorno alla carena.
Giunti agli argivi accampamenti, in secco
Trasser la nave su la colma arena,
E lunghe vi spiegar travi di sotto
Acconciamente. Per le tende poi
Si dispersero tutti e pe' navili.

Appo i suoi legni intanto il generoso
Pelide Achille nel segreto petto
Di sdegno si pascea, né al parlamento,
Scuola illustre d'eroi, né alle battaglie

Piú comparia; ma il cor struggea di doglia
Lungi dall'armi, e sol dell'armi il suono
E delle pugne il grido egli sospira.
 Rifulse alfin la dodicesma aurora,
E tutti di conserva al ciel gli Eterni
Fean ritorno, ed avanti iva il re Giove.
Memore allor del figlio e del suo prego,
Teti emerse dal mare, e mattutina
In cielo al sommo dell'Olimpo alzossi.
Sul piú sublime de' suoi molti gioghi
In disparte trovò seduto e solo
L'onniveggente Giove. Innanzi a lui
La Dea s'assise, colla manca strinse
Le divine ginocchia, e colla destra
Molcendo il mento, e supplicando disse:
 Giove padre, se d'opre e di parole
Giovevole fra' numi unqua ti fui,
Un mio voto adempisci. Il figlio mio,
Cui volge il fato la piú corta vita,
Deh m'onora il mio figlio a torto offeso
Dal re supremo Agamennón, che a forza
Gli rapí la sua donna, e la si tiene.
Onoralo, ti prego, olimpio Giove,
Sapientissimo Iddio; fa che vittrici
Sien le spade troiane, infin che tutto
E doppio ancora dagli Achei pentiti
Al mio figlio si renda il tolto onore.
 Disse; e nessuna le facea risposta
Il procelloso Iddio; ma lunga pezza
Muto stette, e sedea. Teti il ginocchio
Teneagli stretto tuttavolta, e i preghi
Iterando venia: Deh parla alfine;
Dimmi aperto se nieghi, o se concedi;
Nulla hai tu che temer; fa ch'io mi sappia
Se fra le Dee son io la piú spregiata.

L'EPICO

  Profondamente allora sospirando
L'adunator de' nembi le rispose:
Opra chiedi odiosa che nemico
Farammi a Giuno, e degli ontosi suoi
Motti bersaglio. Ardita ella mai sempre
Pur dinanzi agli Dei vien meco a lite,
E de' Troiani aiutator m'accusa.
Ma tu sgombra di qua, ché non ti vegga
La sospettosa. Mio pensier fia poscia
Che il desir tuo si compia, e a tuo conforto
Abbine il cenno del mio capo in pegno.
Questo fra' numi è il massimo mio giuro,
Né revocarsi, né fallir, né vana
Esser può cosa che il mio capo accenna.
Disse; e il gran figlio di Saturno i neri
Sopraccigli inchinò. Su l'immortale
Capo del sire le divine chiome
Ondeggiaro, e tremonne il vasto Olimpo.
  Cosí fermo l'affar si dipartiro.
Teti dal ciel spiccò nel mare un salto;
Giove alla reggia s'avviò. Rizzarsi
Tutti ad un tempo da' lor troni i numi
Verso il gran padre, né veruno ardissi
Aspettarne il venir fermo al suo seggio,
Ma mosser tutti ad incontrarlo. Ei grave
Si compose sul trono. E giá sapea
Giuno il fatto del Dio; ch'ella veduto
In segreti consigli avea con esso
La figlia di Nereo, Teti la diva
Dal bianco piede. Con parole acerbe
Cosí dunque l'assalse: E qual de' numi
Tenne or teco consulta, o ingannatore?
Sempre t'è caro da me scevro ordire
Tenebrosi disegni, né ti piacque
Mai farmi manifesto un tuo pensiero.

E degli uomini il padre e degli Dei
Le rispose: Giunon, tutto che penso
Non sperar di saperlo. Ardua ten fora
L'intelligenza, benché moglie a Giove.
Ben qualunque dir cosa si convegna,
Nullo, prima di te, mortale o Dio
La si saprá. Ma quel che lungi io voglio
Dai Celesti ordinar nel mio segreto,
Non dimandarlo né scrutarlo, e cessa.

Acerbissimo Giove, e che dicesti?
Riprese allor la maestosa il guardo
Veneranda Giunon: gran tempo è pure
Che da te nulla cerco e nulla chieggo,
E tu tranquillo adempi ogni tuo senno.
Or grave un dubbio mi molesta il core,
Che Teti, del marin vecchio la figlia,
Non ti seduca; ch'io la vidi, io stessa,
Sul mattino arrivar, sederti accanto,
Abbracciarti i ginocchi; e certo a lei
Di molti Achivi tu giurasti il danno
Appo le navi, per onor d'Achille.

E a rincontro il signor delle tempeste:
Sempre sospetti, né celarmi io posso,
Spirto maligno, agli occhi tuoi. Ma indarno
La tua cura uscirá, ch'anzi piú sempre
Tu mi costringi a disarmarti, e questo
A peggio ti verrá. S'al ver t'apponi,
Che al ver t'apponga ho caro. Or siedi, e taci,
E m'obbedisci; ché giovarti invano
Potrian quanti in Olimpo a tua difesa
Accorresser Celesti, allor che poste
Le invitte mani nelle chiome io t'abbia.

Disse; e chinò la veneranda Giuno
I suoi grand'occhi paurosa e muta,
E in cor premendo il suo livor s'assise.

L'EPICO

Di Giove in tutta la magion le fronti
Si contristar de' numi, e in mezzo a loro
Gratificando alla diletta madre
Vulcan l'inclito fabbro a dar sí prese:
  Una malvagia intolleranda cosa
Questa al certo sará, se voi cotanto,
De' mortali a cagion, piato movete,
E suscitate fra gli Dei tumulto.
De' banchetti la gioia ecco sbandita,
Se la vince il peggior. Madre, t'esorto,
Benché saggia per te ; vinci di Giove,
Vinci del padre coll'ossequio l'ira,
Onde a lite non torni, e del convito
Ne conturbi il piacer; ch'egli ne puote,
Del fulmine signore e dell'Olimpo,
Dai nostri seggi rovesciar, se il voglia;
Perocché sua possanza a tutte è sopra.
Or tu con care parolette il molci,
E tosto il placherai. Surse, ciò detto,
Ed all'amata genitrice un tondo
Gemino nappo fra le mani ei pose,
Bisbigliando all'orecchio: O madre mia,
Benché mesta a ragion, sopporta in pace,
Onde te con quest'occhi io qui non vegga,
Te, che cara mi sei, forte battuta;
Ché allor nessuna con dolor mio sommo
Darti aita io potrei. Duro egli è troppo
Cozzar con Giove. Altra fiata, il sai,
Volli in tuo scampo venturarmi. Il crudo
Afferrommi d'un piede, e mi scagliò
Dalle soglie celesti. Un giorno intero
Rovinai per l'immenso, e rifinito
In Lenno caddi col cader del sole,
Dalli Sinzii raccolto a me pietosi.

Disse; e la Diva dalle bianche braccia
Rise, e in quel riso dalla man del figlio
Prese il nappo. Ed ei poscia agli altri Eterni,
Incominciando a destra, e dal cratere
Il nettare attignendo, a tutti in giro
Lo mescea. Suscitossi infra' Beati
Immenso riso nel veder Vulcano
Per la sala aggirarsi affaccendato
In quell'opra. Cosí, fino al tramonto,
Tutto il dí convitossi, ed egualmente
Del banchetto ogni Dio partecipava.
Né l'aurata mancò lira d'Apollo,
Né il dolce delle Muse alterno canto.
   Ratto, poi che del Sol la luminosa
Lampa si spense, a' suoi riposi ognuno
Ne' palagi n'andò, che fabbricati
A ciascheduno avea con ammirando
Artifizio Vulcan l'inclito zoppo.
E a' suoi talami anch'esso, ove, qual volta
Soave l'assalia forza di sonno,
Corcar solea le membra, il fulminante
Olimpio s'avviò. Quivi salito
Addormentossi il nume, ed al suo fianco
Giacque l'alma Giunon che d'oro ha il trono.

LO SCUDO DI ACHILLE.

   Mentre seguian tra lor queste contese,
Teti agli alberghi di Vulcan pervenne;
Stellati eterni rilucenti alberghi,
Fra i celesti i piú belli, e dallo stesso
Vulcan costrutti di massiccio bronzo
Tutto in sudor trovollo affaccendato
De' mantici al lavoro. Avea per mano
Dieci tripodi e dieci, adornamento

L'EPICO

Di palagio real. Sopposte a tutti
D'oro avea le rotelle, onde ne gisse
Da sé ciascuno all'assemblea de' numi,
E da sé ne tornasse onde si tolse:
Maraviglia a vederli! Omai compiuto
L'ammirando lavor, solo restava
Ch'ei v'adattasse le polite orecchie,
E appunto all'uopo n'aguzzava i chiovi.
Mentre venia tai cose elaborando
Con egregio artificio, entro la soglia
L'alma Teti mettea l'argenteo piede.
La vide, e le si fe' Cárite incontro
Ornata il capo d'eleganti bende,
Dell'inclito Vulcan moglie vezzosa:
Per man la strinse, e il roseo labbro aprendo,
Qual, le disse, cagione, o bella Teti,
Ti guida inaspettata a queste case?
Rado suoli onorarle, e nondimeno
Sempre cara vi giungi e riverita.
Inoltrati, perch'io pronta t'appresti
Le vivande ospitali. E sí dicendo,
La bellissima Dea l'altra introdusse,
E in un bel seggio collocolla, ornato
D'argentee borchie a lavorio gentile
Col suo sgabello al piede. Indi a chiamarne
Corse l'esimio fabbro, e sí gli disse:
Vieni, Vulcan, ché ti vuol Teti. Ed egli:
　Venerevole Diva e d'onor degna
Nella casa mi venne. Ella malconcio
E afflitto mi salvò quando dal cielo
Mi feo gittar l'invereconda madre,
Che il distorto mio piè volea celato;
E mille allor m'avrei doglie sofferto
Se me del mar non raccoglian nel nembo
Del rifluente Océano la figlia

Eurínome e la Dea Teti. Di queste
Quasi due lustri in compagnia mi vissi,
E di molte vi feci opre d'ingegno,
Fibbie ed armille tortuose e vezzi
E bei monili, in cavo antro nascoso
A cui spumante intorno ed infinita
D'Oceán la corrente mormorava;
Né verun di mia stanza avea contezza,
Né mortale né Dio, tranne le belle
Mie salvatrici. Or poiché Teti è giunta
Alla nostra magion, piena le voglio
Render mercé del benefizio antico.
Tu dinanzi sollecita le poni
Il banchetto ospital, mentr'io veloce
Questi mantici assetto e gli altri arnesi.

Disse, e dal ceppo dell'incude il mostro
Abbronzato levossi zoppicando.
Moveansi sotto a gran stento le fiacche
Gambe sottili. Allontanò dal fuoco
I mantici ventosi: ogni fabbrile
Istrumento raccolse, e dentro un'arca
Li ripose d'argento. Indi con molle
Spugna ben tutto stropicciossi il volto
Affumicato ed ambedue le mani
E il duro collo ed il peloso petto.
Poi la tunica mise; ed il pesante
Scettro impugnato, tentennando uscio.
Seguian l'orrido rege, e a dritta e a manca
Il passo ne reggean forme e figure
Di vaghe ancelle, tutte d'oro, e a vive
Giovinette simíli, entro il cui seno
Avea messo il gran fabbro e voce e vita
E vigor d'intelletto e delle care
Arti insegnate dai Celesti il senno.
Queste al fianco del Dio spedite e snelle

L'EPICO

Camminavano; ed egli a tardo passo
Avvicinato a Teti, in un lucente
Trono s'assise, e la sua man ponendo
Nella man della Dea, cosí le disse:
 Qual mia sorte t'adduce a queste soglie,
O sempre cara e veneranda Teti,
In quell'ampio tuo peplo ancor piú bella?
Troppo rado ne fai di tua presenza
Contenti e lieti. Or parla, e il tuo desire
Libera esponi. A soddisfarlo il grato
Cor mi sospinge, se pur farlo io possa,
E il farlo mi s'addica. E a lui suffusa
Di lagrime i bei rai Teti rispose:
 Delle Dive d'Olimpo e qual sofferse
Tanti, o Vulcano, tormentosi affanni
Quanti in me Giove n'adunò? Me sola
Fra le Dive del mar suggetta ei fece
Ad un mortale, al re Peleo. Ritrosa
Ne sostenni gli amplessi; ed egli or giace
Logro dagli anni nel regal suo tetto.
Né il tenor qui restò di mie sventure.
Mi nacque un figlio. Io l'educai gelosa,
E come pianta ei crebbe, e mi divenne
Il maggior degli eroi. Questo germoglio
Di fertile terren, questo diletto
Unico figlio su le navi io stessa
Spedii di Troia alle funeste rive
A guerreggiar co' Teucri. Avverso fato
Gli dinega il ritorno; ed io non deggio
Nella pelea magion madre infelice
Abbracciarlo piú mai. Né questo è tutto.
Fin ch'ei mi vive, e la ria Parca il raggio
Gli prolunga del Sole, ei lo consuma
Nella tristezza, né giovarlo io posso.
Dagli Achivi ottenuta egli s'avea

Premio di sue fatiche una fanciulla.
Agamennón gliela ritolse; ed esso
Dell'onta irato, e nel dolor sepolto
Si ritrasse dall'armi. I Teucri intanto
Alle navi rinchiusero gli Achei,
Né permettean l'uscita. Umíli allora
I duci Argivi gli mandar preghiere
E d'orrevoli doni ampie profferte.
Egli fermo negò la chiesta aita:
Ma cinse di sue stesse armi l'amico
Pátroclo, e al campo l'inviò seguito
Da molti prodi. Su le porte Scee
Tutto il giorno durò l'aspro conflitto.
E il dí stesso Ilion saria caduto,
S'alta strage menar visto il gagliardo
Di Menezio figliuol, non l'uccidea
Tra i combattenti della fronte Apollo,
Esaltandone Ettorre. Or io pel figlio
Vengo supplice madre al tuo ginocchio,
Onde a conforto di sua corta vita
Di scudo e d'elmo provveder tu il voglia,
E di forte lorica e di schinieri
Con leggíadro fermaglio. A lui perdute
Ha tutte l'armi dai Troiani ucciso
Il suo fedel compagno, ed egli or giace
Gittato a terra, e dal dolore oppresso.

    Tacque; e il mal fermo Dio cosí rispose:
Ti riconforta, o Teti, e questa cura
Non ti gravi il pensier. Cosí potessi
Alla morte il celar quando la Parca
Sul capo gli stará, com'io di belle
Armi fornito manderollo, e tali
Che al vederle ogni sguardo ne stupisca.

    Lasciò la Dea, ciò detto, e impaziente
Ai mantici tornò, li volse al fuoco,

E comandò suo moto a ciascheduno.
Eran venti che dentro la fornace
Per venti bocche ne venian soffiando,
E al fiato, che mettean dal cavo seno,
Or gagliardo or leggier, come il bisogno
Chiedea dell'opra e di Vulcano il senno,
Sibilando prendea spirto la fiamma.
In un commisti allor gittò nel fuoco
Argento ed auro prezioso e stagno
Ed indomito rame. Indi sul toppo
Locò la dura risonante incude,
Di pesante martello armò la dritta,
Di tanaglie la manca; e primamente
Un saldo ei fece smisurato scudo
Di dédalo rilievo, e d'auro intorno
Tre bei fulgidi cerchi vi condusse,
Poi d'argento al di fuor mise la soga.
Cinque dell'ampio scudo eran le zone,
E gl'intervalli, con divin sapere,
D'ammiranda scultura avea ripieni.

Ivi ei fece la terra, il mare, il cielo
E il Sole infaticabile, e la tonda
Luna, e gli astri diversi onde sfavilla
Incoronata la celeste volta,
E le Pleiadi, e l'Iadi, e la stella
D'Orion tempestosa, e la grand'Orsa
Che pur Plaustro si noma. Intorno al polo
Ella si gira ed Orion riguarda,
Dai lavacri del mar sola divisa.

Ivi inoltre scolpite avea due belle
Popolose cittá. Vedi nell'una
Conviti e nozze. Delle tede al chiaro
Per le contrade ne venian condotte
Dal talamo le spose, e Imene, Imene
Con molti s'intonava inni festivi.

Menan carole i giovinetti in giro
Dai flauti accompagnate e dalle cetre,
Mentre le donne sulla soglia ritte
Stan la pompa a guardar maravigliose.
 D'altra parte nel foro una gran turba
Convenir si vedea. Quivi contesa
Era insorta fra due che d'un ucciso
Piativano la multa. Un la mercede
Giá pagata asseria; l'altro negava.
Finir davanti a un arbitro la lite
Chiedeano entrambi, e i testimon produrre.
In due parti diviso era il favore
Del popolo fremente, e i banditori
Sedevano in tumulto. In sacro circo
Sedeansi i padri su polite pietre,
E dalla mano degli araldi preso
Il suo scettro ciascun, con questo in pugno
Sorgeano, e l'uno dopo l'altro in piedi
Lor sentenza dicean. Doppio talento
D'auro è nel mezzo da largirsi a quello
Che piú diritta sua ragion dimostri.
 Era l'altra cittá dalle fulgenti
Armi ristretta di due campi in due
Parer divisi, o di spianar del tutto
L'opulento castello, o che di quante
Son lá dentro ricchezze in due partito
Sia l'ammasso. I rinchiusi alla chiamata
Non obbedian per anco, e ad un agguato
Armavansi di cheto. In su le mura
Le care spose, i fanciulletti e i vegli
Fan custodia e corona; e quelli intanto
Taciturni s'avanzano. Minerva
Li precorre e Gradivo entrambi d'oro,
E la veste han pur d'oro, ed alte e belle
Le divine stature, e d'ogni parte

L'EPICO

Visibili: piú bassa iva la torma.
Come in loco all'insidie atto fur giunti
Presso un fiume, ove tutti a dissetarse
Venian gli armenti, s'appiattar que' prodi
Chiusi nel ferro, collocati in pria
Due di loro in disparte, che de' buoi
Spiassero la giunta e delle gregge.
Ed eccole arrivar con due pastori
Che, nulla insidia suspicando, al suono
Delle zampogne si prendean diletto.
L'insidiator drappello alla sprovvista
Gli assalia, ne predava in un momento
De' buoi le mandre e delle bianche agnelle,
Ed uccidea crudele anco i pastori.
 Scossa all'alto rumor l'assediatrice
Oste a consiglio tuttavia seduta,
De' veloci corsier subitamente
Monta le groppe, i predatori insegue,
E li raggiunge. Allor si ferma, e fiera
Sul fiume appicca la battaglia. Entrambe
Si ferian coll'acute aste le schiere.
Scorrea nel mezzo la Discordia, e seco
Era il Tumulto e la terribil Parca
Che un vivo giá ferito e un altro illeso
Artiglia colla dritta, e un morto afferra
Ne' piè coll'altra, e per la strage il tira.
Manto di sangue tutto sozzo e rotto
Le ricopre le spalle: i combattenti
Parean vivi, e traean de' loro uccisi
I cadaveri in salvo alternamente.
 Vi sculse poscia un morbido maggese
Spazioso, ubertoso e che tre volte
Del vomero la piaga avea sentito.
Molti aratori lo venian solcando,
E sotto il giogo in questa parte e in quella

Stimolando i giovenchi. E come al capo
Giungean del solco, un uom che giva in volta,
Lor ponea nelle man spumante un nappo
Di dolcissimo bacco; e quei tornando
Ristorati al lavor, l'almo terreno
Fendean, bramosi di finirlo tutto.
Dietro nereggia la sconvolta gleba:
Vero arato sembrava, e nondimeno
Tutta era d'or. Mirabile fattura!

 Altrove un campo effigiato avea
D'alta messe giá biondo. Ivi le destre
D'acuta falce armati i segatori
Mietean le spighe; e le recise manne
Altre in terra cadean tra solco e solco,
Altre con vinchi le venian stringendo
Tre legator da tergo, a cui festosi
Tra le braccia recandole i fanciulli
Senza posa porgean le tronche ariste.
In mezzo a tutti colla verga in pugno
Sovra un solco sedea del campo il sire,
Tacito e lieto della molta messe.
Sotto una quercia i suoi sergenti intanto
Imbandiscon la mensa, e i lombi curano
D'un immolato bue, mentre le donne
Intente a mescolar bianche farine,
Van preparando ai mietitor la cena.

 Seguia quindi un vigneto oppresso e curvo,
Sotto il carco dell'uva. Il tralcio è d'oro,
Nero il racemo, ed un filar prolisso
D'argentei pali sostenea le viti.
Lo circondava una cerulea fossa
E di stagno una siepe. Un sentier solo
Al vendemmiante ne schiudea l'ingresso.
Allegri giovinetti e verginelle
Portano ne' canestri il dolce frutto,

E fra loro un garzon tocca la cetra
Soavemente. La percossa corda
Con sottil voce rispondeagli, e quelli
Con tripudio di piedi sufolando
E canticchiando ne seguiano il suono.
 Di giovenche una mandra anco vi pose
Con erette cervici. Erano sculte
In oro e stagno, e dal bovile usciéno
Mugolando e correndo alla pastura
Lungo le rive d'un sonante fiume
Che tra giunchi volgea l'onda veloce.
Quattro pastori, tutti d'oro, in fila
Gian coll'armento, e li seguian fedeli
Nove bianchi mastini. Ed ecco uscire
Due tremendi lioni, ed avventarsi
Tra le prime giovenche ad un gran tauro,
Che abbrancato, ferito e strascinato
Lamentosi mandava alti muggiti.
Per riaverlo i cani ed i pastori
Pronti accorrean: ma le superbe fiere
Del tauro avendo giá squarciato il fianco,
Ne mettean dentro alle bramose canne
Le palpitanti viscere ed il sangue.
Gl'inseguivano indarno i mandriani
Aizzando i mastini. Essi co' morsi
Attaccar non osando i due feroci,
Latravan loro addosso, e si schermivano.
 Fecevi ancora il mastro ignipotente
In amena convalle una pastura
Tutta di greggi biancheggiante, e sparsa
Di capanne, di chiusi e pecorili.
Poi vi sculse una danza a quella eguale
Che ad Arianna dalle belle trecce
Nell'ampia Creta Dedalo compose.
V'erano garzoncelli e verginette

Di bellissimo corpo, che saltando
Teneansi al carpo delle palme avvinti.
Queste un velo sottil, quelli un farsetto
Ben tessuto vestia, soavemente
Lustro qual bacca di palladia fronda.
Portano queste al crin belle ghirlande,
Quelli aurato trafiere al fianco appeso
Da cintola d'argento. Ed or leggeri
Danzano in tondo con maestri passi,
Come rapida ruota che seduto
Al mobil torno il vasellier risolve,
Or si spiegano in file. Numerosa
Stava la turba a riguardar le belle
Carole, e in cor godea. Finian la danza
Tre saltator che in varii caracolli
Rotavansi, intonando una canzona.

Il gran fiume Oceán l'orlo chiudea
Dell'ammirando scudo. A fin condotto
Questo lavoro, una lorica ei fece
Che della fiamma lo splendor vincea;
Poi di raro artificio un saldo e vago
Elmo alle tempie ben acconcio, e sopra
D'auro tessuta v'innestò la cresta.

Fur l'ultima fatica i bei schinieri
Di pieghevole stagno. E terminate
L'armi tutte, il gran fabbro alto levolle,
E al piè di Teti le depose. Ed ella,
Co' bei doni del Dio, come sparviero
Ratta calossi dal nevoso Olimpo.

LOTTA COL FIUME XANTO.

Dagl'imi gorghi udí Xanto d'Achille
Le superbe parole, e d'alto sdegno
Fremendo, divisava in suo pensiero

L'EPICO

Come alla furia dell'eroe por modo,
E de' Teucri impedir l'ultimo danno.
Intanto il figlio di Peléo brandita
A nuove stragi la gran lancia, assalse
Asteropéo, figliuol di Pelegone,
Di Pelegon cui l'Assio ampio-corrente
Generò Dio commisto a Peribéa,
D'Acessameno la maggior fanciulla.
A costui si fe' sopra il grande Achille,
E quei del fiume uscendo ad incontrarlo
Con due lance ne venne. Animo e forza
Gli avea messo nel cor lo Xanto irato
Pe' tanti in mezzo alle sue limpid'onde
Giovani prodi dal Pelide uccisi
Spietatamente. Avvicinati entrambi,
Disse Achille primiero: Chi se' tu
Ch'osi farmiti incontro, e di che gente?
Chi m'attenta è figliuol d'un infelice.

E a lui di Pelegon l'inclita prole:
Magnanimo Pelide, a che mi chiedi
Del mio lignaggio? Dai remoti campi
Della Peonia qua ne venni (è questo
Giá l'undecimo sole), e alla battaglia
Guido i Peonii dalle lunghe picche.
Del nostro sangue è autor l'Assio di larga
Bellissima corrente, e genitore
Del bellicoso Pelegon. Di questo
Io nacqui, e basta. Or mano all'armi, o prode.

All'altere minacce alto solleva
Il divo Achille la peliaca trave.
Fassi avanti del par con due gran teli
L'ambidestro campione Asteropéo.
Coglie col primo l'inimico scudo,
Ma nol giunge a forar, ché l'aurea squama
Lo vieta, opra d'un Dio: sfiora coll'altro

Il destro braccio dell'eroe, di nero
Sangue lo sprizza, e dopo lui si figge
Di maggior piaga desioso in terra.
Fe' secondo volar contro il nemico
La sua lancia il Pelide, intento tutto
A trapassargli il cor, ma colse in fallo:
Colse la ripa, e mezzo infitto in quella
Il gran fusto restò. Dal fianco allora
Trasse Achille la spada, e furibondo
Assalse Asteropéo che invan dall'alta
Sponda si studia di sferrar d'Achille
Il frassino: tre volte egli lo scosse
Colla robusta mano, e lui tre volte
La forza abbandonò. Mentre s'accinge
Ad incurvarlo colla quarta prova
E spezzarlo, d'Achille il folgorante
Brando il prevenne arrecator di morte.
Lo percosse nell'epa all'ombelico;
N'andar per terra gl'intestini; in negra
Caligine ravvolti ei chiuse i lumi,
E spirò. L'uccisor gli calca il petto,
Lo dispoglia dell'armi, e sí l'insulta:

Statti cosí, meschino, e benché nato
D'un fiume, impara che il cozzar co' figli
Del Saturnio signor t'è dura impresa.
Tu dell'Assio che larghe ha le correnti
Ti lodavi rampollo, ed io di Giove
Sangue mi vanto, e generommi il prode
Eácide Peléo che i numerosi
Mirmidoni corregge, e discendea
Eaco da Giove. Or quanto è questo Dio
Maggior de' fiumi che nel vasto grembo
Devolvonsi del mar, tanto sua stirpe
La stirpe avanza che da lor procede.
Eccoti innanzi un alto fiume, il Xanto;

Di' che ti porga, se lo puote, aita.
Ma che puot'egli contra Giove a cui
Né il regale Achelóo né la gran possa
Del profondo Oceáno si pareggia?
E l'Oceán che a tutti e fiumi e mari
E fonti e laghi è genitor, pur egli
Della folgore trema, e dell'orrendo
Fragor che mette del gran Giove il tuono.

  Sí dicendo, divelse dalla ripa
La ferrea lancia, e su la sabbia steso
L'esanime lasciò. Bruna il bagnava
La corrente, e famelici dintorno
Affollavansi i pesci a divorarlo.

  Visto il forte lor duce Asteropéo
Cader domato dal Pelide, in fuga
Spaventati si volsero i Peonii
Lungo il rapido fiume, flagellando
Prontamente i corsier. Gl'insegue Achille
E Tersiloco uccide e Trasio e Mneso,
Enio, Midone, Astípilo, Ofeleste,
E piú n'avria trafitti il valoroso,
Se irato il fiume dai profondi gorghi
Non levava in mortal forma la fronte
Con questo grido: Achille, tu di forza
Ogni altro vinci, è ver, ma il vinci insieme
Di fatti indegni, e troppo insuperbisci
Del favor degli Dei che sempre hai teco.
Se ti concesse di Saturno il figlio
Di tutti i Troi la morte, dal mio letto
Cacciali, e in campo almen fa tue prodezze.
Di cadaveri e d'armi ingombra è tutta
La mia bella corrente, ed impedita
Da tante salme aprirsi al mar la via
Piú non puote e tu segui a farle intoppo
Di nuova strage. Orsú, desisti, o fiero

Prence, e ti basti il mio stupor. Scamandro
Figlio di Giove, gli rispose Achille,
Sia che vuoi; ma non io degli spergiuri
Teucri l'eccidio cesserò, se pria
Dentr'Ilio non li chiudo, e corpo a corpo
Non mi cimento con Ettór. Qui deve
Restar privo di vita od esso od io.
Sí dicendo, coll'impeto d'un nume
Avventossi ai Troiani. Allor si volse
Xanto ad Apollo: Saettante iddio,
Giove fatto t'avea l'alto comando
Di dar soccorso ai Teucri insin che giunga
La sera, e il volto della terra adombri.
E tu del padre non adempi il cenno?
   Mentr'egli sí dicea, l'audace Achille
Si scagliò dalla ripa in mezzo al fiume.
Il fiume allor si rabbuffò, gonfiossi,
Intorbidossi, e furiando sciolse
A tutte l'onde il freno: urtò la stipa
De' cadaveri opposti, e li respinse,
Mugghiando come tauro, alla pianura.
Servati i vivi ed occultati in seno
A' suoi vasti recessi. Orrenda intorno
Al Pelide ruggia la torbid'onda,
E gli urtava lo scudo impetuosa,
Sí ch'ei fermarsi non potea su i piedi.
A un eccelso e grand'olmo alfin s'apprese
Colle robuste mani, ma divelta
Dalle radici ruinò la pianta,
Seco trasse la ripa, e coi prostrati
Folti rami la fiera onda rattenne,
E le sponde congiunse come ponte.
   Fuor balza allor l'eroe dalla vorago,
E, messe l'ali al piè, nel campo vola
Sbigottito. Né il Dio perciò si resta,

L'EPICO

Ma colmo e negro rinforzando il flutto
Vie piú gonfio l'insegue, onde di Marte
Rintuzzargli le furie, e de' Troiani
L'eccidio allontanar. Diè un salto Achille
Quanto è il tratto d'un'asta, ed il suo corso
Somigliava il volar di cacciatrice
Aquila fosca che i volanti tutti
Di forza vince e di prestezza. Il bronzo
Dell'usbergo gli squilla orribilmente
Sul vasto petto; con obliqua fuga
Scappar dal fiume ei tenta, e il fiume a tergo
Con piú spesse e sonanti onde l'incalza.
Come quando per l'orto e pe' filari
Di liete piante il fontanier deduce
Da limpida sorgente un ruscelletto,
E, la marra alla man, sgombra gl'intoppi
Alla rapida linfa che correndo
I lapilli rimescola, e si volve
Giú per la china gorgogliando, e avanza
Pur chi la guida: cosí sempre insegue
L'alto flutto il Pelide, e lo raggiunge
Benché presto di piè: ché non resiste
Mortal virtude all'immortal. Quantunque
Volte la fronte gli converse il forte,
Mirando se giurati a porlo in fuga
Tutti fosser gli Dei, tante il sovrano
Fiotto del fiume gli avvolgea le spalle.
Conturbato nell'alma egli non cessa
D'espedirsi e saltar verso la riva,
Ma con rapide ruote il nero fiume
Sottentrato gli snerva le ginocchia.
E di costa aggirandolo, gli ruba
Di sotto ai piedi la fuggente arena.
 Levò lo sguardo al cielo il generoso,
Ed urlò: Giove padre, adunque nullo

De' numi aita l'infelice Achille
Contro quest'onda! Ah ch'io la fugga, e poi
Contento patirò qualsia sventura.
Ma nullo ha colpa de' Celesti meco
Quanto la madre mia che di menzogne
Mi lattò, profetando che di Troia
Sotto le mura perirei trafitto
Dagli strali d'Apollo! Oh foss'io morto
Sotto i colpi d'Ettorre, il piú gagliardo
Che qui si crebbe! Avria rapito un forte
D'un altro forte almen l'armi e la vita.
Or vuole il Fato che sommerso io pera
D'oscura morte, ohimè! come fanciullo
Di mandre guardian cui ne' piovosi
Tempi il torrente, nel guadarlo, affoga.

   Accorsero veloci al suo lamento,
E appressarsi all'eroe Palla e Nettunno
In sembianza mortal: lo confortaro,
Il presero per mano, e della terra
Sí disse il grande scotitor: Pelide,
Non trepidar: qui siamo in tua difesa
Due gran Divi, Minerva ed io Nettunno.
Né Giove il vieta, né dal Fato è fisso
Che ti conquida un fiume e tu di questo
Vedrai tra poco abbonacciarsi il flutto.
Un saggio avviso porgeremti intanto,
Se obbedirne vorrai. Dalla battaglia
Non ti ristar se pria dentro le mura
Dell'alta Troia non rinserri i Teucri
Quanti potranno dalla man fuggirti,
Né alle navi tornar che spento Ettorre:
Noi ti daremo di sua morte il vanto.

   Disparvero, ciò detto, e ai congiurati
Numi tornar. Riconfortato Achille
Dal celeste comando, in mezzo al campo

L'EPICO

Precipitossi. Il campo era giá tutto
Una vasta palude in cui disperse
De' trafitti nuotavano le belle
Armature e le salme. Alto al Pelide
Saltavano i ginocchi, ed ei diretto
La fiumana rompea, che a rattenerlo
Piú non bastava: perocché Minerva
Gli avea nel petto una gran forza infuso.
Né rallentò per questo lo Scamandro
Gl'impeti suoi, ma piú che pria sdegnoso
Contro il Pelide sollevossi in alto
Arricciando le spume, e al Simoenta,
Destandolo, gridò queste parole:
 Caro germano, ad affrenar vien meco
La costui furia, o le dardanie torri
Vedrai tosto atterrate, e tolta ai Teucri
Di resister la speme. Or tu deh corri
Veloce in mio soccorso, apri le fonti,
Tutti gonfia i tuoi rivi, e con superbe
Onde t'innalza e tronchi aduna e sassi,
E con fracasso ruotali nel petto
Di questo immane guastator che tenta
Uguagliarsi agli Dei. Ben io t'affermo
Che né bellezza gli varrá, né forza,
Né quel divin suo scudo che di limo
Giacerá ricoperto in qualche gorgo
Voraginoso. Ed io di negra sabbia
Involverò lui stesso, e tale un monte
Di ghiaia immenso e di pattume intorno
Gli verserò, gli ammasserò, che l'ossa
Gli Achei raccorne non potran: cotanta
La belletta sará che lo nasconda.
Fia questo il suo sepolcro, onde non v'abbia
Mestier di fossa nell'esequie sue.

Disse, ed alto insorgendo e d'atre spume
Ribollendo e di sangue e corpi estinti,
Con tempesta piombò sopra il Pelide.
E giá la sollevata onda vermiglia
Occupava l'eroe, quando temendo
Che vorticoso nol rapisca il fiume,
Diè Giuno un alto grido, ed a Vulcano
Sorgi, disse, mio figlio; a te si spetta
Pugnar col Xanto: non tardar, risveglia
Le tremendo tue fiamme. Io di Ponente
E di Noto a destar dalla marina
Vo le gravi procelle, onde l'incendio
Per lor cresciuto i corpi involva e l'arme
De' Troiani, e le bruci. E tu del Xanto
Lungo il margo le piante incenerisci,
Fa che avvampi egli stesso; e non lasciarti
Né per minacce né per dolci preghi
Svolger dall'opra, né allentar la forza
S'io non ten porga con un grido il segno.
Frena allora gl'incendii e ti ritira.

Ciò detto appena, un vasto foco accese
Vulcano, e lo scagliò. Si sparse quello
Prima pel campo, e i tanti, di che pieno
Il Pelide l'avea, morti combusse.
Si dileguar le limpid'acque, e tutto
Seccossi il pian, qual suole in un istante
D'autunnale aquilon sciugarsi al soffio
L'orto irrigato di recente, e in core
Ne gode il suo cultor. Seccato il campo,
E combusti i cadaveri, si volse
Contro il fiume la vampa. Ardean stridendo
I salci e gli olmi e i tamarici, ardea
Il loto e l'alga ed il cipero in molta
Copia cresciuti su la verde ripa.

TECA COL CUORE DI VINCENZO MONTI

(Ferrara, Biblioteca Comunale)

L'EPICO

Dal caldo spirto di Vulcano afflitti,
E qua e lá per le belle onde dispersi
Guizzano i pesci. Il cupo fiume istesso
S'infoca, e in voce dolorosa esclama:
Vulcano, al tuo poter nullo resiste
De' numi: io cedo alle tue fiamme. Ah cessa
Dalla contesa: immantinente Achille
Scacci pur tutti di cittade i Teucri;
Di soccorsi e di risse a me che cale?
Cosí riarso dalle fiamme ei parla.

Come ferve a gran foco ampio lebéte
In cui di verro saginato il pingue
Lombo si frolla; alla sonora vampa
Crescon forza di sotto i crepitanti
Virgulti, e l'onda d'ogni parte esulta:
Sí la bella del Xanto acqua infocata
Bolle, né puote piú fluir consunta
Ed impedita dalla forza infesta
Dell'ignifero Dio. Quindi a Giunone
Quell'offeso pregò con questi accenti:

Perché prese il tuo figlio, augusta Giuno,
Su l'altre a tormentar la mia corrente?
Reo ti son forse piú che gli altri tutti,
Protettori de' Troi? Pur se il comandi,
Mi rimarrò, ma si rimanga anch'esso
Questo nemico, e non sará, lo giuro,
Mai de' Teucri per me conteso il fato,
No, s'anco tutta per la man dovesse
De' forti Achivi andar Troia in faville.

La Dea l'intese, ed a Vulcan rivolta,
Fermati, disse, glorioso figlio:
Dar cotanto martir non si conviene
Per cagion de' mortali a un Immortale.
Spense Vulcano della madre al cenno

Quell'incendio divino, e ne' bei rivi
Retrograda tornò l'onda lucente.

Domo il Xanto, quetarsi i due rivali,
Ché cosí Giuno comandò, quantunque
Calda di sdegno: ma tra gli altri numi
Piú tremenda risurse la contesa.
Scissi in due parti s'avanzar sdegnosi
L'un contro l'altro con fracasso orrendo:
Ne muggí l'ampia terra, e le celesti
Tube squillar: sull'alte vette assiso
Dell'Olimpo n'udí Giove il clangore,
E il cor di gioia gli ridea mirando
La divina tenzone: e giá sparisce
Tra gli eterni guerrieri ogn'intervallo.
Truce di scudi forator diè Marte
Le mosse, e primo colla lancia assalse
Minerva, e ontoso favellò: Proterva
Audacissima Dea, perché de' numi
L'ire attizzi cosí? Non ti ricorda
Quando a ferirmi concitasti il figlio
Di Tidéo Diomede, e dirigendo
Della sua lancia tu medesma il colpo,
Lacerasti il mio corpo? Il tempo è giunto
Che tu mi paghi dell'oltraggio il fio.

Sí dicendo, avventò l'insanguinato
Marte il gran telo, e ne ferí l'orrenda
Egida che di Giove anco resiste
Alle saette. Si ritrasse indietro
La Diva, e ratta colla man robusta
Un macigno afferrò, che negro e grande
Giacea nel campo dalle prische genti
Posto a confine di poder. Con questo
Colpí l'impetuoso iddio nel collo,
E gli sciolse le membra. Ei cadde, e steso

L'EPICO

Ingombrò sette jugeri; le chiome
Insozzarsi di polve, e orrendamente
L'armi sul corpo gli tonar. Sorrise
Pallade, e altera l'insultò: Demente!
Che meco ardisci gareggiar, non vedi
Quant'io t'avanzo di valor? Va, sconta
Di tua madre le furie, e dal suo sdegno
Maggior castigo, dell'aver tradito
Pe' Teucri infidi i giusti Achei, t'aspetta.

Cosí detto, le lucide pupille
Volse altrove. Frattanto al Dio prostrato
Venere accorse, per la mano il prese,
E lui che grave sospira, e a fatica
Riaver può gli spirti, altrove adduce.
L'alma Giuno li vide, ed a Minerva,
Guarda, disse, di Giove invitta figlia,
Guarda quella impudente: ella di nuovo
Fuor dell'aspro conflitto via ne mena
Quell'omicida. Ah vola, e su lor piomba.
Volò Minerva, e gl'inseguí. Di gioia
Il cor balzava, e fattasi lor sopra,
Colla terribil mano a Citerea
Tal diè un tocco nel petto che la stese:
Giaceano entrambi riversati, e altera
Su lor Minerva gloriossi, e disse:

Fosser tutti cosí questi di Troia
Proteggitori a disfidar venuti
I loricati Achei! Fossero tutti
Di fermezza e d'ardir pari a Ciprigna
Di Marte aiutatrice e mia rivale.
E noi distrutte d'Ilion le torri,
Giá poste l'armi da gran tempo avremmo.

Udí la Diva dalle bianche braccia
Il motteggio, e sorrise.

SULLA MORTE DI GIUDA. [1]

I.

Gittò l'infame prezzo, e disperato
L'albero ascese il venditor di Cristo;
Strinse il laccio, e col corpo abbandonato
Dall'irto ramo penzolar fu visto.

Cigolava lo spirito serrato
Dentro la strozza in suon rabbioso e tristo,
E Gesú bestemmiava, e il suo peccato
Ch'empiea l'Averno di cotanto acquisto.

Sboccò dal varco al fin con un ruggito.
Allor Giustizia l'afferrò, e sul monte
Nel sangue di Gesú tingendo il dito,

Scrisse con quello al maledetto in fronte
Sentenza d'immortal pianto infinito,
E lo piombò sdegnosa in Acheronte.

II.

Piombò quell'alma all'infernal riviera,
E si fe' gran tremuoto in quel momento.
Balzava il monte, ed ondeggiava al vento
La salma in alto strangolata e nera.

Gli angeli dal Calvario in sulla sera
Partendo a volo taciturno e lento,
La videro da lunge, e per pavento
Si fer dell'ale a gli occhi una visiera.

I demoni frattanto a l'aere tetro
Calar l'appeso, e l'infocate spalle
All'esecrato incarco eran feretro.

Cosí ululando e schiamazzando, il calle
Preser di Stige, e al vagabondo spetro
Resero il corpo nella morta valle.

III.

Poiché ripresa avea l'alma digiuna
L'antica gravitá di polpe e d'ossa
La gran sentenza sulla fronte bruna
In riga apparve trasparente e rossa.

A quella vista di terror percossa
Va la gente perduta: altri s'aduna
Dietro le piante che Cocito ingrossa,
Altri si tuffa nella rea laguna.

Vergognoso egli pur del suo delitto
Fuggia quel crudo, e stretta la mascella,
Forte graffiava con la man lo scritto.

Ma piú terso il rendea l'anima fella.
Dio tra le tempie gliel'avea confitto,
Né sillaba di Dio mai si cancella.

IV.

Uno strepito intanto si sentia,
Che Dite introna in suon profondo e rotto;
Era Gesú, che in suo poter condotto
D'Averno i regni a debellar venia.

Il bieco peccator per quella via
Lo scontrò, lo guatò senza far motto.
Pianse alfine, e da' cavi occhi dirotto
Come lava di foco il pianto uscia.

Folgoreggiò sul nero corpo osceno
L'eterea luce, e d'infernal rugiada
Fumarono le membra in quel baleno.

Tra il fumo allor la rubiconda spada
Interpose Giustizia: e il Nazareno
Volse lo sguardo e seguitò la strada.

IL DRAMMATURGO.

DALL' « ARISTODEMO ». [1]

*Aristodemo narra a Gonippo come uccise
la propria figlia Dirce.*

(A. I, Sc. IV).

GONIPPO, *indi* ARISTODEMO

GONIPPO

Ch'è mai la pompa e lo splendor del trono!
Quanta miseria, se da presso il miri,
Lo circonda sovente! Ecco il piú grande
Il piú temuto regnator di Grecia,
Or fatto sí dolente ed infelice
Che crudo è ben chi no 'l compiange! Vieni,
Signor. Nessuno qui n'ascolta, e puoi
L'acerba doglia disfogar sicuro.
Siam soli.

ARISTODEMO

   O mio Gonippo, ad ogni sguardo
Vorrei starmi celato, e se il potessi,
A me medesmo ancor. Tutto m'attrista
E m'importuna: e questo sole istesso
Che desiai poc'anzi, or lo detesto,
E sopportar no 'l posso.

GONIPPO

     Eh via!, fa core;
Non t'avvilir cosí. Dove n'andaro
D'Aristodemo i generosi spirti
La costanza, il coraggio?

ARISTODEMO

       Il mio coraggio?
La mia costanza? Io l'ho perduta. Io l'odio
Sono del cielo; e, quando il ciel li abborre,
Anche i regnanti son codardi e vili.
Io fui felice, io fui possente; or sono
L'ultimo de' mortali.

GONIPPO

      E che ti manca
Ond'essere il primiero? Io ben lo veggo
Che un orrendo pensier che mi nascondi
T'attraversa la mente.

ARISTODEMO

       Sí, Gonippo,
Un orrendo pensiero; e quanto è truce
Tu non lo sai. Lo sguardo tuo non passa
Dentro il mio cor, né mira la tempesta
Che lo sconvolge tutto. Ah! mio fedele,
Credimi, io sono sventurato assai,
Senza misura sventurato; un empio,
Un maledetto nel furor del cielo,
E l'orror di natura e di me stesso.

GONIPPO

Deh, che strano disordine di mente!
Certo il dolore la ragion t'offusca,
E la tristezza tua da falso e guasto
Immaginar si crea.

ARISTODEMO

      Cosí pur fosse!
Ma mi conosci tu? Sai tu qual sangue

IL DRAMMATURGO

Dalle mani mi gronda? Hai tu veduto
Spalancarsi i sepolcri, e dal profondo
Mandar gli spettri a rovesciarmi il trono?
A cacciarmi le mani entro le chiome
E strappar la corona? Hai tu sentito
Tonar dintorno una tremenda voce
Che grida: « Muori, scellerato, muori! »
Sí morirò; son pronto: eccoti il petto,
Eccoti il sangue mio; versalo tutto,
Vendica la natura, e alfin mi salva
Dall'orror di vederti, ombra crudele.

GONIPPO

Il tuo parlar mi raccapriccia, e troppo
Dicesti tu perch'io t'intenda e vegga
Che da rimorsi hai l'anima trafitta.
In che peccasti? Qual tua colpa accese
Contro te negli dei tanto disdegno?
Aprimi i sensi tuoi. Del tuo Gonippo
La fedeltá t'è nota, e tu piú volte
De' tuoi segreti l'onorasti. Or questo
Pur mi confida. Scemasi de' mali
Sovente il peso col narrarli altrui.

ARISTODEMO

I miei, parlando, si farian piú gravi.
Non ti curar di penetrarne il fondo;
Non tentarmi di rompere il silenzio:
Lasciami per pietá.

GONIPPO

   No, non ti lascio,
Se tu segui a tacer. Non merta il mio
Lungo servire e questo bianco crine
La diffidenza tua.

ARISTODEMO

                Ma che pretendi
Col tuo pregar? Tu fremerai d'orrore
Se il vel rimovo del fatal segreto.

GONIPPO

E che puoi dirmi che all'orror non ceda
Di vederti spirar su gli occhi miei?
Signor, per queste lagrime ch'io verso,
Per l'auguste ginocchia che ti stringo,
Non straziarmi di piú..., parla.

ARISTODEMO

                      Lo brami?
Alzati... (Oh ciel! che gli rivelo io mai?)

GONIPPO

Parla, prosegui... Ohimè! che ferro è quello?

ARISTODEMO

Ferro di morte. Guardalo. Vi scorgi
Questo sangue rappreso?

GONIPPO

                      Oh Dio! qual sangue?
Chi lo versò?

ARISTODEMO

              Mia figlia. E sai qual mano
Glielo trasse dal sen?

GONIPPO

                Taci, non dirlo:
Che giá t'intesi.

ARISTODEMO

      E la cagion la sai?

IL DRAMMATURGO

GONIPPO

Io mi confondo.

ARISTODEMO

     Ascolta dunque. In petto
Ti sentirai d'orror fredde le vene;
Ma tu mi costringesti. Odimi, e tutto
L'atroce arcano e il mio delitto impara.
Di quel tempo sovvengati che, Delfo
Vittime umane comandate avendo,
All'Erebo immolar dovea Messene
Una vergin d'Epito. Ti sovvenga
Che, dall'urna fatal solennemente
Tratta la figlia di Licisco, il padre
La salvò colla fuga, e un altro capo
Dovea perire; e palpitanti i padri
Stavano tutti la seconda volta
Sul destin delle figlie. Era in quei giorni
Vedovo a punto di Messenia il trono.
Questo pur ti rimembra.

GONIPPO

     Io l'ho presente;
E mi rammento che il real diadema
Fra te, Dami e Cleon pendea sospeso,
E il popolo in tre parti era diviso.

ARISTODEMO

Or ben, Gonippo. A guadagnar la plebe
E il trono assicurar, senti pensiero
Che da spietata ambizïon mi venne.
Facciam, dissi tra me, facciam profitto
Dell'altrui debolezza. Il volgo è sempre
Per chi l'abbaglia, e spesse volte il regno
È del piú scaltro. Deludiamo adunque

Questa plebe insensata, e di Licisco
Si corregga l'error: ne sia l'emenda
Il sangue di mia figlia, e col suo sangue
Il popolo si compri la corona.

GONIPPO

Ah, signor, che di' mai? Come potesti
Sí reo disegno concepir?

ARISTODEMO

                Comprendi
Che l'uomo ambizioso è uom crudele.
Tra le sue mire di grandezza e lui
Metti il capo del padre e del fratello:
Calcherá l'uno e l'altro, e fará d'ambo
Sgabello ai piedi per salir sublime.
Questo a punto fec'io della mia figlia:
Cosí de' sacerdoti alla bipenne
La mia Dirce proffersi. Al mio disegno
S'oppose Telamon di Dirce amante.
Supplicò, minacciò, ma non mi svelse
Dal mio proposto. Desolato allora
Mi si gettò, perdon chiedendo, ai piedi;
E palesommi non potersi Dirce
Sagrificar; dal nume esser richiesto
D'una vergine il sangue, e Dirce il grembo
Portar giá carco di crescente prole,
Ed esso averne di marito i dritti.
Sopravvenne in soccorso anche la madre,
E confermò di Telamóne il detto:
Onde piena acquistar credenza e fede.

GONIPPO

E che facesti allora?

IL DRAMMATURGO

ARISTODEMO

            Arsi di rabbia;
E, pungendomi quindi la vergogna
Del tradito onor mio, quindi piú forte
La mia delusa ambizion, che tolto
Cosí di pugno mi credea l'impero,
Guardai nel viso a Telamon, né feci
Motto; ma, calma simulando e preso
Da profondo furor, venni alla figlia.
Abbandonata la trovai sul letto,
Che pallida, scomposta ed abbattuta
In languido letargo avea sopiti
Gli occhi dal lungo lagrimar giá stanchi.
Ah, Gonippo! qual furia non avria
Quella vista commosso? Ma la rabbia
M'avea posta la benda, e mi bolliva
Nelle vene il dispetto: onde, impugnato
L'esecrando coltello e spento in tutto
Di natura il ribrezzo, alzai la punta,
E dritta al core gliel'immersi in petto.
Gli occhi aprí l'infelice, e mi conobbe;
E coprendosi il volto: « Oh padre mio,
Oh padre mio, » mi disse; e piú non disse.

GONIPPO

Gelo d'orrore.

ARISTODEMO

            L'orror tuo sospendi;
Ché non è tempo ancor che tutto il senta
Sull'anima scoppiar. Piú non movea
Né man né labbra la trafitta: ed io,
Tutto asperso di sangue e senza mente,
Ché stupido m'avea reso il delitto,
Della stanza n'uscia: quando al pensiero

Mi ricorse l'idea del suo peccato.
E quindi l'ira risorgendo, e spinto
Da insensatezza, da furor, tornai
Sul cadavere caldo e palpitante;
Ed il fianco n'apersi, empio! e col ferro
Stolidamente a ricercar mi diedi
Nelle fumanti viscere la colpa.
Ahi! che innocente ell'era. Allor mi cadde
Giú dagli occhi la benda; allor la frode
Manifesta m'apparve, e la pietade
Sboccò nel cuore. Corsemi per l'ossa
Il raccapriccio, e m'impietrò sul ciglio
Le lagrime scorrenti: e cosí stetti,
Finché improvvisa entrò la madre, e, visto
Lo spettacolo atroce, s'arrestò
Pallida, fredda, muta. Indi qual lampo
Disperata spiccossi, e, stretto il ferro
Ch'era poc'anzi di mia man caduto,
Se lo fisse nel petto, e su la figlia
Lasciò cadersi, e le spirò sul viso.
Ecco d'ambo la fine, ecco l'arcano
Che mi sta da tre lustri in cor sepolto;
E tuttor vi staria, se tu non eri.

GONIPPO

Fiera istoria narrasti, e il tuo racconto
Tutto di gelo strinsemi le membra;
E nel pensarlo ancor l'alma rifugge.
Ma, dimmi: e come ad ogni sguardo occulte
Restar potero sí tremende cose?

ARISTODEMO

Non ti prenda stupor. Temuto e grande
Era il mio nome, e mi chiamava al trono

IL DRAMMATURGO

Il voto universal. Facil fu dunque
Oprar l'inganno: e tu ben sai che l'ombra
D'un trono è grande per coprir delitti.
I sacerdoti, che del ciel la voce
Son costretti a tacer quando i potenti
Fan la forza parlar, taciti e soli
Col favor delle tenebre nel tempio
La morta Dirce trasportaro; e quindi
Creder fero che Dirce in quella notte
Segretamente su l'altar svenata
Placato avesse col suo sangue i numi,
E che di questo fieramente afflitta
Sé medesma uccidesse anche la madre.
Ma vegliano sui rei gli occhi del cielo;
E un Dio v'è certo che dal lungo sonno
Va nelle tombe a risvegliar le colpe
E degli empi sul cor ne manda il grido.
Rivelarlo dovrò? Da qualche tempo
Un orribile spettro...

GONIPPO

Eh! lascia al volgo
Degli spettri la tema, e dai sepolcri
Non suscitar gli estinti. Or ti conforta;
Ché a' tuoi tanti rimorsi esser non puote
Che non perdoni il cielo il tuo delitto.
Fu grande, è vero; ma piú grande è pure
Degli dei la pietá. Chetati, e loco
Diasi a pensier piú necessario. È giunto
Di Sparta l'orator, te 'l dissi, e reca
Le proposte di pace. Odilo; e pensa
Che la patria ten prega, e questa pace
Ti raccomanda e le sue mura e i pochi
Laceri avanzi del suo guasto impero.
Dunque alla patria s'obbedisca. Andiamo.

Morte di Aristodemo.

(A. V, Sc. III ed ultima).

ARISTODEMO

Ecco la tomba, ecco l'altar che deve
Del mio sangue bagnarsi. Finalmente
Questo ferro trovai. La punta è acuta.
Dunque vibriam... Tu tremi? Allor dovevi
Tremar, che di tua figlia il petto apristi,
Genitor scellerato! Or non è giusto
Di vacillar... Moriamo. Itene lungi
Dalla mia fronte, abbominate insegne
D'infamia e di delitto. E tu fuor esci,
Esci adesso ch'è tempo, orrido spettro;
Vieni a veder la tua vendetta, e drizza
Tu stesso il colpo... Egli m'intese, ei corre:
Io ne sento il rumor: trema la tomba.
Eccolo... Vieni pur: sangue chiedesti;
E questo è sangue.

ARGIA, GONIPPO, EUMEO e DETTO

ARGIA

     Ah! ferma... Ahi! che facesti?
Qual furia ti sedusse?

GONIPPO

     Accorri, Eumeo;
Reggilo da quel lato, e qui lo posa.

ARISTODEMO

Lasciatemi, importuni. È tarda, è vana
Ogni pietá. Lasciatemi.

IL DRAMMATURGO

ARGIA

     Deh! frena
Questo furor. Sappi... Son io... Mi tronca
Il pianto le parole.

ARISTODEMO

     A che venisti,
Malaccorta Cesira? Io mi moria,
Senza vederti, piú contento e pago.
Crudel, chi ti condusse?... E tu chi sei,
Pietoso vecchio, che mi piangi accanto
E nascondi la fronte? Io vo' vederti.
Qual sembiante?

EUMEO

     Ah! signor, scorgi, ravvisa
Il tuo fedele...

ARISTODEMO

Eumeo.

EUMEO

     Sí: quello io sono.
E la tua figlia...

ARISTODEMO

Argia?

EUMEO

     Che a me fidasti
E perduta credesti...

ARISTODEMO

    Ebben?

EUMEO

                   Giá stassi
Dinanzi agli occhi tuoi: guardala, è quella.

ARISTODEMO

Che? Cesira, mia figlia?

ARGIA

                Ah! caro padre,
E che mi giova, se ti perdo?

ARISTODEMO

                      Io dunque
Ti racquisto cosí? Del ciel compita
Or veggo la vendetta: ora di morte
Sento lo strazio. Oh conoscenza! oh figlia!
Un atroce furcr m'entra nel petto,
Ed il momento a maledir mi sforza
Che ti conosco.

ARGIA

            Dei pietosi, ah, voi
Rendetemi il mio padre, o qui con esso
Lasciatemi morir!

ARISTODEMO

                Stolta! qual speri
Pietá dai numi? Essi vi son, lo credo,
E me 'l provano assai le mie sventure;
Ma son crudeli. A questo passo, o figlia,
La lor barbarie mi costrinse.

ARGIA

               O cielo,
M'ascolta, e vedi il mio pianto; perdona

Agl'insensati accenti. O padre mio,
Non aggiunger delitti ai mali tuoi,
Il maggior dei delitti, la bestemmia
De' disperati.

ARISTODEMO

Il solo bene è questo
Che mi rimase. Attenderò clemenza
In questo stato? E chiederla poss'io
E saper se la bramo?

ARGIA

Oh Dio! Dilegua
Quest'orrendo timor; lo spirto accheta,
Alza al cielo le luci.

GONIPPO

Egli le abbassa,
E mormora fra' labbri, e si scolora.

ARISTODEMO

Ahi! dove mi traete? Ove son io?
Qual oscuro deserto! Allontanate
Quelle pallide larve. E per chi sono
Quei roventi flagelli?

ARGIA

Il cor mi manca.

EUMEO

Re sventurato!

GONIPPO

L'agonia di morte
Lo conduce al delirio. Aristodemo...

Mio signor,... mi conosci? Io son Gonippo:
Questa è tua figlia.

ARISTODEMO

Ebben, che vuol mia figlia?
S'io la svenai, la piansi ancor. Non basta
Per vendicarla? Oh! venga innanzi. Io stesso
Le parlerò... Miratela: le chiome
Son irte spine, e voti ha gli occhi in fronte.
Chi glieli svelse? E perché manda il sangue
Dalle peste narici? Ohimè! Sul resto
Tirate un vel; copritela col lembo
Del mio manto regal; mettete in brani
Quella corona del suo sangue tinta,
E gli avanzi spargetene e la polve
Sui troni della terra; e dite ai regi
Che mal si compra co' delitti il soglio,
E ch'io morii...

DAL « GALEOTTO MANFREDI ». [1)]

I tributi.

(A. I, Sc. II).

MANFREDI, ODOARDO, ZAMBRINO, UBALDO

MANFREDI

Leggi, Odoardo, questo foglio, e fremi.
Vedi quale si fa per la provincia
Della mia potestá, del nome mio
Orrendo abuso. Vedi modo indegno
Di riscuoter tributi... All'uopo entrambi
Vi ritrovo opportuni.

IL DRAMMATURGO

ZAMBRINO

In volto i segni,
Signor, ti leggo di tristezza. Al nostro
Zelo svelarne la cagion ti piaccia.

MANFREDI

A questo appunto vi cercai. La nuova
Gravezza imposta e l'inumano stile
Del barbaro esattor tutta in tumulto
Giá pon Faenza e le castella e quante
Abbiam terre soggette. In ogni parte
Suonan querele; ed è ciascuna un tuono
Che mi scorre su l'alma e rompe il sonno
Delle mie notti. Sopportar non posso
Tanto rimorso, e vo' placarlo. È dunque
Mio desiderio rivocar prudente
L'abborrito tributo. — Avete, amici,
Nulla d'opposto al mio desir? Parlate.

ZAMBRINO

Ubaldo prima il suo pensier produca.

UBALDO

Il mio pensiero manifesto il feci,
Quando al fatal tributo io qui m'opposi
In questo luogo, e periglioso il dissi,
Funesto il presagii. Fumanti i campi
Son di strage, io gridai; vote di sangue
Abbiam le vene, e ancor dolenti e rosse
Le cicatrici. Sulla sponda intanto
Sta del Viti a lavar le sue ferite
La gelosa Ravenna, e, minacciando,
Del veneto Leon l'aita implora.
Di fuor molt'odio de' nemici, e dentro

Timor ne stringe di civil tumulto.
E meditiam gravezze? E quel medesmo
Braccio s'opprime che pregar tra poco
Di soccorso dovrem? Nessuna io tacqui
Di queste cose: ma prevalse allora
Il parer di Zambrino; il mio sprezzossi,
E sprezzar si dovea; ché nel contrasto
Severo parlator sempre dispiace;
Ma non seppi adular.

ZAMBRINO

Ned altri il seppe.
Se diverso opinai, lo persuase
Del principe il bisogno.

UBALDO

E che s'udranno
Del principe gli editti parlar sempre
Del suo bisogno né giammai del nostro?
Ma qual bisogno?

ZAMBRINO

E chi no 'l sa? Deserte
Sono le ròcche; affaticata e poca
La soldatesca. E se ne coglie intanto
D'armi e d'oro sprovvisti il fier nemico,
Chi pugnerá per noi? Dove difesa,
Dove coraggio troverem?

UBALDO

Nel petto,
Nell'amor de' vassalli. Abbiti questo,
Signor: né d'altro ti curar. Se tuo
Delle tue genti è il cor, solleva un grido,

E vedrai mille sguainarsi e mille
Lucenti ferri e circondarti il fianco;
Ma se lo perdi, un milion di brandi
Non t'assicura. Non ha forza il braccio
Se dal cor non la prende: e tu sarai
Fra tante spade disarmato e nudo.

ZAMBRINO

Nell'amor dunque di sue genti debbe
Tutta un regnante collocar la speme?
Nell'amor di sue genti? Oh! tu conosci
Il popol veramente.

UBALDO

              Un gregge infame
Conosco ancora; della corte i lupi,
Che per empirsi l'affamato ventre
Suggono il latte d'innocenti agnelle.
Ragion leggiadra di tributi in vero!
Perché fumin piú laute ed odorose
Le vostre mense, e vi corchiate il fianco
In piú morbido letto, e piú sfacciati
V'empian le sale di tumulto i servi;
Far che pianga l'onesto cittadino,
L'utile artista che previen l'aurora
A sudar per chi dorme, ad affinargli
Il piacer della vita e la mollezza;
Far che lo stanco agricoltor la sera
Rieda all'albergo sospirando, e vegga
D'intorno al focolar mesti e sparuti
Consorte e figli dimandar del pane
E pane non aver. Ah! ti scolpisci
Questa imago nell'alma; e all'amor mio,
Signor, perdona, se parlai sincero.

MANFREDI

Vieni, amico, al mio petto; e questo amplesso
Ti risponda per me. Dolce diventa
Sul labbro tuo la veritá: mi credo
Degno d'udirla; e parlami, se m'ami,
Sempre cosí. Non piú contrasti. Io voglio
Rivocato il tributo: e tu va', scrivi,
Odoardo, e provvedi.

ODOARDO

Ad ubbidirti
Volo, signor. Il cancellato editto
Gran pianto ti risparmia. Ogni vil pezzo
D'argento e d'oro ti rapiva un core.

ZAMBRINO

Bada, signor, che in avvenir funesta
La tua clemenza non ti sia. Profonda
Ferita è questa al tuo poter. Non lice
Al principe pentirsi.

MANFREDI

Empia dottrina
D'inferno uscita e col sangue segnata
Degli infelici! io la detesto. Parti;
Non piú; parti, Zambrino. Or non ho d'uopo
De' tuoi consigli.

ZAMBRINO

Al tuo livor sorride
Fortuna, Ubaldo: esulta: il tempo è questo
D'opprimere Zambrin.

UBALDO

Volpe di corte,
Va' pur tranquillo: io non ti temo ancora.

CAJO GRACCO.

PERSONAGGI

C. GRACCO
CORNELIA
LICINIA
L. OPIMIO console
LIVIO DRUSO tribuno

M. FULVIO
Un liberto di CAJO
Senatori
Tribuni
Littori
Popolo

La scena è nel Foro e nell'atrio della casa di Gracco, imminente al Foro.

ATTO PRIMO

SCENA PRIMA

Cajo *solo*

Eccoti, Cajo, in Roma. Io qui non visto
Entrai protetto dalla notte amica.
Oh patria mia, fa cor, ché Gracco è teco.
Tutto tace dintorno, e in alto sonno
Dalle cure del dí prendon riposo
Gli operosi plebei. Oh buoni, oh veri,
Soli Romani! Il vostro sonno è dolce,
Perché fatica lo condisce; è puro,
Perché rimorso a intorbidar nol viene.
Tra il fumo delle mense ebbri frattanto
Gavazzano i patrizi, gli assassini
Del mio caro fratello; o veramente,
Chiusi in congrega tenebrosa, i vili
Stan la mia morte macchinando, e ceppi
Alla romana libertá; né sanno
Qual tremendo nemico è sopraggiunto.
Or basta: salvo io premo la paterna
Soglia. Sí, questa è la mia soglia. Oh madre!
Oh mia Licinia! oh figlio! A finir vengo
I vostri pianti, e tre gran furie ho meco:

Ira di patria oppressa, amor de' miei,
E vendetta, la terza; sí, vendetta
Della fraterna strage. Entriam. Ma giunge
Qualcun. Foss'egli alcun de' nostri.

SCENA SECONDA

FULVIO *con uno schiavo*

FULVIO
        Sgombra,
Servo fedele, ogni timor. Compiemmo
Arditamente un'alta impresa: abbiamo
Tolto a Roma un tiranno. Alta del pari
Mercé n'avrai, la libertá. Ma bada:
Sul tuo capo riposa un grande arcano.
Non obliar che dal silenzio tuo
La mia fama dipende e la tua vita.
Lasciami. — Stolto! alla sua morte ei corre.
M'è necessaria la sua testa. Un troppo
Terribile segreto ella racchiude:
E demenza saria... Ma chi s'appressa?
Son tradito. Chi sei che qui t'aggiri,
Tenebroso spiando i passi altrui?
Non t'avanzar: chi sei? parla.

CAJO
        La voce
Non è questa di Fulvio?

FULVIO
       Che pretendi
Tu da Fulvio? Che ardir s'è questo tuo
D'interrogar fra l'ombre un cittadino
Che non ti cerca?

IL DRAMMATURGO

CAJO

Ah! tu sei desso. Oh Fulvio!
Abbracciami. Son Cajo.

FULVIO

Oh ciel! Tu Cajo?
Tu?...

CAJO

Sí, taci; son io.

FULVIO

Oh me felice!
Oh sospirato amico! E qual propizio
Nume ti guida? Io di Cartago ancora
Sul lido ti credea. Come ne vieni?
Come dunque ritorni?

CAJO

Io lá spedito
Fui di Cartago a rialzar le mura.
Adempiuto ho il comando; ed in due lune,
Che fur bastanti a rovesciarla appena,
Da' fondamenti suoi Cartago è sorta.
Incredibile impresa, e minor solo
Del mio coraggio, a cui dier sprone i tuoi
Frequenti avvisi, e l'istigar che ratto
Qua fosse il mio ritorno. Aver prevalso
L'inimico partito, esser del nostro
Atterrata la forza, ed in periglio
Star le mie leggi e Roma. Io l'opra allora
Precipitai, la consumai; veloce
Mi parto da Cartago; e, benché irato
Fosse il Tirreno, e minacciosi i venti,
Pure al mar mi commisi, ed improvviso
Qual folgore qui giungo. Or, quale abbiamo
Stato di cose?

FULVIO

              Periglioso e tristo.
L'altero Opimio, il tuo crudel nemico,
Console indegno e cittadin peggiore,
La lontananza tua posta a profitto,
Guerra aperta ti muove. E dello scorno
A che tu l'esponesti, allor che chiese,
E per te non l'ottenne, il consolato,
Solennemente a vendicarsi aspira.
Propon che tutte radansi del tuo
Tribunato le leggi, e il dí che viene
A quest'opra d'infamia è giá prefisso.

CAJO

Ma i tribuni che fan?

FULVIO

                 Fanno mercato
De' lor sacri doveri. A prezzo han messa
Lor potestade, e i senator l'han compra.

CAJO

Oh infami!

FULVIO

            E Druso, il capo della mandra
Tribunizia, il codardo e molle Druso,
La sua vilmente trafficò primiero.
Gli altri, che sono piú vil fango ancora,
Seguir tosto l'esempio. A questo modo
Avarizia si strinse a tirannia,
E collegate consumar di nostra
Cadente libertá, delle tue leggi,
E forse pur della tua vita, il nero
Orribile contratto.

IL DRAMMATURGO

CAJO

   Alto contratto,
Degno di tali mercatanti! Oh Roma!
Giá madrigna tu vendi i generosi
Ai pravi cittadini, e venderai,
Se un giorno trovi il comprator, te stessa.
Oh senato, che un dí sembrasti al mondo
Non d'uomini consiglio, ma di Numi,
Ch'altro adesso se' tu che una temuta
Illustre tana di ladroni? Io fremo.

FULVIO

Freme ogni vero cittadin. Ma questo
Di dolor non è tempo e di sospiri;
Tempo è di fatti.

CAJO

    E li farem. Ma pria
Le nostre forze esaminiam. Rispondi:
Quanti amici, se amici ha la sventura,
Nella fede restar?

FULVIO

   Pochi, ma forti.
L'intrepido Carbon giá tuo collega
Nelle agrarie contese; e Rubrio e Muzio
Animosi plebei, possente ognuno
Nella propria tribú. Vezio v'aggiungi,
E Pomponio e Licinio, alme bollenti
Di libertá del par che di coraggio.
Di me non parlo; mi conosci. Il resto
Rapí seco il rotar della fortuna.
Ed ecco tutte del tuo gran naufragio
Le onorate reliquie. Oh amico! oh quale
Mutamento di cose! Fu giá tempo

Che, di tutto signor, devoti avesti
Popoli e regi al cenno tuo. Dinanzi
Ti tremava il senato; riverenti
Ti fean corona i cittadini; un detto,
Uno sguardo di Cajo, un suo saluto,
Un suo sorriso li facea superbi.
Ambia ciascuno di chiamarsi amico,
Cliente, schiavo di questo felice
Idolo della plebe; e nel vederli
Sí prostrati, tu stesso vergognavi
Di lor viltá, tu stesso. Al fin tramonta
La tua fortuna, ed ecco ir tutte in nebbia
Le sue splendide larve, ecco disfatto
Questo nume terreno, e dagli altari
Gittato nella polve.

CAJO

E che per questo?
Nell'ire sue l'avversa sorte a Gracco
Non tolse Gracco. Ho tale un cor nel petto,
Che ne' disastri esulta; un cor che gode
Lottar col fato, e superarlo. Il fato,
Credi, è tremendo, perché l'uomo è vile;
Ed un codardo fu colui che primo
Un Dio ne fece. Ma perché tra' nostri
Fannio non conti?

FULVIO

Fannio? Il vile è fatto
Tuo nemico mortal. Pose in oblio
Costui quel giorno che per man davanti
Alla plebe il traesti, e, Opimio escluso,
Del consolato intercessor gli fosti:
E tel predissi allor che tu nel core
D'un ingrato locavi il benefizio.

CAJO

Sí, nel cor d'un patrizio. Ah! ch'io non sempre
Fui nella scelta degli amici uom saggio.
Mal dal mio core giudicai l'altrui,
E spesso il diedi a' traditori. In questo
Non so scusarmi. Or dimmi: e della plebe
Quale intanto è il pensier? Perse ella tutto
Di sue sventure il sentimento? È morta,
Parlami vero, è tutta in lei giá morta
La memoria di Cajo?

FULVIO

Aura che passa,
Ed or da questo or da quel lato spira,
È amor di plebe. Ma scusarla è forza.
Vien da miseria il suo difetto; e molti
Sendo i bisogni, esser dee molta ancora
La debolezza. In suo segreto al certo
Ella ancor t'ama, e il suo sospir t'invia:
Ma il labbro non lo sa. Timidi e muti
Sono i sospiri, ed il pallor del volto
Solo gli accusa, il susurrar tuo nome
Sommessamente, e l'abbassar del ciglio.
Ch'uno non giá né due sono i tiranni,
Ma quanti in Roma abbiam patrizi, e quanti
Opulenti e tribuni. E girne impune
Può ben la tirannia. Vedova è Roma
Della piú fiera gioventú, ché tutta
Fabio la trasse a guerreggiar sul Tago,
E i men forti restar. Quindi smarrito
Langue ogni spirto; trepida, abbattuta
Geme la plebe; ti desia, ma tace.

CAJO

Io parlar la farò. Lion che dorme

È la plebe romana, e la mia voce
Lo sveglierá: vedrai. A tutto io venni
Giá preparato, e, navigando a Roma,
I miei perigli meditai per via.
Mormoravano l'onde; inferocito
Mugghiava il vento, apriasi in lampi il cielo,
E tremava il nocchiero. Ed io pensoso
Stavami in fondo all'agitato legno,
Chiuso nel manto, e con lo sguardo basso
In altra assorto piú crudel tempesta.
Strette intorno al mio cor tenean consiglio
Fra lor dell'alma le speranze; e Roma
Volgea per mente, e antivedea pur tutti
Del senato e d'Opimio e de' tribuni
E degli amici i tradimenti. O Fulvio!
Io fremea nel pensarli, e lagrimava;
Ma lagrime di rabbia eran le mie:
E in piè m'alzava, e m'aggirava intorno,
E col vento ruggia; ché furioso
Mi rendea la pietá dell'infelice
Patria, e l'imago d'un fratel che grida,
Son dieci anni, vendetta, e ancor non l'ebbe.

FULVIO

Giá l'ebbe.

CAJO

E quale?

FULVIO

Lo saprai.

CAJO

Ti spiega.

FULVIO

Senti... (Incauto, che fo?)

CAJO
             Perché t'arresti?
Perché non parli?

FULVIO
             Scusa. Ha qualche volta
I suoi segreti l'amistá.

CAJO
             No, mai
La verace amistá. Ma, sia qualunque,
Rispetto il tuo segreto, e piú non chieggo.
Dimmi sol, ché saperlo assai ne giova,
Quale osserva contegno in tanto affare
Il mio congiunto Emilian? Che dice?

FULVIO

Emilian?... Perdona, ogni tuo detto
È una domanda; e della madre ancora,
E della sposa, o Cajo, e del tuo figlio
Nulla inchiedesti?

CAJO
             I pensier primi a Roma:
Darò i secondi a mia famiglia. Or dunque,
D'Emiliano che sperar? Marito
Di mia sorella...

FULVIO
             Nol chiamar marito,
Ma tiranno.

CAJO
       Lo so che la meschina
Di tal consorte non è lieta.

FULVIO

                E il puote
Esser mai donna che plebea si stringe
A marito patrizio? Egli l'abborre,
E te del pari abborre.

CAJO

                    Ed io... non l'amo.
Ma non t'ascondo il ver. L'alta sua fama,
Le grandi imprese che gli fero il nome
Di secondo Affrican, la cieca e muta
Verso lui riverenza della plebe,
Che lo sa suo nemico e lo rispetta,
Tutto in lui mi conturba; e duro intoppo,
S'egli n'è contra, alla vittoria avremo.

FULVIO

E noi vittoria avrem, s'altro non temi:
Ti rassicura.

CAJO

        ...Io non t'intendo.

FULVIO

                     In breve
M'intenderai. Ma noi spendiam qui indarno
Tempo e parole. Non lontana è l'alba;
E niuno degli amici ancor s'avvisa
Di tua venuta. A confortarli io corro
Di tanto annunzio.

CAJO

Fermati.

FULVIO

              A qual fine?

CAJO

A farmi chiaro il tuo parlar.

FULVIO

T'accheta.
Romor di passi ascolto, e venir sembra
Dalle tue soglie.

CAJO

Oh ciel! che fia?

FULVIO

T'accheta.

SCENA TERZA

CORNELIA, LICINIA *col figlio per mano,
il liberto* FILOCRATE *e* DETTI

CORNELIA

Frena il pianto, Licinia, e non tradire
Co' tuoi lamenti i nostri passi. Andiamo
Tacitamente, o figlia. E tu ci scorta,
Filocrate.

CAJO

Qual voce! Udisti? Ah questa,
Questa è mia madre.

FULVIO

Avviciniamci.

CORNELIA

Gente
S'appressa. State: io vado inanzi, io sola
Esploratrice.

CAJO

Il cor mi balza.

CORNELIA

Olá,
Cittadini, chi siete?

CAJO

Oh madre mia!

CORNELIA

Di chi madre?

CAJO

Di Gracco. Sí, son io;
Non sospettar, son Cajo; riconosci
Del tuo figlio la voce.

CORNELIA

Ah tu sei desso!
Il cor ti vede. Oh caro figlio! E come?...
Quando?...

CAJO

Tutto saprai. Ma la consorte,
Licinia mia, dov'è? Tu la nomavi
Pur or: dov'è?

LICINIA

Fra le tue braccia. Il suono
Di tua voce sull'anima mi corse,
E il cor sentí la tua presenza.

CAJO

Oh gioja!

LICINIA

E questo il vedi? Lo ravvisi?

CAJO

                Il figlio?
Possenti numi! il figlio mio? Nell'ora
In cui natura ed innocenza dorme,
Tu, povero innocente, tu ramingo
Per quest'orrido bujo, all'onte esposto
Degli elementi? Oh madre mia! Qual dura
Cagion di Gracco la famiglia astringe
Per quest'ombra a vagar? Chi vi persegue?
Chi vi caccia?

CORNELIA

      ...Filocrate, rientra,
E teco adduci quel fanciul. Chi è questi
Che t'accompagna?

CAJO

           Un mio fidato amico,
E udir può tutto.

CORNELIA

         Dirò dunque aperto
Di tua famiglia il duro stato, e quali
Ne sovrastan perigli. Il dí che giunge,
D'orror fia giorno, o figlio; e questo Foro,
Campo giá di virtú, fia campo in breve
Di tumulto, di sangue e di delitti.
Qui giacque spento il tuo fratel, percosso
Per la causa miglior. Queste che calchi
Son le tue soglie. Attender forse io deggio
Che imperversando a violarle venga
Il patrizio furor? V'ha forse asilo
Sacro per queste avare tigri in toga,
Di plebeo sangue sitibonde? Oh figlio!
Tu ne stavi lontano ed io tremava;

Per me non giá; la madre tua, lo sai,
Non conosce timor; ma per gli amati
Pegni io tremava de' tuoi sacri affetti,
Per questa donna del tuo cor, pei giorni
Del tuo tenero figlio, in cui mi giova,
Se perir devi, assicurarti un qualche
Vendicator. Perciò m'ascolta. In tanta
Congiura di malvagi, havvi chi sente
Pietá del nostro iniquo stato, un giusto
Che, patrizio, detesta de' patrizi
Le nere trame, e men porgea l'avviso;
E n'offeriva ne' suoi tetti asilo,
Sicurezza, silenzio. Io di ciò dunque
Sollecita movea, fidando all'ombra
Queste vite a te care. Or che presente
Tu sei, cangiato è il mio consiglio, e l'alma
Piú non mi trema.

CAJO

    E di tremar ti vieto.
Fra poco il sole ed il tuo figlio in Roma
Mostreranno la fronte, e cangerassi
Degli uomini la faccia e delle cose.

LICINIA

Lo spero io ben; ma se lontan mi fosti
Di lagrime cagion, presente adesso
Di spavento lo sei. Molto m'affida,
E molto m'atterrisce il tuo coraggio.
Fieri nemici a superar ti resta;
Il senato, i tribuni, e il piú tremendo,
Il piú fatal di tutti, anco te stesso.
Sii dunque mansueto, io te ne prego;
Va prudente, va cauto, e nella tua

Deh! custodisci per pietá la vita
Del tuo figlio e la mia.

CAJO
Ti riconforta,
Consorte amata, e sulla certa speme
Di destino miglior gli spirti acqueta.
Questo terrore lascialo alle spose
De' miei nemici. Ma chi è questo, o madre,
Di mia famiglia protettor pietoso?
Questo patrizio non perverso?

CORNELIA
Il figlio
D'Emilio, il tuo cognato.

CAJO
Un mio nemico?

CORNELIA
Non è tal chi comparte un beneficio.

CAJO
Ei m'è nemico; e atroce offesa io stimo
Il beneficio di nemica mano.
Da chi m'odia, m'è caro aver la morte
Pria che la vita. Ov'anco ei tal non fosse,
Egli è l'idol de' grandi, il piú superbo
Dispregiatore della plebe, e basta.

CORNELIA
Tu oltraggi la virtú.

CAJO
Non è virtude,
Ov'anco amor del popolo non sia.
Cessa: m'irrita il tuo parlar.

CORNELIA
                La prima
Volta s'è questa che al mio figlio è grave
La mia favella. Al tuo dolor perdono
L'irriverente tua risposta.

CAJO
                Oh madre!

FULVIO
Piú tacermi non so. Donna, tu prendi
Sconsigliata difesa, e sul tuo labbro
Duro è la lode udir d'un cittadino,
Grande sí, ma tiranno. A chi fidavi
Tu de' Gracchi la vita? Ad uno Scipio?
Ed uno Scipio non fu quel che fece
Te vedova d'un figlio? Oh degli Scipj
Orgogliosa despotica famiglia,
D'alme grandi feconda e di tiranni!
Oh Cornelia! tu sei famoso seme
Di questa schiatta, e tu la plebe adori?

CORNELIA
Cajo, chi è questo temerario?

FULVIO
                Appella
Qual piú ti piace il ragionar mio franco;
Marco Fulvio son io.

CORNELIA
            Sei Fulvio, ed osi
Voce alzar me presente? E ancor non sai
Che ammutir deve ogni ribaldo in faccia
Alla madre de' Gracchi? Tu mal scegli,

Cajo, gli amici, e d'onor poca hai cura.
Di tua sorella, sappilo, costui
Insidia la virtú. Quindi la soglia
Il tuo cognato gli precluse; e quindi
L'altr'ier le stolte sue minacce, ed ora
Le ancor piú stolte sue calunnie. Oh figlio!
Che di comune hai tu con un siffatto
Malvagio? Un Gracco con un Fulvio!

FULVIO

         Oh rabbia!
Quale oltraggio?

CORNELIA

   Qual merti.

FULVIO

       E chi ti diede
Su me tal dritto?

CORNELIA

   I tuoi costumi, e forse
I tuoi misfatti.

FULVIO

  I miei misfatti, o donna,
Son due: l'odio a' superbi, e immenso, ardente
Amor di libertá.

CORNELIA

Di libertade
Che parli tu, e con chi? Non hai pudore,
Non hai virtude, e libero ti chiami?
Zelo di libertá, pretesto eterno
D'ogni delitto! Frangere le leggi
Impunemente, seminar per tutto

Il furor delle parti, e con atroci
Mille calunnie tormentar qualunque
Non vi somiglia; insidiar la vita,
Le sostanze, la fama; anco gli accenti,
Anco i pensieri incatenar; poi lordi
D'ogni sozzura predicar virtude,
Caritá di fratelli, attribuirvi
Titol di puri cittadini, e sempre
Sulle labbra la patria, e nel cor mai;
Ecco l'egregia, la sublime e santa
Libertá de' tuoi pari, e non de' Gracchi,
Libertá di ladroni e d'assassini.
Figlio, vien meco.

SCENA QUARTA

CAJO e FULVIO

FULVIO

Udisti? E mi degg'io
Soffrir sí atroce favellar? Daresti
Tu fede al detto di costei?

CAJO

Rispetta
Mia madre, e pensa a ben scolparti; intendi?
A scolparti.

SCENA QUINTA

FULVIO *solo*

Io scolparmi? e sai tu bene
Chi mi son io? Va, stolto! Al nuovo sole
L'opra vedrai di queste mani; e forza
T'è laudarla, tacerla, o perir meco.

ATTO SECONDO

SCENA PRIMA

OPIMIO e DRUSO

DRUSO

Il primo raggio appena al Palatino
Illumina le cime, e giá pel Foro
Move senza littor, privato e solo
Il console di Roma? In questo giorno,
A te giorno d'onor, di scorno a Gracco,
Di trionfo al senato, ogni pupilla
In Opimio è conversa. A lui confida
Umil la plebe il suo destino, i grandi
La lor fortuna, il suo riposo Roma,
Di contese giá sazia: ed ei qui stassi
Inoperoso? e il dirò pur, se lice,
Dimentico d'altrui e di sé stesso?

OPIMIO

Tribuno, hai pronti i tuoi colleghi?

DRUSO

      Tutti
Da te pendiamo.

OPIMIO

   Riposar poss'io
Sulla lor fede?

DRUSO

  Ella t'è sacra.

OPIMIO

      I capi
Del popolo son nostri?

DRUSO

                    Il ricevuto
Oro, e la speme di maggior mercede
Te n'assicura.

OPIMIO

                    E le tribú son tutte
Alla calma disposte ed al rispetto?

DRUSO

Tutte. La plebe non fu mai, mel credi,
Piú docile, piú saggia e mansueta.

OPIMIO

È la plebe romana una tal belva
Che, come manco il pensi, apre gli artigli,
E inferocita ciecamente sbrana
Del par chi l'accarezza, e chi l'offende.
Oggi t'adora, e dimani t'uccide,
Per tornar poscia ad adorarti estinto.
Di me che pensa questa belva?

DRUSO

                              Muta
T'osserva e trema.

OPIMIO

                    Il suo tremar m'è caro
Piú d'assai che l'amarmi. Ma, di plebe
Vedi natura! o dominar tiranna,
O tremante servir. Libertá vera,
Che tra il servaggio e la licenza è posta,
Né possederla né sprezzarla seppe
Il popol mai con temperato affetto.
E non invoca, non rimembra intanto
Il suo Gracco ella piú?

DRUSO

     Ben lo rimembra;
Ma come sogno lusinghier fuggito.
Rotto è il fascino al fine in che l'avvolse
Quel periglioso forsennato.

OPIMIO

      E credi
Che indifferente ne vedrá soppressi
I plebisciti?

DRUSO

   Il lor funesto effetto,
Le discordie vo' dir, che amare e tante
Da questa fonte derivar; la strana
Di tai leggi natura; i modi ingiusti
Che ne seguir; la sana esperienza
Che cento volte le deluse; al fine
L'impossibile loro adempimento
In dispregio le han poste ed in oblio:
E tutte cancellarle opra ti fia
Agevole del par che gloriosa.

OPIMIO

Piú dura, amico, che non pensi.

DRUSO

      E quali
Ostacoli figuri? Onnipossente
È il tuo partito, disperato e nullo
Quello di Gracco: egli è lontano, e temi?

OPIMIO

Io mai non temo. Ma senti e stupisci.
Gracco è in Roma.

DRUSO

Oh! che dici? In Roma Gracco?

OPIMIO

In Roma.

DRUSO

E come, se in Cartago?...

OPIMIO

In Roma
Ti dico; e Fulvio giá ne porse avviso
A Pomponio, a Licinio, e a quanti v'hanno
Suoi parteggianti.

DRUSO

E non potria qualcuno
Ingannarti?

OPIMIO

Ingannar me non ardisce
Nessun. Per tutto orecchie ed occhi e mani
Ho io, per tutto. La sua giunta è certa.
E tu medesmo lo vedrai tra poco
Manifestarsi, e brulicar le vie
Di popolo affollato, ed alte grida
Sollevarsi di gioja. Un'altra volta
Vedrai la plebe minacciar furente
I consoli, il senato, e disegnarli
Vittime a questa rediviva e cara
Popolar deitá.

DRUSO

La maraviglia
Il pensier mi confonde e le parole.
Qual Dio nemico lo condusse?

IL DRAMMATURGO

OPIMIO

                      Un Dio
Che lo persegue; il Dio che spinse a morte
Giá suo fratello, in questo luogo, in mezzo
Alla frequenza de' Quiriti, in braccio
Della plebe, che vile e sbalordita
Spirar lo vide al suo cospetto e tacque.
Vedrai... Ma prima vo' parlargli. Io venni
Espressamente a questo, e qui l'attendo.

DRUSO

Console, bada: temerario e fiero
E bollente è quel cor.

OPIMIO

               Ma generoso,
Ma leal. Sua virtú mi fa sicuro
Di sua caduta. Parlerogli; a pace
L'esorterò, ma per averne effetto
Contrario. Hai chiaro il mio pensier?... Va, trova
I tuoi colleghi, avvisali di tutto
Che da me giá sapesti, e lor prescrivi
Di starsi in calma, e nulla osar. Non chieggo
Da voi, tribuni, che prudenza.

DRUSO

                    Io volo.

SCENA SECONDA

OPIMIO *solo*

Io mi dolea che lungi ei fosse; ed ecco
Propizia sorte me l'invia. Compiuta
Sará pur dunque alfin la mia vendetta.
Tu mi togliesti, ten sovvenga, o Gracco,

Tu mi togliesti un consolato, e un Fannio
Mi preponesti. Oh mia vergogna! un Fannio.
Ma, tuo malgrado, questa che mi copre
Gli omeri e il petto, è la negata invano
Porpora consolar. Gli sdegni alfine
Piú non sono impotenti, ma di forza
Vestiti e d'alta autoritá. Tu hai
Una vita, e io la voglio. Ancor per poco
Statti chiuso nel petto, o mio disdegno.
L'ora s'appressa... Ma, venir giá veggo
Fervid'onda di plebe, ed orgoglioso
Fra gli applausi avanzarsi il mio nemico.

POPOLO *dentro la scena*

Viva Gracco.

OPIMIO

Tripudia, esulta, sfogati,
Stolida plebe, generata in seno
Alla paura: imparerai tra poco
A tacer.

SCENA TERZA
GRACCO, POPOLO *e* DETTO

POPOLO

Viva Gracco. Onore a Gracco.

UNO DEL POPOLO

Morte ai patrizi.

CAJO

A nessun morte, amati
Miei fratelli, a nessuno. Io qui non miro
Che romani sembianti; e se qualch'alma
Non è romana, vi son leggi; a queste

IL DRAMMATURGO

Il giudicar lasciate ed il punire.
Popolo ingiusto è popolo tiranno,
Ed io l'amore de' tiranni abborro.
S'io Gracco vi son caro, ognun ritorni
A sue faccende, ognun riprenda in pace
Le domestiche cure. Ancor lontana
Dell'adunanza convocata è l'ora.
Tosto che giunga, io qui v'aspetto, e tutti.
Fia quello il tempo di spiegar la vostra
Alta, tremenda maestá.

PRIMO CITTADINO

    Ben parla:
Gracco è un nobile cor.

SECONDO CITTADINO

     Del giusto amico.

TERZO CITTADINO

Vero sangue plebeo. Gracco, disponi
Di nostre vite.

SCENA QUARTA
OPIMIO e GRACCO

OPIMIO

   A che mi guardi, e in atto
Di stupor ti soffermi? Non ravvisi
Lucio Opimio?

CAJO

   Son tali i tuoi sembianti,
Che si fan tosto ravvisar. Ma dove
Nol potesse lo sguardo, il cor che freme
Alla tua vista, mi diria chi sei.

OPIMIO

Ti dirá dunque ch'io son tuo nemico,
E securo abbastanza il cor mi sento
Per affermarlo, e non temerti. Or dunque
Che tutto mi conosci, odi e rispondi.

CAJO

Vuoi tu tradirmi innanzi tempo?

OPIMIO

         Il forte
Non sa tradire; ed io son forte.

CAJO

         E iniquo:
E tal tu sendo, ascoltator ti cerca
Piú rispettoso.

OPIMIO

      Se consiglio prendi
Dall'odio, va; se tuttavolta caro
Piú che l'odio privato hai della patria
L'alto interesse, fermati. Qui trassi
A parlarti di lei.

CAJO

      Dell'interesse
Sol della patria?

OPIMIO

      Di ciò sol.

CAJO

        T'ascolto.

OPIMIO

Giurami calma, attenzion.

CAJO

La giuro.

OPIMIO

Tra noi tu vedi in due Roma divisa:
Tu libera la brami, ed io la bramo.
Uno è lo scopo, ma diverso è il mezzo:
E noi calchiam sí opposte vie, che l'una
Certo è fallace, ed a ruina debbe
Piú che a salvezza riuscir. Chi dunque,
Chi le nuoce di noi? fors'io? ma guarda
E giudica. Qui siamo, io del senato,
Tu della plebe difensor. La causa,
Per cui vindice sorgo, è quella causa
Per cui Giove tonar dalla Tarpea
Rupe palese i nostri padri udiro;
Per cui pugnar Fabrizio e Cincinnato,
E Papirio e Camillo, ed il divino
Piú che senno mortal di Fabio e Scipio,
E quanti, in somma, sollevaro al cielo
La romana potenza, e nascer fero
Tra' barbari sospetto che disceso
Fosse il concilio de' Celesti in terra,
E sedesse e parlasse, e nella piena
Sua maestade governasse il mondo
Nel senato latino. Ecco il partito
A cui, romano cittadin, m'appresi,
Il partito de' saggi e degli Dei.
Qual ti scegliesti or tu? Quello scegliesti...
Non accigliarti, non turbarti, osserva
La tua parola. — Tu scegliesti quello
Della rivolta, del furor civile;
Di quel furor che tra i tumulti un giorno
Del Monte Sacro partorir si vide
L'onta eterna di Roma, il tribunato.

Ecco il cammino che tu calchi. E quali
Illustri esempli nella tua carriera
Ti proponi? Un Sicinio, un Terentillo,
Un Trebonio, un Genuzio, un Canuleio,
Un Rabuleio, e quella tanta ciurma
Di Rutilj, d'Icilj e di Petilj,
Alme tutte di fango, e vitupéro
Del gran nome romano.

CAJO
            E Opimio ardisce
Con questi vili pareggiar me Gracco?
Me?...

OPIMIO
    Tu manchi d'onor, se manchi a' tuoi
Giuramenti. Tu devi, e lo pretendo,
Ascoltarmi e tacer. Quando fia tempo
Risponderai. Non io con sí vil turba
Ti paragono, io no. Gente fu quella
D'ignominia vissuta e di misfatti,
Che protestando di vegliar sul sacro
Del popolo interesse, fu del popolo
Prima ruina, ed istrumento fece
La miseria di lui di sua perversa
Ambizion. Tu, inclito nepote
Del maggior Scipio e di Cornelia figlio,
Un cor tu porti generoso e degno
Dell'origine tua. Tu il popol ami,
Non per te stesso, ma per lui: lo veggo,
Non lo contrasto. Ma che oprar di strano
Quei malvagi e di rio, che con piú danno
E tu fatto non l'abbia? tu de' tristi
Sostegno eterno, tu che tutto ardisci,
Tu che tutto sconvolgi, e che fors'anco
Terribile saresti, ov'io non fossi?

IL DRAMMATURGO

CAJO

Hai tu finito?

OPIMIO

Non ancor, sta cheto;
Non rompere i miei detti. Ad isfogarti
T'avrai quanto vuoi tempo. Io qui non voglio
Uno per uno memorar gl'insani
Tuoi plebisciti, e come per lor giace
Vilipesa, prostrata la suprema
Maestá del senato. Io non vo' dirti
A che mani togliesti, e a quai fidasti
Le bilance d'Astrea. Taccio le tue
Di scandalo feconde e di tumulti
Frumentarie Calende; il sacro io taccio
Di roman cittadino augusto dritto
Per tutta Italia prostituto; e a cui?
A gente che pur anco il solco porta
Delle nostre catene. Io di ciò tutto
Non vo' far piato. Ma, tacer poss'io
De' tuoi delirj il piú funesto? Io dico
L'Agraria, eterno doloroso fonte
Delle risse civili, e forse un giorno
Della romana libertá la tomba.
E tu dal sonno in che giacea sepolta
Questa legge fatal, tu, forsennato,
La provocasti! E adulator di plebe,
Querula sempre, né satolla mai,
Tu per costei del pubblico riposo
Ti fai nemico? per costei? Né il fato,
Anzi neppur l'infamia ti sgomenta
Di Genuzio, di Melio e Viscelino,
Tuoi precursori in sí nefanda impresa?
E che dico di questi? Il tuo fratello
Perché giacque?

CAJO

           Perché de' giusti è fatto
Carnefice il senato.

OPIMIO

           Punitore
Delle colpe è il senato. E nondimeno
Mai causa piú perversa ebbe un piú puro
Proteggitor. Sí: la virtú difese
L'iniquitá; ma pur soggiacque. E allora
Fu manifesto che in contrario tutti
Congiurati di Roma eran gli Dei.
Perocché il solo che potea far giusta
Sí ingiusta causa e meritar perdono,
Dal fulmine del ciel fu tocco anch'esso.
Dopo un cotanto esempio, che pretendi
Tu mal cauto? che speri? A che lasciasti
Di Cartago le sponde? a che venisti,
Misero? a sostener contra il senato
Contra il ciel, contra me le tue proscritte
Tribunizie follie? T'inganni. È fisso
Che le tue leggi perano. Tu stesso
Perirai, se t'opponi: io son che il dico.
Se di tua vita non ti cal, ti caglia
Della tua fama, cagliati di Roma
Che di sangue civile un'altra volta,
Se non fai senno, si vedrá vermiglia.
Ciò mi mosse, e null'altro, a favellarti.
Or che aperto conosci il mio pensiero,
Fa ch'io del pari il tuo conosca; e parla.

CAJO

Orator del senato, e de' superbi
Ricchi malvagi, che si noman Grandi,

IL DRAMMATURGO

Vuoi tu risposta? Io la darotti, e breve.
Di patria t'odo ragionar. Non chieggo
Se n'hai veruna; e se la merti, quando
Per te il senato è tutto, il popol nulla.
Ben io ti dico, che mia patria è quella
Che nel popolo sta. Piace agli Dei
Del senato la causa? A Gracco piace
La causa della plebe. E vuoi saperne
Lo perché? Perché il fasto, l'alterezza,
L'ira, la gola, l'avarizia e tutta
La falange de' vizi e delle colpe
È vostra tutta quanta; e star non puote
La libertá, la pubblica salute
Con sí vil compagnia. Ma non vo' teco
Perder tempo e parole. Tu se' grande,
Tu se' vero patrizio, e non m'intendi.
Non vantarmi i Camilli ed i Fabrizi:
Imitali piuttosto, e mi vedrai
Caderti al piè per adorarti. Quanto
Alle mie leggi, che tu inique appelli,
Tu senator, tu console, tu parte,
Giudice acconcio non ne sei. De' grandi
La tirannia ne freme; e ciò m'avvisa
Che giuste furo e necessarie e sante.

OPIMIO

Altra risposta non mi dai?

CAJO

      La sola
Di te degna.

OPIMIO

  E non curasti il mio consiglio?

CAJO

Consiglio di nemico è tradimento.

OPIMIO

Or ben, se sprezzi le parole, avrai
Fatti.

CAJO

Sí, quelli del crudel Nasica,
Dell'assassino del fratello mio.
Ben tu se' degno d'imitarlo.

OPIMIO

Io taccio.

CAJO

E tacendo parlasti.

OPIMIO

Innanzi a Roma
Piú chiaro in breve parlerò.

CAJO

E piú chiare
N'avrai risposte.

OPIMIO

Le udirem.

CAJO

Lo spero.

SCENA QUINTA
Druso e detti

DRUSO

Console,... io vengo apportator di nuova
Che porrá tutto in pianto... Al rio racconto
Manca la voce... Tu perdesti, o Cajo,
Un illustre congiunto, e Roma il primo
De' cittadini. Emiliano è spento.

IL DRAMMATURGO

OPIMIO
Ohimè! che narri?

DRUSO
              Veritá funesta.
Osserva che frequente d'ogni parte
Il popolo v'accorre. Altro non odi
Per la contrada che lamenti e cupi
Fremiti di pietá. Chi piange in lui
Il protettor, chi il padre e chi l'amico;
Tutti il sostegno della patria; ed havvi,
Per tutto dirti, chi bisbiglia voce
Di violenta morte.

OPIMIO
              Oh ciel! che ascolto?

CAJO
Quale orrendo sospetto?

DRUSO
              Ecco Cornelia.
Il turbato suo volto assai ne dice
Che il fiero caso l'è giá noto.

SCENA SESTA
Cornelia e detti

CORNELIA
              Figlio,
Un doloroso annunzio. Il tuo cognato
Piú non respira.

CAJO
Oh madre!...

CORNELIA

       A che mi traggi
In disparte? Che hai, figlio? tu tremi?
Che t'avvenne? che hai?

CAJO

      Druso racconta
Cosa che fammi inorridir. Va, corri,
Vedi, osserva, t'informa. Il cor mi strazia
Un sospetto crudel.

CORNELIA

  Parla, ti spiega...

CAJO

Qui nol posso. Deh! vola, e dall'estinto
Non ti partir fin ch'io non giungo. E tosto
Ti seguirò.

CORNELIA

  Mi trema il cor.

SCENA SETTIMA

OPIMIO, DRUSO e CAJO

OPIMIO

      Notasti?

DRUSO

Notai.

OPIMIO

Vedesti quel pallor?

DRUSO

     Lo vidi.

IL DRAMMATURGO

OPIMIO

Quel pallor, quella smania, quel sommesso
Favellarsi in disparte, m'assicura
Che fiero arcano qui s'asconde. Vieni.

SCENA OTTAVA
Cajo, *poi* Fulvio

CAJO

Ho l'inferno nel cor. Di Fulvio i detti
Mi ricorrono tutti alla memoria,
Come strali di foco. A tempo giungi.
Parla, perfido amico. Emiliano
Giace in braccio di morte assassinato:
Chi l'uccise?

FULVIO

A me il chiedi?

CAJO

A te, che in guisa
Ragionavi di lui da farmi or certo
Che tu medesmo l'assassin ne sei.
Parla dunque, fellon, parla.

FULVIO

Se tanto
Al cor t'è grave la costui caduta,
O tu non sei piú Gracco, o tu deliri.
Dovria Gracco piú laude e cor piú grato
Al generoso ardir che un oppressore
Tolse alla patria, un avversario a lui.

CAJO

Dunque tu l'uccidesti.

FULVIO

                A che mi tenti,
Ingrato amico? L'onor tuo periglia;
La libertá vacilla; un reo senato
Mette Roma in catene; a morte infame
Spinge uno Scipio il tuo fratello; un altro
I tuoi giorni minaccia; un risoluto
E magnanimo colpo al tuo partito
La vittoria assicura; a te la vita
Salva e la fama; vendica la plebe;
Placa l'ombra fraterna: e ti lamenti,
E mi chiami assassin? Va, tel ripeto,
O tu non sei piú Gracco, o tu deliri.

CAJO

Or ti conosco, barbaro! E tu servi
Alla mia causa co' delitti?

FULVIO

                  E quelli
Del superbo ch'io spensi e tu compiangi,
Dimenticasti tu? Piú non rammenti,
Opra di questo destruttor crudele,
Di Numanzia la fame, opra che nero
Fe' il nostro nome ed esecrato al mondo?
Obliasti di Luzia i quattrocento
Giovinetti traditi, e colle monche
Man sanguinose ai genitor renduti?
Interroga Cartago; alle sue rive
Chiedi di questo bevitor di sangue
Le terribili imprese. Ai pianti, ai gridi,
Alle stragi ineffabili di cento
E piú mila infelici, altri in catene,
Altri al ferro, alle fiamme abbandonati,

IL DRAMMATURGO

D'ogni etá, d'ogni sesso, oh maraviglia
Che inorriditi non s'apriro i lidi.
Eran barbare genti, eran nemiche;
Ma disarmate, imbelli e lagrimanti
E chiedenti mercede: e la romana
Virtú comanda perdonare ai vinti,
Debellar i superbi. Ma che vado
Esterne colpe di costui cercando?
Se la misera plebe ancor sospira
Sola una gleba ove por l'ossa in pace;
Se la provvida legge, che sí breve
Patrimonio le dona, e che suggello
Ebbe dal sangue del german tuo stesso,
Ancor rimansi inefficace e vana,
Chi la deluse? Chi sviò, chi tolse
Ai tre prescelti il libero giudizio
Delle terre usurpate? Alfin, chi disse
Nella piena adunanza utile e giusta
Del tuo fratel la morte? Emiliano.
E ricordati, Cajo, le parole
Che, presente la plebe, in quel momento
Fulminar le tue labbra. Io le ho riposte
Altamente nel cor. Uopo è, dicesti,
Uopo è dar morte a quel tiranno. Il feci.
E mi chiami assassin? Se questa è colpa,
L'assassino sei tu. Tua la sentenza,
Tuo pur anco il delitto. Amico, e cieco,
Io non fei che obbedirti.

CAJO

    Amico mio
Tu, scellerato? Di ribaldi io mai
Non son l'amico, io mai. Fulmine colga,
Sperda que' tristi che per vie di sangue
Recando libertá recan catene,

Ed infame e crudel piú che il servaggio
Fan la medesma libertá. Non dire,
Empio, non dir che la sentenza è mia.
Spento il voleva io sí, ma per la scure
D'alta giustizia popolar, per quella
Che il tuo vil capo troncherá. Tu festi
Orribil onta al mio nome, e tu trema.

FULVIO

Cajo, fine agli oltraggi; io tel consiglio:
Fine agli oltraggi. Iniquo o giusto sia,
Raccogli il frutto del mio colpo, e taci:
Non sforzarmi a dir oltre.

CAJO
     E che diresti?

FULVIO

Quel che taccio.

CAJO
    Che? Forse altri delitti?

FULVIO

Nol so.

CAJO

 Nol sai? Gelo d'orror, ned oso
Piú interrogarti.

FULVIO

  E n'hai ragion.

CAJO
       Che dici?

FULVIO

Nulla.

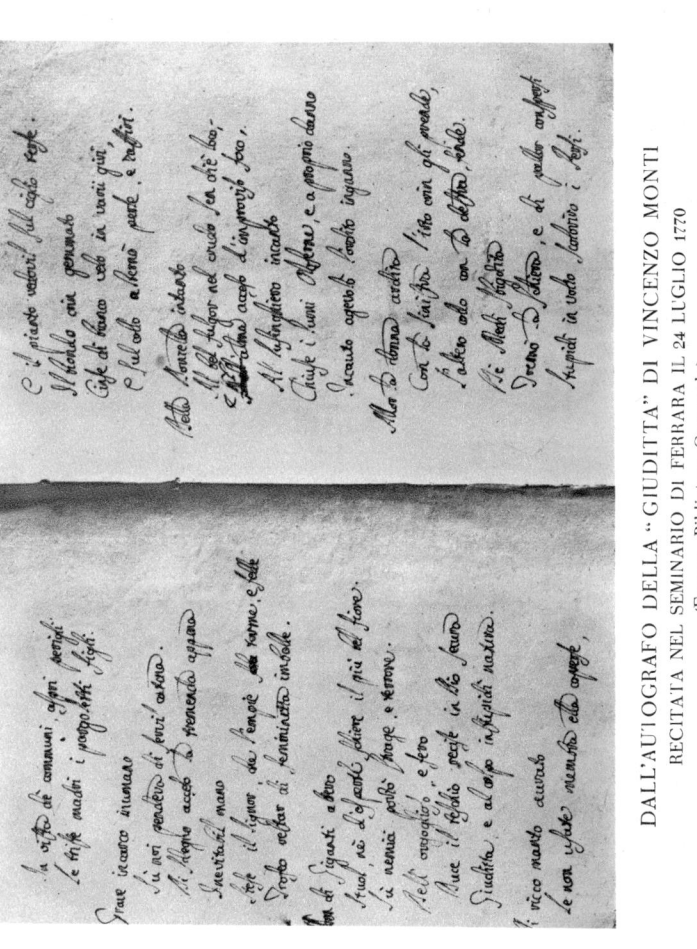

DALL'AUTOGRAFO DELLA "GIUDITTA" DI VINCENZO MONTI
RECITATA NEL SEMINARIO DI FERRARA IL 24 LUGLIO 1770
(Ferrara, Biblioteca Comunale)

IL DRAMMATURGO

CAJO

Quel detto il cor mi serra. Oh quale
Nel pensier mi balena orrido lampo!
Hai tu complici?

FULVIO

Sí.

CAJO

Quali?

FULVIO

Insensato,
Non dimandarlo.

CAJO

Vo' saperlo.

FULVIO

Bada,
Ti pentirai.

CAJO

Non piú: lo voglio.

FULVIO

Il vuoi?
Chiedilo... a tua sorella.

SCENA NONA

CAJO *solo*

A mia sorella?
Spento ha il marito la sorella mia?
Oh nefando delitto! oh immacolato
Nome de' Gracchi divenuto infame!
Infame? Io sento a questa idea sul capo
Sollevarsi le chiome. Ove m'ascondo?

31. - V. Monti, *Opere scelte.*

Ove l'onta lavar di questa fronte
Disonorata? Che farò? Tremenda
Voce nel cor mi mormora, mi grida:
Va, corri, svena la tua rea sorella.
Terribil voce dell'onor tradito
Di mia famiglia, t'obbedisco. Sangue
Tu chiedi, e sangue tu l'avrai: lo giuro.

ATTO TERZO

SCENA PRIMA

Cornelia, Licinia e Cajo

CORNELIA

Figlio, calma il furor; torna in te stesso,
Mio caro figlio, per pietá. Rispetta
Il dolor d'una madre e della tua
Sposa infelice che tutta si scioglie,
Vedila, in pianto. Non fuggir lontano
Da queste braccia; guardami, crudele,
Io son che prego.

CAJO

Ah madre!...

CORNELIA

Deh sí fiero
Non rispondere, o figlio; supplicarti
Io no, non voglio per la rea sorella...

CAJO

Non mi nomar quel mostro. Una tal furia
Non m'è sorella. Perché m'hai di pugno
Strappato il ferro che giá tutto entrava
Nelle perfide vene? Oh! tu lo caccia
Per pietá nelle mie, e qui m'uccidi.

IL DRAMMATURGO

CORNELIA

Deh considera meglio. Il suo delitto
Non è palese: il suo pentir, l'orrore
Della sua colpa lo scopriro a noi
Piú che gl'indizi della colpa istessa.
Ella è per anco occulta, e col punirla
Tu la riveli, e sul tuo nome stampi
Tu medesmo l'infamia. In altra guisa,
Credi tu che trattar questa mia mano
Non sappia un ferro, e, dove onor lo chiegga,
Nel sen vibrarlo ancor de' figli? Io porto
Un cor qua dentro, se nol sai, piú fiero,
Piú superbo che il tuo. Ma questo capo,
Questo mio capo, o figlio, è piú sereno;
E con piú senno governar sa l'ira,
E drizzarla al suo fin. Non disputiamo
Dunque, ti prego, e la mia voce ascolta;
Ch'or altro è il volto delle cose, ed altri
Esser denno i pensier. L'ora s'appressa
Dell'adunanza popolar. Raccolto
Di Bellona nel tempio è il reo senato:
E in quell'antro di colpe e di vendette
Che si congiura? la tua morte. Il tempo
È d'alto prezzo, e in altro che lamenti
Adoprarlo convien. Raccogli adunque
La tua virtude, e ne circonda il petto.
Piú che vita, l'onor ti raccomando,
E la patria. Va, figlio; e sia qualunque
Il tuo destin, non ismentir te stesso,
Né me tua madre.

LICINIA

Oh me infelice!

CORNELIA

                    Intendo
Il tuo gemito, o figlia; ma disdice
Alla moglie di Gracco, a una Romana.

LICINIA

Se romana virtú pianto non soffre,
Se mi comanda soffocar natura,
E tradir di consorte il pio dovere,
Ben io mi dolgo, oimè! d'esser Romana.
Te le lagrime mie, me attrista, o madre,
La tua fiera virtú. Poss'io vederti
Alla morte esortar questo tuo figlio,
Questo dell'alma mia parte piú cara;
Poss'io vederlo e non disfarmi in pianto?

CORNELIA

Vuoi che Cornelia una viltá consigli?
Vuoi tu ch'ella?...

LICINIA

                Sia madre: altro non chieggo.
Qual piú sublime, qual piú santo nome
Che quel di madre, e che piú scenda al core?
Di tre parti feconda, uno il perdesti
Per patrizio furor, l'altro la luce
Di tua stirpe macchiò con un misfatto.
Non rimanti che il terzo; e questo, ancora
Questo, incalzi di morte sul cammino,
Sol d'affanno bramoso e di sventure?
Madre, e questa è virtú? Deh, per l'amato
Cenere sacro dell'ucciso figlio,
A lui salva il fratello, a me lo sposo,
Una dolcezza a' tuoi lugúbri e tardi
Vedovi giorni, una speranza a Roma.

IL DRAMMATURGO 485

E tu cangia, amor mio, cangia consiglio,
Ineguale di forza e di fortuna
Non cozzar col destino, e la tua vita
Non espor senza frutto in questa arena.
Sai di che sangue è tinta, e per che mani!
Oimè! che, sitibonde anche del tuo,
Quelle mani medesme han fatto acuto
Nuovamente il pugnal contro il tuo seno.
Non affrontarle, non portar tu stesso
Sotto i lor colpi volontario il petto.
Deh, non ridurre a tal la tua consorte
Di dover vagabonda per le rive
Aggirarsi del Tebro, e pregar l'onde
Di rendermi pietose il divorato
Tuo cadavere!

CAJO

Oh tu! sulle cui labbra
Colsi il primo d'amor bacio divino,
Che i primi avesti e gli ultimi t'avrai
Palpiti del cor mio, non assalire
Con le lagrime tue la mia costanza;
Né contra l'onor mio, se ti son caro,
Co' tuoi singulti cospirar tu stessa.
Abbastanza son io da piú crudele,
Da piú giusto dolor vinto e trafitto,
Dal dolor... Ma che pro? Sul nome mio
Piombò l'infamia, ed io la vita abborro.

LICINIA

Me misera!

CAJO

Fa cor, Licinia, e prendi
Convenienti al tempo alma e pensieri.
Se fisso è in ciel che sia questo l'estremo

De' miei miseri dí, non io ti chieggo
Di lagrime tributo e di sospiri:
Ciò mi faria tra'morti ombra dolente.
Ben ti chieggo d'amarmi, e vivo avermi
Nel caro figlio, e lui per man sovente
Alla mia tomba addurre, ed insegnargli
A spargerla di fiori, e con la voce
Pargoletta a chiamar l'ombra paterna.
Esulterá nell'urna, e avviverassi
Per la vostra pietá la polve mia.
E tu del padre gli racconta allora,
Onde apprenda virtú, le rie sventure.
Narragli quanto amai la patria, e come
Per la patria morii. Digli ch'io m'ebbi
Un illustre fratel, per la medesma
Gloriosa cagion spento ancor esso;
Ma non gli dir ch'io m'ebbi una sorella:
Non gli dir che de' Gracchi nella casa
Entrar delitti, orribili delitti...
E invendicati.

CORNELIA

        Oh figlio! e perché tenti
Con memorie sí crude il mio coraggio?
Che vuoi tu dunque? Alla viltá del pianto
Forzar anco la madre? Ebben, ... crudele...
Tu l'ottenesti. Di Tiberio mio
Vidi lacero il corpo; lo raccolsi
Tra queste braccia; ne lavai le piaghe
Con queste mani, le baciai; non piansi.
Sí; senza pianto contemplai lo strazio
Di cosí caro oggetto: e, al rio pensiero
Dell'ignominia di mia stirpe, il ciglio
Piú non resiste, e il cor mi scoppia.

SCENA SECONDA

Un banditore s'avanza con un decreto alla mano; lo appende ad una colonna, e il popolo vi accorre avidamente per leggerlo. Un CITTADINO, *dopo d'averlo osservato, si accosta a* CAJO *sepolto nel dolore, lo scuote pel manto, e dice:*

          Gracco,
Gracco, un decreto del senato; il vedi?
T'accosta e leggi.

   CAJO *s'accosta e legge:*
    Il console provegga
Che non riceva detrimento alcuno
La repubblica.

    LO STESSO CITTADINO

    Guardati infelice,
Quel decreto è fatale alla tua vita.

    LICINIA
Ahi che sento!

    CAJO

   Lo veggo, e ti ringrazio,
Cortese cittadin. Tu se non erro,
Tu sei Quintilio.

 Il CITTADINO *stringendogli la mano.*
   E amico tuo: coraggio.

    CORNELIA
Volgiti, figlio: al popol tutto in mezzo

Fiero s'avanza a questa volta Opimio.
Svégliati: il tempo d'aver core è giunto.

CAJO

Va: non temer.

CORNELIA

La man mi porgi.

CAJO

Prendi;
Senti se trema.

CORNELIA

No, non trema: è quella
Del mio figlio; e mi dice che tu sai,
Pria che tradirne l'onor tuo, morire.
Son tranquilla.

CAJO

Licinia... addio... m'abbraccia.
Se questo amplesso... se il destin... Soccorri
Questa misera, o madre: ella giá perde
La conoscenza. Addio. Ti raccomando
La mia sposa, il mio figlio.

Cornelia si ritira sostenendo Licinia vacillante, mentre Cajo, arrestandosi dinanzi alla statua del padre, dice:

O tu, che muto
Da questo marmo al cor mi parli, invitto
Mio genitor, t'intendo, e sarai pago.
O libera fia Roma oggi, o tra poco
Nud'ombra anch'io t'abbraccerò.

IL DRAMMATURGO

SCENA TERZA

Opimio *preceduto dai littori, e seguíto dai senatori;* Druso, *e gli altri tribuni:* Fulvio *confuso tra il popolo che accorre da tutte le parti, e* Cajo.

OPIMIO

Romani,
La salute del popolo è in periglio.
Chieggo parlarvi.

POPOLO

Parla.

OPIMIO

Le divine
Norme del giusto: lo splendor supremo
De' magistrati; l'eminente nome
Di roman cittadino, a cui null'altro
S'agguaglia in terra; i sacri patti ond'hanno
Lor sicurezza le sostanze; alfine
La servatrice d'ogni stato, io dico
La concordia civil, giaccion per nuove
Funeste leggi mortalmente offesi,
E domandan riparo. Alto il suggetto,
Ma sí grave è il dolor che il cor m'ingombra,
Che mal risponderanno alla grandezza
Dell'argomento mio le mie parole.
Piú che a parlarvi, a lagrimar son io
Preparato, o Quiriti. E veramente,
Qual de' barbari ancor potria dal pianto
Temperarsi, pensando alla caduta
Del maggior de' Romani? Il grande, il giusto,
L'invitto Scipio Emiliano è spento,
E di Roma con lui spenta la luce.

E fosse noto almen, se degli Dei
O degli empj la man troncò uno stame
Sí prezioso.

FULVIO

Console, tu lungi
Vai dal proposto tuo: torna al suggetto.

POPOLO

Al suggetto, al suggetto.

OPIMIO

Io ben mi veggo
Che il sol ricordo dell'estinto eroe
Fa talun qui tremar; ma dovendo io
D'inique leggi da quel giusto in prima
Biasmate ragionar, duolmi che spenta
Or sia di tanto riprensor la voce;
Viva la qual, saria salva quest'oggi
La patria, e muto chi a perir la mena.
Cajo Gracco, ove sei? Mostra la fronte.
Delle tue leggi io parlo, e innanzi a questo
Da te tradito popolo ne parlo.
Tu crollasti gli antichi e venerandi
Tribunali di Temi; ne fidasti
A' suoi treeento le bilance. Or quale
N'hai colto frutto? Io tel dirò: la piena
Libertá dei delitti. E ch'altro è adesso
Libero in Roma che il delitto? Hai fatti
Cittadini romani (e con tal nome
Io vo' dir piú che re) chi? Schiavi. E quanti?
Milioni. E a qual fin? Per farti solo
Tiranno de' suffragi, indi assoluto
Della patria tiranno.

CAJO

        A me tiranno!
Mentitor, scendi, ch'io risponda, scendi.

OPIMIO

È mia, Romani, la tribuna; io chieggo
Libertá di parole.

PRIMO CITTADINO

        Il giusto ei chiede:
Libertá di parole.

CAJO

        Egli mentisce...

POPOLO

Libertá di parole.

DRUSO

        Ti slontana
Forsennato, obbedisci. Il popol solo
È qui sovrano, e le sentenze ei vuole
Liberissime. Taci: nel suo nome
Io tel comando.

CAJO

        Oh rabbia!

TERZO CITTADINO *piano a* CAJO

        Incauto, affrena
L'intempestivo tuo furor. Ti perdi
Se interrompi: non vedi?

OPIMIO

        A te di nuovo
Mi volgo, o Gracco. Seduttor te chiamo

Del popolo, te solo, e tel dimostro.
Tu suscitasti di Stolon la legge,
Che, ognor promossa e trasgredita ognora,
Son tre secoli e piú che squarcia il seno
Della torbida Roma. Or voi, Quiriti,
Datene tutti attento orecchio: udite
La ruinosa di sí stolta legge
Conseguenza, e fremete. E primamente
Scorrete la cittá, questa del mondo
Dominatrice augusta; e che vedete?
Vilipeso il senato, anima e vita
Dell'imperio; sconvolti e lacerati
Dalle discordie i cittadini; il popolo
Adulato, sedotto, pervertito,
E col sogno fatal di beni estremi
In mali estremi giá sepolto, e fatto
De' ribaldi lo schiavo e di sé stesso.
E chi fe' questo? Gracco: e non è tutto.
Scorrete i campi e che vedete? I dritti
Del tempo che consacra ogni possesso,
Infranti: espulso il comprator, che indarno
Le leggi invoca: violati i patti;
Incerto delle terre ogni confine;
La dote incerta delle spose; incerta
L'ereditá de' padri: al vento sparse
Le ceneri degli avi, e le lor sante
Ombre turbate dai riposi antichi.
E chi fe' questo? Gracco: e non è tutto.
Trascorrete gli eserciti; portate
Per le lor file il guardo: e che vedete?
D'Affrica e d'Asia i vincitor corrotti,
Molli, infingardi; ne' lor petti estinto
Della gloria l'amor; ritrosa all'armi
La gioventú coscritta; abbandonate
Le bandiere latine; alfin, perduta

La disciplina, la virtú primiera
Del soldato; e perché? Perché le terre
Alla plebe concesse, a lei togliendo
I suoi bisogni, ogni virtú le han tolta;
Del travaglio l'amor, la tolleranza
Degli stenti, il rispetto ai condottieri,
E tutto, in somma, che rendea tremendo
Il romano guerriero. E chi fe' questo?
Chi?... Non vo' dirlo. Il vostro cor fremente
Per cotanti delitti assai vel dice.

CAJO

Non piú, Romani; vo' parlare.

OPIMIO

                     Io tutto
Ancor non dissi, e qui dirollo, e Roma
Ne fará suo giudizio. I nostri padri
Pena di morte pronunciar sul capo
Degli oziosi cittadini. Ed ora
Chi ravviva la legge? Ove s'ascolta
Una voce d'onor che la risvegli?
De' censori la verga è neghittosa;
Voti i seggi curuli, e fatto infame
Traffico la giustizia. Oh! dove sei,
Giusto Pisone, dove sei, verace
Non creduto profeta? In mezzo ai campi
Tu dell'Asia combatti, adorno il crine
Di greco alloro e di siríaca polve.
Te fortunato che, da noi lontano,
L'orror che predicesti ora non vedi!
Quelle destre non vedi che le mura
Rovesciar di Numanzia, arser Corinto,
Che spensero Cartago, che in catene
Strascinar d'Alessandro il discendente,

Che Grecia conquistar tutta, e dell'Asia
Cinquecento città: sí quelle stesse
Belliche destre abbrustolate ai soli
D'Affrica, or fiacche, avvinazzate in mezzo
Alle taverne della vil Suburra,
Del brando in vece maneggiar le tazze.
Arme, arme intanto l'Oriente grida,
Arme l'arsa Numidia, arme Lamagna.
E quinci move Mitridate, e quindi
Il perfido Giugurta, ed alle spalle
Ne vien di Cimbri procelloso un nembo,
Aspra gente crudele, e che del pari
Trattar sa il ferro e dispregiar la morte.
E noi stolti, noi ciechi, e giuoco eterno
Di questo rivoltoso, infino a quando
Dormirem neghittosi in sul periglio?
Infino a quando patirem gl'insulti
D'un forsennato? Oh cara patria, o casa
De' Numi, e seggio di virtú divina!
Hai guerra in seno, nell'esterno hai guerra,
Per tutto guerra e tempesta e ruina;
E chi ti pone nel naufragio è vivo?
Ahi! che non solo è vivo, ma superbo
Passeggia le tue vie, frequenta il Foro,
Il popolo seduce, e fin dai lidi
D'Affrica viene a lacerarti il petto...

CAJO

Assai dicesti: or me, Romani, udite.

DRUSO

Popolo, non udirlo: egli è provato
Seduttor; non l'udir.

IL DRAMMATURGO

PARTE DEL POPOLO

Gracco s'ascolti.

ALTRA PARTE DEL POPOLO

No; Gracco è seduttor.

I PRIMI

Gracco s'ascolti.

I SECONDI

Gracco al Tarpeo.

CAJO

Deh! per gli Dei m'udite,
Poi m'uccidete.

UN VECCHIO DEL POPOLO

Udiam, fratelli, udiamo.
Quetatevi, sentite. Opra saria
Di voi non degna il condannar qualunque
Pria d'ascoltarlo. Alfin gli è Gracco, il nostro
Benefattor.

PRIMO CITTADINO

E fosse anco nemico,
Udirsi ei debbe, ed ammutir chiunque
Ha qui venduta coll'onor la voce.
Gracco, è tua la tribuna: io ten fo certo,
Io non venduto a qualsisia partito.
Monta securo, e ti difendi.

CAJO

È questa
L'ultima volta che vi parlo. I miei

Nemici e vostri la mia morte han fissa:
E grazie vi degg'io che, permettendo
Libere le parole alle mie labbra,
Non permettete ch'io mi muoja infame.
E qual piú grave infamia ad un Romano,
Che agli estinti passar col nome in fronte
Di tiranno? Verrammi incontro l'ombra
Del trucidato mio fratel; coperto
D'ignominia vedrammi e di ferite:
E chi t'impresse, mi dirá, quest'onta?
Chi ti fe' queste piaghe? Ed io, Romani,
Che rispondere allor? A questo strazio,
Dirò, m'han tratto quelle man medesme
Che te spensero il dí che sconoscente
T'abbandonò la plebe, e tu giacesti
Rotto la fronte di crudel percossa,
E d'innocente sangue lunga riga
Lasciasti orribilmente strascinato;
Finché tepido ancor, qual vile ingombro,
Nel Tebro ti gittar, che del primiero
Civil sangue macchiato al mar fuggiva.
Né ti valse, infelice, esser tribuno
Ed aver sacra la persona! E anch'io,
Dirò, fui spento da' patrizi, e reo
De' medesmi delitti, anch'io tiranno
Fui chiamato, io che tutti ognor sacrai
Alla patria, a lei sola i miei pensieri;
Io che tolsi la plebe alle catene
De' voraci potenti; io che i rapiti
Dritti le resi e le paterne terre,
Io povero, io plebeo, io de' tiranni
Tormento eterno, anch'io tiranno. Oh plebe,
Qual ria mercede a chi ti serve!

IL DRAMMATURGO

TERZO CITTADINO
                    Gracco,
Fa cor: la plebe non è ingrata, il giuro.
Niun t'estima tiranno: arditamente
Di' tua ragione, e non tremar.

CAJO
                    Tremare
Soli qui denno gli oppressor. Son io
Patrizio forse? Tremai forse io quando
Con alto rischio del mio capo osai
D'auguste leggi circondar la vostra
Prostrata libertá? Pur quello io sono,
Riconoscimi, Roma, io mi son quello
Che contra iniquo usurpator senato,
E libero e monarca e onnipossente
Il popol feci. Fu delitto ei questo?
Plebe, rispondi: è questo un mio delitto?

TERZO CITTADINO

No; qui tutti siam re.

SECONDO CITTADINO
                    Nel popol tutta
Sta la possanza.

PRIMO CITTADINO
        Esecutor di nostra
Mente il senato, e nulla piú.

CAJO
                    Nemico
È dunque vostro chi di vostra intera
Libertá mi fa colpa, e va dolente

Della patrizia tirannia perduta.
In tribunal sedenti eran trecento
Vili, venduti senatori. Il forte
Rompea la legge o la comprava, ed era
La povertá delitto. Io questa infame
Venal giustizia sterminai. Trecento
Giudici aggiunsi di tenace e salda
Fede, e comune colla plebe io resi
Il poter de' giudizi. Or, chi di santa
Opra incolparmi a voi dinanzi ardisce?
Un Opimio, o Romani, e que' medesmi,
Que' medesmi perversi, a cui precluso
Fu il reo mercato delle vostre vite,
Delle vostre sostanze. Ahi nome vano,
Virtú, ludibrio de' malvagi! Ahi dove
Porrai tu il trono, se qui pur, se in mezzo
Dell'alma Roma e de' suoi santi Numi,
Nome acquisti di colpa e sei punita?

IL VECCHIO *sotto voce al piú vicino*

Vero è, pur troppo, il suo parlar. Mostrarsi
Di virtú caldo è gran periglio. Un Dio
Sul suo labbro ragiona.

CAJO

Io per supremo
Degli Dei beneficio in grembo nato
Di questa bella Italia, Italia tutta
Partecipe chiamai della romana
Cittadinanza, e di serva la feci
Libera e prima nazion del mondo.
Voi, Romani, voi sommi incliti figli
Di questa madre, nomerete or voi
L'italiana libertá delitto?

IL DRAMMATURGO

PRIMO CITTADINO

No, Itali siam tutti, un popol solo,
Una sola famiglia.

POPOLO

    Italiani
Tutti, e fratelli.

IL VECCHIO

     Oh dolci grida! oh sensi
Altissimi, divini! Per la gioja
Mi sgorga il pianto.

CAJO

      Alfine odo sublimi
Romane voci, e lagrime vegg'io
D'uomini degne. Ma cessate il pianto,
L'ultima udite capital mia colpa;
E non di gaudio, ma di rabbia e d'ira
Lagrime verserai, plebe tradita.
Tu stammi attenta ad ascoltar. De' grandi
L'avarizia crudel, di tua miseria
Calcolatrice, a te rapito avea
Tutto, e lasciato in avviliti corpi
L'anime appena; e pietade pur era
Col paterno retaggio a te rapire
L'anima ancora. Ti lasciar crudeli
Dunque la vita per gioir di tue
Lagrime eterne, per calcarti, e oppressa
Tenerti e schiava, e, ciò che peggio estimo,
Sprezzarti. Or odi l'inaudita, atroce
Mia colpa, e tutta in due motti la stringo:
Restituirti il tuo; restituirti
Tanto di terra che di poca polve

Le travagliate e stanche ossa ti copra.
Oh miseri fratelli! Hanno le fiere,
Pe' dirupi disperse e per le selve,
Le lor tane ciascuna ove tranquille
Posar le membra e disprezzar l'insulto
Degl'irati elementi. E voi, Romani,
Voi che carchi di ferro a dura morte
Per la patria la vita ognor ponete;
Voi, signori del mondo, altro nel mondo
Non possedete, perché tor non puossi,
Che l'aria e il raggio della luce. Erranti
Per le campagne e di fame cadenti
Pietosa e mesta compagnia vi fanno
Le squallide consorti e i nudi figli
Che domandano pane. Ebbri frattanto
Di falerno e di crapole lascive,
Fra i canti Fescennini a desco stanno
Le arpie togate; e ciò, che non mai sazio
Il lor ventre divora, è vostro sangue.
Sangue vostro i palagi, folgoranti
Di barbarico lusso, e l'auree tazze,
E d'Arabia i profumi, e di Sidone
Le porpore e i tappeti alessandrini.
Sangue vostro quei campi e le regali
Tuscolane delizie e tiburtine;
Quelle tele, quei marmi; e quanto, in somma,
Il lor fasto alimenta, è tutto sangue
Che a larghi rivi in mezzo alle battaglie
Vi trassero dal sen spade nemiche.
Non han di proprio che i delitti. Oh iniqui,
Oh crudeli patrizi! E poi ne' campi
Di Marte faticosi osan ribelli
E infingardi chiamarvi, essi che tutta
Colla mollezza d'Oriente han guasta

L'austeritá latina, ed in bordello
Gli eserciti conversi; essi che, tutti
De' popoli soggetti e dell'impero
Ingojando i tesor, lascian per fame
Il soldato perire, e per tal guisa
Querulo il fanno e disperato e ladro.
E poi perduta piangono l'antica
Militar disciplina; e poi nell'ora
Gridano della pugna: Combattete
Pe' domestici Numi e per le tombe
De' vostri padri. Ma di voi, meschini,
Chi possiede di voi un foco, un'ara,
Una vil pietra sepolcral?

POPOLO *con altissimo grido*

      Nessuno,
Nessuno.

CAJO

  E per chi dunque andate a morte?
Per chi son quelle larghe cicatrici
Che rosseggiar vi veggio e trasparire
Fuor del lacero sajo? Oh chi le porge,
Chi le porge a' miei baci? La lor vista
M'intenerisce, e ad un medesmo tempo
A fremer d'ira e a lagrimar mi sforza.

SECONDO CITTADINO

Misero Cajo! Ei piange, e per noi piange.
Oh magnanimo cor!

TERZO CITTADINO

   Costerá caro
Ai patrizi quel pianto.

FULVIO
     E caro ei costi.
Che si tardi, compagni? Ecco il momento...
Mano al pugnal; seguitemi.

CAJO
   Romani...

PRIMO CITTADINO
Silenzio, ei torna a ragionar, silenzio.

CAJO
Fratelli, udiste i miei delitti. Or voi
Puniteli, ferite. Io v'abbandono
Questo misero corpo. Strascinatelo
Per le vie sanguinoso; Opimio fate
Di mia morte contento, e col supplizio
Del vostro amico il suo furor placate.
Giá son use a veder le vie latine
Di mia gente lo strazio: usa è del Tebro
L'onda pietosa a seppellir de' Gracchi
Ne' suoi gorghi le membra; e la lor madre
Giá conosce le rive ove de' figli
Cercar la spoglia lacerata. Oh patria!
Felice me, se il mio morir...

TERZO CITTADINO
      No; vivi:
Muora Opimio.

OPIMIO
   Littori, alto levate
Le mannaje, e, chiunque osa, ferite.

Il capo dei littori Antilio con la scure in alto, e gridando « Addietro », si avanza contro il popolo alla testa dei suoi compagni.

IL DRAMMATURGO

FULVIO

Vile ministro di piú vil tiranno,
Muori dunque tu primo.

CAJO

     Ahi! che faceste?

FULVIO

Coraggiosi avanzate: Opimio muora.

POPOLO

Muora Opimio.

CAJO

    Fermate, o me con esso
Trucidate. E che dunque? Altra non havvi
Via di certa salute e di vendetta,
Che la via de' misfatti? Ah! per gli Dei,
Ad Opimio lasciate ed al senato
Il mestier de' carnefici. Romani,
Leggi e non sangue. Abbasso l'ire, abbasso;
Nel fodero quei ferri, e vergognate
Del furor che v'acceca, e gli assassini
Del mio fratello ad imitar vi mena.

TERZO CITTADINO

Vogliam vendetta.

CAJO

    E noi l'avrem. M'ascolta,
Console, ed alza l'atterrito viso.
Tu delle leggi violar tentasti
La santitá, la maestá. Te dunque
Nemico accuso della patria: e tosto
Che spiri il sommo consolar tuo grado,

Che tua persona or rende inviolata,
Io Cajo Gracco a comparir ti cito
Avanti al tuo sovrano, avanti a questo
Giudice delle colpe. A lui la pena
Pagherai delle tue. Romani, ognuno
Si rimanga tranquillo, e non sollevi
Nessun qui grido insultator; nessuno.
Del popolo il silenzio è de' tiranni
La piú tremenda lezion. Partite
Queti, e lasciate a' suoi rimorsi in preda
Questo superbo.

FULVIO

Oh vil clemenza! oh stolta
Virtú! Per Gracco Opimio vivo!... Io sento
D'altro sangue bisogno: e questo ferro
Mi darà sangue, se non d'altri... il mio.

SCENA QUARTA
OPIMIO, DRUSO, SENATORI e LITTORI

DRUSO

A che pur taci, e torvo guardi e fremi?
Tu meditavi la sua morte, ed egli
Ti fa don della vita. Dopo tanto
Benefizio a che pensi?

OPIMIO

Alla vendetta.

DRUSO

E vuoi che Gracco?...

OPIMIO

Muoja. Odi, Rabirio.

IL DRAMMATURGO

DRUSO

Quale e quanto è nel cor, comincio or tutto
A conoscere Opimio.

OPIMIO

          Il mio comando
Corri veloce ad eseguir. Tribuni,
Statevi pronti al cenno mio, se cara
La patria avete. Senatori, udite.

ATTO QUARTO

SCENA PRIMA
Cornelia e Cajo

CORNELIA

Faccian gli Dei che non ti penta, o figlio,
Di tua troppa virtú. Se generosi
Sensi in Opimio speri, invan lo speri.
Egli è tutto tiranno: e, ciò che parmi
Piú da temersi, svergognato e carco
D'un benefizio. Quel suo cor malnato
Mai perdonarti non saprá lo scorno
Di doverti la vita.

CAJO

          E nol perdoni.
Non pentirommi del mio don per questo.
Sia fierezza o virtú, piú mi lusinga
La sua vergogna che la sua ruina.
Se reo sangue versarsi oggi dovea,
Altro ve n'era, e tu lo sai, piú degno
D'esser versato.

CORNELIA

Tu, crudel, rinnovi
Memoria d'ira e di dolor che tutto
Del tuo trionfo il dolce m'avvelena.
Ma poiché torni tu medesmo, o figlio,
A trattar la ferita, odi sospetto
Che mi forza a tremar. Sappi che dianzi
Segretamente il console egli stesso
Del tuo cognato a visitar la spoglia
Esanime recossi; e cor maligno
Certo il condusse piú che cor pietoso.
Che si tenti non so; ma scellerato
Colpo si tenta. Se costui... Che veggio?
Cinto il Foro d'armati?

CAJO

Anzi di sgherri.
La schiera è questa de' Cretensi.

CORNELIA

Oh cielo!
De' Cretensi la schiera! Ed a qual fine?
Mai non muovon per Roma armi siffatte
Senza sangue e terror. Figlio, in tuo danno
Son quelle lance; il cor mel dice.

CAJO

E a tanto
Spinge quel vile la perfidia?

CORNELIA

Ed altro
Speri tu da un tiranno?... Ma che vale
Strapparsi i crini, infuriar? Qui vuolsi

Senno, o figlio, e non rabbia. Va, raduna
Il popolo, e ti mostra, e parla e tuona.
Sul tuo labbro è la folgore, e vibrarla
Tu sai nell'uopo. Or tu la vibra, e sperdi
Chi t'insidia, e punisci. Al giusto nuoce
Chi al malvagio perdona; e ti ricorda
Che comun benefizio è la vendetta
De' beneficj. Va, tronca gl'indugi,
Quel perfido confondi, il fallo emenda
Di tua clemenza, e vendicato torna,
O non tornar piú mai.

CAJO

Madre, lo veggo;
Il tradimento mi circonda, usate
Armi patrizie. Ma schivarne i colpi
Ella è del tutto un'impossibil cosa
Senza sangue civile; ed io di sangue
Non ho sete; e lo sai.

CORNELIA

Di guasto sangue
Roma ha colme le vene, e sta nel trarlo
La sua salute.

CAJO

Traggalo la scure,
Non la man del tuo figlio. Anche de' rei
Il sangue è sacro, né versarlo debbe
Che il ferro della legge.

CORNELIA

E che ragioni
Tu di leggi, infelice, ove la sola
Voce de' sommi scellerati è legge?

Ove d'oro e di porpora lucenti
Vanno le colpe, e la virtú mendica?
Ove delitto è amor di patria? Ov'ebbe
Iniqua morte il tuo fratel, trafitto;
E da chi? Dalle leggi? Amato figlio,
Vuoi tu leggi ascoltar? Quella sol odi
Divina, eterna, che natura a tutti
Grida: Alla forza oppon la forza. Il brando
Qui di giustizia è senza taglio, o solo
Il debole percuote, e col potente
Patteggia.

CAJO

    Madre, se mi sproni ad opra
Di sangue, tu m'oltraggi. Io non son nato
Ai delitti, né queste eran le imprese
A che tu m'educavi.

CORNELIA

      E chi ti chiede
Delitti? Armarsi, cospirar, dar morte
A chi la patria opprime, è sacrosanto
Dover. Temi tu forse le vendute
E trepidanti lor mannaje? Hai forse
Temenza di morir?

CAJO

  Donna...

CORNELIA

       Che dissi?
Io t'offesi; perdona. Amor materno,
Ira, timor, pietá sulle mie labbra
Spingon parole che ragion condanna.
Ma veder che imminente è la caduta

Di nostra cara libertá; vederti
Circuíto, tradito, e in tua ruina
Tornar la tua virtú; veder che morte
Ti si prepara, e morte infame!... oh figlio,
Non mi dir per che mezzo, ma provvedi
Al tuo periglio, all'onor tuo.

CAJO
                    Su questo
Statti sicura... So che far... Tra poco
O vivo o spento intenderai ch'io sono
Di te degno.

CORNELIA
            Ed inerme ad espor corri
Tra' nemici la vita?

CAJO
            Ho l'arme al petto
Dell'innocenza; e basta.

CORNELIA
            Tra' pugnali
Vai de' vili ostinati, e bastar credi
D'innocenza lo scudo?

CAJO
            Io tel ridico;
Io non vo' sangue cittadin.

CORNELIA
                Tu vuoi
Dunque tua morte?

CAJO

                      Intatta fama io voglio.
O fera o mite che mi sia fortuna,
Mai non fará che da me stesso io sia
Degenere. Ma senti. Incontro io vado
A gran periglio, e l'infelice sposa
Di ciò sa nulla, ed io da lei mi parto
Senza pure un addio. Madre, ti giuro
Per questa man ch'io bacio e stringo, forse
L'ultima volta, che veder l'afflitta,
Né soffrir il suo pianto, né la vista
Del mio figlio non posso. Tu consola,
Tu sovvieni in mia vece, ov'io succumba,
Questi due derelitti. Andrò piú fermo
Con questa speme ad ogni rischio; e dolce
Mi fia, quando che giunga, il mio morire.

SCENA SECONDA

LICINIA *e* DETTI

LICINIA

Morir? crudele! Ed in oblio ponesti
Ch'altri pure in te vive? E questa vita,
Di che disponi, è forse tua? Non hai,
Non hai tu dunque una consorte, un figlio
Che sui tuoi giorni han dritto, e moriranno
Se tu muori?

CAJO

           Licinia, e tu pur vieni
A lacerarmi?

LICINIA

           A ricordarti io vengo
Che tu sei padre, che tu sei marito,

Che inumana, esecrata opra commetti
Se n'abbandoni. Giá non vai tu a guerra
Ove gloria si colga, ove tua morte
Lutto onorato partorir mi possa.
Misto allor fora d'alcun dolce almeno
Il vedovil mio pianto, e al cor conforto
Le vittorie narrarne, e i fatti egregi,
E l'oneste ferite. Ma qui, lassa!
A cimento tu corri, ove sicura
Fia l'ignominia, e per la patria nullo
Del tuo morire il frutto. Giá vincenti
Sono i peggiori; violenza e ferro
Tutto decide; il tuo nemico ha volto
Contra te stesso il beneficio tuo:
Per infame decreto egli è di Roma
Arbitro, e l'armi che ne fan qui cerchio
Son segnale di morte. Iniqui amici
Iniqua han fatta la tua causa: i pochi
Non scellerati, ma tremanti e vili,
Si dileguar: sei solo e inerme, e carco
D'odio patrizio. In cotanta ruina
Che ti resta, infelice?

CAJO

          Il mio coraggio,
La mia ragion, la plebe.

LICINIA

          E in chi t'affidi,
Sconsigliato, in chi speri? Infausti e brevi
Son di plebe gli amori, e un rio ne fece
Esperimento il tuo fratel. Deh! prendi
Altro consiglio. Sálvati, ricovra
A' tuoi Penati in braccio. Io ti fo scudo
Di questo petto. Me, me prima in brani

Faran l'armi d'Opimio. Ah vieni, ah cedi,
Involati. Per questo pianto mio,
Pel nostro marital nodo, per quanti
D'amor pegni ti diedi, pel tuo figlio,
Pel tuo misero figlio, abbi, ti prego,
Pietá della cadente tua famiglia,
E al cor ti scenda di natura il grido.

CAJO

Deh! Licinia, t'accheta; e di mia fama
Non voler che tramonti oggi la luce,
Né ch'altri un giorno il tuo consorte debba
Arguir di viltá. Roma è in periglio,
Odo intorno sonar le sue catene,
Odo il suo lungo dimandar mercede,
E gridar che preporre a lei si denno
E sposa e figli e vita. Ed io starommi
Appiattato, atterrito? io Gracco, io nato
Di questa madre, io genero di Crasso,
Io Romano? No, sposa. Al mio dovere
Lasciami dunque satisfar: sostieni
Che in tua pace mi parta, e alla chiamata
Della patria obbedisca. Addio.

LICINIA

No, resta.

CAJO

Lasciami.

LICINIA

No, crudel!

CAJO

Lasciami.

IL DRAMMATURGO

LICINIA

        O resta
Cuor di tigre, o m'uccidi: oltre non passi,
No, se prima non calchi questo corpo
Atterrato a' tuoi piedi.

CAJO

    ...Oh padre!...

LICINIA

          Io vinsi,
Numi pietosi! Intenerito e fiso
Del padre ei guarda il simulacro, e muto
Scorrer gli veggo per le gote il pianto.
Sí; quel pianto mi dice che spetrossi
Finalmente il suo cor.

SCENA TERZA

Primo Cittadino e detti

PRIMO CITTADINO

        Cajo, sul capo
Gran disastro ti pende. L'Aventino
Tutto d'armi è ricinto, e si divulga
Tra la plebe altamente esser caduto
Di violento colpo Emiliano;
E tu, e Sempronia la tua suora, e Fulvio
Detti ne siete gli assassini; e Druso
Questa voce avvalora; e d'ogni parte
Ripetendo la van voci nemiche.
Il popolo bisbiglia, e l'uno all'altro
La susurra all'orecchio, e giá la crede.

CAJO

E giá la crede?....

PRIMO CITTADINO

                Né ciò sol, ma giura
Dell'ucciso vendetta. Io che pur anco
Innocente ti reputo...

CAJO

           La plebe
Giá mi crede assassino?...

LICINIA

                  Ah ferma, ah senti,
Barbaro, ferma...

CORNELIA

           Dove corri, o figlia?...

LICINIA

Lasciami, madre.

CORNELIA

          No, lo tenti invano.

LICINIA

Madre crudel!... Me misera!... Piú mai
Nol rivedrò, mai piú.

PRIMO CITTADINO

                  ...Gracco è innocente.
Ben feci.

SCENA QUARTA

CORNELIA e LICINIA

CORNELIA

         Ah riedi nel tuo senno, o figlia;
E per soverchia doglia, ove non sono,
Non crearti sventure. Ami tu forse

IL DRAMMATURGO

Piú ch'io non l'amo, il figlio mio? Tranquilla
Nondimen tu mi vedi, ed io son madre.

LICINIA

...Nol rivedrò piú mai.

CORNELIA

     Piú saldo petto,
E piú romano pianto m'aspettava
Io dalla nuora di Cornelia.

LICINIA

      Ei corre
A certa morte, e tu mi fai delitto
Del piangere?

CORNELIA

    Egli corre ove l'appella
Voce sacra d'onor.

LICINIA

     Ma quando innanzi
Brutto di sangue, piagato, sbranato
Tel vedrai tratto nella polve, allora
Che farai?

CORNELIA

   Ciò che feci il dí che cadde
Il suo fratello. Adotterò contenta
La sua gloria, e terrammi il nome suo
Vece di figlio nella dolce stima
Della fedel posteritá. Tu imita
La mia costanza, e datti pace.

LICINIA

      Io pace?
Piú non l'attendo che da morte. Il rogo
Che le tue mani accenderanno al figlio,
Non fia solo, tel giuro.

SCENA QUINTA

CORNELIA *sola*

				Ove si vide
Piú infelice famiglia, e cuor di questo
Piú stranamente tormentato? Io figlia
Del maggiore Affrican, madre de' Gracchi,
Per sí bei nomi un dí famosa, e chiesta
A regie nozze, io sfortunata, omai
Piú non posseggo di cotanto grido
Che il lugubre splendor di mie sventure.
Due figli a Roma partoriti avea,
Due magnanimi figli; e fastidita
Della sua libertá Roma gli uccide.
E per che man gli uccide! Ah! ch'esser madre
D'alme grandi è delitto, e omai sol laude
Generar scellerati. Ma tal merto
S'abbian le madri degli Opimj: a me
Piace aver figli trafitti, scannati,
Anzi che infami. Ma seguir vo' l'orme
Dell'infelice... Oimè! che turba è quella?...
Una bara funebre; e sulle spalle
La portan mesti i senatori. Oh vista
Che le vene m'agghiaccia! Ecco il ferétro
D'Emiliano... Il cor mi trema, ... e il piede
Appena ha forza d'involarsi. Oh figlia,
Empia figlia, che festi!

SCENA SESTA

OPIMIO, *Senatori che portano il feretro
d'Emiliano, Littori e Popolo*

OPIMIO

				Qui posate
Quell'incarco feral. Popolo, amici,
Senatori, qui l'ultimo dobbiamo

IL DRAMMATURGO

Di pubblica pietá mesto tributo
Al miglior de' mortali. Unqua piú giusta
Cagion non v'ebbe e non v'avrá piú mai
Di lagrimar. Romani, il vostro padre,
Lo splendor dell'impero, anzi del mondo,
Giacciono spenti in quel feretro. Oh quanto
Di vigor, di grandezza oggi ha perduto
La romana potenza! Oh quanto liete
All'annunzio crudel d'Asia n'andranno
E d'Affrica le genti! Il braccio invitto
Che fea tremarle, è senza moto, e indarno
Lo richiama alla vita il nostro pianto.
Quinto Fabio dov'è? Dianzi al mio fianco
Io l'ho pur visto... Oh, sei qui, Fabio? In mente
Ognor mi suona quella tua sublime
Sentenza: Era, dicesti, era destino
Ch'ivi fosse l'impero della terra
Ovunque fosse sí grand'alma. Or io
Ben ringrazio gli Dei che qui le diero
Nascimento; ma dolgomi che tosto
L'abbian rapita, e noi stimati indegni
Di possederla. Oh Lelio, e qui tu pure,
Illustre esempio d'amistá? L'angoscia
Le lagrime ti vieta; tu contempli
Stupito e muto per dolor quel tetro
Letto di morte. Oh misero! che cerchi?
Il tuo Scipio, il tuo amico? Eccolo, in veli
Funebri avvolto, esanime e per sempre
Muto, per sempre. Non udrai piú dunque
Le sue piene di senno alte parole,
L'amor spiranti della patria, e sparse
Di celeste saper. Piú nol vedrai
Fulminar fra' nemici, e dopo il nembo
Delle battaglie serenar la fronte,
Stender la destra mansueta ai vinti,

E piangere con essi e consolarli,
E mostrar nella pace e nella guerra
In sembianza mortale il cor d'un Nume,
Tenero figlio, tenero fratello,
Tenero amico, liberal, cortese,
Sobrio, modesto, cittadin perfetto,
Tutte nel suo gran cor tenea raccolte
Le romane virtú. Questo è l'Eroe
Che noi perdemmo. E per qual via? Quiriti,
Io non cerco, io non voglio il vostro pianto
In furor convertire. Io non vo' dirvi
Che un gran delitto s'è commesso. Oh! mai
Non sappiate, no, mai che vi fe' privi
Del vostro padre un assassinio.

PRIMO CITTADINO

Parla:
Vogliam saperlo.

OPIMIO

No, Romani: io deggio
Tacer: vi prego, non forzate il labbro
A nomar gli uccisori.

CITTADINO

Il nome, il nome
Degli assassini.

OPIMIO

Deh! calmate il vostro
Sdegno, fratelli. A che nomarvi i rei,
Se di tanto misfatto ancor le prove
Non conoscete?

SECONDO CITTADINO

Ebben, le prove: udiamo,
Vediam le prove.

OPIMIO

        Le volete? Io dunque
Alzerò la gramaglia che nasconde
Quella fronte onorata. Avvicinatevi,
Fatemi cerchio e contemplate.

POPOLO

                      Oh rio
Spettacolo!

OPIMIO

       Mirate per l'asceso
Sangue alla faccia tutte della fronte
Gonfie le vene. Ho qualche volta io visto...
M'udite attenti: ho visto alcuna volta
Cadaveri, recente abbandonati
Dalla vita; ma pallidi, sparuti,
Estenuati. Nel conflitto estremo
Che fa natura colla morte, il sangue
Ministro della vita al cor discende
Per aitarlo in sí gran lotta. E quando
Serra il gelo mortal del cor le porte,
Quivi inerte ristagna, e delle guance
Piú non ritorna a colorir le rose.
Ma, qui, il vedete? tutto quanto il viso
Dell'infelice n'è ricolmo e nero.
Le vedete voi qui livide e peste
Le fauci, e impresse della man che forte
Le soffocò? Mirate le pupille
Travolte, oblique, e per lo sforzo quasi
Fuor dell'orbita lor. Notate il varco
Delle narici dilatato, indizio
Di compresso respiro; e queste braccia
Stese quanto son lunghe; e queste dita
Pur tutte aperte, come d'uom che sente

Afferrarsi alla gola, e si dibatte
Finché forza il soggioga. E dopo tanto,
Direm noi fuor di queste membra uscita
Per fato natural l'alma che dianzi
Abitarle godea? L'alma del giusto
Con tanta offesa, ah no, non abbandona
Il carcere terreno. Ella non sfugge
Come nemico che devasta, e l'orme
Lascia del suo furor, ma si diparte
Dall'ingombro mortal placida e cheta
Come amico che dice, al termin giunto
D'affannoso cammin, l'ultimo addio
Al compagno fedel delle sue pene.
Oh Romani! oh non possa il vostro sguardo,
Siccome il mio, veder chiaro il delitto!

PRIMO CITTADINO

Egli è chiaro, evidente, e ne vogliamo
Tutti vendetta.

POPOLO

Sí, vendetta.

OPIMIO

E voi,
La vorrete voi, quando vi fia noto
Chi commise il misfatto? Io non vi dissi
De' rei pur anco il nome.

TERZO CITTADINO

E tu li noma;
Di' chi sono, e vedrai.

OPIMIO

E non vel dice
Chiaro abbastanza la lor colpa istessa?
Chi potea consumarla? Chi furtivo

Dell'infelice penetrar la stanza,
E in piena securtade, e nel silenzio,
E nel mezzo de' suoi torgli la vita?
Da domestica man dunque partito
Mi sembra il colpo.

SECONDO CITTADINO
Ei dice il vero.

PRIMO CITTADINO
Opimio
Ben parla: il colpo non potea partire
Che da mano domestica.

PRIMO CITTADINO
Tacete,
Ascoltiam.

OPIMIO
Fra' suoi cari è forza dunque
Il reo cercar. Ma su qual capo? Egli era
Da' suoi servi adorato; ognuno in lui
Godea d'un padre; avria difeso ognuno
Col proprio sangue il suo signor. Chi dunque,
Chi l'abborria?

PRIMO CITTADINO
La moglie.

OPIMIO
A questo nome
Veggo, o Quiriti, le sembianze vostre
Impallidire, stupefarsi. E pure
A chi non noto che siffatta moglie
Detestava il consorte? Ma costei,
Benché audace di cor, potea costei,
Donna, e sola, eseguir tanto delitto?

No: sí lunge non va femminea forza.
Qual braccio adunque l'aitò? Sapria
Di voi nessuno in suo pensier trovarlo?
Indicarlo? Ognun tace, e per terrore
Muto è fatto ogni labbro. Io non ardisco
Dunque dir oltre, e taccio anch'io.

PRIMO CITTADINO

No, parla;
Libero parla, non ne far l'oltraggio
Di pensar che tra noi tema nessuno
La veritá: noi la vogliam.

SECONDO e TERZO CITTADINO

Sí, tutti:
La veritá, la veritá.

OPIMIO

Dirolla:
Ma consentite una dimanda sola.
Voi giudici dell'opre e dei costumi
De' cittadini, che opinate voi
Dei costumi di Fulvio?

SECONDO CITTADINO

Egli è un infame.

TERZO CITTADINO

E nimico di Scipio, ed io l'intesi
Io qui jer l'altro con atroci detti
Minacciarne la vita.

PRIMO CITTADINO

E tutto questo
Anch'io l'affermo, ché presente io v'era;
E quanto affermo sosterrollo a fronte
Di quel vile, e di tutti.

IL DRAMMATURGO

OPIMIO

              Or dunque udite.
Questo indegno Romano, (io parlo cose
Giá manifeste) questa vil di colpe
E di vizi sentina, ama di Scipio
La barbara mogliera, ed io non cerco
Di quale amor. Ben so che Scipio avea
Interdetta a costui la propria soglia;
So che fremeane Fulvio; e sappiam tutti,
Perché pubbliche fur, le sue minacce.
E ohimè! che Fulvio a minacciar sí cara
E nobil vita non fu sol.

PRIMO CITTADINO

              Chi altri?
Tutto rivela: io qui per tutti il chieggo.

OPIMIO

Voi lo chiedete, e a me il chiedete? E quelli
Non siete voi che un giorno in questo Foro
Gracco udiste gridar: Scipio è tiranno,
Spegnerlo è d'uopo: ed ecco Scipio è spento;
Ecco il fiero di Gracco orrido cenno
Eseguito. E qualor penso, o Quiriti,
Che di Fulvio all'oprar norma costante
Fu di Gracco il voler, che Gracco e Fulvio
Sono un'alma in due corpi; che l'un drudo,
L'altro è fratello di colei che detta
Fu consorte di Scipio; qualor miro
Che improvviso e segreto in questa notte
Gracco ne giunge da Cartago, e Scipio
Cade all'istante assassinato; alfine,
Quando osservo de' Gracchi in sí grand'uopo
La studiata non curanza, e l'alto
Lor feroce silenzio, ove primieri

Dovrian (siccome caritá, dovere
Vuol di congiunti) dimandar del fatto
Conoscenza e vendetta; qualor tutte
Sí orrende cose nel pensier rivolgo,
Poss'io non dire?... Ma che dir? se caro,
Se protetto, adorato è l'assassino.

SECONDO CITTADINO

Postumio udisti? Non ti par che dritto
Il console ragioni?

PRIMO CITTADINO

    Oh! Gracco è reo;
Piú non v'ha dubbio.

SECONDO CITTADINO

      Non v'ha dubbio, è reo.
Che far dobbiam?

TERZO CITTADINO

    Di Fulvio arder le case,
E nel mezzo gittarlo delle fiamme
Scannato.

SECONDO CITTADINO

E Gracco?

PRIMO CITTADINO

   Abbandonarlo.

SECONDO CITTADINO

      E vuoi
Che il misero perisca?

PRIMO CITTADINO

    E ben, perisca.
Vegga il senato che siam giusti.

IL DRAMMATURGO

OPIMIO

Osserva,
Fabio, quei volti. Il mio parlar gli ha tutti
Sgominati e confusi. Ecco il momento
Di por l'ultima mano al mio disegno.

SCENA SETTIMA

DRUSO e detti

DRUSO

Console, accorri. Orribil zuffa è sorta
Fra soldati e plebei sull'Aventino.
Tutto è sangue e terror. Gracco ha parlato,
E il popolo dal fulmine racceso
Di sua calda eloquenza, al ferro, ai sassi,
Alle faci s'appiglia. Il furor l'armi
Somministra; e, gridando orribilmente
A te morte e al senato, un sanguinoso
Impeto ha fatto nelle guardie. I tuoi
Menan l'aste e le spade, e d'ogni parte
Si fa sangue e macello. E giá trafitto
Morde Fulvio il terren. Lo scellerato,
Primo al tumulto, e primo anco alla fuga,
Fra le ruine di deserto bagno
Avea cerco lo scampo. Ivi con esso
Il maggior de' suoi figli, un grazioso
Giovinetto, di padre miglior degno,
Fu raggiunto da' tuoi. Piangea quel vile
Non pel figlio, per sé. Piangea pel padre
All'opposto il fanciullo, e offria per lui
L'innocente suo capo. Invano. Entrambi
Son trucidati. Ma la piena intanto
Soprabbonda del popolo, e mal ponno
Far argine i Cretensi al ruinoso
Torrente che s'avanza; e non l'affrena

Né sclamar di tribuni, né preghiera
De' piú canuti. E Lentulo ben sallo,
Principe del senato. Il venerando
Vecchio, grave di merti e di pietade,
Era accorso nel mezzo, e lagrimoso
E supplice. Ah! fratelli, iva gridando,
Qual vi porta furor? sangue romano
È il sangue che versaste: ah! per gli Dei,
Per la patria, per me, che vostro sono,
Fermatevi, sentite. In questi detti
Acciaro traditor gli squarcia il fianco
Di ferita mortal. Vedi lui stesso
Strascinarsi spirante e sanguinoso
Da man pietose sostenuto.

OPIMIO
                    Oh vista
Che dalle fiere ancor trarrebbe il pianto!
Mirate e inorridite. Oh popol cieco,
Nelle gesta d'onor codardo, e solo
Coraggioso al delitto, ecco del tuo
Gracco l'imprese: Emilian strozzato,
Lentulo trucidato, ingombra tutta
Roma di stragi, e le piú illustri vite
In estremo periglio. E che piú resta
Al suo furore? e noi, che facciam noi?
Aspettiam forse che costui ci sveni
Fra' domestici Dei le spose, i figli,
E noi sovr'essi? Eh prendavi vergogna
Della vostra viltá, dell'error cieco
Che vi fece adorarlo. Io, rivestito
Di quel poter che a pubblica salute
Il Senato m'affida, io vi dichiaro
Gracco nemico della patria, e a prezzo
Ne pongo la rea testa che consacro

IL DRAMMATURGO

All'infernali Dei. Padri, stendiamo
Tutti la man su quest'esangue, e tutti
Giuriam di vendicarlo.
I Senatori stendendo la mano sul cadavere
　　　　　　Il giuro.

　　　　　OPIMIO
　　　　　　　　　Or parte
Di voi prenda la via speditamente
Della porta Capena, ed accompagni
Agli aviti sepolcri l'onorato
Cadavere. Con meco il resto venga.
Via gl'indugi. Littori, alto le scuri;
Soldati, all'armi; senatori, il ferro
Fuor delle toghe: ardire. Io vi precedo.

ATTO QUINTO

SCENA PRIMA

LICINIA

Qual lugubre silenzio! ohimè, qual mesta
Solitudine! il Foro abbandonato,
Le vie deserte, né passar vegg'io
Che dolorose inorridite fronti
Di lagrimanti vecchi; altro non odo
Che gemito di madri, ed ululato
E singulti di spose che, plorando,
Ridomandano i figli ed i mariti.
E anch'io qui gemo, e ridomando al cielo
Il crudel che nel pianto m'abbandona.
Sí, crudele, tu, Cajo! E lo potesti,
Tu lasciarmi potesti! e tutte indarno
Fur le lagrime mie! Or chi sa dirmi
Dove t'aggiri? Chi sa dirmi, ahi lassa!
Se piú sei vivo?

SCENA SECONDA

Licinia *e il* vecchio *dell'atto terzo, riconducente il giovinetto suo figlio dal tumulto dell'Aventino.*

IL VECCHIO

                    Ah figlio, amato figlio!
Non resistere, vieni. Alle tremanti
Mie man, deh! cedi quell'acciar. Non ire,
Forsennato, a macchiarlo nelle vene
De' tuoi fratelli; ché fratei pur sono
I nemici che affronti... I Numi, il vedi,
Contro noi stanno, e le romane colpe
Maturata ne' fati han l'ultim'ora
Della romana libertá. Salvarla
Non può di Gracco la virtú suprema;
E tu, insensato, lo pretendi?

LICINIA

                            ...Io tremo
Tutta, dal capo alle piante... Vorrei
Interrogarli,... e la voce mi spira
Sulle labbra.

IL VECCHIO

        Non piú, vieni, sostegno
Unico e caro di mia stanca vita;
A lagrimar vien meco la ruina
Di nostra patria, a spirar di dolore,
Ma innocenti.

SCENA TERZA

LICINIA

        A que' due certo è palese
Il destino di Cajo. E perché dunque

Non osai dimandarlo? perché fredda
Suda la fronte? perché, Numi avversi,
Il supplicar de' padri al cor de' figli
La via ritrova, e de' mariti al core
Non sa trovarlo delle spose il pianto?...
Ma quali odo da lungi orrende grida?...
Qual per l'aria rimbombo?... Par che Roma
Tremi tutta... Che fia?... Ecco la madre.

SCENA QUARTA

CORNELIA e DETTA

CORNELIA

Ah madre, dov'è Cajo? È salvo? è vivo?
    Cornelia traversa la scena senza rispondere
Non mi risponde. L'affrettato passo,
Lo smarrito suo volto, il suo tacere,
Ohimè! mi dice che il mio sposo è morto.
Chi mi soccorre? Io manco.

SCENA QUINTA

LICINIA e CORNELIA *che rientra col pargoletto di* CAJO
in braccio seguìta dal liberto Filocrate.

CORNELIA
            Andiam, mi segui
Servo fedel... Che miro? Il duolo oppresse
Quest'infelice. Or io che fo? Deh prendi
Tu, Filocrate mio, questo innocente:
Corri, lo porta inosservato in salvo
Alle case di Crasso... Ah corri, vola,
All'amor tuo l'affido. Alzati, figlia,
Apri alla speme il cor. Cajo ancor vive.

LICINIA

Vive Cajo? e dov'è? perché nol veggo?
Perché teco non è? deh, parla.

CORNELIA

...Oh figlia,
Che dir poss'io che ti conforti e insieme
Non t'inganni? Le vie dell'Aventino
Son di sangue allagate. Orrenda pugna
Fan la plebe e il senato; e si decide
Se dovrem tutte maledir la nostra
Feconditá, se le romane spose
Liberi figli partorir dovranno,
O schiavi. Intanto dormono le leggi,
E svegliansi i delitti, che afferrata
Han di giustizia la tremenda spada,
E scorrendo van Roma, e percotendo
Le piú libere fronti.

LICINIA

E che vuoi dire?
Dunque Cajo?...

CORNELIA

M'ascolta, e coraggiosa
All'avversa fortuna il cor prepara.
Sai che a difesa di sua fama ei corse
Sull'Aventino ad arringar la plebe,
A rintuzzar di Druso e dell'infame
Compro Rabirio le calunnie. Ei giunse,
E inerme tutta la persona, e armato
Sol dell'usbergo del sentirsi puro,
Parlò, confuse i traditori: il resto
Fe' la presenza mia, ché ardita io pure
Colá mi spinsi e disprezzai perigli.

Nel popolo giá tutto era la calma
Restituita, allor che Fulvio ad ira
Nuovamente il commosse; e della strage,
Ch'or si consuma, eccitatore, e a un tempo
Fu vittima egli stesso. Ora nel mezzo
Della mischia è il tuo sposo, e la sua vita,
Non vo' ingannarti, in gran cimento. Io corsi
Per fargli scudo del materno petto,
Per porgli almanco nelle mani un ferro,
Ché un ferro il tengo. Ma l'immensa folla
Vietollo; e d'ogni parte in un momento
Di pugnali, di lance e di trafitti
Circondata mi vidi, e a qui tornarmi
Ogni sentier preciso. Io nondimeno
Mossi animosa in mezzo all'armi, e l'armi
Mi dier per tutto riverenti il passo.
Mentre che fra le stragi e fra le grida
Altri accorre, altri fugge, ed io, la sponda
Del Velabro tenendo, inorridita
Sollecitava a questa volta il piede,
In lontananza vidi... oh Dio! che vidi!...
E che racconto io mai?

LICINIA

    Madre, finisci
Di straziarmi; prosegui. E che vedesti,
Di', che vedesti?

CORNELIA

    Oh figlia!.. aste, bipenni,
E snudati pugnali, e senatori
E littori e soldati, e innanzi a tutti
L'implacabile Opimio: e dove ei corra,
Contro qual seno sian tant'armi ed ire,
Tu l'intendi... Ma, deh! non darti in preda

A dolor disperato. Alto è il periglio
Del tuo consorte, ma piú alto, credi,
Il suo coraggio; e vi son Numi in cielo.

LICINIA

Sí, ma non giusti. Ed in quai Numi, o madre,
Aver piú speme? In quelli al cui cospetto
Fu l'innocente tuo Tiberio ucciso?
Vuoi che da questi del mio sposo attenda
La salvezza? Da questi? Oh me deserta!
Misero Cajo! A chi dovrolla io dunque
Dimandar? Chi sará che ti soccorra?
Meglio mi fora supplicar le tigri;
Meglio mi fora dimandarla ai venti,
Alle burrasche, al mar che tu sfidasti
Per qui venire a salvar Roma oppressa.
Oh della patria amor fatale! Oh cruda
Della virtú mercede! Or dove, ahi lassa!
Dove il piè porterò, che del perduto
Mio consorte il pensier non mi persegua?
Qui la ragion del popolo ei tonava,
E i perversi atterrí: quivi la plebe
Suo padre il salutò; suo salvatore
Colá i legati delle genti; a tutti
Ei largia beneficj; era di tutti
La speranza, l'appoggio; e tutti, oh vili!
L'abbandonar. Deh, voi, romani colli,
Voi vendicate la virtú tradita,
Scotete i fianchi, rovesciate al piano
Questa iniqua cittá, che nido è fatta
Di tiranni e d'ingrati, e me sovr'essi,
Me seppellite nelle sue ruine.

CORNELIA

Mi sbrana il cor.

SCENA SESTA

Primo cittadino, *che accorre spaventato, e* dette

PRIMO CITTADINO

Donna, che fai? La morte
Sul tuo figlio giá pende: a prezzo è messa
La sua testa; nol sai?

LICINIA

Cielo, che intesi!

CORNELIA

Che disse? Il capo del mio figlio a prezzo
Qual d'infame ladron? Roma crudele,
Grazie ti rendo dell'atroce offesa.
Ripiglio alfin la mia fierezza, alfine
Mi riconosco. Esci, timor materno,
Da questo petto. Andiam, figlia; vien meco;
Ardir, vien meco.

SCENA SETTIMA

Secondo cittadino *fuggendo egli pure atterrito, e* dette

SECONDO CITTADINO

Il piè, fermate, o donne.
Non inoltrate, ché per tutto è strage
E morte inevitabile.

CORNELIA

E il mio figlio?

SECONDO CITTADINO

Misera madre! tu non hai piú figlio.

LICINIA *rimane stupida per dolore.*

CORNELIA

Perché torno a tremar? Perché le chiome
Sento agitarsi sulla fronte,... e freddo
Il terror mi ricorre per le vene?
Mia virtú, non lasciarmi.

SCENA OTTAVA
Terzo cittadino e dette

TERZO CITTADINO

      Ti conforta,
Eccelsa donna; è salvo il figlio...

LICINIA e CORNELIA

         Oh gioja!...

LICINIA

Salvo il mio sposo?...

CORNELIA

      Il figlio mio! deh, narra...

LICINIA

Narra: il cor torna, per udirti, in vita.

TERZO CITTADINO

Da' Cretensi inseguito, e dimandando
A tutti un ferro per morir da forte,
E negandolo tutti, l'infelice
Con virtú disperata a darsi in preda
De' nemici correa, di vita schivo
E prodigo dell'alma. Le preghiere
Istanti, e molte de' rimasti amici
Lo distornar con forza dal feroce
Proponimento, e un pio dover gli fero

Di serbarsi alla patria, che precetto
Di vivere ne fa quando il morire
Inutilmente ad essa è codardia,
E il vivere coraggio. Allor, da tanto
Pregar forzato ei piú che persuaso,
Torse le piante, e ricovrossi al bosco
Consecrato alle Furie.

CORNELIA

    ... E che racconti
Tu de' Gracchi alla madre? Una vil fuga
Posto ha in salvo il mio figlio?

TERZO CITTADINO

        A sgherri infami
Dovea dar egli con piú vil partito
Cosí nobile vita?

CORNELIA

   E non avevi
Tu dunque un ferro?

TERZO CITTADINO

      Pe' nemici il ferro;
Per gli amici il mio sangue: e questo, o donna,
Dato gli avrei se mel chiedea. Furente
Per lo scampo di Cajo, Opimio intanto
Co' feroci patrizi e i suoi di Creta
Sagittarj crudeli un dispietato
Fa macello de' nostri, e d'ogni parte
I resistenti uccide, e ne' fuggenti
Saettar fa la morte. In sul Sublicio
Resiston soli i generosi petti
Di Pomponio e Licinio.

CORNELIA

      E vile il resto,
Sempre vile la plebe, e sempre ingrata
Abbandona il mio figlio?

TERZO CITTADINO

       I Numi, o donna,
Lo tradir, non la plebe; e ne fan prova
Mille e mill'ombre di plebei trafitti
Per la causa di Gracco, e nella fronte
E nel petto trafitti. Il Tebro è tutto
De' nostri corpi ingombro, e la vermiglia
Onda riempie di terror le viste.
E dopo tanto?... ma strepito d'armi
Odi tu?... Mira; d'ogni parte inonda
Il popolo atterrito. Ah, certo arriva
Il console crudel: fuggi.

CORNELIA

       Io fuggire?
Ad incontrarlo io corro.

SCENA NONA

Cajo, *accorrendo precipitoso, e* detti

CAJO

      Un ferro, o madre,
Un ferro per pietá. Non abbia il vanto
Di mia morte quel vile.

CORNELIA

     A quel tiranno,
Questo vanto? No, mai.

CAJO
Deh! madre, un ferro:
Tu l'hai, porgilo: all'onta mi sottraggi
Di vilmente cader.

SCENA ULTIMA

OPIMIO *con seguito di Patrizj, d'armati, e* DETTI

OPIMIO
Eccolo: in lui
Abbassate quell'armi.

CORNELIA
I vostri colpi,
Pria che al suo petto passeran per questo.

LICINIA
E per questo, crudeli.

OPIMIO
Allontanate,
Soldati a forza quelle donne; il reo
Percotete. Il suo capo alla salute
Pubblica è caro. Percotete.

CORNELIA
Ah figlio,
Prendi, e muori onorato.

CAJO
In questo dono
Ti riconosco, o madre. In questo colpo
Riconosci tu il figlio.
Si uccide.

LICINIA
Oh dio!... mi moro.

L'INTIMO.

A BICE. [1)]

A Te, che in tuo pensiero
Giudice primo e vero
Fai della sacra arte de' carmi il cor;
 E dove il cor non parla
Altro non sai stimarla
Che vano di parole alto rumor;
 A Te, se tanto lice,
Consacro, inclita Bice,
Il canto che mie cure aspre blandí,
 Quando per empio fato
Agli egri occhi involato
Il caro io mi temea raggio del dí.
 Degl'infelici amica
Verace anima antica
In questa per gran colpe orrida età,
 Non disdegnar l'umile
Offerta mia, che vile,
Se fia giudice il cor, non Ti parrá.

PER GRAVE MALATTIA A UN OCCHIO.

 Ben vieta alle mie ciglia empio dolore
Dell'alma luce sostener gli strali,
E vegliar sulle carte, e nel colore
Che dipinge il parlar farle immortali.
 Ma l'atra benda che mi serra i frali
Occhi, non ruba il mio veder migliore.
Liberissimo batte il pensier l'ali,
E piglia dalle stesse ombre valore.
 Se non che quando fra i tumulti ei vola
D'Europa, e arcani investigar s'affida,
Su cui muta del saggio è la parola;

Dove, o folle, trascorri? il cor gli grida.
Torna alla nostra donna, e ne consola
Il pianto, o prega che il dolor t'uccida.

LA LONTANANZA DALLA DONNA.

Che piú ti resta a far per mio dispetto,
Sorte crudel? Mia donna è lungi, e io privo
De' suoi conforti in miserando aspetto
Egro qui giaccio al sofferir sol vivo.

In chiusa parte ho i rai del giorno a schivo,
Tutto in lei fiso; ed altro al cor diletto,
Altro dolce non ho che il fuggitivo
Fantasma, in sogno, dell'amato obbietto.

Mentr'io pasco di lui lo spirto oppresso,
Ecco pietosi, come il duol gli accora,
Gittarsi i figli nel paterno amplesso.

Ah che ingiusto è il lamento, io grido allora:
Se gioirmi di questi emmi concesso,
Piú non mi lagno, e son beato ancora.

ALLA CONTESSA
VIOLANTE PERTICARI GIACCHI. [1]

De' miei mali al pensier, che fiero il petto
M'ange, e del peggio ancor tienmi in periglio,
Passo in pianto le notti, e stanco e stretto
D'amare stille alfin socchiudo il ciglio.

Ed ecco innanzi al doloroso letto
Cheta cheta in vestir bianco e vermiglio
Farsi una donna di celeste aspetto
Che per mano mi prende, e in dolce piglio,

Fa cor, mi dice: l'Amistá son io
Degli afflitti conforto, e a starti accanto,
Caro infelice, la pietá m'appella.

Tenera allor m'abbraccia e terge il pianto.
Fugge il sonno, apro gli occhi, e al fianco mio
La ritrovo seduta; e tu sei quella.

AL MARCHESE ANTALDO DEGLI ANTALDI. [1)]

Or che Flora, fuggito il verno avaro,
Tutto spiega d'aprile il verde onore,
Dammi, dissi alla Dea, dammi quel raro
Fior che s'appella d'amicizia il fiore.

D'amor pegno e di fè ch'unqua non muore
Vo' sacrarlo ad un pio che dell'amaro
Mio caso si compiagne, e bello ha il core
Come l'ingegno. E te nomai, mio caro.

Il fior che chiedi invero è peregrino,
La Dea rispose, ed in lontano regno
Da pochi è culto il suo natal giardino.

Tu nol cercar nel mio. Cercalo in quello
Della Virtute. E se pur vuoi sia degno
Di quell'alma gentil, cogli il piú bello.

PER UN DIPINTO DEL SIG. AGRICOLA [1)]
RAPPRESENTANTE LA FIGLIA DELL'AUTORE.

Piú la contemplo, piú vaneggio in quella
Mirabil tela: e il cor, che ne sospira,
Sí nell'obbietto del suo amor delira,
Che gli amplessi n'aspetta e la favella.

Ond'io giá corro ad abbracciarla. Ed ella
Labbro non move, ma lo sguardo gira
Ver me sí lieto che mi dice: Or mira,
Diletto genitor quanto son bella.

Figlia, io rispondo, d'un gentil sereno
Ridon tue forme; e questa imago è diva
Sí che ogni tela al paragon vien meno.

Ma un'imago di te vegg'io piú viva,
E la veggo sol io; quella che in seno
Al tuo tenero padre Amor scolpiva.

SOPRA SE STESSO.

Vile un pensier mi dice: Ecco bel frutto
Del tuo cercar le dotte carte: ir privo
Sí della luce, che il valor visivo
Giá piega l'ale alla sua sera addutto.

Se l'acume, io rispondo, è giá distrutto
Della veduta corporal, piú vivo
Dentro mi brilla l'occhio intellettivo
Che terra e cielo abbraccia, e suo fa il tutto.

Cosí mi spazio dal furor sicuro
Delle umane follie, cosí governo
Il mondo a senno mio re del futuro.

Poi sull'abisso dell'oblio m'assido:
E al solversi che fa nel nulla eterno
Tutto il fasto mortal, guardo e sorrido.

SOPRA LA MORTE.

Morte, che se' tu mai? Primo dei danni
L'alma vile e la rea ti crede e teme;
E vendetta del Ciel scendi ai tiranni,
Che il vigile tuo braccio incalza e preme:

Ma l'infelice, a cùi de' lunghi affanni
Grave è l'incarco, e morta in cuor la speme,
Quel ferro implora troncator degli anni,
E ride all'appressar dell'ore estreme.

Fra la polve di Marte e le vicende
Ti sfida il forte, che ne' rischi indura;
E il saggio senza impallidir ti attende.

Morte, che se' tu dunque? Un'ombra oscura,
Un bene, un male, che diversa prende
Dagli affetti dell'uom forma e natura.

UNA LETTERA DI V. MONTI A F. A. FOLICALDI
16 GENNAIO 1796
(Ferrara, Biblioteca Comunale)

IN MORTE DI TERESA VENIER. [1]

I.

Al letto, ove languia smorto il bel viso,
Atropo venne, e in man la force avea:
Amor, che stava in sulla sponda assiso,
Supplice accorse alla tremenda Dea.

Ferma, e uno stame non voler reciso
Cosí caro alla terra, egli dicea.
Scoss'ella in capo l'infernal narciso,
E sorda le bramose armi stendea.

Torse lo sguardo Amor dalla ferita,
Ed ir lasciando al suolo arco e quadrella,
Fe' un velo agli occhi delle rosee dita.

E la stessa del sonno empia sorella
Ebbe orror del suo colpo, e fu pentita
Quando vide cader vita sí bella.

II.

Sciolta l'alma gentil dal terreo manto,
L'ali aperse, ed al ciel erta levosse;
Ogni stella ver lei dolce si mosse,
Di foco ardendo piú pudico e santo.

Parea che presa d'amoroso incanto
Tutta degli astri la famiglia fosse.
Lunge il lume rotò sol Marte, e scosse
Sangue nel seno dell'Europa, e pianto.

Fra tante luci errava irrequieta
L'eterea pellegrina, e ancor divise
Fra questo avea le brame, e quel pianeta;

Quando il Sole comparve, e le sorrise.
Cors'ella in grembo del grand'astro, e lieta
Nel maggior padiglion di Dio s'assise.

AFFANNO D'AMORE.

Passa il terz'anno, Amor, ch'io mi lamento
Del tuo crudele doloroso impero.
Cessa, io grido, deh cessa, iddio severo,
Pietá del mio ti stringa aspro tormento.

Ma piú, lasso! dal cor cacciarti io tento,
Tu il cor m'afferri piú tenace e fiero,
E ogni desir legando, ogni pensiero,
Sol de' mali mi lasci il sentimento.

Né sdegno vale, né ragion che morta
Piú non risponde, né cangiar d'obbietto,
Né soccorso di pianto e di sospiro.

Dunque a snidarti, Amor, da questo petto
Che mi riman? Nol so; ma mi conforta
Che immortale non sono, e che deliro.

MELPOMENE E AMORE. [1]

Ben di tragiche forme pellegrine
Spesso il pensier Melpomene mi stampa,
E fiera in atto di terror s'accampa,
E il piè mi calza e mi rabbuffa il crine.

Ma surge fuori amor dalle vicine
Del cor latébre dove l'alma avvampa,
E con affetti di contraria stampa
Quelle forme cancella alte e divine.

Quindi la chioma mi compone e il manto,
E mi slaccia il coturno, e il crudo in vece
Vi pon la sua catena grave e dura.

Poi mi guata ridendo, e a me non lece
Né pur lagnarmi. Quella diva intanto
Mi sparisce dagli occhi e non mi cura.

L'INTIMO

A SUA ECCELLENZA IL SIGNOR PRINCIPE DON SIGISMONDO GHIGI. [1]

Dunque fu di natura ordine e fato,
Che di lá donde il bene ne deriva,
Del mal pur anco scaturir dovesse
La torbida sorgente! Oh saggio, oh solo
A me rimasto negli avversi casi
Consolator, che non torcesti mai
Dalle pene d'altrui lungi lo sguardo,
E scarso di parole e largo d'opre
Co' benefizi al mio dolor soccorri,
Gismondo, e qual di gioiė e di martiri
Portentosa mistura è il cuor dell'uomo!
Questa parte di me, che sente e vede,
Questo di vita fuggitivo spirto,
Che mi scalda le membra e le penetra,
Con quale ardor, con qual diletto un tempo
Scorrea pe' campi di natura, e tutte
A me dintorno rabbellia le cose!
Or s'è cangiato in mio tiranno, in crudo
Carnefice, che il frale, onde son cinto,
Romper minaccia, e le corporee forze,
Qual tarlo roditor, logora e strugge.

Giorni beati, che in solingo asilo
Senza nube passai, chi vi disperse?
Ratti qual lampo che la buia notte
Segna talor di momentaneo solco,
E su gli occhi le tenebre raddoppia
Al pellegrin che si sgomenta e guata,
Qual mio fallo v'estinse? e tanto amara
Or mi rende di voi la rimembranza,
Che pria sí dolce mi scendea sul core?

Allorché il Sole (io lo rammento spesso)
D'Oriente sul balzo compariva

A risvegliar dal suo silenzio il mondo,
E agli oggetti rendea piú vivi e freschi
I color che rapiti avea la sera,
Dall'umile mio letto anch'io sorgendo
A salutarlo m'affrettava, e fiso
Tenea l'occhio a mirar come nascoso
Di lá dal colle ancora e fea da lunge
Degli alti gioghi biondeggiar le cime;
Poi come lenta in giú scorrea la luce
Il dosso imporporando e i fianchi alpestri,
E dilatata a me venia d'incontro
Che a' piedi l'attendea della montagna.
Dall'umido suo sen la terra allora
Su le penne dell'aure mattutine
Grata innalzava di profumi un nembo
E altero di sé stesso, e sorridente
Su i benefizi suoi l'aureo pianeta
Nel vapor, che odoroso ergeasi in alto,
Gía rinfrescando le divine chiome,
E fra il concento degli augelli e il plauso
Delle create cose, egli sublime
Per l'azzurro del ciel spingea le rote.

Allor sul fresco margine d'un rivo
M'adagiava tranquillo in su l'erbetta,
Che lunga e folta mi sorgea dintorno,
E tutto quasi mi copriva; ed ora
Supino mi giacea, fosche mirando
Pender le selve dall'opposta balza,
E fumar le colline, e tutta in faccia
Di sparsi armenti biancheggiar la rupe:
Or rivolto col fianco al ruscelletto
Io mi fermava a riguardar le nubi,
Che tremolando si vedean riflesse
Nel puro trapassar specchio dell'onda:
Poi del gentil spettacolo giá sazio,

L'INTIMO

Tra i cespi, che mi fean corona e letto,
Si fissava il mio sguardo, e attento e cheto
Il picciol mondo a contemplar poneami,
Che tra gli steli brulica dell'erbe,
E il vago e vario degl'insetti ammanto,
E l'indole diversa e la natura.
Altri a torma e fuggenti in lunga fila
Vengono e van per via carchi di preda,
Altri sta solitario, altri l'amico
In suo cammino arresta, e con lui sembra
Gran cose conferir: questi d'un fiore
L'ambrosia sugge e la rugiada; e quello
Al suo rival ne disputa l'impero,
E venir tosto a lite, ed azzuffarsi,
E avviticchiati insieme ambo repente
Giú dalla foglia sdrucciolar li vedi.
Né valor manca in quegli angusti petti,
Previdenza, consiglio, odio ed amore.
Quindi alcuni tra lor miti e pietosi
Prestansi aita ne' bisogni; assai
Migliori in ciò dell'uom, che al suo fratello
Fin nella stessa povertá fa guerra:
Ed altri poscia da vorace istinto
Alla strage chiamati ed agl'inganni,
Della morte d'altrui vivono, e sempre
Del piú gagliardo, come avvien tra noi,
O del piú scaltro la ragion prevale.

 Questi gli oggetti, e questi erano un tempo
Gli eloquenti maestri, che di pura
Filosofia m'empian la mente e il petto;
Mentre soave mi sentia sul volto
Spirar del Nume onnipossente il soffio,
Quel soffio che le viscere serpendo
Dell'ampia terra, e ventilando il chiuso
Elementar foco di vita, e tutta

La materia agitando, e le seguaci
Forme che inerti le giaceano in grembo,
L'une contra dell'altre in bel conflitto
Arma le forze di natura, e tragge
Da tanta guerra l'armonia del mondo.
Scorreami quindi per le calde vene
Un torrente di gioia, e discendea
Questo vasto universo entro mia mente,
Or come grave sasso che nel mezzo
Piomba d'un lago, e l'agita e sconvolge,
E lo fa tutto ribollir dal fondo;
Or come imago di leggiadra amante,
Che di grato tumulto i sensi ingombra,
E serena sul cor brilla e riposa.

   Ma piú quell'io non son. Cangiaro i tempi,
Cangiar le cose. Della gioia estremo
Regnò sull'alma il sentimento: estremi
Or vi regnano ancora i miei martiri.
E come stenderò su le ferite
L'ardita mano, e toglieronne il velo?
Una fulgida chioma al vento sparsa,
Un dolce sguardo ed un piú dolce accento,
Un sorriso, un sospir dunque potero
Non preveduto suscitarmi in seno
Tanto incendio d'affetti e tanta guerra?
E non son questi i fior, queste le valli,
Che giá parver sí belle agli occhi miei?
Chi di fosco le tinse? e chi sul ciglio
Mi calò questa benda? Ohimè! l'orrore,
Che sgorga di mia mente e il cor m'allaga,
Di natura si sparse anche sul volto,
E l'abbuiò. Me misero! non veggo
Che lugubri deserti: altro non odo
Che urlar torrenti e mugolar tempeste.
Dovunque il passo e la pupilla movo

L'INTIMO

Escono d'ogni parte ombre e paure
E muta stammi e scolorita innanzi
Qual deforme cadavere la terra.
Tutto è spento per me. Sol vive eterno
Il mio dolor, né mi riman conforto
Che alzar le luci al cielo, e sciormi in pianto.
Ah, che mai vagheggiarti io non dovea,
Fatal beltade! Senza te venuto
Questo non fora orribil cangiamento.
Girar tranquilli sul mio capo avrei
Visto i pianeti, e piú tranquilla ancora
La mia polve tornar donde fu tolta.
Ma in que' vergini labbri, in que' begli occhi
Aver quest'occhi inebriati, e dolce
Sentirmi ancor nell'anima rapita
Scorrere il suono delle tue parole;
Amar te sola, e riamato amante
Non essere felice, e veder quindi
Contra me, contra te, contra le voci
Di natura e del ciel sorger crudeli
Gli uomini, i pregiudizi e la fortuna:
Perder la speme di donarti un giorno
Nome piú sacro che d'amante, e caro
Peso vederti dal mio collo pendere,
E d'un bacio pregarmi, e d'un sorriso
Con angelico vezzo: abbandonarti...
Obliarti, e per sempre... Ah lungi, lungi
Feroce idea; tu mi spaventi, e cangi
Tutta in furor la tenerezza mia.
Allor requie non trovo. Io m'alzo, e corro
Forsennato pe' campi, e di lamenti
Le caverne riempio, che dintorno
Risponder sento con pietade. Allora
Per dirupi m'è dolce inerpicarmi,
E a traverso di folte irte boscaglie

Aprir la via col petto, e del mio sangue
Lasciarmi dietro rosseggianti i dumi.
La rabbia, che per entro mi divora,
Di fuor trabocca. Infiammansi le membra,
L'anelito s'addoppia, e piove a rivi
Il sudor dalla fronte rabbuffata.
Piú scabrezza al sentier, piú forza al piede,
Piú ristoro al mio cor: finché smarrito
Di balza in balza valicando, all'orlo
D'un abisso mi spingo. A riguardarlo
Si rizzano le chiome e il piè s'arretra.
A poco a poco quel terror poi cede,
E un pensiero sottentra ed un desio,
Disperato desio. Ritto su i piedi
Stommi, ed allargo le tremanti braccia
Inclinandomi verso la vorago.
L'occhio guarda laggiuso, e il cor respira,
E immaginando nel piacer mi perdo
Di gittarmi lá dentro, onde a' miei mali
Por termine, e nei vortici travolto
Romoreggiar del profondo torrente.
Codardo! ancora non osai dall'alto
Staccar l'incerto piede, e coraggioso
Ingiú col capo rovesciarmi. Ancora
Al suo fin non è giunta la mia polve,
E un altro istante mi condanna il Fato
Di questo Sole a contemplar l'aspetto.
Oh perché non poss'io la mia deporre
D'uom tutta dignitade, e andar confuso
Col turbine che passa, e sulle penne
Correr del vento a lacerar le nubi,
O su i campi a destar dell'ampio mare
Gli addormentati nembi e le procelle!
Prigioniero mortal! dunque non fia
Questo diletto un dí, questo destino

Parte di nostra eredità? Qualunque
Mi serbi il ciel condizion di spirto,
Perché, Gismondo, prolungar cotanto
Questo lampo di luce? Un sol potea,
Un solo oggetto lusingarmi: il Cielo
Al mio desire invidiollo, e l'odio
Mi lasciò della vita e di me stesso.
Tu di Sofia cultor felice, e speglio
Di candor, d'amistade e cortesia,
Tu per me vivi, e su l'acerbo caso
Una stilla talor spargi di pianto,
O generoso degli afflitti amico.
Allorché d'un bel giorno in su la sera
L'erta del monte ascenderai soletto,
Di me ti risovvenga, e su quel sasso,
Che lagrimando del mio nome incisi,
Su quel sasso fedel siedi e sospira.
Volgi il guardo di là verso la valle,
E ti ferma a veder come da lunge
Su la mia tomba invia l'ultimo raggio
Il Sol pietoso, e dolcemente il vento
Fa l'erba tremolar che la ricopre.

PENSIERI D'AMORE.

I.

Sallo il ciel quante volte al sonno, ahi lasso!
Col desire mi corco e colla speme
Di mai svegliarmi. E sul mattin novello
Apro le luci, a mirar torno il Sole,
Ed infelice un'altra volta io sono.
Quale sovente con maggior disdegno
Vedi sul mar destarsi le procelle,
Che fatto dianzi avean silenzio e tregua;
Tale al tornar della diurna luce

Piú fiero de' miei mali il sentimento
Risorge, e tal dell'alma le tempeste,
Che la calma notturna avea sopite,
Svegliansi tutte, e le solleva in alto
Quel terribile iddio che mi persegue.
Del cuore allor spalancansi le porte,
E il Dolor siede su la mesta entrata.
Con cent'occhi il crudel mostro la guarda,
E la Gioia ne scaccia, che passarvi
Vorria pietosa, e col suo dolce tocco
Il fier custode addormentar procura.
Al sorriso, al gentil vezzo di questa
Avversaria divina ei ben talvolta
Par che vinto s'accheti; ma trapassa
L'onda repente di contrario affetto,
Ch'alto romor menando lo riscuote;
Ond'egli riede dispettoso all'ira,
E l'istesso gioir cangia in martire.

II.

Indarno alla novella alba del giorno,
Allorché dopo il travagliar d'oscura
Funesta vision svegliomi, e tutto
D'affannoso sudor molle mi trovo,
Indarno stendo verso lei le braccia,
Misero! e nel silenzio della notte
La cerco indarno per le vote piume,
Quando un felice ed innocente sogno
M'inganna, e parmi di sederle al fianco,
E stretta al seno la sua man tenermi,
Ricoprirla di baci, e contro gli occhi,
Premerla, e contro le mie calde gote.
Ahi! quando ancora colle chiuse ciglia
Tra veglia e sonno d'abbracciarla io credo,
E deluso mi desto, ahi! che del cuore

L'INTIMO

La grave oppression sgorgar repente
Fa di lagrime un rio dalle pupille,
E al pensier disperato mi dischiude
E tutta tutta la mia mente ingombra!
Chiudo ben io per non mirarla i rai,
E con ambe le man la fronte ascondo;
Ma su la fronte e dentro i rai la veggio
Un'altra volta comparir, fermarsi,
Riguardarmi pietosa e non far motto.
Le braccia allargo, e prono in su le piume
Cader mi lascio colla bocca e il petto;
Ma l'immago dagli occhi non s'invola;
Anzi s'accosta, e par che ciglio a ciglio,
Gote a gote congiunga, e tal poi meco
Reclini il capo e s'abbandoni al sonno.

III.

Oh come del pensier batte alle porte
Questa fatale imago e mi persegue!
Come d'incontro mi s'arresta immota,
Tu mi saresti il ciel, la terra e tutto.
Io ne' tuoi sguardi e tu ne' miei felice,
Come di schietto rivo onda soave
Scorrer gli anni vedremmo, e fonte in noi
Di perenne gioir fora la vita.
Poi, quando al fine dell'etade il gelo
De' sensi avrebbe il primo ardor giá spento,
E in fuga si vedrian volti i diletti
All'apparir delle canute chiome,
Amor darebbe all'amistade il loco;
Dolce amistade, che dal caldo cenere
Delle passate fiamme altra farebbe
Germogliar tenerezza, altri contenti.
Oh contenti! oh speranze!... Un importuno

Fremer di vento mi riscosse, e tutta
Sparve col mio delirio anche la gioia.

IV.

Torna, o delirio lusinghier, deh! torna;
Né cosí ratto abbandonarmi. Io dunque
Suo sposo! ella mia sposa! Eterno Iddio,
Di cui fu dono questo cor che avvampa,
Se un tanto ben mi preparavi, io tutti
Spesi gl'istanti in adorarti avrei.
Non vo' lagnarmi, o giusto Iddio. Perdona
Alle lagrime mie, perdona al cieco
Desio che m'arde. Se fra queste braccia
Dato mi fosse un sol momento stringere...
Se questi labbri su quei labbri... Ahi, misero!
Ahi che al solo pensarlo entro le vene
Di foco un fiume mi trabocca, e tutti
Tremano i polsi combattuti e l'ossa!

V.

Oh se lontano dalle ree cittadi
In solitario lido i giorni miei
Teco mi fosse trapassar concesso!
Oh se mel fosse! Tu sorella e sposa,
Tu mia ricchezza, mia grandezza e regno,
Un avvenir d'orrendi mali, a cui
Termine non vegg'io fuorché la tomba.

VI.

Ahi sconsigliato! ahi forsennato! e dove,
Dove son tratto dal furor di questo
Tremendo affetto? In lei sepolto, in lei
Sola è sepolto il mio pensier. Quest'occhi
Altro non veggon che sua dolce imago;
Altro nel core risonar non sento

L'INTIMO

Che l'amato suo nome, e tutto apparmi,
Se lei ne traggi, l'Universo estinto.

VII.

Ma che? sederle al fianco, e de' suoi sguardi,
De' suoi sorrisi, de' suoi dolci accenti
Pascer l'anima ingorda, e sí dappresso
Farmi al suo labbro, che sul labbro mio
Giungerne io senta il tepido respiro...
Ahi parmi allor che un folgore mi corra
Per gli attoniti sensi. Innanzi al ciglio
Una nube si stende: entro la gola
Van soffocate le parole, e sembra
Che di foco una man la stringa e chiuda.
Allor mi batte in fiera guisa il core:
E per dar vento all'infiammato petto
Piú lunghi e cupi dall'aperta bocca
Esalano i sospiri; e forza è quindi
O correre co' baci alla sua mano,
E di pianto bagnarla; o dispiccarmi
Da lei veloce, e colle vôlte spalle
Gir percotendo per furor la fronte.

VIII.

Alta è la notte, ed in profonda calma
Dorme il mondo sepolto, e in un con esso
Par la procella del mio cor sopita.
Io balzo fuori delle piume, e guardo;
E traverso alle nubi, che del vento
Squarcia e sospinge l'iracondo soffio,
Veggo del ciel per gl'interrotti campi
Qua e lá deserte scintillar le stelle.
Oh vaghe stelle! e voi cadrete adunque,
E verrá tempo che da voi l'Eterno
Ritiri il guardo, e tanti Soli estingua?

E tu pur anche coll'infranto carro
Rovesciato cadrai, tardo Boote,
Tu degli Artici lumi il piú gentile?
Deh, perché mai la fronte or mi discopri,
E la beata notte mi rimembri,
Che al casto fianco dell'amica assiso
A' suoi begli occhi t'insegnai col dito!
Al chiaror di tue rote ella ridenti
Volgea le luci; ed io per gioia intanto
A' suoi ginocchi mi tenea prostrato
Piú vago oggetto a contemplar rivolto,
Che d'un tenero cor meglio i sospiri,
Meglio i trasporti meritar sapea.
Oh rimembranze! oh dolci istanti! io dunque,
Dunque io per sempre v'ho perduti, e vivo?
E questa è calma di pensier? son questi
Gli addormentati affetti? Ahi, mi deluse
Della notte il silenzio, e della muta
Mesta Natura il tenebroso aspetto!
Giá di nuovo a suonar l'aura comincia
De' miei sospiri, ed in piú larga vena
Giá mi ritorna su le ciglia il pianto.

IX.

Limpido rivo, onor del patrio colle,
Che dolce mormorando per la via
Lo stanco ed arso passeggiero inviti,
È gran tempo, lo sai, che su l'erbetta
Del tuo bel margo a riposar non vengo,
E d'accanto ti passo frettoloso,
Né mi sovviene di pur darti un guardo.
Scusa l'error, amabil rio, perdona
L'involontaria scortesia. Se noto
L'orror ti fosse di mio stato, e quali
Ravvolgo in mente atri pensieri, e quanta

L'INTIMO

Guerra nel petto, orrenda guerra, io porto,
Certo t'udrei su l'alta mia sventura
Gemer pietoso e andar piú roco al mare.
Ma ben crudo se' tu, che i segni ancora
Serbi di mia felicitá perduta.
Perché quei cespi alimentar, che spesso
D'affanni scarco m'accoglieano in grembo,
Quando il cor visse solitario, e tocco
D'Amor la face non l'avea pur anco?
Perché riveggio queste piante, e l'ombra
Che i miei sonni coperse? E tu soave
Aura d'april, perché sí dolce intorno
Batti le piume e mi carezzi il volto?
Fuggi, e le gote a lusingar ten vola
Non bagnate di pianto. Ah fuggi, e queste,
Che mi rigan la guancia, ultime stille
Non asciugarmi, e in libertá le lascia
Cader nell'onda che mi scorre al piede.

x.

Tutto pere quaggiú. Divora il Tempo
L'opre, i pensieri. Colá dove immenso
Gli astri dan suono, e qui dov'io mi assido,
E coll'aura che passa mi lamento,
Del Nulla tornerá l'ombra e il silenzio.
Ma non l'intera Eternitá potria
Spegner la fiamma che non polsi e vene,
Ma la sostanza spirital n'accese,
Fiamma immortal, perché immortal lo spirto
Entro cui vive, e di cui vive e cresce.
Quest'occhi adunque chiuderá di morte
Il ferreo sonno, né potrá quel sonno
Lo sguardo estinguer che dagli occhi uscio.
Cesserá il cuor di palpitarmi in petto,
E il frale, che mi cinge, andrá nel turbo

Della materia universal confuso;
Ma incorruttibil dal corporeo fango,
Come raggio dall'onda emergeranne
L'amoroso pensier, che tante in seno
Faville mi destò, tanti sospiri.
Poiché dunque n'avrá pietoso il Fato
Della spoglia terrena ambo giá sciolti,
E d'altre forme andrem vestiti in altro
Men scellerato e piú leggiadro mondo,
Noi rivedremci, o mio perduto Bene,
E sará nosco Amor. Noi de' sofferti
Oltraggi allor vendicheremo Amore,
Né d'uomo tirannia, né di fortuna
Franger potranne, o indebolir quel nodo
Che le nostre congiunse alme fedeli.
Perché dunque a venir lenta è cotanto,
Quando è principio del gioir, la Morte?
Perché si rado la chiamata ascolta
Degl'infelici, e la sua man disdegna
Troncar le vite d'amarezza asperse?

A SUA ECCELLENZA LA SIGNORA MARCHESA ANNA MALASPINA DELLA BASTIA. [1)]

I bei carmi divini, onde i sospiri
In tanto grido si levar d'Aminta,
Sí che parve minor della zampogna
L'epica tromba, e al paragon geloso
Dei primi onori dubitò Goffredo,
Non è, Donna immortal, senza consiglio
Che al tuo nome li sacro, e della tua
Per senno e per beltade inclita figlia
L'orecchio e il core a lusingar li reco,
Or che di prode giovinetto in braccio

L'INTIMO

Amor la guida. Amor piú che le Muse
A Torquato dettò questo gentile
Ascreo lavoro; e infino allor piú dolce
Linguaggio non avea posto quel Dio
Su mortal labbro, benché assai di Grecia
Erudito l'avessero i maestri,
E quel di Siracusa, e l'infelice [2]
Esul di Ponto. Or qual v'ha cosa in pregio
Che ai misteri d'Amor piú si convegna
D'amoroso volume? E qual può dono
Al genio Malaspino esser piú grato
Che il canto d'Elicona? Al suo favore
Piú che all'ombre cirrée crebber mai sempre
Famose e verdi l'apollinee frondi
« Onor d'Imperatori e di Poeti ».
Del gran padre Alighier ti risovvenga,
Quando ramingo dalla patria, e caldo
D'ira e di bile ghibellina il petto,
Per l'itale vagò guaste contrade,
Fuggendo il vincitor Guelfo crudele,
Simile ad uom che va di porta in porta
Accattando la vita. Il fato avverso
Stette contra il gran Vate, e contra il fato
Morello Malaspina. Egli all'illustre
Esul fu scudo: liberal l'accolse
L'amistá sulle soglie, e il venerando
Ghibellino parea Giove nascoso
Nella casa di Pelope. Venute
Le fanciulle di Pindo eran con esso,
L'itala Poesia bambina ancora
Seco traendo, che gigante e diva
Si fe' di tanto precettore al fianco:
Poiché un Nume gli avea fra le tempeste
Fatto quest'ozio. Risonò il Castello
Dei cantici divini, e il nome ancora

Del sublime cantor serba la Torre.
Fama è ch'ivi talor melodioso
Errar s'oda uno spirto, ed empia tutto
Di riverenza e d'orror sacro il loco.
Del Vate è quella la magnanim'ombra,
Che tratta dal desio del nido antico
Viene i silenzi a visitarne, e grata
Dell'ospite pietoso alla memoria
De' nipoti nel cor dolce e segreto
L'amor tramanda delle sante Muse.
E per Comante giá tutto l'avea, [3]
Eccelsa Donna, in te trasfuso: ed egli
Lieto all'ombra de' tuoi possenti auspici,
Trattando la maggior lira di Tebe,
Emulò quella di Venosa, e fece
Parer men dolci i Savonesi accenti;
Padre incorrotto di corrotti figli,
Che prodighi d'ampolle e di parole
Tutto contaminar d'Apollo il regno. [4]
Erano d'ogni cor tormento allora
Della vezzosa Malaspina i neri
Occhi lucenti, e corse grido in Pindo
Che a lei tu stesso, Amor, cedesti un giorno
Le tue saette, né s'accorse l'arco
Del giá mutato arciero: e se il destino
Non s'opponeva, nel tuo cor s'apria
Da mortal mano la seconda piaga.
Tutte allor di Mnemosine le figlie
Fur viste abbandonar Parnaso e Cirra, [5]
E calar sulla Parma; e le seguia
Palla Minerva, con dolor fuggendo
Le cecropie ruine. E qui, siccome
Di Giove era il voler, composto ai santi
Suoi studi il seggio, e degli spenti altari
Ridestate le fiamme, e d'Academo

Fe' riviver le selve, e di sublimi
Ragionamenti risonar le volte
D'un altro Peripato, che di gravi
Salde dottrine, dagli eterni fonti
Scaturite del Ver, vincea l'antico. [6]
Perocché, duce ed auspice Fernando,
D'un Péricle novel l'opra e il consiglio,
E la beltate, l'eloquenza, il senno
D'un'Aspasia miglior scienze ed arti,
Che le cittá fan belle e chiari i regni,
Suscitando allegrar Febo e Sofia.
Tu fulgid'astro dell'ausonio cielo,
Pieno d'alto saver, splendesti allora,
Dotto Paciaudi mio; nome che dolce [7]
Nell'anima mi suona, e sempre acerba,
Cosí piacque agli Dei, sempre onorata
Rimembranza sarammi. Ombra diletta,
Che sei sovente di mie notti il sogno,
E pietosa a posarti in sulla sponda
Vieni del letto ov'io sospiro, e vedi
Di che lagrime amare io pianga ancora
La tua partita; se laggiú ne' campi
Del pacifico Eliso, ove tranquillo
Godi il piacer della seconda vita,
Se colá giunge il mio pregar, né troppo
S'alza su l'ali il buon desio, Torquato
Per me saluta, e digli il lungo amore
Con che sculsi per lui questa novella
Di tipi leggiadria; digli in che scelte
Forme piú care al cupid'occhio offerti
I lai del suo pastor fan dolce invito;
Digli il bel nome che gli adorna, e cresce
Alle carte splendor. Certo di gioia
A quel divino rideran le luci,
Ed Anna Malaspina andrá per l'ombre

Ripetendo d'Eliso, e fia che dica:
Perché non l'ebbe il secol mio! memoria
Non sonerebbe sí dolente al mondo
Di mie tante sventure. E se domato
Non avessi il livor (ché tal nemico
Mai non si doma, né Maron lo vinse,
Né Meonio cantor), non tutti almeno
Chiusi a pietade avrei trovato i petti.
Stata ella fora tutelar mio Nume
La Parmense Eroina; e di mia vita
Ch'ebbe dall'opre del felice ingegno
Sí lieta aurora e splendido meriggio,
Non forse avrebbe la crudel fortuna
Né Amor tiranno in negre ombre ravvolto
L'inonorato e torbido tramonto.

LE NOZZE DI CADMO E D'ERMIONE.

IDILLIO. 1)

Il giorno ch'Ermion, di Citerea
Alma prole e di Marte, iva di Cadmo
All'eccelso connubio, e la seguia
Tutta, fuor Giuno, degli Dei la schiera,
Gratulando al marito e presentando
Di cari doni la beata sposa,
Col Delio Apollo a salutarla anch'esse
Comparvero le Muse. Una ghirlanda
Stringea ciascuna d'olezzanti fiori
(Sempre olezzanti, perché mai non muore
Il fior che da castalia onda è nudrito),
E tal di quelli una fragranza uscia
Ch'anco i sensi celesti inebbriava,
E tutta odor d'Olimpo era la reggia.
De' bei serti immortali adunque in prima
Le divine sorelle incoronaro

L'INTIMO

Dell'aureo letto nuzial la sponda:
Indi al canto si diero, e alle carole.
Della danza Tersicore guidava
I volubili giri; e in queste note
L'amica degli Eroi Calliopea
Col guardo in sé raccolto il labbro apriva.

Beltá, raggio di Lui che tutto move,
Tu che d'amor le fiamme accendi e godi
Star di vergini intatte e di fanciulli
Nelle nere pupille, in guardia prendi
Di Venere la figlia, e al tempo avaro
Non consentir che le tue rose involi
Alle caste sue gote. A lei concedi
La non caduca gioventú de' Numi,
Ch'ella di Numi è sangue; e come belle
Tu festi, o Diva, d'Ermion le forme,
Cosí virtude a lei fe' bello il core.
Immenso della luce eterno fonte
Vibra i suoi dardi il sole, e nelle cose
Sveglia la vita; e tu, reina eterna
De' cor gentili, se bontá vien teco,
L'amor risvegli che stagion non perde,
E spargi di perenne alma dolcezza
Le perigliose d'Imeneo catene.
Bacia queste catene, inclito figlio[2]
D'Agenore; le bacia, ed in vederti
Genero eletto a due gran Dii t'allegra,
Ma cognato al tonante egioco Giove
Non ti vantar, ché l'alta ira di Giuno
Costar ti fará caro un tanto onore.
Pur, dove avvenga che funesto nembo
Turbi il sereno de' tuoi dí, non franga
L'avversitá del fato il tuo coraggio,
Ché a sé l'uom forte è Dio. Tutte egli preme
Sotto il piè le paure, e delle Parche

Su ferrei troni alteramente assise
Con magnanima calma i colpi aspetta.
 Cosí cantava. All'ultime parole
Di non lieto avvenire annunziatrici
Cadmo chinò pensoso il ciglio, e scura
Nube di duolo d'Ermion si sparse
Sulla candida fronte. Anco de' Numi
Si contristar gli aspetti, ed un silenzio
Ne seguí doloroso. Allor la Diva
Col dolce lampo d'un sorriso intera
Ridestando la gioia in ogni petto
Sull'auree corde fe' volar quest'inno:
 Schietta com'onda di petrosa vena
Delle Muse la lode i generosi
Spirti rallegra, e immortalmente vive
L'alto parlar che dal profondo seno
Trae dell'alma il furor che Febo inspira,
Quando ai carmi son segno i fatti egregi
De' valorosi, o i peregrini ingegni
Trovatori dell'arti onde si giova
L'umana stirpe, e si fa bello il mondo.
Or di quante produsse arti leggiadre
Il mortale intelletto aura divina
Quale il canto dirá la piú felice?
Te, di tutte bellissima e primiera,
Che con rozze figure arditamente
Pingi la voce, e color dando e corpo
All'umano pensiero agli occhi il rendi
Visibile: ed in tale e tanta luce,
Che men chiara del Sol splende la fronte,
Ei vola e parla a tutte genti, e chiuso
Nelle tue cifre si conserva eterno.
Dietro ai portenti che tu crei smarrita
Si confonde la mente, e perde l'ali
L'immaginar. Qual giá fuori del sacro

L'INTIMO

Capo di Giove orrendamente armata
Balzò Minerva, ed il paterno telo,
Cui nessuno de' Numi in sua possanza
Ardia toccar, trattò fiera donzella,
E corse in Flegra a fulminar tremenda
I figli della Terra, e fe' sicuro
Al genitore dell'Olimpo il seggio:
Tal tu pure, verace altra Minerva,
Dalla mente di Cadmo partorita
E nell'armi terribili del Vero,
Fulminando atterrasti della cieca
Ignoranza gli altari, e la gigante
Forza frenasti dell'Error, che stretta
Sul ciglio all'uomo la feral sua benda
Di spaventi e di larve all'infelice
Ingombrava il cerebro, e sí regnava
Solo e assoluto imperador del Mondo.

   Tale è il mostro, o Cadmea nobile figlia,
A cui guerra tu rompi, e tanto hai tolto
Giá dell'impero ch'ogni sforzo è indarno,
Se il ciel non crolla, a sostenerlo in trono.
Di selvaggia per te si fa civile
L'umana compagnia; per te le fonti
Del saper dilatate in mille rivi
E a tutti aperte corrono veloci
Ad irrigar le sitibonde menti.
Per te piú puro in un di Dio piú degno
Si sublima il suo culto, e con amore
Al cor s'apprende da ragion dettato,
Non da colei che in Aulide col sangue
D'Ifigenia propizj invoca i venti:
E spinta in ciel la fronte e dell'Eterno
Le sembianze falsando, spaventosa
Fra le nubi s'affaccia, e cupo grida:
Chiudi gli occhi, uman verme, e cieco adora.

Ma d'alta sapienza uso amoroso
E della prima Idea diritto spiro
Filosofia coll'armi adamantine
Della scritta ragion l'orrenda larva
Combatterá, vendicherá del Nume
Da quell'empia converso in crudo spettro
L'oltraggiata bontade; e l'uom per vie
Tutte di luce al suo divin principio
Fatto piú presso si fará piú pio;
E dirá seco: de' miei mali il primo
E la prima mia morte è l'Ignoranza.

Tal era della Diva il canto arcano,
Della Diva Calliope a cui tutte
Stanno dinanzi le future cose,
E, secondo che il tempo le rivolve
Nel suo rapido corso, a tutte dona
E forma e voce e qualitade e vita
Con tal di sensi e di dottrine un velo
Ch'occhio vulgar nol passa: onde agli stolti
La delfica favella altro non sembra
Che canora follia. Povero il senno
Che in quei deliri ascoso il ver non vede!
Né sa quanta de' carmi è la potenza
Su la reina opinion che a nullo
De' viventi perdona e a tutti impera!

Stava tacito attento alle parole
Profetiche di tanta arte il felice
Insegnatore, e nel segreto petto
Dell'alto volo, a cui l'uman pensiero
Le ben trovate cifre avrian sospinto,
Pregustava la gioia, e della sorte
Giá tetragono ai colpi si sentia.
Preser le Muse da quel giorno usanza
Di far liete de' canti d'Elicona
Degli Eccelsi le nozze, ovunque in pregio

L'INTIMO

Son d'Elicona i dolci canti. Or quale,
Qual v'ha sponda che sia, come l'Insúbre,
Dalle Grazie sorrisa e dalle Muse?
Qual tempio sorge a queste Dee piú caro
Che l'eretto da te, Spirto Gentile, [3]
Nelle cui vene del Trivulzio sangue
Vive intero l'onor? Alto fragore
D'oricalchi guerrieri e d'armi orrende
Empiea, Signor, le risonanti volte
Delle tue sale un dí, scuola di Marte,
Quand'il grand'avo tuo fulmin di guerra
Delle italiche spade era la prima.
Or che in regno di pace entro i lombardi
Elmi la Lidia tessitrice ordisce
L'ingegnosa sua tela, e col ferrigno
Dente agli appesi aviti brandi il lampo
La ruggine consuma, a te concede
Altra gloria e piú bella e senza pianti,
Senza stragi e rovine il santo amore
De' miti studi del silenzio amici,
Che da Febo guidati e da Sofia
Traggon l'uom del sepolcro e il fanno eterno.
Qui dell'arte di Cadmo e della sua
Imitatrice i monumenti accolti
Di grave meraviglia empion la vista
De' riguardanti: qui, di Pindo e Cirra
Posti i gioghi in oblio, l'Ascree fanciulle
Fermano il seggio, e grato a te le invia
Il gran padre Alighier che per te monde
D'ogni labe contempla le severe
Del suo nobil Convito alte dottrine.
Odi il suon delle cetre, odi il tripudio
Delle danze, ed Amor vedi che gitta
Via le bende, e la terza e quarta *rosa*
Del tuo bel cespo ad Imeneo consegna. [4]

Ed allegro Imeneo nel piú ridente
Suol le trapianta, che Panaro e Trebbia
Irrighino di chiare onde felici;
E germogli n'aspetta che faranno
Liete d'odori e l'una e l'altra riva
Di generose piante ambo superbe.

Or voi d'ambrosia rugiadose il crine,
Il cui sorriso tutte cose abbella,
Voi dell'inclita Bice al fianco assise, [5]
Grazie figlie di Giove, accompagnate
Le due da voi nudrite alme donzelle,
E vengano con voi l'arti dilette
In che posero entrambe un lungo amore,
L'animatrice delle tele, e quella
Che di musiche note il cor ricrea:
Onde la vita coniugal sia tutta
Di dolce aspersa e di ridenti idee
Simiglianti alle prime di Natura
Vergini fantasie che in piante e in fiori
Scherzano senza legge, e son piú belle.

E tu, ben nato Idillio mio, che i modi
Di Tebe osasti con ardir novello
All'avene sposar di Siracusa, [6]
Vanne al fior de' gentili, a Lui che fermo
Nella parte miglior del mio pensiero
Tien della vera nobiltá la cima
E de' cortesi è re, vanne e gli porgi
Queste parole: Amico ai buoni il Cielo
Di doppie illustri nozze oggi beati
Rende i tuoi lari, ed il canuto e fido
De' tuoi studi compagno all'allegrezza
Che l'anima t'inonda, il suo confonde
Debole canto che di stanco ingegno
Dagli affanni battuto è tardo figlio;
Ma non è tardo il cor che, come spira

Riverente amistade, a te lo sacra.
Questo digli e non altro. E s'ei dimanda
Come del viver mio si volga il corso,
Di' che ad umíl ruscello egli è simíle
Su le cui rive impetuosa e dura
I fior piú cari la tempesta uccise.

INVITO

D'UN SOLITARIO AD UN CITTADINO. [1]

Tu che servo di corte ingannatrice
I giorni traggi dolorosi e foschi,
Vieni, amico mortal, fra questi boschi,
   Vieni, e sarai felice.
 Qui né di spose, né di madri il pianto,
Né di belliche trombe udrai lo squillo,
Ma sol dell'aure il mormorar tranquillo,
   E degli augelli il canto.
 Qui sol d'amor sovrana è la ragione,
Senza rischio la vita e senza affanno,
Ned altro mal si teme, altro tiranno,
   Che il verno e l'aquilone.
 Quando in volto ei mi sbuffa, e col rigore
De' suoi fiati mi morde, io rido e dico:
Non è certo costui nostro nemico,
   Né vile adulatore.
 Egli del fango prometeo m'attesta
La corruttibil tempra, e di colei,
Cui donaro il fatal vaso gli Dei,
   L'ereditá funesta. [2]
 Ma dolce è il frutto di memoria amara;
E meglio tra capanne in umil sorte,
Che nel tumulto di ribalda corte
   Filosofia s'impara.

Quel fior che sul matt'n sí grato olezza,
E smorto il capo su la sera abbassa,
Avvisa in suo parlar, che presto passa
                Ogni mortal vaghezza.
  Quel rio che ratto all'oceán cammina,
Quel rio vuol dirmi, che del par veloce
Nel mar d'eternitá mette la foce
                Mia vita peregrina.
  Tutte, dall'elce al giunco han lor favella,
Tutte han senso le piante: anche la rude
Stupida pietra t'ammaestra, e chiude
                Una vital fiammella.
  Vieni dunque, infelice, a queste selve;
Fuggi l'empie cittá, fuggi i lucenti
D'oro palagi, tane di serpenti,
                E di perfide belve.
  Fuggi il pazzo furor, fuggi il sospetto
De' sollevati, nel cui pugno il ferro
Giá non piaga il terren, non l'olmo e il cerro,
                Ma de' fratelli il petto.
  Ahi di Giapeto iniqua stirpe! ahi diro
Secol di Pirra! Insanguinata e rea
Insanisce la terra, e torna Astrea
                All'adirato Empiro.
  Quindi l'empia ragion del piú robusto,
Quindi falso l'onor, falsi gli amici,
Compre le leggi, i traditor felici,
                E sventurato il giusto.
  Quindi vedi calar tremendi e fieri
De' Druidi i nipoti, e violenti
Scuotere i regni, e sgomentar le genti
                Con l'arme e co' pensieri.
  Enceladi novelli anco del cielo
Assalgono le torri, a Giove il trono
Tentano rovesciar, rapirgli il tuono
                E il non trattabil telo. [3]

Ma non dorme lassú la sua vendetta;
Giá monta su l'irate ali del vento,
Guizzar giá veggo, mormorar giá sento
          Il lampo e la saetta.

AD AMARILLI ETRUSCA. [1]

Nembo di guerra intorno freme e morte,
E di Gradivo la crudel sorella
Gli anelanti cornipedi flagella
          Su l'italiche porte.
  Sotto l'ugna immortal fuma e si scuote
Dell'Alpe il fianco; dai percossi fonti
Alzano i fiumi le atterrite fronti
          Al passar delle rote.
  E tortuose giú per l'erta china
Cercano l'onde liquefatte il calle,
Meste avvisando per l'ausonia valle
          La marzial ruina.
  Che faremo, Amarilli? Ai dolci canti
Delle fanciulle ascree, l'aspre tenzoni
Mal di Bellona si confanno, e i tuoni
          De' bronzi fulminanti.
  Né questo, che le fiere alme lusinga,
Clangor di trombe, e nitrir di cavalli,
Ben si concorda agli apollinei balli,
          E al suon della siringa.
  E nondimeno sacerdoti e servi
Non siam d'imbelle iddio. Come la cetra,
Febo al fianco sonar fa la faretra,
          E di grand'arco i nervi.
  Delfo e Troja lo sanno, il sa di Tebe
La mal feconda donna, e un giorno tutte
Del sangue de' Ciclopi orride e brutte
          Le siciliane glebe. [2]

Lungi dunque il timor; ché non s'offende
Impunemente la castalia fronda,
E quel crine è fatal che si circonda
           Delle delfiche bende.
  Di Crise il dica la vendetta acerba,
Quando Apollo sonar fe' l'omicide
Frecce su i Greci, e castigò d'Atride
           La ripulsa superba. [3]
  Auspice un tanto dio, sciogli tranquillo,
Ninfa divina, il canto, e l'alme scuoti
Ai severi difficili nipoti
           Di Curio e di Camillo.
  O far ti piaccia le virtú romane
Segno agli strali de' veloci carmi,
O d'Ilio i campi lagrimosi, o l'armi
           E le colpe tebane;
  O dell'Aurora i furti, o le fatiche
Narrar d'Argo ti giovi, e maga in Colco
Impallidir su l'incantato solco,
           O sospirar con Psiche; [4]
  Teco vien la pietá, teco il diletto,
Teco eleganza ne' bei modi ardita,
E quel che al cor si sente, e non s'imita,
           Parlar facondo e schietto.
  Questa di carmi amabil arte in alto
Di Teo levò la gloria e di Venosa, [5]
E l'onor di colei che dolorosa
           Spiccò di Leuca il salto.
Di lesbia Musa che le valse il vanto?
Che le valse il favor di Citerea,
Che i passeri aggiogando a lei scendea
           Ad asciugarle il pianto? [6]
  Nume piú grande Amor con le divine
Eterne punte le piagava il fianco,
Finché l'Ionio all'egro spirto e stanco
           E al suo furor diè fine.

L'INTIMO

PER L'ONOMASTICO DELLA SUA DONNA.

Donna, dell'alma mia parte piú cara,
Perché muta in pensoso atto mi guati,
E di segrete stille
Rugiadose si fan le tue pupille?
Di quel silenzio, di quel pianto intendo,
O mia diletta, la cagion. L'eccesso
De' miei mali ti toglie
La favella, e discioglie
In lagrime furtive il tuo dolore.
Ma datti pace, e il core
Ad un pensier solleva
Di me piú degno, e della forte insieme
Anima tua. La stella
Del viver mio s'appressa
Al suo tramonto, ma sperar ti giovi
Che tutto io non morrò: pensa che un nome
Non oscuro io ti lascio; e tal che un giorno
Fra le italiche Donne
Ti fia bel vanto il dire: Io fui l'amore
Del cantor di Bassville,
Del cantor che di care itale note
Vestí l'ira d'Achille.
Soave rimembranza ancor ti fia,
Che ogni spirto gentile
A' miei casi compianse (e fra gl'Insúbri
Qual è lo spirto che gentil non sia?)
Ma con ciò tutto nella mente poni
Che cerca un lungo sofferir chi cerca
Lungo corso di vita. Oh mia Teresa,
E tu del pari sventurata e cara
Mia figlia! Oh voi che sole d'alcun dolce
Temprate il molto amaro
Di mia trista esistenza, egli andrá poco

Che nell'eterno sonno, lagrimando,
Gli occhi miei chiuderete! Ma sia breve
Per mia cagione il lagrimar; ché nulla,
Fuor che il vostro dolor, fia che mi gravi
Nel partirmi da questo,
Troppo ai buoni funesto,
Mortal soggiorno, in cui
Cosí corte le gioie e cosí lunghe
Vivon le pene: ove per dura prova
Giá non è bello il rimaner, ma bello
L'uscirne e far presto tragitto a quello
De'ben vissuti a cui sospiro. E quivi
Di te memore, e fatto
Cigno immortal (ché de' Poeti in cielo
L'arte è pregio, e non colpa) il tuo fedele,
Adorata mia donna,
T'aspetterá cantando,
Finché tu giunga, le tue lodi; e molto
De' tuoi cari costumi
Parlerò co' Celesti, e dirò quanta
Fu verso il miserando tuo consorte
La tua pietade; e l'anime beate
Di tua virtude innamorate, a Dio
Pregheranno che lieti, e ognor sereni
Sieno i tuoi giorni e quelli
Dei dolci amici che ne fan corona:
Principalmente i tuoi, mio generoso
Ospite amato, che verace fede
Ne fai del detto antico,
Che ritrova un tesoro
Chi ritrova un amico.

UNA POETICA.

SERMONE SULLA MITOLOGIA. [1]

Audace scuola boreal, dannando
Tutti a morte gli Dei, che di leggiadre
Fantasie giá fiorir le carte argive
E le latine, di spaventi ha pieno
Delle Muse il bel regno. Arco e faretra
Toglie ad Amore, ad Imeneo la face,
Il cinto a Citerea. Le Grazie anch'esse
Senza il cui riso nulla cosa è bella,
Anco le Grazie al tribunal citate
De' novelli maestri alto seduti
Cesser proscritte e fuggitive il campo
Ai Lemuri e alle streghe. In tenebrose
Nebbie soffiate dal gelato Arturo
Si cangia (orrendo a dirsi!) il bel zaffiro
Dell'italico cielo; in procellosi
Venti e bufere le sue molli aurette;
I lieti allori dell'aonie rive
In funebri cipressi; in pianto il riso;
E il tetro solo, il solo tetro è bello.

E tu fra tanta, ohimè! strage di Numi
E tanta morte d'ogni allegra idea,
Tu del Ligure Olimpo astro diletto, [2]
Antonietta, a cantar nozze m'inviti?
E vuoi che al figlio tuo fior de' garzoni
Di rose colte in Elicona io sparga
Il talamo beato? Oh me meschino!
Spenti gli Dei che del piacere ai dolci
Fonti i mortali conducean, velando
Di lusinghieri adombramenti il vero,
Spento lo stesso re de' carmi Apollo,
Chi voce mi darà, lena e pensieri
Al subbietto gentil convenienti?
Forse l'austero Genio inspiratore
Delle nordiche nenie? Ohimè! che nato

Sotto povero Sole, e fra i ruggiti
De' turbini nudrito, ei sol di fosche
Idee si pasce, e le ridenti abborre,
E abitar gode ne' sepolcri, e tutte
In lugubre color pinger le cose.
Chiedi a costui di lieti fiori un serto,
Onde alla Sposa delle Grazie alunna
Fregiarne il crin: che ti dará? Secondo
Sua qualitade natural, null'altro
Che fior tra i dumi del dolor cresciuti.

Tempo giá fu, che, dilettando, i prischi
Dell'apollineo culto archimandriti
Di quanti la Natura in cielo e in terra
E nell'aria e nel mar produce effetti,
Tanti Numi crearo: onde per tutta
La celeste materia e la terrestre
Uno spirto, una mente, una divina
Fiamma scorrea, che l'alma era del mondo.
Tutto avea vita allor, tutto animava
La bell'arte de' vati. Ora il bel regno
Ideal cadde al fondo. Entro la buccia
Di quella pianta palpitava il petto
D'una saltante Driade; e quel duro
Artico Genio destruttor l'uccise.
Quella limpida fonte uscia dell'urna
D'un'innocente Najade; ed, infranta
L'urna, il crudele a questa ancor diè morte.
Garzon superbo e di sé stesso amante
Era quel fior; quell'altro al Sol converso
Una ninfa, a cui nocque esser gelosa.
Il canto che alla queta ombra notturna
Ti vien sí dolce da quel bosco al core,
Era il lamento di regal donzella
Da re tiranno indegnamente offesa.
Quel lauro onor de' forti e de' poeti,

UNA POETICA

Quella canna che fischia, e quella scorza
Che ne' boschi Sabei lagrime suda,
Nella sacra di Pindo alta favella
Ebbero un giorno e sentimento e vita.
Or d'aspro gelo aquilonar percossa
Dafne morí; ne' calami palustri
Piú non geme Siringa; ed in quel tronco
Cessò di Mirra l'odoroso pianto.
  Ov'è l'aureo tuo carro, o maestoso
Portator della luce, occhio del Mondo?
Ove l'Ore danzanti? ove i destrieri
Fiamme spiranti dalle nari? Ahi misero!
In un immenso, inanimato, immobile
Globo di foco ti cangiar le nuove
Poetiche dottrine, alto gridando:
Fine ai sogni e alle fole, e regni il Vero.
Magnifico parlar! degno del senno
Che della Stoa dettò l'irte dottrine,
Ma non del senno che cantò d'Achille
L'ira, e fu prima fantasia del Mondo.
Senza portento, senza meraviglia
Nulla è l'arte de' carmi, e mal s'accorda
La meraviglia ed il portento al nudo
Arido Vero che de' vati è tomba.
Il mar che regno in prima era d'un Dio
Scotitor della terra, e dell'irate
Procelle correttore, il mar soggiorno
Di tanti Divi al navigante amici
E rallegranti al suon di tube e conche
Il gran padre Oceáno ed Amfitrite,
Che divenne per voi? Un pauroso
Di sozzi mostri abisso. Orche deformi
Cacciar di nido di Nereo le figlie,
Ed enormi balene al vostro sguardo
Fur piú belle che Dori e Galatea.

Quel Nettuno che rapido da Samo
Move tre passi, e al quarto è giunto in Ega;
Quel Giove che al chinar del sopracciglio
Tremar fa il Mondo, e allor ch'alza lo scettro
Mugge il tuono al suo piede, e la trisulca
Folgor s'infiamma di partir bramosa;
Quel Pluto che, al fragor della battaglia
Fra l'Immortali, dal suo ferreo trono
Balza atterrito, squarciata temendo
Sul suo capo la Terra e fra i sepolti
Intromessa la luce, eran pensieri
Che del Sublime un dí tenean la cima. [3]
Or che giacquer Nettuno e Giove e Pluto
Dal vostro senno fulminati, ei sono
Nomi e concetti di superbo riso,
Perché il Ver non v'impresse il suo sigillo,
E passò la stagion delle pompose
Menzogne achee. Di fé quindi piú degna
Cosa vi torna il comparir d'orrendo
Spettro sul dorso di corsier morello
Venuto a via portar nel pianto eterno
Disperata d'amor cieca donzella,
Che, abbracciar si credendo il suo diletto,
Stringe uno scheltro spaventoso, armato
D'un oriuolo a polve e d'una ronca;
Mentre a raggio di luna oscene larve
Danzano a tondo, e orribilmente urlando
Gridano: *pazienza, pazienza.*
Ombra del grande Ettorre, ombra del caro
D'Achille amico, fuggite, fuggite,
E povere d'orror cedete il loco
Ai romantici spettri. Ecco ecco il vero
Mirabile dell'arte, ecco il sublime.

Di gentil poesia fonte perenne
(A chi saggio v'attigne), veneranda

UNA POETICA

Mitica Dea! qual nuovo error sospinge
Oggi le menti a impoverir del Bello
Dall'idea partorito, e in te sí vivo,
La delfica favella? E qual bizzarro
Consiglio di Maron chiude e d'Omero
A te la scuola, e ti consente poi
Libera entrar d'Apelle e di Lisippo
Nell'officina? Non è forse ingiusto
Proponimento, all'arte, che sovrana
Con eletto parlar sculpe e colora,
Negar lo dritto delle sue sorelle?
Dunque di Psiche la beltade, o quella
Che mise Troia in pianto ed in faville,
In muta tela o in freddo marmo espressa,
Sará degli occhi incanto e meraviglia;
E se loquela e affetti e moto e vita
Avrá ne' carmi, volgerassi in mostro?
Ah riedi al primo officio, o bella Diva,
Riedi, e sicura in tua ragion col dolce
Delle tue vaghe fantasie l'amaro
Tempra dell'aspra Veritá. Nol vedi?
Essa medesma, tua nemica in vista,
Ma in segreto congiunta, a sé t'invita:
Ché non osando timida ai profani
Tutta nuda mostrarsi, il trasparente
Mistico vel di tue figure implora,
Onde mezzo nascosa e mezzo aperta,
Come rosa che al raggio mattutino
Vereconda si schiude, in piú desio
Pungere i cuori ed allettar le menti.
Vien, ché tutta per te fatta piú viva
Ti chiama la Natura. I laghi, i fiumi,
Le foreste, le valli, i prati, i monti,
E le viti e le spiche e i fiori e l'erbe
E le rugiade e tutte alfin le cose

(Da che fur morti i numi, onde ciascuna
Avea nel nostro immaginar vaghezza
Ed anima e potenza) a te dolenti
Alzan la voce e chieggono vendetta.
E la chiede dal ciel la luna e il sole
E le stelle, non piú rapite in giro
Armonioso, e per l'eterea volta
Carolanti, non piú mosse da dive
Intelligenze, ma dannate al freno
Della legge che tira al centro i pesi:
Potente legge di Sofia, ma nulla
Ne' liberi d'Apollo immensi regni,
Ove il diletto è prima legge, e mille
Mondi il pensiero a suo voler si crea.
  Rendi dunque ad Amor l'arco e gli strali,
Rendi a Venere il cinto; ed essa il ceda
A te, divina Antonietta, a cui
(Meglio che a Giuno nel Meonio canto)
Altra volta l'avea giá conceduto,
Quando novella Venere di tua
Folgorante beltá nel vago aprile
D'amor l'alme rapisti, e mancò poco
Che lungo il mar di Giano a te devoti
Non fumassero altari e sacrifici.
Tu, donna di virtú, che all'alto core
Fai pari andar la gentilezza, e sei
Dolce pensiero delle Muse, adopra
Tu quel magico cinto a porre in fuga
Le danzanti al lunar pallido raggio
Maliarde del Norte. Ed or che brilla
Nel tuo Larario d'Imeneo la face,
Di Citerea le veci adempi, e desta
Ne' talami del figlio, allo splendore
Di quelle tede, gl'innocenti balli
Delle Grazie mai sempre a te compagne.

IL PROFESSORE.

L'ELOQUENZA E OMERO. [1)

Per meglio apprezzarla (l'eloquenza), giova il sentire i racconti dei Greci sull'origine della medesima. Non potendo essi persuadersi, che arte sí utile e meravigliosa fosse umana invenzione, raccontarono che gli uomini da principio erravano sparsi per le campagne e le selve, vivendo la vita del bruto, riparandosi come le fiere nelle caverne, e facendosi una guerra crudele per disputarsi le ghiande e gli oggetti delle feroci loro passioni. Il debole, siccome avviene spesse volte anche al dí d'oggi, era sempre la vittima del piú forte, e questo a vicenda vittima delle belve piú gagliarde ancora di lui. Il perché la sua condizione era anche piú miserabile che quella degli animali piú deboli, i quali al difetto della forza supplivano colla velocitá, o coll'astuzia, ed erano largamente provvisti dalla natura di velli e di lane contro le ingiurie degli elementi. La razza umana periva, se non trovava in Prometeo un protettore. Fattosi egli avvocato dell'uomo al tribunale di Giove, gliene espose nel modo piú commovente il miserabile stato. E fu allora che il re degli Dei, tocco di compassione, spedí sulla terra la Persuasione, accompagnata da Mercurio, con ordine a questo Dio di farne partecipe l'uman genere secondo le disposizioni naturali di ciascheduno. Comparve appena fra gli uomini questa eloquente e divina benefattrice, che tutti apersero gli occhi sulla deplorabile loro condizione; ebbero tregua le loro guerre, si accostarono gli uni agli altri senza temersi, sentirono la voce dell'amicizia, conobbero i vantaggi dell'unirsi in una sola famiglia, e diedero principio alla societá. Non pervennero tutto ad un tratto a costruirsi le abitazioni, ma le loro idee sviluppandosi a misura che la Persuasione, cioè l'Eloquenza, ragionava dentro il loro cuore, stabilirono leggi, nominarono magistrati, e a poco a poco fabbricarono le cittá. Penetrati poscia di gratitudine verso gli Dei, alzarono al cielo cantici di ringraziamento, e la poesia fu la primizia dell'umana riconoscenza. Spogliando questo racconto delle circostanze meravigliose che l'accompagnano, gli è facile il ravvisare che questa favola, come tutte le favole, è una veritá travestita alla maniera di ragionare di quegli antichi sapienti. E sebbene, tutto considerato, la ragione ci persuada, che il primo adunatore degli uomini in societá fu il bisogno, piuttosto che l'eloquenza, nondimeno mi accorderete, che, senza l'arte di persuadere, i feroci costumi non si depongono, né i cuori si ammansano, né dallo stato di barbarie si fa tragitto a quello di gentilezza. Né altro si volle esprimere dagli antichi colle favole di Orfeo che rende mansueti i leoni e le tigri, e di Anfione che edifica a suon di lira le mura di Tebe, se non che il primo colla dolcezza delle parole domò la ferocitá degli Odrisi, popolo selvaggio abitatore del monte Pangeo nella Tracia, e l'altro persuase cosí bene i Tebani a circondare la cittá di muraglia, che tutti gareggiarono in prendere parte a questo travaglio, e l'opera fu spinta innanzi sí vivamente, che parve le pietre animate dal suono della sua lira essere venute a collocarsi da sé medesime le une sopra le altre. Non fa quindi meraviglia se gli Egiziani e i Greci e i Latini deificarono l'Eloquenza, e la fecero compagna delle Grazie e figlia di Venere, se posero l'arte del ben parlare sotto la protezione delle Muse, di Apolline e di Mercurio, se tutti coloro che in quest'arte piú si segnalarono furono riguardati come prole di Numi. Ed io non dubito che Temistocle stesso, se fosse vissuto all'etá di Anfione e di Orfeo, sarebbe passato egli pure per figlio di un qualche Dio, allorquando per sottrarre gli Ateniesi al giogo Persiano, persuase loro di lasciare la città e le mogli e i figliuoli, e imbarcandosi sulle navi abbandonarsi all'arbitrio dei venti e della fortuna: disperato consiglio, che i soli argomenti della ragione non poterono sostenere; ma che fu sostenuto e portato in trionfo da quelli dell'eloquenza, piú potenti della ragione: consiglio che da principio fece parer pazzo Temistocle, ma che coronato d'un felice successo nella battaglia di Salamina, acquistò al valente oratore la riputazione di un Dio.

Tenuta dunque in sí gran conto l'eloquenza presso gli antichi, non è a stupire s'ella poté fare tanti progressi, e rapidamente perfezionarsi. Né io temo di asserire, che fino dai tempi dell'assedio di Troja, ell'era giá gloriosa, onorificata e adulta. Osserva Cicerone giudiziosamente che Omero non avrebbe tanto vantata l'eloquenza di Ulisse e di Nestore, se fino dai tempi eroici non fosse stata in somma considerazione la facondia della parola. Rilevasi da Omero e da Esiodo, che molto tempo prima di loro questo era l'oggetto principale dell'educazione dei principi e dei conduttori di grandi imprese e d'eserciti. Le qualitá del corpo si reputavano secondarie, e l'eloquenza otteneva nella stima degli uomini la preferenza sul valor militare.

Che cosí fosse in effetto cel persuadono molti passi di Omero, alcuni de' quali trascceglierò per onore dell'arte di cui parliamo.

Fenice nel nono dell'*Iliade* ricorda ad Achille di essergli stato dato in qualitá di ajo da Peleo, perché gli fosse

 Nel ragionar e nell'oprar maestro,

vale a dire, acciocché gl'insegnasse prima l'arte della bella parola, poi quella del guerreggiare.

Nel libro secondo Ulisse viene lodato da Agamennone, prima pel merito di saper proporre un ottimo divisamento, poi per l'altro di saper bene ordinare le cose appartenenti alla guerra.

Omero in altro luogo, parlando di un certo Toante, che era, dic'egli, il piú valoroso fra gli Etoliesi, aggiunge all'elogio del suo valore quello di aver pochi che il superassero nelle assemblee, ove la gioventú disputavasi il premio dell'eloquenza.

Nel darci il carattere di Nestore, il poeta ce lo disegna non come re, ma come oratore dei Pilj, quasi indicando che questo secondo titolo fosse piú da pregiarsi che il primo.

Ma per tacere di altri passi, degno di osservazione fra tutti mi sembra quello del libro secondo dell'*Iliade,* ove Agamennone, rapito da un discorso di Nestore, esclama con trasporto di gioja: *O saggio vecchio, tu sorpassi sicuramente tutti i Greci nell'eloquenza: oh! avessi io nell'armata dieci altri siccome te capaci di ben ragionare nell'assemblea! Se ciò fosse la cittá di Priamo cadrebbe ben presto in nostro potere.* Agamennone avea certamente nella sua armata gran numero di uomini valorosi, ma egli stima piú utile l'eloquenza di un solo prudente, che la bravura di mille intrepidi. Nel medesimo senso Sofocle nel Filottete fa dire ad Ulisse, che quando era ancor giovane credeva anch'egli che la forza del braccio facesse tutto, e nulla il dono della parola; ma che in seguito avea imparato dall'esperienza, che è la lingua, e non la mano, che governa ogni cosa fra gli uomini.

A queste omeriche testimonianze aggiungerò un passo di Esiodo che finirá di mostrarci che anche nei tempi piú remoti l'eloquenza veniva considerata come il piú prezioso ornamento d'un magistrato, come la prerogativa piú necessaria per ben comandare. Dopo aver detto che Calliope, la Musa dell'alta eloquenza, è la compagna dei re, e siede nel primo seggio tra le sorelle, soggiunge: *Beato quel principe cui le Muse destinano alla gloria, e il cui nascere viene salutato da un benefico loro sguardo. Le Muse spandono su la lingua di lui una dolce armonia, e le parole che gli escono dalla bocca incantano l'orecchio ed il cuore. Egli parla con sicurezza, conchiude saggiamente gli affari piú ardui, acquista riputazione di prudenza e di destrezza allorquando con tenere e consolanti parole fa che il popolo che lo circonda e lo ascolta ponga in dimenticanza le sue miserie. Tutti lo rispettano come un Dio. Tale si è il dono che fanno le Muse a colui ch'esse prendono a educare. Felice quel re, che le Muse amano e istruiscono.*

VIRGILIO.

Ragionerò di un Latino, nel quale troveremo, io spero, i rivi dell'eloquenza piú limpidi, e niente meno maravigliosi. Parlo del divino compatriota nostro Virgilio, e rammemoro con trasporto la circostanza d'aver egli respirata l'aria medesima che da noi si respira, perché il ricordo della nostra gloria passata ecciti in voi l'emulazione dei domestici esempj, e v'insegni a conoscere voi medesimi in presenza di quelle nazioni che ne dispregiano perché non sanno bene chi siamo, e vi porga coraggio a sostenere, a ravvivare la grandezza del vostro nome, giacché in voi principalmente, giovani dilettissimi, riposano le speranze della presente generazione.

Ben lontano dall'adottare la massima dello Scaligero,[1]) che introducendo un continuo parallelo tra Virgilio ed Omero, deprime perpetuamente il poeta greco per sollevare il latino, io confesso anzi, che in quanto all'abbondanza delle immagini, alla vivezza dei colori, al carattere del sublime, Omero né ha, né potrá mai avere chi lo pareggi, e ne dirò la ragione tra poco. Ma se Virgilio gli rimane per questa parte inferiore, egli lo supera di molto nella squisitezza dei sentimenti, nella gravitá delle sentenze, nella grazia, nel nitore, nella castigatezza dello stile, e soprattutto nell'arte d'intenerire, e di spargere ne' suoi

versi una certa maestosa malinconia, che ti fa piangere,
ed essere superbo delle tue lagrime, perché ti avvertono
che hai nel petto un'anima sensibile e virtuosa.

Ma per meglio conoscere in questi rapporti l'eccellenza
del poeta latino a fronte del greco, permettetemi di penetrare piú addentro nel loro carattere distintivo.

Omero era prossimo ai tempi eroici, a quei tempi, io
dico, in cui le azioni umane, per poco che avessero del
magnanimo, venivano sollevate alla dignitá delle azioni
divine. Tutto si eseguiva coll'intervento degli Dei; gli
Dei gettavano nelle menti umane i cattivi e i buoni consigli, gli Dei mandavano i sogni, gli Dei accompagnavano
nei pericoli; la viltá, il coraggio, la speranza, il timore,
la collera, la pietá, tutto era opera degli Dei. Omero valevasi d'una lingua la piú poetica di quante siano mai
state parlate, non ancor guasta dalle arroganti e leziose
dicerie de' sofisti, non ancora debilitata né attenuata dalle
fredde sottigliezze dei retori e de' gramatici, valevasi in
somma d'una lingua vergine, fervida, vigorosa, d'una lingua che tutta era senso, ed al senso richiamava tutte le
idee. Per tal guisa ogni moto del core, ogni operazione
dell'intelletto, la virtú, il vizio, le passioni, le opinioni,
tutto veniva personificato. Il caos medesimo non era che
una congerie di numi, che ora si odiavano, ora si amavano, numi erano gli elementi, numi le meteore; numi
tutti i fenomeni della natura, ogni fonte una Najade,
ogni arbore un'Amadriade, ogni fiore una ninfa, o qualche misero giovinetto maltrattato da Amore, e cangiato
in pianta per compassione.

Il poeta adunque che per primo ha potuto giovarsi di
queste imagini, tiene dalle circostanze del tempo un vantaggio, che agli altri venuti dopo è impossibile conseguire. La descrizione per esempio della primavera, della
notte, delle battaglie può variare nei modi, ma i suoi elementi sono sempre i medesimi; e chiunque si è impadro-

nito dei colori primitivi conserva un merito d'invenzione, adorna di tal luce i suoi quadri, che i suoi successori, anche forniti di maggior fantasia, li potranno bensí imitare e perfezionare, ma non mai togliere ad essi la preminenza. Nel regno della ragione si fanno tutto giorno nuove conquiste. Un secolo diventa erede dell'altro, una generazione comincia dove l'altra finisce, e i filosofi attraverso le rivoluzioni dell'opinione e del tempo formano una catena d'idee, che la morte non interrompe. Ogni pàsso della filosofia è un passo alla perfezione, e resta ancor molto da camminare. Avviene tutto il contrario nella poesia. Ella può arrivare tutta d'un tratto ad un certo grado di bello, oltre cui il bello sparisce e comincia il difetto: e mentre nelle scienze progressive l'ultimo passo è sempre il piú degno d'ammirazione, nella fantasia, al contrario, i primi lampi sono sempre i piú vivi. In una parola, a far sí che Omero sembrasse essere dotto senza dottrina, artificioso senz'arte, e filosofo senza filosofia contribuirono le circostanze dei costumi e de' tempi, rimosse le quali, Omero sarebbe stato imitatore ancor esso in luogo di essere creatore. Osserviamo adesso Virgilio. Escluso egli da questa primitiva esaltazione poetica, che scorre libera ne' suoi impeti, ed è simile ai primi tocchi d'amore, che provati una volta, non si fanno mai piú sentire colla stessa vivacitá, circoscritto d'ogni parte dai grandi esempj dei poeti che l'avevano preceduto, cui era sommamente arduo l'eguagliare, e ignominioso il rimanere inferiore, circondato altronde dalle regole e dai freni che Aristotele aveva giá messi agli ingegni, Virgilio, abbandonato, dirò cosí, dalla natura giá da altri afferrata, è sforzato a prender tutto dall'arte, e a crearsi coll'arte una quasi nuova natura. Collocato in un secolo dall'eroico remotissimo, intraprende egli la sua opera in mezzo ad un popolo giá padrone del mondo, giá erede di tutte le arti, di tutti i lumi, e nel medesimo tempo di tutti i vizj dei secoli precedenti, in mezzo ad un popolo a cui era impossibile di piacere senza molta delicatezza e molta filosofia. Frenato da tanti ostacoli, osservate l'artifizio mirabile di questo ingegno.

Figurate un pittore che, presentatosi a far prova de' suoi pennelli in concorrenza di eccellentissimi competitori venuti prima di lui, trova giá preoccupati i modelli e presi tutti i colori. Che fa egli? Non essendo in poter suo il crearne de' nuovi, con finissimo accorgimento ne invola uno a questo, uno a quell'altro, e sempre i piú belli, e li rimpasta e li purga e li fa tutti proprii. Mette a profitto gli errori de' suoi rivali, ne corregge i disegni, ne afferra tutte le bellezze fuggitive, le combina, le riordina, le ingentilisce e traendo luce da luce, e spesso cangiando in luce le tenebre, giunge finalmente a formare il miracolo della pittura. Questa pittura è la poesia di Virgilio, tanto eroica, che pastorale. Non parleremo quest'oggi che dell'Eroica. Con sagacissimo intendimento prende egli dal cielo dell'antica mitologia il soggetto del suo poema, soggetto che tiene grandissima affinitá coll'Omerico, e accomodato e vastissimo campo gli somministrava alle bellezze tutte dell'epica poesia. Sceglie un eroe consanguineo degli Dei, ai quali tutti era caro per la sua virtú, un eroe registrato dallo stesso Omero nel libro dei Destini per dover essere un giorno il dominatore de' Trojani e rendere la posteritá di Dardano gloriosa, un eroe finalmente la cui persona, oltre il carattere del valore e della virtú, lusingava mirabilmente la vanitá de' Romani facendoli derivare da una stirpe celeste col dar loro in progenitore il figliuolo d'una Dea. Della venuta di Enea in Italia e degli illustri destini che l'accompagnavano pieni giá erano gli annali romani, siccome raccogliesi in varj luoghi dai frammenti che Aurelio Vittore ci ha conservati, [2)] e da piú passi di Dionisio, di Festo e di Licofrone; dal qual ultimo sappiamo aver Enea brillato nei versi ora smarriti di

IL PROFESSORE

parecchi altri poeti greci. Le imprese di Ercole, di Teseo, o la spedizione degli Argonauti, o la guerra de' Giganti, o l'assedio di Tebe sarebbero stati forse argomenti piú splendidi; ma niuno che interessasse tanto le orecchie romane come quello d'Enea. E reca veramente stupore l'artifizio con che il poeta ha saputo trattarlo.

Il destino di Roma è il soggetto perpetuo della provvidenza di Giove. Per questo destino si litiga in cielo, e si combatte sopra la terra. Dappertutto le operazioni degli uomini posti in azione sono collegate con quelle degli Dei. Dappertutto predizioni sui futuri successi dell'impero romano e su lo sterminio dei suoi nemici, dappertutto allusioni alle memorie piú care di quel gran popolo, dappertutto la virtú romana getta lampi di luce, e rapisce i posteri di maraviglia.

Nulla dirò del piano di questo poema. Egli è sí ben concepito, l'unitá si bene conservata, gli avvenimenti sí connessi gli uni con gli altri, gli episodj cosí spontanei e aderenti al soggetto, l'intreccio della favola cosí bene ordinato, che considerata ogni cosa giustamente si è deciso dai critici essere l'*Eneide* il piú perfetto modello dell'epica poesia.

I suoi personaggi non sono, lo confesso, abbastanza caratterizzati; e consentirò volentieri che Enea e Turno, Pallante e Mezenzio sono alquanto pigmei a fronte di Achille e di Ettore, di Ajace e di Diomede. Né io ricuso di unirmi al Voltaire, il quale è tentato di prendere il partito di Turno contro di Enea; né voglio finalmente negare che le battaglie dell'*Eneide* sono troppo fiacche paragonate a quelle dell'*Iliade*, e che la condotta di Enea verso Didone è vilissima, qualunque sia la necessitá del destino che lo forza ad abbandonarla.

Ma ci siamo noi dimenticati, che l'*Eneide* è poema imperfetto, e che l'autore medesimo consapevole di queste imperfezioni l'aveva condannato alle fiamme? Faremo noi un delitto a Virgilio di non esser campato abbastanza per correggere il suo lavoro? E quando pure l'avesse pubblicato egli stesso tal quale ci è pervenuto, dimando io: la poesia greca, compresa quella d'Omero, in tutta la sua magnificenza, ha ella niente di paragonabile al secondo, al quarto, e al sesto libro dell'*Eneide*? all'episodio commoventissimo di Niso e d'Eurialo?

Omero è mirabile, io ne convengo, per lo splendore e la sublimitá delle imagini, ma non altrettanto per le profonde riflessioni dello spirito. Egli mi mette in delirio la fantasia, ma mi lascia quasi sempre il core tranquillo, e l'uomo sensibile ha piú bisogno di piangere che di stupire.

Mi è avvenuto piú volte leggendo il quarto canto dell'*Eneide* di dover serrare il libro, e chiudere gli occhi pregni di lagrime per gustar tutta la voluttá della malinconia che m'inspirava quella lettura. E veramente a me pare, che niun poeta né prima né dopo abbia trattato il dolore con piú veemenza ed insieme con piú decoro e con piú maestá.

L'amore vi è dipinto dal principio al fine in tutte le forme piú terribili di cui sia capace questa fiera passione. Né qui certamente Virgilio è stato ajutato punto da Omero. Egli ha seguito piuttosto Apollonio Rodio,[3] e non mancherá chi dica che gli amori di Didone sono una pura copia di quelli di Medea. Per me giudico che l'amor di Medea sia veramente la pittura piú passionata che in questo genere ne presenti la greca poesia. Contuttociò, messa da parte ogni altra considerazione, chiunque faccia ben presente che la passione di Medea, dopo di aver sacrificato il padre all'amante, va a terminare nel fratricidio, e quella di Didone coll'uccisione di sé medesima, inorridirá della prima, e verserá lagrime sulla seconda; e allora io m'appello al giudizio del cuore per decidere della preminenza fra Apollonio e Virgilio.

Ma il prodigio dell'epica poesia convien cercarlo nel sesto dell'*Eneide*. Qui è dove Virgilio eclissa tutti i poeti.

IL PROFESSORE

Ben altri trattarono prima di lui lo stesso argomento, e Omero avea condutto Ulisse all'Inferno, prima che Virgilio vi conducesse anch'egli il suo eroe. Ma chiunque osasse in questo luogo sostenere la causa d'Omero contro Virgilio, abbiatelo per uomo non degno di leggere né Virgilio, né Omero. Mi si dirá, che l'idea è derivata da Omero. Ed io risponderò, che anche l'*intendimento umano* di Locke è derivato da Aristotele; che i *vortici* di Cartesio sono i *turbini* di Democrito e di Leucippo; che l'*attrazione* di Newton non è altro che l'*amore e l'odio* di Empedocle; perocché tanto si rassomigliano tra loro questi sistemi, quanto la *Necromanzia* d'Omero con quella di Virgilio. Egli è ben vero che Virgilio si è qui giovato delle opinioni platoniche sulla vita avvenire, le quali a' suoi tempi erano in gran voga presso i Romani; ma egli è vero altresí che Virgilio ha migliorato infinitamente il modello, aggiungendovi una dottrina ed un senno, che lascia attonito il lettore, e spargendolo d'incredibile maraviglia con variate e nobilissime descrizioni, coll'incontro dei personaggi, colla partizione dei castighi, e particolarmente coll'introdurvi la rassegna di tutta la romana posteritá.

E questo fu il passo che sopra tutti allettò le delicate e superbe orecchie di quel gran popolo la prima volta che Virgilio recitò alcuni eletti passi del suo poema, e fu allora che si udí Properzio esclamare:

> *Cedite, Romani scriptores, cedite, Graii.*
> *Nescio quid majus nascitur Iliade.*

Questo artifizio di presentare in aspetto di vaticinio cose giá successe e vedute, questa magia poetica di togliere al lettore la vista del presente per sostituirgli quella dell'avvenire, la conobbe anche Omero sicuramente, introducendo egli l'Ombra di Tiresia, che predice ad Ulisse il ritorno di lui in Itaca con altre cose che gli sarebbero accadute. Eschilo pure ci ha lasciato in bocca di Prometeo un bellissimo vaticinio di questo genere. Un altro simile ne abbiamo nella Cassandra di Licofrone, e gli scrittori tutti della spedizione Argonautica han fatto lo stesso co' vaticinj di Fineo. Posteriormente a Virgilio qual poeta fino a' dí nostri non ha tentato altrettanto? Stazio e Silio, il primo nel quarto della *Tebaide,* il secondo nel decimoterzo della *Guerra Italica* si sono semplicemente attenuti all'omerica evocazione delle Ombre, e nulla han detto che meriti di essere ricordato. Lucano scostandosi da tutti ha preso un partito stranissimo, ma pieno di ardimento poetico, introducendo nel sesto della *Farsaglia* una strega, la quale dentro un cadavere putrefatto richiama l'anima d'un soldato, e gli fa predire l'esito della battaglia di Filippi. Non v'ha credo alcuno tra voi che non sia stato coll'Ariosto nella tomba di Merlino. Lo scudo di Rinaldo è notissimo. L'Eremita e la Sibilla del Trissino non sono indegni di essere consultati, e quelli che si dilettano (che Apollo ne scampi) di poesia francese, avran fatto, mi figuro, una visita al palazzo del Destino descrittoci dal cantore di Enrico IV in bella prosa rimata. E Klopstock e Camoens e cent'altri minori che non importa di nominare, tutti hanno messo il cervello a tortura per inserire nei loro versi il vaticinio dell'avvenire. Ma la dignitá, il decoro, la filosofia, la sapienza di Virgilio, faranno eternamente la disperazione di tutti i poeti su questo punto. Il solo Milton, a mio credere, se gli è fatto vicino per merito, se non altro, di fantasia. Egli fa che Michele conduca Adamo sopra una grande eminenza, donde l'Arcangelo gli fa passare sotto gli occhi le future generazioni e tutti i grandi cangiamenti del mondo fisico e morale. Questa idea mi sembra sublime e felice. Ma chi volesse anteporla a quella di Virgilio, deve prima considerare che Milton fu in ciò mirabilmente assistito dalla grandezza della religione che lo ispirava.

Non ho parlato e non parlerò dello stile di Virgilio. Egli è di tanta bellezza, ch'io reputo non esserci lingua abbastanza degna di ragionarne. Lo stile di Virgilio si sente nel cuore, ma quando si vuole esprimere non si trovano le parole, e pare d'aver detto poco dicendo ch'egli è divino. Di queste veritá era ben penetrato un grande Matematico ultimamente da noi perduto con danno gravissimo delle scienze, non meno che delle lettere, Lorenzo Mascheroni, ricordanza a noi tutti carissima e dolorosa. Questo grand'uomo soleva dire, che se mai necessitá di destino lo condannasse a non aver che un libro, egli avrebbe voluto seco non Euclide, non Galileo, non Newton, ma Virgilio.

Per la qual cosa, giovani dilettissimi, io non potrò mai esortarvi abbastanza a farvi amico questo poeta se vi piace imparar l'arte di parlare, e di scrivere con venustá, e avvezzarvi a ben giudicare delle opere di gusto, a ben distinguere il bello reale dal bello apparente, se vi piace insomma gettare nel vostro ingegno i fondamenti del vero stile italiano a tutti noi necessario, essendo impossibile l'acquisto della buona lingua volgare senza ben conoscere la latina. Né vi deste a credere che basti il sapere, senza la facoltá di ben presentare le vostre idee. L'Italia è piena d'ingegni acutissimi e profondissimi. Tutti scrivono, tutti stampano, ma pochi passano alla memoria de' posteri, perché pochi imparano a scrivere con dignitá.

DANTE.

Lasciamo Dante teologo, e vediamo Dante poeta, per vederlo poscia creatore della lingua italiana, e maestro di tutti gli stili.

Cacciato in esilio da una patria sostenuta da' suoi consigli, onorata dal suo ingegno, e non degna di possederlo, privo d'ogni suo avere confiscatogli dal furore de' nemici, avvolto nella maestá delle sue disavventure, e vagabondo di paese in paese come un profugo scellerato, tutto avendo perduto, fuorché il grand'animo, ma straziato dallo sdegno contro i perfidi ed ingrati concittadini, concepisce Dante il disegno di vendicarsi altamente de' suoi nemici, per punirli di avergli tolta una patria da lui adorata e beneficata. Né basta ancora. L'epoca de' suoi tempi, per le intestine discordie che laceravano l'Italia tutta era fatalmente feconda di delitti politici e religiosi. I potenti d'ogni paese gareggiavano nel tradire, nell'opprimere, nell'essere scellerati. Irritato egli dunque contro tutti, deliberò di coprirli tutti d'infamia, e di vendicare la virtú calpestata e ridotta alla disperazione. Ma questa virtú non era spenta in ogni petto: eravi ancora qualche anima generosa, che in mezzo alla comune scelleratezza aveva il coraggio di coltivarla. Dante il sapeva, e Dante era giusto. Flagellando adunque i colpevoli, conveniva risparmiar gl'innocenti ed esaltarli, e consegnare onorato alla posteritá il nome di quelli principalmente che avevano spesa la vita per la patria. Pieno adunque di collera contro il vizio e di rispetto per la virtú, eccolo disegnare nella sua mente il piano d'un poema ove aver pronto il castigo dei delitti, e il premio delle azioni onorate. Ma questo premio e questo castigo perché siano grandi, non debbono essere passeggeri. Egli va dunque a cercarli nel seno dell'eternitá. Perciò eccolo creare un Inferno, un Purgatorio e un Paradiso di tutta sua fantasia, e prendere, dirò cosí, le veci della Divinitá, e citare egli stesso a questo tribunale, eretto dalla sua vendetta, le passate e le presenti generazioni, e giudicarle, e punirle, e ricompensarle secondo il merito di ciascuna. Osserviamo adesso per che modo egli abbia messo in esecuzione l'ardito e fiero concetto della sua mente.

Essendosi proposto di scorrere col corpo vivo il triplice regno della morte, e dovendo perciò camminare per tre mondi sconosciuti e molto piú popolati del nostro, egli

IL PROFESSORE

avea bisogno di guide che ne avessero tutta la pratica e fossero premurose di salvarlo dai grandi pericoli a cui si esponeva. Egli le trova in due personaggi al suo cuore carissimi. Il primo è quel divino e prudente Virgilio, che egli stesso ebbe a chiamare sua maestro ed autore. L'altro è una bella Fiorentina per nome Beatrice da lui amata teneramente, e morta nel fiore degli anni, ma ancor viva nell'appassionato suo cuore.

Segue adunque prima all'Inferno dietro i passi del suo maestro Virgilio per intrattenersi colle Ombre dei Papi, degl'Imperadori, e di altri celebri personaggi, sopra i mali dell'Italia, e particolarmente di Firenze sua patria.

Siccome sapeva tutto lo scibile de' suoi tempi, egli mette a profitto gli errori della Geografia, dell'Astronomia e della Fisica, e costruisce il triplice teatro del suo poema con una ammirabile intelligenza ed economia.

Primieramente la terra scavata e tutta voragine fino al centro, offre dieci grandi recinti tutti concentrici. Non v'ha delitto che sia dimenticato nella distribuzione dei supplizi, che il poeta incontra da un cerchio all'altro. Spesse volte un solo recinto è diviso in differenti sezioni con una tale gradazione di delitti e di pene, che il Montesquieu e il Beccaria non han saputo meglio distinguerli.

Fa d'uopo osservare che in questa immensa spirale i cerchi vanno diminuendo di grandezza, e le pene aumentando di rigore finché si arriva a Lucifero. Egli sta incatenato al centro del globo, e serve di pietra angolare a tutto l'Inferno. Si osservi ancora che la spirale ed il cerchio sono una di quelle idee semplicissime colle quali si ottiene facilmente l'idea dell'eternità, perché il cerchio non ha principio, né fine. Quindi è che gli antichi rappresentavano, e noi pure, l'eternità sotto la figura d'un serpe che si morde in cerchio la coda.

L'immaginazione di Dante scendendo giú di recinto in recinto non vi perde giammai di vista i colpevoli; e

notate un prodigio di quell'ingegno, che da un difetto
trae una bellezza di effetto meraviglioso. Le tinte dei quadri terribili che e delle bolge e delle prigioni va descrivendo sono sempre le stesse. Ma quella formidabile uniformitá, non lasciando distrazione al terrore, incessantemente lo accresce, non concedendo mai riposo alla mente atterita.

Percorso tutto l'Inferno, Virgilio e Dante escono insieme dalle tenebre e dalle fiamme dell'abisso per un cammino molto stretto e difficile. Ma passato appena il centro della terra, essi montano invece di discendere. Arrivati all'altro emisfero scuoprono un nuovo cielo e nuove costellazioni, fra le quali sono da notarsi quattro stelle che Dante dice d'aver vedute nel polo antartico, il quale, come sapete, è a noi invisibile per l'elevazione del polo boreale. E realmente queste stelle vi sono, e formano la costellazione della Crociera, scoperta due secoli dopo Dante quando l'ardimento europeo spinse i nostri navigatori sotto l'altro emisfero. Questa dantesca anticipazione del vero forse è stata un puro caso; ma quando noi veggiamo l'immaginazione di Dante indovinare i segreti della Sapienza Divina, dobbiamo concludere che anche i sogni di quell'altissimo ingegno sono impressi d'un certo carattere di grandezza e di veritá, che ispirano riverenza, e debbono togliere ad ogni sensato lettore il coraggio di giudicarli. Ma ritorniamo ai nostri due sotterranei viaggiatori giá risaliti alla luce nel punto diametralmente opposto a quello per cui erano discesi; e veggiamo come Dante, dopo aver creato un Inferno che ad ogni passo ci ha colmati di terrore e di meraviglia, saprá adesso creare un Purgatorio che ne riempia di compassione e d'amore.

Ai tempi di Dante il Colombo non era ancora comparso a rendere bugiarda la tesi di coloro che stimavano ereticale l'opinione degli Antipodi.

Dante profitta di questo errore per collocarvi il suo Purgatorio. È questo una montagna che si perde nel cielo, e che ha in altezza ciò che ha l'Inferno in profonditá. I poeti s'innalzano di divisione in divisione incontrando sempre nuovi tormenti, ma sempre piú accostandosi alla meta del loro viaggio; e il lettore si solleva e respira insieme con loro. Egli ode dappertutto il consolante linguaggio della speranza, e questo linguaggio si risente di mano in mano della vicinanza del cielo. Finalmente la sommitá di questo altissimo monte viene coronata dal Paradiso terrestre, ove Beatrice comparisce a Dante, e prende le veci di Virgilio che l'abbandona. Ecco la Ragione figurata nel personaggio di Virgilio che sparisce dinanzi alla Teologia figurata in quello di Beatrice.

Allora il nostro poeta salisce con Beatrice di spera in spera, di chiarore in chiarore, di virtú in virtú per tutti i gradi della felicitá e della gloria fino agli splendori dell'Empireo, ove egli è presentato al trono dell'Eterno.

Strana ed ammirabile impresa. Risalire dall'ultimo abisso dell'Inferno fino al santuario dei Cieli; abbracciare la doppia gerarchia dei vizj e delle virtú, l'estrema miseria e la suprema beatitudine, il tempo e l'eternitá; dipingere l'Angelo e l'uomo, l'autore di tutti i mali, e il Santo de' Santi; e in mezzo a queste pitture collocare la storia, le opinioni, i costumi e tutte le colpe de' suoi tempi calamitosi, consacrare all'infamia e all'esecrazione della posteritá il nome di tutti i malvagi piú celebri del suo secolo, trovare perfino il modo di anticipare l'inferno a quei scellerati che, mentr'egli scriveva, godevano ancora di questa vita! Egli è quindi impossibile l'immaginare la prodigiosa sensazione che produsse in tutta l'Italia questo Poema nazionale ripieno di ardite declamazioni contro tutti i Potenti, e di continue allusioni all'ingratitudine della sua patria, alle sue proprie disavventure, alle quistioni religiose che in quel tempo agitavano furiosamente gli spiriti; scritto altronde in una lingua bambina, la quale tra le mani di Dante prendeva una finezza di cui pareva incapace, e che altri dopo di lui non ha mai eguagliata. L'effetto ch'egli produsse fu tale, che anche allorquando al suo forte ed originale linguaggio ne venne contrapposto un altro piú delicato, non per questo la sua grande riputazione cessò di estendersi per lo spazio di cinque secoli, simile a quelle forti oscillazioni che si propagano ad immense distanze.

Dopo aver letta la Cantica dell'Inferno e del Purgatorio si rimane storditi considerando come Dante abbia potuto trovare nella sua immaginazione tanti supplizj differenti, che sembrano avere esaurite le forze della Divina vendetta, e come ad un tempo gli abbia dipinti in una lingua nascente con colori sí caldi e sí veri. Questa seconda considerazione ci conduce a contemplarlo, siccome v'ho promesso, creatore dell'idioma italiano.

Ogni lingua non è che immagine della mente, la quale manifesta i suoi concetti per la via della parola. Ove grande è la mente che concepisce, è mestieri che grandi pure siano le parole, che è quanto dire i segni delle idee giá suscitate: ed ove le parole esistenti sian povere ed ineguali al concetto, allora la mente le crea di suo pieno diritto, e le applica al pensiero giá partorito. Ciò fece Dante, e nella vastitá del soggetto propostosi trovando egli al suo tempo scarsa la suppellettile dell'idioma per adornarlo, introdusse nel suo poema tutte quelle voci che stimò significanti e accomodate al bisogno, qualunque ne fosse l'origine. Altre ne fuse di conio proprio, altre ne derivò dai fonti latini, altre ne risvegliò dall'antico, altre ne introdusse non solo dai differenti italici dialetti, ma dal francese ancora, e dallo spagnuolo, simigliante ad Omero, il quale tutte adunò ne' suoi versi le formole del bel dire, che vagavano per la Grecia. E conseguíta avrebbe l'ardimento di Dante la stessa fortuna che l'omerico, se il Boccaccio e il Petrarca, siccome osserva il giudizioso giuriconsulto Gravina, ereditando la lingua di Dante, l'avessero del medesimo sugo nudrita, e colle medesime cure allevata, finché l'uso domatore delle parole assuefatti avesse gli orecchi italiani a quello che ora alcuni ardiscono appellare stravagante e barbaro stile. Ma volle avverso destino che quei sommi scrittori trattassero le materie gravi e scientifiche in lingua latina, e riserbassero l'italiana ad argomenti frivoli ed amorosi, l'uno per divertire con lubriche novellette la figlia del re di Napoli, e l'altro per piacere alla sua bella Avignonese finché visse, e per piangerla dopo morte tutto il resto della sua vita. Dal che ne venne, che di Dante non traportarono nel loro stile che le parole piú delicate e le formole piú gentili, restando neglette le piú grandiose e magnifiche, le quali per la lunga dimenticanza in che furono abbandonate perdettero col tempo l'onestá del colore e la forza dell'espressione. Non vi fu che l'Ariosto, che molte ne risvegliò e tolse dall'abbiezione dopo due secoli di abbandono, e a molte piú egli avrebbe restituita la cittadinanza di cui erano state ingiustamente spogliate, se il Petrarca divenuto arbitro ed oracolo della lingua poetica non avesse giá messo un freno agl'ingegni che gli succedettero.

Non accadde però lo stesso per quella parte di lingua che appellasi locuzione, e nel collocamento consiste delle parole, da cui scaturisce la chiarezza delle idee e l'armonia del periodo; e da questa l'eleganza e la grazia. Niuno fu in ciò mirabile come Dante, niuno piú semplice nei periodi, piú naturale nella sintassi. Non mai una trasposizione forzata, non mai un intralciamento di costruzione; tutte le parole al suo luogo; e quindi i segni dell'idee che rappresentano cosí bene ordinati, cosí bene distribuiti, che appena ne hai afferrata l'immagine, ti passano subito nella mente con una limpidezza, con una veemenza che ti rapisce, e ti porta irresistibilmente dove vuole il poeta.

Ma queste parole, queste immagini dell'idee, direte voi, si sono giá perdute in gran parte, e a noi manca il tempo e la pazienza di andarle a pescare nelle opere polverose di Fra Iacopone, di Fra Guittone, di Ser Iacopo Lentino e di altri, i cui libri sono apopletici.

Non pretendo tanto, miei cari. Ma tuttavolta, se alcuno vi presentasse in dono una gemma preziosa coperta ancora della ruvida spoglia di cui la natura l'ha circondata, la gettereste voi come ciottolo vile? Non porreste voi anzi tutto lo studio a trarla fuori dal suo rozzo involucro, a lisciarla, a pulirla per possedere in essa un tesoro? Ma fate buon animo. Dante non è sempre sí aspro, come taluni si figurano. Credete anzi che ad ogni passo egli ha versi delicati, fioriti e dolcissimi; ed io potrei recitarvene mille, che vincono di soavitá e d'armonia quante Rime dopo lui sonarono celebrate sul Parnaso italiano. Oltre ciò, vel ripeto, giovani dilettissimi, nei campi della letteratura, che sono quelli dell'eloquenza, la depravazione del gusto è facilissima perché i depravatori sono molti, e abbondano di seduzioni, né van senza fama, la quale agevolmente si acquista con uno stile figurato e pomposo, ma traditore e fallace; siccome appunto leggiamo essere accaduto un giorno in Atene quando vi comparve quel celebre Gorgia Leontino, che col lusso delle figure, e coll'affettata magnificenza dello stile corruppe da capo a fondo l'eloquenza ateniese. Ma volete voi preservarvi da ogni veleno su questo punto? Fate tesoro nella vostra memoria di qualche pezzo dantesco. I suoi versi sono un antidoto potentissimo contro le infezioni di gusto. Fatene tesoro, e cacciatene, se mai vi fossero, certi moderni non degni di contaminare le vostre vergini fantasie, e incompatibili col sano sapere che tuttogiorno traete dalle rigorose discipline da voi coltivate.

IL FILOLOGO.

IL FILOLOGO.

DALLA « PROPOSTA ».

PER UNA SENTENZA DI P. A. CESARI.

Un celebre Letterato Lombardo, di cui tutti ammiriamo la maravigliosa perizia nell'aurea lingua de' Trecentisti, ha spinto a tale il suo zelo nel propagarla, che, non pago di averne portate nel Vocabolario tutte le scorie piú vili abbandonate dal senno degli Accademici, ha stimato inoltre bell'opera l'onorare quel secolo venerando col vituperare a tutto suo potere il presente, infamandolo coll'ignominioso titolo di *secoletto miterino*: il che porta *secolo degno di andar legato alla gogna, e frustato sull'asino a mano del boia con un diadema di carta alla fronte per derisione.* E perché mai un tanto supplizio? Forse perché egli è secolo di viltá, di perfidia, di tradimenti, d'ipocrisia, ed illustre soltanto per le sue colpe? No mai. Egli è *secoletto miterino* perché *nelle sue scritture non ci dá mai fiato di queste eleganze* (del Trecento), *e parlaci la lingua d'un altro mondo* (la lingua de' Patagoni); *e tuttavia vuol dire e che a lui si dica ch'e' parla toscano.* Cosí quel Critico reverendo; e cosí noi reverenti risponderemo.

Ah signore! Noi facciamo al cospetto di tutta Italia il protesto che in quanto a cognizione di lingua vi collochiamo alla cima, e siam presti a nominarvi il guardiano, il sopracciò delle italiane eleganze: ma protestiamo insieme che quella vituperosa appellazione di *secolo miterino* ad un secolo cui fate bello voi stesso co' vostri scritti, ci dá cagione di scandalo e di dolore: né tutta la riverenza nostra, che è molta, alla vostra degna persona è bastante a ritrarci dal dirvi che quella sentenza è falsa, indecente, presuntuosa, e gravissimo oltraggio a tutta l'italiana letteratura.

Voi avete tolta al Menzini quell'espressione della prima delle sue Satire; ma non avete, egregio signore, considerato che il Menzini ivi parla de' vizi morali del suo secolo, e di quel ladro uso principalmente, che sempre fu e sempre sará, di esaltar gl'ignoranti e lasciar mendicare i sapienti. Onde a quelle parole il Salvini appose nelle sue Note la seguente dichiarazione: *Secolo pieno di vizi, perciò degno di mitera, quale suol porsi per derisione in testa a quelli che son condannati dalla giustizia ad esser frustati dal carnefice e posti alla berlina; intendendo di riprendere la corruttela del suo secolo, come continua a spiegarsi*. Ora una frase ottimamente adoperata, ove discorrasi di furfanti, diventa sconcia ed iniqua se si addossi ad onorati scrittori che di null'altro sien rei, che del non sapere *nelle loro scritture dar fiato delle* fresche *eleganze* di cinque secoli fa; di quel buon tempo cioè in cui anche lo stridere delle oche era classico favellare.

Ma sará egli poi vero, che in questo secolo, degno di berlina e di frusta, niuno, salvo che voi, abbia saputo, né sappia mettere un po' di nero sul bianco con eleganza? Tralasciamo che a' bei giorni della gioventú vostra appartengono i Pompei, i Torelli, gli Spolverini, lumi bellissimi delle Lettere e vostri concittadini; e Varano, e Metastasio, e Beccaria, e Pietro Verri, e i Zanotti, e i Bianconi, e i Rezzonici, e i Paradisi, e quel Gaspare Gozzi a cui per leggiadria di purgatissimo stile, e per una certa amabile satira de' suoi tempi, difficilmente sorgerá in Italia l'eguale. Si donino tutti questi al secolo trapassato. Ma potremo noi torre al presente un Parini, un Mascheroni, un Alfieri, un Caluso, un Lanzi, un Palcani, e Alessandro Verri, e un Bettinelli, e un Labindo, e un Cerretti, e un Minzoni, de' quali sono calde ancora le ceneri? Non vi par egli che li piú di costoro nelle vive loro scritture diano *qualche fiato* delle eleganze da voi predicate, e tutti poi molto *fiato* di quella buona filosofia che da voi non si predica, ma che tuttavia nell'opinione degli uomini è qualche cosa, e fa che le loro carte non vadano, come disse giá il Lippi, a far le camiciuole all'acciughe? Nessuno amò i bei fiori di lingua piú che il Lamberti, scrittor delicato e castigatissimo. Eppure, secondo voi, anch'esso è compreso nel bel numero de' miterini. Nessuno piú altamente li calpestò che Melchior Cesarotti, scrittor liberissimo e fieramente ribelle alla vostra setta. Eppure l'universale consentimento gli toglie di capo la mitera di che voi a mazzo con gli altri l'incoronate; e cinto di grande alloro lo alza ai primi seggi della nostra letteratura. Non entreremo qui a far parole dei vivi, perché il nominarli tutti sarebbe pericoloso consiglio; e solamente alcuni pochi, invidioso. Diremo bensí, senza timor di mentire, che lo studio della pulita favella non fu mai sí diffuso, né si gagliardo in Italia, massimamente nella Lombardia, come al presente. Voi stesso, caro signore, in alcuna parte delle purissime vostre prose avete notato questo general movimento, e v'è piaciuto attribuirlo ai vostri nobili eccitamenti, e potevate, salva la modestia, anche dire al vostro nobile esempio: ché in tutto ciò che è mero affare di lingua, noi vi ameremo sempre a maestro. Ma per onor del vero patite che vi si dica che quella bellissima lode non è tutta vostra. Non erano ancora comparse nel pubblico le vostre beneficenze al Vocabolario della Crusca, che la milanese edizione de' Classici aveva giá grandemente eccitato l'ardore di quegli studi. E prima ancora di quel tempo, cioè fino dal 1793, all'epoca della morte di Luigi XVI, fu giá taluno che trasse o almeno cercò di trarre dalla scuola del frondoso Frugoni a quella di Dante la poesia italiana, che fin d'allora, abbandonate le ciancie canore, vote d'ogni passione, cominciò a piegare verso la meditazione dei Classici, ed al fianco del grande

Alfieri, preso abito piú severo, si congiunse alla filosofia: la quale insegnandole ad essere piú studiosa dei pensieri che delle frasi, l'incamminò su la via di tornar degna del suo altissimo fondatore.

Lo studio adunque de' Classici, e particolarmente di Dante, poeta de' filosofi, e filosofo de' poeti, era giá fortemente promosso in Italia assai prima che i vostri oracoli uscissero della cortina: e questo studio ognora piú cresce, e dappertutto coltivasi la favella. E se vi deste a credere che il suo culto sia tutto ristretto alle vostre stanze, siete in errore: perché ella ha divoti ed altari anche in Milano, anche in Brescia, anche in Bologna; e potendo noi nominare debitamente tutte le italiane cittá, nominiamo queste tre sole, perché non essendo molto rimote da voi, se metterete il capo fuori della finestra, udirete che molti abbiam voce, egli è vero, di sciaurati scrittori, ma che ad un tempo non pochi l'hanno di egregi: e la piú parte di questi ancora nel verde de' loro anni, e di sí belle speranze, che il pubblico se ne consola e gli onora. E questo pubblico, che non ha mai ceduto a nessun privato il diritto di annullare i suoi decreti, vi dice con una metafora alquanto strana, che se gli scrittori da lui lodati non sanno ben maneggiare l'artiglieria delle eleganze, nessuno però di essi parla né anco *la lingua di un altro mondo*, come a voi corre per la fantasia.

Ma facciamo pure che in quanto a bella lingua voi siate l'unica stella che illumina il nostro tempo. Sará egli onesto perciò il chiamarlo *secolo miterino*? Ah signore! il secolo della universale ragione de' popoli venuta a conflitto colla tremenda ragione della politica: il secolo di tante novelle arti, di tante novelle scienze, di tanta filosofia, che dappertutto, anche nell'umile officina dell'artigiano, anche nel tugurio del povero insinua la sua luce, e fa sentire all'uomo la sua dignitá pur sotto il peso della servitú: il secolo in cui l'ingegno italiano ha rapito per contatti metallici alla natura il segreto d'un nuovo agente potentissimo, il quale, mutando faccia alla Fisica, ha riempito tutto il Mondo che pensa di altissima meraviglia: il secolo in cui un solo angolo dell'Italia ha potuto vantare un Lagrange, un Alfieri e un Caluso, che soli basterebbero a sostenere la gloria della nazione piú che una miriade di elegantissimi parolai: un secolo cosí fatto divenuto ai vostri sguardi sí ignorante, sí vile da doversi porre alla gogna e scoparlo sull'asino col diadema de' ribaldi alla tempia? E v'ha sofferto l'animo di pubblicare questa ingiuria crudele nella patria di Scipione Maffei sotto gli occhi d'Ippolito Pindemonti? e pubblicarla vivo un Volta e uno Scarpa, vivo un Piazzi e un Oriani, vivo un Ennio Visconti, al nome de' quali i saggi tutti d'Europa si alzano per riverenza? vivo tanto fiore d'ingegni, che dalle fontane della Dora fino a quelle d'Aretusa onorano l'etá nostra in tutte le ottime discipline? e son essi che meglio che i compilatori di frasi procacciano tuttavia a questa povera Italia la stima dello straniero. Degni in somma di mitera non solo i meschinelli coltivatori dell'amena letteratura, de' quali è giá passato il bel tempo, ma ben anche la piú onoranda porzione del secolo, voglio dire i filosofi? anzi questi prima che quelli, perché, molto solleciti delle cose e poco delle parole, son essi che meno degli altri *dan fiato* delle beate vostre eleganze? Or vedete, signore, il bel da fare che sará mai questo pe' giustizieri, il bel consumo di fruste e di mitere che si vedrá, se si mette ad effetto il vostro decreto. E tutta questa rovina, perché? Per castigarci del non fare studio in Guittone, né nella Vita di Barlaamo, né nei Fioretti di S. Francesco, e neppur nel Dialogo delle Grazie: essendo cosa certissima che non sa nulla chi non sa il vario bell'uso delle particelle, e certe costruzioni e accompagnature di nomi e di verbi, e certe insolite locuzioni, nelle quali senza perdere il tempo alla scelta de' concetti, sta tutto il meraviglioso segreto della favella, e il fior del sapere. Ond'è che voi, malgrado di tanta pravitá de' presenti, non disperando ancora del tutto il loro ritorno alla buona strada, subito soggiungete: *Ma chi sa? Forse... Noi non siamo però ancora all'insalata: qualcosa potrebbe avvenire. Gli uomini sentiranno quandochessia di esser uomini; e la veritá verrá a galla.* Col quale modo d'esprimervi, nobilissimo e tutto spirante l'aurea semplicitá del Trecento, null'altro venite a dir se non che gli uomini (e vuolsi intendere gl'Italiani) fino ad ora son bestie perché parlano *la lingua di un altro mondo;* ma che potranno cessare di esser bestie se parleranno la vostra, o sia se gusteranno due sole fronde di quella miracolosa vostra insalata che sola fa sentire agli uomini di esser uomini. Ma essi, o, per dir meglio, *esse* (poiché si parla di bestie) si hanno fitta nel capo una troppo diversa opinione; e dicono che il fracasso delle squisite eleganze renderebbe sommamente ridicola la spiegazione de' bei segreti della natura; dicono che le belle parole senza i bei pensieri sono crepunde da fanciulli; dicono che l'allargare le ali all'ingegno ed educar la ragione, circondandola di luminose ed utili veritá, mette piú conto che l'ingombrare la testa di belle frasi, nelle quali nulla trovasi da biasimare, ma molto da dormire. Di che fortemente temiamo che quella vostra insalata per ora non troverá chi mangiarla, e che la veritá, per venirsene a galla, avrá bisogno di essere un poco meglio condita.

Comunque la debba andare, noi siamo d'avviso che, per l'onore della nazione, quella brutta faccenda della mitera debbasi terminare pacificamente d'ambe le parti. Gli offesi sono uomini che vi amano, che vi stimano, che vi onorano, e si terrebbero fortunati acquistando la vostra benevolenza. Confessate adunque candidamente che quando quella fiera sentenza vi corse alla penna, avevate mandato altrove la coscienza e il giudicio; e tutta la ragione è saldata. Altrimenti ne concederete di credere che mentre noi tutti facciamo di voi la stima che vi si dee, voi non fate stima che di voi stesso. E allora saremo forzati a dimandarvi umilmente, se l'uomo che ha potuto cacciar dentro al Vocabolario le locuzioni *Far del seco* ed *Essere a gente*, e *Debitore* per *Creditore*, e *Andar del corpo* per *Morire*, ecc., possa e debba dar legge in fatto di lingua, e godere del privilegio di dispensare le mitere calpestando impunemente la fama di tutti gli scrittori dell'età sua.

Il valentuomo a cui, inferiori di forze ma non già di ragione, siamo stati arditi di contraddire, in tutti i suoi scritti a tutte le ore ci predica che la lingua dei Trecentisti è tutto oro, e niente in lei che non sia oro purissimo: e s'adira s'altri vi trova alcuna vena di ferro e un po' di rosticci. Ei vuole che *quei gloriosi*, com'è sua usanza il chiamarli, sieno tutti tutti immacolati; ed afferma che dove, secondo la nostra debole estimativa, essi peccano qualche volta, *questi che ai tisicuzzi grammatici potrebbero parere errori, non son nella fine altro che vezzi e grazie*. Il che noi non saremo lontanissimi dal concedergli, s'ei parla di quei pochi illustri che posero nei loro scritti arte, ingegno e sapere: ma il negheremo s'ei parla di tutti indistintamente; e vorremmo, se fosse possibile, ritirarlo dal santificare anche le colpe di quei tanti ignoti plebei, che nell'Indice della Crusca si seggono dottori di lingua accanto a Dante e al Petrarca; a quel Petrarca e a quel Dante che gli ebbero in detestazione, siccome il *Trattato intorno agli Scrittori del Trecento* apertissimamente ci mostra.[1)] Vorremmo ancora che, fatto piú cauto dai molti abbagli già presi nelle sue Giunte, e in parte già noti, si scaltrisse un po' meglio contro il pericolo che si corre di abbracciare per corpi veri le ombre, pigliando, siccome spesso gli avviene, per *vezzi* e *grazie* di lingua i manifesti spropositi de' copisti. Vorremmo finalmente che, moderato alcun poco questo suo zelo, nobilissimo per sé stesso, ma non lodevole perché senza modo, riprendesse egli sí, ma non calcasse con tanta ira e disprezzo tutto il parlare dell'etá nostra: e stimiamo che quella sua comparazione della lingua antica colla moderna, che leggesi nel *Dialogo delle Grazie*,[2)] pag. 85, non sia né graziosa, né giusta, né tollerabile nella tanta creanza e coltura di questo secolo. Egli trova che dalla lingua antica alla nostra corre la differenza che è *da una fanciulla vergine delle piú belle* (e la paragona ad una delle cinque di Zeusi) *ad una sgualdrina azzimata, lisciata, carica di belletto* (e finisce col metterla nel *bordello*). Non disdiremo noi giá quest'acerba comparazione da molti lati giustissima: affermeremo bensí ch'ella è viziosa perché troppo generale e assoluta. Gl'idolatri di quella bella fanciulla (e che fanciulla? non ha su la vita che cinque secoli e mezzo, e, grazie alla continenza de' suoi amanti, conserva tuttavia intatto il bel fiore della sua virginitá) si hanno messo in testa che da essi in fuori nessuno si dia allo studio de' Classici per l'acquisto della buona favella; e s'ingannano grossamente. Imperciocché anche i seguaci della *lisciata sgualdrina* conoscono le antiche leggiadrie della *bella vergine,* ed essendone piene le fosse, le hanno pronte ancor essi: né tutti sono poi con Minerva sí male, che ignorino l'arte di adoperarle. Ma del doversi ciò fare con parsimonia, convien udire un forte loro perché.

Le eleganze sono modi pensati: e formando un parlare alquanto declinato dalla consuetudine, purché abbiano in sé alcun poco di probabile naturale, dilettano, e grandemente ricreano l'orazione, allontanando il fastidio del quotidiano uniforme modo di esprimersi, e fanno piú nobile la favella, separandola da quella del volgo. Che anzi sciogliendola alcune volte dagli stretti vincoli grammaticali, quella irregolaritá, quell'apparenza stessa di vizio, acquista grazia al parlare, come al cibo le salse.

Ma quest'arte, che parcamente usata, come dá l'occasione, condisce il discorso di molta giocoditá, il corrompe e guasta del tutto se trapassa i confini della moderazione. Conciossiaché le eleganze, essendo grazie segrete e riposte fuori dell'uso, siccome colla loro novitá svegliano l'attenzione, cosí l'addormentano, o, a meglio dire, l'uccidono colla sazietá, se troppo frequenti: e diventano puerili, se, come avviene spessissimo, non portano nel loro seno bella sentenza; e finalmente tolgono fede agli affetti mostrando che vennero non giá spontanee, ma tirate a forza sotto la penna dello scrittore, e studiosamente cercate e rammassate da tutti i nascondigli dell'arte. Ora e chi non sa che dove l'arte si scuopre, la veritá si nasconde, e la passione si estingue?

V'ha di piú. In ogni parte del parlare è sempre da considerarsi ciò che conviene al vivere delle persone a cui parli. Non v'ha secolo che non sia tenace dei suoi particolari costumi, e che, presentandoli allo scrittore a regola delle convenienze da rispettarsi, non gli gridi forte all'orecchio: « Se ti è caro l'acquisto della mia stima, non mi parlare una lingua ch'io non intendo ben tutta, e cui l'uso, assoluto signore delle favelle, ha giá spenta in molte parti e proscritta. Considera che tutte le lingue, seguendo le vicende dei popoli e l'avanzamento delle cognizioni, col mutar de' costumi e col crescere delle idee mutano e crescono anch'esse le loro fogge di dire; e che molte di quelle fogge che un tempo furono in pregio, piú nol sono al presente, e piú non si vogliono, e piú non si guardano che come anticaglie da custodirsi nel Museo della Lingua; ma non da farne mostra nella frequenza del pubblico, dinanzi al quale si convien comparire nell'abito che le piú savie persone giá indossano, e le imperiose circostanze dei tempi richieggono. Intrecciami adunque nelle tue scritture quelle antiche maniere di dire che sono d'un bello eterno e sicuro, e n'avrai da me lode e ringraziamenti; ma intrecciale con discrezione e giudizio, non portarvele dentro a barelle, e non lasciarle vote di anima, e gitta via le disusate e giá morte, e non vilipendere tra le moderne quelle che la prepotente forza dell'uso, coll'assenso della ragione e coll'autoritá di saggi scrittori, ha giá accettate e segnate del suo suggello. Vivi in somma colle virtú degli antichi, ma parlami colla loquela de' moderni: e ti ricorda che non pe' morti, ma pe' vivi si ha da scrivere, e che a questi tu devi a tutt'uomo procurar di piacere, se brami di conseguirne il plauso e la stima ». (*V. il Tratt. l. 2. c. 10*).

Non ci faremo a giudicare se il secolo abbia parlato dirittamente: crederemo bensí che mostrerebbe di non aver ben seco il cervello colui che si avvisasse di rispondere a questo modo: « Condanno tutte le novitá introdotte nella favella. Non voglio esaminare se sieno buone o cattive: mi basta il vedere che sono moderne, onde aver tutte per pessime, perché si dee tenere pessimo nella lingua tutto quello che non è antico. Non voglio accomodarmi punto ai costumi del secolo, né al suo gusto. Tocca al secolo a prender legge dal mio. Io non voglio rispettar lui, ma voglio ch'egli rispetti me; e mi stimi, e mi onori, e si sfiati a gridarmi bello scrittore. Onde seguiterò a predicare dí e notte: Gittate alle fiamme tutti quanti gli scritti di questo secolo miterino, seppellitevi nel solo ed unico studio dell'antica lingua: e cominciate da quella dell'imperator Federico e di Pier delle Vigne ».

Alle quali parole ci sembra udire il secolo che pacatamente soggiugne: « E tu vattene, figliuol mio, a farti stimare a Pier delle Vigne, e porta all'imperator Federico e al re Enzo, tutti Classici reverendi, i nostri rispetti ».

La somma del discorso si è questa. Uno scrittore che non porrá il suo studio che negli antichi, necessariamente offenderá il gusto del suo secolo in molte cose, e non sará intero l'applauso che gliene verrá. Lo scrittore similmente che, sprezzati gli antichi, non prenderá a sua norma che le novitá de' moderni, non si procaccerá una fama che duri piú che la moda. Perciocché il fondamento della lingua, per l'universale consenso dei dotti, è irremovibilmente piantato nelle antiche scritture: e la lingua, giá frenata dalle debite leggi, può bensí arricchirsi di nuovi tesori, e, gittate le vecchie scorie, sempre piú ripulirsi: ma crollarsi dai suoi fondamenti non mai; e non può tentare di svellerli che qualche insano cervello. Per ciò si conchiuda che nel fatto dello scrivere, il vero e solido gusto sta, come ben avvisa il Petrarca, *Tra lo stil de' moderni e il sermon prisco,* in ciò che ciascuno di essi è lodevole. Delira il moderno insultando agli antichi, sul sacro capo de' quali riposa da tanto corso di anni la riconoscenza e la riverenza de' savi. Delira il fanatico adoratore degli antichi conculcando i moderni, davanti alla sapienza de' quali, dal fianco principalmente delle cognizioni progressive, gli antichi medesimi, se fosser vivi, s'inchinerebbero rispettosi. E visto il soverchio splendore, la soverchia magnificenza della lingua moderna confrontata alla semplicitá dell'antica, direbbero che questo gran lusso di adornamenti è inevitabile conseguenza del grande raffinamento dello spirito sí nelle arti della civiltá e del ben vivere, come in quelle della ragione e dell'immaginazione. Direbbero che, raffinato il pensiero in ogni genere di sapere, doveasi necessariamente raffinare anche l'abito del pensiero, cioè la parola: e che s'egli v'ha vizio da questo lato, almeno nol si potrá dir vizio d'ignoranza, di rozzezza, di povertá: ché il lusso e la pompa mai non posero piede nella casa della miseria; ed è virtú molto ardua il saper fare nell'abbondanza temperate le spese. Troverebbero in somma nella lingua di oggidí molte cose del certo degne di biasimo, ma forse, e senza forse, direbbero che i titoli di *sgualdrina* e *donna da bordello* col resto, sono le solite villanie di monna pezzente e di monna sucida contra le ornate e splendide cittadine, fra le quali se alcuna è di mal costume, non è onesto però l'appiccare a tutte il sonaglio, e gridar per le vie che la cittá è tutta un postribolo. E se questo modo di ragionare non fosse ancora ben chiaro, il faremo piú manifesto dicendo: che in niun tempo penuria di cattivi scrittori non fu giammai; ma che quando entrasi a giudicare dei vizi letterari d'un secolo, non è sano discorso il tirare le conseguenze dal particolare al generale; né giustizia il confondere i tristi co' buoni; né onestá il crederli tutti tristi; né modestia il tener in pregio unicamente sé stesso. E aggiugneremo che, nel supposto universale naufragio delle buone lettere, reputarsi il Noè dell'italiana Letteratura, e colla piccola sua famiglia mettersi tutto solo, come il solo innocente, nell'arca di salvazione, e gridar corrotta tutta l'immensa generazione degli scrittori, e volerla tutta sommersa, è tal caritá, che, non sapendo noi di che nome appellarla, aspetteremo che il pubblico la battezzi.

Ma torniamo alla comparazione della bella fanciulla colla sgualdrina. E poiché tutto quello ch'esce di bocca alla prima è *oro purissimo,* e tutto orpello il parlare della seconda, facciamo di quest'orpello e quest'oro un semplicissimo paragone. Prendiamo un pezzetto dell'aurea lingua della bella fanciulla, e, postolo nelle mani della sgualdrina, veggiamo com'ella fa ad orpellarlo. Ma il soggetto sia umile quanto mai, e popolare l'esposizione e d'infimo stile, onde il piú che si può sia rimosso il pericolo d'imbellettarlo e lisciarlo: e la sgualdrina trovisi disperata, non avendo ove mettere le sue pezzette. Facciamo silenzio, e parli la bocca d'oro.

IL FILOLOGO

DIALOGO TRA APOLLO, MERCURIO E LA CRITICA.

SCENA PRIMA, IL PARNASO

APOLLO e MERCURIO

A. Se non hai briga che l'impedisca, mi faresti, mio buon Mercurio, un piacere?

M. Pur due, caro fratello. Mi trovo disoccupato, e non so che fare della mia vita.

A. Oh! che vuol dir questo? Non ci sono piú barattieri, ladri, usurai?

M. Ben ci sono e al doppio di prima, e prosperano tutti in somma riputazione. Che anzi la ruberia è tanto nobilitata, che sperasi di vederla presto nel novero delle arti virtuose e gentili. Ma io n'ho licenziato il collegio, e chiusa la scuola.

A. Perché?

M. Perché i discepoli ne sanno piú del maestro; e come vedi, io non ho piú faccende.

A. Ti resta quella di messaggero degli Dei; ed oggi che Giove è seriamente occupato a ordinare le cose del mondo, stato per tanto tempo in trambusto e in subbuglio, mi figuro ch'egli ti lascerá poco dormire.

M. T'inganni. Giove è diventato filosofo.

A. Filosofo?

M. E filosofo grande. Ben sai (e dovresti averlo letto in Luciano) che Giove una volta facea molto studio in Omero, e che ad Omero ei rubava i tratti piú belli delle sue magnifiche allocuzioni nelle adunanze de' Numi: pe' quali plagi poi Momo smascellavasi dalle risa. Ora è cangiato al tutto il suo gusto. Avendo egli per accidente letto Epicuro, lá dove ei dimostra che la felicitá degli Dei è riposta nel non far nulla, gli è andata al cuore quella dottrina, e si è dato tutto a metterla in pratica. Lasciato quindi il governo delle cose mondane, parte alla Fortuna, parte alla Dea che aiutò Vulcano a incatenar Prometeo sulla rupe, il nostro nuovo filosofo nella piena securitá della sua beatitudine s'inebria a colme tazze di nettare, e giuoca agli aliossi con Ganimede. Ma lasciamo queste baie. In che ti posso fare servigio?

A. O Mercurio mio caro! tu meni vita di vero beato nell'ozio, ed io per le troppe cure vo disperato.

M. Come può esser questo! Gli astronomi, fermando il Sole, ti hanno pure sgravato della fatica di portare in giro ogni dí la gran lucerna del cielo.

A. Verissimo: e benedetto sia Galileo.

M. I filosofi t'hanno pur tolta la briga di correre ad ogni istante da Delfo in Licia ed in Timbra a vender gli Oracoli nel buio linguaggio degl'impostori.

A. Verissimo anche questo: e benedetto siane il Fontenelle.

M. E ti par poco l'esser fuori dell'imbarazzo di entrar in corpo a vizze e secche sibille per farle urlar come pazze sopra un treppiede?

A. Pur troppo! e quanto mi nauseasse quel laido invasamento, il so io.

M. Ma dunque di che ti lamenti? Non hai piú l'impaccio di alzarti tutte le mattine di buon'ora colla lampana in mano a far il giro dell'Universo; il che ti obbligava a percorrere in meno di un minuto piú di trecentosessanta mila miglia di spazio per una strada tutta piena di mostri, nel continuo pericolo di fiaccarti il collo come tuo figlio; non hai piú indovini, né ciarlatani, né venditori di arzigogoli, che con tanto mal odore de' fatti tuoi compromettano la tua riputazione; non hai piú guidatori di cocchi, né lanciatori di frecce che ti chiamino a dar lezioni di equitazione e di arco. Sei il bellissimo de' Celesti; e per una sola delle tue belle che sciocccherella cangiasi in pianta per non venire nelle tue braccia, puoi vantarne cent'altre che vanno pazze di te, e ti si gettano dalle finestre.

A. Tutto vero, verissimo: ma che mi vale, se restami il piú noioso, il piú grande di tutti i fastidii, il peso di governar la gente di lettere, massimamente i poeti? E possa io non gustar piú stilla di nettare, se fra tutti gli Dei d'Omero e d'Esiodo io non sono il piú disgraziato.

M. Per recarti a tanta disperazione qualche gran cosa deve esser nata.

A. Sí grande, che se non vi trovo rimedio, fo giuro di ripigliar la cazzuola da muratore al servigio di qualche altro Laomedonte, o il mestier di vaccaro, come giá con Admeto. Cosí almeno avrò che fare con bestie piú mansuete.

M. Il dolore ti tira fuori del senno. Orsú veniamo alla somma: che t'è accaduto?

A. Uno scompiglio, una guerra, una maledizione entrata fra i letterati, per cui va sossopra tutto il Parnaso italiano. Gli antichi poeti, quelli cioè del dugento e trecento, hanno trovata la via di farmi giungere dall'Eliso forti richiami contro i loro editori, particolarmente contro i Cruscanti; e ad una voce gridano tutti soddisfazione degli storpi fatti a' lor versi, sí guasti che non li sanno piú intendere neppur essi. Ed essendo in quei parti del loro ingegno fondata tutta la loro riputazione, ben vedi che non si tratta di bagattelle. Ora ad acchetare, se sará possibile, tanti tumulti, ascolta una mia deliberazione, che è questa. Intimare un generale Comizio poetico, porre a fronte degli accusati gli accusatori, udirne con tutta composizione di animo le ragioni; e chiunque sará convinto di non aver saputo per diffalta di critica legger bene, né bene spiegare gli antichi testi *Tros Rutulusve fuat*, condannarlo a non toccarli mai piú sotto pena di perpetua derisione; e la rifazione dei danni sia tutta a spese de' guastatori.

M. Eccellente e giustissima risoluzione. E giá veggo in che brami l'opera mia.

A. Bramo che tu colla piena podestá che t'è data di ricondurre al mondo de' vivi l'ombre de' morti, mi meni dinanzi l'ombre di quegli antichi: ché io la voglio veder chiara una volta e finita.

M. Volo ad allacciarmi i talari, e in due battute di ala sarai servito.

SCENA SECONDA

Apollo *solo*

Mentre Mercurio va e ritorna, pensiamo un poco al modo di condur bene questa corte di giustizia. Dovrò io stesso sedere *pro tribunali*? No: io sono poeta, ho testa calda, potrei perdere la pazienza, potrei uscire dei gangheri e giudicare per passione. No, no: qui ci vuol testa fredda e sicura da ogni perturbazione. Si affidi adunque lo scabroso officio alla severa ed inalterabile figlia della ragione, alla regina dell'intelletto, la Critica. Essa è quella che, saldate le grandi piaghe de' Codici, ha restituito alla nativa integritá e purezza gli antichi scrittori; ed essa sola acuta conoscitrice dei peccati trascorsi nelle vecchie carte saprá snidarli e correggerli. Ma quale sará la sede di cosí strano Comizio? Questa pure mi sembra bella e trovata. La lite è tutta fra letterati Italiani. Qual luogo adunque piú degno che siavi diffinita, che l'Atene italiana? In qual parte d'Italia è fiore d'ingegni piú che in Firenze? Nella sempre bella e sempre dotta Firenze sia dunque decisa questa grande contesa. E poiché le accuse percuotono non lievemente anche gl'illustri accademici della Crusca, nel tempio, nel cuore della stessa Crusca si alzi il tribunale che dovrá giudicarla. Discorriamola adesso col gran giudice di tutte le dotte disputazioni, la Critica, e rechiamola colle buone ad assumere il carico della presente. Ho giá mandato per essa, e poco potrá tardare. Eccola tutta grave e pensosa; ma risplendente come la stella.

IL FILOLOGO

SCENA TERZA

APOLLO e la CRITICA

A. Vieni, bella regina, e non mi far niego d'una grazia che attendo dalla tua cortesia. Tu hai sempre mirabilmente beneficato i miei studi. Tu m'hai tratto dal caos delle corrotte lezioni di tutti i sommi poeti dell'antichitá. Se Omero e Virgilio, se tutta la bella schiera de' Latini e de' Greci al presente vanno mondi dalle tante macchie contratte ne' codici, è tutto tuo dono; ed oggi un egual beneficio implorano dalla tua sapienza gli antichi poeti italiani.

C. Signore, non posso. L'orrenda oscuritá de' loro testi, parte propria degli autori perduti dietro ai bisticci di quelle loro perpetue e monotone *innamoranze,* parte cagionata da vocaboli di affatto spenta significazione, e parte reo lavoro d'ignoranti copisti, trapassa le forze del mio intendimento. Aggiungi che molti di quei poeti onninamente meritano di essere spoetati, e che pochi, ma pochi assai, sono degni di queste tue cure caritatevoli.

A. E tu, solamente per questi pochi, dammi questo contento, ed ascolta con benigna pazienza i richiami che essi medesimi ti porgeranno contra i loro editori ed interpreti.

C. Fin qui può correre il mio servigio.

A. Per opera di Mercurio tra poco ei verranno al nostro cospetto, e tu sarai loro giudice.

C. Purché vi sia tutta libertá di parole.

A. Tuttissima: e l'atto di tanto giudizio, acciocché sia solenne, e ne viva eterna memoria negli annali dell'italiana letteratura, si fará in Firenze.

C. Benissimo.

A. In Firenze, e a dirittura nel sacro recinto dell'Accademia della Crusca.

C. Malissimo.

A. Malissimo? Oh questa mi cava fuori di me, e vorrei un po' sapere il perché di questo *malissimo*.

C. Il perché l'ha detto giá da gran tempo Giambattista Strozzi: *la Crusca non è Firenze*.

A. Ciò che monta? Basta che la sia adunanza di gente brava e stimata.

C. Ma *la Crusca non è Firenze*: e se non ti basta la fede che te ne fa lo Strozzi, abbila piú distesa da un altro bello spirito fiorentino, l'Allegri. *Persuadendosi forse costui* (un tale che avea tolto, dic'egli, a fare a' sassi cogli Accademici) *che sieno l'Accademia della Crusca e la città di Firenze una stessa peverada, e gli abitatori di questa e i frequentatori di quella sieno un piattel di quei medesimi, e' qui dá in impaniato.* E acciocché tu vegga che questa sentenza è Vangelo, osservala con ischiettezza assai nobile quattro volte ripetuta dalla stessa Crusca nel suo Vocabolario sotto le voci *Frequentatore, Peverada, Piattello* e *Spaniato*. Se non che, leggendo ella qui con altri occhiali che i miei *Spaniato* in luogo d'*Impaniato*, che vale tutto il contrario, è caduta in errore sí grossolano, che guai se l'Allegri arriva a saperlo *). Ed eccoti uno dei molti perché del *malissimo* che t'ho detto.

A. Mi fa però meraviglia, che un'Accademia da te medesima istituita...

C. Istitutrice la Critica d'un'Accademia la cui prima prova d'ingegno fu una burlesca lezione su quel sonetto

---

*) *Impaniare.* § II. *Per metaf. Rimaner preso da inganno.* Quindi *Impaniato*, lat. *Visco illaqueatus.*

Spaniare. § II. *Per metafora vale Liberarsi o Sciorsi da alcun impaccio.* Quindi *Spaniato*, lat. *Visco vel alio impedimento aut glutine liberatus.*

Fin qui egregiamente la Crusca: e dietro alle sue dichiarazioni ognuno comprende che se *Impaniarsi* e *Impaniato* valgono figuratamente *Ingannarsi* e *Ingannato*, di necessità *Spaniarsi* e *Spaniato* debbono valere il contrario, cioè *Disingannarsi* e *Disingannato*. E cosí stando le cose, come può egli accordarsi colla ragione il seguente articolo del Vocabolario: *Spaniato*. § *Dare nello ispaniato vale Dare in fallo, Ingannarsi?* Non ha ella detto la Crusca, che *Spaniato* vale *Visco liberatus*, e il suo contrario *impaniato*, *Visco illa-*

del Berni *Passeri e Beccafichi magri arrosto;* la seconda un paradosso con cui si tolse a mostrare che *niente importa che la storia sia vera;* e la terza l'indegno strazio del Tasso?

A. Ma di grazia, chi altri che tu diede mossa a quelle clamorose censure contra di lui?

C. La sempre arrogante Pedanteria stimolata dalla malignitá e dall'invidia, e, se piú ne desideri, dalla perfidia e dalla crudeltá. Dalla perfidia, perché il Salviati capo di quella guerra, avendo pel primo richiesta l'amicizia del Tasso, questi gliel'aveva conceduta tutta e sincera; dalla crudeltá, perché quando il Tasso venne assalito, egli era in uno stato da mettere compassione, gittato nella miseria, sepolto nel fondo della sua prigione ed infermo. Cosí, oltre la ragione del merito, il sacro diritto della sventura videsi indegnamente calpesto da quegl'istessi che per siffatte vie aspiravano al servile rispetto dell'universale famiglia de' letterati, e all'assoluta signoria di una lingua, di cui essi medesimi co' loro abbaiamenti mostrarono di conoscere cosí poco i segreti. Imperciocché se quegli scritti levarono fin d'allora in alto grido la Crusca, non fu giá la forza né il peso delle censure, che la fece famosa, fu il gran nome del censurato, fu l'inaudita audacia del fatto. Ed era veramente spettacolo, se non bello, al certo stranissimo e degno dello stupore del mondo, il vedere un pugno d'insolenti sofisti combattere, strapaz-

---

queatus? E se *Impaniato* figuratamente vale *Ingannato,* non è egli chiaro chiarissimo che il suo contrario *Spaniato* dee figuratamente valere *Uscito d'inganno?* Con qual logica adunque ci vien ella adesso insegnando che *Cadere nello spaniato,* cioè in luogo dove non è pania, dove non è vischio, dove metaforicamente parlando non è alcun inganno, vaglia *Cader in fallo, Ingannarsi?* A noi sembra che la Crusca sia uscita al tutto del senno, e che nell'esempio dell'Allegri e di Franco ella sí davvero dietro a stampe scorrette sia caduta nella pania, leggendo *Ispaniato* in cambio d'*Impaniato,* essendo affatto impossibile che *Spaniarsi* e *Spaniato* valgano il medesimo che *Impaniarsi* e *Impaniato.* Ove poi si dimostri non esservi stato alcuno error di lezione, e che questa è frase toscana, allora diremo e giureremo che *Cadere nello ispaniato* per *Ingannarsi* è dizione infinitamente pazza, e pazzo chi l'accetta per buona.

zare, svillaneggiare a tutto potere un grand'uomo divenuto l'idolo della nazione, e andargli rabbiosamente alla vita come un gruppo di bótoli addosso al lione quando ha la febbre. Or pensa se mai fu possibile ch'io prendessi parte in quella dotta ribalderia.

A. L'Accademia però ritornata in sé stessa, n'ebbe rimorso, e la condannò. Ed oggi sarebbe ingiustizia, non che villania, il rinfacciare bruscamente una colpa giá confessata.

C. Giá confessata? Non ho piú che dire. Una piena e leal confessione dettata da nobile pentimento cancella ogni colpa, disarma lo sdegno e impone silenzio ad ogni amara querela. Perciò se il fatto è veramente cosí...

A. Potresti tu dubitarne?

C. Tu l'affermi, e ciò basta.

A. Non basta. Voglio che questa candida confessione tu l'oda dalla stessa Accademia. Eccola ne' suoi Atti, pag. VI.

C. Bada che poi... Orsú, per obbedirti ascoltiamola.

A. Accennata in poche parole l'origine della grande contesa tra l'Accademia ed il Tasso, e nettamente detto che autore degli scritti da lei pubblicati contro la Gerusalemme fu Leonardo Salviati, l'egregio istoriografo dice: *Il Salviati colla sua autoritá trasse nel proprio sentimento Bastiano de' Rossi ed altri pochi i quali ardirono di far critiche a quel grandissimo poeta.* Che te ne pare?

C. Sire, andrai tu in collera, se a difesa del vero rispondo senza riguardi?

A. La veritá non mette collera né timore che a chi sta male a coscienza.

C. Or bene: la confessione comincia con una bugia.

A. Con una bugia?

C. Le parole *ed altri pochi* dirette ad attenuare, anzi a distruggere totalmente la colpa dell'Accademia scaricandone tutto il peso sopra alcuni suoi individui, e

IL FILOLOGO

traendo a far credere che costoro operassero tutto di loro capo senza il consentimento dell'intero Collegio, quelle parole, dico, son false.

A. Come lo provi?

C. Se fosse vero che pochi di quel sinedrio aderirono alle furie del Salviati, li piú da lui dissenzienti avrebbero eglino tollerato che in nome dell'intera Accademia si pubblicassero quelle critiche? Dove s'intese che in un ben ordinato corpo accademico, ove ciascuno è libero del suo voto, li piú prendano vilmente la legge dai meno? Dove si vide mai che una maggioranza di persone savie e dabbene permetta che una minoranza di pazzi la disonori pubblicando nel nome collettivo di tutto il Collegio censure che levano, a chi n'è tenuto autore, la riputazione? In quegli scritti dalla Crusca medesima consecrati come libro classico nel Vocabolario, e correnti sotto il titolo d'Infarinato primo e secondo, il Salviati parla mai sempre in nome dell'Accademia. E s'avrá il cuore di dire e di credere che il piú de' suoi membri n'era innocente?

A. Veramente per crederlo converrebbe partirsi da tutte le buone regole della logica. Ma seguitiamo. *Gli altri Accademici della Crusca, gli Accademici Alterati, ed il restante dei dotti di Firenze erano di ben diverso avviso.*

C. Sí certamente: ché in Firenze non fu mai penuria d'uomini illuminati, giusti e gentili.

A. In fatti allorché il Tasso recossi la seconda volta in questa cittá, fu sí dagli altri e sí da alcuni Accademici della Crusca condegnamente onorato.

C. Da alcuni: perché non dire da molti, anzi dai piú, s'egli è vero che pochi avevano seguitate le parti de' suoi nemici? Non era ei giá morto il Salviati? L'Accademia non era forse libera da tutti i riguardi che, vivo il Salviati, potevano mettere impedimento alla piena manifestazione de' suoi sentimenti? Non era quello il fortunato momento di fare in solenne modo palese, che realmente il piú de' suoi molti membri non aveva partecipato alla colpa del suo tiranno? Eppure nel mentre che il Granduca Ferdinando, e il Principe Don Giovanni de' Medici, e tutta la principale nobiltá di Firenze, e tutta l'Accademia degli Alterati, che in sé comprendeva il fiore vero de' dotti, affollavansi intorno al sovrano Poeta, e gareggiavano nell'onorarlo, in mezzo ad un'incredibile frequenza di popolo che svegliatissimo d'ingegno e cortese facea plauso alla gentilezza e virtú dei suoi cittadini, due soli Accademici della Crusca, Pier Segni e Francesco Sanleolini, si mossero a salutarlo, non giá mandati dall'Accademia, ma spinti da propria cortesia: e chi sa con quanta disapprovazione e rimprovero de' Colleghi? Non si confonda adunque la pubblica e generosa condotta degli Alterati colla privata di due soli Cruscanti, ché quelli sí, ma non questi, *condegnamente onorarono* e consolarono di belle accoglienze quel divino infelice, a compenso delle tante ingiurie sofferte da' suoi accaniti abburattatori. E fu allora ch'ei potè veramente sentire quanto sia bello il meritar la lode de' buoni, e quanto sia dolce il suo balsamo sulle ferite impresse dai tristi. Acciocché poi fosse chiaro ad ognuno che quel rendimento d'onore partiva non giá da verun umano rispetto, ma da purissima stima, da quella stima che non discende nel sepolcro colla persona, non paghi gli Alterati d'averlo in vita nei detti modi onorato, l'esaltarono, e per cosí dire lo divinizzarono dopo morte con amplissima orazione funebre recitata in piena adunanza al cospetto di quei medesimi che ancora stringevano tra le dita la penna grondante di fiele contra l'estinto; e coll'anima sulla ruota del rimorso fremevano di veder tornate in proprio scorno le offese, e la gloria dell'uomo per lor calpestato rialzarsi da quegli oltraggi vie piú riforbita, e risplendere piú luminosa come un bel sole di primavera uscito della procella. Tale si fu il nobile tributo d'onore a Torquato per parte degli Alte-

-ati. Che fecero essi i Cruscanti ad espiazione del loro
-allo, e dimostrazione di pentimento?

A. Nol sai? *Allegarono nel Vocabolario esempj tratti
dalla Gerusalemme e da altre opere di lui.* Non è questa
un'apertissima ritrattazione delle loro censure?

C. Certissimamente. Ma lasciamo esaminare se questo
bell'atto di giustizia fu volontario e di unanime consentimento: perché se mai fosse stato a forza e contra talento,
ben vedi, sarebbe nullo. Apriamo adunque la Cronaca
di quel tempo. Erano giá decorsi 96 anni da che le ossa
del Tasso riposavano in pace, e la sua fama suonava per
l'universo, e voltato in tutte le illustri lingue leggevasi il
suo poema. La sola Crusca (tuttoché nel processo del
tempo fossero entrati nel suo seno uomini di specchiata
probitá e di tutta dottrina), la sola Crusca tuttavia signoreggiata dal maligno spirito del pedante suo fondatore
facea tacere la voce de' buoni sopravvenuti, e sorda ai
lamenti, alle maledizioni, alle grida di tutta Italia continuava la guerra, e a viso aperto dicea (nota bene queste parole): *Non esser vero Accademico della Crusca chi
si mostrava amico del Tasso.*

A. Orribile detto!

C. E incredibile, se autentica fede non ne facesse un
venerando e dotto Prelato, uno egli stesso degli Accademici, Monsignor Ottavio Falconieri, in una lunga e forte
sua lettera al Principe di Toscana Leopoldo de' Medici,
nella quale l'onest'uomo implorava l'autoritá superiore a
reprimere la predominante fazione, e a dar fine a uno
scandalo che omai da un secolo ricopriva l'Accademia
tutta d'infamia. E qui puoi vedere quanto sia rimoto dal
vero, che al rompere di quella iniqua persecuzione fossero
pochi i persecutori. Perciocché se, anche morto da piú di
cent'anni il Salviati, tuttavia durava contra il povero
Tasso l'accanimento degli Accademici, ognuno può figu-

rarsi quanto piú forte dovea mostrarsi il delirio di quelle teste, vivo colui che le volgea tutte a suo cenno.

A. Non so trovar replica al tuo discorso. Ma chi vinse al fine il furore dell'ostinata fazione?

C. Per una parte l'autoritá del Sovrano secondata dal celebre Cardinale Pallavicino, dal principe della sacra eloquenza Paolo Segneri, dal Senatore Alessandro Segni, da Orazio Rucellai, da Carlo Dati e da quanti aveano voce di sapienti in Firenze e fuor di Firenze. Per l'altra lo spavento della vergogna, e la gran piena dell'odio che da tutte le parti d'Italia traboccava sull'Accademia. Della qual veritá mi è sicuro mallevadore un altro esimio accademico, il Magalotti, che, viaggiando l'Europa, dagli estremi della Germania esorcizzava con lettere i suoi colleghi, esortandoli a rinsanire una volta e placar l'ira della nazione col riconoscere il Tasso fra gli scrittori che fanno testo di lingua. Nel qual savio consiglio essendo concorsi alcuni altri prudenti, massimamente il Salvini, fu vinto finalmente il partito; ma non sí che ai faziosi non rimanesse qualche sfogo alla bile che li rodeva. E lo sfogo si fu, che ammisero essi bensí tra i testi di lingua la *Gerusalemme,* l'*Aminta,* le *Rime* e le *Lettere,* ma ne ripudiarono onninamente i *Dialoghi,* che è quanto dire la parte migliore delle sue prose: nel quale ripudio è arduo il giudicare se piú potè l'odio, oppur l'ignoranza. Perciocché ne' *Dialoghi,* oltre la gravitá della materia e l'altezza de' sentimenti, risplende, a giudizio de' dotti, piú che nel Poema e nella Favola Pastorale, puritá e squisitezza di lingua, siccome in opere di minor licenza ed arbitrio che la poesia. E crederesti? Ne' tanti posteriori concilii dell'Accademia la scomunica di quei *Dialoghi* non è stata ancor rivocata. Ma seguitiamo l'esame della confessione.

A. Ella è bella e finita; e la conclusione è la seguente: *Adunque l'antica Accademia giudicò che in questo sbagliasse il Salviati.*

C. L'antica Accademia per la durata di un secolo giudicò tutto il contrario; e questo fu giá dimostrato. Né la moderna dovea colorire la colpa colle parole *giudicò che in questo sbagliasse il Salviati,* quasi volendo dire che l'antica *innocens fuit a sanguine justi.* Lo sbaglio (e dovevasi dire il misfatto) non fu del solo Salviati, ma di tutto il Corpo Accademico, perché esso lo sigillò col suo assenso, lo pubblicò come suo proprio giudicato, nel quale il Salviati non comparisce che in qualitá di semplice torcimanno, di semplice spositore dell'unanime generale sentenza de' suoi colleghi.

A. E noi volentieri seguitiamo il parere di lei.

C. Cioè dell'antica Accademia. Ho ben piacere di saperlo.

A. E ci lusinghiamo che non ci si vorrá piú far rimprovero d'un peccato...

C. Ogni rimprovero cesserá quando senza orpellamenti, senza avvolticchiarsi nell'espressioni la colpa sará confessa; quando si finirá di frodare al pubblico la veritá; quando in una parola l'illustre Accademia, picchiandosi il petto, avrá il nobile coraggio di dire candidamente tre volte *mea culpa.* Altrimenti, essendo manca la confessione, sará manca pure l'assoluzione.

A. D'un peccato che giá condannarono i nostri maggiori, e che noi...

C. Menzogna. I vostri maggiori (intendetela una volta, e per usare il vostro linguaggio, non fate lo gnorri), i vostri maggiori nol condannarono, ma lo commisero, e la Cronaca ci assicura che fino alla terza generazione tutti morirono impenitenti.

A. E che noi d'altronde non avremmo potuto come quello di nostra origine ereditare.

C. Chi accetta l'ereditá è tenuto ad assumere tutti i pesi della medesima, e chi non ha forze o cuore di soddisfarli, piuttosto che soppiattarli e arrovellarsi di ridurre

allo zero il cento ed il mille, rinunzia da uomo savio a
retaggio. Parmi dimostrato abbastanza che la confessione
della Crusca non si può accettare per valida, perché
manca dei necessari caratteri di schiettezza voluti dal Cavalca e dal Maestruzzo.

A. In sí fatte materie non si vuol essere cosí rigidi, e
convien condonare qualche cosa al rossore.

C. Anche la dissimulazione?

A. No, veramente: ma l'urbanitá, l'equitá ed ogni gentil costume richieggono che alla virtú de' figli si doni il
peccato de' padri, e non se ne parli mai piú.

C. M'arrendo. E brami tu veramente che quel peccataccio vada in silenzio? Metti in cuore ai figli e ai nepoti
de' peccatori il consiglio di non arrabattarsi tanto per
mascherarlo, e di peccato mortale farlo veniale. Perché
piú s'adoprano di coprirlo, essendo giá troppo palese, piú
ne fanno sentire la gravitá, piú sforzano il pubblico a
mostrarne la turpitudine e a riporlo nello stato in cui era.

A. Dal mio lato procurerò che mettano il capo a
quanto saviamente ragioni. Tu stessa intanto acconsentimi
di tenere in mezzo al lor concistoro l'alta corte di giustizia
di cui t'ho pregata.

C. Perdina. So gli umori che corrono, e io non pongo
il piede lá dentro.

A. Pazzie. Ci sei giá stata per la compilazione del Vocabolario tant'altre volte.

C. Tant'altre volte? Giammai. Ti veggo dar addietro
per lo stupore, e perdere le parole. Ma io ti affermo liberamente la pura veritá. Ai sinodi celebrati per la compilazione del Vocabolario io non fui presente giammai.

A. Non so piú dove mi sia.

C. Se la Critica avesse diretta quell'opera, l'avrebbero
eglino tempestata, appena comparsa, di tante postille e
annotazioni e diatribe tanti uomini letterati, il Cittadini,
il Tassoni, lo Stigliani, il Fioretti sotto il nome di Udeno

Nisieli, e Giambattista Doni, e Pietro Dini, e Ottavio Magnanini, e Adamo Luciani, e molti altri, tutti mossi da compassione della malmenata lingua italiana? E il solo Giulio Ottonelli, quell'Ottonelli sí villanamente deriso dall'Infarinato, ma che a pruova diede a conoscere che nella profonda cognizione dell'Idioma Italiano ne sapeva parecchie carte piú oltre che il suo derisore, vi avrebb'egli trovati quei due mila spropositi sbardellati che tuttora leggiamo nelle sue Annotazioni erroneamente pubblicate sotto il nome di Alessandro Tassoni? [*)] Interroga Dante, interroga il Petrarca, interroga il Boccaccio e G. Villani, e saprai che brutti storpi si fecero e di lezione e d'interpretazione negli esempi tirati dai loro scritti.

A. Nella terza edizione però del Vocabolario manifestamente si vede l'opera tua.

C. In molte parti nol niego, in quelle singolarmente a cui mise la mano Francesco Redi.

A. Dunque tu andavi di buon'intesa col Redi?

C. Col Redi, col Salvini, col Magalotti, col Lami ed altri pochi.

A. Ma dunque, essendo tu d'accordo con questi, ch'erano i sommi dell'Accademia, come puoi dire di non avere mai frequentate le loro adunanze?

C. Ti sarà chiaro il tutto, se porrai mente che altro è il visitare in privato qualche Accademico, ed altro il frequentare i Comizj dell'Accademia, altro l'andar d'accordo con alcuni, altro con tutti. In una parola e senza mistero, io me l'intendeva perfettamente da sola a solo col Redi e con gli altri che uscivan di greggia; ma nei concilii ordinati alla formazione e correzione del Vocabolario non ha mai soffiato il mio spirito: e sai perché? Perché il mio

---

[*)] Quell'enorme ammasso d'errori nelle successive ristampe del Vocabolario è sparito; e di più il Vocabolario si è fatto bello di tutte le copiose Aggiunte dell'Ottonelli. Ma di tanto suo beneficio non si è mai mossa parola dagli Accademici.

spirito è diverso al tutto da quell'altro che disse: *Sarò con voi quando sarete adunati;* [1)] e il mio dice: *Sarò con voi quando sarete soli.*

A. S'egli è cosí, confessa, mia cara figliuola, che egli è uno spirito di natura molto bizzarra.

C. Non tanto, Sire, non tanto. Ne' sinodi letterarii piú che in altri si avvera il trito proverbio: *La peggior ruota del carro si è quella che fa piú strepito.* E io francamente ti dico che questo appunto è accaduto piú spesso che non si crede, nella formazione del Vocabolario. Piú volte i migliori tentarono di affidarmene la direzione, ben conoscendo che senza l'aiuto mio avrebbero fatto opra di ragno. Ma che vuoi? La Pedanteria, che sempre giura sulla fallacissima autoritá dei Testi sempre corrotti, e mai non ascolta quella della Ragione, la Pedanteria eterna avversaria della Filosofia avea dato cominciamento al Vocabolario; e ostinossi a volergli dar compimento con le mal intese sue pergamene alla mano la sola Pedanteria. E vuoi tu conoscere se ciò che dico sia vero? Getta uno sguardo su queste lettere.

A. E di chi son elle?

C. Del Redi; ed io stessa gliele dettai. Sudavasi dagli Accademici alla terza edizione del Vocabolario con molta copia di Giunte. N'era giá avanzata la stampa; ed il Redi, per sapere e per grado principe del Collegio, il Redi (fatto incredibile!) non avea per anche avuta sott'occhio veruna di quelle Giunte. Gli vennero finalmente davanti le prime, recategli dal bidello Rontino, non giá come a revisore, perché erano giá stampate, ma come ad Arciconsolo dell'Accademia per cerimonia. Qual fosse il suo sbalordimento al trovarvene tante e poi tante di stempiate ed assurde vedilo nelle lettere che ti porgo.

A. (leggendo) Gomena. *Tela per uso particolare nella nave.* Resto di stucco. — Ana. *Sorta di erba medicinale.* Oh sante Muse! *Erba medicinale* un termine di ricetta?

IL FILOLOGO

Oh qui sí che ci andava: *Ana due dramme di giudizio.*
— Arpalista. *Suonatore di Arpa.* Poffardio! Il nome proprio del Re di Saliscaglia divenuto *suonatore di Arpa!* Basta cosí.

C. Leggi, leggi, e ne incontrerai di piú belle.

A. No, no: basta cosí.

C. Dimmi adesso, Messere. Se quelle addizioni pria di darle alla stampa si fossero ben pesate alla mia bilancia...

A. Hai ragione: e l'avea piú il Redi di scrivere al segretario dell'Accademia: *Si emendino perché saremo cuculiati, ma cuculiati daddovero.*

C. E se quei dotti uomini si allargavano tanto dalla mia arte ai giorni del Redi...

A. Non so piú che dire.

C. Muta dunque pensiere. Né vo' giá per questo ti creda che io non abbia di bravi e fedeli amici in quest'assemblea. A darmi impulso di comparirvi potrebbe bastarmi per tutti il libero lodatore di Leon Battista Alberti. Ma i miei amori con questo e con altri di quell'insigne Collegio sono segreti. Se venisse però un giorno occasione che io pure libera come l'aria della montagna potessi aprir bocca in quell'adunanza, saprei che dire.

A. Oh, che diresti tu finalmente?

C. Direi: Onorandi Accademici, la dotta Italia va lieta di riverire in voi i principali sostegni della toscana letteratura. Niuno è di voi che non sia per virtuose qualitá venerando, per gentilezza lodato, per letterarie fatiche rinomato o sollecito d'acquistar rinomanza nel pubblico. Oltre il supremo Collegio dei Diciotto, voi vantate nel vostro seno parecchi celebri letterati d'ogni italica terra: e ciò che piú debbevi confortare, avete a munifico protettore un illuminato Sovrano quale appunto desideravasi dal divino Platone, e a collega l'augusto suo figlio, Principe di care speranze, e altamente preso d'amore per le nobili discipline. La condizione vostra in una parola per ogni lato è sí bella che niun'Accademia dovrebbe gloriarsi di ammiratori e d'amici come la vostra. Eppure aprite gli annali dell'italiana, e che dico italiana? della sola toscana letteratura, e dal primo nascere della Crusca fino al presente troverete tutto il contrario. E chi partoriva le inimicizie e le guerre che in ogni tempo vi travagliarono, e vi travagliano tuttogiorno? Forse l'invidia che ai grandi uomini mai non perdona? La singolare vostra modestia non permette di credere che voi sentiate sí altamente di voi medesimi. E invidia di che? Dell'essersi l'Accademia, secondo le parole dell'illustre suo storico, *renduta famosa non solo in Toscana e in tutta Italia, ma in ogni parte eziandio della culta Europa?* O miei cari, uscite d'inganno. Quella fama ognuno ve la concede, ma non ve la invidia nessuno, perché sorella a quella d'Erostrato, perché frutto infelice del piú scandaloso attentato che mai possa disonorare il regno santissimo delle lettere. Vi rimane la gloria del Vocabolario. Questo è bel patrimonio. Ma giustizia vuole che si divida con tutti coloro che vi precorsero, niuno de' quali era Toscano: e voi ne saccheggiaste a man salva le onorate fatiche senza mai ricordarli, senza mai confessare gl'industriosi vostri furti, anzi ingegnosamente occultandoli sotto la studiata sembianza di un superbo disprezzo. E nondimeno ben sapete che, quando voi entraste ultimi in questo nobile aringo, un Lucilio Minerbi romano, un Alberto Acarisio centese, un Francesco Alunno ferrarese, un Giacomo Pergamini da Fossombrone (taccio gli altri di minor conto) vi avevano giá spianata la strada, e sgombrata dai durissimi intoppi che tutte le umane imprese attraversano nel cominciare. Che se voi coll'aiuto dei testi a penna, de' quali nella beata vostra città è grande dovizia, poteste agevolmente a miglior riva condurre il vostro Vocabolario e accrescerlo a dismisura, siate giusti nel confessare alcune piccole verità che rispettosamente vi andrò schierando davanti.

A. L'affare si fa serio. Guarda di non mettere troppa legna al fuoco.

C. Quando sará tempo l'estingueremo. Intanto lasciami dire e non m'interrompere.

I. Che quanta miglior ricchezza di lingua ritrovasi nelle opere di Dante, Petrarca, Boccaccio, Passavanti, G. Villani, ecc., questa era stata giá tutta per cura dei nominati non Toscani Vocabolaristi ordinata, esemplificata, chiarita, di modo che a voi non rimase altra briga che quella di travasarla, come in fatti la travasaste, nel vostro Vocabolario.

II. Che il fiore della viva favella, posto giá per le stampe in sicuro, essendo stato pe' lodati uomini giá mietuto, voi, per fare e mostrare d'aver fatto molto di piú, foste costretti (e non avevate altro mezzo) a gittarvi sui testi a penna: nel quale immenso e torbido mare la pesca de' nuovi vocaboli e delle nuove locuzioni vi riuscí per due terzi un sozzo ed inutile ammassamento di lingua morta: che mischiata, per far volume, alla viva ci porge di continuo l'immagine di schifose immondezze in mezzo alle rose.

III. Che di piú la nuova ricchezza acquistata nei testi a penna, e della misera qualitá che s'è detta, uscí mescolata e sozzata di tanti errori e sí sconci che fin dal primo apparire del vostro lavoro i Critici alzarono da tutte le parti le grida, e gridano tuttavia, e a nettar bene tutte quelle brutture non sono ancora bastati due secoli d'emendazione [*].

IV. Che buon numero di quegli errori, particolarmente i molti vocaboli falsi o storpiati, provenne dall'avere mal

---

[*] Di questa veritá la *Proposta* ha giá date (se l'amor proprio non ci gabba) non poche prove né piccole. Chi più ne volesse legga le belle e severe Annotazioni che sul Vocabolario italiano va pubblicando a fascicoli l'acutissimo critico modenese M. A. Parenti. In alcuna di esse questo valente uomo sta contra noi; e noi godiamo di confessare che il fa con ragione, e degli errori cortesemente notati lo ringraziamo.

letto e peggio inteso gli antichi testi; e che quindi il gran vanto di quelle carte, quando non si sanno ben leggere né capire, è tutta vana ricchezza.

V. Che la prima cognizione di quegli abbagli non vi venne giá dal proprio vostro senno, ma bensí da quei dotti che voi poscia, per liberarvi da ogni peso di gratitudine, chiamaste vostri nemici, ed erano, se ci aveste fatta attenzione, i vostri benefattori.

VI. Che considerati i tanti difetti del vostro Vocabolario, non avea poi tutto il torto quel bravo Sanese (non vi turbate, non parlo di Girolamo Gigli, ma di Adriano Politi), il quale apertamente antepose al vostro quello del Pergamini; e *solo desiderava* (userò le parole di Apostolo Zeno) *che per renderlo migliore vi fossero aggiunte le allegazioni e le autoritá di alcuni moderni piú stimati, come del Casa, del Caro* (da voi tenuto in sí poca considerazione), *del Tolomei, dell'Ariosto, del Tasso, dello Speroni,* ecc.

VII. Che avendo voi nel catalogo delle opere classiche ammessa ogni fatta di scritture toscane anche le piú meschine, n'avete indebitamente espulse molte di non toscane, ma lavorate e pensate alla lucerna della Critica e della Filosofia, e tali che per eccellenza di lingua addietro si lasciano di gran lunga molte di quelle a cui deste la preferenza unicamente pel troppo amor che si porta al dove si nasce.

VIII. Che, per dar luogo alle vostre toscanerie e ai vostri tanti idiotismi, avete non rade volte corrotta la sincera lingua italiana, e condotti, per cosí dire, a mano gli studiosi del bello scrivere nella ridicola persuasione che in quei lezii, in quelle affettazioni, in quelle svenevoli smancerie sia riposta la grazia del favellare.

IX. Che stabilita per cagion vostra la sciocca credenza che niuna voce, niuna locuzione, niuna metafora non approvata dal vostro oracolo si dovesse avere per buona, ciò

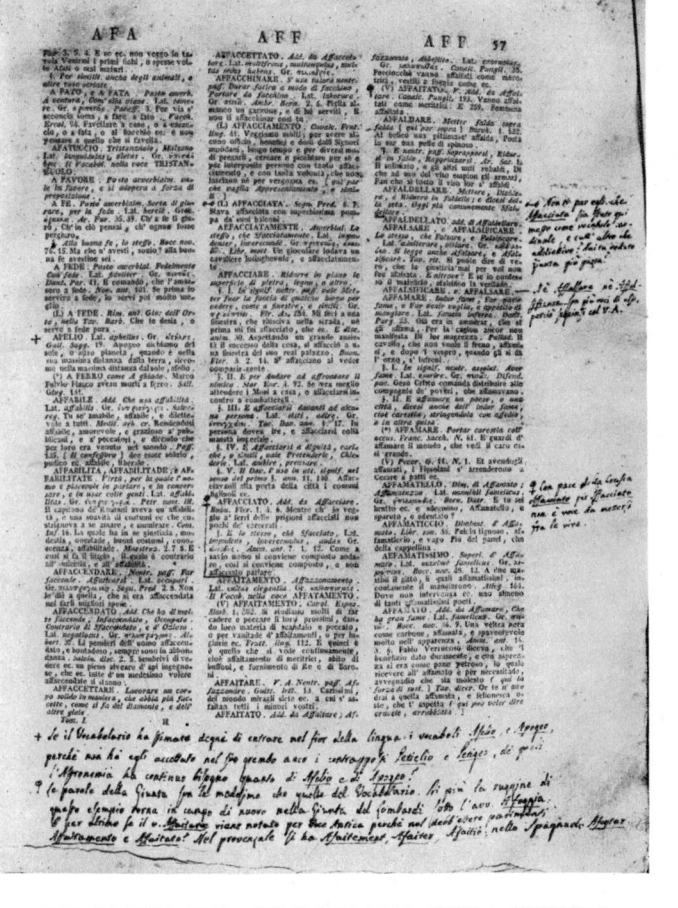

UNA PAGINA DEL "VOCABOLARIO DELLA CRUSCA"
POSTILLATA DA VINCENZO MONTI

(Ferrara, Biblioteca Comunale)

crebbe sí fattamente l'audacia dei parolai, che si corse piú volte il pericolo di vederli fatti tiranni della favella. Onde meritamente fu detto che col Vocabolario della Crusca cominciò il secolo d'oro della pedanteria.

X. Che la lingua furbesca, uno de' principali elementi del vostro dialetto, seminata a due mani nel Vocabolario per onor del Pataffio, del Burchiello e del Malmantile, essendo tutta lingua in maschera, è altamente dannata dalla ragione; e che tutta l'altra, a colmo staio scavata dal brago del bordello, è un'infamia contra cui gridano tutte le leggi dell'onestà, un vituperio...

A. E veritá cosí fatte ti darebbe il cuor di cantare a quei verecondi?

C. Perché no? Non son elli per altezza d'animo degni d'udirle? L'amaro d'una veritá che punge sí ma risana, non è forse meglio d'una bassa adulazione che diletta il cuore e dá la volta al cervello? L'avvertire gli errori fu sempre miglior prova d'amicizia e di stima che il dissimularli e coprirli. Onde tieni per certo che se il taglio me ne venisse, nessuna di queste, né di altre veritá che avrei sulla cocca, sarebbe taciuta; e votato il sacco direi:

Prestantissimi moderni Accademici della Crusca, il biasimo delle cose dette fin qui non vi tocca: ché degli errori commessi dai vostri padri (sempre che non vi ostiniate a difenderli) ognuno vi chiama innocenti; e ai vostri padri sepolti, non alle vostre degne persone, sono state dirette le mie parole. Bensí a voi che vivi occupate le gerle di quei defunti, e parecchi siete bei lumi di bella letteratura, dirigonsi le seguenti. Non cercate nell'invidia e malevolenza de' letterati l'origine delle guerre suscitate contro la Crusca; cercatela nell'amore della schietta lingua Italiana tante volte guasta e sformato nel vostro municipale Vocabolario; cercatela nei falsi oracoli da lui renduti, nelle false leggi da lui stabilite; cercatela nell'ambiziosa e vanissima pretensione di far tutto vostro il bel patrimonio d'una favella a tutti comune; cercatela nel burlesco nome infelice dell'Accademia, nome che per la memoria del suo antico misfatto non suonerá mai dolce all'orecchio degl'Italiani; cercatela nello sdegno...

A. Non proseguire, ché Mercurio è giá di ritorno colla brigata.

SCENA QUARTA

Detti e Mercurio *con gran seguito di Poeti tutti storpi e coperti di cataplasmi*

A. Ohimè, Mercurio, che veggio? Questo è l'ospedale descritto da Milton.

M. Quali gli ho trovati, tali te li presento; e se ho tardato a condurli non è colpa mia, ma di quelle povere gambe. E sappi che molti, non potendo piú la fatica del camminare, rimasero a mezza strada, né so se avranno forza da proseguire, perché marciano sulle grucce.

A. Oh pietoso e fiero spettacolo! Oh i miei cari figliuoli! Chi vi ha cosí maltrattati?

I Poeti. I nostri editori, i nostri chiosatori. Giustizia, padre Apollo, giustizia.

A. L'avrete, mie povere creature, l'avrete. Ecco la curatrice delle vostre piaghe, la Critica.

I Poeti (saltellando intorno alla Critica per allegrezza e cantando).

> Lo meo core è in allegranza
> Per voi donna canoscente.
> Per la vostra benenanza
> Eo non sento piú neente
> Di mie doglie la pesanza,
> E saraggio ognor gaudente.
>   Donna, per vo'
>   La nostra gio'
>   Sbaldir ci fae;
>   Ch'aggiam certanza
>   Di noi piatanza
>   Vi prenderae.

IL FILOLOGO

C. (in disparte ad Apollo) Sire, due parole all'orecchio. Non ti prometter tanto dalla virtú dei miei ferruzzi chirurgici; perché, a quanto l'occhio mi dice, le piaghe di questi sciagurati sono incurabili.

A. Il veggo io pure: ma sono miei figli, e io non ho cuore d'abbandonarli.

C. E potrò io stare al martello di quelle lor rozze ed orride cantilene?

A. Ci starai, spero, se ti farai a considerare che in quegli agresti vagiti della lingua Italiana son riposti i principii fondamentali ond'ella poi venne in tanta dolcezza. E non dovremo noi averne grazie particolari a chi le diede la culla? a chi la mise sulla via di farsi poi cosí bella e meravigliosa? Quelle noiose lor nenie pel vantaggio della poesia son nulla, ma son tutto pel fondamento della favella.

C. Non so che rispondere.

A. Farai dunque a pro loro ciò che meglio ti viene onde raddrizzarli e sanarli. E dove alle loro cancrene non varrá il gammautte, vaglia il fuoco. M'intendi?

C. Cosí farò.

A. E purché sia in Firenze, pianta la tua Infermeria dove ti pare. Orsú, buona gente: fate coraggio, e seguite con fiducia la vostra medicatrice, seguitela tutti al luogo destinato alla vostra cura, a Firenze; luogo di aria vitale, di cielo sereno, purgato da tempeste, libero da passioni...

I Poeti (con segni di turbamento e in tuono lamentevole). Doimè! Eimè! Uimè!

A. Quietatevi: so che vogliono dire le vostre flebili interiezioni: ma non abbiate paura. Né frulloni, né leccafrulloni vi faranno soperchieria. E chiunque di essi avrá fatto scempio di Voi, pagherá le spese della medicatura.

I Poeti (tutti allegri) Evviva il nostro buon Re. Evviva la bella Firenze. Evviva la Critica.

>   Donna, per vo'
>   La nostra gio'
>   Sbaldir ci fae;
>   Ch'aggiam certanza
>   Di noi piatanza
>   Vi prenderae.

(tutti confusamente) Lasciami ripigliare le mie stampelle.
— Aspetta ch'io m'aggiusti questo cerotto. — Aiutami a stringere questo braghiere. Evviva Firenze, evviva Apollo, evviva la Critica. Lo meo core è in allegranza ecc.
(*Partono tutti cantando, e arrancando dietro alla guida*).

SCENA QUINTA

MERCURIO *ed* APOLLO

M. Ehi, fratello; ti annunzio che Dante è partito dall'Eliso ancor esso.

A. Per dove?

M. Per Firenze, secondo ch'ei disse: sí per desiderio della patria, e sí per far compagnia al suo caro padre e maestro, il buon bolognese Guido Guinicelli, che altamente querelasi di non so che ladre poesie stampate sotto il suo nome, e viene a farne protesto di conserva col Poliziano e l'Ariosto.

A. Onoranda brigata!

M. Il Poliziano per richiamarsi degli orribili storpi fatti alle sue canzoni nella fiorentina edizione del 1814: e l'Ariosto per dimandar conto al Frullone di certo suo decreto fortemente oltraggioso all'autoritá del gran Ferrarese. E con questi sai chi ne viene, ed è quinto fra cotanto senno? Un nobilissimo spirito Pesarese che, arrivato da questo all'altro mondo di poco, è stato laggiú onorato di liete e strepitose accoglienze, massimamente da Dante sí preso di lui, che non sa distaccarsi piú dal suo fianco, e l'ha caro siccome proprio figlio.

A. Ho capito: il grande apologista di Dante, Giulio Perticari.

M. L'hai detto.

A. Che sieno tutti li ben venuti. La presenza di spiriti sí famosi renderá piú solenne il comizio. E s'io non temessi di abusare la tua cortesia...

M. Parla pure liberamente: ché io son presto a tutt'i tuoi desideri.

A. Andiamo a dar aria a due bottiglie di nettare. Fra la delizia delle tazze prenderò coraggio a farti un'altra preghiera, e ci risolveremo insieme del resto.

DIALOGO SECONDO.

UN PEDAGOGO E UN FANCIULLO

P. Vieni qua, bel figliuolo. Tu non hai ancora compiti i dieci anni. Nulladimeno la tua applicazione allo studio ti ha avanzato nella cognizione del latino e dell'italiano quanto basta a rispondere con giudizio alle mie dimande. Che significa la voce *Alacer?*

F. Oh qui ci arrivo da un pezzo. *Alacer* significa *Pronto, Attivo, Vivace, Che è presto a fare le cose.* E ricordomi che, spiegando un passo di Cornelio Nipote nella vita di Pausania, voi m'insegnaste che *Alacer* era appunto come *Alis acer, Veloce di ali.*

P. Bravo figliuolo!

F. E secondo i sustantivi, a cui si unisce, vale ancora *Snello, Agile, Allegro, Spiritoso;* come per esempio il mio cugino Carluccio, che sta sempre in moto, e vorrebbe far tutto.

P. Benissimo.

F. E dicesi anche degli animali, per esempio...

P. Basta, basta cosí! Dammi adesso la spiegazione della voce *Hilaris.*

F. Ciò mi è ancora piú facile. Io veggo il valore di questa parola in volto a Papá e a Mammá tutte le volte che voi dite loro che io ho fatta bene la mia lezione.

P. E spero che oggi pure t'incontrerá la medesima contentezza. Ma spiegami la parola direttamente.

F. Ebbene: *Hilaris* nel latino è lo stesso che *Allegro Giulivo, Gaio* nell'italiano.

P. Lo stesso ancora che *Fiero* e *Rubesto*: non è egli vero?

F. Uh, che dite, signor maestro? Che sproposito, spropositaccio v'è mai uscito di bocca?

P. Pigliami il Vocabolario, e cerca *Rubesto*.

F. Subito. *Ri, Ro, Ru,* eccolo. *Rubesto, Feroce; Rubestissimo, Ferocissimo.* Di *Fiero* non dico niente. Sarei troppo il gran ciuccio, se non sapessi che viene da *Fiera*, ed è sinonimo di *Bestiale*.

P. Dunque non sei d'avviso che questi vocaboli possano fare buona lega tra loro?

F. Oh questo sí. Vedete lá quel diavolo sotto i piedi dell'Arcangelo S. Michele? Quel Michele è l'*Alacer* e *Hilaris* dei Latini, e quel diavolo è il *Rubesto* e *Fiero* degl'Italiani. E nondimeno eccoli lá tutti e due sopra la stessa tela.

P. Eppure v'è un gran dottore che dice che *Alacer* e *Hilaris* sono in sustanza il medesimo che *Fiero* e *Rubesto*. E sappi che questo dottore è persona ch'io venero grandemente.

F. Dite un poco, signor maestro; ha egli il vizio di parlare qualche volta dormendo?

P. Sí, bene spesso.

F. Tenete adunque per certo, che quando egli v'insegnava che *Alacer* ed *Hilaris* valgono il medesimo che *Rubesto* e *Fiero,* il vostro gran dottore profondamente dormiva.

DIALOGO TERZO.

Il Capro, il Frullone della Crusca e Giambattista Gelli

C. Ehi, Frullone, Frullone, sostieni un poco la ruota che ti fa menare tanto rumore, e ascolta quattro parole.

F. Chi mi domanda?

C. Il vocabolo d'una bestia dabbene, che si richiama di una grave ingiustizia. Il tuo critico burattello ha cernito, come fior di farina, la *Capra*, il *Capretto*, il *Caprone* con tutto il gran resto della mia gente, ed ha gittato me, povero *Capro*, per cibo ai polli nella mondiglia. Si può egli sapere l'alto perché di questa soperchieria?

F. Tu sei parola messa fuori della comunione della Crusca; e alle parole scomunicate io non rendo ragione di quel che fo. D'altra parte, per le contese nate fra la Crusca e il Poligrafo, ho tanta farina da cernere, che non mi avanza tempo da perdere, quistionando con un vocabolo che né pure mi è lecito di profferire.

C. Fammi ragione di questi torti, o spiattellato ti dico, che se la lingua mi esce del manico, in tutti i Giornali, in tutte le Gazzette griderò la croce contra di te, e dirò de' tuoi fatti cose piú brutte, che non disse il *Sigma* contra il *Tau* dinanzi al Senato delle *Vocali* sotto l'Arconte Aristarco Faleréo il giorno sette del mese di Pinapsione. [1]

F. Or odi bella arroganza! E che saprai tu dire, vile bestiaccia?

C. Dirò che, contravvenendo ai precetti di Dante, tu pecchi contra la civiltá della Lingua universale Italiana, abboccando piú ghiottamente i vocaboli della plebe, che i vocaboli illustri; dirò che mi hai traboccato nel marame unicamente perché sono nato nel Lazio, cioè in un paese, del quale, per paura di nuocere ai vocaboli del Mercato vecchio, tu non ti mostri amico gran fatto; e che mi hai tolto gli onori del Vocabolario, per darli al *Becco*, solo perché il *Becco* è nato nelle pascione del Casentino. Dirò che il *Becco,* con tutto l'oro che gli è stato appiccato alle corna, non è vocabolo cosí civile e polito come, buona mercé della Lingua Latina, il son io. Dirò finalmente che, secondo tutte le leggi umane e divine, dove sta la moglie ha da stare il marito, e che per diritto di analogia io posso e debbo e voglio abitare dove abita la *Capra* mia sposa, il *Capretto* mio figlio, il *Caprone* mio nonno, col di piú che non dico della numerosa e nobile mia discendenza. E non gli odo io tutti lá dentro a quel tuo immenso cassone belare da disperati al vedersi iniquamente segregati da me, che sono il capo di tutta questa onorata famiglia?

F. Tu la sbagli di grosso. Essi belano d'allegrezza per la nobiltá ricevuta, e tripudiano nel vedersi registrati nel libro d'oro. E la *quondam* tua moglie ha giá preso altro marito.

C. Come? come? che dici?

F. Dico che la *Capra* ha giá celebrato le sue seconde nozze col *Becco;* e l'atto solenne di questa unione, rogato dal Lasca, puoi vederlo a tua posta nel mio grande Vocabolario.

C. Il matrimonio è male assortito. E soprappiú esso è nullo.

F. Come nullo?

C. Nullissimo. Il perché, odilo nell'orecchio: il *Becco* è impotente?

F. Impotente? il *Becco* della Crusca impotente?

C. E che n'ha egli generato finora? Il *Beccherello* e null'altro; il solo miserabile *Beccherello,* una sciocca bestiuola che ha paura del sole, che vive sempre appiattata nelle boscaglie; né si saprebbe pur che ci fosse, se il Volgarizzatore di *Palladio* e Franco Sacchetti non attestassero di averla veduta. Del rimanente, dopo questa meschina procreazione, il *Becco* rimase ammaliato, né piú fu buono da nulla; se pure, come si mormora, non sia vero ch'egli è radice di due altri odiosi vocaboli, il *Beccaio* e la *Bec-*

cheria. Guarda, per lo contrario, alla mia figliuolanza. Come numerosa! come bella e innocente! Il *Capretto*, la *Capretta*, il *Caprettino*, la *Caprettina*. Non fanno e' proprio ballare il core al vederli? Poi la discendenza de' miei addiettivi, *Caprigno, Caprino, Capripede, Semicapro*. Poi quella degli appellativi, il *Caprifico*, il *Caprifoglio*, il *Caprimulgo*, il *Capraro*, il *Capraio*, il *Caprile*. Osserva appresso la lunga ed incolpabile mia parentela, il *Caprio*, il *Capriolo*, la *Capriola*, il *Caprioletto*, la *Caprioletta*. Non parlo del *Caprone*, personaggio gravissimo, la cui venerabile barba servì, dicesi, di modello a quella del Mosè di Messer Michelangelo. Non parlo né manco dell'alto onore che viemmi dall'aver dato il mio nome ad una costellazione zodiacale. Mi restringo ad una sola considerazione. Un animale sí benemerito, che ha fatto dono alla Crusca di tutti i suoi figliuoli e nepoti e parenti, doveva egli aspettarsi di essere ignominiosamente dalla Crusca medesima discacciato, come cosa contaminata, e di veder posto in sua vece un vocabolo di sí malvagia riputazione, il *Becco*?

F. Non ho voluto interrompere la tua lunga orazione *pro domo tua*, per non guastarmi il piacere di udire i solennissimi barbarismi che ti piovono dalla bocca. E donde ti vai tu cavando le dannate parole *Capripede, Semicapro, Caprile, Caprimulgo*? Io le ho escluse tutte dal Vocabolario, e l'Oracolo della Lingua son io.

C. Caro Frullone, non mi tirar fuori i tuoi oracoli, non mi mettere in tentazione, ed accetta un caritatevole mio consiglio. Ritira da quelle voci la tua scomunica, e parlane con rispetto.

F. Vuoi forse negare che le non sieno barbare tutte?

C. Tutte sono ben nate e civili, e tutte annestate dal tronco Latino nell'Italiano da espertissimi innestatori: *capripede* dal tuo Salvini; *semicapro* dal Sannazzaro nell'*Arcadia*, e nel *Sacrificio Pastorale* dal Firenzuola; *ca-*

praro dal Tasso nell'*Aminta,* e dal Sannazzaro in una Egloga, e dal Varchi nell'*Amarilli,* lasciando stare il Caro che lo adoperò nel suo *Tirsi,* ed il Molza che se ne servì nella *Ninfa Tiberina*; e finalmente *caprimulgo* dal Pulci nel *Morgante.* E in quanto a *caprile,* osserva come sei povero di discorso, e lontano da ogni discrezione nel condannarlo. Tu hai dato la casa a tutte le bestie domestiche: non è egli vero? Al *cane* il *canile*; al *porco* il *porcile*; alla *pecora* il *pecorile,* tuttoché per la pecora avessi giá rubato alla Lingua Latina l'*ovile.* Hai avuto cortese riguardo al *fieno,* e gli hai fatto il *fenile*; l'hai avuto per le *campane,* e le hai albergate nel *campanile.* E la famiglia del povero *Capro,* che piú del *fieno* e delle *campane* ha bisogno di tetto per difendersi dalla pioggia e dal lupo, verrá spogliata della sua legittima ereditá, e scacciata dal suo *caprile,* fabbricatole da Varrone, da Columella e da Plinio? Ma viva il Dio Pane, primo capo della mia stirpe, se il Volgarizzatore delle *Favole Esopiane* è autor classico della lingua, tu non condurrai a riva questa ingiustizia. Ecco le sue parole: *Desiderando la capra pascersi, e temendo che il lupo non venisse al caprile ecc.* Or va e sbrigati, se il potrai, dalla rete di questi esempi.

F. Tutto che dici sembrami meritevole di qualche considerazione, e ci penserò. Ma tu chiamavi testé il *Becco* un vocabolo di malvagia riputazione. Su che fondamento t'ardisci tu d'infamarlo cosí?

C. Domandalo a te stesso, ovvero leggi ciò che è notato dal tuo Vocabolario nel paragrafo secondo alla voce *Becco,* e sí lo saprai.

F. Tu spropositi, tu confondi i sensi proprii co' metaforici.

C. O proprio, o metaforico, la somma si è che il *Becco* come *Becco* non vive che alla foresta; e quando si applica al muso la maschera della metafora, non entra che nel bordello de' Novellieri e de' Poeti buffoni: mentr'io, grazie a' miei buoni costumi, ho liberissimo ingresso anche nell'aulico conversare, e niuna dama all'udire il mio nome diventa rossa; e salto dove mi pare, e vado cosí lindo, che posso fare la mia bella comparsa anche nei campi dell'Epopeja in compagnia degli animali piú nobili e generosi.

F. Ma tu non hai sortito l'onore di entrare nella *Divina Commedia*: e il *Becco* sí.

C. Nella Commedia? siamo d'accordo. La sia mo' divina o umana, basta che sia commedia, cioè a dire componimento che ammette ogni sorta di favellare. Ma, di grazia, ov'è che Dante parla del *Becco?* Nel canto forse ove parla pure del porco? cd in quello ove disse: *Ed aveva del cul fatto trombetta?*

F. Non mi soccorre. Ma aspetta: aiutami col tuo bel zampino ad aprire il Vocabolario della Crusca. Andiamo alla parola Becco. Eccola. BECCO. *Il maschio della capra domestica.* Lat. *Hircus.* Gr. *Trágos.* Ecco pure il passo di Dante: Stammi attento, ch'io lo ti vo' leggere a tua confusione.

C. Leggi pure, ma forte, che ho l'orecchio un po' duro.

F. (legge) *Gridando: venga il cavalier sovrano,*
          Che recherá la tasca con tre becchi.

C. (ridendo forte). Ah, ah, ah, uh, uh, uh... Aiuto, che io mi rompo, aiuto per caritá.

F. Che è questo ridere disonesto, animalaccio senza creanza! Se spicco il manico della ruota...

C. Ah, ah, oh, oh, uh, uh.. perdona, caro Frullone, lasciami pigliar fiato.

F. Per le sacre tenebre del Pataffio, finiscila, o ch'io...

C. Deh scusami, te ne prego. Non è possibile non isbracarsi dal ridere sul magnifico farfallone che hai preso con quei tre *becchi.*

F. Che vorresti tu dire?

C. Vo' dire, che quei tre *becchi* non sono mica i mariti della mia povera moglie, ma sono...

F. Che dunque?

C. Tre rostri d'uccello.

F. Come? corpo dell'Inferigno!

C. Sí, Frullone garbato, tre rostri d'uccello; i tre rostri che facevano lo stemma di Gio. Bujamonte, il piú infame usuraio di tutta l'Europa: chiedilo a tutti i Commentatori.

F. Ohimè! sono sconfitto. Ma... non potrebbe egli stare...

C. Che cosa?

F. Che lo sbaglio fosse... de' Commentatori.

C. E degli Storici, eh? Ser Frullone, non mi andare in questi spropositi, ve', ch'io torno a ridere piú sbardellato di prima. Confessa il tuo errore, e ti avrò pel piú onorato Frullone di questo mondo.

F. Ebbene: lo confesso. È stata una svista, una sonnolenza. Mi trovo alle volte sí rotto, sí fiacco dal continuo abburattare, che mi balena la testa, e sono sforzato a sfiorare un tantino di sonno. Dormiva Omero, il divino Omero; e non vuoi che dormigli alcuna volta ancor io?

C. Oh! bravo bravissimo! Mi muovi lo stomaco quando monti su la pretensione di stimarti infallibile, dimenticando che la Dea Infallibilitá non abita sulla terra, ma dall'alto de' Cieli si fa beffe de' prosuntuosi oracoli dei mortali. Ora che tu stesso confessi di andar soggetto all'abbaglio, ti fo riverenza, e piglio buona speranza che, in ammenda della brutta ingiuria che giá mi facesti, vorrai adesso raccogliermi nel buratto e restituirmi alla mia famiglia.

F. Caro cornuto, non vi ti posso ricevere: coscienza di Frullone onorato, nol posso; salvo che tu non abbi qualche classico patrocinatore che ti aiuti ad entrare nel mio sacchetto.

C. Vale a dire qualche classico esempio che mi protegga.

F. Per l'appunto.

C. Sta saldo, che ci siamo. Spazzati ben bene l'orecchio dal polviglio della farina, ed ascolta:

> Or sa che differenza è dalla carne
> Di capro e di cinghial che pasca al monte,
> Da quel che l'Elisea soglia mandarne.

F. Ohé, bada che non la sgarri; bada che il testo non dica, *Di becco e di cinghial.*

C. No, no, dice *Di capro e di cinghial.* La memoria mi porge bene.

F. Ma non vorre' poi che cotesti fossero versi di qualche scapestrato, di qualche novator licenzioso.

C. Che licenzioso? che novatore? Alzati, alzati dai quattro fusti, su cui tentenni, e sprofondati di riverenza. I versi sono di Messer Lodovico nella seconda satira.

F. Cap-pe-ri! Di Messer Lodovico!

C. Et quidem nella piú limata delle sue opere, ed una delle piú cernite dal tuo buratto. Ma certamente allorché ti furono gittati dentro allo staccio quei versi, tu sonnecchiavi un pochino, come nel caso di quei *tre becchi.* Dico bene, Messer Frullone? Or odi quest'altro testo di altro poeta canonizzato:

> Tu il capro a Pane, ed io
> Ad Ercole il torello.

E quest'altro pure della stessa mano:

> Né di capro ho vaghezza, né d'agnella.

Questi sono di Giambattista Guarini nel *Pastor Fido.* E cosí? ti fanno buon sangue? ti danno satisfazione?

F. Resto balocco. Tu cominci aver viso di bestia civile. Mi diventi un vocabolo onesto, e sto giá sul persuadermi di poterti io pure dir *capro* senza sospetto di barbarismo.

C. Delicata coscienza! Tiella guardata e polita, perché conosco taluni che ti preparano una gran rivista di pelo.

F. Dormo sicuro. Ma... or che ci penso: questi esempi che tu m'arrechi... sono d'autori... (mi scusa, ve')... d'autori. M'intendi? Non vorrei dirlo, vorrei che pigliassi il mio pensiero per l'aria.

C. Oh oh t'intendo, t'intendo. D'autori, vuoi dire, ai quali non fu purgato nell'ambrosia dell'Arno lo scilinguagnolo, d'autori lombardi in una parola.

F. Hai dato proprio nella cruna del mio concetto.

C. Senti, mio bel Frullone: poche parole, ma chiare. La lingua di chi scrive per dare alle stampe, e farsi intendere al di lá del Mugnone, non è del tutto la lingua del Mercato vecchio, ma una lingua trascelta, meditata, cercata, e con assidue vigilie imparata su i grandi esemplari, una lingua di cui né la Balia, né la Brusca, né la natura ti privilegiano, una lingua in somma, il cui solo ed unico insegnatore è lo studio, mediante il quale la si può imparare, e perfettamente s'impara tra le sorelle di Fetonte sul Po né piú né manco che tra' mirteti di Boboli. Da un Lombardo certamente con piú lunga pena che da un Toscano. Ma quando il Toscano persuaso di possederla vi adopera poco studio, che n'avvien egli? Ciò che il Varchi scriveva nell'*Ercolano*, cioè che i *Fiorentini, avendo la lor lingua da natura, non la stimavano, e che parendo lor di saperla, non la studiavano, e attenendosi all'uso popolaresco, non iscrivevano* (nota, Frullone, queste parole), *non iscrivevano sí propriamente né sí riguardevolmente come il Bembo e degli altri*. Distingui adunque la lingua naturale dall'artificiosa, la volgare dall'illustre, la plebea dalla dotta, la lingua alla fine degli Affeddedieci da quella che cantò di Laura e di Beatrice: e tra queste due lingue metti, dice il Gravina, la differenza che corre tra l'oro ammassato nella miniera e l'oro purificato. La prima, se il vuoi, sia tutta tua: nessuno te lo contrasta. Ma la seconda, anima mia, è di tutti coloro che sanno leggere ed efficacemente mettersi ad impararla. E bada che *nel bel paese ove il sí suona* non intervenga ciò che degli Ateniesi e ancor de' Romani raccontasi da Cicerone nel III dell'Oratore, c. 11. Concludiamo. Il forestiero, che vorrá apprendere la bella pronunzia di questa lingua, verrá a conversare co' Nenci e co' Cenci; ma per apprenderne le belle maniere e levarsi in riputazione se n'andrá, con tua pace, a intendersela dirittamente con Dante, col Petrarca, col Boccaccio e con gli altri che vanno di seguito, i quali la insegnano dappertutto, anche su le rive dell'Orenoco: figurati in Lombardia. Io sono entrato nel tuo pensiero: vorrei che tu pure entrassi nel mio, e ti ponessi bene nel capo, che chiunque de' tuoi fratelli si arroga di vilipendere lo scrittor forestiero, perché la Mea non gli ha dato la pappa, costui ha il cervello sopra la berretta, e la gentilezza sotto il tallone. Torniamo adesso sul seminato. Poiché l'acqua del Po non ti pare che mi lavi bene le macchie, laviamole nel liquido oro che scorre sotto il ponte di Santa Trinita; e facciami da lavandaia un tale che mi tira da molto tempo alla vita, un arrabbiato Canonico.

F. Che diavolo vai dicendo? Uno che ti tira alla vita, che è arrabbiato, che è Canonico, ha da lavarti la lana? Non ti fidare: bada che non t'anneghi.

C. Tant'è. Ed osserva com'egli comincia la lavatura.

> Quel capro maledetto ha preso in uso
> Gir tra le viti, e sempre in lor s'impaccia.

F. Soavissimo cominciamento! E chi è che ti manda siffatte benedizioni?

C. Benedetto Menzini.

F. Basta cosí.

C. Vuoi mo' udir di rincontro i bei tralci di Lècore che mi ha regalato nel famoso suo Ditirambo Francesco Redi? *Capri e pecore Si divorino quei tralci...*

F. O me sciagurato! Anche il Redi ti ha fatto l'onore di nominarti?

C. Anche il Redi, anche il Tasso nel settimo della Gerusalemme: *Saltar veggendo i capri snelli e i cervi:* anche Jacopo Sannazzaro nella quarta delle sue prose: *Un capro vario di pelo...*

F. Non proseguire: basta cosí. Sono giá pentito del torto che ti ho fatto, e giustizia vuole ch'io te ne ristori. Ma tu mi fai strabiliare con tanto lago d'erudizione. Ch'io Frullone della Crusca sia dotto, non deve crear maraviglia essendomi passata pel gozzo tanta dottrina. Ma tu, bestia di greppo, pasciuta di quercioli, di timo selvatico, di carici, com'hai tu fatto ad uscirne cosí dottore?

C. Veggo bene che ancora non mi raccogli per quello che sono. Se mi ti scopro, scommetto che ti sconquassi di meraviglia.

F. Mi metti una strana curiositá. Or via, vediamo il gran personaggio che celasi sotto quella gran lana.

C. Sveglia la tua attenzione, ed apprendi quanto io mi sia da piú di te. Primieramente io son Greco.

F. Me ne rallegro. Ed io sono Italiano. Fin qui non parmi che tu m'avanzi.

C. In secondo luogo io sono natio dell'alta Corinto.

F. Ed io della bella Firenze. E qui pure non solo non mi metti il piè innanzi, ma mi resti dietro di molte miglia.

C. Tu non sei che un tarlato istrumento di legno che ha bisogno di molte riparazioni; ed io, sotto il gran manto di questi velli, rinserro un'anima che ragiona.

F. Spiegati meglio.

C. L'anima, voglio dire, d'un uomo che fu bellissim giovine, e divenne qual sono, per incantesimo di bella donna.

F. Eh, via, tu vuoi giuoco di me.

C. Questo è nulla. Tu non conti che dugento e pochi piú anni di vita, e giá sei vecchio, e per li tuoi molti

IL FILOLOGO

spropositi male ti reggi su le tue quattro gambe di legno. Ed io ne conto... Veggiamo se l'indovini.

F. Nol saprei. A farne giudizio dall'apparenza, al vederti cosí forbito e robusto, con quell'armatura di fronte cosí magnifica, e quei boldroni di pelo cosí folti e ben pettinati, io non m'assicuro di darti piú di dieci o dodici anni a un bel circa.

C. I miei anni (secondo il calcolo che testé me n'ha fatto l'autore de' viaggi del giovine Anacarsi) ascendono a tre mila cento settantatre, essendo io nato dieci anni dopo la spedizione degli Argonauti.

F. Bagattelle!

C. Questo è poco. Tu non sei che un grammatico vagliatore di nudi vocaboli; ed io sono un grande filosofo.

F. Un grande filosofo?

C. E sono stato a disputazione con uno de' piú grandi uomini della Grecia.

F. Io casco giú dalle nuvole.

C. E il confusi e lo vinsi, tuttoché fosse un famoso guerriero, assistito da Pallade, e il piú eloquente furbo del mondo.

F. Dimmi un poco: v'è egli pericolo che la glandola pineale...

C. E il nome dell'Eroe da me superato vuoi tu saperlo?

F. Te ne scongiuro.

C. Il divino figlio di Laerte, il sapientissimo Ulisse.

F. Ho capito. Il cervello ti va a processione, e converrá ch'io chiami il mugnaio, perché ti leghi.

C. Ed io chiamerò Giambattista Gelli, perché venga a far fede di quello che dico. Ehi, signor Gelli, preclarissimo, onorandissimo signor Gelli, lasciate andare per un momento il vostro *Bottaio,* ed uscite; venitene qua con la *Circe.*

G. Chi mi vuole? Oh, oh, sei tu, carissimo Cleomene?

C. Apri quel tuo cosí filosofico e ad un tempo cosí piacevole libro, la *Circe*, al quarto Dialogo; e accomoda i tuoi occhiali a questo Frullone, perché vi legga distintamente.

G. Eccoti bello e servito.

C. Leggi, Frullone, e leggi forte.

F. (legge) *Dialogo quarto, Ulisse, Circe e Capro.*

C. Piú forte, Frullone, piú forte, sí che tutto il gran Mulino della Crusca ne rimbombi.

F. (leggendo piú forte) *Ulisse, Circe e Capro. Circe. Va dunque e parla con quel* Capro...

C. Con quel Capro: lo senti, Frullone, ch'ei dice *Capro* e non *Becco?* Tira innanzi.

F. (seguita a leggere) *Con quel* Capro *che lá vedi che pasce, ché ancor egli, se ben mi ricorda, fu Greco.*

C. Fu Greco: lo vedi, s'io sono d'altra condizione, che tu non t'eri avvisato? Innanzi ancora.

F. (come sopra) Capro, *o Capro, ascolta un poco, se tu sei Greco, come Circe mi ha detto.*

C. E che rispos'io?

F. (legge) *Io il fui giá mentre che era uomo, e il mio nome fu Cleomene da Corinto.*

C. E nacqui in Corinto il giorno medesimo che Giasone, ripudiata Medea, vi tolse in moglie la sventurata Creusa. Ebbene, Messer Frullone, son io o non sono quel che ti ho detto? Mi chiamerai tu adesso *vile bestiaccia, animalaccio senza creanza, vocabolo scomunicato,* quando le tante volte sono passato su la nettarea purissima bocca di quest'ape toscana! Meritava io di essere sacrificato al sozzo altare del *Becco?* Alle pretensioni di un vocabolo disonesto che ha tra le corna il bando del *Galateo,* che toglie l'onore ai mariti, che fa lega e vita continua con vocaboli di brutto mestiere, col *beccaio,* col *becchino,* col *beccamorto!* Che ne dite, signor Giambattista? che ve ne pare di questi torti?

G. Il torto è fatto a me, e all'Ariosto, assai maggiore di me, e a tutti quei purgati scrittori i quali, solleciti di far ricca di scelti e casti vocaboli la nostra lingua, ti hanno meritamente trasportato dal Lazio sull'Arno. Messer Frullone.

F. Splendidissima stella del dialetto toscano, signor Giambattista, comandate.

G. Spalanca la bocca: e tu, *Capro,* vocabolo ben nato, avvicinati. Con la pienezza dell'autoritá che dal supremo Oracolo della Crusca (*si cava la berretta*) mi fu conferita, e in nome di Lodovico Ariosto, chiamato il *divino,* in nome mio proprio e di tutti quegli altri miei venerabili confratelli che ti hanno reputato degno di entrare negli aurei loro scritti, io ti do la mia benedizione: ed assolvendoti da ogni peccato (eccetto che dalle sciocchezze che ti sono scappate in questo dialogo) ti getto nelle voragini del Gran Frullone, onde immediatamente ti passi tra 'l fiore delle farine; ma sotto condizione.

C. Vi ascolto.

G. Guardati dal venire a contesa di preferenza col *Becco,* e cerca di starti in pace con esso. Ognuno di voi obbedisca al libero genio degli scrittori, secondo che il sano loro giudizio amerá di chiamarvi ne' loro scritti. Il *Becco,* come primitivo vocabolo del dialetto dominatore, sta bene nelle allegre Novelle e ne' pastorali componimenti. Il *Capro,* vocabolo piú decoroso e piú nobile, si spazii libero dappertutto, e ricevasi lietamente, come protetto dalla lingua latina, a cui ci strigne tanta riconoscenza, sostenuto da esempi di classica autoritá, legittimato dall'analogia, la cui norma è quella della natura, e onestato dal buon uso, assoluto legislatore delle parole.

DIALOGO QUARTO.

Un Lombardo e il gran Frullone della Crusca

L. Messer Frullone, ti fo profondissima riverenza, e vorrei, se il permetti, umilmente porgerti una preghiera.

F. Parla, buon uomo, e non m'entrare in cerimonie: ma si vorrebbe prima sapere chi sei.

L. Un povero Lombardo ignorante, che innamorato della bella lingua italiana...

F. Che lingua italiana? S'ha a dire lingua toscana. Ma sei Lombardo, e ti compatisco.

L. Tante grazie. Non mi potevi dare del barbaro per la testa piú gentilmente.

F. E a voler riuscire ben parlante, m'intendi? e' bisogna aver lavato in Arno il bellico. Tu ridi?

L. Ma sí veramente, caro Frullone.

F. E a chi va egli, di grazia, questo bel ghigno?

L. Vuoi saperlo? Io ridea cosí meco stesso pensando al discorso del *quondam* tuo bidello Gatta famoso col *quondam* tuo grande amico Girolamo Gigli: il qual discorso, te ne ricordi? cominciava: *Mai pur sí, mai pur sí, egghi è vero che tutti cotestoro* ecc.

F. (tra sé). Ho capito.

L. E mi tornava alla mente quel toscanissimo tuo Memoriale ad Apollo: *Grande è certano la baccaleria dei moderni che cusano la capitudine del parlar toscano...*

F. Orsú, figliuolo: io son nemico delle lunghe. A che sei venuto? Di che ti posso servire?

L. Eccoti il mio bisogno. Sotto la bella voce *Aggrinzare*, nell'unico esempio che ne dai del Burchiello, leggo certe parole che non intendo. Mi faresti la cortesia di spiegarle?

F. Egli è mio stretto dovere. Saria bella davvero, se io, che sono il monarca della lingua, il legislatore delle parole, non ti sapessi render ragione di tutte quelle a cui ho dato ricetto.

L. Tu sei proprio bocca d'oro. Spianami adunque, caro legislatore, questi due termini, *Volticello* e *Becchile*.

F. Volticello e *Becchile?* Subito fatto. Qua il nostro grande Vocabolario. Leggiamo. *Volto, Volticciuola, Volti...*

Volti... Ohimè. *Volticello* nol trovo, e non c'è; per le barbe terribili dell'Infarinato e dell'Inferigno, non c'è. Mi è restato nella tramoggia.

L. Come farò io dunque a saperne il significato? E tu, grande monarca della favella, come puoi tu non farti coscienza di lasciar correre nel Vocabolario parole, delle quali poi metti in dimenticanza e la registratura e la spiegazione? Vogliamo noi dire che Messer Frullone le abbia studiosamente obliate, perché né esso pure le intende?

F. E se ciò fosse, mi porresti tu a colpa il mio modesto silenzio?

L. Vorrei anzi portelo a lode. Ma non lodo l'usanza di addurre esempi con entro certi vocaboli de' quali tu non sappia poi dire il vero valore. E volesse pur Dio che intorno a tutte le voci di perduta o nessuna significazione ti fossi sempre tenuto in questo riservo: ché il mirabile tuo lavoro, a cui non è dolce che si ragguagli, n'andrebbe assai piú stimato e prezioso. Son pochi, egli è vero, i vocaboli tenebrosi che qua e colá tu ci hai seminati senza spiegarli, e piacemi di considerarli come le macchie di questo, dirò cosí, bellissimo sole della nostra lingua: ma duolmi che l'esempio di questi pochi abbia dato coraggio e cagione al tuo compar Veronese di contaminare l'opera tua col suo infinito diluvio di cosí fatti vocabolacci; tali che ne disgrazio il parlar diabolico di Nembrotte all'Inferno.

F. Ehi, dottorello, non mi toccare il compar Veronese, ch'egli è cima d'uomo in fatto di lingua; e tutto che in quella sua inondazione di Giunte ei n'abbia lasciato andare di quelle... veramente di quelle... Basta: s'ei m'ha fatto del male, ei m'ha fatto ancora del bene, ed io glien'ho obbligazione. Senza uscir del proposito osserva se dico il vero, osserva qui *Volticello* in una Giunta segnata L, la quale danna la mia ragione col pubblico. VOLTICELLO *diminutivo di Volto coll'o primo stretto*. E vedi? ei cita appunto l'esempio posto da me sotto il verbo *Aggrinzare*.

L. Ringraziamo adunque Minerva, che questa volta il compare ha fatto contra il suo solito. Ma, di grazia, posso fidarmi di questa sua dichiarazione? Me ne vuoi tu entrare mallevadore.?

F. E che ti mette paura?

L. Ah, Frullone mio caro! Quel *Debitore* per *Creditore*, quell'*Argana* per *Vela*, quell'*Essere a gente*, quel *Far del seco*, quel *Remoleo*, quel *Remuleo*...

F. Ti fanno tremare, eh: non è egli vero? Ma poni giú questa volta tutti i sospetti. La dichiarazione di *Volticello* parmi giustissima; e naturale la sua derivazione da *Volto*, come di *Corpicello* da *Corpo*, di *Letticello* da *Letto*, di *Campicello* da *Campo*, ed altri parecchi della stessa generazione. Andiamo adesso a vedere l'altro vocabolo che ti preme, voglio dire *Becchile*.

L. Non ti pigliar questo affanno: che anche *Becchile* è rimaso nella tramoggia. E se vorrai dire il vero, tu non hai messo neppur questo in registro, perché non ti tenevi sicuro della sua significazione. Ma sicuro o no, tu vedi quanto disdica ad un sapientissimo, quale tu sei, il trarre in campo parole che poi si passano sotto banca per non saperle spiegare.

F. E di che modo poteva io farlo con questo sciaurato *Becchile*, se falsa si è scoperta la sua lezione? Vedi qui il mio bravo compar Veronese, che adempie di nuovo il difetto mio, e con la edizione di Londra del 1757 alla mano, in luogo di *Becchile* legge *Vecchile*: lezione da lui lodata per correttissima...

L. E non ispiegata per nulla, secondo il suo bel costume.

F. Questo che monta? Ben vedesi che *Vecchile* non può altro significare che *Vecchiccio*, ossia *Che ha del vec-*

chio; e mi ha sembianza di vocabolo ben dedotto da *Vecchio,* quanto *Infantile* da *Infante, Giovanile* da *Giovane, Senile* da *Sene,* latinismo usato da Dante.

L. Mi accosto alla tua opinione, e lascio andar un pensiero che passavami per la mente in difesa della tua lezione *Becchile,* la quale non parmi sí disperata da non potersi ancor sostenere.

F. Davvero? Non ti facea sí tenero dell'onor mio; e sarei ben vago di udire come la pigli.

L. Ed io il dirò; ma dinanzi al Gran Giudice della lingua, al Minosse dei peccati sopra il parlare non vorrei che gli spropositi d'un Lombardo...

F. Che serve? *Veniam petimusque damusque vicissim.* Si pigliano di grossi granchi nell'Arno come nel Po. E s'io ti potessi mostrare in questo mio burattello certi sdrusciti... Ma via, gitta pur la vergogna, ed apri il tuo parere liberamente.

L. Me ne sbrigo in poche parole. Da *Becco,* rostro d'uccello, io fo nato l'addiettivo *Becchile* della tua lezione. Quindi *Volto becchile* sarebbe *Volto che somiglia a un becco d'uccello;* quali appunto, se attento li guarderai, ci compariscono non di rado i volti disseccati e rimpiccoliti di certe vecchie sempre in faccende con certi nasi ad uncino torti all'in giú, e certi menti aguzzi spinti all'in su, che proprio li diresti usciti da un gabinetto ornitologo. Il sonetto, da cui sono tratti i versi da te citati, è contra una vecchia ruffiana. Se le parole *Volticel becchile* si riferissero a quella vecchia, del certo la caricatura di quel secco visetto foggiato a becco d'uccello prenderebbe piú vivezza e piú spirito, e l'aggiunto *becchile* sarebbe tratto piú pittoresco che *vecchile,* aggiunto ozioso ed inutile dopo i bei nomi di *vecchia puzzolente,* di *vecchia strega,* di che il poeta la fregia colla piú impetuosa invettiva. Ma l'ordine delle parole è tale, che ivi il poeta manifestamente parla di sé, e il poeta è quello che *aggrinzando il volticel bec-*

chile, se ne va via da quella ruffiana *borbottando* e *lagrimando*. Quale poi sia questo suo piccolo viso fatto a becco d'uccello e aggranzato, io non m'arrischio a cercarlo per paura di scoprire qualche laida cosa. Cotesta briga dev'essere tutta tua; ché tu se' quello che andò a pescar questo enigma in mezzo alle tenebre, di che il barbiere Burchiello, peggio di Licofrone, circonda sempre le bizzarre sue fantasie. E contra siffatti esempi, ne' quali tu sei il primo a non capir jota, sappi che il pubblico mormora fortemente. Sta sano: e acciocché al fior di farina non si mescoli la quisquilia, provvedi il piú tosto che puoi agli sdruci del tuo buratto.

DIALOGO QUINTO.

Bastiano de Rossi, detto Lo Inferigno, ed Egidio Forcellini

R. Dunque io, signor Egidio, nel compilare gli articoli *Errare* ed *Errore* ho dato, secondo voi, a conoscere di non aver ben inteso il valore di quelle voci?

F. Cosí mi pare.

R. Il parere è un mezzo essere; ma conviene provarlo, dottissimo signor Egidio.

F. Ed io il proverò, arcidottissimo signor Bastiano. Definitemi il verbo *Errare*.

R. *Traviare dal bene, o dal vero, o dall'ordine, Ingannarsi*.

F. Falsa definizione. Il vero e primitivo significato di *Errare* è *Andare qua e là senza saper dove*. E il Tasso, da voi e da tutta la reverenda confraternita degl'Infarinati sí indegnamente straziato, ve ne porse l'esempio nel settimo della Gerusalemme, st. 3. *Fuggí tutta la notte, e tutto il giorno Errò senza consiglio e senza guida*. Ecco l'*Errare* nella propria forza del termine, e non il *Traviare dal bene o dal vero*, come voi andate sognando.

IL FILOLOGO

R. Vorreste forse contendere che spessissimo non si adoperi anche nel significato a cui io lo riferisco?

F. Chi lo contrasta? Ma quando l'*Errare* trasportasi alle operazioni dell'animo, egli passa dal senso reale all'ideale: e io non ho mài inteso, che la definizione delle voci debba cadere su la figurata loro significazione, anzi che sulla propria, nella quale sta e dee stare la sincera idea delle parole: altrimenti non avremo mai proprietà di vocaboli. E questa primordiale significazione di *Errare,* voi e chi venne dopo di voi l'avete omessa del tutto; e ne avevate, oltre quello del Tasso, migliaia d'esempi alle mani. Quindi mi concederete di credere che né voi, né i vostri preclarissimi successori avete ben conosciuta l'indole di quel verbo: il che, perdonate, torna a grande discapito della magistrale vostra bacaleria.

R. Che andate voi calunniando? Non hanno essi i miei valenti riformatori emendata la mia omissione, ed aggiunto *Errare* per *andar vagabondo?*

F. E ciò appunto mi ferma piú che prima nel credere ch'e' non l'hanno bene compreso, perché ve l'hanno aggiunto per via di paragrafo, che è quanto dire non giá come primario, ma come secondario significato, lasciando intatta quella vostra erronea definizione. In somma consideratela bene, e vedrete che questo articolo è senza testa, e che la testa è appiccata alla parte dove nasce la coda.

R. Voi ci fate troppo ignoranti, signor dottore.

F. Non ignoranti, ma disattenti. Aprite il Vocabolario, e leggetemi, se vi piace, la definizione di *Errore.*

R. Contentiamo il nostro ipercritico. *Errore è l'Errare, l'Ingannarsi, il Fallire.*

F. Leggete il paragrafo.

R. Mancamento, Peccato.

F. Mancamento, Peccato, Ingannarsi, Fallire son tutte figurate significazioni. Ov'è la principale, la propria? quella che io nel mio Lessico definisco *Deflexio a via, huc illuc vagatio, cum viæ ignari extra institutum iter deflectimus?* Di questo vagamento fuori di strada, di questo primitivo senso di *Errore* trovatemi nella Crusca un solo vestigio; e, trovatolo, datemi in capo il manico del Frullone.

R. Non so negarlo. Tanto del nome che del verbo abbiam portato nel Vocabolario le dipendenze, cioè i piedi e le braccia, e abbiamo lasciata indietro la testa.

F. Quindi la nozione di *Errore* resta imperfetta: e il lettore, che non ha ben chiara l'idea del suo primario significato, non potrá averla chiara né anco de' secondarii, né conoscere a qual grado di realtá cotesta voce si rechi, quando è portata a significare traviamento dal vero o dal giusto, né distinguere la grandissima differenza che è da *Peccato* ad *Errore,* dalla colpa grave alla minima: perciocché *Errore* in senso di *Peccato* è abuso di termini solennissimo. Dareste voi l'appellazione di *Errore* al fatto di Caino e di Giuda?

R. Non vi affannate a dir altro; ché giá m'avete tutto convinto. La propria e fondamentale significazione di questa voce è stata sciaguratamente dimenticata.

F. E n'avevate mille esempi in presenza. Petrarca, Trionfo della Fama, cap. 3. *Questi cantò gli errori e le fatiche Del figliuol di Laerte e della Diva.* Ariosto, Fur. XVII, 39. *Desir mi mena, e non error di via.* Vi sembra che questi *Errori* siano *Mancamenti* o *Peccati,* e l'*Ingannarsi,* il *Fallire* nel senso morale della vostra definizione? E almeno aveste notate, come ho fatt'io, le molte altre virtú di queste parole; ex. gr. *gli errori dei fiumi, gli errori de' corpi celesti, gli errori de' labirinti,* tutti *errori* diversi dai contemplati nel Vocabolario, e tutti bellissimi nella lingua italiana del pari che nella latina, né altro sono che *giri.* E voglio dirvi che ne' traslati di *Errore* la nostra lingua è andata ancora piú oltre che la latina.

R. Non so vederlo.

F. Dite piuttosto, non so ricordarlo: perché giá l'avete veduto; e se vi aveste trovato difetto, n'avreste fatto romore, perché traslato del Tasso. Ma egli è cosí bello, che non vi ha dato il cuore di addentarlo. Osservate. Ger. XVI, 23. *Ride Armida a quel dir: ma non che cesse Dal vagheggiarsi, o da suoi bei lavori. Poiché intrecciò le chiome, e che represse Con ordin vago i lor lascivi errori, Tòrse in anella i crin minuti.* ecc. Si può egli esprimere con piú grazia l'amoroso disordine di una bella chioma?

R. Avete ragione. Libero, come sono, dalle mortali passioni che, vivo, mi animarono contra il Tasso, io gli rendo tra' morti la piena giustizia che gli si dee.

F. Un altro leggiadrissimo traslato di *Errore* vedetelo nella divina canzone *Chiare fresche e dolci acque.* È tanta la soavitá di quei versi, che non so frenarmi dal recitarvi tutta la strofa.

> Dai bei rami scendea,
> (Dolce nella memoria),
> Una pioggia di fior sovra il suo grembo:
> Ed ella si sedea
> Umile in tanta gloria,
> Coverta giá dell'amoroso nembo.
> Qual fior cadea sul lembo,
> Qual su le trecce bionde,
> Ch'oro forbito e perle
> Eran quel dí a vederle,
> Qual si posava in terra, e qual su l'onde;
> Qual con un vago errore
> Girando parea dir: Qui regna Amore.

Avete voi, ne' poeti latini veduto mai immagine piú gentile di questi fiori, che, presi anch'essi d'amore, volano e scherzano vagolando come farfalle sul capo di bella donna?

R. Non io sicuramente.

F. E vi par egli al presente, che le voci *Errare* ed *Errore* siano state ben definite e dotate di tutte le significazioni che loro si convenivano?

R. Signor Egidio, non ho piú intorno la veste d'ossa e di polpe, né sono piú cittadino del migliore di tutti i Mondi possibili del dottor Pangloss, ove si può far gabbo alla veritá. Veggo il mio torto, veggo quello de' miei onorandi riformatori, e di nuovo ve ne fo candidissima confessione.

F. Che nulla servirá alla correzione del Vocabolario.

R. E perché?

F. Perché i suoi correttori non possono essere che i cittadini del migliore di tutti i Mondi possibili.

R. V'ingannate. Un valentissimo Toscano, sceso quaggiú non è molto, m'accerta che la sapienza de' moderni Accademici sente assai bene la necessitá di condurre la riforma del Vocabolario con un poco piú di filosofia e di critica che nel passato.

F. Ringraziato sia Dio. Ma Vocabolario universale italiano non si avrá mai finché la sua compilazione sará privato lavoro dei dotti d'un solo distretto della nazione. Vi riverisco.

DIALOGO SESTO.

Un Francese ed un Italiano

F. Fra le rancide nostre voci noi abbiamo l'arcaismo *Goupil*, che poi voltossi in *Volpil*, da cui venne in seguito *Volpillage*, significante *Astuzia da volpe*. Ora non vi par egli che dal nostro *Goupil* possa essere nato il vostro *Golpe*?

I. Considerando i tanti nostri provenzalismi, non ardirei assolutamente negarlo: ma e' pare che *Golpe* sia piuttosto contadinesca e plebea corruzione di *Volpe*, voce quasi tutta latina, *Vulpis*. E *Volpe* e tutt'i suoi derivati *Volpicella*, *Volpicino*, *Volpino*, *Volpone* son voci belle e comuni a tutta l'Italia fino dall'infanzia della nostra lingua.

F. Perché dunque non imitate il senno francese, che ha sbandito per sempre dal suo linguaggio *Goupil* con tutta la sua generazione? Ed avendo voi tutti alle mani le vere e belle parole *Volpe* e *Volpone,* come potete voi tollerare quei villani *Golpe* e *Golpone,* ed ammetterli nella civiltá del vostro parlare?

I. V'ingannate. *Golpe* e *Golpone* son voci che non corrono che nel contado toscano. Nel resto della penisola sono proscritte: e in molte cose è da fare gran differenza da lingua toscana a lingua italiana.

F. Osservo però che la Crusca registra nel Vocabolario *Golpe* e *Golpone* in pari grado di bontá e di uso che *Volpe* e *Volpone.*

I. E non giá queste sole, ma mille e mille altre voci, le quali, fuori della Toscana, né mai si odono, né fecero mai fortuna.

F. A che dunque porle nel Vocabolario come lingua comune?

I. Volete udirne il perché?

F. Volentieri.

I. Fu un tempo in Italia che il dialetto Veneziano e il Toscano, siccome i piú leggiadri della nazione, si disputarono la preminenza. Ma la lite non durò lungo tempo, e rimase la vittoria ai Toscani: perché i Veneziani, se prevalsero di commercio e di signoria, non prevalsero di scrittori; e nel fatto delle lingue non è la potenza delle armi che decide la lite, ma quella degli scritti, depositarii dell'umano pensiero e di tutti gli oracoli della ragione, la cui forza è posta principalmente nella parola. E vide assai bene questa veritá Orazio, allorché, parlando de' Greci soggiogati dai Romani, confessò che i vinti vinsero col potere dell'eloquenza e delle arti i feroci lor vincitori.

Græcia capta ferum victorem cæpit, et artes
Intulit agresti Latio.

Quali e quanti ingegni sovrani abbiano fatta grande, e da questo lato la prima di tutte le cittá italiane Firenze, non è chi l'ignori. E non avesse ella dato all'Italia che li sei altissimi Fiorentini, Dante, Petrarca, Boccaccio, Machiavelli, Michelangelo e Galileo, basterebbero questi soli a contrapporre la gloria degl'ingegni italiani a quella di qual siasi altra intera nazione. Ma non contenta Firenze della vittoria del suo eloquente dialetto, ella spinse piú oltre le sue ambizioni. Imperciocché pretese, e pretende ancora al presente, che toscana e non italiana si debba chiamare tutta quella gran parte della favella che a tutti noi è comune. E cotal pretensione era giá in campo fin dai tempi di Dante, il quale a disingannare i Toscani su questo punto scrisse appositamente il Trattato della Volgare eloquenza, sviluppando in esso piú ampiamente quelle stesse dottrine di cui avea gettati giá i fondamenti nell'opera del Convito; e dietro a Dante alzarono in ogni tempo fortemente la voce cent'altri gravi scrittori mal sofferenti di questa arditissima usurpazione: fra i quali Torquato Tasso nel Dialogo intitolato *Il Gonzaga*, (part. pr.,) non poté contenersi dal rompere in queste parole: *Se la vivacitá de' fiorentini ingegni dalla natura mi è stata negata, non mi è stato almeno negato il giudicio di conoscere ch'io posso imparare da altri molte cose assai meglio ch'essi per sé non sono atti a ritrovare,* e quella favella stessa, *non che altro,* la quale essi cosí superbamente appropriandosi, *cosí trascuratamente sogliono usare.* E tuttavia queste *superbe appropriazioni* sarebbero state non insopportabili, se si fossero discretamente dentro a questi limiti contenute: poiché nel grande affar dello scrivere, poco rileva che italiana o toscana dicasi la favella. Il punto sta che scrivasi bene, e che non torni a vergogna, di chi se l'appropria, lo scriverla malamente. Ma ciò che trapassa i confini della moderazione si è, che i Fiorentini,

IL FILOLOGO

oltre misura invaghiti dell'ameno loro dialetto, pretendano di stabilirlo in lingua universale italiana, e che in questo intendimento la Crusca, compilando il suo Vocabolario, vi abbia infarcita come oro purissimo tanta popolesca favella contaminata, quella che *montanina* da Dante, e *canagliesca* chiamavasi dal fiero e acuto nostro Baretti.

F. Questo per vero non mi sembra zelo del materno parlare, ma fanatismo.

I. Dite bene: fanatismo nato dalla credenza che tutto ciò che esce da labbro toscano, e da lui solo, sia ottimo favellare. E due illustri pedanti consumarono tutte le forze del molto loro ingegno nel confermare questa lusinghiera opinione. L'uno fu Benedetto Varchi, che nel suo cosí detto *Ercolano* raccolse e diè voga a tutta la scurrile e bassa favella del popolo Fiorentino: ond'ebbe poi a dire il Sanese Diomede Borghesi nella prima delle sue *Lettere discorsive*, che dal Varchi è *piú agevole apprendere il parlar popolesco che lo scrivere puro e corretto*. L'altro fu Leonardo Salviati.

F. Quel medesimo forse che diè tanta guerra al povero Tasso?

I. Quel desso: che poscia ideò, e principalmente aiutò la grand'opera del Vocabolario: il qual merito letterario gli valse dopo morte il perdono di quelle feroci e pedantesche sue impertinenze. Se un Francese potesse sostenere tanta pazienza da leggere li costui *Avvertimenti sopra la lingua*, vedreste con che sottile pedanteria il Salviati si affanna a sistemare e a dar peso a tutte le piú minute quisquilie del popolesco parlar Fiorentino, e a venderne per eleganze venustissime tutte le sconcordanze (e sono ben molte); e con quanto disprezzo e' si ride di tutti noi, che poniamo ogni cura nel regolato parlar comune italiano. Non solea egli dire che in Firenze i pizzicagnoli parlano piú acconciamente che in altre cittá i Senatori?

F. E gl'Italiani pazientemente sopportano simili villanie?

I. Quest'era appunto la gran maraviglia del Gigli. Ma che volete? L'Italiano è divenuto da gran tempo il popolo di tutte le sofferenze: e dal tribolatore del Tasso non si potea aspettare miglior creanza. Intanto quelle sue pedantesche dottrine misero profonde radici nell'animo di tutti coloro, e Toscani e Italiani, che si danno allo studio della lingua senza filosofia; e il Salviati ed il Varchi in dispetto della ragione sono rimasi gli oracoli della favella; e per sacra null'altra ei vogliono che si abbia che quella di Mercato vecchio. Concorse mirabilmente a fermarli in questa opinione un altro lepidissimo ingegno con un bizzarro poema levato a cielo dai Fiorentini, e tutto zeppo di quei loro riboboli e di quei proverbi domestici, de' quali non si sa straccio fuori di casa loro: fiorito soprattutto di quel furbesco parlare, di cui per confessione degli stessi Accademici (V. *Gergo*) non possiede la chiave che la canaglia. Parlo del *Malmantile*.

F. Mi piace udir questa cosa: poiché, a non tacervi la verità, nel leggere quel poema io mi vergognava della mia ignoranza, non sapendo quasi nulla cavarne di quella lingua.

I. Ponete giú la vergogna; perciocché gli stessi Toscani assai volte non l'intendono neppur essi. Ond'è che, a renderlo intelligibile, si convenne che due valenti Fiorentini, il Minucci e il Biscioni, e per giunta il Salvini, si beccassero pazientemente il cervello a chiosarlo con tanta mole di Note, che ne disgrado i commenti dell'Apocalisse, e a cercare la spiegazione di quegli enigmi, non giá fra l'erudita polvere delle Biblioteche, ma nel fango di Mercato vecchio, nella cui sola frequenza potean trovare gli Edipi del *Malmantile*.

F. Dal fin qui detto raccolgo che, ad acquistarsi presso

i Toscani la voce di bel parlatore e scrittore, gioverá molto il far uso di quelle popolesche loro maniere.

I. Tutto il contrario. Se un Lombardo si avvisasse di dire, a cagion d'esempio, *Golpe* e *Golpone,* o di usare tal altro di quei loro modi cui gli stessi lor savi chiamano *lascivie del parlar toscano,* verrebbe notato di affettazione e messo in deriso. Non è molt'anni, che un celebre Piemontese pubblicò una Storia repubblicana, che in Italia e fuori d'Italia e fino nel nuovo Mondo ottenne applausi maravigliosi.

F. Parlate forse della Storia Americana di Carlo Botta?

I. Per l'appunto.

F. Conosco quell'opera per la bella traduzione che n'è stata fatta in francese. E nel vero il generale consenso della mia nazione la tiene per opera piena di maschia eloquenza e di molta fisolofia.

I. Dite ancora di molta lingua, di quella lingua che gli Accademici della Crusca depositarono nel sacrario della favella come castissima e senza pecca.

F. Mi figuro le lodi con che eglino l'avranno spinta alle stelle.

I. Spinta alle stelle? Tiriamo un velo sull'arcano giudizio di quei sapienti; e non si dica a quale confronto quell'opera perdé l'onor dell'aringo. Dicasi solo che nei fogli letterari di quella sí gentile e brava nazione fu vilipesa.

F. Oh questa in vero è contraddizione da sbalordire!

I. E volete udirne i difetti? Quelle stesse prette formole di favellare, che i Toscani esaltano a cielo nel Varchi, nel Davanzati, ecc., e mal sofferendo ch'altri si ardisca di condannarle come plebee, beffano chi si ardisce imitarle come civili. Ciò in somma che le dovea meritare presso i Toscani piú grazia, ciò appunto le guadagnò lo strazio che ne fu fatto. E questo vi sia suggello di disinganno, mostrandovi che i Toscani stessi nel loro segreto condannano l'uso di quelle voci e maniere che noi condanniamo: pronti però essi mai sempre a gridarci addosso la croce se ci attentassimo, non dirò di spiantarle dal Vocabolario, ma di notarle solamente come villane.

F. Mi fa grande impressione quello che dite: e ognuno, a cui non fosse ben conta la savia intenzione degli Accademici, saria tentato di credere che questa gran massa di lingua tutta plebea inserita nel Vocabolario in paritá di nettezza accanto alla nobile, fosse stata posta lá quasi a trappola dei non pratici della lingua. Ma, di grazia, non l'adoprano essi ne' loro scritti i Toscani?

I. Nelle Novelle, nelle Commedie, nelle Poesie rusticali, e generalmente in tutte le giocose materie assaissimo e con bellissimo effetto. Ma nelle gravi ben se ne guardano: ché quelle veneri popolesche riuscirebbero troppo disconvenevoli.

F. E di che lingua dunque si giovano nelle cose d'alta eloquenza?

I. Della lingua (e qui sta il gran nodo della lite) che i Toscani chiaman toscana, e gl'Italiani italiana; della lingua illustre comune, quella che Dante dicea essere manifesta in tutte le cittá dell'Italia, e non avere fermo seggio in veruna; quella che gli stessi Toscani, al pari d'ogni altro Italiano, sono costretti a imparar per grammatica; quella che vive non su la bocca del popolo, ma nelle sudate eterne carte degli scrittori; quella finalmente che, regolata dall'educazione, rimuove da sé tutti i corrotti vocaboli plateali, e abbandona le *Golpi* e i *Golponi* al solo grossolano linguaggio de' contadini. E ne volete prova piú certa? Fate attenzione agli scritti de' moderni Toscani più rinomati, e vedrete che i Fiorentini appunto son quelli che meno adoperano il volgar fiorentino, appigliandosi tutti al volgar illustre comune, al volgar nobile, al volgare gram-

IL FILOLOGO

maticato, diviso affatto da quello del popolo che non conosce nobiltá, né grammatica. Di che avviene fatto curioso, che i settarii del Varchi, combattendo contra i settarii di Dante l'esistenza del volgar illustre italiano, e di niun altro volgare servendosi che dell'italiano comune, maggiormente essi stessi il confermano, e col proprio esempio dimostrano che la lingua di cui bisogna, scrivendo, far uso, non è giá quella che acquistasi dalla balia e dal popolo, bensí quella che, come dianzi vi dissi, c'insegnano e l'educazione e lo studio. E acciocché la gran veritá risguardante questa combattuta lingua artificiale separata dalla naturale vi si stampi piú chiara nell'intelletto, uditela dalla bocca di Vincenzo Gravina. Dopo aver egli contra l'opinion del Varchi invittamente provato che il libro della *Volgar eloquenza* deesi a Dante restituire, come a Demostene le *Filippiche*, a Cicerone le *Tuscolane*, a Virgilio l'*Eneide*, e Cesare il Commentario *de Bello Civili*, ei procede a questa gravissima conclusione:

« Pur quando esso libro Dante non avesse per suo autore, rimarrebbe egli forse l'opinione ivi insegnata senza l'appoggio dell'autoritá d'alcuno, qualunque egli si fosse, eccelso ingegno, qual dovrebbe essere certo stato l'autor di quel ragionamento, sí vero e sí sottile? Perderebber la forza quelle robustissime ragioni ch'ivi si apportano? Caderebbero forse a terra le testimonianze d'un consenso universale di quella etá per una lingua creduta allora, senza controversia, comune a tutta l'Italia ad uso del Foro e della Corte? E perché tal sentenza non solo dall'autoritá, ma dalla ragione ancora e dall'origine dell'istessa lingua rintracciamo, fia d'uopo considerare che sin dal principio in tempo della Romana repubblica fu sempre una lingua letteraria distinta dalla volgare.

« Il che ci si addita dall'istessa natura, la quale discerne gli scrittori dal popolo, tanto in parlando, quanto in pronunziando, ed eccita dal fondo della lingua plebea variabile, confusa ed incerta, una lingua illustre, costante, ordinata e distinta per casi, persone, generi, numeri e costruzioni. Conciossiaché il popolo non dall'arte e dalla riflessione regolato, ma portato dalla natura e da occulto e cieco moto, altri segni in parlando ed altre distinzioni non curi se non le necessarie ad esprimere e distinguere, comunque egli possa, il suo concetto... Oltre la confusione delle desinenze, confonde anche la plebe, colle parole nobili le vili, le sonore colle sconce; confonde altresí l'espressione; ed in fine compone una massa tale di puro e d'impuro favellare, che 'l plebeo, a rispetto dell'illustre, è come l'oro ammassato nella sua miniera a rispetto del purificato ».

Cosí il Gravina: il quale con profonda filosofia acutissimamente discorrendo tutta questa materia, e nominando un gran numero di non Toscani scrittori *che ebbero favella comune con Dante, Petrarca, Boccaccio, e comune anche l'autoritá da ogni regolator della lingua riconosciuta,* luminosamente dimostra che questa lingua *in uno stesso concento da diverse e lontane regioni d'Italia s'udí risonare, perché* NON ERA D'ALCUNA PLEBE IN PARTICOLARE, MA DI TUTTO IL FIOR D'ITALIA IN COMUNE.

F. All'evidenza e alla forza di queste ragioni, a me pare non si possa opporre che ciance: e fortemente dubito che la Crusca, eccessivamente tenera del popolare toscano dialetto, portando nel Vocabolario come oro purificato tanta lingua plebea, non abbia fatto gran danno alla nobile, e messa gran confusione e incertezza nell'uso della medesima.

I. Sono interamente del vostro avviso. Ma consolami la speranza, che, avendo tutte le colte genti d'Europa presa da noi la norma de' loro Vocabolari, noi prenderemo da esse a vicenda l'esempio di riformare il nostro sotto le critiche leggi della filosofia.

ESAME DI ALCUNE VOCI.

ALLETTARE. *Invitare, Chiamare, Incitare con piacevolezza e con lusinghe.* Lat. *Allicere, Allectare.* § II. *Per metafora vale Alloggiare, Albergare.* Lat. *Hospitari. Dant. Inf.* II. Perché tanta viltá nel cuore allette? *Ib.* IX. Ond'esta tracotanza in voi s'alletta?

Osservazione. Il benemerito Espositore di Dante P. Lombardi nel suo commento al verso *Perché tanta viltá* ecc. muove una difficoltá contra il Vocabolario, il quale in *Allettare* per *Alloggiare* non vede che la metafora d'uno stesso ed unico verbo; e il Lombardi pretende ch'e' sieno due affatto dissimili, come Sperare, *Avere speranza;* e Sperare, *Opporre al lume una cosa per vedere s'ella traspare.*

Or io dubito ch s'inganni tanto il Lombardi, quanto la Crusca. Investighiamo l'origine della parola.

Allettare viene da *Letto*, come da *Latte Allattare*, da *Esca Adescare*, da *Lena Allenare*, ed altri a man piena. E al modo che questi significano *Dar lena, Dar esca, Dar latte*, cosí *Allettare, Dar letto.* Perché poi il letto è riposo, e il riposarsi è soavissima e giocondissima cosa, ne seguí che *Allettare*, o sia *Apprestare il letto*, divenne subito per metafora *Invitar con lusinghe;* e a poco a poco la prepotente forza dell'uso fe' sí che il senso traslato si mise in luogo del proprio, e ne usurpò le funzioni. Questa etimologia, se per avventura non è tortamente dedotta, potrebbe di leggieri aprire la strada a trovare anche l'altra di *Dilettare* e *Diletto* con tutti i lor derivati. Ma io qui non vo' dilungarmi dal mio proposto, e concludo che se tale è veramente il nascimento e il processo del verbo *Allettare*, ha errato il Vocabolario nel dargli per senso proprio il metaforico, e per metaforico il proprio, ed erra il Lombardi nel sognargli addosso due verbi. Come poi tra vocaboli accadano spesse volte siffatte usurpazioni di significato, non è difficile il dimostrarlo.

La parola non è sempre imitativa dell'idea ch'ella prende a vestire: ché anzi ve n'ha di molte i cui suoni contrastano all'indole dell'idea per essi destata nella fantasia. Da che dunque procede questo consorzio mirabile dei vocaboli e delle idee anche quando la loro natura non si seconda? Dall'abitudine, che fino dall'infanzia prende in noi il governo della favella. A forza di udire continuamente ripetere certi suoni abusivamente rappresentativi di certe idee, si stabilisce, senza punto pensarvi, che nella nostra mente un sistema di false rappresentazioni sí forte, che la stessa ragione nella maturitá del giudizio indarno tenta distruggerlo. Il che avviene particolarmente per la metafora; la quale, occupando piú vivamente e con piú diletto lo spirito, a poco a poco caccia di seggio il senso proprio, s'insignorisce della parola, che è l'abito dell'idea, e di quell'abito spogliando l'idea legittima e primitiva, l'indossa ad un'altra, la quale col tempo, non per diritto ma per forza di continuato possesso, ne rimane assoluta e sola dominatrice. E questa, se non m'inganno, è precisamente la storia del verbo *Allettare* creato dapprima ai soli servigi del corpo, indi passato per metafora a quelli dell'animo, estinta quasi del tutto la sua prima significazione. Dico quasi, perché da un passo dei Deputati al Decamerone 73, 110, raccolgo che ne rimane tuttavia nel contado qualche vestigio, quando i lavoratori dicono per similitudine: *Il vento e le piogge mi hanno allettate le biade,* per dire *me le hanno spianate a terra, e distese a guisa di letto;* e alcuna volta pure in cittá: *Il tale è ancora allettato,* per dire *è ancora obbligato al letto.*

Per dileguare adesso un'obiezione fattami da un dotto Filologo, mi si permetta la seguente appendice.

IL FILOLOGO

Il nostro *Allettare* è il nudo nato *Allectare* dei Latini; e basteranno a mostrarlo due soli esempi di Cicerone. De Senect., c. 16. *Ad agrum fruendum non modo non retardat, verum etiam invitat, et allectat senectus*. De Amic., c. pænult. *Quamobrem, quamvis blanda ista vanitas apud eos vaelat, qui ipsi illam allectant et invitant, tamen* ecc. Nella sua formazione italiana nulla adunque v'ebbe che fare, come parve a quel dotto, l'*Allicere* degli stessi Latini; del qual verbo non si è per noi potuto cavare che *Allice*, terza persona del singolare, tempo presente dell'Indicativo: voce conceduta al solo poeta, e nel Vocabolario taciuta; perciò giovi il metterne qui l'esempio. Bemb. son. 50. *E lei sí bella veggio Che pensier d'altra vista non m'allice*. Ma poiché questo *Allicere*, senza ch'io il cerchi, mi è stato messo alle mani, si mostri che anch'esso ha sofferto le stesse vicende che il suo sinonimo *Allectare*, e che, perduta la nativa significazione, non gli rimase che l'artificiale, voglio dire la metaforica. La sua etimología, di cui non trovo chi sappia darmi un sol cenno, a tutto mio credere è questa.

Il *Licium* de' Latini, da cui venne il *Liccio* degl'Italiani, è un filo di lana contorto, di cui grande uso facevasi dalle maliarde negl'incantamenti amorosi, onde legare il cuore de' giovinetti. La cosa è sí nota e ne' poeti ed in Plinio, l. XXVIII, c. 4, che sarebbe puerile e noiosa pompa d'erudizione il recarne tutti gli esempi. La virtú adunque di questo magico filo, per usar le parole di Servio, si era d'implicare la mente dell'amato garzone, e trarlo con dolce forza ad amare. Quindi la frase *trahere ad licium*, Innamorare; quindi *Illicium* o *Inlicium* (cioè *Attractio in licium*), Attraimento in laccio amoroso, e per metafora Allettamento, Carezza, Lusinga: quindi finalmente da *Illicium*, *Illicere*, lo stesso che *Allicere* per *Allettare*, Accarezzare, Lusingare.

FIORIRE. § II. *Per metaf. vale Essere in fiore, in eccellenza.* Lat. *Florere, Eminere.* Dant. Par. XXVII. Ben fiorisce negli uomini il volere.

Osservazione. Poco diverso da *Finente* è l'errore che qui si piglia. Qui *Fiorire* non vale punto *Essere in fiore, in eccellenza*, ma *sbucciare, spuntare a guisa di fiore*: è in somma una fioritura che comincia, non fioritura venuta alla perfezione. Si rechi tutto il terzetto:

> Ben fiorisce negli uomini il volere;
> Ma la pioggia continua converte
> In bozzacchioni le susine vere.

E vuol dire: *Egli è ben vero che nell'umana volontá spunta alle volte qualche fiore di buona risoluzione; ma nella guisa che il continuo piovere fa degenerare in cattive le buone susine, cosí i continui incitamenti al male guastano il fiore del buon volere.* Quel *fiorisce* adunque vale *fa fiori*, e nulla piú; e deesi riportare al § I.

FIORIRE. § III. *In att. signific. vale Sparger di fiori.* Fr. Jac. T. Di bei fiori tutto 'l fiorisco.

Osservazione. Questo medesimo esempio con altra lezione ripetesi sotto *Infiorire* cosí: *Ch'io gli apparecchio il letto E di fior tutto infiorisco*. Nell'un luogo adunque o nell'altro e' pare esempio malamente citato. Qui era da portarsi *Fiorire* in senso d'*Inghirlandare* coll'esempio del Firenzuola, Dial. bell. donn. 408. *Furon chiamate viole mammole, quasi volessero dire fiori da mammole, e però le chiamò il Poliziano* mammolette verginelle, *quasi volesse inferire ch'egli erano fiori, ovvero viole da fiorir verginelle*. Onde poi, ad imitazione del Firenzuola, il Buonarroti nella Tancia, a. V. sc. 2, usò *fiorito* per *inghirlandato*.

> Poich'io ho perso te, piú di mariti
> O di dami non sia chi mi ragioni;
> I capei non vo' piú portar fioriti
> Né a balli non voglio ir, né a pricissioni.

GENTUCCIA. *Gente vile.* Lat. *Plebecula* ecc.

§ *Gentucca disse in rima Dant. Purg.* XXIV. Quel da Lucca ecc. E' mormorava, e non so che gentucca Sentiva io lá u' ei sentia la piaga.

OSSERVAZIONE. Che direbbe Dante al vedersi cosí sconciamente inteso dagli Accademici, e cangiato per essi in *Gente vile*, in *Plebaglia* il cognome della sua bella Lucchese? Fra le belle amate da Dante fu anche una nobile e costumata donzella Lucchese di cognome Gentucca, della quale, andando esso in esilio e passando nel 1301 per Lucca, s'invaghí fortemente. Perciò, fingendo egli un anno avanti, cioè nel 1300, la sua gita ai tre mondi spirituali, fa che *quel da Lucca*, cioè Buonagiunta, parli di questo innamoramento per profezia. Or mira un po' se *Gentucca* sia detto in forza di rima per *Gentuccia*. Spropositi cosí smisurati passano il segno d'ogni remissione, né senza il testimonio degli occhi non si crederebbero.

GERGO. *Parlare oscuro, o sotto metafora, come la Ingegnosa per la Chiave, la Faticosa per la Scala, Bracchi per Birri; o sotto allusione, come Allungar la vita, Affogar nella canapa per Essere impiccato; o per voci inventate, come Gonzo per Contadino, Stefano per Pancia. E non s'intende se non tra quelli che ne hanno fatta osservazione, o sono convenuti tra lor de' significati. Lo stesso che Parlar furbesco, usato e inteso da' furbi e dai barattieri.* Lat. *Verba arbitraria, Furtiva loquendi forma, Ænigma.*

OSSERVAZIONE. E dopo una cosí solenne e cosí sensata dichiarazione la Crusca ha potuto fondere nel Vocabolario tutta la favella furfantina del Pataffio, del Burchiello, del Malmantile, e quanta ne ha trovata altrove dispersa, la favella *che non s'intende se non tra quelli che sono convenuti tra loro de' significati*, la favella *usata e intesa solo da' furbi e da' barattieri*?

Noi metteremo da parte il grave comento e processo che questa definizione provocherebbe; e lasceremo che per le citate parole della Crusca il lettore giudichi da sé stesso se p. e. *la serpentina de' callastrieri, de' carpioni, de' gamuffi, scappati coll'aiuto del rabuino alla margherita, era degna di entrare nello spolveroso: e se i primi che la trovarono non meritavano veramente di andare alle stampe di S. Marco a suon di steccose, o pur di salire la faticosa della Maddalena, non giá nella bruna al lume della moccolosa, ma nel chiaro del ruffo di Sant'Alto, senza i bisti e i bistolfi, che col Piero saltami addosso raccomandano al primo maggio la perpetua de' truccanti.*

Dimanderá qualcheduno: E donde t'hai tu cavate tante mostruose sciocchezze? Un poco da un libricciuolo intitolato *Modo nuovo d'intendere la Lingua Gerga*, stampato in Venezia senza data di tempo; e un altro poco dal libro della pazienza: perché prima di abbominare questo ladro linguaggio ed eccitare altrui ad abbominarlo, abbiam voluto conoscerne tutto quello che si potea, onde farci sicuri di condannarlo a ragion veduta.

PACIFICO e PACEFICO. *Add. ecc. Di Pace, Quieto, Amator di pace.* Lat. *Pacificus.*

AGGIUNTA. Fra le voci latine composte di *Pace* evvi ancora *Pacifer, Che porta pace,* e leggiamo *Mercurius pacifer, Apollo pacifer, Minerva pacifera, Hercles pacifer,* intorno a che può vedersi il Forcellini. Ma piú frequentemente fu dato questo aggiunto all'olivo, simbolo della pace, e quindi anche a Minerva che si credeva inventrice di quella pianta. Però il Caro, che avrebbe arricchito di tanti bei fiori di lingua il Vocabolario se la Crusca ne avesse fatta la debita stima, traducendo quel verso di Virgilio *Paciferæque manu ramum prætendit olivæ,* forní di questo eletto vocabolo la nobile lingua e cantò: En. l. VIII, v. 186. *Enea di su la poppa un ramo alzando Di pacifera oliva;* e l. XI, v. 150. *Eran nel campo giá co' rami avanti Di pacifera oliva;* e si noti che a questo luogo l'aggiunto non è nel testo latino. Né si tralasci di osservare che il Caro in tutti e due i passi qui riferiti adopera, come vedesi usato da Virgilio nel verso allegato, il frutto in vece della pianta. Di che gli avea dato esempio l'Alighieri, Purg. XXX, ove disse: *Sovra candido vel cinta d'oliva;* e il Petrarca, il quale chiamò con Virgilio, son. 20, Pallade *Inventrice delle prime olive.*

E questi crediamo veri fiori di lingua da farne conto meglio che di *Pacefico* tanto appassito, anzi fracido da gittarsi al mondezzajo, tutto che la Crusca cel venda per fiore freschissimo e degno dell'orto d'Anacreonte.

Dopo la voce PAGGIO.

AGGIUNTA. *Pagina,* facciata di libro, era dessa sí inusitata parola ed inutile al tempo di tutte le compilazioni del Vocabolario che non meritasse l'onore di entrare in alcuna? Eppure ella è voce bellissima, venutaci dal latino, e che tuttodí sentiamo pronunciare e vediamo scrivere. Non riferiremo altro esempio che questo del Parini, ove parlando nel *Mattino* al suo giovin Signore del libro che vedrassi innanzi sulla *toletta,* gli dice: *Aprilo a caso, oppur lá dove il parta Tra una pagina e l'altra indice nastro.* La Crusca vuole che in luogo di *pagina* s'abbia a dir *faccia.* Ma chi p. e. in vece di dire *le sacre pagine,* oppure *le sacre carte* dicesse *le sacre facce,* non farebbe egli ridere? Non s'impedisca adunque l'uso giá confermato di questa voce, e conoscasi che in certi incontri quella equivoca faccia ha faccia tutta ridicola, mentre *pagina* in qualunque lato la ponga ti apparirá sempre bella ed ischietta.

PALAZZOTTO. *Palazzo grande. Car. lett.* I, 100. Io darei per quel palazzotto con quella poca penisola ecc. quante Tempe, e quanti Parnasi furon mai.

OSSERVAZIONE. La terminazione in *otto* non tanto indica accrescimento, che piú spesso non suoni anzi tutto il contrario. E se vorrassi esaminarla con occhio imparziale, non cogli occhi della Crusca che non sanno spignersi fuori della Toscana, anzi per meglio dire, fuor di Firenze, si vedrá ch'essa ingrandimento assoluto non significa mai, ma sí qualche volta un certo mezzo fra il piccolo e il grande, e per cosí dire un accrescitivo del piccolo. Cosí *giovinotto*, che per certo non vale quanto *giovanone*, cosí *vecchiotto*, che non è lo stesso di *vecchione*, e *attempatotto*, che non vuol dire *attempatissimo*, e cent'altre voci di questa uscita, le quali esprimono nondimeno qualche cosa di piú che *giovanetto, vecchietto*, ecc. Sono poi diminutivi assoluti *Signorotto, Aquilotto, Leprotto* ed infiniti di questa fatta, nel modo d'intender di tutti gl'Italiani. Perciò scommetto che non palazzo grande, ma piuttosto non troppo grande volle dire il Caro quello di Capodimonte, del quale scrivendo al Tolomei mostrasi tanto innamorato. Poiché protestandosi egli pronto a dare *per quel palazzotto con quella poca penisola bagnata da quel lago, vagheggiata da quell'isoletta, ornata da quei giardini, e cinta da quell'ombre, quante Tempe e quanti Parnasi furon mai*, vuole colla sproporzione de' contrapposti far intendere quanto sia l'affetto che porta a que' luoghi. E nota come egli stia sul diminuire, dicendo *con quella poca penisola... vagheggiata da quell'isoletta*. Ed è poi certissimo che delle cose grandi sono sí naturalmente presi gli uomini, che non ricorrono né alle Tempe, né ai Parnasi, che darlo ad intendere altrui come qui fa Annibal Caro.

PAMPINOSO. *Add. Pieno di pampani.* Lat. *Pampinosus.*

AGGIUNTA. E l'altro addiettivo *Pampineo,* derivato anch'esso dal latino, cioè da *Pampineus,* come *Pampinoso* da *Pampinosus,* perché tralasciarlo? Non è egli il Poliziano, l'elegantissimo Poliziano, che lo presenta, st. 84? *Quella tessendo vaghe e spesse ombrelle Pur con pampinee frondi Apollo scaccia.* Il Frullone dovrebbe pur ricordarsi d'aver posto in mostra egli stesso l'addotto esempio, laddove sotto la voce *Ombrella* egli fece delle *pampinee frondi* del Poliziano quell'*Istrumento da riparare il Sole* che vendesi alla bottega. Ma di ciò non piú parole: osserviamo piuttosto qui *Apollo* detto con bel garbo poetico in vece di *Sole,* come nel Furioso, c. XLV, st. 20. *Nel tenebroso fondo d'una torre, Ove mai non entrò raggio d'Apollo*: cioè raggio di luce. Cosí suol dirsi *Bacco* per *Vino, Pallade* per *Olivo,* ecc.

PANCIA ecc.

AGGIUNTA. Venendomi nello stile familiare il bisogno di nominare un uomo di grossa pancia, amerei che la Crusca sapesse dirmi di che nome m'ho da servire. Il Caro mi suggerisce l'accrescitivo *Pancione,* e io credo che farò bene a registrarlo fra le buone e ben derivate parole. Fará bene anche la Crusca se si degnerá d'accettarlo nel suo Vocabolario, perché mi figuro che di qualcuna di sí fatte pance sia benedizione anche in Firenze. E loderemo tutti il senno dell'Accademia, se, pentita una volta del poco conto tenuto finora di Annibal Caro, fará raccolta delle tante grazie di lingua che in tutte le opere di quel leggiadro scrittore ad ogni passo s'incontrano, massimamente negli Amori pastorali: dai quali, l. IV, è tratto appunto l'esempio che recitiamo: *Quando il pancione, ch'era ubbriaco, ad un sol guizzo che fece il giovinetto, si trovò per terra rovescio.*

PARENTE. § *Per Progenitore.* Lat. *Parens. Dant. Inf.* I. E li parenti miei furon Lombardi. *E* II. Tu dici, che di Silvio lo parente Corruttibile ancora ad immortale Secolo andò. *Petr. canz.* 29, 6. Non è questa la patria, in ch'io mi fido, Madre benigna, e pia, Che cuopre l'uno e l'altro mio parente? *Coll. SS. Pad.* Per la quale usciti noi della casa del primo nostro parente ecc. *Amet.* 92. Dando principio a quel misterio sacro, Per lo qual rinasciam, gittando via Delli primi parenti il peccar acro.

OSSERVAZIONE. Quanti gli esempi di questo paragrafo, tanti, se piace a Dio, gli sbagli della Crusca. Si fermi prima il valore della parola. Che è il progenitore? L'avanti genitore, l'avanti nato, o sia l'antenato, come dice il Vocabolario; l'avolo p. e., il bisavolo, l'arcavolo, il bisarcavolo, il primo ceppo in somma della progenie. Andiamo agli esempi. 1.º *E li parenti miei furon Lombardi.* Egli è Virgilio che parla, e con ragione latina usa parente in significato di padre e di madre. Dunque in questo luogo *parente* non vale *progenitore,* ma *genitore* e *genitrice.* — 2.º *Tu dici che di Silvio lo parente ecc.* Qui pure si adopera parente a modo latino, e il *parente di Silvio* che *corruttibile ancora,* cioè in anima e in corpo, discese all'Inferno, è Enea il quale da Lavinia ebbe Silvio, come canta l'Eneide. Dunque *parente* vale un'altra volta *genitore* e nulla piú. — 3.º *Madre benigna, e pia, Che cuopre l'uno e l'altro mio parente.* Come mai si può essere cosí lippi da non vedere che il Petrarca parla di *suo padre* e di *sua madre* da lui perduti essendo assai giovinetto? E perché dovrebb'egli parlare dell'uno e dell'altro *suo progenitore?* — 4.º *Usciti noi della casa del nostro primo parente.* Qui certo deve intendersi *progenitore,* ma non per la propria virtú della parola *parente;* sí bene in forza dell'aggiunto *primo* che determina il significato dell'espressione. E ciò stesso dimostra e prova l'errore dei Compilatori nell'attribuire al nome isolato il valore ch'ei riceve tutto dal suo aggiunto. — 5.º *Delli primi parenti il peccar acro*. E questo come l'antecedente conferma il giá detto; poiché sarebbe cosa sommamente ridicola, prendendo *parente* in senso assoluto di *progenitore*, che il Boccaccio avesse chiamati i primi parenti Adamo ed Eva *primi progenitori* del genere umano, quasi ve n'abbia de' secondi e de' terzi dopo di essi.

Ora chi crederebbe che un sí spropositato paragrafo abbia avuto libero il passo in tutte le ristampe e revisioni del Vocabolario, dacché gli Zoili del Tasso ve lo piantarono nella sua formazione?

PARLANTE. *Che parla*. Bocc. nov. 8, 3. Arrivò a Genova un valent'uomo di corte, e costumato, e ben parlante.

Oss. ED AGG. Questo participio viene talora assolutamente usato per *Facondo*, ed ha molta grazia. Vedilo nel Boccaccio. G. VI, nov. 3. *Una fresca e bella giovane e parlante e di gran cuore*. G. VII, nov. 9. *Fu egli leggiadrissimo e costumato e parlante uomo molto*.

PARLIERE. v. A. *Parlatore, Cicalone, Chiacchierone*.

OSSERVAZIONE. Notò giá l'Ottonelli che dagli antichi si disse anche in buona parte *Parliere* per *Parlatore eloquente*, e ne cita gli esempi. Noi ci accontenteremo di averlo accennato per non ispender piú parole intorno ad un vocabolo sul quale da lungo tempo abbiamo cantato il *requiescat*.

PASTORIZIA. v. A. *Arte pastorale*.

OSSERVAZIONE. Saprei volentieri il perché questa voce si dá per antica. Certamente ella mostra di non sentire i danni dell'etá, ed è tutta fresca di gioventú nel titolo di un bel Poema didascalico de' nostri giorni.

PASTURA. *Luogo dove le bestie si pascono, e 'l Pasto stesso. Ovid. Pist.* D. Quella giovenca, di chi ella parlava, è giá entrata nella mia pastura.

§ II. *Per lo Sterco delle fiere che si pigliano in caccia.*

OSSERVAZIONI. Piglia il testo delle *Eroidi* di Ovidio e leggi le parole di Cassandra, che l'abbandonata Enone ripete a sé stessa (Ep. V. 1. 117):

> *Graja juvenca venit, quæ te patriamque domumque*
> *Perdat: io prohibe, Graja juvenca venit.*

Qui si fa subito chiaro che la Greca giovenca non è altro che Elena; e chiaro si fará che la *pastura* in che ella è entrata è *il letto nuziale* di Paride da lei usurpato ad Enone, al leggere dell'altro distico:

> *Ah nimium miseræ vates mihi vera fuisti!*
> *Possidet en saltus illa juvenca meos.*

Laonde al pari della *giovenca* qui è figurata la *pastura,* come figurato è *saltus* nel latino. Or vengano a dirci gli Accademici « che per conoscere il valore d'alcuna Voce tratta da qualche volgarizzamento non è sicuro il ricorrere alla corrispondente Voce dell'originale, perché que' buoni vecchi per lo piú troppo meno esperti erano delle lingue forestiere, che per la loro inchiesta non bisognava ». Questa volta non solamente è loro la colpa di avere ammessa come sacra l'autoritá degl'idioti, menandoci alla scuola degl'ignoranti, ma quella ancora di non averli intesi dove essi si sono bene apposti, cambiando il letto di un principe nel proprio e vero pascolo delle vacche.

Veniamo al § II. La dichiarazione qui è falsa e strana ad un tempo. *Pastura* non è *lo sterco delle fiere che si pigliano in caecia*, ma *la traccia dell'odore che gli animali lasciano in caccia.* Ed è Virgilio che lo spiega, En. l. VII, v. 479. *Hic subitam canibus rabiem Cocythia virgo Objicit et noto nares contingit odore Ut cervum ardentes agerent.*

Dunque anche nel passo del Crescenzio allegato dalla Crusca: *Incontanente che si vede i cani aver trovata la pastura, lasci l'aguglia ammaestrata*, non devesi intendere lo *sterco*, ma l'odore della selvaggina che mirabilmente ferisce le nari de' cani.

PAVONAZZO. *Sorta di colore. Pagonazzo.* Lat. *Color violaceus.*

PAVONCELLA. *Sorta d'uccello.* Lat. *Vanellus.*

Osservazione. *Sorta di colore, Sorta d'uccello*, solite definizioni della Crusca, colle quali manda con Dio chi a lei ricorre. Ma se ci lascia a secco in questo bisogno, non manca di avvertirci che con tutta leziosaggine fiorentina possiam dire *Pagonazzo* in vece di *Pavonazzo*; ed a suo luogo ne fece una lauta imbandigione di *Pagone, Pagoncino, Pagoneggiare, Pagonessa*, e peccato che non si trovi *Pagoncella* in sí bella famiglia!

PAVONEGGIARE. § III. *E in att. signific. per similit. Far bello.* Pec. g. 16. ball. Fortuna ecc. Tempera omai i tuoi venti crudeli, E non isconquassar piú la mia barca, Poiché colei, che pavoneggia i cieli, L'ha di sospiri e di lagrime carca.

Osservazione. *Pavoneggiare i cieli* per *Far belli i cieli*, lo soffra in pace il Frullone, è metafora da seicento. Però si lasci tutta nel Pecorone all'amante della vezzosa Saturnina sfolgorato dalla Fortuna.

PECCATO. § IV. *Peccato celato, mezzo perdonato, vale che Il peccato occulto è piú degno di perdono che il palese.*

Osservazione. Ottimamente, signor maestro delle sentenze: voi c'insegnate una bella dottrina, che purché non ci lasciamo cogliere nel peccato, non c'è poi tanto male a peccare. Cosí la pensavano anche i due vecchioni di Susanna. Dite piuttosto: *Peccato confessato, mezzo perdonato,* ed allora, in tutta l'Italia, vi crederemo.

PEDALE. *Il fusto dell'albero.* Lat. *Caudex. Filoc.* I, 2. Il quale s'ingegnava di rinverdire le seccate radici del suo pedale.

Osservazione. Si riporti intero il passo del Filocolo, a cui fu mozza la testa. Parla il Boccaccio della progenie di Enea, e dice: *Quasi nelle streme parti dell'ausonico corno un piccolo ramo dell'ingrata progenie era il quale s'ingegnava di rinverdire le seccate radici del suo pedale.* E il pedale di questa stirpe divina — *Assaraci proles, demissæque ab Jove gentis Nomina, Trosque parens, et Trojæ Cynthius auctor* — un sí magnifico ceppo si piglia dai reverendi Infarinati pel fusto d'un pero o d'un melarancio?

PEDULE. *Burch.* I, 13. E Valdarno in peduli Vide di mezza notte un gran demonio, Che ne portava in collo San Petronio (*qui figuratam.*).

Osservazione. Che mistero è mai questo demonio? Diteci per carità qual vero si copra sotto la sua figura, e non accontentatevi di avvertirci di una cosa che pur troppo vediamo anche noi. O, finché non cel dite, possa l'allegatore di questo esempio essere la valigia di quel demonio di Valdarno in peduli!

PENNA. *Quello, di che son coperti gli uccelli, e di che si servono per volare.*

§ I. *E figuratamente.* Dant. *Purg.* II. Trattando l'aere coll'eterne penne.

Osser. ed Agg. Dante parla dell'Angelo che conduce le anime al Purgatorio, e che *remo non vuol né altro velo che l'ali sue diritte verso il cielo.* Quell'eterne penne non sono dunque metaforiche, ma vere: tanto vere, che l'angelo, due versi appresso, è chiamato *uccel divino.*

Se in luogo di questo esempio mal citato se ne volesse un altro di senso traslato arditissimo, eccolo: Ar. Fur. XII, 86. *Dove la notte fuor d'un sasso fesso Lontan vide un splendor batter le penne.* Cosí per sineddoche usiamo dire *le ali del fulmine*, e attribuir il volo a tutte le cose che vanno velocemente.

PICCIONE. § II. *In proverbio. Meglio è piccione in man, che tordo in frasca;* e significa, che È meglio il poco e sicuro, che il molto e sperato. Lat. *Præsentem mulge; quid fugientem insequeris? v.* PINCIONE.

OSSERVAZIONE. E *pincione*, cioè *fringuello* si deve dire, non *piccione*; perché un piccione non fu mai poco in confronto di un tordo. Quanto al corrispondente proverbio latino, è tutto ritrovamento del compilatore dell'articolo, ed io non so che i Latini ne abbiano fatto uso giammai. Esso è la traduzione letterale del v. 75 del *Ciclope* di Teocrito; ed avverti che nell'Idillio, Polifemo fa confronto delle pecore che gli stanno presenti da mungere, a Galatea che fugge da lui, e dice esser piú sano consiglio ch'ei pensi a quelle che a questa. Ecco tutto il passo nell'elegantissima traduzione latina del Cunich.

O Cyclops, Cyclops, quo mens tibi devia fugit?
Hinc abiens calathos molli si texere junco
Atque agnis teneras velles nunc stringere frondes,
Consuleres melius tibi, plus et cordis haberes.
Mulge ovium quod adest; longe quod fugit omitte.
Invenies aliam, te si hæc spernit, Galateam.

PRIMAVERA. § *Figuratam.* per la *Verdura* o i *Fiori*, che nascono di primavera. Dant. Purg. XXVIII. *Tu mi fai rimembrar dove, e qual era Proserpina nel tempo, che perdette La madre lei, ed ella primavera.*

AGGIUNTA. Piú chiaro e piú bello sará il seguente esempio. Dant. Par. XXX *E vidi lume in forma di riviera*

Fulvido di fulgori, intra due rive Dipinte di mirabil primavera.

Non è da preterirsi *Primavera* nel significato di *Adolescenza*. Ar. Fur. XXVIII, 53. *Era ancor sul fiorir di primavera Sua tenerella e quasi acerba etade.* E la gioventú è propriamente la primavera della vita, come in modo converso disse con molta grazia il Guarini: *O primavera, gioventú dell'anno.*

RAMINGO. *Aggiunto, che propriamente si dá agli uccelli di rapina, che si pigliano giovani fuor del nidio.*

OSSERVAZIONE. Questa definizione non porge il vero valore della parola. *Ramingo* (e similmente, poche voci addietro, *Ramace*) vuol dire propriamente *Errante di ramo in ramo*. Quindi si trae per similitudine *Vagabondo, Fuggiasco*. *Ramingo* adunque nel suo senso primitivo non è proprio de' soli uccelli di rapina, ma di tutti.

RINFLORARE. *Rifiorire.* Lat. *Reflorescere.*

OSSER. ED AGG. Abbiamo giá per prova le mille volte veduto che l'insegna del gran Frullone *Il piú bel fior ne coglie* è bugiarda. Qui veggiamo qualcosa di peggio, veggiamo cioè ch'egli ha perduto il terzo senso del tutto, vale a dir l'odorato. Perciocché posti sotto il suo naso *Rinflorare* e *Rinfiorare*, egli ha scelto il primo e gittato il secondo. Ora noi gli dìremo, che veramente bisogna aver naso di legno per non s'accorgere che *Rinflorare*, da lui colto come fior tutto vivo e venutogli dal giardino delle Grazie, è fiore giá morto da quattro secoli; e che per l'opposito *Rinfiorare* è tutto fragranza e freschissimo. E se vorremo cercar la ragione per cui Messere l'ha gittato alla strada, niun'altra ne troveremo se non quest'una, l'esser egli fioretto della tanto da lui sprezzata *Gerusalemme*, C. XVI, st. 15. *Né perché faccia indietro april ritorno Si rinfiora mai piú né si rinverde*. E vuol egli rinverdire la sua riputazione, e mostrarsi veramente pentito de' suoi superbi disprezzi? Rimandi al cimitero della lingua questo suo fracido *Rinflorare*, e metta *Rinfiorare in suo luogo*. E, acciocché gli torni piú grato, lo accompagni a quest'altro esempio di Zenone da Pistoia, scrittore contemporaneo del Petrarca, nel suo poema in terza rima in morte dello stesso Petrarca, pubblicato dal Lami, c. 6. *Cosí per morte nel dolor m'interno, Che quando la virtú piú mi rinfiora, Questo mi trae d'estate, e mette in verno.*

Per questo esempio medesimo potrá la Crusca conoscere d'aver a torto esclusa dal Vocabolario *Estate*, voce nazionale, per non nuocere, mi cred'io, a *State*, voce municipale, e perciò preferita. E dovea pur ricordarsi che l'Alamanni, avendo piú riguardo alla favella italiana che alla toscana, comincia la sua *Coltivazione* con questi versi: *Che deggia quando il sol rallunga il giorno Oprare il buon cultor ne' campi suoi, Quel che deggia l'estate ecc.* E di *Estate* in luogo di *State* sono tanti gli esempi che non ha tanti buchi il crivello abburattatore.

SALVATICO. *Add. Di selva, Non domestico.*

§ *Per metaf. Bocc. nov. 93, 11.* Non per quella via, donde tu qui venisti, ma per quella, che tu vedi a sinistra ecc., n'andrai, perciocché ancoraché un poco piú salvatica sia, ella è piú vicina a casa tua (*cioè piú aspra, e meno frequentata*).

Agg. ed Osser. *Salvatico* per *Disabitato, Solitario, Romito* usa il Boccaccio, nov. 98. *Senza sapere dove s'andasse, piú che d'altro di morir desideroso, s'avvenne in un luogo molto salvatico della cittá.* Quasi simile esempio è quello riportato dal Vocabolario nel paragrafo: se non che ivi *via salvatica* è via aspra e non frequentata, come spiega la Crusca, pigliando però errore nel crederlo detto in senso metaforico, e mettendo *via salvatica* a mazzo con *salvatica ingratitudine* nell'esempio che segue di Gio. Villani. Ma nel passo da noi riferito parlasi di *luogo salvatico* dentro una cittá, e non può essere che *luogo disabitato*: o dillo anche *luogo non frequentato*, purché il senso di *aspro* ne stia lontano, ché non c'entra per nulla.

Qui è da notarsi, quantunque giá ne abbiam fatto cenno in qualche altro luogo, che la Crusca mette *Salvatico* voce che viene da *Selva*, e non *Selvatico*. Ma se sono termini di ottima ortografia *Selvaggio, Selvano, Selvareccio, Selvoso*, perché nol sará egli ancora *Selvatico*, che piú di *Salvatico* tiene della sua origine, pute meno di affettazione, e piú contenta l'orecchio?

SCIORINARE. *Spiegare all'aria.*

OSSERVAZIONE. Intorno agli elementi, di cui è composto il verbo *Sciorinare*, ragionò il Salvini, comentando quel verso della Fiera *Voi dover sciorinar la spezieria* nel modo seguente: « *Sciorinare* si dice de' panni, quando si pongono a rasciugare, da *Aura* detta *Ora*, coll'*o* aperto, e *Orina*, quasi *auretta:* e *Sc*, che vale la preposizione *Ex*, quasi da un latino barbaro *Exaurinare*; siccome *Scioperarsi*, quasi *Exoperari* e simili ». Sulle tracce del Salvini corre il Biagioli in quel passo di Dante, In. XXI, *I' mando verso lá di questi miei A riguardar se alcun se ne sciorina*, e dice: « *Se ne sciorina*, esce fuor della pece. Dicesi *sciorinare* dei panni che mettonsi ad asciugare, e formasi questa voce da *orina* (auretta) diminutivo di *ora* (aura), e da *sc* equivalente alla preposizione latina *ex* ».

Questa etimología è tirata colle tanaglie, e l'introduzione dell'ingrediente *Orina* manda cattivo odore; ché di *orina* per *auretta* non si trovano esempi. E poi, per qual motivo valersi del diminutivo, quando colui che mette a sventolare i panni non dee curarsi se l'aria spiri piuttosto leggiera che forte? Proporremo noi quindi una spiegazione, la quale ad ogni lettore di non preoccupato intelletto dovrá sembrare molto piú naturale. La voce *Sciorinare* consta di tre elementi: del verbo *Sciorre*, della preposizione *In* e del sostantivo *Aere*, che gli antichi scrivevano *A're* o per sincope o per maggior simiglianza al francese *Aire*. Quindi senza stiramento di sorta alcuna *Scior-in-a're*, *Spiegar* all'aria, suo vero significato. E per tal modo sará ben detto non solamente dei panni che si spiegano al vento, ma eziandio di quei barattieri di Dante, che per sentire qualche refrigerio si sciolgono, cioè escono, all'aria fuor della pegola ove stanno attuffati. Che poi gli antichi Italiani scrivessero molte volte *A're* in vece di *Aere*, si può vedere dal seguente esempio, in cui la parola *A're*, cadendo in rima, non lascia luogo a dubitare che vi sia error di scrittura. Dant. Canz. *Donna pietosa, ecc.* St. 4, v. 10. *Cader gli augelli, volando per l'a're; E la terra tremare.* E prima di Dante Folgore da S. Geminiano nel Lunedí del Giorno di canti e d'amori: *Quando la luna e la stella divina, E la notte si parte e il giorno appare Vento leggiere perpolisce l'a're E fa la gente stare allegra e sana.* Guid. Guinic. *Che dan virtute all'a're Di trar lo ferro.* Il med. *Che s'eo voglio ver dire Credo dipinger l'a're.* Ed altrove *Verdi riviere a lei rassembro, e l'a're Tutto è color di fior giallo e vermiglio.* Brun. Lat. Tesoretto, c. 25. *E tutta terra e mare E 'l fuoco sopra l'a're Ciò son quattro elementi* ecc. In tutti questi esempi *A're* è sempre detto in rima: ma trovasi anche fuori di essa. Jacopo da Lentino, Poet. Ant. vol. I, pag. 293. *All'a're chiaro ho visto pioggia dare.* E cosí moltissimi altri di quell'etá, i quali non solamente dissero *A're*, ma anche *A'ra* e *A'ro*.

SERENA e SIRENA. Lat. *Siren.* Tes. Br. IV, 7. Serene furono tre, secondoché le storie antiche contano, e aveano sembianze di femmine dal capo infino alla coscia, e dalle cosce in giú aveano sembianza di pesce, e aveano ale e unghie, onde l'una cantava molto ben con la bocca, e l'altra sonava di flauto, e l'altra di cetera; e per loro dolce canto e suono facevano perire le navi, che andavano per mare udendole. *Dant. Purg.* XIX. Io son, cantava, io son dolce Serena, Che i marinari in mezzo 'l mar dismago.

OSSERVAZIONE. La Crusca, la quale allora quando trova nell'esempio di qualche autore la dichiarazione di un vocabolo, ponendo in primo luogo quell'esempio, si dispensa dal darcene essa medesima la definizione, con questo bel gioiello del *Tesoro* di Ser Brunetto ne fa sapere due cose: la prima è che le Sirene non sono invenzioni della fantasia de' poeti, ma storiche verità; né si dica che per *istorie* si possono intendere abusivamente anche le narrazioni favolose, poiché in una definizione non debbono entrare licenze: la seconda è che le Sirene *cantavano colla bocca*, onde forse qualcheduno non sospettasse ch'elleno cantassero con altra parte. E tale si è tutta la definizione e descrizione di questo mostro.

Serena poi in vece di *Sirena*, conforme al greco ed al latino *Siren*, è voce storpiata del volgo, e però indegna del Vocabolario dei dotti. Né ci si opponga che Dante cosí scrisse nel verso *Io son, cantava, io son dolce Serena*; poiché i buoni testi e le buone edizioni ivi leggono *Sirena*: e *Sirene*, non *Serene*, la stessa Crusca legge nell'altro verso pur di Dante *Udendo le sirene sii piú forte*. E se gli Accademici nel 19 del Purgatorio amarono meglio di porre col volgo *Serena*, se ne dia la colpa a quel loro vezzo per cui tra due modi, uno nobile e di tutta l'Italia, e l'altro plebeo di Gualfonda, essi danno sempre a quest'ultimo la preferenza.

SERENATRICE. *Verb. femm. Che serena.*

OSSERVAZIONE. Se coll'autoritá del Bembo si è dato luogo al verbale femminino *Serenatrice*, perché coll'autoritá della ragione non darlo anche al mascolino *Serenatore*?

SERENO. *Sust. Chiarezza; contrario di Oscuritá e di Torbidezza; ma si dice del cielo, e dell'aria pura, chiara, e senza nuvoli. Petr. Canz.* XL, 8. Fuggi il sereno e 'l verde, Non t'appressare ove sia riso, o canto. *Sen. Ben. Varch.* VII, 1. Se toltosi dalle mondane tempeste, s'è ritornato al sereno, e al sicuro.

OSSERVAZIONE. Nel primo di questi esempi il Petrarca esorta la sua Canzone a fuggire *il sereno e il verde,* cioè i luoghi dove sia contentezza ed allegria; nel secondo Seneca parla del *sereno,* cioè della tranquillitá nella quale vive il filosofo. Dunque nell'un luogo e nell'altro *sereno* è parlar figurato, e non gli si conviene la spiegazione *di cielo e d'aria pura, chiara e senza nuvoli.*

La Crusca è caduta egualmente in errore poco dopo, alla v. *Sereno* addiettivo, ponendo malamente, ad illustrazione del proprio senso di questo vocabolo, l'esempio di Dante, Par. VI. *Poi presso 'l tempo che tutto 'l ciel volle Ridur lo mondo a suo modo sereno,* esempio che era da collocarsi nel § I tra le metafore. Perocché né qui pure havvi correlazione della parola *sereno* col cielo libero dai nuvoli e dalle nebbie, se non in via di traslato; parlando il poeta per figura della tranquillitá, ossia della pace universale, a cui era ridotto il mondo vicino alla nascita del Redentore.

SERVIZIALE. *Argomento.*

OSSERVAZIONE. Non tutti gl'Italiani sanno (e forse tutti i forestieri lo ignorano) che per istrana bizzarria *Argomento* nel linguaggio Toscano vale ancora *Clistere.* Perciò fa male la Crusca a servirsi di questo vocabolo ambiguo nella dichiarazione qui sopra. E che direbbe mai Aristotile, se tornasse al mondo, nel vedere dove con tale secca definizione si mandino i Sillogismi e gli Entimemi?

Da questo equivoco giá trasse il Berni uno de' piú graziosi suoi scherzi lá dove, parlando appunto di Aristotile in un Capitolo a Messer Pietro Buffetto cuoco, dice:

> Ti fa con tanta grazia un argomento,
> Che te lo senti andar per la persona
> Fino al cervello, e rimanervi drento.

SIMULACRO. *Statua.* Lat. *Simulacrum.*

OSSER. ED AGG. *Simulacro* non vien egli dal latino *Simulare,* italiano *Imitare, Rassomigliare?* e non furono le *Statue* dette *Simulacri* dal rassomigliarsi al vero da cui sono ritratte? Se ciò non ammette dubbio, dovrá dunque potersi chiamare *simulacro* ogni cosa che in qualunque modo si rassomigli ad un'altra, per esempio *lo Spettro, l'Ombra di un morto,* cose vane fuori che nell'aspetto. E cosí in fatti le dissero i Latini. Virg. Georg. l. IV, v. 472. *Umbræ ibant tenues, simulacraque luce carentum,* En. l. II, v. 772. *Infelix simulacrum Creusæ.* Cosí pure dissero *Simulacro* di altre cose apparenti, ma non reali: siccome *simulacri di cittadinanza, di virtú, di auspici* Cicerone; *simulacri di battaglia, di guerra di morte* Lucrezio, Virgilio, Livio, Silio, Stazio; e Plaut. Most. I, 2, 6. *Alicujus rei... simulacrum habere.* Dai Latini, quantunque la Crusca non dia segno di saperlo, vennero a noi pure questi significati di *Simulacro.* E vuolsene gli esempi? Eccoli. Firenz. As. l. VIII. *Né sarai della quiete della morte ricreato, né goderai i sollazzi della vita, ma dubbio simulacro andrai vagabondo fra il sole e fra le tenebre.* Car. En. l. II, v. 1252. *Ecco davanti Mi si fa l'infelice simulacro Di dei, maggior del solito.* Tass. Ger. XIII, 36. *Ma pur se fosser vere fiamme o larve, Mal poté giudicar sí tosto il senso; Perché repente, appena tocco, sparve Quel simulacro.* Ib. st. 44. *Sebben sospetta, o in parte ancor s'accorge Che simulacro sia, non forma vera.*

SMODATAMENTE. v. a. Avv. Senza modo. Lat. *Immoderate*.

SMODATO. v. a. *Add. da Smodare, Senza modo, Senza termine, Smoderato*.

Osservazione. Né *Smodatamente*, né *Smodato* sono vocaboli morti. Il buon uso gli ha tratti dal sepolcro, e belli e pieni di vita gridano che si tolga loro lo sfregio di quel v. a.

SOLITUDINE. *Luogo non frequentato, Diserto*.

Aggiunta. E per *Luogo devastato, desolato* ecc., lo usa A. Caro, En. l. X, v. 73. *Per l'incendio, signor, per la ruina E per la solitudine ti prego Della mia Troia, che ritrar mi lasci Salvo da questa guerra Ascanio almeno*. E si noti la bellezza del vocabolo nel modo che lo adopera il Caro. La definizione e gli esempi recati dalla Crusca parlano di luogo non frequentato, deserto naturalmente; ma la parola *Solitudine* nel Caro ha con sé l'idea di luogo reso tale dalla forza e dalla violenza, e dipinge mirabilmente la miseria a cui era ridotta la città altre volte principale e piú frequentata dell'Asia, divenuta poscia un deserto. Queste finezze del dire non s'incontrano che 'ne' grandi scrittori; e però è meraviglia che la Crusca non abbia tenuto conto dell'eccellente traduzione dell'Eneide ricca di tanti bei vocaboli e locuzioni squisite. Certamente era da farne piú stima di quella che si fece dei capricciosi *Mattaccini*; ma il perché questi siano stati accolti e quella no, è assai chiaro, quando si considera che nell'*Eneide* il Caro veste il concetto di Virgilio con tutti i fiori della universale lingua italiana, e che nei *Mattaccini* ei fa scialacquo dei furbeschi ghiribizzi di Calimala.

SOPORE. v. l. *Sonno.*

Aggiunta. Se da *Sonno* abbiamo fatto *Sonnifero* seguendo i Latini, perché non li seguiremo ancora da *Sopore*, formando *Soporifero, Che arreca sopore?* Veggasi nel Caro, En. 1. VI, v. 618. *Allor la saggia maga, Tratta di mele e d'incantate biade Una tal soporifera mistura, La gettò dentro alle bramose canne.* Il latino ha: *Melle soporatam et medicatis frugibus offam Obijcit.*

SOPRABBONDARE. *Sommamente, o Soverchiamente abbondare, Sopravanzare.*

Aggiunta. Come qui la preposizione *Sopra*, unita al verbo *Abbondare*, dinota l'eccesso del suo significato, cosí volendo Guido Guinicelli esprimere il sommo della gioia, formò il verbo Sopraggioire, da aggiungersi al Vocabolario, per *Sommamente gioire*. Vedine il bell'esempio: *Di che vi stringe il cor pianto ed angoscia Che dovreste d'amor sopraggioire Ché avete in ciel la mente e l'intelletto?*

SOPRAVVENIRE. *Improvvisamente arrivare.*

Aggiunta. In forza d'attivo vale anche *Sorprendere*. Car. Am. Past. 1. II. *Pane un giorno, mentre ch'ella pascendo, giocando e cantando si stava, sopravvegnendola, tentò di trarla al suo desiderio.*

Di questo verbo, pure in significato di *Sorprendere*, è da notarsi un bell'uso fatto dall'Ariosto destramente spezzandolo e introducendo con molta vaghezza tra la preposizione *Sopra* e il *Venire* altre parole. Fur. c. XVIII, st. 173. *Tu, perché sopra alcun non ci venisse, Gli occhi e gli orecchi in ogni parte poni.* L'Ariosto medesimo fece altrettanto di *Soprarrivare*, verbo dalla Crusca lasciato nella Tramoggia, donde lo trassero con un esempio del Tasso, Ger. III, 18, le Giunte veronesi. Fur. c. II, st. 13. *Come egli vide il viso delicato Della donzella che sopra gli arriva.* E il gran Ferrarese tolse ai Latini questa figura (che con greco vocabolo dicesi *Tmesi*), la quale opportunamente usata, come ne' citati esempi, ha molta grazia. Vir. Ec. VI, v. 6. *Namque super tibi erunt qui dicere laudes ecc.*, in vece di *supererunt tibi*. En. II, 567. *Iamque adeo super unus eram* in vece di *unus supereram*. Né solo i poeti ne usarono, ma eziandio gli Oratori. Cic. pro Sext. cap. 31. *Quod judicium cumque subierat* per *Quodcumque judicium*.

SPIGOLARE. *Ricoglier le spighe.*

OSSER. ED AGG. L'esempio che la Crusca porta della villana che sogna di spigolare (Dant. Inf., XXXII), ne mette voglia di domandarle s'ella non avrebbe per buono che quella villana si chiamasse col verbale *Spigolatrice*. A noi questa voce sembra di bellissimo aspetto, e leggiadra ce la dimostra il seguente esempio dello Spolverini, l. III, v. 6. *A cotal opra cento In piú contrade mietitori e cento Spigolatrici villanelle inviti*.

Il Vocabolario è mancante eziandio della v. *Spicilegio*, lat. *Spicilegium*, come pure di *Spigolamento, Spigolatura*, o, come disse il Forcellini, *Spigolazione*, vocaboli che tutti esprimono la stessa cosa, cioè il raccoglier le spighe abbandonate dai mietitori. Eppure a me essi sembrano onesti e bennati, né un raccoglitore di memorie erudite o cose simili da altri dimenticate avrebbe miglior titolo da porre in fronte a tale raccolta che *Spicilegio*.

SQUILLA. *Campanello; ed è propriamente quello che si mette al collo degli animali da fatica, ma si trasferisce a ogni sorta di Campana. Dant. Purg. VIII. E che lo nuovo peregrin d'amore Punge, se ode squilla di lontano.*
§ *Per Ora determinata di suono di campane sul far del giorno. Pataff.* II. *In sulle squille trovò la contessa. Buon. Fier.* IV, 2, 7. *E dall'alba alle squille udirsi ognora Strumenti lavorare.*

OSSERVAZIONE. La Crusca ha qui preso cinque bellissimi granchi. Il primo è che, limitando il proprio senso di *Squilla* al campanello che gli animali portano al collo, dei cinque esempi ch'ella ha citati nissuno fa menzione di quel campanello. Il secondo è il verso di Dante allegato a sproposito, facendo del suono dell'*Avemmaria* della sera il campanello dei buoi. Ecco il passo del poeta:

> Era giá l'ora che volge 'l disio
> A' naviganti, e 'ntenerisce il cuore
> Lo dí c'han detto a' dolci amici addio;
> E che lo nuovo peregrin d'amore
> Punge, se ode squilla di lontano,
> Che paia il giorno pianger che si muore.

Ed è possibile a tanti segni non avvedersi che qui si parla della fine del giorno, e però che le squille sono le campane poste sulle torri delle chiese, e non al collo degli animai da fatica? Ma se il Frullone ha dura cervice, vegga ove Dante nelle Rime fa la chiosa a sé stesso: *Pigliandole anzi terza Con essa passerei vespro e le squille;* e non gli vaglia il dire ch'egli ha avvertito che *Squilla* si trasferisce ad ogni sorta di campane, perché essendo quello il primo esempio, a tutta ragione si deve credere che sia posto nel piú vero significato del tema. Terzo granchio, il non aver inteso che *Squilla* significa il suono delle *Avemmarie* tanto alla mattina quanto alla sera; mettendo nel paragrafo *Squilla* per *Ora determinata di suono di campane sul far del giorno,* e non pensando che le *campane,* ossia le *squille,* suonano ad ora determinata tanto al principio che al mezzo, come al fine del giorno; e che però l'espressione elittica *Squilla* può indicare ognuna di queste ore, non solamente la prima. Quarto granchio, l'aver preso nell'esempio del Buonarroti *Squilla* pel *Far del giorno,* laddove tutto al contrario è il *Far della notte*: ed era assai facile lo schivarlo, perché in quell'esempio il far del giorno è indicato colla voce *alba,* e quindi la parola *squille* deve significare l'opposto estremo. Quinto granchio, l'avere spiegato *Squilla* per *Campanello* (il che non si nega che sia dell'uso e forse piú che altrove in Toscana) senza por mente che i piú grandi autori adoperano *Squilla* per *Campana* solenne, come provano tutti gli esempi del Vocabolario, ai quali può aggiugnersi quest'altro del Petrarca, Canz. XI, v. 55. *Né senza squille s'incomincia assalto, Che per Dio ringraziar fur poste in alto.*

TETRO. *Add. Che ha poco lume, Oscuro, Di colore tendente al nero.*

AGGIUNTA. Né solo alla luce o al colore, ma anco all'odore fu dato l'aggiunto di *Tetro* da eccellenti scrittori. Ruc. Ap. v. 621. *Ma non voglion sentir fiato che spiri D'impudico vapor, né d'odor tetro D'agli, porri, scalogni, o d'altro agrume.* Car. En. l. VI. v. 290. *Giunser ove d'Averno era la bocca, E il tetro alito suo schivando, in alto Ratto l'ali spiegaro.* E nel terzo dell'*Eneide* il med. A. Caro disse *tetro puzzo* parlando delle Arpie, e *tetro odore* nel dodicesimo libro. E noi, lasciando che i Gramatici contendano fra loro se *teter* derivi piuttosto da *ater* o da *tædeo*, avremo per bellissimo cotesto uso confermato dall'esempio gravissimo del Rucellai e del Caro: come pure ci parrebbe elegantissimo quello di chi dicesse per traslato *uomo tetro, tetro nemico, tetra guerra, tetro vizio, tetra discordia*, ecc. con Cicerone ed altri Latini.

TRECCIA ecc.

AGGIUNTA. La Crusca non fa menzione di TRECCIARE, lo stesso che *Intrecciare*. Eccone l'esempio. Sannaz. Eg. II, v. 97. *Che vo sempre cogliendo Di piaggia in piaggia fiori, e fresche erbette, Trecciando ghirlandette.* E *Trecciato* per *Intrecciato* disse Bern. Tasso, Amad. c. XIII. *Ma testa tutta di purpurea rosa, E d'odorato e bianco gelsomino, Cosí folta trecciata e cosí ombrosa, Che non v'entrava il rag-*

gio mattutino. Lo stesso usò ancora *Trecciarsi,* parlando di una donzella che s'intrecciava i capelli: Amad. c. XI. *La donzella gentil, a cui non cale Quivi piú soggiornare, in piè levata... Trecciossi lieta i capei crespi e d'oro.*

VACCHETTA. § II. *Vacchetta, si dice anche un Libro, in cui si scrivono giornalmente le spese minute.*

Aggiunta. Mancano gli esempi. L'Ariosto ce ne somministra uno nella Satira VI, ove parla degl'impedimenti ch'egli ebbe ad attendere allo studio del greco. *Mi more il padre, e da Maria il pensiero Dietro Marta bisogna ch'io rivolga; Ch'io muti in squarci ed in vacchette Omero.*

VANAGLORIA. Lat. *Inanis gloria, Superbia.* Tratt. pecc. mort. Vanagloria è un desiderio di gloria, ed è questo peccato mortale.

Osservazione. In vece di definire il vocabolo, qui la Crusca mette l'esempio, dal quale impariamo che *il desiderio della gloria è peccato mortale;* definizione di cui niuno andrá contento, se a *desiderio* non si aggiunge *disordinato.*

VANEGGIARE. *Dire, o Far cose vane, ecc.* Lat. *Desipere, Delirare.*

§ *Per esser vano, o voto.* Lat. *Inane esse.*

Aggiunta. *Vaneggiare* per *Riuscir vano* adopera l'Ariosto, Fur. XVIII, 183. *Quivi de' corpi l'orrida mistura, Che piena avea la gran campagna intorno, Potea far vaneggiar la fedel cura De' due compagni,* cioè far riuscir vana, mandar a vuoto la cura pietosa di Medoro e di Cloridano nel ricercare il cadavere del lor re Dardinello.

E *Vaneggiare* per *Ischerzare* è del Tasso, Ger. XIII, 56. *Nelle spelonche sue Zefiro tace, E in tutto è fermo il vaneggiar dell'aure.*

È anche da avvertire l'uso che fa A. Caro di questo verbo in forza di attivo. En. l. II, v. 960. *E col fiato e col sangue Di lei placherò l'ombre, e farò sazie Le ceneri de' miei. Ciò vaneggiando Infuriavo.* E l. VII, v. 670. *Non però ne temo Quel che tu ne vaneggi.*

VATE. v. L. *Poeta.*

AGGIUNTA. La definizione, con pace della Crusca, non è piena; perciocché *Vate* è eziandio *Profeta*, anzi questo è il suo primo significato, chiamandosi *vati* i *poeti* per similitudine, a motivo di quel furor divino che sembra agitarli. Ruc. Ap. v. 904. *Come giá fece il gran pastor d'Arcadia, Ammaestrato dal ceruleo vate,* cioè da Proteo, il quale non giá scrivea sonetti e canzoni, ma profetava.

Manca poi alla Crusca *Vaticinio*, sinonimo di *Profezia*; ed eccolo nel Caro, En. VII, 145: *In questa guisa il re Latino stesso Al vaticinio del suo padre intento Cento pecore ancide.* E v. 376. *Quanto in pensar della diletta figlia Il maritaggio, e 'l vaticinio uscito Dal vecchio Fauno.* Il Caro medesimo usa *Vaticinio* per la scienza del *Vaticinare*, En. l. XII, v. 647: *E Febo stesso, allor ch'acceso Era dell'amor suo, la cetra e l'arco E 'l vaticinio, e qual dell'arti sue Piú gli aggradasse a sua scelta gli offerse*: ed imita Virgilio, il quale chiama *Augurium* la scienza stessa dell'*Augurare*: *Sua munera lætus Apollo Augurium, citharamque dabat, celeresque sagittas.*

VENDEMMIARE ecc.

AGGIUNTA. Si notino i seguenti versi del Tasso, Ger. I, 78: *La qual può far che tutto il campo abbonde De' necessari arnesi, e che le biade Ogn'isola de' Greci a lui sol mieta, E Scio pietrosa gli vendemmi e Creta,* cioè Scio e Creta somministrino il vino all'esercito de' Cristiani. Chi crederebbe che il bel verso *E Scio pietrosa gli vendemmi* e *Creta* sia incorso, a motivo di quel *vendemmiare* costruito col terzo caso, nella censura de' critici, se non si sapesse che il Critico fu il Salviati? Ma l'esempio del Tasso varrá presso chi intende leggiadría di favella piú che gli schiamazzi del pedante suo Zoilo.

Dopo VETERANO.

AGGIUNTA. VETERINO, v. l. Aggiunto di qualunque animale atto a portare la soma, quali sono *Cavalli, Muli*, ecc. March. Lucr. l. V. *Qualunque specie al mondo nacque Di veterino seme*. L'etimología di questa parola trovasi riferita da Festo in due maniere: *Veterinam bestiam Cato appellavit a vehendo. Opilius veterinam dici putat, quasi venterinam vel uterinam, quod ad ventrem onus religatum gerat*. Da *Veterino* ha preso denominazione la scienza *veterinaria*, cioè la Medicina applicata alla specie di animali detta di sopra.

VIALE. *Sust. Viottola.*

OSSERVAZIONE. Non altro che *Viottola*? Con pace della Crusca *Viale* per tutta l'Italia vale *Stradone* o Strada diritta e lunga fra alberi da una parte e dall'altra, ombrosa, amena, piana e grata al passeggio. Cosí l'Alberti, e assai bene.

LE LETTERE
o
L'UOMO

A FEDELE MARIA MONTI - FUSIGNANO.

Ferrara, 27 aprile 1776.

Carissimo Sig. Padre. Dalla Santona mi viene significato per parte sua un dispiacere da Lei provato in sapere che io abbia fatta stampare una poesia. [1] Può credere che questa cosa fuor di dubbio mi rincresce. I disgusti suoi sono miei nell'istesso tempo, perché l'amore e il rispetto che il padre esige dal figlio è sempre venerabile e sacrosanto. Tuttavia io mi consolo che il mio dispiacere non è finalmente originato da un rimorso di coscienza, che conosca d'aver mancato. Io volli che uscisse alla luce quella mia composizione, perché ne fui consigliato da persone, che non potranno mai insinuarmi cosa alcuna di mio pregiudizio. Col mezzo di questa stampa, la quale non importa finalmente che la misera spesa di 18 paoli, io credo d'aver acquistato qualche buon concetto al mio nome non solamente in Ferrara, ma anche fuori di paese, e sopra tutto in Roma, dove a quest'ora posso contar l'amicizia di molte persone celebri per letteratura, e la protezione ancora e la benevolenza di non pochi personaggi assai ragguardevoli. Questi sono vantaggi che nella bilancia di chi pensa saggiamente devono pesar qualche cosa, e il tempo farà conoscere la verità delle mie parole. Anche fuori di un tal riflesso io sarò sempre contento d'aver reso pubblico colle stampe quel componimento, giacché col mezzo di questo io ho trovato l'adito alla protezione del sig. Cardinal Legato e Vicelegato. L'uno e l'altro si è espresso con me in termini significanti e pieni di ogni affabile cortesia, e da questi mi veggo riguardato con quell'occhio d'amore e di condiscendenza, che forse potrebbe destar l'invidia di qualcheduno. Se il cuor generoso di questi principi non mi fa sperimentare gli effetti delle loro beneficenze, e da chi dovrò sperare un appoggio migliore e una migliore assistenza alle occasioni, con vantaggio non solo di me, ma anche della mia casa?

Le mando un libretto, che è tutto frutto de' miei studi poetici. Il nome del mecenate che porta in fronte spero che non debba meritare i di lei disgusti. Io non ho impiegato il valor d'un soldo, perché le mie critiche circostanze non lo hanno permesso. Una dama di Ferrara, nata per beneficare e mia gran protettrice, ha voluto darmi un attestato della sua liberalitá col soccombere a tutta la spesa, che sará stata di venti scudi e forse anche piú. [2] Il fratello però ha dovuto spendere per me 19 paoli per la legatura del libretto della dedica. Non ho potuto esimermi dall'aggravarlo di questo incomodo, perché denari io non ne ho, e non ne domando per non accrescere i di Lei dispiaceri. Mi duole che da qui avanti bisognerá che io tralasci di scrivere e di andar alla posta a riscuoter le mie lettere, perché nessuno vuol pagarle per me.

Ho ricevuto i braghini e il sott'abito da estate, ma dica alla madre che mi mandi piú presto che potrá anche il giustacuore, e lo faccia mettere al rovescio, se ne ha di bisogno, giacché il sartore è piú comodo per loro, che per me. I miei saluti alla madre e a tutti di casa, e pregandola della solita paterna benedizione, sono in fretta il suo aff.mo figlio *ecc.*

[ALL'AB. ONOFRIO MINZONI?]. [3]

Ferrara, 25 maggio 1776.

Ill.mo Sig. Padron Col.mo. Dal Rev.mo P. Martinengo mi è stato significato il compatimento da V. S. Ill.ma mostrato per la mia *Visione*, e il desiderio di averne copia. Io ho sempre creduto di non dover far conto alcuno delle cose mie, perché frutti d'un talento troppo giovanile, che appena ha cominciato a gustare la soavitá degli studi e delle scienze, e che non senza gran paura pone il piede nel santuario delle Muse. Contuttociò le confesso ingenuamente che questa volta non ho potuto rattenere il dolce impeto dell'amor proprio, sí che non mi tenti a stimar qualche poco i miei versi, unicamente perché desiderati da Lei. Serve però di ritegno a questa tentazione il timore che, sottomettendoli di nuovo alla finezza del suo giudizio, non li trovi meritevoli della prima approvazione. Comunque sia, io mi pregio molto d'aver ubbidito V. S. Ill.ma, e di essermi reso noto a un celebre poeta, che con tante sue produzioni ha illustrata l'Italia e il suo secolo.

Pieno intanto di alta stima e di profonda venerazione sono *ecc.*

ALL'AB. AURELIO BERTÒLA - NAPOLI.

Roma, 5 novembre 1779.

E che mi scrivete voi mai, stimatissimo e valoroso mio p. Bertòla? Io vorrei ben essere meritevole di tutte le lodi delle quali mi siete prodigo; ma sento di non esserlo. I miei anni sono scarsi, e piú scarsi sono i miei talenti e le mie cognizioni. Non trovo a mia disposizione altro che un gran coraggio; ma questo non vale, se le forze del core non corrispondono a quelle dello spirito. Io sono lontanissimo dal credermi capace di ristorare l'avvilita poesia d'oggidí; voi siete piú atto di me a questa impresa; ma pure, quando si trattasse di liberare la povera repubblica di Apollo dall'altrui tirannia, io sarei dei primi ad impugnare le armi. Basterebbe il trovar qua e lá qualche Cassio e qualche Bruto, e poi gridar libertá. Se voi vi sentite disposto ad una congiura, io son pronto.

Pur troppo io sono giá stanco di scriver versi sempre su frivoli argomenti. Il componimento tragico è quello che mi piacerebbe piú di tutti; ma come appare l'antica smania che mi divora di scriver tragedie, se non ho mai potuto mettermi finora in calma lo spirito, costretto a perdere i pensieri in cose che nulla hanno a che fare colla poesia? Cento volte ho cominciato, e cento volte ho interrotto il lavoro. Figuratevi, dopo ciò, se io sono in istato di accingermi alla versione della *Messiade*. A proposito della *Messiade*: e quando verrá fuori il secondo tomo di poesia alemanna? Sono impaziente di vederlo. Sto pure attendendo con ansietá le vostre campestri poesie. Saranno dolcissime e delicatissime, perché sono del p. Bertòla. Non sono le prime che io ho lette su questo genere scritte da voi. Che innocenza di pensieri, che anatomia dello spirito umano ho trovato nelle medesime! Ma io aspetto di parlarvene diffusamente quando avrò ricevuto il libretto, il quale non avrá forse altra macchia, che quella di far menzione di me, se è vero quel che mi scrivete. Darete all'ornatissimo signor Marchese Belforte l'accluso foglio. Sono alcune strofette mal pensate e mal digerite in risposta al suo grazioso estemporaneo. [4]

Se avete piacere di prendervi spasso qualche volta colla lettura di geroglifici d'Arcadia, vi servirò io. Tengo delle cose preziose, e me ne ricreo quando mi viene il timore di essere un pessimo poeta. Mi servono di un salutare disinganno.

Se volete qualche volta onorarmi di vostre lettere, bandite i complimenti, e imitate l'esempio di un vostro affezionatissimo amico e servitore.

ALL'AB. AURELIO BERTÒLA - NAPOLI.

Roma, 3 dicembre 1779.

Un paragrafo di vostra lettera ad Amaduzzi, nel quale lo avvertite di dirmi che voi mi avete scritto, mi fa sospettare con fondamento, che voi non abbiate ricevuta la mia risposta. Io la diedi subito il giorno dopo ricevuto il vostro foglio, e vi acclusi pure alcune strofe pel signor Duca di Belforte. Ma siccome io non feci bene la soprascritta, non sapendo che fosse necessario l'indirizzarla a Monte Oliveto Maggiore, lunsingato che bastasse la sola direzione a Napoli; cosí niente piú facile che la lettera sia rimasta all'ufficio della Posta. Vi prego di farne ricerca per mia giustificazione e vostra sicurezza.

Ho letto, ho divorato tutte le vostre poesie campestri e marittime. Se è vero che ogni poeta, dipingendo gli altri, dipinge sé medesimo, voi dovete essere la piú dolce compagnia del mondo. Quella delicatezza, quella innocenza di pensieri, d'immaginazioni, di similitudini, di colori m'incanta e mi seduce. Il Sepolcro campestre, la Malinconia, la Vendemmia, il Modello d'Amore, la State; tutto insomma da capo a piedi il libretto è aureo. Voi avete l'arte di obbligar la natura a somministrarvi dei colori e delle idee dalle cose piú minute. In questa guisa si desta la sorpresa e la secreta soddisfazione di trovarvi dentro la veritá, quella veritá che tanto piú t'innamora, quanto piú è sparsa di novitá. Io v'invidio ancora l'amenitá del luogo che voi decantate nei vostri versi. Un soggiorno tranquillo, in cui non s'ascolta altra voce che quella della natura, la quale vi parla per tanti oggetti piacevoli, è il paradiso terrestre dei poeti. Aggiungete a tutto ciò la compagnia di un amico come Belforte.

È molto tempo che io dimando al Signore una simile fortuna, ma le mie preghiere non si esaudiscono. Io mi sento in petto una fame di scriver tragedie, che propriamente mi uccide. Questa è la mia smania, e sono disperato perché ho paura di morire prima di poter comporre una tragedia. Pregate qualche volta i Santi per me, se avete niente di familiaritá coi medesimi, acciò mi liberino alquando dai bisogni che mi circondano, e dalle pestilenze d'Arcadia, ove bisogna perdere qualche volta la riputazione per complimento. Addio.

P. S. Mi rallegro con voi della nuova carica. [5)] Voi meritate tutte le fortune, ma le Muse non meritano che voi minacciate di abbandonarle. Spero per altro che senza scrupolo sarete pronto a violare i vostri voti quando occorrerá.

Seconda P. S. Eccovi un incomodo. Saranno ormai due mesi che io consegnai ad un Religioso Somasco un rotolo di alcune copie del mio Saggio da consegnare al libraro Emmanuele Terres, dal quale furono richieste ad un mio amico. Non so piú nuova né dei libri, né del signor Emmanuele. Mi farete voi il piacere di commettere a qualcheduno la briga d'informarsi che cosa sia successo di questo rotolo? I miei ossequi all'incomparabile signor Duca Belforte. Pregatelo ad essere spesso liberale de' suoi versi ad Amaduzzi. Cosí ne godrò ancor io.

A CLEMENTINO VANNETTI - ROVERETO.

Roma, 6 maggio 1780.

Amico carissimo. Per cagion vostra ho trovato che dire coll'abate Serassi sul proposito del vostro libro. Questo bilingue idolatra di tutte le merde del Cinquecento e dei periodi che mai non finiscono, non trova cosa che gli piaccia nelle lettere di Zorzi. La sua precisione francese e Alambertiana gli dispiace, e non considera Zorzi che per uomo superficiale. Voi, secondo Serassi, avete malamente spese le vostre fatiche in far l'elogio di uno che vi è infinitamente inferiore. Vedete bene che una razza simile di giudizio meritava quattro parole di risposta. Gli ho dunque cantato ancor io il mio parere, e l'ho terminato con dirgli, o che esso non aveva ben letto le lettere di Zorzi, o che aveva avuta la disgrazia di non capirle. La disputa fu lunga, ed occupò tutto il tempo di una deliziosa passeggiata, che facemmo con tutto il corpo degli Accademici Occulti ad un casino di campagna del Duca di Ceri, ove si celebrò con un pranzo sontuoso il primo giorno di Maggio. Ora osservate un poco quanto delicato era l'impegno! L'abate Taruffi, che la mattina aveva meco riletta tutta la terza e la quarta lettera, se non approvava le obbiezioni di Zorzi circa la lingua latina, almeno seppe in lui riconoscere l'uomo grande che le faceva. Non è questa la prima volta che io mi sono letterariamente azzuffato coll'abate Serassi. Il Tasso e l'Ariosto piú di una volta ci hanno fatto disputar acremente. Io gli perdono tutte le bestemmie che per il passato ha vomitato contro l'Ariosto che egli non ha mai letto, ma non gli posso perdonare il poco conto che egli fa di un uomo qual era Zorzi, molto meno poi gli perdono il pericolo in cui egli mi ha messo di dir male di voi per vendicare l'amico estinto. Finisco questo aneddoto con dirvi che Taruffi vi saluta, e che vi ama, vi stima e vi loda moltissimo. Non sa persuadersi che la vostra etá sia cosí fresca, e che circa sei anni fa abbiate saputo rintuzzar cosí bene la tracotanza di Serrano in quel vostro libretto contro Marziale. Se gli manderete una copia della vostra seconda Epistola gli farete una cosa di suo sommo piacere, molto piú se accompagnerete il vostro donativo con una breve lettera latina.

Stupisco come non abbiate ricevuta lettera da La Barthe. Egli forse non avrá avuta l'avvertenza di farne la consegna alla posta, o forse ancora non vi ha scritto. Egli non è l'uomo il piú disoccupato. Ha sopra le spalle due segreterie che l'ammazzano: quella di Polonia e quella di Baviera.

Dimani, o post dimani consegnerò all'abate Valdambrini trenta paoli ricavati dalla vendita di dieci copie del vostro libro. Il denaro dovrebbe essere di piú, ma io metto a vostro conto le legature che è convenuto farvi per presentarle al Duca di Ceri, a Boschi, a Visconti, a Taruffi ecc.

L'altro giorno trovai sul mio tavolino dodici copie dell'Estratto di Modena. Lo divorai subito. Ad onta di un gran capitale di amor proprio che mi predomina, mi sono vergognato delle lodi che mi profondete. Io tralascio che è scritto eccellentemente, e da par vostro: osservo solo che qualche volta voi avete servito alla vostra erudizione piú che ai miei versi. Ho notato ancora che in quei medesimi passi de' miei componimenti che voi citate, avete qualche volta soppresso versi che possono meritar della critica. Questo si chiama sacrificare la nuda verità all'amicizia. Caro Vannetti, abbiate pazienza, voi avete tradito l'ufficio di rigoroso censore quale io vi pregai di essere. Gli ultimi periodi del vostro Estratto non bastano per medicare la soverchia profusione delle vostre lodi. Un mese dopo che il mio libro era uscito, la vostra analisi mi sarebbe parsa assai giusta. Allora il fervore delle idee riscaldate da quella vanità che è sí comune ad un autore che stampa, non mi avrebbe permesso di riflettere che il mio libro conteneva delle cose mediocri. Adesso che questo libro mi comparisce quello che è, non posso compiacermi come vorrei di una analisi cosí parziale. Che dirá Bettinelli? Egli è cieco se non vi biasima. Con tutto ciò voi avete notate delle cose le quali mi sforzano a perdonarvi, e certi passi da voi considerati, della bellezza dei quali io sono sempre stato persuaso, mi tentano quasi di credere che come non vi siete ingannato in questi, non vi siate ingannato neppur nel resto. Per esempio, nel primo Capitolo quel fermento d'idee che mi cagiona la solitudine, quella riflessione *Forse un tempo segnar* ecc. e specialmente quella voltata secca contro di Amore. Cosí pure quell'*Ah fuggi ah fuggi*. Ma molto piú quel riflesso sopra di me nell'atto d'invitare la morte. Dico lo stesso di varie altre cose osservate negli altri capitoli, nei quali per altro avreste potuto esercitare un poco la critica, e con ragione. Nella prima Elegia è vero verissimo che in quei terzetti nei quali risolvo di morire, e mi vo consolando colla memoria delle lodi che mi hanno guadagnato i versi, e dell'ingegno ecc. è verissimo, dico, che in tutto quello squarcio io ebbi di mira le parole di Didone. Nel resto è mero accidente se qualche volta mi combino coi pensieri di Ovidio e Properzio. Assicuratevi che quando l'anima è veramente riscaldata non può né ha bisogno d'improntare gli altrui pensieri. Quanto però non vi sono io obbligato per avermi fatto riflettere che in realtá qualche volta io ho superato il calore di quei sommi poeti! Ma che dico? Io vi sono obbligato di quasi tutta la mia riputazione. Questi sono i vostri demeriti. È egli difficile che io non vi assolva? o per meglio dire sará egli cosí facile che io trovi termini corrispondenti per ringraziarvi? Racine, che voi citate in fine dell'estratto, mi ha messo in testa un pensiero che voglio confidarvi. Voi sapete che quel povero galantuomo non avrebbe riscossa in Parigi tutta quella lode e stima che gli era dovuta se l'autoritá del gran Boileau non l'avesse sostenuto, e difeso dalle arrabbiate critiche de' suoi nemici. Voi avete tutte le qualitá, tutto il carattere di Boileau; Dio voglia che io possa acquistar quello di Racine, giacché per nemici non gliela cedo. Ecco il pensiero che vi diceva. È ridicolo, ma chi sa che un giorno io e voi non ci abbiamo a compiacere di averlo riflettuto? Voi vedrete che non sará tanto disprezzabile quando vi manderò il Dramma, di cui credo avervi scritto un'altra volta. [6)] Vi accludo una lettera che tempo fa ricevetti da Ferri, e che mi sono sempre dimenticato di trasmettervi. In questo stesso corso di posta scrivo alla Caminer e a Tiraboschi.

A CLEMENTINO VANNETTI - ROVERETO.

Roma, 3 giugno 1780.

Amico carissimo. Non vi fate caso se l'Effemeridista anche per questa volta ha differita la stampa dell'articolo sul vostro libro.[7] La colpa è mia, e vi dirò tutto quando nell'ordinario futuro vi spedirò i fogli. Cunich ha fatto un Tetrastico in vostra lode, e lo troverete stampato nelle Effemeridi.

Ho letta e riletta l'Epistola del signor Lagarinio.[8] Sempre piú mi confermo in ciò che altre volte vi ho scritto, cioè che questo genere di poesia è fatto per voi. Parmi che sia un bel pezzo di poesia non minore della prima che m'indirizzaste. E voi ben sapete che allora ve ne scrissi mille lodi. Non crediate però che io sia senza scrupoli. Vi ho notati dei piccoli nei, ma non meritano la pena di essere manifestati. Uno solo non ne posso tollerare in alcun modo, ed è quel « *vil volumi* ». *Vil* in plurale mi dá una stilettata nell'orecchio, e se vi perdono « *gl'inutil rami* », è tutto quello che posso perdonare. E perché non far piuttosto « *i rei volumi* »? Se io non ho perduto il gusto, assolutamente va meglio cosí. Correggetelo a penna.

Per ciò che spetta alle note, quasi la metá di queste si poteva omettere. Questa minuta accuratezza di notare perfino i mezzi versi tradotti o imitati da Orazio, Virgilio ecc. è troppo noiosetta (perdonate il termine) e fa un non so quale oltraggio al lettore, cui non bisogna supporre poi tanto indotto. Che se lo fate per delicatezza di coscienza, e per mostrare che restituite a Cesare ciò che è di Cesare, io sarei tentato di assomigliarvi a quella donnicciuola devota, la quale non lascia di tormentare l'orecchio del paziente confessore se prima non l'ha martirizzato colla minuta e lunga storia di tutti i suoi peccatucci. Il resto delle annotazioni era necessario, e fa onore al vostro criterio e al vostro buon gusto, il quale per altro talvolta è un po' caustico. Quei pezzi dell'ode di Klopstock che mettete in ridicolo non sono poi tanto ridicoli. Fintantoché voi state attaccato alle nude parole, non solamente Klopstock ma Pindaro, Omero, David sono pieni di buffonerie. Una sola pagina dell'*Iliade* del Salvini basta per giustificare quel ch'io dico. Ogni lingua ha il suo entusiasmo, e quando un traduttore non è pago di trasportare nel suo idioma il sentimento del suo autore, e vestirlo dei colori che gli somministra la sua lingua, ma vuole di piú lasciargli in dosso le stesse forme, il traduttore sará sempre cattivo. Bertòla in questo ha peccato molte volte. Io vorrei ch'egli ed ognun che traduce imitasse Virgilio, Orazio, Properzio, i quali han saputo tradurre sí bene i piú bei pezzi di Omero di Pindaro di Callimaco, che li hanno resi propri. Del rimanente se v'internerete nel pensiero di Klopstock, e lo sbarazzerete dell'involucro di una frase che in italiano mal suona, e in tedesco suonerá benissimo, se voi in somma v'appiglierete al midollo dell'immagine, lungi dal trovarla difettosa e stravagante, voi ci troverete dentro un certo patetico che vi riempie di piacere. Io per me, quando leggo questi poeti mi dimentico sempre delle parole e della stravaganza medesima che li accompagna, e procuro di adattarmi io alla loro intenzione, al loro pensiero, senza aspettare che essi si adattino alla mia intelligenza. Per esempio sentite come Shakespeare descrive il nascere del sole. *Il mattino dall'occhio grigio sorride sulla torva notte ricamando le nubi orientali con liste di luce, e l'oscuritá pezzata si ritira brancolando come un ubbriaco davanti ai passi del giorno e alle rote ardenti di Titano.* Questo ladro stravagante non è egli pieno di tinte delicatissime e parlanti? Quell'*occhio grigio* non vi presenta egli subito l'immagine di un crepuscolo che manca? quel *sorride* non è egli pieno della soavitá di Teocrito? quel *ricamo di liste di luce* non vi dice quanto basta per cavarne fuori una bellezza originale, purché vi assista un poco di buon gusto? e sopra tutto quell'*oscuritá pezzata* non è ella un'immagine piena di veritá ed evidenza, perché rappresenta appunto quell'interrompimento di luce e di tenebre che risulta dalle rupi dalle valli dai boschi? finalmente che ve ne pare di quel *brancolando?* io per me dico che è mirabile. Eppure, se stiamo alle nude parole, v'ha cosa piú ridicola di questa descrizione? Sono d'accordo con voi e con Bettinelli che la maggior parte dei nostri poeti, sedotta dalla novitá transalpina, è insoffribile; v'accordo ancora che gli esemplari tedeschi, inglesi, francesi sono la fonte di tanta corruttela. Ma bisogna che anche voi mi accordiate che il gregge di questi nostri poeti intedescati, infranciosati è un gregge di talenti mediocri e puerili. Dov'è quel buon poeta che, meditando questi medesimi esemplari, cada nelle debolezze di costoro? Il morbo adunque da cui l'Italia è inondata è colpa dei nostri poeti, e non dei tedeschi. Essi fanno uso di tutta la energia della loro lingua, come fa ognuno della propria, e sarebbe un'ingiustizia il giudicare delle opere loro sotto una mal cucita veste italiana. Ma un'altra volta terminerò le mie riflessioni sopra questo particolare, e principalmente sopra la riflessione che fa Klopstock in proposito di quella *polvere*.

Vi accludo alcune osservazioni che mi nacquero in mente l'altro giorno sulla poesia lirica. Probabilmente dovrò servirmene. Desidero che le esaminiate, e che vi mettiate un poco le mani dentro se vi resta un momento di tempo libero, e le amplifichiate, giacché io fui costretto dall'angustia del tempo a non usar tutta la precisione. Vedrete che hanno bisogno di ornamento. Amatemi e credetemi il vostro ecc.

A FRANCESCO MONTI - FUSIGNANO.

Roma, 5 dicembre 1780.

Eccovi il mandato di procura per la vostra elezione in ministro del Monte, ed eccovi pure le minute di tre lettere che scriverete una a monsignor Soderini, la seconda ai difensori, la terza all'ab. Scarpelli, e quest'ultima l'accompagnerete coi quindici zecchini, che assolutamente bisogna regalargli se non vogliamo fare un'infelice figura. Si è scritto dalla Congregazione anche una lettera al commissario Cedri, nella quale gli si dá avviso della vostra elezione, e vien pregato di non esigere da voi la minima dipendenza, e di somministrarvi soltanto tutte le notizie delle quali potrete aver bisogno.

Le altre spese sono giá state pagate, e attendo che mi rimborsiate.

Non avrete bisogno che vi suggerisca di preparare tutte quelle cose che credete poter abbisognarvi per questo impiego, cioè libri di conti, e libri di lettere e di registro, ed altro che voi saprete provvedere.

Quando intanto vi troverete in caso di fare o chiedere qualche cosa senza renderne intesa a dirittura la Congregazione, scrivete liberamente a Scarpelli o a Monsignore, avvisandovi essere un po' piú corretto nell'ortografia e nella sintassi, se non volete farvi disonore. Per il restante siate conciso, netto nelle vostre idee, e, sbarazzato dalle ricercatezze, entrate subito nelle vostre materie, date un po' di vibrazione e di franchezza alle vostre ragioni, e quando potete spargete di un po' di ridicolo i vostri sentimenti, poiché Monsignore ama molto la disinvoltura e la critica, quando è ben condita e civile. Insomma, procurate di compensarlo della noia che gli danno le lunghissime e inelegantissime dicerie del sig. Pignocchi, che scrive da bestia, perché il carattere del suo animo è lo stesso che quello delle sue lettere. Provvedetevi della carta

fina da scrivere, della quale in casa nostra vi è sempre
stata carestia, e compiegate le lettere nella maniera che
troverete il foglio in cui vi accludo le riferite minute,
ricordandovi di farci sempre la sopracoperta, toltone
quando scrivete all'ab. Scarpelli, col quale ve la passerete
senza complimenti.

Mi trovo sul tavolino molte lettere a cui devo rispondere, perciò vi sono schiavo e finisco. Il vostro aff.mo
fratello ecc.

Un caro abbraccio per me ai genitori, e un saluto al
fratello e alla cognata.

A FORTUNATA SULGHER FANTASTICI - FIRENZE.

[1782].

Incomparabile Amica. La mia situazione è pur dolorosa. Tra pochi momenti debbo andar lungi da una tenera
amica e da una tenera amante. Io mi sento dividere tra
questi due cari oggetti, ambedue mi commovono l'animo e
mi gittano in una feroce desolazione. Io raccomando alla
vostra amicizia me stesso, e la persona che m'ha innamorato. Voi siate la direttrice dei suoi affetti e della sua
condotta. Diventerá la persona piú amabile di questo
mondo se prenderá ad imitare la vostra virtú, e a coltivarsi sull'esempio del vostro spirito e de' vostri talenti.
Fate che i vostri consigli se le stampino nel cuore, e insegnatele a resistere un po' piú ai tumulti dell'animo, a
non perdere con veruno, molto meno col suo cugino, la
solita giovialitá; pregatela di accarezzarlo, di blandirlo, di
amarlo e di rispettarlo. Insomma procurate di trasfondere
in essa tutte le vostre perfezioni, e consolatela, e datele
un bacio per me. [9] Addio, ammirabile amica, addio. Vi
considererò sempre come la donna piú prodigiosa e piú
rispettabile di questo mondo. Addio, anche una volta, in
grandissima fretta.

A FORTUNATA SULGHER FANTASTICI - FIRENZE.

Siena, 4 novembre 1782.

Incomparabile e rispettabile Amica. Fate quel che volete dell'accluso. Se credete di non doverlo consegnare a Carlotta, nol consegnate. Se vi preme, al contrario, di obbligar un amico, leggetelo, fatelo leggere sotto i vostri occhi medesimi e poi laceratelo. Io mi abuso forse un po' troppo della vostra condiscendenza, ma compatitemi. Io amo Carlotta sopra ogni credere, la mia tenerezza mi ha dettato alcune parole e vorrei che queste passassero sotto i suoi occhi. Amo Carlotta, la vostra tenera Carlotta, e l'amor mio è di un carattere non più sperimentato. Ho sentito più volte il furore delle passioni, mi sono abbandonato in preda qualche volta ai disordini, mi sono lusingato che la mia felicità potesse consistere nei disordini e nelle colpe. Mi sono orribilmente ingannato. Carlotta mi ha fatto sentire che non si può esser felice in amore se non si ama un oggetto virtuoso e innocente. Fa d'uopo assolutamente che io procuri di possedere questa amabile creatura, non posso vivere senza di lei, né posso dimenticarmi di lei. Se tralascio d'amarla, io sono il peggiore di tutti gli uomini, e merito d'essere detestato da tutti, e specialmente da voi, che siete la depositaria dei miei segreti e del mio cuore. Mia dolce amica, rendetemi giustizia presso la mia amante, informatemi dei suoi sentimenti, inspiratele le vostre virtù oltre tutte l'altre che del proprio fondo possiede, ed io vi sarò debitore della mia felicità.

Io parto domattina da Siena e sarò in Roma circa li dieci. Colá attendo vostre lettere. Ricordatevi che sono geloso della vostra preziosa amicizia, quanto sono ammiratore dei vostri talenti, ed incantato della vostra modestia e delle vostre maniere amabilissime. Con questi sentimenti io sono e sarò sempre il vostro amico vero.

A FORTUNATA SULGHER FANTASTICI - FIRENZE.

Roma, 9 novembre 1782.

Amica Car.ma. Ieri giunsi in Roma felicemente. Benché mi trovi affollato di lettere, non posso tralasciare di darvene avviso. Mi lusingavo di trovare nella posta di Firenze qualche riscontro alla lettera che vi scrissi da Siena, ma non vedo ancora alcun segno di vita. Sono impaziente di saper l'esito di quel foglio, e sentir le nuove della mia Carlotta. Non ho passato, per cosí dire, un momento senza ricordarmi di voi e di lei. Oh se vi fossero note le tempre del mio cuore... Non le intendo neppur io. Intendo solo che Carlotta mi è necessaria e che io l'amo incredibilmente. Custodisco il cerchietto ch'ella mi diede come la cosa piú preziosa ch'io m'abbia, e quando son solo lo bacio come la reliquia d'un qualche Santo. Ho scritto quest'oggi a Livorno perché mi sia mandata qualche galanteria per corrispondere in qualche parte al dono della mia Carlotta.

Voi potreste intanto additarmi la maniera di farvi pervenir tutto sicuramente, e darmi qualche indirizzo, giacché pel corriere direttamente non torna conto, tanto piú che ho intenzione di trasmettervi anche un esemplare delle mie poesie stampate.

Il mio pensiero sta sempre in casa Vinci.

Salutatemi tutta quell'amabile compagnia, e ringraziateli delle finezze che mi han fatte.

Conservatemi la vostra preziosa amicizia. Se vi basta la mia, io ve la dono tutta. Ma il dono sarebbe troppo misero, se il cuore non vi avesse la sua gran parte. Assicuratevi adunque che io non sarò mai pago abbastanza, se non mi accordate ancora qualche cosa piú in lá d'una fredda amicizia in corrispondenza dell'affetto con cui sono e sarò sempre il vostro amico vero ecc.

A FORTUNATA SULGHER FANTASTICI - FIRENZE.

Roma, 16 novembre 1782.

Amica carissima. Quanto mi ha consolato la vostra lettera! Mia rispettabile amica, se voi mi conservate l'amor di Carlotta, la mia vita sará una riconoscenza perpetua. No, non è possibile che io manchi di fedeltá ad un oggetto sí innocente e sí caro. La mia tenerezza è stabilita sul fondamento della sua virtú. Sará dunque perpetua. Parlatemi sempre dell'innocenza del suo cuore e de' suoi costumi, ed io sarò sempre l'amante il piú passionato di questo mondo. Qualunque volta io medito sopra l'amor mio, sempre piú mi confermo nella risoluzione di tentar tutto, e far tutto per possedere Carlotta. Ho in animo di parlarne francamente al Papa; ho pensato alla maniera di palesargli la mia situazione e d'implorare le sue beneficenze, ho mille cose da dirgli per commuoverlo e intenerirlo, e vado aspettando il contrattempo di azzardare la mia fortuna o la mia rovina. Felice me, se potrò passare nell'animo del mio Sovrano uno solo de' miei sentimenti! Io lo spero, e questa seducente speranza è la mia consolatrice, e il solo conforto che mi rimane nella tormentosa distanza che mi divide dalla mia Carlotta. Povera Carlotta! Quanto mi ha intenerito il sentire che ancora mi ama, e che è passata nel suo Ritiro. Vi supplico di visitarla qualche volta per me, e di assicurarla dei miei sentimenti.

Sto aspettando che m'indichiate la via di trasmettervi le cose di cui vi scrissi l'ordinario passato.

Roma è piena della vostra fama, ed è impaziente di vedervi e ascoltarvi. Mi suona ancora nel cuore la dolcezza dei vostri versi e della vostra voce, e sono ben tenui le espressioni colle quali mi protesto di essere vostro ammiratore, servitore ed amico.

A FORTUNATA SULGHER FANTASTICI - FIRENZE.

Roma, 18 gennaio 1783.

Amica singolarissima. Ci vuol pur poco per disturbarmi. Nell'ordinario di ieri non ho avuta lettera né da voi, né dal signor Giovanni, né dal signor Giuseppe. Eppure quest'ultimo doveva aver ricevuta la mia risposta in tempo di darmene riscontro. Ero impaziente di sapere se chiamasi soddisfatto dei miei sentimenti, o se avea passato nelle mani di Carlotta il mio foglio. Sono all'oscuro di tutto ciò e sono afflitto. Oh amica preziosa! Qualche gran bene m'ha da succedere, o qualche gran male. O io sono destinato ad esser felice con Carlotta, o a morir disperato nel perderla. Io non intendo piú me medesimo. Io non penso che a lei, non imploro dal cielo che lei. Senza di lei tutto l'universo si annienta ai miei occhi, tutta la natura è un deserto. I miei sensi sono tranquilli e quasi stupidi, ma il mio spirito è fieramente alterato, la mia ragione si è smarrita, anzi, per meglio dire, la mia ragione ha preso foco ancor essa, o si è trovata d'accordo col cuore, e tutte due insieme cospirano a farmi soffrire, a farmi pianger come un fanciullo. Vi confesso la mia debolezza, e non me ne vergogno, perché la sola testimonianza del mio cuor retto ed onesto mi fa anzi insuperbire delle mie stravaganze e dei miei deliri. Non ho trattato Carlotta che cinque giorni, ma parmi che questa giovine meriti le adorazioni di tutto il mondo. Voi che ne dite? Non dubito che non siate del mio sentimento, ma temo bene che non vi lamentiate delle mie seccature, le quali saranno la vostra seconda malattia. Quando vi sarete affatto ristabilita, scrivetemi, datemi nuove di Carlotta, visitatela spesso per me, ditele mille tenerezze a mio conto, investigate se mi ama, assicuratela della mia fedeltá, raccomandatele di coltivare il suo spirito, ammaestratela, inspiratele la vostra disinvoltura e l'amore della virtú, non di quella virtú rozza e selvaggia, che talvolta è peggiore del vizio, ma di quella socievole e dolce virtú, che previene i cuori in suo favore, e che si fa rispettare senza offendere. In somma, rendetela simile a voi, e allora non vi sará al mondo persona piú contenta del vostro affezionatissimo amico.

P. S. In questo giro di posta scrivo due righe al sig. Giuseppe. Fate ricerca se codesto Molini mercante di libri abbia la *Messiade* di Klopstock tradotta in francese. Se non l'ha, commettetegli di farla venir subito, e pagatela quel che vuole. Ne ho di bisogno, anzi di necessitá.

A FORTUNATA SULGHER FANTASTICI - FIRENZE.

[Roma,] 15 febbraio 1783.

Amica carissima. Eccovi la lettera dell'amico, che non potei mandarvi l'ordinario passato. Sono senza nuove della mia Carlotta e bisogna ch'io vi scriva. Bisogna ch'io mi intrattenga un momento con voi, che siete la depositaria delle mie afflizioni, e che mi onorate della vostra assistenza e della vostra compassione.

Una terribile idea si è insinuata nell'anima mia; un'idea che mi perseguita e mi presenta dinanzi agli occhi un avvenire tenebroso e funesto. Mia dolce amica, sarebbe egli mai decretato nel Cielo che Carlotta non dovesse esser mia? Questo amore cosí ardente, cosí puro, che io sento per una cosí amabile creatura, sará egli mai fortunato e felice? Io non domando al Cielo che questo solo bene, io non sono sensibile che a questo pensiero, io non mi occupo che di questa larva seducente e soave. Soave finché non sottentra un timore crudele che la dissipa, e dilegua l'incanto delle mie dolci speranze. Oh Dio! Chi può spiegarvi il tumulto dell'animo mio? Son misero sí, tre volte misero. Non so donde abbiano origine i presentimenti che mi serrano il cuore. So che tutte le mattine io mi sveglio bagnato di lagrime. Non trovo altro sollievo che a lasciarle correre in gran copia dagli occhi, altro conforto che a gemere e singhiozzare e stendere le mani verso del Cielo. Mi alzo da letto col cuore oppresso, mi aggiro vagabondo su e giú per le stanze, e mi nudro ora di fantasmi che mi spaventano, ora di lusinghe che sconvolgono tutta la mia tenerezza. Cerco sempre il silenzio e la solitudine. Aborrisco la societá e non conto nel numero de' miei amici altro che i poveri e gli afflitti. Mi porto qualche volta a teatro, ma solamente allorquando si recitano delle tragedie. Mi nascondo da me solo nel fondo di un palco, e lá mi abbandono intieramente all'orrore patetico della rappresentazione; mi immergo nel pianto e nella compassione delle altrui sventure; ed ogni sentimento ed ogni espressione mi piomba sul cuore. Cosí, lontano da tutti, non ho altri in mia compagnia che la dolce immagine di Carlotta. Questa mi sta davanti immobile nella veglia e nel sonno. L'ho dentro gli occhi allorquando mi addormento, la ritrovo nei miei occhi allorquando mi sveglio, con essa io parlo, con essa mi perdo in teneri colloqui, e sento che il cuore si allarga e raddoppia i suoi palpiti e non mi cape nel petto. Oh Dio! mia dolce amica, oh Dio! non è possibile che io vi esprima i trasporti dell'animo mio, né che voi possiate immaginarveli. No, non è possibile. Una sola scintilla dell'amore che porto a Carlotta..., una sola scintilla sarebbe bastante ad infiammare il cuore piú freddo e duro che si trovi nella natura. Ma che dico un cuor solo? Dovevo dir mille cuori. Concludo, o mia rispetabile amica, ch'io non posso vivere senza Carlotta e che vi fa d'uopo aver tutta la pietá della mia situazione. So che la tenerezza di Carlotta non può esser paragonabile colla mia, e perciò rinnovatele spesso la memoria d'un misero che l'adora, movetela a compassione delle mie pene, ed ispiratele il necessario coraggio per resistere alle difficoltá ch si vanno attraversando alla nostra felicitá. Leggetele questa mia lettera. Ve ne prego con tutta l'anima. Non temiate in lei una commozione soverchia e pericolosa. Non v'è cosa tanto dolce quanto l'intenerirsi sopra i mali di una persona che s'ama. Informatela dunque de' miei sentimenti, acciò servano questi di sprone al suo cuore, e scrivetemi minutamente le sue parole, i suoi gesti, le sue riflessioni, le sue risposte. Fatemi un quadro esatto della maniera con cui discorre di me e s'intrattiene con voi, e perdonatemi se vi riesco noioso, ricordandovi che non sarei tale assolutamente se non fossi sicuro della vostra bontá, come voi dovete esserlo della sinceritá ed affetto con cui sarò sempre vostro ecc.

P. S. Scrivo questa lettera in mezzo al rumore di una pioggia dirotta, che mi fa sovvenire di quella che voi vi pigliaste quando vi portaste da Carlotta. Una grazia fattami con tanto vostro incomodo non ha prezzo, ed io che non farei per mostrarvi la mia gratitudine? Baciate per me la mano a Carlotta e ditele che la piú rigida virtú non resta offesa in alcun modo, se un amor puro, come il nostro, fa prendere qualche volta la penna, e scrivere due righe di nascosto del padre.

A FORTUNATA SULGHER FANTASTICI - FIRENZE.

Roma, 17 aprile 1783.

Amica carissima. È stato da me il vostro fraticello raccomandatomi. Compiango le sue circostanze, ma io gli ho detto che se vuole che io faccia impegno per la sua beatificazione, lo farò volentieri, anche con speranza di riuscirvi, ma che tentare la sua secolarizzazione è cosa impossibile, almeno se non si aspetta che il Papa presente sia morto, e ne venga un altro il quale la pensi diversamente. Gli ho esibita la mia servitú in tutt'altro, e lo farò di cuore in virtú delle vostre premure. Ma lasciamo il frate e veniamo a Carlotta.

Senza restar convinto delle vostre scuse di non aver potuto consegnare alla medesima la mia lettera, vi sono obbligato se non altro di averle detto a voce quel che io le diceva in iscritto. Mi esortate ad aprirvi il mio cuore, e parlare come la sento. Io credeva di non aver fatt'altro finora. È forse necessario ripetervi le medesime cose? Amo Carlotta, senza di lei tutto mi è noia, desidero *violentemente* di possederla, e il mio è desiderio d'animo e non di senso. Spero di giungere a' miei fini, suo padre non parmi niente indisposto, ho piacere anzi che non mi faccia fretta, perché se mi costringesse a pigliarla dentro quest'anno, guasterei i miei interessi; insomma, finora tutto ha la prospettiva ridente, e non altro mi affligge che il timore di essere poco degno di Carlotta. La quale, se potesse dubitare della veritá dell'amor mio, per convincerla, mi crederei allora in obbligo d'instruirla del sacrifizio che giorni sono le ho fatto. Ella non ha altro nemico che il mio Padrone, ma nemico d'amore piú che d'avversione. Egli tenta la mia costanza in tutte le maniere e vuol abbagliarmi col presentarmi il crine della fortuna. Io non ho mai, al contrario, sentito tanto la mia superioritá, quanto nel disprezzo delle sue profferte. Piú mi combatte, piú forte mi sento, e sará pur necessario ch'egli riconosca che io son pronto a rinunciare a tutto fuorché a Carlotta. Non posso diffondermi, e conviene che vi lasci e vi ripeta che sono incredibilmente vostro amico e servitore.

Mille saluti al sig. Giovanni.

ALL'ARCIPRETE DON CESARE BALDINI - FUSIGNANO.

[Roma], 14 giugno [1783].

Amico carissimo. Bravo l'astrologo. Avete indovinato per metá e il resto lo saprete da me. Mi fido adunque di voi ed eccovi tutta la mia confessione. Nel mio passaggio per Firenze il caso mi fece conoscere colá una giovinetta di forse diecisette anni. Le fiorentine sono educate e custodite con molta maggior riserva delle romane. Nulladimeno siccome eravamo nell'autunnale villeggiatura, e la libertá campestre è maggiore, e dall'altra parte io mi era guadagnato fin dal primo momento la benevolenza della compagnia in cui fui introdotto, cosí mi fu permesso di trattare la giovine, e in poche ore, in pochi momenti innamorarci perdutamente l'uno dell'altro. Non ho ancora potuto sapere cosa di buono abbia trovato in me questa giovane. So bene che io trovai in lei cento motivi per divenirne appassionato. Passa per uno dei piú bei volti fiorentini. Ma non fu la bellezza che mi sedusse. Le sue virtú morali, virtú che da molto tempo, anzi mai non aveva io potuto trovar nelle donne, candore di sentimenti e certa tenerezza innocente piú facile a sentirsi che ad esprimersi, e certo bisogno di cuore, che mi parlava per lei, e mille altre simili ragioni mi fecero senza difficoltá ascoltare la proposizione che un'amica sua e mia mi fece di sposarla. Si tenne un congresso segreto, a cui intervenne anche Carlotta (che tale è il nome della ragazza). Parlai molto dell'amore che avevo concepito per lei, esagerai il desiderio che avrei avuto d'impegnare con essa la mia parola, ma feci ancora il quadro delle mie circostanze e della mia situazione, e conclusi che la scarsezza dei miei proventi patrimoniali e personali non mi permettevano di abbandonarmi al progetto d'un tal matrimonio. L'amica trovò che io la discorrevo da uomo onorato, ma l'amante pensò che la mia onoratezza troncava tutte le sue piú belle speranze. Caro Arciprete, se tu l'avessi veduta, tu pure ti saresti commosso. Si abbandonò ai rimproveri e al pianto, e poi a un disperato silenzio. Non v'era che un giorno da restare in Firenze. Mi pressava l'amore e molto piú le angustie di Carlotta. Per non smentire il mio carattere di uomo d'onore, e per calmare i trasporti della giovine, abbracciai un altro progetto ch'ella stessa mi fece, e fu questo: di sposarla qualunque volta la mia situazione si fosse resa piú comoda, e il Papa mi avesse beneficato senza legare la mia libertá. Con questa condizione le lasciai in iscritto la mia promessa, e partii.

Ritornato in Roma, ho sentito piucché mai crescere la mia passione. Ho aperto carteggio col padre della medesima, il quale sin d'allora avendomi preso a voler bene, volontieri acconsente che sua figlia mi ami e mi scriva, a patto però che le nostre lettere passino tutte sotto i suoi occhi, e diversamente non sarebbe possibile di scriverci, poiché Carlotta sta in convento, di dove esce a piacimento del padre. Nasce da una delle migliori famiglie di Firenze nel rango di cittadini, ha tre mila scudi di dote, e senza contrasto è la piú amabile persona ch'io m'abbia mai conosciuto e trattato.

Potete dunque credere se mi sta a cuore di fissare in qualche modo la mia fortuna per condurre a buon termine le mie brame. Il principe Chigi mio antico padrone, a cui ne feci la confidenza, e che trovandosi in Firenze dopo ch'io ne fui partito, avea sentito parlar molto colá dei miei amori con Carlotta, mi ha fatto generosamente un assegnamento di sessanta scudi l'anno. Ma il mio Padrone è affatto contrario a' miei disegni. Tuttavia mi ama moltissimo, e le sue opposizioni derivano piuttosto dal desiderio che egli ha de' miei vantaggi, che da altro. Il Papa non ne sa niente. Ma son certo che molto dispiacere non ne mostrerebbe. Le mie cose sono in buon piede, ma il tempo è lento, e senza il tempo il mio stabilimento non può succedere.

In questo stato di cose non crediate che il mio amore non si faccia sentire. Ormai è divenuto necessitá, e la passione è in me tanto piú forte, perché ha investito lo spirito, e niente vi ha interessato la materia. Il mio riposo vuol dunque ch'io tenti tutte le strade per facilitarmi il possesso di questa giovane, la quale se mi ha fatto perdere molti vizi, è stata cagione, dall'altra parte, che la mia economia ne ha risentito e ne risente del pregiudizio.

Colla lusinga che i miei affari si possano sistemare, e mettermi inaspettatamente e da un momento all'altro nel caso di prender moglie, ho presi innanzi i miei passi. Ho pigliato casa da me (giacché, volendo e potendo ammogliarmi, diversamente non si può fare) e, per dir tutto, con una spesa finora di cinquecento e piú scudi, mi sono ammobiliato in gran parte un appartamento di sei stanze con tutti gli annessi. Questa novitá fa discorrere il paese, ma per tirare innanzi m'è convenuto impegnar orologi ed anelli, oltre a molti altri denari che D. Cesare mi mandò fin dal principio di quest'anno; e mi conviene di piú lasciare insolute molte piccole partite, per esempio, di falegname, di ferraro, di pittore, d'indoratore, ecc., le quali finora non sono saldate che per metá. Ma queste non son cose che mi affliggono, perché gli operai mi fan credito per quanto voglio, e posso farli aspettare fino all'ottocento, senza che nessuno ardisca di chiedermi un baiocco. Quel che mi angustia è un debito di cento cinquanta scudi che io feci in Roma prima di venire in Romagna (ove sappiate che avrò speso da cento doppie per commetter cento disordini. Dio me li perdoni). Arduini mi fece la sigurtá di questa somma, ma volle limitarla ad un anno solo, e questo va a spirare li otto dell'entrante. Io mi contentai allora di questo termine, perché era ben lontano dal credere ch'io dovessi pensare ad ammogliarmi, e sospettare di non aver cento cinquanta scudi a mio comando per pagare il mio debito. Ma queste sono inutili riflessioni. La conclusione si è che, essendomi disgustato da qualche tempo contro Arduini per una porcheria fattami, mi starebbe a cuore quanto la vita di poter soddisfare al mio debito, per togliere a questo birbante il campo di empir Roma di ciarle, e farmi del danno nell'opinione degli altri. Per riparare a questo inconveniente, avrei potuto ricorrere all'abate Mami. Ma che volete che io vi dica? Dopo che sono stato il primo a piantare i fondamenti della sua fortuna, la sua amicizia si è raffreddata e mi convien trattarlo con riserva. Qui vi vuol del coraggio. Bisogna che mio padre sia pienamente inteso delle mie angustie e che egli vi faccia scrivere all'ab. Mami una lettera del tenore seguente: ecc.

A MELCHIOR CESAROTTI - PADOVA.

Roma, 14 agosto 1784.

Ornatissimo sig. Abate, padrone stimatissimo. Fu il signor ab. Taruffi, che mi diede impulso a mandarle la piccola collezione delle mie poesie e che mi fece vincere il timore di comparir temerario. Conosco ora che la mia diffidenza faceva gran torto alla sua gentilezza. Non contenta di gradire il mio libro, [10] Ella vuole ancora incoraggiarmi colle lodi, e queste poi cosí libere ed espressive, che mi sforzano a prendere una miglior opinione di me medesimo. Io mi compiaccio adunque incredibilmente della sua approvazione, e la mia compiacenza nasce dalla persuasione, in cui sono da molto tempo, che il mio lodatore sia senza dubbio il critico piú illuminato della mia nazione. Questa non è certamente stima di consenso, ma stima di sentimento, stima che non otterranno giammai i convulsionari del Parnaso italiano, de' quali non è abbondante la sola Lombardia. La nostra letteratura, ornatissimo sig. Abate, è attaccata da una gagliarda infiammazione di fantasie, e non guarirá fintantoché stará in mano di questi medici.

Io mi vado ricreando colla lettura delle sue belle traduzioni dal greco. Ma perché non veggo ancora fra queste l'Evangelo d'Apollo, voglio dire l'*Iliade*? In mezzo alle piú illustri sue fatiche si ricordi qualche volta d'un oscuro amatore delle Muse, che sfugge le corrispondenze letterarie, perché sono ordinariamente cambio d'adulazioni, ma che sarebbe molto desideroso d'aver quella di Cesarotti. Sono con tutto il rispetto il suo vero servo ed amico ecc.

ALL'ABATE PAOLO FERRETTI - ROMA.

Dalla Polveriera [1785].

Fate conto di questa carta perché santa è la mano che scrive. Un paziente e canuto servo di Dio mi ha rimesso nell'amicizia del Signore, e mi sento veramente allegro come una gallina che ha fatto l'uovo, la quale dura un quarto d'ora a cantare dalla consolazione. Sono impaziente di rivedervi, perché voglio applicar seriamente alla vostra conversione e a quella pure de' nostri amici, i quali tutti stanno presentemente nelle mani del diavolo. Io mi troverò dimattina prima delle 17 in mia casa, onde avvisatene Lorenza. Vi aspetto se potete, e con voi tutte le altre anime perdute, senza escluder quella di Paoluccio, che caramente saluterete. Addio, addio.

L'ultimo verso della prima terzina ed il primo della seconda del sonetto che vi mandai correggetelo cosí:

> Ma il cor ribelle... e le traenti cose...
> Levossi in piedi gravemente allora;
> Sparve ecc.

A CLEMENTINA FERRETTI - ROMA.
(raccomandata al sig. Lorenzo Capponi).

Dalle Vigne, alle 18 in punto [1787?].

Mia cara Amica. Siamo arrivati questa mattina alle otto in questa solitudine. Mi sono alzato alle tredici, e in compagnia de' miei pensieri son ito a girar per la valle, e a traversar siepi, e a saltar fossi, e a mettermi cento volte in pericolo di rompermi il collo. Dopo due ore di strapazzo e di sole, colla testa intronata dal canto delle cicale, che sono gli Arcadi di queste montagne, ho fatto ritorno all'albergo. Ho trovato tutti a dormire fuori che le galline e la gatta, la quale miagolava sul tetto. Ho preso Voltaire nelle mani, ho letto alcuni articoli sulla confessione e sui Concili dei Papi, mi sono stancato, e mi sono addormentato. Ora si va a pranzo, e fra poco ci porremo di nuovo in viaggio. Addio. Il vetturale mormora. Addio.

A FRANCESCO TORTI - BEVAGNA.

Dai Bagni di Nocera, 3 agosto 1788.

Amico sempre carissimo. Ponete mente alla data di questa lettera. Io mi trovo qui fino dallo scorso venerdí, e qui mi bagno un poco, mi annoio moltissimo, e niente scrivo fuorché lettere per il Padrone, in compagnia del quale sono venuto. Tutto il mio piacere consiste in guardar il sole quando tramonta, e alzarmi di buon'ora per assistere alla sua nascita e veder le rondini che cantano il suo ritorno, e i contadini che vanno al lavoro, e le pecore che si arrampicano sopra queste montagne, e tutta la natura rallegrarsi, e dall'altare della terra mandar in alto dei profumi verso il sole per ringraziarlo, e celebrare la sua ascensione, e rinfrescarlo nel suo viaggio. Ma questo diletto è ben momentaneo, come lo sono tutti i grandi piaceri. Io non ho che un sottile involucro di pelle che mi difenda dalla sferza del sole. Bisogna dunque ritirarsi all'ombra; e poi, stordito dal canto delle cicale, che sono gli Arcadi di questi monti, tornare a casa, e passeggiar sotto il portico, far la rassegna di cento pensieri, e cacciarli tutti, perché tutti confusi ed inutili. Spero però di guadagnarne qualcuno dei buoni prima di partire. Ho portato meco il *Gracco,* e qualche cosa travaglieremo. Intanto eccovi tre sonetti scritti sul vero, [11] e fatti per rabbia alcuni giorni prima di partire da Roma.

Ho voluto alquanto petrarcheggiare, ma a modo mio. Leggeteli, e se vi piacciono, ne farò conto.

Non rispondo alla questione, se piú mi piaccia l'*Aristodemo*, o il *Manfredi*, perché sono due tragedie di natura diversa. La scelta dipende dal gusto particolare di ciascheduno, e la piú bella sará quella che dispiace a minor numero di persone. Ricordatevi del *tres mihi convivæ* d'Orazio. Vi so dire per altro che le nostre maniere di pensare, la vostra e la mia, consuonano tra di loro. Parlando del *Manfredi*, nessuno riflette che *in tenui labor*. Tutti vorrebbero sicuramente aver fatta l'*Eneide* piuttosto che la *Bucolica*: eppure il suo autore aveva ordinato che si bruciasse la prima, e si contentava di passar ai posteri colla seconda. L'occhio di chi scrive è ben differente dall'occhio di chi giudica. Uno non vede che la superficie, e l'altro ha presente ogni minima parte piú occulta della sua opera, e ne conosce meglio l'armonia, il magistero e l'intelligenza. Uno insomma ha l'occhio della creatura, e l'altro del creatore. Volete finalmente il mio parere? Lodatemi nell'*Aristodemo*, ma cercatemi nel *Manfredi*. Addio mille volte.

AL CONTE G. FRANCESCO GALEANI NAPIONE - TORINO.

Roma, 26 marzo 1796.

Ill.mo sig. Padrone colendissimo. Sarebbe veramente assai vergogna la mia se io, italiano ed amatore appassionato, se non utile, dell'italiana letteratura, ignorassi il nome dell'egregio sig. conte Napione di Cocconato, benemerito tanto della medesima. [12] Io ricevo dunque ad onore i caratteri di V. S. Ill.ma e solo mi rincresce di trovarmi sí poco meritevole delle sue lodi. Perché Ella conosca com'è giusto il mio rammarico, le trasmetto i primi fogli della *Musogonia*, a cagione di cui m'è venuto l'onore della sua lettera e dell'altra anonima, alla quale intendo di ri-

spondere con questa sola. Mi persuado che la presenza de'
miei versi fará accorgere V. S. Ill.ma che questi sono tanto
lontani dal meritare il minimo de' suoi pensieri, quanto
lo sono io dal defraudare delle giuste lodi le armi piemontesi,
alle quali principalmente è debitrice l'Italia della
sua sicurezza. Né io ho certamente in animo di dar
compimento a siffatta poesia senza toccare sul fine del
secondo ed ultimo canto le presenti circostanze d'Europa,
e senza far cenno dei bravi soldati che bagnano del loro
sangue le Alpi perché noi vigliacchi dormiamo tranquillamente
i nostri sonni. Intanto nel primo canto io non ho
fatta parola che dell'Imperatore, inquantoché dovendo
questi versi essere dedicati al sig. conte di Wilzeck, ho
creduto affare di sola e pura creanza il consacrare innanzi
a tutti qualche ottava alle lodi del suo sovrano.
Del rimanente Ella assicuri sé stessa e il suo amico che
il loro desiderio sará nel progresso dell'opera sufficientemente
adempito, tale essendo la mia intenzione, e tale
ancor quella dell'eccellentissimo mio Padrone, la di cui
riconoscenza verso la Real Casa di Savoia mi stimolava
abbastanza per sé medesima a pagarle per esso questo
tributo.

Ma dopo tutto questo, crede Ella ch'io potrò dare al
mio lavoro il compimento che mi sono prefisso? Dio lo
voglia. Ma quando io considero d'aver cacciato il povero
Bassville in un Purgatorio, ove non è piú redenzione, mi
assale un timore che anche questa volta mi manchi l'acqua
sotto la barca. Oh venisse una santa pace, che io preferisco
pur molto ad una santa guerra, e non avessero le
Muse ad imbrattarsi di sangue e a cantar l'inno della
vittoria sopra un monte di cadaveri fra lo strepito dei
cannoni e alla luce di cittá incendiate e distrutte! Oh non
grondasse piú sangue l'alloro dei re e dei poeti! Parmi che
la *Musogonia* spazierebbe allora in argomento molto piú
abbondante e piú largo, e ch'io sarei meno esposto per

questa via a prendere degli equivoci, siccome ho fatto nel Bassville, sopra certi punti di storia, della quale non mi diletto molto, perché fuori delle battaglie di Achille e d'Enea, tutte le altre a me vicine mi cagionano sdegno e malinconia.

Ma voglio finire d'infastidirla. Presso l'anonimo suo amico si faccia, la prego, l'interprete de' miei sentimenti e della mia gratitudine per tutto ciò che mi ha scritto d'amorevole e di lusinghiero. Ed Ella, chiarissimo sig. Conte, si degni di contarmi nel numero di quei molti che sinceramente e giustamente la stimano, perché io sono senza dubbio con tutta la venerazione e il rispetto di V. S. Ill.ma um.mo dev.mo ed obbl.mo servitore ecc.

AL CARDINALE SEGRETARIO DI STATO.

Albano, 24 ottobre 1796.

Eminenza reverendissima. Piú le opere che le parole debbono far prova della fedeltá di un buon suddito. Come tale per dovere e per sentimento, io supplico l'Eminenza Vostra reverendissima di gradire l'attestato che, in mezzo alla mia povertá, le ne porgo nella rinunzia del mio intero onorario di bussolante, cominciando dall'imminente novembre e durante le guerre attuali. [13] Dirigo immediatamente a Vostra Eminenza quest'umile mia offerta per due motivi: primieramente perché tale si è stato il consiglio, anzi il comando del sig. Duca Braschi, mio amoroso Padrone; secondariamente perché giovami di cogliere questa occasione, onde sincerare io stesso i superiori circa i miei sentimenti verso il Principe mio e verso le leggi, a cui la Provvidenza mi ha sottomesso.

La calunnia e l'invidia mi fanno da molto tempo l'onore di lacerare il mio nome su questo punto; e non potendo attaccare le mie azioni, attaccano i miei pensieri, attribuendomi delle massime, l'iniquitá delle quali è stata sempre smentita dall'onestá del mio carattere e dalle prove del fatto medesimo. Egli è lecito, Eminenza, il prendere in simili circostanze una superbia conveniente alla salvezza del nostro onore, e palesare, contro le regole della modestia, qualche nostra virtú. Io sono Ferrarese; e la mia patria, riscaldata anch'essa dalla febbre della libertá, supponendomi qualche talento e sperandone qualche profitto, non ha trascurato e non trascura d'invitarmi con offerte assai liberali a farmi partecipe de' suoi pericoli. La mia costante adesione al paese in cui vivo e alla persona del degno Padrone, cui ho consacrato da molti anni il mio servizio e il mio cuore, mi hanno fatto coraggiosamente resistere alle sollecitazioni dei miei concittadini: e l'essere io rimasto fermo al mio posto fa fede abbastanza della nuova mia disposizione a non mescolarmi nelle turbolenze civili, dalle quali troppo aborrisce l'indole pacifica de' miei studi e delle mie opinioni.

Non dissimulo però i miei torti. Io ho commesso spesse volte l'errore di credere onesti e ragionevoli tutti gli uomini, e disputare con essi nel libero modo con cui si questionava una volta nelle accademie. Pieno delle prime idee, che nelle scuole si stampano nella nostra mente, coll'assiduo studio di Cornelio Nepote e di Cicerone, e che difficilmente poi si cancellano perché si apprendono a forza di staffile e di penitenze, pieno, dissi, la testa di questi splendidi pregiudizi, ho lodato sovente, e di buona fede, le virtú di Temistocle e di Catone, ho confrontate le antiche passioni umane colle moderne, e consultando il passato per penetrare il futuro, ho paragonati accademicamente gli sforzi degli alleati contro i Francesi e quelli dell'Asia contro la libertá della Grecia; ho creduto finalmente che, rispettando e adempiendo con esattezza le ottime leggi che ci governano, fosse lecito di ammirare, senza punto desiderarle e promuoverle, anche quelle dei Romani e dei Greci; né poteva mai figurarmi che un

LE LETTERE O L'UOMO

detto di Plutarco, una sentenza di Tacito avrebbe un giorno somministrato motivo alla ignoranza e alla malevolenza di denunziarmi al pubblico per un uomo di poco sana intenzione. Ecco, Eminentissimo Signore, in compendio tutta l'iliade delle mie colpe.

Per buona sorte della ragione e della giustizia, le redini del nostro governo sono state affidate alle mani di un Ministro illuminato e filosofo, di un Ministro che non prende a prestito né gli occhi né la logica di nessuno, che sa calcolare l'agitazione dei tempi e l'effervescenza degli spiriti; separare le inavvertenze dai delitti, disprezzare lo zelo funesto del fanatismo, e conoscere gli artifici della calunnia; di un Ministro, insomma, che non fa transazioni colla politica, che sa livellarsi colle circostanze dei tempi e giudicar tutti non secondo gli odi privati, ma secondo il peso e la misura di ciascheduno.

In questa ferma persuasione, la quale non è che un tributo di giusta lode ai talenti morali e politici di Vostra Eminenza, non solamente io non temo che dinanzi a Lei un seguace di Virgilio e di Dante debba riputarsi per un amico di Catilina, ma spero anzi che, invece di lasciarlo esposto alle segrete vendette della invidia e dell'impostura, Ella si risolverá piuttosto, per onore delle buone lettere, a coprirlo della sua protezione, e ad aprirgli il campo di meritar bene del suo Sovrano. Non presumo io giá molto delle mie forze, ma, secondato e stimolato da Vostra Eminenza, anche un piccolo ingegno può divenire istrumento di pubblica utilitá. I bei geni che illustrarono tanto il secolo d'Augusto si svilupparono principalmente per le beneficenze e per la profonda accortezza di quel suo celebre segretario di Stato che seppe, col mezzo di quelli che dovevano parlar coi posteri, conquistare la pubblica opinione a favore di Cesare, e rendere quel regno, a dispetto delle sue proscrizioni, il modello di tutte le monarchie.

M'inchino al bacio della sacra porpora, e col piú profondo rispetto mi rassegno dell'Em. Vostra reverendissima um.mo dev.mo ed obbedientissimo servitore.

AL CITTADINO FRANCESCO SALFI - MILANO.

Bologna, 18 giugno, A. I. Repubblicano [1797].

Se vi ricorda che io sono stato piú volte maltrattato nei vostri fogli a cagione della cantica *Bassvilliana,* [14] dovete ancor figurarvi che io sia pieno tuttavia di mal talento contro di voi. Disingannatevi: non conoscendomi voi di persona, né potendo giudicarmi che in ragione delle cose da me pubblicate, giustissimo ed onesto è stato il vostro giudizio; né io debbo lagnarmi che delle crudeli mie circostanze, le quali mi posero nella dura alternativa o di perire, o di scrivere ciò che scrissi.

Io era l'intimo amico dell'infelice Bassville; esistevano in sue mani, quando fu assassinato, delle carte che decidevano della mia vita; mi spaventavano le incessanti ricerche che facevansi dal Governo per iscoprirne l'autore; m'impediva di fuggire il doloroso riflesso che la mia fuga avrebbe portato seco la rovina totale di mia famiglia. Non piú sonno, né riposo, né sicurezza; il terrore mi aveva sconvolta la fantasia, mi agghiacciava il pensare che i preti son crudeli, e mai non perdonano, non mi rimaneva insomma altro espediente che il coprirmi d'un velo; e non sapendo imitare l'accortezza di quel Romano che si finse pazzo per campar la vita, imitai la prudenza della Sibilla che gittò in bocca a Cerbero l'offa di miele per non esser divorata.

Potrei qui rivelare altre piú cose gravissime, la cognizione delle quali compirebbe la mia discolpa; ma vi sono alle volte dei segreti terribili che non si possono violare senza il consenso di chi n'è partecipe; ed è pur meglio lasciar debole talvolta la propria difesa, che il mancar d'onestá, di prudenza, di gratitudine.

Forse direte (ed altri me l'hanno giá ripetuto) che la fierezza di alcuni tratti di quella cantica inducono facilmente il sospetto che l'animo del poeta non fosse discorde poi tanto da ciò che sonavano le sue parole, e che parecchie di quelle cose fa d'uopo averle profondamente sentite per ben dipingerle. Alla quale imputazione risponderò schiettamente, che, costretto a sacrificare la mia opinione, mi sono adoprato di salvare, se non altro, la fama di non cattivo scrittore. L'amore adunque di qualche gloria poetica prevalse al rossore di mal ragionare, in un tempo massimamente in cui tant'altri mal ragionavano; e quattordici edizioni, che nello spazio di soli sei mesi furono fatte di quella miserabile rapsodia, mi avrebbero indotto a credere d'aver conseguito il mio fine, se il papa, dinanzi al quale fui trascinato per umiliare ai suoi santi piedi le mie sacre coglionerie, non avesse trovato detestabile quel dantesco mio stile: e mi ricordo ancora che per insegnarmi di qual maniera doveasi da me trattare quell'argomento, in presenza di suo nipote e di monsignor della Genga, mi recitò con molta grazia un'aria di Metastasio.

Dalla premura che ho posta nell'istruirvi delle mie passate vicende rapporto alla *Bassvilliana,* ora che ho messa in salvo la mia famiglia; ora che il carnefice monsignor Barberi non mi fa piú tremare; ora finalmente che le mie parole son libere, come libera è l'anima che le move; da questa premura, io dico, argomenterete il prezzo che pongo all'acquisto della vostra stima, e quanto mi dolga che una fatale combinazione di circostanze mi abbia fatto giudicare partigiano del dispotismo. Prestate fede ad un uomo d'onore, prestatela alla testimonianza dei pochi, ma veri Romani, che ben mi conoscono; prestatela finalmente alle persecuzioni di cui il papa medesimo mi ha costantemente onorato; quel papa che due anni fa volevami furiosamente esiliare da tutto lo Stato, perché una compagnia di dilettanti recitava in Roma con qualche strepito l'*Aristodemo*. Ho malamente impiegati in quella santa Babilonia molti anni della mia vita; ma quale vi sono entrato, tale ne sono uscito; e se in quel pelago di religiose ribalderie ha naufragato la mia pace, il mio ingegno, la mia fortuna, non vi ha naufragato sicuramente la mia ragione. Quale poi sia il fondo delle mie tenerezze verso il paese a cui ho dato le spalle, potrete conoscerlo dalle stampe che vi spedisco, e che sono la prima espiazione de' miei errori politici. Abbiatele per un sincero contrassegno della stima che vi professo, e siate abbastanza generoso per sostituire all'odio passato il sentimento dell'amicizia, giacché io posso bensí corrispondervi nel secondo, ma nel primo giammai. Salute e fratellanza.

AL CITTADINO F. MARESCALCHI - PARIGI.

Ferrara, 20 ventoso, A. 9° [11 marzo 1801].

Caro Marescalchi. Per profittare d'un'improvvisa occasione che mi si è presentata di venir a Ferrara senza spesa, sono partito da Milano senza avere pur tempo di far bagaglio non che di scrivere. Ma che dirvi? Che pertutto non ho trovato che il quadro della miseria. Mai i Francesi si sono manifestati cosí ladri come al presente. Si ruba a faccia scoperta e si ruba tutto. In questo misero Dipartimento poi si sono commesse e si commettono ad ogni momento violenze alle proprietá le piú sacre in modo da inorridire. Insomma si può dire che prima dell'invasione degli Austriaci i Francesi si sono condotti da Angeli, perché ora sono demoni e peggio.

Ho trovato Containi in buona salute, ma dimagrato, invecchiato, e profondamente addolorato dei mali del suo paese piú che dei propri, che non son pochi; perché, oltre una lunga prigionia in Legnago, egli ha sofferto danni incalcolabili nell'interesse. L'ho veduto piangere per vedersi ridotto all'impotenza di soccorrere alcune famiglie che traevano prima la sussistenza dalla sua liberalitá. Egli v'ha scritto non ha molto, e mi ha chiesto con premura le vostre nuove, ed ha esultato nel sentire con quanta lode e quanta approvazione e benevolenza del Governo Francese voi sostenete in Parigi la vostra rappresentanza.

Anche Bentivoglio mi ha fatto mille interrogazioni sulla vostra persona, ed io non potrei incontrare argomento piú dolce che il parlare di voi.

La morte di mia madre e la stravaganza di mio fratello prete mi obbliga a proseguire il mio viaggio fino in Romagna, ove hanno portata la mia povera figlia. Questo prete ha preso ad amarla, e per darle un attestato della sua tenerezza, si era messo in testa di collocarla in un monastero per darle una buona educazione. Figuratevi con che gusto ho intesa questa notizia. Parto dunque per andare a sottrarre quell'innocente agli artigli di quel devoto assassino, e parto con assai cattive intenzioni malgrado il danno che potrá venirmene.

Nei pochi giorni che mi son fermato in Milano non ho obliato le indagini che mi avevate commesso sul ritardo delle vostre lettere. Siate certo certissimo che tutto procede dal mal regolamento delle Poste Francesi specialmente della Militare, la quale non osserva né metodo, né buona fede. Lo stesso disordine accade nelle lettere che dalla Francia vengono in Italia, e tutti fanno gli stessi lamenti.

Nel passare per Malalbergo ho avuto il dolore di vedere la piena del Reno sulla sinistra, e il sentire che la maggior parte dei terreni inondati son vostri. Non vi fo mistero di questa nuova perché a quest'ora vi sará giá stata annunziata dai vostri agenti. Questa rotta ne ha poi cagionata un'altra a Monestirolo, che ha rovinato una grande estensione del Ferrarese. Ora però è stata presa, e ciò si deve a Containi.

Andando in Romagna io starò probabilmente qualche ordinario senza scrivervi. Ciò vi sia d'avviso per non istupire se non vedrete mie lettere. Vi raccomando il recapito dell'acclusa, e vi abbraccio di cuore. Il vostro ecc.

P. S. Il solito saluto agli amici. Mi dimenticava di dirvi che passando per Parma ho veduto Bodoni. Oh quanto vi ama! quasi quanto vi amo io. L'ho consolato colle vostre nuove, e ripassando per Parma gli ho promesso di restare qualche ora con esso, e allora vi scriveremo una lettera in comune. Contro mia voglia vi accludo una lettera che mi vien raccomandata per Sensi.

[A FERDINANDO MARESCALCHI - PARIGI].

Milano, 15 fiorile, A. 9° [5 maggio 1801].

Mio caro Amico. Ti lagni perché non ti scrivo frequentemente. Lodami se lo faccio di rado; e lasciami tacere. Il mio silenzio è eroico.

Si aspettava qui Melzi, e invece ritorna Brune. Si sperava un termine ai nostri mali, e tutto annunzia il contrario. Incerti i nostri confini, incerta la nostra redenzione, nulla della nostra costituzione, nulla su le tante miserie che ci sommergono, e voragine dappertutto senza un Curzio che la chiuda. Nondimeno, tu lo vedi, io sto zitto. Per carità desidera che non mi venga mai la tentazione di scriverti.

Io parto posdimani per Pavia, e mi vi porta piú che la voglia d'insegnare, la disperazione e la rabbia. Ed infatti come non disperarsi pensando che ritorna il nostro carnefice?

Luosi e Canzoli ti scrivono per raccomandarti l'affare delle indennizzazioni. Se non viene da Parigi un impulso imperativo, noi resteremo tutti coglionati.

Ho il demonio della tentazione nella penna; ma voglio superarlo, e per questo dar fine. Salutami gli amici, e di' a Tambroni che la sua lettera, di cui mia moglie mi ha fatta la spedizione in Romagna, ancora non mi è stata respinta. A Fortis l'acclusa, e sta sano. Io sono e sarò finché vivo il tuo vero amico ecc.

P. S. Mandami un esemplare delle mie poesie stampate in Parigi in quella nota raccolta di poeti italiani, ma le mie sole, perché vi sono alcune correzioni delle quali ho bisogno.

AL COMITATO GOVERNATIVO
DELLA REPUBBLICA CISALPINA.

[Milano, tra il 20 e il 24 dicembre 1801].

Cittadini Governanti. Importare sui teatri la scuola delle grandi virtú, eccitate dallo spettacolo delle passioni piú generose; decretare per questo effetto onorevoli ricompense alle tragiche produzioni, dirette ad imprimere altamente nei cuori l'amor della Patria, il piú sacro di tutti i doveri, come il supremo di tutti i beni; cooperare perché l'Italia, regina delle moderne Nazioni in ogni altra maniera di poesia, inferiore non resti a veruna nell'arte tragica, sebbene il fiero e ardito genio d'Alfieri l'abbia giá tratta al sommo per un sentiero tutto proprio, e con modi tutti spartani: pensamento gli è questo, a mio credere, che qualunque non sia della gloria italiana e delle utili istituzioni nemico, giudicherá dettato dalla saggezza, e sovra tutti acconcio a gettare i fondamenti del vero carattere repubblicano.

E fosse pure egualmente lodevole la scelta del soggetto, a cui vi è piaciuto affidarne l'esecuzione. Onorato di questo incarico, io ben sento ch'egli è maggiore delle mie forze: minore però de' miei doveri verso la Patria, non che del mio amore per quest'arte divina consecrata principalmente alla vendetta della virtú sventurata, e all'orrore dei delitti felici. Reputai quindi officio di grato cittadino, di artista appassionato e di verace Italiano l'obbedire al vostro invito.

Argomento della mia riconoscenza e di quanto potrei fare per l'avvenire siavi il *Caio Gracco,* tragedia che intitolo al Governo, intendendo cosí d'intitolarla a tutto il Popolo Cisalpino. [15]

Salute e rispetto.

A GIUSEPPE BERNARDONI - CREMONA.

Pavia, 11 aprile 1802.

C. A. Mi era giá nota la tua missione a Cremona, della quale molto mi sono compiaciuto, perché manifesta la confidenza del tuo Governo nella tua probitá. Ora mi è grato il saperlo da te medesimo, e gratissimo il sentire che sempre mi ami.

Subito che la stampa della mia Prolusione sará finita, l'avrai. Ho dovuto interromperla per attendere alle mie lezioni, alle quali ho dato felicemente principio. Dico felicemente, perché parmi che gli studenti m'ascoltino con piacere. Io ne ho per uditori quanti ne può capire la scuola che è la piú vasta di tutta l'Universitá, senza contar quelli che m'ascoltano dalle finestre. Ma questa affluenza mi pone nella dura necessitá di faticare piú di quello che avrei desiderato. Per ora dunque addio, Muse, addio, Tragedie. Io posso parlarne, ma non comporne; e Dio sa quando farò piú versi!

Amami quanto ti amo, e sta sano.

P. S. Dimani vado a Milano per abbracciare la mia famiglia, e dopo quattro o cinque giorni tornerò alla mia trireme.

AL CONSIGLIERE MINISTRO DEGLI AFFARI INTERNI.

Milano, 19 aprile 1802.

Per tutto il tempo che mi sono trattenuto a Pavia ho avuta spesso occasione di vedere lo studente Martelli, di osservarne i costumi e ponderarne il carattere. Posso dunque affermare, senza paura d'ingannarmi, che di quanti ne ho conosciuti, e son molti, non ho veduto finora né il piú modesto, né il piú educato, né il piú pacifico. Ardisco garantire che, anche volendo, egli non può esser cattivo perché gliene manca il talento. Non gli manca però quello delle lettere e delle scienze, per solo amore delle quali egli frequenta l'Universitá di Pavia, avendo giá terminati lodevolmente i suoi studi, e consecrando alla coltura dello spirito una etá che altri dedica ordinariamente alla dissipazione ed al vizio. Questa sola considerazione di fatto deve convincervi, cittadino Ministro, che il Martelli, lungi dal meritare un castigo che lo disonora, merita anzi benevolenza e riguardo. Chi vi parla il contrario, o nol conosce personalmente, o tradisce la vostra buona fede e tende a far commettere un atto superiore, che getta lo scoraggiamento e la diffidenza nel cuore degli studenti, i quali se prima si amavano tutti come fratelli, ora per colpa altrui giá cominciano a parteggiare, e a sospettare gli uni negli altri un delatore, un nemico.

Quanto all'imputazione d'aver il Martelli contraddetta la deputazione dimandata dal Decano Legale per essere autorizzato a manifestare la disapprovazione, o, per meglio dire, la scusa degli studenti sul fatto del 24, egli non fece che emettere pacatamente la sua opinione, con quella onesta libertá che a tutti era stata accordata. Disse in somma che quanto era giusto il punire i rei, se vi erano, altrettanto gli sembrava conveniente che gl'innocenti non fossero obbligati a transigere per i colpevoli. Disse anche un'altra cosa che, taciuta nel suo ricorso, fa onore alla sua prudenza, ed io pure la tacerò perché voi mi chiedete una informazione, non un'accusa. Non posso però non ammirare la moderazione di questo giovane, che, tranquillo sulla sua innocenza, non si cura di trarre dalle mancanze altrui la maggiore delle sue discolpe. E questo, Cittadino Ministro, è un omaggio ch'egli rende alla conosciuta vostra giustizia, da cui mille e piú studiosi giovinetti, che sono la piú cara speranza della patria, attendono una decisione che rintegri la loro estimazione in quella dell'ottimo loro condiscepolo Martelli.

Salute e rispetto.

AD ALESSANDRO MANZONI - LECCO.

[Milano, settembre 1803].

Mio caro Manzoni. La fortuna, o altro demonio che sia, mi attraversa tutti i buoni disegni. Io vengo col cuore ogni dí alla vostra campagna, e mai mi è dato di venirvi colla persona. E due sono gl'impedimenti. Il primo si è quello della mia salute, che ancora travaglia nell'antico suo incomodo, per cui mi conviene sorbir decotti ogni mattina, e cautelarmi da tutte le impressioni dell'aria, che altera, per un minimo che, il barometro della mia povera macchina sconcertata. L'altro me lo cagiona *Persio*, di cui ho cominciata la stampa. Il vostro *Idillio* [16)] è venuto poi a crescermi il dolore del non poter recarmi ad abbracciare il mio bravo amico e poeta, e far con esso un sacrificio poetico all'Adda, che mi onora del divino suo invito. Non sono adulatore, mio caro Manzoni; ma credimi sincerissimo quando ti dico che i versi che m'hai mandati son belli. Io li trovo respiranti quel *molle atque facetum* virgiliano, che a pochi dettano *gaudentes rure Camœnæ*. Rileggendoli, appena scontro qualche parola che, volendo essere stitico, muterei, ed è probabile che non sarebbe che in peggio. Dopo tutto, sempre piú mi confermo che in breve, seguitando di questo passo, tu sarai grande in questa carriera; e, se al bello e vigoroso colorito che giá possiedi, mischierai un po' piú di virgiliana mollezza, parmi che il tuo stile acquisterá tutti i caratteri originali. Ma io non son da tanto da poterti fare il dottore.

Presentate al vostro signor padre i miei ringraziamenti e rispetti, e se non possiamo colla persona, vediamoci spesso col pensiero e col cuore.

AL CITTADINO GIULIO CESARE TASSONI.

Ministro della Repubblica Italiana in Toscana

Milano, ... giugno 1804.

Tre valorosi studenti dell'Universitá di Pavia, di nazione greca, e giovini di etá, ma vecchi di senno, Andrea Mustoxidi, Vittore Capodistria, Stamo Gangadi, mettendo a profitto gli ozi delle vacanze, si recano nella Toscana a vedere biblioteche e letterari stabilimenti. Addetti siccome sono alla nostra Universitá, essi hanno in qualche modo diritto alla protezione del nostro Governo; ed io, che sommamente gli ami e gli stimo, a voi caldamente li raccomando. La distinta loro educazione, la loro saviezza, gli onesti loro costumi mi fanno certo che voi, amico quale siete delle bennate e colte persone, li riceverete lietamente nella vostra amicizia, e faciliterete loro i mezzi per soddisfare alla scientifica loro curiositá. Alla quale vostra benevolenza e premura mi rendo sicuro ch'essi faranno onore per tutto, mettendoli anche in compagnia de' piú canuti. Affido adunque alla vostra direzione e alla vostra guardia questi giovani indagatori della sapienza, e reputerò usate a me stesso tutte le attenzioni che voi ad essi praticherete.

Fatemi degno di qualche vostro comando, e gradite le sincere proteste della mia costante amicizia non disgiunta da quella stima e rispetto che per tanti titoli meritate.

AL CITTADINO MELZI D'ERIL.

Milano, 16 giugno 1804.

Cittadino Vice-Presidente. Un mandato di cento zecchini e una bellissima tabacchiera d'oro per pochi versi male scritti e peggio cantati, questa è munificenza degna del vostro cor generoso, ma che non queta nella mia coscienza il rimorso di averla mal meritata. Ove troverò io dunque parole per ringraziarvi? Né qui finisce la bontá vostra. Mentr'io mi aspettava la sorte di Cherilo, al quale, per aver goffamente lodato Alessandro, fu fatto precetto di non mai piú scrivere un verso su quel grand'uomo, Voi mi comandate di nuovamente cantare pe' 16 agosto l'Alessandro dei nostri tempi. Mi lusinga moltissimo la liberale vostra opinione, ma mi turba fortemente il timore di non poterla ben sostenere, ed io avrei amato sinceramente che in questo secondo arringo aveste fatto pericolo di altro miglior talento. Vi è piaciuto diversamente, e a me conviene rispettare il supremo vostro volere. Ma voi disponetevi a compatire, considerando ch'io batto per obbedirvi una carriera per me novissima. Il tre di giugno è stato fatale alla riputazione degli attori e del compositore di musica: non faccia Dio che il 16 agosto sia fatale al poeta.

Queste e piú altre cose avrei desiderato di potervele a viva voce significare. Non osando di chiedervi questa dolce soddisfazione, né il contento di esprimervi personalmente la mia riconoscenza, pregovi di creder che io la porto scritta nel cuore, e che niuno mi avanza nel rispettarvi, nel riverirvi, e formar voti per la lunga conservazione d'una vita a tutti preziosa, come la vostra.

ALLA BARONESSA DE STAËL D'HOLSTEIN - [MILANO].

[Milano, gennaio 1805].

Mi mancano le parole per ben rispondere alla vostra lettera generosa. Ho il cuore sí pieno, che mi è impossibile il trovar sillaba degna di voi. Ma uscite d'errore. Io ho bisogno non del vostro denaro, ma della tenera vostra amicizia, la quale mi fa ricco e superbo oltre ogni credere. Gli è vero che la mia salute non è in uno stato il piú florido, gli è vero che ho delle afflizioni nel cuore, gli è vero che le mie pene si sospendono tutte quando sono con voi; ma voi mi avvilite, quando mi credete capace di accettare la vostra liberalitá. [17] Ve lo ripeto, mia cara Amica, mi è necessaria la vostra sola amicizia, e nulla piú. Tutto che debole di salute, balzo dal letto per volare a ringraziarvi, e nel tempo stesso a lagnarmi di avermi voi offeso con una proposizione che quantunque suggerita da quell'eminente carattere di bontá, che vi fa cosí degna d'ammirazione e d'amore, nulla di meno parmi che mi degradi al vostro cospetto. Ma io vi perdono l'oltraggio, perché mi viene da un sentimento magnanimo e delicato.

Tra poco sarò in persona a porvi a' piedi il mio cuore e la mia viva e eterna riconoscenza.

ALLA BARONESSA STAËL-HOLSTEIN - BOLOGNA.

Milano, 16 gennaio 1805.

Conto le ore, conto i momenti dacché siete partita, ed ecco trascorsi due soli giorni del lungo aspettare che mi rimane per rivedervi. Separato da voi, parmi che il tempo abbia perdute le ali, e nondimeno il core ha trovato in qualche modo la via d'ingannare la lunghezza di questa amara separazione. Il piú della mattina lo passo in compagnia di Moscati, e ci aduliamo l'uno coll'altro col parlare di voi, e ci prestiamo un sollievo scambievole, perché esso pure il povero vecchio è rimasto dolente della partenza vostra. Da Moscati men vado da Madama Cicognara, [18] e Voi di nuovo siete il soggetto de' miei discorsi, e trovo piú amabile questa donna perché la trovo incantata di voi. Lo credereste? Sono stato ieri sera a fare una visita alla Viscontini, [19] vi ho trovato Moscati, e l'uno e l'altro, mossi dal bisogno del cuore, non abbiamo avuto parole che per voi sola. Tutto questo, lo veggo bene, non è che un dilatare le piaghe, e crescer legna sul fuoco, e prepararmi un avvenire piú doloroso. Ma voi lo sapete, il cuore umano trova diletto nel trattare le sue ferite.

Quando son solo, chiamo in rivista tutti i dolci momenti che ho passati con voi sí deliziosi, sí rapidi, e mi accuso di non avervi seguita fino a Bologna, e sento di essermi fatto infelice per volere ascoltare i consigli della ragione, di questa noiosa pedante che avvelena tutti i piaceri di questa vita. Mi sono addormentato ieri sera leggendo la scena di Fedra da voi recitata, e mi sentiva per la memoria suonar nel cuore i vostri gemiti, le vostre lagrime. Appena svegliato questa mattina mi sono dato a tradurla, e se la versione mi riuscirá non del tutto infelice ve la spedirò, onde proviate se la lingua italiana è capace di ben sostenere tutto il calore della passione, e il patetico dell'accento. Cosí può darsi che vi somministri un nuovo motivo di sempre piú conciliarvi con questo idioma.

Non voglio tacervi un altro miracolo da voi operato sopra di me. Non mi sono mai occupato di novitá politiche, ed ora che queste ponno influire sul vostro andare o tornare mi do grandissimo moto per istruirmene. Vi sia dunque di norma il sapere (e la notizia mi viene da buon canale) che la grande armata dell'Oceano dicesi giá disciolta in tre corpi, e che uno scende in Italia, un altro sul Reno, e il terzo rimane in osservazione. Se ciò si verifica, quale partito prenderete voi? Chi mi assicura del vostro ritorno a Milano o del tragitto vostro a Venezia, tosto che questi luoghi diventino teatro di guerra? E che farò io? In mezzo al rumore di queste nuove, di cui tutta la cittá è giá piena, comincia a fuggir dai cuori la dolce speranza, che il principe Giuseppe possa venire nostro sovrano, e mi sorge nell'animo il crudele timore di non rivedervi piú cosí presto. Desidero di potervi scrivere nel futuro ordinario cose piú liete.

Mi avete comandato, partendo, di non dimenticare le nuove di mia salute. Che posso dirvi? Avete inteso il nuovo tenore della mia vita. Tutto il resto è tristezza e profonda malinconia. Non esco di casa che per cercare con chi far parole di Voi, né torno a casa che per chiudermi tutto solo nella mia stanza, e inviarvi dietro i pensieri turbati dalla paura che le distrazioni del viaggiare e nuove impressioni mi escludano dal vostro cuore. Questo lacerante sospetto prende vigore dalla coscienza, la quale mi avvisa del mio demerito. Non mi sostiene che la bontá del vostro carattere, e sarei piú tranquillo, senza un rimorso che mi consuma, e che è tutta colpa di un'umiliante vostra liberalitá. Soffrite, mia cara, mia buona amica, soffrite che ve lo dica. La carta che mi avete lasciata per il sig. Fortis, questa carta mi pesa sul cuore, e mi dice che Voi forzandomi ad accettarla mi avete reso non degno della vostra stima. So bene qual uso farne, ma il non avervela onninamente restituita mi ha tolta la stima di me medesimo, e arrossisco di questo tormentoso deposito, la presenza del quale non lascia libera l'espressione della viva e pura mia tenerezza verso di Voi.

Vi prego d'un bacio espresso dal cuore sul volto de' vostri figli. Ricordate la mia verace e salda amicizia ai vostri compagni, e se vi preme consolarmi, scrivetemi.

ALLA BARONESSA NECKER STAËL D'HOLSTEIN - ROMA.

Milano, 26 gennaio 1805.

A norma delle vostre istruzioni indirizzo la presente a Roma. Questo indirizzo mi avvisa la lontananza vostra da me, e mi fa sentire piú fortemente il dolore nel vedermi separato da voi. Mi rattristava il sapervi a Bologna, ma pure la possibilitá di superare in ventiquattr'ore lo spazio, che divide Milano da Bologna, mi faceva parere questa distanza men tormentosa. In somma, cinquanta leghe non ispaventano tanto l'ardente mio desiderio di rivedervi; ma ora sono centocinquanta, e questo immenso intervallo mi porta una mestizia nel cuore, che non so esprimervi. Il timore di essere dimenticato da voi è cresciuto in misura della distanza, ed ogni passo che fate nell'andar lontana da me mi sembra una diminuzione della vostra benevolenza, e m'uccide la ricordazione di quel crudele proverbio *lontan dagli occhi lontan dal cuore*.

Leggo e rileggo per confortarmi le vostre lettere, e come trovo quel *caro Monti*, queste parole placano i miei sospetti, me le sento suonare nel cuore, l'anima vi si ferma sopra con estasi, e ne gusta la voluttá, né l'occhio sa distaccarsene, e pare che ricusi di andar piú oltre nella lettura, né si determina a proseguire che colla speranza di riscontrare piú avanti qualche altro *caro* che mi rapisca. In una parola quel *caro* mi dá la vita, è una rugiada sopra un fior moribondo. E dopo ciò voi mettete in campo di nuovo quella villana espressione *votre mobilité*, e mi sognate un indifferente, un volubile, niente piú che un pezzo di sasso? Io raccomando al tempo le mie vendette, il tempo fará palese chi di noi due sia piú tenace e piú saldo nelle affezioni, e faccia il cielo che all'arrivo di questa io non sia giá morto del tutto nel vostro cuore.

Mi esortate a scriver tragedie, ed io le scriverò. Desiderate che io fregi del vostro nome i miei versi, siccome ho fatto della Malaspina, ed io li fregerò. [20] Vi farò arbitra in somma della mia mente, e voi sola d'indi in poi mi sarete Apollo e Melpomene. E giá colla brama di meritare la vostra stima anticipo l'avvenire, e prendo speranza, che confortato da voi mi farò degno del titolo che mi date *du premier poète d'Italie,* titolo che finora non è che dono dell'amicizia. La prospettiva di questo lieto avvenire mi si apre al pensiero, considerando che il nostro Re sará il vostro amico senza alcun dubbio. Lascio a Moscati la cura di ragguagliarvi dei prossimi nostri politici cangiamenti. A me basta il sapere che l'uomo a cui tra poco verran confidati i nostri destini ama grandemente le Lettere, e ch'egli a quest'ora si è minutamente informato dello stato attuale della nostra Letteratura, né voglio tacervi ch'egli si è degnato di dimandare alcune mie cose ultimamente stampate, mostrando assai piacere d'intendere che il vostro *caro Monti* è reputato dalla nazione *le premier poète d'Italie*. Nello scrivervi queste cose io fo, lo veggo, un gran peccato d'orgoglio, ma voi ne siete cagione, voi che spesso mi avete rimproverato di aver poca opinione di me medesimo. Cosí mi avete messo con queste seduzioni in contrasto colla mia coscienza, la quale si alza contro i bei titoli che mi date, e finirò, lo vedrete, coll'impazzire. Del resto il consultor Paradisi, di cui vi ho dette molte lodi in Milano, si è quello, che ha tenuti col futuro nostro sovrano lunghi colloquj su i nostri studj, ed esso mi scrive che gl'ingegni italiani han molto di che sperare. Se a queste felici disposizioni si aggiungeranno gl'impulsi, che noi tutti speriamo da voi sull'animo del vostro amico, [21] noi vi alzeremo nei nostri cuori tempio ed altare.

Benché io tema che qualche riguardo politico possa ritardare piú oltre che non avete intenzione il ritorno vostro a Milano, io spero nulladimeno che resterete ferma nella risoluzione di qui rimanervi per qualche tempo. Avete commesso in partendo a Madame Cicognara il pensiero di trovarvi un alloggio che vi convenga. Ella ha in parte adempito la vostra brama, e l'appartamento, di cui per suo cenno vi trasmetto la pianta, è a vostra disposizione se vi soddisfa. L'appartamento è nel palazzo Visconti Modroni, ottima situazione. Ma non è libero che fino a settembre. Sta in voi il decidere se per cosí breve spazio di tempo vi torni conto il fissarlo, avuta anche in considerazione la mancanza di tutta la biancheria da letto e da tavola e della batteria di cucina. Per me certo penso che no. Tutta volta voi farete come vi piace, e mi avviserete.

Eseguirò la vostra ambasciata colla contessa Somaglia. Temo che il suo Biamonti vi abbia poco assai soddisfatta co' suoi improvvisi. Questo privilegio infelice della nostra lingua, ottimo per il momentaneo diletto della conversazione, è stato sempre la ruina dei talenti che lo coltivano, e in vece di poeti non fa che dei verseggiatori. Su questo vi do licenza amplissima di declamare contro di noi.

Presentate a Madama Torlonia i miei complimenti, [22] abbracciate per me la vostra cara famiglia, e scrivetemi lettere, che mi pongano in salvo dai vaticinj di Schlegel, al quale unitamente a Sismonde ricorderete la mia sincera amicizia. Salutatemi il Panteon e la cupola di S. Pietro sullo stile del Filottete quando parla alle spelonche e alle rupi di Lenno, ma per caritá non vi facciano i sette colli dimenticare del vostro povero Monti.

P. S. Gradite i rispetti, che vi fo di mia moglie. Ella scherza sul mio entusiasmo per voi, e pare che Schlegel le abbia ispirato i suoi vaticinj. Non vorrete voi ismentire questi due sinistri profeti? Vendicatevene coll'amarmi, e non permettete che si faccia oltraggio giammai alla vostra costanza.

ALLA BARONESSA STAËL-HOLSTEIN - ROMA.

Milano, 30 gennaio 1805.

Avvezzato, dacché siete partita, a ricevere ogni ordinario le carissime vostre lettere, sento che la lor privazione mi fa desolato e infelice. Tanto silenzio; tanta distanza! tante distrazioni! e nessuno che parli al vostro cuore per me? Vorrei non essermi distaccato da voi, vorrei metter le ali per raggiungervi, vorrei se non altro potermi addormentare come Epimenide e non isvegliarmi che al beato momento di rivedervi. Ma questo momento è cosí lontano, cosí variabile, cosí doloroso per l'aspettazione in cui vivo. Pazienza dunque, mio cuore.

Questa è la seconda che vi spingo a Roma alla direzione del signor Marino Torlonia. Vi ho mandato nello scorso ordinario la pianta dell'appartamento che vi si propone, e ho dimenticato di notarvene il prezzo. Egli è di annue lire milanesi sette mila, e non potendo voi goderne, siccome vi ho scritto, che fino a settembre, la spesa sarebbe in ragione del solo tempo che dovreste occuparlo. Vi avviso di ciò unicamente per soddisfare al desiderio del Principe Pio, che è quello che ve lo cede. Ma vi ripeto da buon amico che per la mancanza degli oggetti accennati nell'altra mia, non vi conviene. Nondimeno attendo un vostro pronto riscontro, onde il suddetto Principe sia libero di disporre altrimenti.

Il nostro Governo è tutto in gran movimento per allestire l'alloggio dell'Imperatore Napoleone e del suo seguito. La sola truppa di guardia che l'accompagna non sarà meno di quattro mila soldati. Tutte le case piú signorili sono messe a contribuzione per alloggiar gli officiali. Avremo pompe, feste, spettacoli, e tutto nulla per me, perché voi non ci siete. E senza l'interesse del cuore che sono mai le illusioni di questa vita? E s'io son possessore del vostro cuore potrei io cangiare il mio impero con quello di Bonaparte? Chi mi varrebbe il mondo intero senza di voi? senza la benevolenza dell'unica donna di questo secolo? Sento che in queste espressioni ha la sua gran parte l'orgoglio, ma io vi amava ancor prima di conoscervi.

Ricevo in questo momento la vostra in data dei 24. Non vi dissimulo, che mi aveva cagionato gran pena il vedervi cosí diffidente e sospettosa sulla costanza del mio carattere; e perdono a chi si affatica di nuocermi nel vostro animo senza conoscermi. Ma la luce del lampo rischiarerá le altrui calunnie e le vostre dubbiezze, o per dir meglio la non meritata vostra ingiustizia. Pregovi solo di attendere i fatti per condannarmi.

Mi scrivete: *Croyez encore une fois que vous avez acquis une soeur*. Questa espressione mi ha data al cuore una scossa, e mi dipinge al pensiero tutta l'anima vostra. *Une soeur!* mi sento degno di questa sacra parola, e vi rispondo coll'altra egualmente sacra di *vostro fratello*. Un amante volgare avrebbe esitato nell'accettarla; ma ella santifica la nostra amicizia, e non v'ha forza né di tempi, né di vicende che mai piú la possa distruggere. *Une soeur!* mantenetemi il dolce possesso di questo termine, e vi dono l'altro di *caro Monti,* che prima mi pareva un incanto, e non valeva per metá la dolcezza di quello che gli avete sostituito.

Ma mi contrista un pensiero. Mi dite che un dolor di petto assai forte vi avrebbe probabilmente forzata di trattenervi qualche giorno in Ancona. Custodite, vi prego, la preziosa vostra salute, e fate che io intenda migliori nuove dalla cara *sorella,* che coll'ultima vostra ho acquistata questa mattina. Vivo impaziente della lettera che mi promettete, arrivata in quella cittá.

Non pretendo che rubiate alla contemplazione di Roma dei momenti troppo bene impiegati; ma nel visitar che farete le maestose ruine del Colosseo cercate il mio nome nell'ampio porticato che domina le terme di Tito; lo troverete inciso sopra un pilastro di quei grand'archi, e fatemi, ve ne prego, la grazia di scrivervi il vostro. Li leggerá qualche postero, e la riverenza del vostro nome immortale mi otterrá qualche grazia presso coloro

    Che questo tempo chiameranno antico.

Il verso è di Dante, e non fu mai piú poeticamente espressa in poche parole l'idea della tarda posteritá.

Salutatemi Giuntotardi, e ricordatevi del vostro caro fratello.

ALLA BARONESSA DE STAËL-HOLSTEIN - NAPOLI.

Milano, 20 febbraio 1805.

Un'ostinata costipazione di petto accompagnata da febbri e da nere malinconie (di ben altra natura che quelle che a voi ispirano le ruine di Roma, e la vista del mare, e la luna) mi hanno tolto nei passati giorni il potere di scrivervi. Le due vostre carissime del 5 ed 8 corrente sono state due stille di balsamo sul cuore del vostro amico. Voi mi accordate tuttavia qualche pensiero, voi m'amate, e la mia tristezza è sparita, o per dir meglio non mi è rimasta che quella che è vita dell'anima e fonte di bei pensieri. Non avete bisogno, crediatelo, di ricordarmi le mie promesse. Cosí fosse men lontano il momento dell'adempirle.

Il bello spirito che mi attribuisce *un cuore di ferro* è un buffone. Chi mi accorda energia di stile m'accorda un cuore che sente, e Rossi parla di cosa, di cui per maledizione della natura gli manca affatto l'idea. Ma generalmente parlando, il sentimento in cuore romano è come la polpa d'una noce guasta dalla tignuola, e sentire e impazzire sono sinonimi. Quindi avrete trovato in Roma ben molti, che attesteranno le mie pazzie, e nondimeno la saviezza romana costa sí poco, e frutta sí bene. Ma a proposito di follie, mi pare che voi pure abbiate perduto il cervello minacciandomi di divenirmi infedele per un Cardinale. Avete trovato, perdio, un bell'idolo a cui immolarmi, e scommetto che è quello, che con gli occhi levati al cielo, e con un tuono di compassione preso dalla parabola del figliuol prodigo, vi ha detto di me: *Ah! c'est bien dommage qu'il ait quitté la bonne voie!* Quasi che la strada della filosofia sia quella degli assassini. Contuttociò godo assaissimo di vedere S. Pietro far la corte a Calvino, e se mi verrá un giorno la fantasia di descrivere il vostro trionfo, vi rappresenterò sopra un carro tirato da due paia di Cardinali. Ma io reputo che la piú gloriosa delle vostre conquiste sia quella del conte Verri. Egli mi scrive di voi precisamente cosí: *Mi avete esposto a un cimento pericoloso, ed è quello d'innamorarmi benché vecchio. La delicatezza, la grazia, la forza dell'anima sua eccitano nella mia una specie di gioventú. Voi ne avrete la colpa se darò in qualche debolezza,* ecc. Se il vostro cuore pertanto ha bisogno di divenirmi infedele, il solo autore delle *Avventure di Saffo* e delle *Notti Romane* può scusare l'infedeltá vostra. Diversamente sacrificatemi piuttosto a Pasquino.

Da parte lo scherzo, e parliamo di cosa che piú mi tormenta. Tutte le lettere di Parigi portano per sicuro il rifiuto di Giuseppe al trono d'Italia. Egli si è ritirato in campagna, e di lá scrive a Luciano (almeno cosí pretendesi) la sua ferma risoluzione su questo punto. Pretendesi ancora (e l'ho udito iersera da bocca ministeriale) che il mentovato Luciano abbia ricevuta altra lettera superiore che gl'ingiunge di non muoversi da Milano; il che verrebbe a far credere ch'egli possa essere surrogato a Giuseppe. Ma i motivi che hanno cagionata la rinuncia di questo cagioneranno pure la ripulsa di quello e allora io temo che le mie belle speranze per ciò che riguarda la protezione degli studj italiani andranno vuote d'effetto, e voi muterete pensiero. Queste nuove mi affliggono, tanto piú che in Giuseppe io era certo di trovar grazia e benevolenza, avendomi l'amico mio Paradisi per la seconda volta significato che il vostro amico mi onora di qualche stima, e voi sapete il detto d'Orazio: *Principibus placuisse viris non ultima laus est.* Circa la venuta di Napoleone tutto è mistero, né altro sappiam di certo che gli ordini contramandati per l'approvvigionamento delle fortezze; lo che significa la buona armonia dei due Imperi francese ed austriaco. Moscati col quale ieri ho pranzato né pure esso sa nulla, e nulla gli scrivono i suoi colleghi.

In questa perpetua rota d'opinioni e di voci, di speranze e di timori, io sento un vuoto nel cuore che mi desola, né mi accorgo di vivere se non che quando vi scrivo. Dopo ciò è superfluo il domandarmi lo stato de' miei affari colla V... rispetto alla quale io sento i miei torti, e non ho omai piú che rimorsi. Nondimeno la veggo ogni giorno senza vederla, e non desidero piú di trovarla sola. Siete contenta?

Se siete a Napoli, se avete veduto il Vesuvio, avrete anche trovata la quarta cosa da amar in Italia secondo il detto di vostra figlia. [23] Io non so veramente d'aver alcuna relazione con S. Pietro, ma ne sento in me qualcheduna col vulcano, e col mare, perché anch'io vado soggetto a eruzioni e burrasche. I momenti di calma per il vostro povero Procelloso sono quelli in cui vede recarsi le vostre lettere. Allora torna il sereno, e il cuore gli brilla.

Se v'incontrate col cardinale Ruffo salutatelo in nome mio. Egli ha molti torti con gli amici della Libertá, ma è uomo d'assai ingegno, e interessante. Addio mille volte, e scrivetemi.

A MELCHIOR CESAROTTI - PADOVA.

Milano, 23 febbraio 1805.

Sia efficacia dell'arte, o vigore di gioventú, o natura del male che ha i suoi periodi di quiete, il nostro amico è ancor vivo, e dirò anche un po' migliorato. Né egli sente piú, come prima, la gravezza dell'infermitá: l'abitudine del pericolo gliene ha tolto l'orrore, la sua speranza è risorta; insomma il misero si lusinga; ma egli ha in seno la morte. I tuberculi del polmone, secondo tutti gl'indizi, sono formati, e giusta il parere di tre medici consultati, il suo male è oltre la potenza dell'arte. Presentemente non è permesso a persona né di vederlo, né di parlargli. La consolazione dunque che dalla vostra lettera può venirgli, l'avrá per viglietto; ed io per questa via l'informerò della tenera vostra sollecitudine.

Nell'accettarmi in suo luogo nella vostra amicizia, mi dite che l'offerta della mia vi riesce tanto piú cara, quanto che non avevate forse tutti i motivi onde giurare sulla mia affezione verso di voi. Mi toccate una corda, su cui volete certamente risposta, ed io candidamente ve la farò, ringraziandovi dell'avermi data occasione di levarmi un peso dal cuore, dico il duro sospetto in cui vi sapeva contro di me a cagion di certa stampa impressa in Roma contro di voi, e di cui la malizia de' miei e vostri nemici mi ha fatto promotore ed autore. Fino a qual punto l'accusa sia vera, giudicatelo per voi stesso da quanto vado a narrarvi; e datemi fede, perché i miei nemici medesimi non mi hanno mai contrastata la qualitá d'uomo franchissimo e veracissimo.

Si questionava in una societá di letterati e d'artisti sul merito del vostro Omero, e ognuno apriva liberamente la sua opinione. Interrogato del mio parere, risposi che avrei amato che voi ci aveste data un'*Iliade* o tutta di Omero, o tutta di Cesarotti. Dissi che l'abito della vostra non mi pareva né moderno, né antico, perché troppo ci avevate messo dell'uno, e lasciato troppo dell'altro; che per conseguenza, togliendo voi a quel greco la semplicitá dell'abito primitivo, l'avevate con troppa magnificenza vestito alla moda; ed esposi questo pensiero coll'ipotiposi di un venerabile vecchio pomposamente abbigliato, ma in costume e portamento tutto moderno e da giovane. Questa immagine, avendo ferita la fantasia d'un bizzarro disegnatore e incisore, presente a quella disputazione, gli suscitò nel capo l'idea dell'indiscreta caricatura che vi è nota, e alla quale senza saputa mia e con mio estremo dolore fu dato poscia l'effetto. Ecco in breve tutto il processo di questo affare disgustosissimo, del quale, come vedete, io son reo e innocente tutto ad un tempo. L'emigrazione romana ha portato in Milano i testimoni di questo fatto e i consapevoli delle querele che pubblicamente io feci all'esecutore di quell'indegna buffoneria, della quale, se fu innocente l'origine, fu villana l'esecuzione. E se il pisano editore delle vostre opere avesse data riparazione all'odiosa calunnia, di cui mi ha gravato nella prefazione delle medesime, e fatta risposta alla lettera che giá sei mesi gli scrissi, sarebbe a quest'ora stata redenta nel pubblico la mia riputazione su questo punto. Ma il signor N. N. si è condotto e conducesi sempre da giovinastro mal educato, e la malignitá letteraria non conosce mai regola d'onestá.

Da tutto il contesto di queste cose lascio alla discrezione vostra il decidere della mia reitá. Per me dirò solo, che se mi era lecito censurare il sistema della vostra omerica traduzione, non mi è lecito l'oltraggiarvi, né io poteva attaccare la vostra fama senza disonorarmi. E prescindendo da quell'altissima stima e venerazione che tutti i grandi ingegni m'ispirano, mi permetterete ancora di dirvi che, piccolo come sono, non ho mai sentito il bisogno di alzarmi sulle rovine di chicchessia; e la natura mi ha fatto fiero abbastanza per salvarmi d'ogni bassezza. Posso dissentire da voi in materia di gusto; ma quando l'opinione pubblica vi canonizza un grand'uomo, la venerazione è un dovere. Ho cercato la vostra amicizia, perché il cuore la domandava; e se vuole la convenienza vostra che pubblicamente io vi vendichi d'un'offesa a cui ho dato innocentemente cagione, non vi avrá cosa che io abbia mai fatta con piú letizia.

Questa non è che una parte delle mie giustificazioni, alle quali darò compimento personalmente nel prossimo maggio. Oltre Madama de Staël, sará presente al giudizio anche *Megilla*. Cosí almeno ella spera e desidera; e allora voi avrete la visita di Minerva e di Venere.

Pregovi di non lasciar questa lettera senza risposta, e di credere che se io non sono degno dell'amicizia vostra per altezza d'ingegno, il sono, e d'assai, per candore di sentimenti e pienezza di cuore. Amatemi dunque, e state sano. Il vostro ammiratore ed amico vero ecc. [24]

ALLA BARONESSA DE STAËL-HOLSTEIN - ROMA.

Milano, 28 febbraio 1805.

Vi ho diretta per mezzo del conte Verri la mia del passato ordinario; vi dirigo la presente per mezzo del sig. Torlonia, sicuro della sua diligenza per il recapito, ovunque siate.

Ve l'aveva pure predetto. La commedia degli Arcadi non poteva che farvi ridere, e nel tempo stesso svenire di compassione. Tuttavolta questo spettacolo non sará stato senza vostro guadagno. Oltre il diluvio d'applausi che vi è rovinato sul capo, vi avrá divertito l'innocente eruzione vulcanica di quei poveri pastorelli, e lo scoppio di quelle ciance poetiche, e tutti quei fuochi senza calore, senza movimento, senza vita. L'alleanza della pittura colla poesia è cosa piú vecchia che la barba di Deucalione; ma *si vous n'amez guère* di sentire che la poesia *est fille de l'imagination,* voi meritate piú compassione che gli Arcadi, e giudicherete sempre a traverso. Deridetemi quanto volete, ma persuadetevi che il solo cuore non ha mai fatto un intero poeta. Taccio d'Omero e d'Ariosto, i cui poemi son tutti quadri di fantasia, taccio di Orazio e di Pindaro, la cui canzoni sono tutte immagini; ma Virgilio, il delicato Virgilio, non ha egli qualche cosa di piú che l'unico sentimento? Se limitate alle sole impressioni patetiche la poesia, pigliatevi l'Eloisa, pigliatevi la Clarisse, e piangete; ma non andate in collera se altri ama qualche volta di scherzare e di ridere con Anacreonte, e preferisce la toletta di Venere ai dolori della Madonna. In somma voi non vorreste nel poeta che una passione, e il poeta deve aver lingua e colori per tutte, né tutte sono dolore. Se trovate che in queste parole sia mescolato un poco di bile, questa è frutto del vostro scherno. Nondimeno ve ne chieggo perdono, ma pregovi di non molestare le mie opinioni su questo punto.

Se mi manderete l'epitaffio d'Alfieri, ho cuore anch'io per far compagnia alle vostre lagrime, e voi le avrete tutte le volte che si tratterá di epitaffi; parlo di quello che un amore di ventisei anni incide sopra i sepolcri. Ma avrei amato che Alfieri avesse determinato finalmente le vostre adorazioni per qualche cosa di meglio che un epitaffio. Sapete che non amo punto il suo stile, ed oso anche credere che il mio sia alquanto piú cristiano del suo. Ma egli è sí grande con tutti i suoi difetti, che stimerei temeraria e troppo presuntuosa la lusinga di sorpassarlo. Vi dirò bene che la mia anima (se scrivo quello che sento) ha guadagnato molto dacché vi ho conosciuto, e che voi siete stata per me una specie di novello Prometeo. Dirò ancora che stimo la tempera del mio cuore piú sensibile che quello d'Alfieri, e piú capace d'idee tenere e dolorose, tuttoché i buffoni mi abbian fatto *un cuore di ferro*. Contuttociò dispero di ergermi all'altezza di quell'ingegno; e frattanto non voglio dissimularvi che il desiderio di meritare la vostra stima mi dá una qualche energia. Possa io morire se v'ha cosa al mondo ch'io prezzi piú che il sentimento dell'amore vostro. Ma voi... voi non amate i professori d'immaginazione.

Povero Alborghetti, e piú povero il mio sonetto sopra la morte in bocca d'un imbecille! E questi probabilmente, e i de Rossi ecc. sono i benevoli giudici delle mie amorose incostanze, quasi che nel paese degli artificj dove non pure i marmi e le tele, ma la natura stessa è tutta artefatta, possa essere virtú la costanza, e non una vera necessitá il cangiare cinquanta volte il mese d'oggetto, sempre cercando e mai non trovando un cuor tenero che vi somigli. Che colpa ho io se in Roma sono stato spesso infedele? Il fuoco non si è mai legato coll'acqua, e la guerra perpetua di questi due capitali nemici, secondo i filosofi, è porzione dell'armonia di questo bel mondo, il migliore, come sapete, di tutti i mondi possibili.

In mezzo ai dispetti, che mi cagionano le imposture de' miei detrattori, ho esultato delle dimostrazioni d'onore, che avete qui ricevute, e in grazia di queste perdono ai Romani tutti gli altri lor torti verso di me. Godo in somma mirabilmente che anche le statue mutilate e ambulanti abbiano preso sentimento e vita per applaudirvi. Ho scritto a Cesarotti la vostra brama di salutarlo nel vostro passaggio per Padova, e il buon vecchio rispondemi che dopo la visita di Minerva canterá ad Apollo il cantico di Simeone, *nunc dimitte servum tuum, Domine.*

La carta è piena, e chiudo col raccomandarmi alla vostra benevolenza, della quale se non sono degno per somiglianza, il sono ed assai per pienezza di cuore. Addio.

ALLA DAMIGELLA COSTANZA MONTI - [FERRARA].

[1805].

Mia cara figlia. Mi sono separato da te col corpo, ma non coll'animo, e profitto della rinfrescata che si dá ai cavalli per scriverti.

Pensando che io ti ho lasciato in mani sicure, vivo tranquillo: ma la mia contentezza non sará mai intera, se

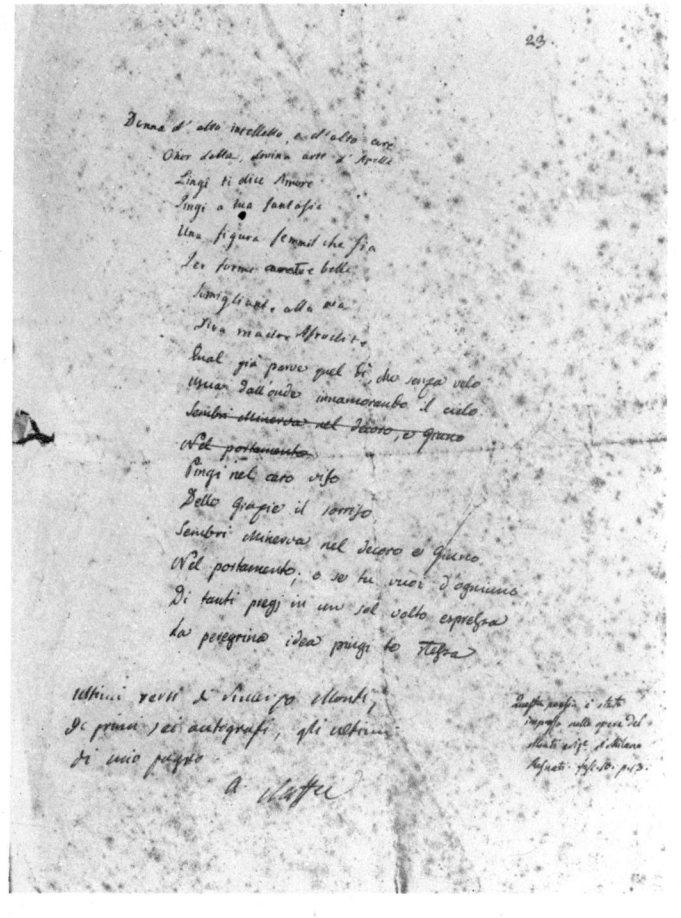

ULTIMI VERSI SCRITTI DA VINCENZO MONTI
(Ferrara, Biblioteca Comunale)

tu non ti studierai di corrispondere con una savia condotta alle premure di chi veglia sulla tua educazione. Mia cara Costanza, io ti ho data nella signora Raspi una madre, e nell'altra sua compagna un'amica. [25] Renditi degna di questi nomi, e considera che io non sarò mai felice se tu non adempi esattamente tutti i doveri di persona ben nata e ben educata. Tua madre ti abbraccia e ti raccomanda le stesse cose. Ti lascio con la mia benedizione, e son col cuore il tuo aff.mo padre.

ALLA BARONESSA DE STAËL-HOLSTEIN - NAPOLI.

Milano, 10 marzo 1805.

Ho il cuore tutto commosso per la vostra del primo corrente ricapitatami ieri da questo M. Cartier. Io stancarmi d'amarvi? io dimenticarmi della mia cara sorella? e voi dubitare dell'eternitá de' miei sentimenti? Voi siete forse della setta di quelli che stimano niente durevole nella natura, e oltraggiano l'amicizia? Ho io ancor bisogno d'assicurarvi che la mia non la troncherá che la morte? Gli è vero che ho lasciato passare qualche ordinario senza scrivervi, e nella penultima mia inviatavi pel solito mezzo del signor Torlonia ve ne ho accennato il perché; ma gli è vero altresí, che prima di questo momentaneo interrompimento due altre lettere vi aveva scritte, la prima per mezzo del conte Verri, e l'altra per quello dello stesso Torlonia, e l'uno e l'altro mi ha riscontrato d'averle giá riavute. Vi ho scritto posteriormente altre due volte, e questa è la terza. Di che dunque incolparmi, mia carissima amica, e perché straziarmi con gl'ingiusti vostri sospetti? Deh siate, ve ne scongiuro, siate meno sollecita della mia letteraria riputazione, e rendete piú giustizia al mio cuore. Crediate che la vostra lettera mi ha grandemente mortificato, perché nulla piú mi rimane, sapendolo amico vostro, piacevami che egli fosse qui rimasto come incitamento al vostro ritorno in questa cittá. Tutte in somma le mie affezioni si legano, come vedete, alla vostra persona, e il mio desiderare e temere e sperare prende moto da voi.

Il Governo con lettera d'officio venutami ieri l'altro mi ha eccitato a scrivere qualche poesia sulla imminente venuta dell'Imperatore. Nell'incertezza in cui siamo che egli, o il fratello, o il figliastro debba essere il nostro Re, ho risposto al Governo, che non potendo determinare le mie idee sui futuri nostri destini, difficilmente potrò farmi il piano d'una poesia ben applicata, e che malamente si scrive sopra un oggetto che non si conosce. Quindi non ho ancor messo mano a verun lavoro, ed attendo di veder piú chiaro per iscrivere piú a proposito. E dovendo pur far qualche cosa avrei amato di consultarvi. Lontano da voi mi pare di essere abbandonato, e la vostra sola presenza mi terrebbe luogo d'Apollo e di tutte le Muse. Altronde nello stato in cui sono ho piú voglia di piangere che di ridere. Niente mi rallegra, niente m'interessa, niente vivifica la mia mente. Ho il cuore serrato, l'immaginazione pressoché morta, né spero di sentire resuscitate le facoltá del mio spirito che quando vi rivedrò.

Spero che avrete ricevute a quest'ora le quattro lettere che v'ho scritto dacché siete partita da Roma, e che tranne due soli non ho lasciato passar ordinario senza darvi nuova di me. Dopo la vostra venutami da M. Cartier non ho piú ricevuto nulla di voi, e questo silenzio mi turba sul timore che voi, non avendo avute le mie, mi priviate delle vostre per vendicarvi della supposta negligenza. Sono quindi impaziente di qualche vostro riscontro. Non ho mai provato piú tanto i tormenti dell'amicizia. E nondimeno son certo che il vostro cuore non ha cangiato tenore, perché son certo di non aver meritato il vostro abbandono. Addio.

ALLA BARONESSA DE STAËL-HOLSTEIN - ROMA.

Milano, 20 marzo 1805.

Vi compiego una lettera di M.r Benincasa contenente l'articolo ch'egli ha inserito nel suo Giornale intorno all'ultimo vostro libro. Per degnamente parlarne bisognava un cuore di foco, uno stile magnanimo, un'immaginazione sentimentata, e il nostro buon giornalista non conosce che l'innocenza, e in tutto quello che scrive egli sempre languisce per gentilezza. Tuttavolta mi rendo certo che gli saprete buon grado della sua eccellente intenzione.

Moscati mi ha fatta la dura vostra ambasciata, ed eccovi la mia risposta. La vera amicizia non deve mai andare scompagnata dalla buona fede, e la vostra è tutta sospetto. Per quanto v'ha di piú sacro nelle umane affezioni sia questa l'ultima offesa che avete fatta alla puritá e santitá de' miei sentimenti. I miei nemici, lo veggo, hanno avvelenata la vostra opinione sul mio carattere. Ma dovrete voi prestar fede alle maligne loro definizioni? Non riflettete che credendomi capace di leggerezza rapporto a voi, avete mancato di stima a voi stessa? Posso io tralasciare di essere vostro amico senza nuocere a me medesimo? Mia cara, mia dolcissima amica, ve ne scongiuro, non mi mettete mai piú questa spada nel cuore; non vi esponete mai piú al pentimento, al rimorso d'avermi oltraggiato senza motivo; perché vado sicuro che quando avrete ricevuto le molte lettere che vi ho scritte, avrete rossore e dolore d'aver sospettato della mia tenerezza, della mia fede. Abbiate un poco piú di rispetto per voi medesima, e prima di condannarmi aspettate che il tempo giustifichi la mia condotta. Ho tralasciato, egli è vero, due ordinari di scrivervi; ma non ve n'ho taciuto il motivo. Ed oltre ciò la delicatezza ha i suoi segreti, il nostro cuore ha delle piaghe che non si debbono, né si possono rivelare, e crediate che qualche volta il silenzio non è che una riverenza dell'amicizia.

Eccovi intanto per mia discolpa le note delle lettere che vi ho scritte dopo la partenza vostra per Napoli. Una diretta al conte Verri, due posteriori al vostro banchiere, due a Cartier, una sesta col passato corriere, e la settima con quello di oggi. Mi era proposto di estendermi colla presente, ma la vostra ingiustizia mi ha propriamente trafitto, e non ho né coraggio né testa per proseguire. Non posso però non dirvi colla piú viva espressione dell'anima, che sono e sarò eternamente il vostro amico.

P. S. Questo è il quarto corriere, che mi lascia privo di vostre lettere. Io ne soffro oltre ogni credere, ma non vi fo l'oltraggio di sospettarvi infedele.

ALLA BARONESSA DE STAËL-HOLSTEIN - ROMA.

Milano, 23 marzo 1805.

Se le mie lettere vi sono finalmente arrivate, se vi siete ricreduta degl'ingiusti vostri sospetti, se avete rimorso d'avermi un po' strapazzato, tutti i vostri torti sono dimenticati ed io godo d'aver qualche cosa da perdonarvi. Anche il sentimento dell'amicizia ha bisogno qualche volta di essere irritato per raffinarsi, e rivivere piú infiammato che prima. Ma in mezzo al pentimento medesimo vedi, mia cara, come le ingiurie ti scappano dalla penna. *Dans un pays où l'amour lui-même ne s'élève pas jusqu'à l'amitié.* Che sentenza insultante! che idea oltraggiosa per una nazione, che aveva testa e cuore, gentilezza e costumi quando le altre non avevano che ferocia! Siamo noi Ottentoti? siamo noi nati nella maledizione della natura? E voi che avete tanto disprezzo per gli Italiani li conoscete voi bene? oltraggiando continuamente il paese in cui sono nato mi date voi una prova di delicata amicizia? E nondimeno io vi amo.

Il *povero Monti* vive adunque nel cuore di vostra figlia? Ardo d'impazienza di serrarmi al petto questa amabile creatura. Parmi di esser divenuto qualche cosa di sacro dacché so di esser caro a quest'angelo, e quando l'udrò parlare italiano credo che rimbambirò dal piacere. Ma voi non vorrete voi provarvi a parlare alcun poco la piú bella e piú dolce di tutte le lingue moderne, la lingua nipote dell'attica e figliuola della latina? Il vostro orecchio preferirá egli sempre i fischi inglesi e tedeschi alla toscana melodia? Se Platone ed Omero tornassero a rivivere, e dovesser parlare una lingua viva, credete che questi divini intelletti stati tanto solleciti nell'armonia delle parole amerebbero altra favella dell'italiana? Fuori di scherzo, datemi un saggio dei vostri profitti nell'acquisto di questo idioma, e fate vedere che avete cangiata opinione. Conquistatevi insomma l'amore degli Italiani dopo di averne meritamente ottenuto l'ammirazione.

Mi dá piacere il sentire che il Cardinale Ruffo mi continua la sua benevolenza, e spero che come uomo di grandi talenti egli avrá guadagnata la vostra. Questi Eminentissimi, dacché ho voltate a Roma le spalle, mi hanno preso sul corno, come suol dirsi, e non è maraviglia se la sinistra loro opinione mi ha concitato nella plebe dei cortigiani tanti nemici. Duolmi di venir riputato un uomo di perduta coscienza in un paese che adoro, e che ardo di rivedere. Ma nelle passate vertigini un partito conveniva pigliarlo, ed io come Ferrarese ho preso quello della mia patria, né mi è permesso il pentirmi. Non so se vi sia mai accaduto d'incontrarvi colla duchessa Braschi. Io l'ho amata un tempo teneramente, e se il caso porta che la vediate, desidererei di sapere se sono piú vivo nel suo pensiero. Le sue passate galanterie non han sempre fatto molto onore al suo nome. Ma ella ha un cuore eccellente, e questa è una grande scusa per tutte le sue follie.

Ho scritto, è giá un mese, al Barone d'Humboldt, e non ne ho avuta ancora risposta. Informatevi se ha ricevuta la mia lettera e le stampe che gli ho mandate.

Ad una solenne accademia di canto e di ballo ho veduto l'altra sera il principe Beauharnais. Un cortese e franco soldato. Egli ha voce di non esser nemico del bel sesso, e va bene che Marte riposi qualche volta in braccio di Venere. Ma mentre le donne lo squadravano per un verso, gli uomini il contemplavano come re futuro possibile, e si susurravano all'orecchio i loro pensieri.

Luciano non è per anche partito, ma sta sulle mosse. Intanto tutti son muti sopra Giuseppe, e questo silenzio mi dá gran pena. Io gli aveva innalzato nel mio cuore il trono, e mi dorrebbe che un altro me l'occupasse. Ma in ultimo io sono l'asinello di Esopo che porta le ceste, qualunque sia la mano che gliele mette.

La mia salute è migliore, ma non mi contenta perfettamente. Ho dentro di me due grandi nemici, che rodono la mia pace, la malinconia e la bile; e questi due tormenti non cessano che quando vi scrivo, e ricevo le vostre lettere. L'ultima sopra tutto mi ha consolato mirabilmente avvisandomi, che avete scritto a Milano perché vi si prepari il vostro alloggio per li 15 del prossimo maggio. Dunque ancora cinquanta due giorni, e sarò felice. Addio di tutto cuore.

P. S. Ricordatevi della mia ambasciata al Baron d'Humboldt e de' miei rispetti a sua moglie. Un saluto ancora al gran capraio d'Arcadia.

ALLA BARONESSA DE STAËL-HOLSTEIN - ROMA.

Milano, 26 marzo 1805.

Finalmente i nostri destini sono decisi. Re d'Italia Napoleone finché la Russia occuperá le sette Isole, e Malta gl'Inglesi, vale a dire per sempre. E pare anche fissato il giorno dell'incoronazione, li 22 di maggio. [26)] Addio dunque le mie belle speranze del giorno 15, addio i nostri dolci progetti, e tutta la gioia che ci promettevamo in quell'epoca; poiché né voi certamente vorrete esser qui per quel tempo, né io so quai doveri mi verranno imposti in quei giorni. So che mi è comandato di scrivere, e il Governo mi ha replicato assolutamente ieri quest'ordine. Ma non ho né testa né forza. Mi sento addormentate tutte le facoltá della mente, temo di sostener male l'incarico di *poeta regio,* e il cuore mi trema. Vorrei vedervi, parlarvi, consultarvi, vorrei aprirvi tutti i pensieri che mi tormentano; e chi sa quando ci rivedremo? Sono impaziente d'udire le vostre deliberazioni, e attendo i vostri consigli.

Moscati vi risponde in questo ordinario. Qualche incomodo di salute negli occhi, e le occupazioni della sua presidenza al Magistrato di sanitá pubblica gli hanno impedito di farlo prima, ed è colpa mia se col passato corriere obliai di avvisarvi i motivi del suo ritardo. La venuta imminente del gran personaggio che qui si attende fa che anche Moscati creda disperato per ora il ritorno vostro a Milano, e questa idea finisce di desolarmi. Ignorasi se Giuseppe sará di corteggio, e anche questo è un pensiero che mi contrista, poiché l'affezione che mi avete ispirato di quella egregia persona mi faceva desideroso di conoscerla, e acquistarne la benevolenza. Nel caso ch'ei venga, avrò caro che gli scriviate che l'autore delle *Lettere filologiche sul cavallo alato d'Arsinoe* (le quali mi hanno meritato un suo complimento per mezzo del Consultor Paradisi), viene da voi onorato del nome di vostro amico. Sento che questo titolo mi dá diritto alla stima di tutte le anime calde ed oneste, ed io amo di avervi quest'obbligo e di mescolare i sentimenti della riconoscenza con quelli dell'amicizia.

LE LETTERE O L'UOMO

Dopo l'ultima vostra, parte in data di Roma, e parte di Napoli, non ho piú nuova di voi, e molte mie lettere sono senza riscontro. Giovami l'avvertirvi che, posteriormente alle due inviatevi da Cartier, non ho lasciato partir corriere senza scrivervi.

Che fanno i vostri Arcadi confratelli? Vi hanno dato piú trattamento di pifferi e di zampogne? Anche questa è una distrazione dalle idee dolorose della politica, e le ciance poetiche pigliano il carattere di conforto quando la filosofia è in pericolo. Io pure non ho sentito mai tanto il bisogno di una vita pastorale quanto al presente e darei tutto Machiavelli per un sonetto. Per caritá, scrivetemi, consolatemi, ravvivatemi, ma soprattutto amatemi se non mi volete infelice. Addio.

P. S. Riapro la lettera per dirvi che mi arriva in questo punto la vostra dei 16. Il biglietto della Duchessa Braschi mi ha fatto arrossire per conto suo, perché non dissimulo d'averla amata, e ve l'ho giá scritto altra volta. [27] Ma quando vi ho avvertita che da cotesto paese le delicate affezioni sono straniere, non bisogna stupire della poca decenza delle espressioni. Non è il mondo morale che in Roma può interessarvi, ma il genio delle belle arti, i monumenti dell'antica grandezza, le preziose reliquie dei secoli, e quella dolce e maestosa malinconia che si sente nel cuore contemplando il passato e vivendo coi grandi che piú non sono. Non è nella societá dei Principi di Santa Chiesa che un'anima come la vostra deve cercare di che ricrearsi, ma nelle ruine di campo Vaccino e nei depositi delle arti. La prima volta che io vidi lo scheletro del Colosseo i miei occhi si riempirono di lagrime, e io passava delle intere giornate nel soave dolore di quelle grandiose devastazioni, e mi nascondeva ai viventi per conversare coi morti, e calcava con riverenza la polve impressa un giorno dai piedi di Cesare e di

Cicerone. Io vedeva e sentiva, l'immaginazione entrava tutta nel cuore, e mi provava l'unione, il vincolo, l'armonia di queste due facoltá fatte per aiutarsi non per distruggersi. Questo mio genere di vita mi acquistava la reputazione di atrabiliare e misantropo, ma qualunque sia il nome che mi hanno partorito i miei scritti, io lo debbo tutto a queste malinconiche sensazioni, che la fantasia vestiva poscia d'immagini. — Vi ho detto che l'incoronazione del nuovo Re nostro è fissata pei 22 di Maggio, e il suo arrivo credesi che sará molto prima. Prendete adunque bene le vostre misure. Luciano è sempre sulle mosse, ma ieri non era ancora partito. Io in collera? e con voi? Conoscete meglio l'amore, e date altro nome agli errori, ch'egli mi fa commettere. — Addio.

ALLA BARONESSA DE STAËL-HOLSTEIN - ROMA.

Milano, 6 aprile 1805.

Datevi pace, non mi fate pentire d'avervi manifestato qualche dolore sul proposito degl'ingiusti vostri sospetti. La nostra amicizia vi ha guadagnato piú che perduto, e in ultima analisi io debbo farvi dei ringraziamenti anzi che dei rimproveri. Due carissime vostre ricevo tutte ad un tempo, e tutte e due confermatrici della vostra benevolenza e del vostro rincrescimento per lo passato. Piacemi che qualche stilla di amaro si mescoli qualche volta alla dolcezza delle affezioni, e le preservi da corruttela. Ma parmi che i nostri cuori non abbian bisogno di molta dose d'assenzio. Basti dunque cosí.

Benincasa è tutto fuori di sé per la graziosa lettera di cui l'avete onorato. E per vero voi sapete dare tal prezzo a tutto ciò che parte dal cuore, che non si può leggervi senza sentirsi tocco e commosso. Anch'io ho preso grande incitamento dal vostro consiglio intorno alla poesia che mi è stata ordinata. E giá ho messa mano al lavoro, e spero di uscirne con dignitá. Sará cosa lirica, ma tutta mista di sentimento. L'amor della patria mi ha suggerito un pensiero, che manderá d'accordo l'immaginazione col cuore. Né il pensiero sará senza coraggio.

Chi mai vi ha tentato di andare alle catacombe, alla chiesa de' morti, ai sotterranei di S. Pietro? Luoghi tutti lugubri senza interesse, e fatti per odiare l'esistenza. Ho passato in Roma dieci sette anni della mia vita, e mai ho voluto vedere questi monumenti dell'umana miseria, ove il cuore si serra, e le facoltá della mente si annientano. Sono andato in traccia della malinconia, non di quella che uccide, ma di quella che sublima il pensiero colle imponenti reliquie delle azioni magnanime e generose, e col farmi contemporaneo delle virtú trapassate mi son procurata la dimenticanza dei delitti presenti. Mi dite di non esser molto sensibile allo spettacolo delle belle arti. Desidero che l'abbiate detto a me solo, e ch'io sia solo a soffrire il dolore di questa strana sentenza. Per tenere questo linguaggio senza detrimento della vostra fama, aspettate, vi prego, di esser fuori d'Italia, e dite le vostre ragioni ai dirupi della Svizzera e alle nevi del Monte Bianco. Che vi rapisca l'arte di Sofocle e d'Euripide va benissimo, ma che non abbiate né cuore né occhi per l'arte di Fidia e d'Apelle, questo, mia cara amica, è un gran male, e non è colpa di questa bell'arte se non vi tocca.

Non so se in questo discorso entri un poco di collera. È che vi amo e che mi fa pena tutto quello che può giustificare la severitá dei vostri nemici. Siete padrona di disprezzare la stima degl'Italiani, ma potendo farvi adorare perché contraddire ai vostri stessi principj, che tutti si fondano sulla benevolenza e l'amore? Dico questo, perché amerei di vedere ai vostri piedi tutti i cuori della nazione. — Salutatemi Humboldt, Verri, Pessuti, Giuntotardi, Alborghetti, ma non de Rossi. Egli è troppo maligno. Addio.

A MELCHIOR CESAROTTI - PADOVA.

Milano, 6 aprile 1805.

Nel momento in cui scrivo, il povero Massa sta nell'ultima lotta colla morte, e ciò che cava le lagrime si è la rassegnazione e la calma con cui soffre il suo male e batte alle porte dell'eternitá. Non vi descrivo i suoi patimenti per non attristarvi, né il cuore mi regge a pensieri sí dolorosi.

L'ultima vostra mi ha messo finalmente in pace con me medesimo, e non mi resta che il cogliere l'occasione di far manifesti pubblicamente i miei sentimenti, e disarmare del tutto la malevolenza e l'invidia. Il tarlo, che poteva segretamente rodere la nostra amicizia, piú non esiste, e noi ci ameremo inalterabilmente fino al sepolcro.

È uscita in Torino una nuova versione di Giovenale. Dal poco che ne ho letto, parmi che il traduttore (un certo signor Accio, di cui odo il nome la prima volta) sia andato poco oltre del recente suo precursore Giordani. Tocca dunque all'unico Cesarotti l'adempiere il pubblico desiderio.

Mentre voi andate vestendo del bello e magnifico stile italiano la splendida bile di Giovenale, io vo toccando la corda pindarica per l'Imperatore Napoleone. Il Governo mi ha cosí comandato, e mi è forza obbedire. Dio faccia che l'amor della patria non mi tiri a troppa libertá di pensieri, e che io rispetti l'eroe senza tradire il dovere di cittadino! Batto un sentiero ove il voto della nazione non va molto d'accordo colla politica, e temo di rovinarmi. Sant'Apollo mi aiuti, e voi pregatemi senno e prudenza. Vi abbraccio di cuore.

ALLA BARONESSA DE STAËL D'HOLSTEIN - TORINO.

Milano [corr.: Bologna,] 14 giugno 1805.

Arrivo a Bologna, e il mio primo pensiero si è quello di sottrarmi agli occhi della compagnia, e di scrivervi. Se il mio viaggio sia stato lungo o corto, buono o cattivo, non vel so dire, perché dal momento che vi ho lasciata non ho avuto in capo e nel cuore che un solo pensiero. Monsieur Talleyrand, col quale unitamente a Marescalchi ho fatto il viaggio e riposato sempre sotto il medesimo tetto, mi ha diretto alcune volte il discorso, e sempre gli ho risposto da uomo stordito e fuori di sé, né mi sono riscosso dal mio letargo che quando ho sentito profferire il vostro nome. Allora ho ricuperata la parola, ed ho parlato come un abile pappagallo. Ieri sera pure eravamo in campagna pochi passi distante dalla cittá sopra una bella collina. Tutta la cittá sparsa di ombre e di lumi ci giaceva ai piedi, la luna si alzava regina del cielo, e tutta di oro. L'aria era queta, dolce, serena, e Talleyrand recitò alcuni bei versi di De Lile sulla malinconia.[28] Dalla idea della malinconia era facile e naturale, come vedete, il passaggio a Madame Staël, e subito la luna, le stelle, la notte, il patetico silenzio della natura e Madame Staël non fecero che una sola identica idea. Io passai dunque beatissima la serata, e tornato a casa mi raccolsi nella mia stanza per non profanare questi pensieri collo strepito della cena, e il mio sonno non è stato che una dolce continuazione delle dolci impressioni meco portate dalla collina. Questa è la storia de' miei sentimenti dal punto che mi sono separato dal piú caro di tutti gli oggetti. E voi mi avete donato qualche pensiero? mi avete voi ricordato nei vostri discorsi? Sono io piú il vostro caro Monti? Mi tornano a mente le insensate e furiose mie declamazioni, e le collere colle quali mi accorgo di aver cimentata piú volte la paziente vostra amicizia. Siate generosa, dimenticate le mie stravaganze e perdonatemi per l'amore che vi porto, e fará ch'io sia tutto vostro per sempre.

Scrivetemi che contegno ha tenuto con voi Moscati dacché io sono partito. La sua amicizia piglia i suoi movimenti da tutt'altri principj che la mia e la vostra, ma qualunque ella sia, mi è necessaria, e desidero che nulla vi sia uscito di bocca che lo metta in sospetto.

Ho presente il vostro consiglio rapporto a Biamonti, e lo eseguirò per uniformarmi al vostro volere. Ma egli ha l'anima cosí fredda! E un cuore di ghiaccio non può legarsi di nessun modo con un cuore di foco. Lo vedrò questa sera, e gli farò sentire che egli vi deve andar obbligato.

I miei colleghi hanno preparata quasi tutti la loro memoria da recitare nella imminente seduta dell'Istituto. Io ho portato con meco quel vostro inno in iscritto, e chiusa che avrò questa lettera mi applicherò a svilupparlo. Ma lontano da voi, e sí contento di me medesimo... Orsú, addio, e scrivetemi dirigendo a Bologna *posta restante* le vostre lettere.

[ALLA BARONESSA DE STAËL-HOLSTEIN - COPPET].

Bologna, 25 giugno 1805.

Tra due ore farò partenza da Bologna, e prima di sera sarò tra le braccia di mia figlia in Ferrara. Consacro alla cara ed unica amica mia i pochi momenti che qui mi rimangono, per dirvi che le vostre lettere mi hanno messo il foco nel core. Tanto interesse, tanto candore, tanta amicizia! E non siete sola a soffrire la pena della mia anticipata partenza con Marescalchi. Questo riguardo tutto *politico* mi costa tanti rimorsi. Ma perdonatemi. Ho pagato caro il mio errore, e non avete bisogno di rinfacciarmelo. Il mio supplizio è nel core, e vi basti. Vi ho esposto lo stato infelice dell'animo mio nella seconda lettera che di qui vi ho scritta e diretta a Coppet secondo il modo da voi indicatomi. Voglia il cielo che questa ingenua confessione de' miei sentimenti si sia salvata. Il corriere che la portava (ed era un corriere di Talleyrand) è stato assassinato tra Lodi e Milano, e i pieghi che portava tutti dispersi e gettati in mezzo alla strada. La presente l'indirizzo a Fortis secondo la vostra istruzione, e terrò questa strada nell'avvenire.

Intanto che posso dirvi? Una parte del mio core vola a Ferrara, e l'altra di lá dalle Alpi. Cosí non fosse. Arrossisco di confessare che, correndo in braccio a mia figlia, ho qualche cosa dentro di me, che prende una direzione tutta contraria, e non saprei perdonare a me medesimo questa distrazione, se l'ultima vostra lettera non mi dicesse — *il faut que je connoisse votre fille, il faut que j'en sois un peu la mère*. Questo interesse, questo generoso sentimento vostro verso un oggetto sí caro, e su cui riposano le future dolcezze della mia vita, diminuiscono i miei rimorsi, e fanno che io non mi creda tanto colpevole nelle affezioni che a voi mi legano. Ripiglierò a suo tempo questo proposito, e vi saprò dire a Coppet se potrá farsi luogo alle liberali vostre esibizioni intorno a mia figlia.

Ho parlato, e non brevemente, coll'Imperatore Re nostro, e ciò è seguito nella udienza data a tutto il corpo dell'Istituto. Mi tremavano le ginocchia, e io cadeva, se non era Oriani, che, prendendomi per un braccio, mi spinse avanti, e mi presentò a S. M. dicendo — *e questo è il nostro celebre M...* Alle quali parole il Re, sorridendo e squadrandomi da capo a piedi, rispose — *Ho ben piacere di conoscerlo*. Dopo questo buon principio S. M. mi parlò della tragedia e mi eccitò a battere questa carriera. Resi conto delle ragioni che avevano ritardato in Italia la perfezione del teatro tragico, e toccai soprattutto i mezzi piú acconci per migliorarlo, e la fonte dei disordini che attualmente deformano l'opera seria italiana, e la prostituzione della poesia alla musica. Parve a tutti ch'io rispondessi assai saviamente e S. M. si mostrò contenta oltremodo del mio discorso. Il dialogo durò un quarto d'ora. Ecco dunque un altro stimolo per darmi tutto al dramma, e a Coppet (se Amore non disturba Melpomene) a Coppet mi calzerò di nuovo il coturno.

Un'altra consolazione ho provata. Talleyrand ha preso ad amarmi teneramente e durante il mio soggiorno con esso in casa Marescalchi me ne ha dato continue pubbliche prove, soprattutto ieri sera al momento della sua partenza al cospetto dei personaggi piú rispettabili della Corte e di tutta l'estera diplomazia. Maret pure ed Alquier mi hanno praticato ogni sorta di distinzioni; insomma il vostro amico è stato carezzato in mille maniere.

Ho veduta la traduzione, ossia il tradimento di Nisas. Né pur un'idea renduta con precisione, né pur una; e chi vorrá giudicarmi su quella misera produzione non potrá mai rendermi quella poca giustizia che mi si deve. L'estratto che ne ho letto sul giornale dei *Débats* e l'altro sul *Bollettino d'Europa* mi hanno convinto che la poesia italiana assolutamente non è conosciuta presso i Francesi. Diversamente i versi di Nisas non sarebbero stati sí encomiati, né creduti corrispondenti al testo. Duolmi che l'articolo vostro consegnato a Degerando, dopo tanto parlare che si è fatto della mia Visione, non avrá piú luogo. Ma mi scende nel core la compiacenza che voi provate nel vedermi salito in buona riputazione anche di lá dai monti, e questa fama mi è dolce e carissima perché vi consola. Siate però persuasa che pongo la vostra stima al di sopra di tutti i beni, e se, scrivendo tragedie, mi verrá fatto di riuscirvi, ne dovrò il buon esito principalmente all'entusiasmo che voi m'avete ispirato. Cosí il mio core possa esser libero dalle pene, che finora hanno tormentato la mia esistenza civile. Talleyrand si è accorto, o qualcuno gliel'ha detto, che le mie circostanze non sono le piú felici. Egli si è assunto spontaneamente e generosamente il pensiero di migliorarle, e mi ha forzato di esporre a S. M. una supplica, di cui egli stesso si è incaricato, la quale, se avrá buon effetto, mi toglierá a molte sollecitudini della vita. Vi dirò tutto un'altra volta. Subito arrivato a Ferrara vi scriverò. Amatemi quanto vi amo, e dirigetemi le vostre lettere a Bologna raccomandandole a Marescotti. Addio.

ALLA BARONESSA DE STAËL D'HOLSTEIN - COPPET.

Argenta, 4 luglio 1805.

Vi scrivo con mano tremante dalla terzana. Questa febbre è il tributo che si paga dai forestieri a quest'aria pestilenziale e tutta pregna dei vapori paludosi del Ferrarese. Fortunatamente il mio fratello col quale viaggio [29] aveva preveduto questo piccolo incomodo ed ha portata seco della buona chinchina, l'uso della quale mi manderá libero dalla febbre. Intanto mi è dolce lo spendere questi momenti nello scrivervi e ringraziarvi della tenera e calda amicizia che mi conservate e di cui tutte son piene le vostre lettere. — Se i trenta mila fucili da voi veduti a piedi del Mont Cenis porteranno guerra in Italia, io non istarò certamente ad udirne lo strepito nella valle di Lombardia. Ma onestamente potrò io rifugiarmi in paese straniero, abbandonare mia moglie della cui vita sono custode, abbandonarla col carico d'una figlia, che mi chiamerebbe crudele se mi staccassi da lei in sí misere circostanze? Ho provato un'altra volta il saccheggio di tutta la mia casa per aver emigrato dal mio paese all'arrivo degli Austro-Russi, e mi è costato assai il saldar questa piaga unita alle altre sofferte in Francia. Non voglio adunque dissimularvi che l'esito delle armi sará quello che mi deciderá. Se andrá bene per i Francesi (e lo credo e lo spero) io passerò tranquillamente le Alpi, e mi vedrete a Coppet, e vi resterò durante questo incendio di guerra. Se la fortuna disporrá altrimenti, io non mi separerò dalla mia famiglia, e mi ricovrerò nell'asilo, che fra le solitudini della bassa Romagna mi offre la casa paterna. Ma spero diversamente, spero che la pace non fuggirá per ora da queste contrade, spero che sciolto d'ogni paura porrò il piede nel paradiso dove voi siete, spero in somma che la tirannia non turberá il corso dei sentimenti. E crediatelo, penso a voi piú d'assai che non dico. Cosí fossi piú libero di me stesso.

Il paese da cui vi scrivo è uno dei piú miserabili di questo misero Dipartimento. L'ho trascorso cento volte nella mia gioventú, e allora questi luoghi erano piú ridenti, piú abitati, piú lieti. Ora vi domina una mestizia, una povertá, che serra il cuore e cava le lagrime. La nuova immissione del Reno nel Po saggiamente decretata da S. M. fa sperare che queste immense campagne libere dalle acque del Bolognese riceveranno una nuova vita, né io sarò l'ultimo a godere di questo benefizio, perché tutta la mia paterna sostanza lo sentirá, liberandosi dal flagello delle inondazioni. Ma le acque dell'anno scorso l'hanno ingoiata in gran parte, e il resto me l'hanno divorato le tasse. Le mie speranze riposano adunque nell'avvenire, e se un giorno avrò pace colla fortuna, farò versi piú degni della posteritá e di voi.

Prenderò, se mi sia possibile, un poco di quiete, e dimattina riposerò sotto il tetto che mi ha veduto nascere. Questa idea mi fa battere il cuore stranamente, e mi torna tutta in pensiero la mia gioventú. Addio, mia cara, il mio cuore è sempre con voi, e piú forse che non dovrebbe.

ALLA BARONESSA DE STAËL D'HOLSTEIN - COPPET.

Bagnacavallo, 19 luglio 1805.

Ho lasciato passare due corrieri senza scrivervi, e n'è ben forte il motivo. È giá sei giorni che mi trovo in mezzo a una scena di strazio e di pianto. Era venuto in questo paese della bassa Romagna per abbracciare un mio fratello, che un error di giovinezza aveva spinto per pentimento a vestir l'abito di cappuccino, e che mi scriveva trovarsi incomodato di salute. [30] Sono adunque volato a vederlo, perché tranne quel suo trasporto di mal intesa religione, egli era aureo di costumi, e mi amava teneramente. L'ho trovato agli estremi della sua vita. La forza del suo temperamento ha sostenuto per piú giorni la lotta colla morte, ma il suo caso è giá disperato. Il mio cuore è sbranato dall'aspetto continuo de' suoi tormenti, e i miei occhi non hanno piú lagrima. Il lugubre apparecchio della religione rende piú lacerante e piú tenero questo spettacolo, e il misero tormentato mi vuole al suo fianco tutti i momenti, e mi prega di ricevere l'ultimo suo respiro. Qual testamento! E avrò io forza per questa prova crudele? Non mi sostiene che la pietá del fratello, ma sarà gran miracolo se io medesimo non soccombo. Ho rubato un istante a questo sacro dovere per avvisarvi la mia trista situazione, e il ricordarmi di voi in questi momenti è grande argomento della fiducia che pongo nella vostra compassione, e il maggior contrassegno che io possa darvi della viva amicizia che a voi mi lega. Se sarò padrone de' miei pensieri vi scriverò nel venturo ordinario. Fortis mi avvisa d'avervi spedite tutte le mie lettere, e fino a quella delli 28 giugno io ho ricevute tutte le vostre. Addio.

[A FERDINANDO MARESCALCHI - PARIGI].

Milano, 12 agosto 1805.

Mio Signore ed Amico. *Post varios casus* eccomi finalmente a Milano, ove subito giunto, trovo la carissima vostra dei 2 corrente. Mi rimproverate cortesemente del non avervi mai scritto dacché partii da Bologna. Piacciavi di ascoltarne i motivi.

Rientrato dopo tanti anni nella casa paterna, ho volto immediatamente a' miei affari il pensiero. Le piaghe che ho trovate nell'amministrazione del mio patrimonio mi hanno contristato in maniera, che disperava di rimediarvi. Addio dunque tutte altre voglie, tutte altre occupazioni. Ho visitato i miei piccoli averi, e per tutto rovine e desolazione. Quindi un abbattimento mi tolse affatto il riposo e fece che per piú d'un mese lasciai mia moglie medesima senza lettere per non funestarla, poiché dove sperava di trovare qualche medicina a' miei bisogni domestici non trovai che debiti, e distrutti i mezzi per soddisfarli. Non entro in dettagli per non annoiarvi; basti il dirvi, che i miei fratelli mi hanno tirato fuori un credito loro di mille e piú scudi distrutti in riparazione di case rurali, e in imposte e pesi comunitativi, e per me mille scudi sono un milione. In mezzo a queste amarezze è accaduta la morte del povero mio fratello Cappuccino, del quale ho raccolto l'ultimo fiato. E ciò che il mio cuore ha provato in questa dolorosissima circostanza non so descriverlo. Il fratello prete, al quale avevo affidata l'amministrazione del mio patrimonio, si trova anch'esso da piú mesi rovinato nella salute, e mi aspetto pure sopra di lui ben presto una trista nuova. Intanto la sua inazione a tutti gli affari mi è stata di sommo danno, e mi ha forzato a commettere le mie sostanze a mani straniere, dalle quali non si può aspettare che peggio, se pur non mi aiuta da vero il fratello secolare, il quale compassionandomi pare che mi manterrá la parola datami di sorvegliare le mie faccende. Ma egli è tanto occupato e stracarico delle proprie, che poco tempo gli rimarrá per darlo alle mie.

A tutte queste tribulazioni aggiungete una bricconeria fattami dal Signor Mami (che voi dovete conoscere), la quale ha portato che io paghi netta una sigurtá fattagli in Roma ventidue anni sono nella somma di cinquecento scudi, per cui mi è convenuto entrare in una lite civile, la prima che mi tocca a sostenere dacché son vivo, e la piú sporca ed ignominiosa che mai possa dirsi per parte

LE LETTERE O L'UOMO

del Mami e de' suoi fratelli. Taccio piú altre amarezze delle quali ho dovuto bevere il calice durante il mio soggiorno in Romagna, e vi lascio decidere se, pieno il cuore di tante inquietudini, io meriti che mi compatiate e scusate se non v'ho scritto.

E dirò un'altra ragione del non averlo fatto finora. Vi ricorderete che quando Voi e il Signor di Talleyrand vi degnaste ambedue di raccomandarmi con tanto calore a Moscati per l'oggetto che ben sapete, vi ricorderete, dico, che io pure scrissi a quest'uomo pregandolo umilmente di darmi in questa occasione una prova della sua amicizia. Che risposta abbia dato Moscati alle vostre lettere né io lo so, né voi me ne date alcun cenno. So bene che egli non mi ha mai onorato né pur d'una riga. Questo è poco. Giunto appena in Milano mi son recato a fargli visita. Ha ricusato di ricevermi, facendomi dire che si trovava occupato, e so dal cameriere ch'egli era solo ed ozioso. Sono uscito dalla sua anticamera con un fremito d'indignazione, e ne sono uscito per non riporvi il piede mai piú. Concludo da questo suo strano contegno, ch'egli è entrato in gelosia delle sue prerogative, e che fará tutta la guerra alla mia dimanda, di modo che da tutto questo negozio io non avrò raccolto altro frutto che il rossore di essermi abbassato a supplicarlo, e la certezza di averlo sempre nemico e disposto a nuocermi; ché tale è il carattere di quest'uomo con tutti quelli, a cui egli è consapevole di avere fatto qualche torto. Mi corre anche nella mente un altro sospetto rapporto a' miei titoli di *Poeta del Governo e Assessore al Ministero dell'Interno per gli oggetti di belle Arti e Letteratura*, impiego aereo, e riputato inutile perché non espressamente sanzionato da S. M. Che sia per succedere, lo sa Dio. Certo è che Moscati, protettor di Lattanzi, mi fa tremare, e Lattanzi non si è mai mostrato cosí temerario come al presente. Donde poi nasca questo improvviso cangiamento di Moscati rapporto a me vi giuro che nol so né comprendere, né immaginare. Comunque vada, pregovi di non abbandonarmi, e di dirmi che risposta vi ha dato quest'uomo indefinibile e pericoloso.

Lascio a sigillo alzato le poche righe che mi prendo l'ardire di scrivere a S. E. Talleyrand, presso il quale prego voi di farvi interprete dell'eterna mia gratitudine. Non parlo di quella che debbo a voi, perché voi potete misurarla dai beneficj che in tutte le occasioni mi avete compartiti, e che mi fanno tutta cosa vostra per tutto il tempo della mia vita. Siate dunque certo che se a questo mondo v'è qualche sentimento vero e sacro, questo è il mio rispetto, la mia riconoscenza, la mia venerazione verso il mio benefattore. Vostro umilissimo servo ed amico ecc.

[ALLA BARONESSA DE STAËL D'HOLSTEIN - COPPET].

Milano, 12 août 1805.

Ho provato nel porre il piede in Milano una dolcissima sensazione per la memoria dei beati momenti che qui ho passati in vedervi ed amarvi. Andando dal nostro Fortis per cercar vostre lettere ho alzato gli occhi alle finestre della casa da voi abitata nell'ultimo vostro soggiorno in questa cittá, e il cuore mi è balzato stranamente nel petto, e sono stato tentato di salir le scale per dimandare di voi, e cercarvi, parendomi d'udir tuttavia il suono della vostra voce, e questa illusione mi ha fatto piú che mai sentire il bisogno di rivedervi. Fortis mi fa sperare di esserni compagno nel giá fisso viaggio a Coppet, pur che io m'abbia la pazienza di aspettare che la stagione si faccia piú mite (perché i caldi della presente sono veramente insopportabili), e ch'egli possa dar norma a suoi affari coll'intelligenza del padre che sta lontano. Nel qual caso la nostra partenza verrebbe a cadere nei primi del prossimo settembre, e non giá per la via del Moncenisio, ma del Simplon e dei laghi, cammino piú delizioso e per me nuovo del tutto. Comunque si risolva, voi ne sarete a tempo avvertita.

Le visite che innanzi a tutte ho fatte sono state alle persone che vi amano veracemente, e a M.ᵉ Cicognara la prima. Le due lettere che vi acchiudo son sue, l'una delle quali in data dello scorso mese rimaneva oziosa presso di lei per non sapere la vostra direzione. Ho sempre avuto cara la compagnia di questa amabile donna, ma l'udirla parlare di voi, come fa, col vero trasporto dell'ammirazione e dell'amicizia me l'ha renduta carissima. Le ho raccontato il contegno tenuto da Moscati con voi al momento che tornaste in Milano, sul quale aveva giá da Simonde udito qualche dettaglio. L'aneddoto non le ha fatto veruna specie, bensí la pazienza vostra nel tollerarlo, nel che io ho presa tutta la colpa sopra di me, perché realmente fu a solo riguardo mio che voi dissimulaste nobilissimamente il giusto vostro risentimento. Ma udite ultima prova del falso carattere di quest'uomo. Vi ho scritto piú volte che egli non mi aveva mai onorato di sua risposta sul noto affare.[31)] Tornato io in Milano mi sono immediatamente recato da lui per intendere le ragioni di quest'arcano, potendo stare ch'egli mi avesse dato riscontro e che la sua lettera si fosse perduta. Il credereste? Ha ricusato di ricevermi, col pretesto che era occupato. Occupato! allorché trattasi di rivedere dopo due mesi di lontananza un amico, un collega... Sono uscito dalle sue soglie con un fremito di sdegno e d'orrore, e ne sono uscito per non vi porre il piede mai piú. Col corriere di domani informerò di tutto Talleyrand e Marescalchi, e farò loro conoscere l'effetto delle loro raccomandazioni. Ho in seguito penetrato che egli medita un colpo piú iniquo per rovinarmi. Ma taccio per ora questa scoperta, perché non è che un sospetto. Tremo però nel considerare che il primo principio dell'uomo cattivo si è di nuocere quanto mai puossi a coloro coi quali si ha qualche torto, e costui può nuocermi sommamente, perché ne ha pronti i mezzi e la volontá. Prevedo un tempo nel quale, deposto ogni riguardo ed orgoglio, potrò senza ripugnanza accettare le offerte e i soccorsi dell'amicizia, finché il tempo ripari le ferite della perfidia, e mi vendichi.

Entra in questo punto nella mia stanza il signor Fortis, e mi reca la vostra brevissima dei 24 luglio e la cambiale di 60 Luigi sopra il signor La-Caume, e il pazzo articolo di Kotzebue. [32)] Dopo tutto ciò che vi ho scritto nell'ultima mia, dopo il sagrificio che vi ho fatto della mia volontá, dopo le tante prove che mi avete date dei puri e sani principj che vi rimovono ad essere meco splendida e generosa, sarebbe villania e superbia il rifiutare il vostro mandato e temer compromessa la mia delicatezza. Accetto dunque il vostro dono come dalle mani d'una sorella, e questo nome, del quale mi avete comandato di far uso e tesoro nell'avvenire, questo nome mi accheta in cuore ogni scrupolo. E se la vostra bontá, la vostra amicizia rifiuta ogni espressione di ringraziamento e di gratitudine, io farò anche in questo forza al mio cuore giá tutto vostro e per sempre. Quanto al pazzo K[otzebue] stupisco come in Germania si permetta la pubblicazione di queste letterarie abbominazioni. Non vi sono ospedali? Non vi sono fruste? Non vi sono pietre per lapidarlo?

Dopo aver molto vagato col pensiero nell'istoria antica e moderna, onde fissare il soggetto della tragedia che ho preso impegno di scrivere, mi sono arrestato sopra Germanico, e ne ho giá disposto il piano presso che tutto, riserbandomi di comunicarvelo personalmente e di dar mano all'esecuzione quando sarò al vostro fianco. Ho letto i *Templarj* e vi ho trovato di gran belle cose, molte idee fine e sentite. Vi ringrazio adunque di questo dono e degli altri libri che mi avete mandati e che per anco non ho avuto tempo di leggere. Mi si scrivono da Parigi le gare che sono nate sulle traduzioni della mia Visione, dico quella di Carrion de Nisas e l'altra di M.ʳ Deschamps, e che il primo ne ha presentata a S. M. una magnifica edizione in pergamena. Voi sapete il mio parere sull'una e sull'altra, e certamente se i Francesi vorranno giudicare del mio lavoro sulla traccia di quelle due traduzioni, io mi reputo sconosciuto e perduto. So che Nisas ne ha preparato un superbo esemplare per mandarmelo. Dio mi liberi da questa cortesia e dall'imbarazzo di dovergli rispondere. Ciò vi sia detto in tutto segreto. Addio.

A MELCHIOR CESAROTTI - PADOVA.

Milano, 13 agosto 1803.

Illustrissimo e carissimo Amico. Portatore della presente è il signor Mustoxidi corcirese, che desidera di conoscere in voi personalmente un oggetto di sua antica venerazione. Quanto io ami questo giovane maraviglioso il saprete in due parole da me, udendomi protestare che non ho al mondo cosa di lui piú cara. Com'egli poi sia degno che voi pure lo riceviate nella vostra amicizia, il comprenderete da lui medesimo traendolo a ragionare. Fate forza alla sua modestia e ottenete che vi mostri il decreto, con cui la sua patria si è stimata in debito d'onorarlo, e l'operetta che gli ha meritato nella prima aurora de' suoi talenti questa pubblica distinzione. Vi avevo promesso di venire ad abbracciarvi in persona. Adempio la mia parola nella persona di Mustoxidi, in cui pregovi di considerare un altro me stesso. Amate dunque il mio Mustoxidi, e ponete questa partita tutta a debito del vostro ecc.

P. S. Dopo due mesi di assenza ho fatto ritorno ieri l'altro in Milano, e qui ho trovata la carissima vostra de' 20 luglio decorso. Il vostro giudizio sulla mia Visione mi fa giustamente superbo. Ditemi se dal libraio Sonzogno vi è stata mandata la *Supplica di Melpomene e di Talia*, siccome gli diedi commissione nel mio partire.

[A FERDINANDO MARESCALCHI - PARIGI].

Milano, 29 agosto 1805.

Mio Signore ed Amico. Mi affligge e mi fa stupore l'intendere che non abbiate ricevute ancora mie lettere, mentre Aldini, che da tanti giorni è partito, doveva avervi recapitato un mio piego con entro sei lettere: una per voi, una per M.r de Talleyrand, un'altra per Ferri, la quarta per Mimaut, la quinta per Fercoque, e l'ultima per de la Roux. Mi giova sperare, che l'indicato piego, consegnato da Borghi a Manfredini, che fin dai primi del mese doveva partire, e poi da Manfredini ad Aldini, vi sia stato finalmente da questo recapitato, e che a quest'ora mi troverò purgato del mio silenzio con tutti, ma primamente con voi, al quale mi stringono tanti doveri di rispetto, d'amicizia e di gratitudine.

Io era ben certo che la vostra benevolenza mi avrebbe partorito altre beneficenze, ma le mie speranze non salivano a cosí onorevole titolo, come quello che mi vien portato dal reale decreto che mi nomina Istoriografo del regno d'Italia. Veggo in questo gli effetti dell'attiva vostra amicizia, poiché il poco mio merito non poteva per sé solo eccitare il Sovrano a sí splendido beneficio. Ma io istoriografo? io dedicato a studi tutti diversi? io dai campi dell'immaginazione balzato a quelli della riflessione e della politica? Come potrò io portare questo peso, e con un cuore di foco scrivere cose che dimandano tutto il freddo della ragione? Spaventato da queste gravi considerazioni, e certo di non poter bene adempire le parti di buon istorico, quando la natura mi chiama irresistibilmente in grembo alle Muse, comincio a temere che l'onore che mi vien fatto non sia mal compartito, e che accettandolo perderò pace e riputazione. Né io so, se per mille lire di piú (giacché il mio onorario di prima era di cinque mila), avrò fatto buon negozio mettendomi per una strada, che mi obbliga, per cosí dire, a cangiar natura, e cangiarla senza speranza di fama. Altronde io non so comprendere, come Sua Maestá, che in Bologna mi esortava ed esortando mi comandava di scrivere tragedie (ed io mi era dato giá tutto a questo pensiero) possa adesso, dimentica di quel comando, volere che di poeta mi faccia storico, quando di storici ne può trovare mille, che sappiano meglio di me consegnare il suo nome alla posteritá, e di poeti forse nessuno. Parmi adunque che il titolo di poeta regio mi sarebbe stato piú conveniente che quello di istoriografo, e che il perdere cinque mila lire delle quali era in possesso per pigliarne mille di piú con un peso niente fatto per le mie spalle, parmi, dico, che questa non sia né utile né prudente risoluzione. Ma cosí vuole il Sovrano, e cosí sia. Addio dunque Melpomene, addio dolci miei studi, addio speranza di andar co' primi poeti del secolo all'eternitá.

Vi ho aperto il cuore e finisco col dirvi, che piego la testa, e mi getto con gli occhi chiusi nella carriera che mi viene prescritta. Resta che mi avvertiate se debba scrivere a S. M. lettera di ringraziamento, o se basterá che voi gli portiate per me la viva espressione della mia gratitudine.

Di Moscati vi ho scritto cose strane e notabili, rapporto a me, e molte altre di maggior carico scoperte dopo voleva significarvi, ma ora lo reputo fuor di stagione, né voglio abusare della pazienza vostra. Ripetete, vi prego, al Signor di Talleyrand le sincere proteste dell'eterna mia riconoscenza, e raccomandatemi alla sua amorevolezza, e crediate che il mio cuore è tutto in Parigi. Mettetemi ancora nella memoria dell'ottimo vostro figlio, e, se potete, tranquillate con due righe lo spirito angustiato ed incerto del vostro M.

A G. B. VENTURI.
Ministro per il Regno d'Italia a Berna

Ginevra, 22 ottobre 1805.

Caro Amico e Collega. [33)] L'ozio autunnale e alcune letterarie amicizie mi hanno sbalzato prima da Milano a Torino, poi da Torino a Ginevra, coll'intenzione di sospingermi fino a Strasburgo, se colá sarò certo di trovare Marescalchi ed Aldini. Ma qui nessuno mi sa dar nuova del presente loro soggiorno. Mi rivolgo dunque a voi per saperlo, non potendo voi, per l'indole del vostro impiego, non trovarvi in continua corrispondenza con essi.

Andando a Strasburgo prenderò la strada di Berna, e questa deviazione mi verrá compensata dal piacere di abbracciarvi e di passare un giorno con voi. Vi aprirò allora un pensiero che mi bolle in capo, suggeritomi da un sentimento di riconoscenza verso l'augusto nostro Sovrano, che mi ha nominato, come saprete, suo Istoriografo. Io gli ho scritto che si ricordi dell'accaduto a Racine e a Boileau, che, nominati ambedue Storiografi di Luigi Decimo Quarto, *après avoir long-temps essayé ce travail, ils sentirent qu'il étoit tout-à-fait opposé a leur génie,* per la qual cosa stimarono miglior consiglio l'illustrare con buoni versi la loro nazione e l'augusto loro benefattore, piuttosto che diminuirne con cattive storie la fama. Potendo io dunque servire alla sua gloria meglio in qualitá di poeta che di storico, ho decretato nella mia testa un lavoro, la cui esecuzione mi sforza ad avvicinarmi al teatro della guerra germanica, nel caso che le cose succedano prosperamente, siccome non dubito, riposandomi sulla fortuna e sul genio del nostro Napoleone. Ma di questo piú a lungo quando sarò con Voi. Intanto piacciavi d'avvisarmi subito se gli amici soprannominati sono a Strasburgo e Talleyrand egualmente. Dirigete la risposta a Ginevra al Banchiere Hentsch. Oggi sono a pranzo da questo Prefetto e spero sentir nuove migliori di ieri. Se voi ne avrete alcuna che mi consoli non me la tacete.

Sospiro il momento di abbracciarvi, e sono di cuore il vostro ecc.

A UGO FOSCOLO - BRESCIA.

Milano, 30 gennaio 1807.

Caro Foscolo. Cesarotti mi scrive un mondo d'ammirazioni sulla *Spada di Federico,* e mi accompagna una lettera della Vadori, nella quale sono queste parole: « Dirai a Foscolo, che Cesarotti, Franceschinis, e papá Bondioli l'amano quanto egli ama Monti ». Vedi che non t'ho dato cattivo consiglio esortandoti a non mettere nelle tue critiche sillaba che possa ferire quel povero vecchio che tanto ti ama.

Nella prima *Nemea* di Pindaro trovo un'espressione che parmi aver luogo nelle tue note al giuramento di Giove. Pindaro dice che Giove *accennò colle chiome.* Ciò sembra significare che tutta, o almeno la principal forza di quel giuramento, consisteva nell'agitamento dei divini capelli, ed ecco perché al loro moto trema l'Olimpo.

Spero che avrai emendato i miei versi secondo che t'ho scritto nel passato ordinario, indirizzando a Bettoni la lettera.

In Pisa è accaduta una letteraria rivoluzione. Quel furfante De-Coureil, corrispondente del Galeotto, aveva annunziato nel Giornale il *Bardo* con tre sole insolenti righe. La Societá cooperante a quel foglio, indignata di questa villania, ha tenuto assemblea, e a voti unanimi il De-Coureil è stato cacciato dal loro seno, e si è decretato che in quel Giornale si faccia l'espiazione di tutte le ingiurie fattemi da quel manigoldo, con un articolo solennissimo in onor dell'offeso. Questa riparazione, né cercata né pensata, mi fa piacere perché disarma piú d'un malevolo, e piacerá a te pure, che sempre sei stato vindice della mia riputazione. Amami, e sta sano. Il tuo ecc.

A UGO FOSCOLO - BRESCIA.

[Milano, marzo 1807].

Caro Amico. Vedrai le piccole correzioni che ho fatte all'Ode dopo averti veduto. Il *Salve* messo in bocca a que' Genj che vengono a ringraziare la loro genefattrice, spero ti piacerá. Gli altri cangiamenti li abbandono al tuo gusto.

Paradisi ieri mattina annunziò al Principe la mia Ode come poesia veramente degna d'orecchio sovrano, e S. A. l'attende. Piacerebbemi adunque che nell'articoletto promessomi (e che ti raccomando) inserissi che questi sono i versi da desiderarsi dai Principi, ai quali Augusto, bramoso di vivere immortale nella posteritá, ha lasciato nel rigoroso suo editto sopra i poeti il bell'esempio della riserva da praticarsi dai grandi Monarchi co' letterati. Questa idea mettila come ti pare, ma pregoti di non lasciarla. Tu vedi a che tende. Sta sano. Il tuo ecc.

A IPPOLITO PINDEMONTE - VERONA.

[Milano, primi di aprile 1807].

Illustre e carissimo Amico. Ora per mezzo di Foscolo, ora per Rosmini mi sono sempre fatto un dovere di inviarvi le cose mie come vero attestato, qualunque siasi, della mia stima. Al presente sí l'uno che l'altro è fuori di Milano. Piacciavi adunque, egregio sig. cavaliere ed amico, che questa volta io metta a profitto la loro lontanonza, e mosso dai medesimi sentimenti vi spedisca io stesso direttamente un esemplare dell'ultimo mio lavoro. Questo non è certamente compenso al regalo delle vostre divine epistole; ma sará, se non altro, contrassegno di devozione, e ciò basta perché dobbiate gradirlo. Non mando questi miei versi all'Annetta Vadori, perché mi sarebbe caro che recitati dalla bocca vostra acquistassero qualche pregio. Del resto assicuratela che a prima occasione li manderò e in piú bella edizione.

L'Epistola direttavi da Foscolo sui *Sepolcri* è degna del vostro nome. Doveva e voleva esser io l'editore e dedicatore di questo bel pezzo di poesia. Ma la libertá e l'ardimento di certe sentenze contrasta coi riguardi che debbo alla mia situazione, e Foscolo stesso è stato il primo a riflettere che io, mettendo ad effetto il mio desiderio, avrei somministrato qualche arma alla malignitá di qualche tristo per nuocermi. Sono dolente del vedermi tolta questa bella occasione di far palese al pubblico l'alta mia stima verso di voi: ma siavi grato anche il solo tributo dell'intenzione. Onoratemi per mia quiete di una parola di riscontro e abbiatemi per primo nel numero dei vostri estimatori ed amici.

A UGO FOSCOLO - BRESCIA.

[Milano, 6 aprile 1807].

È chiaro che va scritto *aenei*, e che la mia è stata una svista. *Aenei* non è della Crusca, ma in buoni autori, e l'Alfieri l'adopera a sazietá. *Purificarsi, gittar, offrìr* sono infiniti, e amo di farne una figura favorita dei buoni latini, piuttosto che una eleganza.

La tua lettera non l'ho avuta che questa mattina, giorno 6, e subito ti rispondo, ma non credo che oggi parta la posta.

Di' a Bettoni che parlerò a Rossi per il cenno ch'egli desidera nel *Giornale Italiano*. E del bresciano nulla scrivi? Se sei partito senza dirlo al Ministro hai fatto male, e però ti consiglio a sollecitare il tuo ritorno. Sta sano.

P. S. Rimando i fogli corretti.

A UGO FOSCOLO - BRESCIA.

Roma, 22 luglio 1807.

Mio caro Foscolo. La tua lettera al petulante Guillon non poteva essere né piú trionfante né piú dignitosa, e per tale mi era giá stata annunciata dalle lettere degli amici. Hai fatto bene. Le pulci e le cimici non dánno la morte, ma il lasciarsene divorare è filosofia da porci. Ti ripeto che hai fatto bene, e che Guillon è un briccone, sulla schiena del quale se sarebbe viltá il calare la spada, è però giusta ed onesta cosa il calare a tempo il bastone, e il solo disprezzo non è moneta che saldi bene queste partite. Le maldicenze portano via sempre qualche brano di riputazione, e bisogna reprimerle.

Fosse pur vero che tu venissi a Roma mentre io pure ci sono! Il tuo nome qui suona con lode, e puoi ben credere che io fra i pochi, ne' quali l'amor delle lettere è vivo, ragioni spesso di te, e sempre coi sentimenti che tu conosci.

Se ti risolvi, fammene consapevole, ma considera per tua regola, che al principio dell'entrante, se i caldi rallentano, passo a Napoli, ove il mio amico Marconi vuole accompagnarmi egli stesso. Questa andata non so quanto tempo consumerá, ma certamente alla fine d'agosto sarò in Roma di nuovo per qui fermarmi un'altra quindicina di giorni, e passar dopo in Toscana. Se colá mi raggiungi (e il viaggio di Firenze non dovrebbe poi spaventarti come quello di Roma), tu mi farai la piú grata cosa del mondo; e non pensare al borsiglio. Scrivimi dunque le tue deliberazioni, e intanto per mezzo di Borghi mandami due esemplari del tuo Saggio Omerico, che qui non è ancor pervenuto (vedi diligenza de' nostri librai) e due della mia lettera a Bettinelli. A Bettoni mille saluti, e a te quelli di Teresina. Amami, vieni, e pensa che io sono eternamente il tuo ecc.

P. S. Aggiungi al plico anche due copie delle mie Prolusioni.

A SAVERIO BETTINELLI - MANTOVA.

Roma, 5 agosto 1807.

Il vostro ingegno, mio dilettissimo Bettinelli, gode dell'eterna gioventú degli Dei, e i due Sonetti che mi avete mandato respirano la freschezza di primavera. Me ne rallegro assai e di cuore. Questo vostro vigore di sentimento o di fantasia fa ricordare l'ingegno di Sofocle, che oltre gli ottanta anni scrisse l'Edipo Coloneo, né io so se gli annali della nostra letteratura presentino un esempio simile al vostro. Anche la vostra amica di fresca data Mad.ª Monti ha esultato dei vostri versi, e si compiace di trovare nel suo Cav.e Servente tanto foco, e tanta abbondanza ancora di vita; e ha tirato fuori dalla sua cartella il vostro ritratto per contemplarvi, lamentandosi che l'incisore vi abbia fatto assai men bello ed amabile di quello che siete, ad onta del diciottesimo vostro lustro.

La battaglia di Friedland, e la pace continentale che n'è venuta hanno incalzato me pure sulla rupe di Parnaso. Ma il caldo che affoca il clima romano mi ha emunta siffattamente la lena poetica, che non so piú camminare per quei sentieri, e se l'aria non si rinfresca non farò che il canto delle cicale. Fuori di metafora, dacché vivo in questo incendio di cielo non ho potuto fare né pure un verso che vaglia l'onore di essere scritto. In somma il mio povero ingegno è morto del tutto, e si prepara a' miei nemici gran materia di beffe, e gran cagione agli amici di compassione. Che fa il mio ottimo Arrivabene? Abbracciatelo *ex toto corde* per me, e ditegli che lo porto scritto nel libro dell'anima, e che mai dimenticherò le prove chegli mi ha date della sua amicizia. Salutatemi ancora carissimamente il Conte Murari, e Ortalis, e tutti gli amici, che al mio ritorno abbraccerò piú lungamente che non ho fatto nel mio passaggio. E voi, caro Bettinelli, amatemi quanto vi amo, e scrivetemi. Il vostro ecc.

AL DOTTOR GIOVANNI GHERARDINI - MILANO.

Frascati, 6 agosto 1807.

Distratto da un moto perpetuo per queste grandiose e fresche Ville Romane, ove ognuno che può cerca di rifugiarsi per evitare su queste belle colline gl'intollerabili caldi che incendiano la cittá, ho differito di qualche ordinario il rispondere alla tua carissima.

Ti ringrazio, mio buon amico, della premura che ti prendi per vendicarmi. Ma io non ti posso somministrare mezzo per farlo, perché mi è stato superiormente vietato di *avvilirmi* a qualunque altra risposta. I versi, di cui mi scrivi, son miei, ma viziati e malignamente alterati per nuocere alla mia riputazione. Allorché Alfieri fu espulso da Roma (e *longa est historia*), questo fiero ingegno scrisse contra il Papa, contra i Cardinali, contra la Nobiltá e tutto il popolo romano un atroce e sanguinoso sonetto. Io mi trovava nella Corte Romana, e si volle che io gli rispondessi, e lo feci col laccio al collo, e per le medesime rime. Ma, né il *rovescia il maledetto,* né quasi tutto il resto della terzina sono parole mie; e anche la prima quartina è alterata. Che farci? Tacere e soffrire. Questa è la dura condizione del galantuomo quando è in lotta col birbo. *Veniet dies ultionis*; ma per ora mi è forza mordere il freno, e lasciarmi battere come generoso cavallo sotto la frusta del mozzo.

Salutami Gioja, e pregalo di mandarmi una copia del suo libretto sopra il Divorzio, raccomandandolo a Borghi per la spedizione.

Fino a tutto ieri ho avuto sotto gli occhi tutto il voluminoso processo del *Galeotto.* Oh le belle memorie!... Ho anche acquistato l'autentico commentario della sua vita prima e dopo la sua condanna *ad triremes,* e gli illustri aneddoti della sua fuga, e il documento della solenne accusa data a sua madre, e di piú alte splendide bricconerie.

Abbraccia per me il nostro Gioja, ed ama il tuo ecc.

AD ANTONIO CANOVA - ROMA.
[Napoli, 1808].

Chiarissimo Cavaliere ed Amico carissimo. Dall'istesso Cav. Ferri intenderete con quanto piacere abbia S. M. inteso essersi giá da voi terminato il modello del Monumento che vi è stato commesso per il grande Napoleone. Non dubito punto dell'ammirazione di quanti correranno a contemplarlo, come punto non dubiterei dell'invidia del cavallo di M. Aurelio se potesse egli pure aver senso, e vedere il rivale, che lo fará restare il secondo. La Duchessina ha gradito sommamente i vostri doni, del pari che il Ministro, e tanto piú cari sono lor riusciti, quanto che le teste da voi mandate sono giunte intatte, mentre le altre per Miot e Dumas sono arrivate in pezzi. Io spero di potervi presto riabbracciare. Il mio lavoro è finito, S. M. lo ha gradito; e mi sarei giá messo in viaggio, se non avessi ordine di aspettarne il ritorno in cittá, essendo la M. S. andata per alcuni giorni alla caccia, o per meglio dire alla revista delle truppe, che sfilano per la Calabria.

Amatemi, comandatemi, e credetemi eternamente ecc.

A GIUSEPPE DE CESARE - NAPOLI.
[Napoli, 1808].

Caro e bravo mio Amico. Avrei voluto venire in persona a ringraziarvi e congratularmi del vostro bello, sensato ed utile opuscolo intorno a Dante; ma io mi trovo tuttavia sotto la chirurgo-medica disciplina, la quale non mi permette di veder la luce del sole, se non quando l'aria è serena e tranquilla, come la coscienza degli anacoreti. Dunque venite voi stesso a ricevere il tributo che vi si deve; e perché questo eccitamento è contrario alla vostra modestia, venite a fare un'opera di misericordia, che è la visita degl'infermi, e, ciò che piú tocca, degl'infermi amici, che tale è senza riserva il vostro ecc.

AL CAV. GREGORIO COMETTI - GENOVA.

Napoli, 24 febbraio 1808.

Mio caro Amico. La tua lettera e quella della nostra Antonietta mi hanno fatto un grande piacere. Sono stati due grandi spruzzi di rugiada sopra un'erba giá moribonda. Quanto ho sofferto! Eccoti in breve la storia de' miei incomodi di salute non mortali, ma estremamente penosi.

Mi recai a Napoli in settembre per solo desiderio di vedere questo veramente giardino d'Italia, ma con l'intenzione di non fermarmivi che quindici giorni. Appena giunto, il Re mi accolse con una bontá che non so esprimere. Si aspettava l'Imperatore, e si voleva preparare per la sua venuta un grande spettacolo teatrale. Fui quindi pregato di scrivere per questo effetto. La gratitudine e il trasporto da me concepito per questo Sovrano mi fecero accettare l'impegno; e per lavorare col minor disturbo possibile mandai Teresina a Roma, e restai solo a Napoli.

Misi dunque con letizia di cuore la mano all'opera. Ma, appena dato principio, eccomi sorpreso da un gruppo di mali, che mi gettarono in una grande apprensione. Sia che coll'andare frequentemente a pranzo dal Re a Capo-di-Monte, e passeggiare in ora assai tarda per quei boschetti assai umidi, io avessi contratto delle affezioni morbose, sia che l'aria di Napoli estremamente attiva e sulfurea non si confaccia col mio temperamento, fatto è che, senza avervi dato motivo, mi vidi improvvisamente assalito dalla stessa stessissima malattia che mi travagliò tanto in Parigi nell'ottocento, con gli stessi sintomi, con lo stesso carattere, e nella stessa località; e, vedi combinazione, il chirurgo Leonessa, napolitano, che mi aveva curato in Parigi, è quello cui è toccato di curarmi in Napoli. Né questo è tutto. La riproduzione di questo male ne riportò seco un altro molto serio e terribile, e fu una piaga nel naso. Non v'è genere di rimedi ch'io non abbia sperimentato, e tutti indarno. Dopo cinque mesi di patimento e di paura continua parve ch'io fossi guarito, e fu allora che le gazzette napolitane annunziarono il mio ristabilimento. Ma falsamente: io mi trovo ancora tormentato, e sono giá sei giorni che mi è stato forza ripigliare la cura con piú cautela che prima.

Il Re, informato da Ferri dello stato di mia salute, ebbe la clemenza, benché lontano in provincia, di scriver subito al suo medico, ordinandogli di prestarmi la piú diligente assistenza, e di renderlo ragguagliato del processo della mia infermitá. Tornato in Napoli e fatto consapevole ch'io stavo giá meglio, volle vedermi, e sentire dalla mia stessa bocca la recita del Dramma che mi era stato ordinato, e ch'io aveva felicemente condotto a termine ad onta di tanti ostacoli. Egli l'aveva giá letto, e gradito, ed altamente lodato, e onorato d'una graziosa sua lettera tutta di pugno e piena di bontá, di benevolenza e di senno. Udita che n'ebbe la recita dall'autore al cospetto di quasi tutta la Corte, di quelli principalmente che piú furono capaci di giudicarne, ordinò che si mettesse subito in esecuzione, onde fosse pronto per la festa di S. Giuseppe, giorno in cui si spera che avremo qui anche la Regina. A misura che io scriveva, Paisiello metteva lo scritto in musica, di modo che giá si era dato cominciamento alle prove, e la musica è bella, e tale che

Paisiello protesta di non aver mai fatto la simile. Forse l'amor proprio l'inganna; ma se i cantanti fossero di cartello, sono persuaso che la protesta di Paisiello non sarebbe rodomontana. Comunque sia, egli ha protestato al Re di non aver mai vestito di note una poesia che piú gli abbia riscaldato la fantasia. Io però quando penso che questa fantasia è vecchia, e che i cantanti sono deboli, non posso non dubitare dell'intero e pieno suo effetto.

Intanto il mio Dramma, letto piú volte a diversi, ha qui fatto una grandissima sensazione per la continua allusione ai lagrimevoli fatti qui accaduti nel '99. Ho preso per argomento un soggetto di venticinque secoli addietro, ma nazionale, perché accaduto in Calabria, vale a dire nella Magna Grecia; e, sotto l'immagine di antiche e gloriose disavventure, ho dipinto quelle di otto anni addietro, e vi ho interessato l'onore della Nazione, senza mai nominare nessuno, lasciando all'uditore il farne l'applicazione. Se ne fará la stampa, e sará mia cura di mandartela.

Debbo notare un'altra attenzione di S. M., la quale si è presa il pensiero di scrivere sí all'Imperatore che al Viceré i motivi che mi hanno qui trattenuto sí lungamente; il che fa che io viva piú tranquillo. Avrei mille altre cose da dire, che come ad amico ti piacerebbe l'udire. Ma tu sai che la vanitá non è mai stata il mio debole. Ti basti il sapere che non v'è genere di riguardi e di attenzione che il tuo amico non abbia qui ricevuto.

Fin da quando mi credetti guarito scrissi e dissi al Re ch'io doveva e voleva partire. Ringrazio la sua clemenza che me l'ha impedito. Diversamente avrei, cred'io, lasciata le pelle in qualche osteria dell'Apennino; se non la pelle, il naso sicuramente: spero che tutto andrá bene.

Circa la mia venuta in Genova udrai da Antonietta i giusti e sacri motivi che me lo vietano. Ma dove non viene il corpo, viene il core. Saluta gli amici, Azuni, Viviani, Maret, il tuo segretario. Per Guerrini ho incaricato altra persona. Addio.

P. S. Se S... è guarito dalla febbre del giuoco, abbraccialo caramente con Serra.

AD ANDREA MUSTOXIDI - FIRENZE.

Napoli, 2 marzo 1808.

Ho pensato a voi mille volte, e non è molto che il cuore mi annunziava il vostro ritorno in Italia. Ma infermo qual sono da cinque e piú mesi, come correre ad abbracciarvi? Io mi credeva guarito, e tale mi diceano gli stessi medici; ma da venti giorni eccomi ricaduto; e chiuso di nuovo dentro la stanza. Spero che l'entrare della buona stagione ristabilirà finalmente la mia salute; e allora in qual parte d'Italia dovrò cercarvi? Smentireste l'amicizia che mi protestate, se abbandonaste l'Italia senza darmi la consolazione di rivedervi.

Benché ammalato, non sono stato ozioso del tutto. Fino dai primi giorni ch'io posi il piede in Napoli, questa Corte desiderò ch'io scrivessi un dramma per festeggiare l'arrivo dell'Imperatore, che allora qui si aspettava. L'ho fatto; il Re l'ha gradito. Paisiello vi ha composto una bella musica; e al momento in che scrivo, si va provando per eseguirla all'arrivo della Regina. Se le vostre letterarie peregrinazioni vi portano a visitare la cuna del Tasso e le ceneri di Virgilio, troverete qui in trono la Filosofia; e mi rendo certo che il Re, conoscendovi, vi amerá, e che voi correrete volentieri tutti i pericoli minacciati da quell'antico a chi s'innamora dei Principi. Venite, e ritorneremo insieme a Milano; ho un posto vòto nella vettura, e nol serbo che all'amicizia. Mille saluti a Madama Fabbroni, ed amate ecc.

A CESARE ARICI - BRESCIA.

[Milano, tra il 1808 e il 1809].

Finalmente posso rispondere. E intorno al valore de' vostri versi poche parole: essi sono belli, strabelli, e vorrei fossero cosa mia. Ma voi avete commesso un grande errore stampandovi in fronte il nome del Principe senza dimandarne il permesso. Per riparare al mal fatto, mandate subito alla Direzione Generale degli studi due esemplari del poema, comunque legati, ma levatene via la dedica. Questa la dovete aggiungere manoscritta e accompagnarla con lettera lusinghiera a Moscati, perché si compiaccia di passarla, unitamente al poema, sotto gli occhi del Principe, e ottener che sia pubblicato sotto gli auspicj reali. Coll'aiuto dell'ottimo cavaliere Rossi io spero che Moscati esaudirá la vostra dimanda; e allora io mi adoprerò che se ne faccia un rapporto apposito al Principe, onde l'affare riesca bene. Badate intanto che l'opera non si pubblichi; o se volete pure darne agli amici qualche esemplare, fatelo, ma sopprimetene la dedica. Stimo anche necessario un errata-corrige, essendo molti gli errori di stampa, e perfino qualche verso mancante di qualche piede.

La cattedra di lingua francese sará a vostra disposizione. Addio.

P. S. Ripeto che, ad onta di poche negligenze, il vostro poema è pieno di belle cose, e che ve ne verrá molta lode.

A VINCENZO CRISTINI - PARIGI.

[Milano... dic. 1808 o genn. 1809].

L'esibitore di questa è il signor Andrea Mustoxidi Corcirese, giovine a me carissimo, che per sola aviditá di sapere viaggia l'Europa, ed è giá fin d'ora in possesso di molta fama nell'italiana e greca e latina letteratura.

Gli è impossibile il conoscerlo e non amarlo, e voi l'amerete e stimerete altamente, e lo presenterete al Ministro, il quale non potrá non accordargli la sua protezione. Egli gode giá quella dell'Imperatore Alessandro, al cui ambasciatore in Parigi è stato particolarmente raccomandato. E siccome, tornato che egli sia da' suoi viaggi, la Direzione Generale dei nostri studi spera d'acquistarlo al Regno d'Italia, cosí mi lusingo che il signor Aldini e voi stesso il vorrete fin d'adesso considerare e favorire come persona che giá ci appartiene, e che senza dubbio onorerá un giorno il nostro Governo e l'amicizia di tutti i buoni.

La mia ragazza mi ha raccomandato l'acchiusa per madamigella Covelli, e io l'affido a voi. I miei rispetti ad Aldini, i miei saluti a Brunetti, e a voi il piú affettuoso addio, ch'io m'abbia nel cuore.

P. S. Ricordatevi della lettera per Pisani.

A UGO FOSCOLO - PAVIA.

[Pavia, 23 gennaio 1809].

Caro Foscolo. Il freddo e la neve mi hanno sí mal condotto, che infermo qual sono e di occhi e di testa, non ardisco di esporraï all'aria e venire ad abbracciarti. Lo fo col cuore; e sempre piú contento della mia venuta, e del tuo trionfo di cui sono stato spettatore, parto per Milano, e parto alle undici. Ti rimando le brache, e sono il tuo ecc.

A UGO FOSCOLO - PAVIA.

[Milano, il 23 o 24 gennaio 1809].

Caro Foscolo. Volevo tacerti una nuova che non deve piacere né a te, né a' tuoi amici, ma gli è meglio che tu la sappia da me. La cattedra d'Eloquenza forense, senza veruna colpa dell'Istruzione Pubblica, anzi contra il suo voto, è stata conferita ad Anelli. Desidero e spero che ciò non debba alterarti in quanto all'importanza del posto, che pel tuo ingegno sarebbe stato una specie di sepoltura; ma deve farti aprir gli occhi sull'avvenire. Il tuo massimo studio deve essere il conservarti la grazia del Principe. Aggiungi dunque alla tua Prolusione (te ne scongiuro) due parole, un cenno, che apertamente tocchi le lodi dell'Imperatore e del Principe. Questa è una costumanza dalla quale non puoi prescindere senza dar campo a odiose illazioni. Fa a modo di chi ti ama davvero, e sta sano. Il tuo ecc. [34]

A UGO FOSCOLO - PAVIA.

[Milano,] 4 del 1809.

Mio caro Foscolo, sarò in Pavia la sera del 14, se il 15 è destinato alla tua Prolusione. Non ti ho mandato la lezione preliminare che ti promisi, primieramente perché manca il principio, né finora mi è stato possibile di ritrovarlo; secondamente, perché riscontrandola dopo tanti anni, non l'ho trovata di mia piena soddisfazione.

Ho un grande rammarico nel cuore. Il povero Gioja, per una impertinenza scritta al Ministero dell'Interno, ha perduto l'impiego e il Viceré è molto sdegnato. A voce saprai tutta la storia.

Aspetto con impazienza il giorno 15, e ti abbraccio di cuore. Il tuo ecc.

P. S. Ho dato in tuo nome a Vaccari un esemplare dei tre Sepolcri. [35]

A UGO FOSCOLO - MILANO.

[Milano, 10 aprile 1810].

Ho letto, poiché l'avete voluto, il vostro articolo intorno ad Omero. Una volta ve ne avrei detto il mio parere; ma ora mi veggo tolto da qualche tempo questo diritto, e mi astengo ben volentieri da ogni consiglio. Stampatelo pur dunque e state sano. Vostro V. M. [36)]

A ENNIO QUIRINO VISCONTI - PARIGI.

Ferrara, 18 maggio 1810.

Pregiatissimo e carissimo Amico. Il mio buon amico Lamberti, ritornato da Parigi, mi ha riferito alcune amorevoli vostre parole, le quali mi danno speranza che non sia in voi spenta del tutto la benevolenza di cui in Roma mi foste per tanti anni cosí cortese, e che forma tuttavia una delle piú care memorie della mia vita. Quanto mi abbia consolato questa notizia, vel dica la fiducia con cui vi scrivo la presente, cancellando coi dolci titoli della prima amicizia ogni tristo pensiero della lunga nostra separazione.

All'antico mio precettore ed amico spedisco adunque con piena e libera confidenza il primo volume della mia omerica traduzione. Del modo, con che, ignaro del greco, mi sono arrischiato a questa temeraria e penosissima impresa, non dirò nulla, perché Lamberti ve ne ha pienamente istruito. Dirò solo che senza Lamberti e Mustoxidi e Lampredi, mi sarei bene astenuto dal render pubblico un siffatto lavoro intrapreso da molto tempo per mio privato studio e piacere, e poi proseguito per eccitamento di chi per certo non poteva né ingannarsi in questa materia, né mal consigliarmi. Se mi sará dato che voi, massimo giudice, siate d'avviso che nella mia versione il buono prevalga al cattivo, io profitterò di tutte le critiche di cui vorrete giovarmi, e mi studierò di purgarla e portarla a qualche possibile perfezione.

Il vostro oracolo mi sará sacro, e la rintegrazione della vostra amicizia mi fará lieto oltre ogni credere. Ve ne prego, e col piú vivo sentimento del cuore mi confermo per sempre ecc.

A COSTANZA MONTI PERTICARI - PESARO.

Milano, 30 settembre 1812.

Mia cara Figlia. Le tue lettere mi fanno beato perché tutte mi parlano della tua intera felicitá, e della infinita gratitudine che tu professi alla tua buona madre. Conoscerai adesso se i tuoi genitori altro cercavano che il renderti fortunata.

Non istupisco dell'amor generoso di Giulio. Le gioie di che egli ha voluto abbellire la sua sposa sono degne del nobile suo carattere, ma il miglior dono ch'ei possa farti e di che tu devi pregarlo ad ogni momento si è di farsi tua guida in tutte le azioni della vita e di circondarti della sua assistenza, della sua saviezza. E il regalo preziosissimo che tu pure gli devi fare si è quello d'una cieca, assoluta, illimitata subordinazione al suo volere. Allora vedrai che il maggiore dei diletti dell'anima si è quello di fare all'oggetto amato l'intero sacrificio di noi medesimi. Mia cara figlia, stampati nel cuore questa veritá, e nessuna moglie sará piú beata di te.

Avrei amato di diffondermi su questo importantissimo punto, ma il tempo stringe, dovendo a momenti partire pei laghi in compagnia di S. A. il Principe di Saxe Weimar, cugino della nostra Viceregina, del conte di Edlin suo ciambellano, del conte Valperga di Caluso, monsignor de Breme, e due dame di Corte. Non istarò assente piú di dodici giorni. Abbracciami Giulio mille volte e ringrazialo dell'amor che ti porta. Procura di sempre piú meritartelo e il cielo ti benedica. A tutta la casa i miei saluti e rispetti. Addio. Il tuo affezionatissimo padre ed amico.

A PAOLO COSTA - BOLOGNA.

Milano, 4 dicembre 1813.

Mio caro Costa. Breve rispondo perché funestato dalla morte del povero Lamberti. Egli è passato questa mattina alle sette discorrendo placidamente, e mancando come una candela a cui il nutrimento vien meno. A questa disgrazia (e la perdita d'un amico è disgrazia grandissima) un'altra ne soprarriva che del pari assai mi contrista, ed è la notizia giuntami poco fa della morte del mio Bodoni. Faccia il cielo che non sia vero. Ma i suoi molti anni e la sua disfatta salute mi mettono in gran timore del sí.

Fra queste cose mi è stata una grande consolazione la vostra lettera, la quale mi fa certo della vostra benevolenza. Un genio malefico avea fatalmente turbata la nostra amicizia. Ma nessuna alterazione, nessun cangiamento erasi fatto nel fondo de' nostri cuori, che, liberi finalmente dalle perfide suggestioni, si sono subito rivolati incontro e confusi per non separarsi mai piú. Dopo i parenti, dopo i figli, dopo la patria, l'oggetto piú sacro è l'amico. Non aggiungo dunque nulla di piú.

Ho scritto alla nostra Teresina nel passato ordinario, e le scrivo pur oggi. Raccomandatemi alla sua amicizia, e a quella di Venturoli e di Mezzofanti. Visitate qualche volta per me il cortese mio ospite, ricordatemi alla bella Cornelia e al marito, date per ultimo un bacio per me alla vostra Giuditta ed amate il vostro ecc.

A GIULIO PERTICARI - PESARO.

Milano, 8 dicembre 1813.

Mio caro Giulio. Volea scriverti il sabato scorso. Ma nol potei e nol seppi, funestato dalla morte accaduta quella mattina del mio amico Lamberti. Ed oggi pure mi sento assai infermo di mente, né so uscir di casa a cercar distrazioni. Ho dunque primieramente mandato al direttore conte Luini la tua ultima lettera perché la legga e confortisi del buono spirito che regna nel tuo paese, e avendomi egli giá ringraziato e respinto il tuo foglio, l'ho messo subito nelle mani del mio amicissimo Generale Zucchi, perché lo presenti egli stesso e lo legga da parte mia al Ministro della Guerra (e il fará questa sera) onde S. E. conosca le tue e le mie raccomandazioni pel giovane signor Gennari, al padre del quale farai in mio nome molti saluti.

Ogni timore sull'Adige è affatto svanito. Le nuove di pace van sempre su lo stesso piede. Le altre notizie le avrai da' pubblici fogli.

Ho sempre davanti agli occhi l'infelice Lamberti, il quale alla vista della tua lettera giubilò, e la fece riporre, dopo averla mostrata agli amici, fra le sue cose piú care. Il suo spettro mi assedia, vuol le mie lagrime, e son costretto a finire. Abbraccia la mia Costanza ed ama il tuo aff.mo padre ed amico.

A GIULIO PERTICARI - PESARO.

Milano, 15 dicembre 1813.

Mio caro Figlio. Col mezzo di Borghesi nostro o di tuo fratello Giuseppe ti sará agevole il procurare l'incasso delle due accluse cambiali di pagamento sicuro. Riscosse che siano, me ne darai l'avviso, ritenendo il denaro a sconto della rata che viene. Spero che l'altra l'avrai ricevuta tutta intera da Giuseppino, al quale non ho avuto tempo né testa di dar avviso del defalco da farsi e per la carta del gabinetto e libri. Di tutto adunque mi darai credito nella rata futura.

Non ti ho mai scritto che Foscolo, ignorando che noi fossimo gli autori del dialogo de' tre numeri, e vedendo che tutti il lodavano a cielo, venuto egli a quel tempo di Firenze a Milano, disse e ridisse pubblicamente alle tavole e ne' caffè che il dialogo era del Lessi, accademico della Crusca e suo amico; e che egli ne aveva avuto nelle mani l'autografo. Né contento a questa impostura, su-

surrava nell'orecchio agli amici ch'egli stesso v'avea messo mano. Queste menzogne, pubblicate senza fronte dal Foscolo e da tutti credute, rimossero dall'animo de' piú il sospetto che dapprima erasi fatto, che l'autore di quel dialogo fosse quello del Capro. Mentre in Milano seguivano queste voci e queste opinioni, il segretario della Crusca Collini mi affermava in Bologna sapersi per cosa certa che lo scrittore di quel dialogo era il lucchese Federici, collaboratore dell'Alberti nella compilazione del Vocabolario albertiano; e io rideva a sbracarmi sotto cappotto. Venuto in Milano trovo che il Brignole, da voi edotto del vero, avea rivelato il segreto, e che il Foscolo avea traviata, o per meglio dire tentato di traviare la pubblica opinione. Mi tolsi allora la maschera, e, cominciando dall'ovo di Leda, narrai minutamente le cose. La derisione caduta sopra il Foscolo non è da dirsi.

Fra queste cose è comparso in iscena il ridicolo *Schiraguaito* del buon gusto, l'Angeloni. Ho disprezzato e disprezzo quel miserabile. Nulladimeno, avendomi tu scritto che costui meritava un poco di paga, ed io gliel'ho data. Ed ecco, mercé del tuo impulso, subitamente nato un altro dialogo della stessa indole, ma piú variato e piú stringente alle spalle del Vocabolarista veronese e del Cavaliere della Mancia che ha preso a difenderlo. Mi sono addosso gli amici perché lo pubblichi, e non mi rattiene che la considerazione delle presenti circostanze poco adattate alle materie da ridere, e piú il timore che quel reverendo imbecille se ne muoia dalla passione. Restandomi dal darlo alla luce, te lo manderò manoscritto.

La tua raccomandazione pel giovine Gennari è stata letta in caratteri originali e ben accolta. Ma consiglialo a procurarsi una testimonianza del Prefetto.

Che fa la mia Costanza? Abbracciala mille volte. Abbraccia pure Gordiano e Cassi ed Antaldi, e sta sano.

A GIULIO PERTICARI - PESARO.

Milano, 8 aprile 1814.

Mio caro Figlio ed Amico. Verso la metá dello scorso mese ti scrissi a lungo la grande consolazione da me sentita nell'udire che la mia Costanza mi ha fatto nonno d'un bello e gagliardo putto. Ti dissi che intorno alla solenne funzione del battesimo, essendo tuttavia incerta la pace, e per conseguente incerta pure la mia venuta oltre Po, io commetteva le mie veci a Gordiano. Misi nella stessa lettera un lungo paragrafo alla Costanza, un altro ve ne mise la madre; tre lettere insomma si strinsero in una sola, e questa venne caldamente raccomandata alla cortesia del colonnello Brocchetti, pel cui mezzo mi era giá venuta la tua del 22 febbraio il 15 marzo felicemente. Il prefetto Villata, il cui fratello generale guarda i posti avanzati di Borgoforte, si pigliò per ispontanea gentilezza il pensiero di mandarla per la via del detto suo fratello a buon porto. Ma in seguito avendomi significato d'aver dato alla mia lettera una tutt'altra direzione, mi va per la mente il timore che la sia mal capitata. Il che mi dorrebbe per piú motivi, fra' quali non è l'ultimo la rimessa ch'io ti faceva d'un'altra cambiale sopra il Bisazia di Cesena, giá scaduta all'uscire dello scorso marzo. Ma piú che lo smarrimento della cambiale (alla quale sará riparo) mi crucia il non sapere piú oltre le vostre nuove. Il perché ti prego, mio caro figlio, far di maniera che mi giunga qualche notizia del vostro stato. Perciocché i tanti patimenti dalla povera Costanza sofferti nel partorire mi tengono inquieto su le conseguenze del puerperio: e questa incertezza della sua salute, oltre all'amaro delle circostanze presenti, avvelena i miei giorni, e stilla di dolcezza non entra piú nel mio cuore.

Quanto io desideri di abbracciarvi tutti, quanto mi strugga d'avermi al petto il tuo caro bamboccio, quanti bei momenti di vita io mi prometta nell'educarlo, adulto che sia, (ché io stesso, sappilo bene, voglio esserne il pedagogo, e farmelo tutto mio), non tel so dire. Di questo pensiero mi gode l'animo grandemente, in questo solo si quetano le mie fiere malinconie, e senza questa speranza mi sarebbe un peso la vita. Ciò ti sia argomento della brama che mi consuma di ricondurmi fra le braccia de' miei figli, e ristorarmi con loro delle molte afflizioni che mi rodono il cuore incessantemente. Procuro di mitigarle con la dolcezza degli studi. E di vero non sono poche le cose che ho scritte e vo ordinando il meglio che posso per pubblicarle a tempi sereni. E giunto, quando che sia, il momento di rivederci, io spero che tu pure avrai portato a buon termine la traduzione di Filostrato, e messa in punto la compita edizione delle cose volgari del Poliziano. La mente insomma si reca nell'avvenire e in seno alle lettere attende qualche conforto ai mali presenti.

Mi accade di scriverti questa in un punto che Teresa è ita in campagna a poche miglia dalla cittá, né torna che questa sera. Il suo stoico naturale la preserva in buona e tranquilla salute. E buona, in quanto al corpo, si è pure la mia, ma l'animo è infermo, né io so trovarmi nel petto la necessaria forza di spirito per porre il piede su la sventura. La fantasia è il mio carnefice, e la fatale tendenza al dolore datami dalla natura vince tutti gli sforzi della ragione.

Addio, mio caro Giulio. Ti raccomando la mia Costanza. Ella ti ha fatto padre, e questo è il piú sacro, il piú dolce di tutti i nomi, e deve raddoppiarti nel core la coniugal tenerezza. Salutami caramente la tua ottima madre, e Gordiano e Cassi ed Antaldi, né dimenticarmi il nostro buon Marchino. Ch'io sappia che siete tutti felici, e il sará pure il tuo aff.mo padre ed amico.

P. S. Trivulzio ti manda molti saluti.

A. S. E. IL SIG. CONTE DI BELLEGARDE
Governator militare e civile
di tutte le Provincie Austriache dell'Italia ecc.

Milano, 3 dicembre 1814.

Eccellenza. Un venerato decreto dell'E. V. mi priva della pensione, da me giá goduta col titolo d'Istoriografo del Regno d'Italia. Rassegnato e senza lamenti, piego la fronte alle determinazioni dell'Autoritá superiore: né il rammarico de' miei danni mi toglie il conoscere perfettamente che il titolo d'Istoriografo d'un Regno che piú non esiste è titolo vano e ridicolo. Il decreto adunque che lo abolisce è giustissimo. Ma nei termini della sua esecuzione è corso un equivoco che mi addolora; perché oltre al privarmi d'ogni diritto a qualche compensamento, mi toglie insieme un bene piú caro, la stima di V. E. A rintegrarmi di questa perdita (rimettendo l'altra alla sua illuminata giustizia) siami conceduto il porre in chiaro tutta la cosa.

La lettera che mi annuncia la mia sentenza parla cosí: *Sono in Lei cessate le funzioni d'Istoriografo della giá Casa Reale d'Italia.* Queste parole mi mostrano apertamente che all'E. V. si è fatto credere che quel titolo fosse un impiego attivo, un impiego gravato delle funzioni, ossia dell'officio di scrivere la storia del detto Regno. Dietro alla qual credenza egli è forza che nel giudizio dell'E. V. io comparisca colpevole di mostruosa trascuratezza, non avendo io mai scritto sillaba delle vicende qui succedute. Ora l'onor del vero mi strigne a mostrare col fatto alla mano, che quello non era impiego, ma un puro onorifico beneficio, una pura pensione libera d'ogni peso.

Allorché Napoleone (è giá nove anni) mi nominò Istoriografo, non giá della Casa Reale, ma del Regno d'Italia, con rispettoso coraggio io gli scrissi di questa guisa: Ch'io aveva consumato i miei studi non alla scuola di Tacito e Machiavello, ma di Omero e Virgilio: che in questa il suffragio della mia nazione mi poneva in cuore la speranza di sedermi un giorno fra i primi; mentre nell'altra io non sapea vedere che la dolorosa certezza di giacermi oscuro tra gli ultimi: che il nome, insomma, di buon poeta erami troppo caro, e mi costava troppi sudori per non cangiarlo giammai in quello di cattivo storico. Citai il fatto di due celebri uomini della Francia, Racine e Boileau, che istoriografi ambedue ad un tempo di Luigi XIV, nulla mai scrissero che di bei versi, e conclusi con queste nette parole: *Dopo sí fatti esempi, tocca alla M. V. il decidere se io possa servire alla sua gloria meglio in qualitá di storico che di poeta.*

Napoleone, per l'organo del signor di Talleyrand, ora Principe di Benevento, mi fe' rispondere: *Che non era sua mente di deviarmi da' miei studi piú cari, ma di pormi in istato di coltivarli piú agiatamente:* aggiungendo, contra tutto mio merito, *ch'Egli era soddisfatto del mio buon nome nel pubblico.*

Il solenne decreto di quella nomina non m'imponeva adunque alcun peso. E nel vero il cessato Governo sarebbe egli stato sí dolce a pagarmene esattamente gli appuntamenti, se il pagamento fosse stato legato alla condizione di scrivere, e io nulla avessi mai scritto?

Dirò di piú. Non solo non si volle impormi alcun obbligo, ma non potevasi impormelo neppur volendo, perché egli era impossibile l'adempirlo. La storia è la libera voce della veritá, che tramanda alle future generazioni il terribile suo processo senza magistrato di revisione. Se la veritá fosse libera sotto la sferza di quel Potente, tutto il mondo lo dica. La storia d'un Regno è la viva e franca pittura sí delle virtú come delle colpe del regnatore. Ov'è la penna che, sotto la sospettosa vigilanza di quell'assoluto Padrone, si fosse ardita di adempiere santamente officio sí periglioso? L'adulazione non è privilegio che de' poeti, ai quali solo è concesso (per servirmi delle parole del nostro grand'epico) *intesser fregi al vero* e mentire, perché il mondo corre alle dolci menzogne della poesia: e Napoleone, se non fu un Traiano, sotto il cui impero ogni penna scriveva ciò che il cuore sentiva, ei vide però assai bene che, dov'è novitá di dominio, mette assai conto l'accarezzare tutte le passioni, onorare tutti gl'ingegni, mostrarsi munifico protettore di tutte le nobili discipline. Perciocché gli Stati s'acquistano colle armi, ma si abbelliscono colle arti e colle lettere; e i fiori delle Muse, gittati sulle corone dei Re, come giá su quella d'Augusto, servono spesse volte a nascondere il sangue di che erano bruttamente contaminate.

Io parlo ad un sommo Guerriero, ad un Guerriero filosofo, e ben intendente: quindi taccio le conseguenze che scendono sul mio proposito. Bensí mi assicuro a poter di nuovo concludere, che quell'infelice mio titolo d'Istoriografo non era che un decoroso ed onorato riposo ad un onesto uomo di lettere, il quale ha giá speso il piú de' suoi anni a meritarsi il pubblico compatimento, e a tener vivo, per quanto ha saputo, l'onore dell'italiana letteratura: non era in somma, o Signore, nella mia povera persona che una pura pensione in tutta la forza del termine, una pensione portata su la lista stessa, corrente su la stessa cassa e della natura stessa stessissima che quella del cav. Appiani, la quale, con tanto applauso del pubblico, sempre idolatra degli uomini che onorano il secolo e la nazione, è stata religiosamente conservata.

Se avrò ottenuto di sgombrare dall'animo dell'E. V. ogni cattivo sospetto sul conto mio, sopporterò con mente piú serena la mia disgrazia, pensando che la mano che mi ha percosso può ancor risanare, se saprò mostrarmene degno, le mie ferite. Né del tutto io so perderne la speranza, considerando ch'ella è riposta su la virtú d'un cuor benefico e generoso, e che compagna del vero valore fu sempre la cortesia.

Aggradisca l'E. V. la sincera espressione della mia viva riconoscenza pel mandato graziosamente rilasciatomi delle mesate di settembre e d'ottobre. Porto scritto nel cuore questo tratto della sua bontá e sono col piú profondo rispetto ecc. [37)]

A CESARE ARICI - BRESCIA.

Milano, 30 maggio 1815.

Mio caro Amico. Se mi fosse andato per l'animo il solo sospetto che il mio silenzio venisse da voi interpretato come rallentamento d'amicizia, fino dai suoi principj vi avrei cavato di questo errore, perciocché il mio cuore verso di voi non ha mai sofferto, né mai soffrirá la minima alterazione. La fortuna può molto su tutte le cose, ma nulla sui sentimenti ben collocati, e non avendo voi nulla a rimproverarvi rispetto a me, non dovevate dar luogo a timori, che, bene considerati, ci oltraggiano tutti e due. Ma di questo abbastanza.

Compatisco al dolore in cui vi trovate per l'inevitabile perdita che vi sovrasta d'una compagna ch'era l'oggetto delle piú care vostre affezioni. Ma che rileva l'andar sotterra pochi momenti prima, pochi momenti dopo? Se siete persuaso d'una seconda vita, consolatevi col pensiero che un giorno vi rimariterete alla donna amata ch'or vi abbandona. Ella non fa che precorrervi ad un soggiorno a cui tutti siamo inviati, e non mi pare, per Dio, massimamente di questi tempi, che il piú felice sia quello che giunge ultimo. A voi che tuttavia siete nel fiore degli anni, parrá strana questa filosofia. Ma quando entrerete, com'io, nell'inverno dell'etá, conoscerete che ella è un'ottima medicina.

Desidero di abbracciarvi. Ma se tarda la venuta vostra a Milano, la mia brama verrá delusa, perché al finire dell'entrante probabilmente io me n'anderò, chiamato in

Romagna da miei affari. Vi resti però fisso nell'animo che ovunque io mi trovi sarò sempre il vostro ecc.

P. S. Ogni bel saluto ad Arrivabene e a Fornasini.

A S. E. IL GENERALE SAURAU
Governatore di Milano.

Milano, 15 marzo 1816.

Eccellenza. Riverente ai superiori comandi, l'Istituto Cesareo espone il suo netto parere sulle Osservazioni da V. E. comunicate, e sottoscritte P. De Capitani consigliere, e Bernardoni segretario.

E primieramente in quanto alle Opere del Bergantini, che l'egregio Osservatore ne raccomanda e sulle quali si è dovuto consumar molti giorni e molta pazienza, l'Istituto è d'avviso che, al grande scopo di riformare il Vocabolario Italiano, poco sia l'utile che può cavarsene, e molto il pericolo di peggiorarne le piaghe anzi che risanarle. Il Bergantini a null'altro ha posto il suo studio che a far cumulo di parole (alla qual fatica tutti son atti), traendole senza scelta e senza critica ponderazione da ogni fatta di libri, la piú parte non approvati siccome quelli in cui la pesca de' nuovi vocaboli è piú copiosa. Né ad avere per buoni gli scrittori da cui li tolse basta il privato giudizio del Bergantini. Egli è necessario che vi concorra l'universale consenso dei dotti. Altrimenti, rotto quest'argine, e ciascuno, sull'esempio del Bergantini, fattosi accettatore di tutti i nuovi vocaboli che lo contentano, la lingua si spande in un mare di confusione che non ha termine. E allora è tutta indarno l'opera dei vocabolari, i quali dalla sapienza dei dotti ad altro fine non sono stati ideati, che a contenere il corso della favella dentro i confini della perfezione, e a comprimere lo spirito della licenza, che, abbandonata a tutto il suo impeto, in poco spazio di tempo la condurrebbe ad una totale dissoluzione.

Un altro grave difetto è pur da notarsi nel Bergantini. Classico o non classico, ei porta il nuovo vocabolario senza mai portarne l'esempio. Questo è gran vizio. Perciocché nell'esatta compilazione d'un Vocabolario, l'esame della parola dee precedere all'ammissione della medesima. Or come può egli l'intelletto esaminatore giudicar rettamente della virtú del vocabolo che si propone, se non ne vede prima l'esempio? Le parole, solitariamente considerate, non sono che inerti immagini delle cose, e male si può conoscere se quella immagine sia efficace e fedele ove non si vegga posta in azione: ché la sola azione delle parole, ossia la locuzione, ne fa sentire il vero valore. E a questo necessario giudizio è cosa impossibile il pervenire dirittamente e salvi da inganno, senza l'esempio.

Di piú. La poca messe de' buoni vocaboli, che in terreno classico fu raccolta dal Bergantini e pubblicata nel 1745 nella sua Appendice alla Crusca, è giá stata tutta riposta nell'edizione della stessa Crusca, fatta in Venezia per il Pitteri dopo il '60. Di qui procede lo sbaglio dell'Osservatore, che immeritamente accusa l'Alberti di poca onestá, perché ricettando nel suo Dizionario parecchi vocaboli registrati nell'Appendice del Bergantini, mai nol citò. L'Alberti non tolse quei vocaboli al Bergantini, ma li tolse alla Crusca, che nella mentovata edizione di Venezia gli avea giá ricevuti dentro il suo seno. Che se fuori di quell'edizione alcun altro se ne riscontra che, portato prima del Bergantini, sia stato poscia raccolto pur dall'Alberti, ciò deesi attribuire ad incontro fortuito della stessa voce; avendo egli, come protestasi, *rispigolato i campi mietuti dagli Accademici della Crusca, e ricercatine ancora di nuovi, in cui essi non avean messa la falce.* Dopo la quale intesa, non sembra liberale giudizio il recargli a rubamento ciò che è frutto del proprio suo sudore.

Lontana dal giusto è parimente l'accusa dell'aver egli trascurato di citare l'autore da cui trae gli esempi delle parole. Nella ben ragionata e veramente bellissima prefazione al suo Dizionario, p. XIV, sec. par., l'Alberti si esprime in questo modo: *Il primo fonte a cui ho attinto, e che ho interamente esausto per arricchire il mio Dizionario, è il Vocabolario della Crusca: in guisa che per tutte le voci e modi in niuna guisa particolarmente contrassegnati, sempre intender si debbe ch'essi sono di sua assoluta proprietà.* Colla qual protesta l'Alberti chi ben vede, rende buona ragione dell'aver omesso di quando in quando le citazioni, e il suo silenzio medesimo diventa prova sicura della classica autoritá dell'esempio da lui addotto.

Piú seria e piú degna d'essere dileguata si è la terza imputazione di cui lo grava l'Osservatore. *L'Alberti* (dic'egli) *non si è curato di citare l'autore, perché forse si è vergognato di nominare un Contuso, un Cagiani, un Fortunio, un Pocaterra, un cardinale De Luca, un Mambrino Roseo, uno Scaradino, un Ardelini, un Revillas, ed altri che non hanno grido di purgati scrittori, de' quali, copiando per lo piú le Voci Italiane del Bergantini, porta gli esempi.*

Se l'Alberti abbia trasfuso nel suo Dizionario quelle voci dal Bergantini, oppur dalla Crusca, si è veduto. Se l'aver omesso talvolta le citazioni proceda da sentimento di vergogna, o piú presto dal savio divisamento di andar per la breve e amminuir la noia al lettore, questo pure si è veduto. Sul resto venga innanzi egli stesso, e rimuova da sé la brutta colpa che gli vien data di portar esempi d'autori non approvati. *In tale inchiesta* (nella ricerca di nuovi vocaboli) *io mi protesto che, fuor di quegli scrittori, i quali, a giudizio di tutti, sono purgatissimi reputati, mi sono astenuto di trar fuori alcuna cosa che sia opposta alle regole omai invariabili della favella, la quale per tal convenente può dirsi fissata.*

LE LETTERE O L'UOMO

È dunque falso del tutto che quel benemerito Vocabolarista abbia attinta veruna voce dai *Contusi,* dai *Cagiani,* dai *Pocaterra,* né da tutta quell'altra ciurma di sciaurati scrittori, nomi tutti cavati dall'indice del Bergantini. Il solo Bergantini ha bevuto a quelle torbide fonti; ed è per questo che la sua material collezione diventa pericolosa, e che il separarvi l'oro dalla mondiglia tornerebbe a maggior fatica che il purgar le stalle d'Augia. L'Alberti che in fatto di lingua avea miglior odorato del Bergantini, non cita che autori approvati dall'oracolo della Crusca, e di tutti ei ne porge indici distintissimi, e vi comprende ancor quelli che, per partito preso nell'adunanza del 1786, furono aggiunti al catalogo dei classici padri della favella.

Non meravigli Vostra Eccellenza se, nella difesa dell'Alberti, l'Istituto prende qualche calore. Imperocché, appresso le piú riposate considerazioni essendo egli venuto nell'opinione che il *Dizionario universale critico enciclopedico della lingua italiana* dell'Alberti sia l'unico da cui si possa sperare molto sussidio alla compilazione del nuovo Vocabolario, parea convenevole il dissipare dall'animo di Vostra Eccellenza ogni sinistra impressione intorno a quell'opera, onde poi non venisse riputato insano il giudizio di chi la segue. Né l'Istituto, anteponendo l'Alberti al Cesari e al Bergantini, intende di non voler chiamare in aiuto del suo lavoro ancor le fatiche di questi due. Intende solo di dire che scarso è il profitto che sen può trarre. Non dal Cesari, perché egli, insozzando di tante voci del tutto morte il vivo fior della lingua, sembra non aver avuto altro divisamento che di ricondurre l'Italia all'infanzia della favella. Non dal Bergantini, perché, siccome si è detto, la sua collezione (nella quale l'Istituto per vero avea posta molta speranza, allorché il cessato Governo, a consiglio del fu cav. Lamberti, ne fece a caro prezzo l'acquisto), esaminata dopo e discorsa pazientemente, null'altro si è trovata che un inerte e vasto coagolo di parole: e il Lamberti morendo ha portato seco il dolore d'aver consigliata sí mala spesa.

E poniamo che in questa collezione sien molte voci meritevoli di esser mantenute. Alla fin fine il vantaggio che ne deriva, in soli e nudi vocaboli si risolve. Ma ben altro che di vocaboli è l'impresa di che si tratta. Il Vocabolario, di cui la sapienza del Governo, e diciam pure tutta l'Italia, desidera la riforma, è il grande Vocabolario della Crusca, da noi tenuto finora come sacro e inviolabile codice della lingua. Or questo codice, dinanzi a cui tremano le superstiziose coscienze degli scrittori, è seminato di tante voci mal dichiarate sí nel latino e nel greco come nell'italiano; di tante che furono traviate dalla lor vera significazione; di tante che vanno prive di esempio, mentre mill'altre ne soprabbondano; di tante che son vive e si danno per morte, e di morte che si danno per vive, e non han piú soffio di vita; di tanta confusione de' sensi propri co' figurati; di tanti passi d'autori stortamente compresi, in somma di tante nuvole prese per la Dea, che il disgombrarlo da tutta questa selva d'errori è sudore di molto tempo e di molte fronti. E a tutto cielo s'inganna chi a ciò spera soccorso dal Cesari e dal Bergantini: poiché sí l'uno e sí l'altro piglia per buono e per santo tutto che trovasi nella Crusca: e il Cesari per aggiunta non solo ne copia ciecamente tutti i peccati, ma ve n'accresce buona derrata di propri: il che fu fatto giá manifesto nei dialoghi del *Poligrafo*.

La riforma adunque del Vocabolario, in ciò che dipende dall'augumento delle nude parole, è lavoro di corta lena; e i Bergantini trovansi dappertutto. Ma la sua intima correzione dimanda intelletti nudriti di miglior critica, colla quale ben si sappia estimare il valore delle parole, e ben segregare dalle infette le sane, e ben confortarle di classica autoritá; e finalmente metter la scure non del pedante, ma del filosofo, agli errori giá stabiliti, e stirparne e svellerne le radici.

Terminato questo duro lavoro, resta l'altro, nulla men faticoso e nel Vocabolario della Crusca sí trascurato, quello di una ben ordinata etimologia, per mezzo della quale illustrare e accuratamente distinguere in primitiva e derivativa l'origine delle parole, onde, conosciuto il tronco generatore, agevolmente conoscerne i generati. Indi l'altro pur pieno di molte spine, quello cioè dell'ortografia, suggetta a tante variazioni quante son le pronuncie, e divenuta al presente un orribile guazzabuglio mercé delle giunte Veronesi, le quali a tutto potere, con tanto pericolo della non pratica gioventú, e con tanto inganno dello straniero, hanno rimessa in campo l'ortografia dell'imperator Federico e del suo segretario Pier delle Vigne; l'ortografia insomma dei Ducentisti e Trecentisti, che niuna affatto ne conoscevano.

Emendati i vizi del Vocabolario, e provveduto con nuove voci al bisogno delle arti e delle scienze, resta che vi si aggiungano le eleganze del favellare, dalla Crusca dimenticate; dico le locuzioni, nelle quali consiste principalmente la grazia e la venere della favella. E di queste è giá pronta buona ricolta.

Fatta ragione alla prima parte delle Osservazioni, sulle quali è piaciuto all'E. V. di chiamar l'attenzione dell'Istituto, è suo stretto dovere l'aprire adesso il suo animo sulla seconda, nella quale l'Osservatore primieramente ci porge il cortese consiglio di *render pubblico l'invito ai dotti del Regno di somministrare vocaboli e frasi*. Indi pone in mezzo il quesito, se l'Istituto, pria di venire alla pubblicazione del suo lavoro, *debba procedere ai concerti coll'Accademia della Crusca.*

Egli è vano il ripetere che, nella riforma del Vocabolario Italiano, il punto dei *vocaboli* e delle *frasi* è il minimo degli oggetti, e che il primo da contemplarsi e il piú arduo da eseguirsi è il purgamento de' suoi errori. In quanto poi al consiglio di render pubblico quell'invito, l'Istituto loda volentieri lo zelo dell'Osservatore, ma supplica l'E. V. di volere nell'alto suo intendimento considerare che, quanto per l'Istituto si crede cosa ben fatta l'invitare a questa nobile impresa non solo i dotti del Regno Lombardo Veneto, ma di tutta l'Italia dal piè delle Alpi fino alla punta di Lilibeo (perciocché fra questi due termini è sparsa la gran famiglia dell'italiana letteratura, e tutti scrivono la stessa lingua, e tutti sentono il vivo bisogno di governarla con una comune universale legislazione); altrettanto inconsiderata e pericolosa riuscir potrebbe la pubblicazione di questo invito, se prima non si risolve maturamente il quesito dei proposti concerti coll'Accademia della Crusca. Ed eccone la ragione. Gli Accademici della Crusca, o dritta o torta che sia la lor pretensione, si stimano i soli e legittimi arbitri della favella. L'invitar dunque i dotti d'Italia avanti di venire ai concerti con gli Accademici, piglierebbe sembianza di poca stima verso di essi; sarebbe un dir loro svelatamente che noi li teniamo non primi, ma secondi, ma ultimi nella cognizione di questa materia. E allora non solo non vorranno associarsi al lavoro dell'Istituto, ma verranno a peggio, spargendone mala voce, e disturbandolo per tutti quei mezzi che il rancor letterario suole somministrare. Prima dunque di dar l'invito alla stampa, si esamini se torni bene il concertarsi cogli Accademici.

Ognuno che, a conseguir qualche fine, cerca di collegarsi, pria di stringere societá considera seco stesso i costumi, le qualitá, il carattere del collega a cui ha vòlto il pensiero, e le forze da porsi in comune, e i vantaggi che possono risultarne. Sarebbe invidiosa e somma ingiustizia il negare l'infinito bene che ha fatto all'italiana letteratura quella illustre Accademia, raccogliendo tutto in un coro il grande tesoro della divina nostra favella. Piú che cento furono gli Accademici che in diversi tempi concorsero alla formazione di quella grand'opera; fra i quali amarono di veder segnato il loro nome tre Principi Cardinali di Casa Medici, ed anche un Granduca. Ciò tutto vero. Ma l'interno ed occulto spirito che diresse un tanto lavoro, quale si fu? Lo spirito di nazional pretensione; la mira di stabilire il dialetto toscano per lingua universale italiana. E non dispiaccia a V. E. che si sveli istoricamente tutto questo odioso mistero, onde l'illuminato suo discernimento conosca meglio quello che appresso s'avrá da fare.

All'assoluta dittatura dell'universale idioma italiano, affidati alla prevalente bellezza del loro dialetto, aspirarono i Fiorentini fino dai remoti tempi di Dante; il quale, mal sofferendo quest'arroganza, scrisse in latino il trattato della Volgar eloquenza, e biasimò fortemente e derise la pretensione dei suoi Toscani, che alla lingua illustre, creata dagli scrittori e comune a tutta l'Italia, tentavano di sostituire il solo dialetto particolare della Toscana. Il dantesco trattato, di cui si aveva certa contezza per le cronache del Villani, giacque per ben due secoli seppellito: ma finalmente dissotterratosi dal Corbinelli in una biblioteca di Padova e messo in volgare dal Trissino vicentino, gli occhi de' letterati italiani di qua dell'Arno, e di lá si rivolsero tutti sopra il gran punto della questione, se, oltre il dialetto toscano, vi fosse altra lingua in Italia di cui a buon diritto valersi nelle scritture. I Toscani, da sí gran nemico assaliti (ché il solo nome di Dante li spaventò), dal bel principio impugnarono a tutta forza la legittimitá dello scritto: e allora si corse da ogni lato alle armi, e si appiccò fra i dotti una fierissima zuffa, che consumò molto inchiostro d'ambe le parti e durò piú d'un secolo, e non è ancora al tutto sopita; quantunque fino dalla metá del secolo andato, il principe de' giureconsulti e de' critici Vincenzo Gravina, nel suo profondo trattato della Ragion Poetica, abbia giá definita la lite contra i Toscani.

Intanto essi, mal reggendo alle forti ragioni di quel trattato, per assodare la combattuta lor dittatura, procedettero animosamente alle vie di fatto, e ideato il Vocabolario della Crusca, prontamente lo compilarono, ed esclusero dal medesimo tutti i vocaboli che vivi e vegeti e ben sonanti vagavano per tutto il resto d'Italia, ma non erano sgraziatamente stati ancor tinti nel liquido oro, che scorre sotto il ponte di Santa Trinita; o che, nel significato della stessa cosa, per la differenza di qualche lettera sonavano diversamente dai vocaboli fiorentini; e per non nuocere a quelli del Mercato Vecchio, si giunse persino a dar l'esilio a vocaboli che, secondo il precetto oraziano *parce detorti* cadevano dal materno fonte latino, e piú dotta e piú nobile rendevano la favella. Ma ristretto dentro a questi confini, il Vocabolario della Crusca riuscí cosí magro e digiuno, che subito si fe' sentire la necessitá d'impinguarlo e ampliarlo co' materiali degli scrittori, che fuori del dialetto toscano avevano dilatata in piú ampio spazio la lingua. E fu cosa maravigliosa il vedere l'Accademia della Crusca costretta dall'onnipotenza dell'opinion pubblica, canonizzare per autor classico anche Torquato Tasso, quel Tasso che dai fondatori della stessa Accademia era stato sí rabbiosamente straziato e coperto di villanie; alle quali pose il colmo miseramente lo stesso gran Galileo, acciocché i posteri s'accorgessero ch'egli pure era uomo. Tanto è il delirio delle passioni, le quali gettano al basso anche i cuori piú generosi, e non addormentano il loro furore che su i sepolcri.

L'intenzione adunque ordinatrice del primo Vocabolario della Crusca fu quella di stabilire in Firenze il despotismo della favella, e di rivocare a sé l'universale della lingua illustre italiana, per riporre in luogo di questa il particolare dialetto della Toscana. E per lingua illustre intendiamo con Dante la lingua che un dí parlavasi nelle corti italiane, le quali gareggiavano nell'adunar d'ogni parte il fiore de' letterati, e da questi castigatamente scrivevasi dappertutto e traevasi non giá dal parlare della plebe, ma dai fonti della erudizione e della filosofia; e questa è la lingua che per noi deesi vendicare, e che essendo lingua comune a tutta l'Italia, italiana deve chiamarsi non fiorentina. Ben è il vero (per usar le parole del citato Gravina) *che il dialetto toscano piú largamente che gli altri partecipa della lingua comune ed illustre:* ma ciò non toglie ch'ei sia pur sempre mero dialetto; e un dialetto, per copioso ch'ei sia e nobile e gentile, non può arrogarsi il titolo che unicamente competesi alla lingua universale d'una nazione.

Italiano adunque, e non toscano, non della Crusca deesi intitolare il Vocabolario, a cui la saggezza del Governo comanda che l'Istituto metta le mani. Or questo titolo piacerà egli ai moderni Accademici della Crusca? Vorranno essi concorrere coll'Istituto a dispossessarsi dell'usurpato loro dominio? Siamo noi certi che lo spirito da cui oggi è animata quell'Accademia, sia diverso da quello de' suoi fondatori? V'è egli a sperare che sia fatto piú discreto, piú ragionevole, piú conforme ai diritti di tutta la letteraria corporazione, di cui gli onorandi Accademici non sono che una porzione, e ancor la minore? E vorranno essi concedere che il tribunale della favella non siede né sull'Arno, né sul Po, né sul Tevere, ma dappertutto ove son penne che la sappiano scrivere castamente? Ecco le prime dimande a cui la Minerva dell'Istituto non sa che rispondere.

L'Accademia della Crusca, questo reverendo oracolo della lingua, gode egli al presente di quell'alta riputazione che un dí gli acquistarono i Salviati, i Redi, i Lami, i Salvini? Ecco un'altra dimanda, a cui la buona creanza dell'Istituto non deve rispondere.

La Sibilla di questo oracolo, dopo la recente sua restaurazione, ha ella dato prove sicure della sua perizia, del suo retto giudizio in fatto di lingua? A questa interrogazione, grazie ad Apollo, ha risposto tre anni fa la Crusca medesima, coronando come opera classica la storia del Micali toscano, di cui nessuno piú parla; e rigettando, anzi vituperando pubblicamente la storia del Botta piemontese, che tutti leggono con sentimento d'ammirazione, e che, tradotta in piú lingue, per universale consenso è tenuta un capolavoro.

E per le stampe di Firenze dell'anno scorso non si è egli veduto il viaggio per la Valacchia e la Transilvania del toscano Sestini, la cui prefazione è un dileggio perpetuo della Crusca? Ben altri potrebbe dire che il Sestini vilipende quell'Accademia, costituita a mantener salde le regole del bello scrivere, perché appunto egli stesso scrive pessimamente. Ma se la riputazione di quell'illustre Consesso è perduta nell'estimazione de' suoi medesimi cittadini, non pare che i letterati lontani siano tenuti a farne gran conto. Nulladimeno il giudizio che ne fa l'Istituto Cesareo è piú liberale. Egli pensa sinceramente che il poter consociare le sue fatiche a quelle degli Accademici, tornerebbe a molto profitto, solo che dall'un canto e dall'altro potesse mettersi egual zelo, egual buona fede. Il far tacere le frivole letterarie passioni che questa unione potrebbero attraversare, sta nelle mani del Saggio che ci governa: e l'Istituto ha giá detto abbastanza, perché l'E. V., a tutta ragion veduta, sappia risolvere nel suo senno. [38]

ALLA CONTESSA MARIANNA AZZALI-ANGELI - IMOLA.

Milano, 29 gennaio 1817.

Pregiatissima Amica. Il primo precetto d'Apollo ai poeti si è ch'ei debbano profondamente sentire quello che scrivono.

Voi mi invitate a cantare una bella impresa d'amore. Or io che, col volgere dei miei anni verso la sera, ho abbandonato del tutto le bandiere ed il culto di questo dio, non mi assicuro di poter far versi degni di lui, né di voi. Gli inni d'amore non son piú fatti per me. Sento il cuore gelato, e converrebbe che voi mi foste vicina per riscaldarlo.

A tutte queste incompetenze aggiungerete che al presente ho le mani a un lavoro che mi ruba tutto l'ingegno, né mi è dato l'abbandonarlo per un momento.

Compatite adunque al dolore di non potervi obbedire, né si diminuisca per questo la vostra bontá verso di me, che vi amo e stimo, e reco ad onore di protestarmi vostro dev.mo servitore ed aff.mo amico ecc.

A GIUSEPPE ACERBI
Direttore della Biblioteca Italiana - Milano

Milano, 6 febbraio 1817.

Amico carissimo. Il sig. Barone di Sardagna finalmente è arrivato: e al suo senno avendo commessa S. E. il sig. Conte Governatore la cura di dar nuova forma alla *Biblioteca Italiana*, gli è bene che su lo stringere dell'affare io vi metta in istato di rispondere la veritá, se mai il detto signor Barone venisse ad interrogarvi sul conto mio.

Da pochi giorni è accaduta tra me e voi mutazione tale di cose, che, a voler parlare sinceri, dee necessariamente aver alterata negli animi nostri l'armonia dell'amicizia. Nulladimeno voi seguitate ad accarezzarmi col bel titolo di *carissimo vostro amico*; ed io pure, come vedete, ve ne ricambio. Ma non giova dissimularlo. La nostra amicizia è giá moribonda, se non giá morta del tutto, e io stimo che l'unica via di resuscitarla sia l'aprire coraggiosamente le piaghe che la consumano. Io vi mostrerò le ferite da voi fatte alla mia, e attendo che colla medesima libertá voi mi mostriate le da me fatte alla vostra.

Due sono i progetti che per la continuazione della

Biblioteca Italiana giá mi scriveste di voler proporre all'autoritá superiore. L'uno, di creare una nuova societá: nel qual caso voi protestate altamente di *ricusarne la direzione*. L'altro (ed è quello che vagheggiate) di concentrare in un sol capo (cioè nel vostro) tutta la cura del giornale, *alimentato dall'opera di collaboratori indipendenti*.

Non essendo io a prima vista entrato ben dentro alla significazione di queste vostre parole, ve ne chiesi a viva voce la spiegazione: e voi a viso aperto mi rispondeste che null'altro importavano che il concentrare in voi solo tutta la proprietá del giornale; che è quanto dire, spogliarne affatto anche il *carissimo vostro amico*, riducendolo, in prova di singolar tenerezza, alla nobile condizione di potervi servire nella qualitá di prezzolato scrittore, onde alimentare la non piú nostra, ma tutta vostra *Biblioteca Italiana*.

Ora a mettere in bella luce l'onestá di questo progetto concedete ch'io vi aggiunga l'illustrazione d'un fatto ancor fresco nella memoria di onoratissimi testimoni, e forse ancor nella vostra. A chi dovete voi la chiamata a direttore della *Biblioteca Italiana*? Non è bella in bocca al beneficante la ricordanza del beneficio; ma quando il beneficato se ne dimentica, il rammentarlo diventa necessitá, e si fa stoltezza il tacerlo. Recate dunque al cuore la mente, e la coscienza vi griderá che questa direzione, quest'onore, questo qualunque siasi beneficio fu tutta opera della mia verace amicizia. Né voglio altri attestatori di questa veritá che il sullodato sig. Barone e Sua Eccellenza il Maresciallo Conte di Bellegarde. Allorché questo signore degnossi comunicarmi la prima idea di questo giornale, pregommi insieme (e pregommene caldamente) di volerne io stesso assumere la direzione. Lo ricusai fermamente, sí perché i miei studi rivolti a dar compimento al mio poema e a tante altre cose imperfette non pativano distrazione; sí perché la direzione di un giornale dimanda una testa sgombra da ogni pensiero e paziente di tutte quelle minuzie che seco porta qualunque economico regolamento; una testa, insomma, ben provveduta di accortezza, di esperienza e di calcoli; qualitá che a me tutte mancano sgraziatamente. Avendomi il prelodato signore graziosamente commessa la cura di proporgli persona abile a questa impresa, la mia libera scelta cadde sopra di voi, mentre voi non potevate neppur sognarvi questa ventura; perché il segreto dell'affare era chiuso in soli tre petti; in quello del Maresciallo, del Barone di Sardagna e nel mio. Ricordatevi le tante carezze che allora me ne faceste, le tante vive espressioni che in quei momenti trassevi dalla bocca la gratitudine; ricordatele, ve ne prego, e fatene paragone coll'odierno vostro contegno.

Spenta la voce della riconoscenza, voi mirate adesso a usurparvi, a ingoiarvi tutta la proprietá del giornale, voi mirate, per conseguenza, a farmi del danno, e danno nelle presenti afflitte mie circostanze non piccolo. Il nuocere è funesto privilegio di tutti; ma il nuocere a quegli stessi che vi hanno fatto del bene, e volgere in istrumento d'offesa il medesimo beneficio, questo è di pochi. E chi vi muove a cosí ostile disegno? Vi ho mai data cagione ancorché minima di disgusto? Mi sono io mai lamentato della vostra assoluta dominazione? E non ho io procurato mai sempre di metter pace tra voi e i nostri colleghi? Non fu opera mia la vostra riconciliazione col sig. Breislak allorché nacque la prima vostra rottura? E son io forse stato l'origine della seconda? Io mi trovava lontano a quel tempo duecento cinquanta miglia; e l'avrei a tutto potere impedita, se fossi stato presente, e vi avrei renduto grande servigio ritraendovi dall'irritare vieppiú lo sdegno di quel collega con puerili dispetti e studiati disprezzi, e modi superbi, davanti a' quali ogni pazienza ha i suoi limiti. E qui notate bene una cosa. Di cinque individui, componenti una societá, quattro si restano in perfetta pace tra loro: e il quinto, egli solo, si mette in aperta guerra con gli altri. Ora non è in natura, mio caro, che quei quattro, i quali tra lor sanno vivere da fratelli, sieno dalla parte del torto in faccia del quinto, che con nessuno sa vivere quietamente, e finisce col tirarsi addosso l'ira di tutti. Ponderate questa limpida veritá, e, chinata la barba al petto, troverete nel fondo, nel solo fondo del vostro cuore il verme che ha roso il bel vincolo che ci univa. Se l'amor proprio vi fa velo e ve ne contende la vista, v'aiuterò io a scoprirlo, se il permettete.

Vi torni a mente quel giorno che, accompagnato dal sig. Labus, io venni con infinito mio rammarico a darvi la trista nuova che anche il sig. Giordani ci abbandonava. Ben vidi (e il vide meco anche Labus) che la notizia di questa seconda perdita, anzi che dispiacenza, vi mettea nel core una tacita contentezza. Mi risovvenni allora del *tanto meglio* uscitovi dalla bocca allorché il signor Breislak ne minacciava di ritirarsi; allora fui certo che in vostra mente la contemplazione dell'interesse andava innanzi ad ogni altra considerazione; mentr'io non riguardava che all'onor del Giornale e disperatamente mi addolorava dell'irreparabile danno che gli veniva dal perdere un sí valoroso compilatore.

L'interesse adunque (non vi sdegnate: la stagione dei riguardi è passata) sí, l'interesse è il brutto verme che ha divorata la nostra bella concordia, e divorato insieme quel sentimento di gratitudine e di amicizia, che un giorno v'era sí dolce. E acciocché io ne fossi al tutto convinto non mancava che l'odioso concepimento di quel caro vostro progetto; in virtú del quale, restando a voi tutto l'utile d'un cospicuo letterario stabilimento vivificato dal nome de' miei due illustri colleghi, e alcun poco forse dal mio, a me non rimane che l'alto onore, se lo vorrò, di somministrarvi per pochi franchi materia da ingrassare il vostro giornale. E non che pensarlo avete pure avuto la fronte di dirmelo sfacciatamente. Sarò io dunque caduto in tanta viltá da sopportare pazientemente tanta ignominia? La disavventura mi ha percosso e percuote da molte parti; ma non fará ch'io scenda sí basso da vendervi la mia riputazione, sopra la quale nulla può l'onnipotenza della fortuna. L'offerta fattami di mercenario collaboratore, fatta a me vostro comproprietario, a me principal nominato nella fondazione di questo stabilimento, a me creatore della fortuna di cui abusate per danneggiarmi, per avvilirmi, per atterrarmi a' vostri piedi, sí questa offerta è un oltraggio, un insulto crudele alle mie sventure, un mostruoso oblio di tutti i sacri riguardi che mi dovete. Che direbbe l'anima generosa del Conte di Bellegarde al vedermi divenuto di vostro benefattore vostro salariato, vostro mancipio? Nel presentarvi che farei il mio scritto e riceverne la mercede mi verrebbe avanti lo spettro della vostra ingratitudine, e sforzerebbemi a maledire il momento in cui vi feci del bene.

Vi ho adombrata, rispetto alla mia persona, l'iniquitá del vostro progetto. Mostrerovvene adesso tutto il pericolo.

Ecco tutta posata sul vostro nome l'impresa della *Biblioteca Italiana*. L'avviso al pubblico è giá stampato, è giá manifesto, tuttoché abbiate minacciata la carcere ai giovani della stamperia se n'avessero fatto un sol motto. Ma perdonatemi alcune interrogazioni. Nel libero e severissimo regno delle lettere, il vostro nome è egli tale da sostener tutto solo il gran peso che gli addossate? Avete voi una fama giá stabilita e inconcussa, che vittoriosamente possa resistere alle grida della censura, ai morsi dell'invidia, agli attacchi dell'implacabile maldicenza? Conosco le penne su cui si fondano le piú care vostre speranze. Ma, lasciata da parte ogni altra considerazione, che diverrá egli davanti al terribile tribunale del pubblico un giornale tutto mercenario, tutto comprato, tutto dettato, non giá dal sacro amor delle lettere, ma dal guadagno? Un giornale, insomma, a cui la penna del **giornalista** non avrá data pure una riga? Non vi lagnate di questa acerba mia riflessione, a cui avete voi stesso data la spinta coll'andar per tutto vociferando che troppo scarsa è stata fin qui l'opera mia nella compilazione della *Biblioteca Italiana,* e che poco o nulla si può contare per l'avvenire sopra i soccorsi della mia penna, quantunque siavi noto, notissimo, che la materia mi abbonda per tutto l'anno secondo. Godo che conosciate adesso l'errore in cui tante volte siete caduto, dicendo che all'onor del giornale bastava la sicurtá del mio nome postovi in fronte. Al presente questo povero nome non fa piú miracoli nell'opinione, ha sofferto l'eclissi, e un altro ne brilla molto piú luminoso. Ma è egli poi vero che nella compilazione di questi fogli sia stata sí scarsa la mia fatica? Oltre a un centinaio di pagine tutte mie, chi ha dati gli articoli del conte Perticari mio genero, dai quali è venuto alla *Biblioteca Italiana* tanto splendore e tanta riputazione? Chi ha temperato e corretto certi altri articoli, che per una critica troppo animosa ed ingiusta le avrebbero portato e danno ed odio moltissimo? Chi ha fatto sparire certi spropositi di lingua che da tutte le parti ci avrebbero fatto gridare addosso la croce? E voi, padrone di due belle porzioni dell'utile generale, voi, direttore e nel medesimo tempo compilatore per la parte che riguarda i viaggi e la musica, ne' quali due rami siete eccellente, quante righe vi avete finora messe del vostro? Non è mia intenzione il farvi arrossire: perciò ritorno alle prime interrogazioni.

I compri vostri collaboratori non essendo stretti da nessuna obbligazione verso il Governo, come rigorosamente lo era la societá di Giordani, di Breislak e di Monti, avranno essi sempre e tempo e voglia di faticare? Non si dorranno essi mai che a questa sí bella mensa tutto l'osso sia loro, e tutta vostra la polpa? E se l'uno di qua, l'altro di lá, vi lasciano in secco nel meglio, che farete? Vel dirò io. Vi troverete nella turpe necessitá di riempire i vostri fogli di borra; e facendo d'ogni erba fascio vi trarrete sul capo le maledizioni degli associati e le risa del pubblico. E ciò ch'è piú da guardarsi, tradirete vostro malgrado le mire del Governo, dico del sig. Conte Governatore, al cui fino discernimento non isperate di far abbaglio con inezie scritte co' piedi, ch'egli è intelletto troppo conoscitore, e avverrá che presto o tardi ei si stanchi di pagare sei mila franchi le avventizie e compre quisquilie che stamperete. E ove pure le gravi cure di Stato impedissero a quel signore la lettura de' vostri fogli, restavi la censura del Barone di Sardagna, al cui pettine non vi verrá fatto, per dio, di sottrarre le magagne di questa lana mal comperata. Pensateci adunque ben bene e persuadetevi che la celebritá d'un giornale non è, non fu, né sará mai cosa da doversi cercare dentro la borsa, e che senza la sicurtá dei nomi solenni e riveriti dall'opinione, nessun giornale ebbe mai lunga vita, né salda riputazione.

Il porvi davanti la considerazione di questi pericoli non è certamente indizio di animo desideroso del vostro peggio; ché da' nemici mai non vennero gli utili avvertimenti: e piú altri ve ne darei se vi sapessi disposto a riceverli senza sdegno. Ben lungi dal voler venire con voi agli estremi e *indicere bellum,* io desidero tutto il contrario. Ma le piaghe impresse al mio cuore avevano bisogno di sfogo; e l'ho fatto. Se dopo ciò vi avvisaste di credere che il risanare l'inferma nostra amicizia possa dipendere dal restituirmi *in pristinum,* uscite di errore. Il giornale ha bisogno di alte riputazioni per sostenersi; e la vostra al par che la mia in tanto affare son troppo piccola cosa. Il Governo ond'essere ben servito non ha che un *voglio* da proferire, e a questo *voglio* tutte le migliori penne son pronte.

Ma volete che ve la canti? Le agghiaccia tutte il **timore** della vostra despotica direzione.

State sano: ed in prova che non ho piú fiele nel core osservate che mi sottoscrivo vostro aff.mo amico. [39]

A GIACOMO LEOPARDI - RECANATI.

Milano, 8 marzo 1817.

Egregio e Carissimo Signor Conte. Dirò cosa alquanto strana, ma vera. Mi si gela il cuore tutte le volte che mi accade di ricevere il dono di qualche libro, e non so mai trovare la via di rispondere al donatore, perché le novantanove per cento la coscienza è in conflitto colla creanza. Sia lode al cielo, e a tutte le sante Muse che questa volta la creanza è d'accordo colla coscienza, e che ambedue si abbracciano come la Giustizia e la Pace del Salmista. Voglio dire ringraziato sia Dio che posso lodarvi senza gravarmi di alcun peccato. Dico adunque, e il dico sinceramente, che la vostra versione del *secondo dell'Eneide* mi è piaciuta e mi piace sopra ogni credere. Né per questo giurerò che ella sia senza difetti: ché anzi non pochi me ne saltano agli occhi, e qualcuno ancora non lieve. Ma le bellezze diffuse per tutto il corpo del vostro lavoro son tante, e tale è l'impasto del vostro stile, che la ragione della Critica o non ha tempo, o non ardisce di fermarsi sopra le mende; delle quali col maturarsi degli anni, e coll'internarvi sempre piú nei segreti dell'arte voi stesso un giorno vi accorgerete e vi farete ottimo castigatore di voi medesimo. Intanto siate contento, anzi superbo dei primi passi che avete fatto in una carriera che al volgo sembra sí facile, e a chi ben intende, è la piú ardua di quante mai possa correre l'umano intelletto. E state sano. Vostro obbligatissimo servitore e amico ecc.

P. S. Avvertite lo Stella che nella stampa sono trascorsi parecchi errori, e non lievi.

A S. E. IL SIG. CONTE SAURAU Governatore di MILANO.

Milano, 21 maggio 1817.

Eccellenza. Il penoso e lungo lavoro addossatomi dal Cesareo Istituto intorno alla riforma del Vocabolario italiano, conseguentemente ai replicati eccitamenti dell'Autoritá superiore, è pronto giá per la stampa.

Essendo l'opera, contro il mio credere, riuscita alquanto voluminosa, è mia intenzione (sempre subordinata ai venerati voleri di vostra Eccellenza) di non dar *per ora* alla luce che un saggio della medesima con questo titolo: *Proposta di alcune correzioni ed aggiunte al Vocabolario della Crusca*. Quindi, secondo il mio calcolo, la stampa non andrá oltre ai quindici o sedici fogli.

Le mie presenti strettezze non potendo sostenere contra immediato pagamento la spesa, benché leggera, dell'edizione, e una lunga esperienza insegnandomi che il mettersi fra gli artigli dei librai stampatori, che sono gli avvoltoi de' poveri letterati, sarebbe il medesimo che lasciarsi divorar tutto l'utile della fatica, mi fo coraggio di rispettosamente proporre al savio discernimento di V. E. un mezzo speditissimo e semplicissimo con cui il Governo, senza il minimo suo dispendio, può trarmi da queste spine. E il mezzo si è che la Stamperia Reale, assumendone l'edizione, mi conceda per contratto il respiro di un anno e mezzo o due anni a pagarne tutta la spesa. Il qual debito agevolmente potrò saldare colla vendita progressiva dello stesso libro.

Trattasi di un'opera a cui, senza l'aiuto di alcuno e tutto solo, ho sudato per due anni continui; di un'opera che, edificata sulle dottrine di Dante, piglia a difendere i diritti della lingua universale italiana contro le arroganti pretensioni dei Toscani, che alla lingua scritta ed illustre, comune a tutta la nostra bella penisola, presumono di sostituire il dialetto particolare del Mercato vecchio e del Casentino; di un'opera finalmente comandata dalla sapienza dello stesso Governo. Parlo inoltre ad un coltissimo personaggio a cui è caro l'onor delle lettere, e che ben intende la lode bellissima che ne deriva a chi sa apprezzarle e proteggerle. Mi rendo adunque sicuro che non parrá temeraria la mia dimanda, né la speranza di vederla benignamente esaudita.

Ho l'onore di essere col piú profondo rispetto di V. E. um.mo ed obbl.mo servitore.

A DIODATA SALUZZO - TORINO.

Milano, 6 febbraio 1818.

Qualche santo, che mi vuol bene, vi ha messo in cuore il pensiero d'inviarmi il grazioso dono delle vostre Poesie. Mi hanno esse trovato sommerso fino alla gola in un brago di lingua morta che fa paura: e giá mi parea d'aver perduta del tutto la facoltá dell'immaginare e del sentire: i vostri versi, pieni di spirito, di passione e di vita mi hanno risuscitato il cuore e la fantasia, e talmente ricreato e distratto da quel mio duro lavoro, che non trovo piú la via di ritornarvi. Or vedete l'effetto della buona poesia quando è nobile, affettuosa e graziosa come la vostra, e quanto io mi debba tener bello e superbo, che una donna di tanto merito e grido, quale voi siete, mi onori della sua amicizia. Il signor Grassi, portatore della presente, adempirá colla viva voce al difetto de' miei ringraziamenti, e, testimonio di udito, vi recherá in termini piú fedeli le espressioni dell'alta stima che vi professa il vostro servitor vero ed amico ecc.

A GIAMBATTISTA NICCOLINI - FIRENZE.

Milano, 5 luglio 1818.

Tempo fa una grave e giudiziosa vostra lettera al nostro Manzi, toccante l'opera mia intorno al Vocabolario della Crusca, mi avea messa in cuore la brama di scrivervi, e di prendere da ciò onesta cagione di ricordarvi l'antica mia stima e amicizia. E l'avrei fatto d'assai buona voglia, se non me ne avesse ritratto un'altra lettera venutami da Firenze, nella quale mi si dava l'avviso che voi e Rosini avete preso a combattere fortemente in iscritto le mie opinioni, e quelle del mio genero conte Perticari. Deposi allora il pensiero di visitarvi colle mie lettere, onde non nascesse il sospetto che io il facessi a secondo fine; piacendomi che niun riguardo rattengavi dal risponderci con quella pienezza di libertá, di cui noi stessi abbiamo dato l'esempio. Che anzi vogliamo dirvi che da niun altro ameremmo piú di essere combattuti, che da voi, siccome quello che piú nobilmente e sapientemente d'ogni altro può illuminarci, e mostrarne gli errori in che saremo caduti.

Tali furono le discrete considerazioni che allora mi stornarono da quel primo proponimento. Ora il nostro Manzi, di cui apprezzo altamente i consigli, mi stimola nuovamente, anzi vuole a ogni patto che io vi provochi con questa lettera, e dica a voi in iscritto quello che a viva voce ho detto e gridato a lui stesso le mille volte; cioè, che l'Istituto Italiano, ben lungi dal voler guerra con gli Accademici, null'altro anzi desidera che la pace. E tanto la desidera, che qualora avvenisse che l'Accademia, pigliando sentimenti piú generosi, si mostrasse disposta a non vilipendere con un secondo rifiuto la giá proposta alleanza, io non dubito punto che volentieri non fosse pronto a rinnovarne l'onorata proposizione.

So che qualche accademico va gridando che noi miriamo a *disonorare la bella lingua toscana.* Questo grido non è gentile, anzi è insensato: e insensati saremmo pure noi tutti, se ci andasse per l'animo cosí stolto divisamento. Ma altro è il prendere e sostenere che non tutto il parlare che è proprio della Toscana, è proprio dell'Italia, ed altro il vituperarlo; altro il dire che l'Italia ha bisosgno d'una lingua, o sia d'un Vocabolario a tutti comune, ed altro il pretendere che il Vocabolario della Crusca sia tale; altro finalmente il gettare nel fango questa grand'opera, ed altro il mostrarne con la fiaccola della critica i molti e veri difetti, e il far sentire la suprema necessitá di rifonderlo nel crogiuolo della filosofia, e il far cauti i lettori sulla pretesa infallibilitá dei suoi oracoli, e, inspirandone e raccomandandone la religione, dissiparne e deriderne la superstizione. Non mi allargo piú innanzi su questo punto, perché parrebbemi di far onta al vostro savio discernimento, e so quanto l'altezza del vostro animo sia lontana dalla viltá di quella calunniosa proposizione.

Solo vo' dirvi (e ciò sia deposto nel segreto del vostro petto) che, se v'ha tuttavia tra l'Accademia e l'Istituto una strada di ricondurre le cose a concordia, di tutta voglia io mi profferisco a farne parola, sí che i miei colleghi novellamente si accostino agli Accademici. Noi non vogliamo esser primi; ma la ragione e l'onore neppur consentono che seguitiamo ad esser schiavi. Salvo il diritto di aver noi pure una qualche voce in capitolo a difesa dei diritti nazionali contra i municipali, nel resto prenderemo a vostro senno la legge.

Ecco fatto contento il desiderio del nostro amico. Rispondetemi francamente: e s'egli è vero che avete messa mano alla penna per confutarmi, abbiatevi fin d'adesso per l'onor che mi fate, i miei sinceri ringraziamenti: e promettovi che, nel caso di dover venir con voi alle mani, farò palese la stima in che tengo e terrò mai sempre il nobile mio nemico.

Salutate Collini, se pure non sono caduto nella sua disgrazia; fate prudente uso dei sentimenti che affido alla discrezione del vostro senno, e crediatemi veramente tutto vostro ecc.

A GIOVANNI TORTI - MILANO.

Milano, 21 luglio 1818.

Ho ammirato ed ammiro ed esalto a tutta voce la rara e casta bellezza de' vostri versi, e vi sono gratissimo delle lodi di cui mi siete stato sí generoso. Ma poiché voi medesimo concedete che la diversitá delle opinioni non nuoce punto alla stima, spero ancora mi concederete l'andar lontano dal sistema poetico che nel vostro Sermone si raccomanda. Sono con voi nel predicare che il bello imitabile della natura è infinito; ma sto contra di voi nel credere che la grand'arte di trattar questo bello e colorirlo e animarlo si possa apprender meglio dai moderni, che dagli antichi. Io non ho derivato dalle argive ciance i concetti della *Bassvilliana*; ma da quelle ciance appunto, e dall'arte, con cui quegli antichi me le dipinsero, ho imparato io pure a dipingere quel poco di buono che ho dipinto: e se potessi tenermi per buon pittore, direi che, ad esempio de' buoni artisti, che studiano le sculture dei Greci per fare a meraviglia dei Cristi, delle Maddalene, dei Papi, io pure ho fatto il mio studio nelle vecchie fole di Virgilio e d'Omero, onde ben intessere su quelle norme il mio Bassville. E quel Dante da voi stesso tanto ammirato, a chi diresse egli quella protesta: *tu se' lo mio maestro e il mio autore?* forse a qualche Byron de' suoi tempi? Altro in somma è la materia poetica, ed altro è l'arte, con cui fa d'uopo trattarla. Quella non ha confini, e ciascuno dee tirarla dal proprio fondo; ma questa è giá stabilita e frenata dalle sue regole, le quali, dedotte dalla natura, non sono altro che la natura stessa posta in sistema. Né mai vi fu arte senza regole, né pare che gli uomini d'ogni cielo sieno disposti finora a riconoscere migliori maestri di poesia che Omero, Virgilio, Dante e quel Tasso e quell'Ariosto, che grandi si fecero ed immortali sulle tracce che or si condannano e si vorrebbero abbandonare. Finisco con una sola semplicissima interrogazione: Da chi avete voi imparata l'arte di far versi cosí corretti, cosí belli? Fatene di piú spessi, e crescete la gloria degl'Italiani; e il piú caldo lodatore della vostra Musa sará sempre il vostro ecc.

AL CONTE GIACOMO LEOPARDI - RECANATI.

Milano, 20 febbraio 1819.

Stimatissimo signor Conte ed Amico. È giá poco meno d'un mese, che da Roma ebbi le vostre belle e veramente italiane canzoni: del caro dono delle quali il nostro Giordani mi avea giá dato l'avviso. Io le ho lette e rilette con piacere incredibile: e non so vedervi altro difetto che l'averle voi intitolate a chi meno lo meritava. Lodo il nobile vostro proponimento di non dedicarle a verun potente; ma temo che non vi torni a lode egualmente l'averle sacrificate a un meschino quale sono io. Pel vero amore che i vostri talenti m'ispirano io desidero che niuno vi biasimi di questa tanta gentilezza e benevolenza. Ben vi dico che dell'onor fattomi vi ringrazio, e che il core mi gode nel veder sorgere nel nostro Parnaso una stella, la quale se manda nel nascere tanta luce, che sará nella sua maggior ascensione? State sano e credete vera l'espressione della mia stima ed amicizia.

ALLA CONTESSA CLARINA MOSCONI - VERONA.

Milano, 23 dicembre 1819.

Mia cara Amica. S'egli è vero che i Veronesi, com'è stile dei generosi, mi concedano nella loro opinione qualche grado di stima, sarò io sí pazzo di venir in persona a distruggere una sí cortese loro credenza? No mai. Tutto il bell'apparecchio di gentilezze e liete accoglienze, che per parte loro mi promettete, lungi dall'eccitarlo, ha smorzato il mio desiderio; quello, io vi dico, di venire al vostro cospetto dentro Verona. E se piacevi che per qualche giorno io sia beato della vostra cara presenza, assegnatemi, ve ne prego, in tutt'altro luogo questo paradiso, ch'io fo troppo conto della stima de' vostri concittadini; e sicuro di perderla, per quel vero antico proverbio *minuit præsentia famam* (figuratevi quella d'un povero e sordo vecchio come son io), penso che mi torna meglio il lasciarli in questo errore e privarmi per amor proprio dell'infinito piacere di vedere voi ed Ippolito, e inchinarmi alla statua di Fracastoro, e visitare divotamente in vostra compagnia il sepolcro di Maffei e di Spolverini.

Mutato adunque il primo divisamento, non vi rincresca di significarmi il tempo della vostra villeggiatura al lago di Garda. Colá promettovi di venire, e con piú devozione che non si va alla Casa di Loreto e a S. Giacomo di Compostella.

Sono stato tre giorni per non buona salute chiuso nella mia stanza. Ciò m'ha tolto il piacere di rispondervi senza dilazione. Né oggi sarei cosí breve, se non dovessi da buon cristiano uscire a far riverenza al Santo Bambino. Intanto a voi e al conte Persico mando il piú bel saluto del cuore. State sana, ed amate quanto potete il vostro ecc.

A GIULIO PERTICARI - ROMA.

[Milano, dicembre 1819].

Mio caro Giulio. Con tutti i miei cerotti all'ascella destra (e son due) pe' quali mi rimane impedita non poco l'opera della penna, mi provo a scriverti due sole righe per dirti che non ti so lodare della tanta lima che adoperi nella correzione del tuo scritto. Egli è tale che non può aver bisogno di tanta pulitura; e bada che spesso la troppa lima morde sul vivo e fa piú male che bene. Leva adunque la mano e non tardarmene piú oltre, se m'ami, la spedizione, e riposa tranquillo sul mio parere.

La giornata di ieri mi è stata lietissima in compagnia di tutta la famiglia Cassi e di alcun altro amico; fra' quali Mustoxidi, che grandemente ti ammira ed ha preso a scrivere alcune bellissime osservazioni su la lingua greca, le quali coll'autoritá di Platone, Strabone ed altri sommi di quella gente mirabilmente confermano le nostre dottrine, mostrando che i Greci pure avevano stabilita una favella illustre comune separata da quella del volgo, e con sottili e belle ragioni provando che la fiorentina non solo non è la lingua illustre che noi cerchiamo e vogliamo, ma nol può essere. E a questa dissertazioncella di Mustoxidi farò luogo nel quarto volume dietro la tua *Apologia*. Di Giordani pure vi sará qualche cosa.

Ho letto ai dí passati il ms. d'un lungo articolo su la *Proposta,* scritto in francese, ben ragionato e gagliardo, il quale atterra fieramente tutte le arroganze fiorentine. Questo articolo si stampa attualmente in Ginevra nella *Biblioteca Britannica,* e pubblicato ch'ei sia lo volgeremo in italiano e faremo che altri giornali ne parlino, e che i Padri Infarinati se ne disperino. Il progetto fatto al Governo per la ristampa del Vocabolario sotto la direzione dell'Istituto è di Stella e compagni. Il Consiglio governativo gli ha fatto lieta accoglienza e l'ha spedito al Sovrano e raccomandato come cosa che fará grande onore al paese e al padrone. Ho notizia che soprattutto il principe di Metternich ne possa proteggere l'impresa. Certo si è ch'egli disse al general Bubna che piaceagli molto che si facesse guerra al Frullone, e se ne debba agli ingegni lombardi il trionfo. A tal effetto si pensa e si vuole che si proceda alla nomina di tutti i membri mancanti dell'Istituto, e a quello pur ancor dei membri corrispondenti, primo de' quali sará senza fallo il mio Giulio. Piace inoltre al Governo che l'Istituto, rifatto ch'ei sia come si deve, spedisca una circolare a tutti i migliori letterati italiani, e si formi una generale confederazione per

IL
BARDO
DELLA
SELVA NERA
POEMA
EPICO-LIRICO.

PARTE PRIMA.

PARMA

CO' TIPI BODONIANI
MDCCCVI.

VINCENZO MONTI: "IL BARDO DELLA SELVA NERA"
EDIZIONE BODONI, 1806

ALLA MAESTÀ

IMPERIALE E REALE

DI

NAPOLEONE

IL GRANDE

IMPERATOR DE' FRANCESI

E RE D'ITALIA

VINCENZO MONTI
ISTORIOGRAFO DEL REGNO D'ITALIA,
CAV. DELL'ORDINE DELLA CORONA DI FERRO,
MEMBRO DELLA LEGION D'ONORE
E DELL'ISTITUTO ITALIANO.

DEDICA A NAPOLEONE DEL "BARDO DELLA SELVA NERA"
EDIZIONE BODONI, 1806

la cui opera si conduca a riva l'impresa. E del certo se al presente v'ha luogo d'Italia ove farla felicemente, è Milano.

Vola adunque fra noi e sarai non *fattorino di bottega,* ma capo, avendo io giá protestato che senza la tua assistenza io non mi affido di ben capitanare, come si desidera, questa grande fatica. Di che puoi conoscere che la tua venuta in Milano non è mia brama privata, ma pubblica.

La mano è stanca e do fine, portando a te e alla Costanza i saluti di sua madre e di tutta la casa Cassi e d'Aureggi e di Giordani e di Mustoxidi con quelli di Rosmini, che sempre ti predica primo prosatore d'Italia. Sta sano e non mi lasciare senza tue lettere, ché le tue le conosco al carattere e lietamente le prendo. Tutte le altre le rifiuto. E il perché l'ho giá scritto. Addio. Il tuo aff.mo padre ed amico.

ALLA CONTESSA CLARINA MOSCONI - VERONA.

Milano, 11 marzo 1820

Mia cara Amica. Ho tenuto consulto con lo stampatore. Egli giura di non potermi dare terminata la stampa del quarto volume della *Proposta,* che verso la fine del mese venturo; ed io giuro a voi, mia cara, di non poter commettere ad altri la correzione di questa stampa, essendo cosa di troppo grave momento, e non avendo a cui fidarla. Penso quindi che torni meglio il concedermi la dilazione della divota mia visita alla fine d'aprile. Ciò sará anche a voi, a Persico, e agli amici, cagione di maggior contento, perché verrò coll'alloro della vittoria: alloro non giá mio, ma del mio Perticari, del figliuolo dell'amor mio, vittorioso di tutte le municipali arroganze de' Fiorentini, e di tutti quegli stolti pedanti che gittano giú dal trono la matronale lingua italiana, per istabilirvi il plebeo dialetto camaldolese. Abbiate per fermo che la lettura di questo libro vi sará deliziosa, e a me parrá di venirvi davanti con qualche merito; e cosí potrò meno arrossire delle vostre cortesie, e di quelle che mi promette per bocca vostra la benevolenza del nostro Persico, al quale rendo subito il bacio dell'amicizia, che egli mi manda nella vostra lettera.

La mia salute al presente è buona, anzi perfetta, se la flussione degli occhi e la infermitá degli orecchi non mi desse qualche volta malinconia.

Mi sono state, giorni sono, mandate le Ottave del Lorenzi per le nozze Orti, e l'Anacreontica del Villardi. Chiunque sia stato il donatore di queste due poesie, io gliene rendo grazie, perché in vero quelle Ottave mi sono sembrate cosa molto squisita, e gentilmente ideata e scritta l'Anacreontica. Ma cavatemi d'un dubbio: cotesto vostro Lorenzi, è forse il famoso della *Coltivazione de' Monti*? Se egli è quello, vi prego che la sua conoscenza sia una delle prime grazie che mi farete.

Ecco il ragazzo della stamperia. Vi saluto col cuore, e sono mai sempre il vostro ecc.

A CAMILLO UGONI - BRESCIA.

Verona, 19 maggio 1820.

Mio caro Ugoni. Da otto e piú giorni mi trovo qui preso da tanti lacci di cortesie, che niuna ragione mi giova per liberarmene: e malgrado dei motivi che mi richiamano a Milano, si vuole a forza ch'io resti in queste dolci catene fino a sabato venturo nel modo ch'ora dirò. Mercoledí passeremo alla villa di Persico sopra il lago; e di lá Persico e la Clarina mi accompagneranno il sabato fino a Desenzano. Colá dunque vi prego far sí che io trovi pronta una sedia o calesse o qual altro siasi legno o vettura sull'ora di mezzogiorno, onde, finito il pranzo co' detti miei ospiti a Desenzano, io possa dentro la sera dello stesso giorno condurmi a Brescia, ove sospiro di abbracciare i miei amici, e voi il primo. Fermate voi a vostro senno i patti col vetturino, trovatemelo galantuomo, e inviatemelo nell'ora che giá v'ho detto.

Il timore di non poter trovare subito in Desenzano una vettura che non sia da assassino mi costringe a pregarvi di quanto vi ho divisato, e spero che la vostra gentilezza non vorrá negarmi questo favore, del quale aveva in animo di pregare il nostro Arici. Ma il sospetto che dopo la disgraziata perdita della moglie ei sia passato a Milano secondo quello che Oldofredi mi accennò, mi spinge a rivolgermi pel detto effetto alla vostra bontá ed amicizia.

La Clarina e Persico vi salutano. Salutatemi voi il fratello, ed amate il vostro ecc.

ALLA CONTESSA CLARINA MOSCONI - VERONA.

Brescia, lunedí mattina alle cinque [29 maggio 1820].

Il sonno mi sfugge; ed io, per cercar conforto al dolore del vedermi da voi diviso, vi scrivo.

Infermo del corpo e piú della mente, entrai le porte di Brescia allo scocco delle undici e tre quarti con animo ben diverso da quello con che misi giá il piede nella soglia di vostra casa. Ho detto infermo del corpo, perché, giunto a tarda sera a Desenzano, mi sentii preso da non lieve ribrezzo cagionatomi dalla troppo fresca arietta del lago; di modo che appena coll'avvolgermi tutto nel pastrano e col fuòco della cucina, potei riavermi. I cavalli volavano verso Brescia, e il pensiero volava verso Verona e riandava i beati momenti della vita quivi condotta, e le tante prove d'ineffabile cortesia e d'amicizia incontrate nella vostra casa. Cosí mal concio e nel cuore e nella salute, passai inquieta tutta la notte, non senza la molestia d'una febbretta, che mi convenne dissimulare onde non dar sospetto al mio ospite d'aver accolto in casa sua un infermo; pensiero che per molte ragioni gli avrebbe dato apprensione e disturbo. Quindi assai volentieri mi sarei rimasto tutto quel giorno in riposo. Ma il buon Ugoni aveva giá preso impegno di avermi seco ad un pranzo fuori di casa con una compagnia d'amici a bella posta invitati: ed io, per non esser villano, prescelsi il pericolo di peggiorare la mia salute. Se non che in mezzo al tripudio dell'amicizia io seppi abbastanza esser cauto per non far altro a quel pranzo che assistervi e nulla piú. La qual prudente sobrietá fe' sí che dopo il calare del sole mi sentii abbastanza rimesso, ma non di spirito, perché realmente non ho piú il cuore con meco; e Brescia, che l'anno scorso mi era sembrato sí bello e caro soggiorno, al presente sembrami una prigione. E n'avrei giá presa la fuga, se la creanza mel permettesse, e se il Delegato che ieri ed oggi volevami a pranzo seco, non mi avesse colle piú cortesi maniere obbligato ad accettare per dimane almeno l'invito. Il buon Ugoni e gli amici mi fanno dolcissima violenza, perché io mi resti qui per lo meno tutta la settimana. Ma io son fermo di partirmene mercoledí notte colla diligenza. Ecco lo stato del povero vostro amico, povero veramente, perché lontano da voi e dal re degli amici, il mio Persico, lontano insomma dal luogo ove ho lasciato il mio cuore.

Sospendo lo scrivere per contentare il mio ospite, che, sentendomi giá levato, m'invita al caffè e alla lettura di qualche articolo dell'opera a cui ha messo le mani, che è la continuazione dei *Secoli della letteratura italiana* del Corniani.

Alle dieci della mattina.

P. S. L'ottimo Gambara mi ha consolato d'una sua visita che mi è stata gratissima, perché si è parlato molto di voi e del mio Persico. Egli è cuore eccellente, e non può essere diverso chi è vostro amico. Questa considerazione fa pure ch'io stimi me stesso, pensando alla tanta benevolenza di cui mi fate beato.

Sono le undici, e ricevo la dolcissima vostra lettera che come un bel raggio di sole mi ha ricreato e rifatto a guisa di fiore battuto dalla tempesta. Oh mia cara Clarina! Quanto è bella l'anima vostra! Quanta soavitá avete sparsa nella mia, promettendomi un'eterna amicizia, e il deposito delle vostre pene. Questo deposito mi sará sacro. Ma le pene non erano, né sono fatte per voi, che per tante ragioni meritate di esser tutta felice.

Salutate carissimamente l'amabile Paolina, e il piccolo amico mio, il buon Giacomino. Dite a Riva ch'io l'amo teneramente, e che spero di essere riamato. Ringraziate Villardi de' benevoli suoi saluti; tenetelo fermo nell'onorato e nobile suo proponimento, assicurandolo che fra i motivi che sollecitano la mia partenza, v'è anche quello di trovarmi libero da ogni cura, onde accozzare quattro parole degne di lui nel piccolo scritto che gli ho promesso.

Non vi prego di raccomandarmi alla memoria di Persico, perché misuro dalla mia amicizia la sua. Neppure prego voi di amarmi; ben vi prego di porgermi occasione di meritare il titolo, che mi arrogo, di vostro ecc.

P. S. Gambara e Ugoni vi salutano senza fine.

ALLA CONTESSA CLARINA MOSCONI - VERONA.

Brescia, 1º giugno 1820.

Che mai direte vedendo la data di questa lettera? Ch'io mi sia lasciato sedurre dalle carezze bresciane? No: una forte ragione di creanza ha fatto ch'io differisca fino a sabato, contro voglia, la mia partenza; e spiego la cosa.

Il cortese ed amorevole ospite mio sta sul punto di

mandare alle stampe il primo volume della lunga e laboriosa opera da esso intrapresa in continuazione dei *Secoli della letteratura* del Corniani. Ha desiderato ch'io n'ascolti la lettura, e schiettamente l'avverta di ciò che, secondo il mio avviso, merita correzione. Questa lettura, questo esame non era fatica d'un giorno, né di due, né di tre. Potrete voi biasimarmi di avere condisceso all'onesto desiderio d'un tanto amico? E poteva io dargli minor attestato della mia riconoscenza per le tante sue cortesie? Le quali in vero, congiunte a quelle de' suoi amici, avrebbero forza d'innamorarmi di questo soggiorno, e di rallegrarmi per ogni aspetto la vita, se la tristezza, in che mi ha gettato il separarmi da voi e da Persico, non mi tenesse ancor malinconico e quasi stordito.

Sarò dunque in Milano la mattina della domenica, e là attendo la consolazione delle vostre lettere.

Attendo anche quelle dell'ottimo Riva, il quale mi ha promesso l'informazione dell'effetto che avrà prodotto nell'animo di codeste chierche cruschevoli l'opera del Perticari. Ma le cose che piú mi preme di sapere, dietro l'iniziativa fattane nell'albergo di Desenzano, voi, senza ch'io piú mi spieghi, le conoscete. E di queste siatemi cortese ragguagliatrice, e amate il vostro Monti. Date un bacio per me a Giacomino, un tenero saluto alla figlia e un abbraccio al mio Persico. Addio.

AL CONTE GIUSEPPE DALLA RIVA - VERONA.

Milano, 4 giugno 1820.

Mio caro Amico. Scrivendomi in tuono di complimento voi date cattivo principio alla nostra corrispondenza. Quest'aria di cerimonia, perdonate, è un'offesa; né io credo di meritarla. Piacciavi adunque di seguire il mio esempio; o il *pregiatissimo cavaliere* lascerà andare senza risposta le lettere del suo *affettuosissimo servitore*.

Mi tocca l'animo ciò che mi scrivete della vostra dura situazione, della quale io ero giá stato informato da persona che molto vi ama e vi stima, e molto insieme vi compatisce. Ma non bisogna cader di coraggio. La virtú si raffina nelle sventure, e verrá tempo che da queste trarrete miglior frutto che alla scuola della fortuna. Ciò promette la nobile indole vostra, della quale fui preso dal primo momento che vi conobbi, e che mi mosse a chiedervi io stesso il dono che mi sará sempre prezioso della cara vostra amicizia.

Vi rendo grazie delle notizie che mi date dei molti *eretici convertiti* per l'aureo scritto del Perticari, e piú nella fede che mi fate della benevolenza dei Veronesi verso di me, benevolenza che io pongo in cima di tutte, e a me tanto piú cara quanto piú so di non meritarla. Non è falsa modestia, ma l'intima mia coscienza mi fa parlare cosí: né sono sí vano da non sentire che tutte coteste dimostrazioni di cortesia le debbo all'incomparabile nostra Clarina, *cuius ad exemplum totus componitur orbis* di Verona.

Abbraccio con tutto il cuore la speranza che mi mettete di fare una scorsa a Milano, e desidero che la possiate porre ad effetto. Non isperate di trovar sull'Olona quello spirito di gentilezza che regna sulle rive dell'Adige. Bensí voglio che vi accertiate che la vostra venuta fará lietissimo il cuore del vostro amico. Affrettatemi adunque questa consolazione, e il momento in cui mi sará dato di abbracciarvi sará una vera allegrezza pel vostro ecc.

A GIULIO PERTICARI - PESARO.

[Milano, agosto 1820].

Mio caro Giulio. Attendo che tu mi avvisi il tempo della tua mossa da Pesaro, ché io sono giá bello e pronto a fare la mia per venirti all'incontro. E bisogna assolutamente che tu venga meco per le note ragioni a Fusignano, perché trattasi del tuo interesse del pari che del mio. Ed io ho bisogno dell'aiuto di persona che intendasi delle cose meglio che non so io, di persona che con occhio legale vi vegga dentro e mi scaltrisca di quello che s'ha da fare. Onde ti prego di non mancarmi della tua assistenza, e te ne caglia; perché, ripeto, vi va di mezzo il tuo interesse medesimo, e piú che il mio proprio; ché il mio finalmente non è che un credito di milleottocento scudi in contante: ma per conto tuo è un capitale di terreni ben altro che il mio. E potrebbe avvenire che ti si desse occasione di venderli e recarli in denaro, se non tutti, almeno una parte, siccome giá ti scrissi. Scrivi adunque e fissami il giorno della tua partenza, e il luogo del nostro unirci pel detto effetto, e il quando precisamente. Qui tutti ti aspettano con impazienza e il Trivulzio massimamente e l'Oriani, che tutto giorno me ne domandano e ti vogliono seco in campagna: ma il Trivulzio, sappilo, non ha ricevuta la tua risposta, e conviene che tu gliene scriva due righe.

La Teresa ha giá messo in acconcio il tuo letto, e le tarda il momento di abbracciarti.

Hai veduto il pazzo programma dei Padri Infarinati? Qui se n'è riso gagliardamente: e noi non taceremo e daremo loro il malanno ch'ei cercano.

Pindemonte, ch'è venuto espressamente ad abbracciarmi in Milano e a cui ho letto quella parte delle tue lettere che lo risguarda, mi prega di salutarti cordialissimamente. Lo stesso fa il Peyron, il quale prepara sull'opera di Lucchesini un articolo che lo manderá molto malconcio e il Frullone in conquasso.

Queste poche linee mi costano un lago di sudore per l'orribile caldo che ci consuma. Alla Costanza un bacio adunque, e sta sano. Il tuo aff.mo padre ed amico.

A GIULIO PERTICARI - PESARO.

Milano, 30 agosto 1820.

Mio caro Giulio. In questo punto ricevo dallo Scacciani la tua ingratissima: e quanto ne sia afflitto non si può dire. Pazienza. A ogni modo i miei affari vogliono che io vada in Romagna e fra sei giorni mi partirò, e abbandonato e solo farò colá le mie cose, o per meglio dire le rovinerò.

Non mi allargo sul resto, perché il vedermi caduto della piú bella e piú cara delle mie speranze mi atterra. Pazienza di nuovo. Strascinerò il meglio che saprò l'avanzo della mia vita, e tuttoché dolente del tuo crudele abbandono, non cesserò di amarti e di benedirti. Saluta la mia diletta Costanza e vivi felice. Il tuo aff.mo padre ed amico.

A GIULIO PERTICARI - PESARO.

Milano, 4 novembre 1820.

Mio caro Giulio. Eccomi col corpo sano e salvo in Milano, ma in Pesaro col pensiero. E se non fosse la speranza di vedere il piú presto che si potrá incarnato il nostro disegno, quello di riunirci finalmente in una sola famiglia, prenderei in odio la vita. Ho trovata Milano deserta de' miei amici presso che tutti; onde giá penso di recarmi per alcuni giorni ad Omate ove il nostro Trivulzio mi vuole a tutto costo; al qual effetto è venuto egli stesso piú volte a cercarmi, sperandomi ritornato.

Fra le molte lettere che qui mi aspettavano una ne trovo che ti risguarda. Perciò te l'accludo. E ti fará ridere il bell'onore che si è fatto coll'evangelica sua eloquenza il padre Cesari. Villardi pure mi parla di nuovo del maraviglioso effetto che dappertutto ha fatto il tuo libro; ma la lettera che da Pesaro gli scrivemmo non gli è pervenuta.

La fama del ritratto di Costanza uscito dal pennello di Agricola si è sparsa anche in Milano. Procura adunque che presto sia levato dal cavalletto e spedito; ché non solo la madre è presa dal desiderio di vederlo, ma tutti i curiosi dell'arte ed anche belle ed alte dame, fra le quali è la Bubna, a cui i forestieri venuti di Roma ne hanno raccontato le maraviglie.

Un abbraccio a Costanza per parte ancor della madre. Esortala a mandarmi il volgarizzamento di Cornelio Nepote, e tu, mio caro, non dimenticare le cose che m'hai promesse. Addio. Il tuo aff.mo padre ed amico.

P. S. Salutami il Costa e digli che quello scrittaccio attribuito al Muzzi è veramente del Rigoli.

A GIOVITA SCALVINI - BRESCIA.

Sesto di Monza, 12 aprile 1821.

Mio caro Amico. Tutto quel poco che nelle mie postille a Dante vi giova, traetelo a vostro uso, e liberamente adoperatelo come cosa vostra. Piacemi poi grandemente il pensiero di ridurre in altrettante lettere la materia, e farete opera di molta onestá e cortesia dirigendole al nostro Arrivabene: ch'egli è degno di questo tributo d'onore e di stima. Mano adunque all'impresa, e a profitto della gioventú studiossa di Dante mettetela pel buon sentiero, ritraendola dal malvagio, in cui studiasi di aggirarla il Biagioli con quei suoi eccessi perpetui e quando loda e quando vitupera. Né vi date affanno del rimandarmelo, contentissimo che me ne facciate la restituzione quando ritornerete; il che desidero avvenga subito che avrete pronta una qualche parte del lavoro che meditate, e a cui per vostro onore vi esorto.

Da tre giorni qui godo in compagnia di Oriani il ritorno della primavera, e rifiorisco le forze del corpo e dello spirito. Ma sono tante le cose a cui ho le mani, che non regge a tutte l'ingegno e la voglia di lavorare. Ad Ugoni ho mandato risposta a voce per mezzo di un suo amico. Dio sa se desidero di compiacergli, ma per le molte correzioni che a quei versi abbisognano, e dimandano tempo e fantasia libera da tutt'altre cure, vi giuro ch'egli mi avrebbe reso grande servigio se mi avesse sciolto dall'obbligo di mantenergli le mie promesse; perché assolutamente in quel tratto della *Feroniade* io veggo quel bello che gli manca e che, potendo aggiungervelo, mi dorrebbe non aver avuto tempo di condurre alla debita perfezione. Salutatelo, e ditegli che preghi le Muse di mandarmi un momento felice d'ispirazione. State sano ed amate il vostro ecc.

A GIUSEPPE MONTI - FUSIGNANO.

Milano, 18 luglio 1821.

Mio caro Nipote. Io non la so intendere. Ai primi di ottobre l'abate Sinibaldi entrò nell'amministrazione de' miei beni. Ma le rendite dell'anno scorso dove sono andate? chi me le ha pagate? e come mi si potevano pagare, se i pagamenti nel contratto tra noi allora esistente sono stati sempre posticipati, e se una parte dei prodotti, p. e. le uve, non erano percepiti, e i formentoni erano appena tolti dall'aia? Questa rendita non doveva io tenerla giá per riscossa dal Sinibaldi, e soddisfatti con questa gl'impegni col Perticari? Il vedermi deluso di questa speranza mi mette, lo giuro, in disperazione, e mi confonde talmente che sto sull'impazzare, e impazzerò davvero, e finirò bestemmiando tutti, se non intendo che d'un modo o d'un altro Costanza non sia pagata, perché la mia parola fu sempre sacra, e voglio che il sia finché respiro. Quindi è inutile il parlare di qualsiasi vendita de' miei fondi, se non odo prima soddisfatto il mio debito con Perticari, perché amo voi, egli è vero, e desidero vedervi uscito dall'abisso in cui vi siete gittato, ma amo di piú l'onor mio. Credo aver detto quanto basta per farvi manifesti i miei sentimenti. Pagate, o fate che sia pagata Costanza, e allora la discorreremo. Se a pronto riscontro non odo che Sinibaldi abbia adempita questa condizione, siate certo che verrò ad una disperata risoluzione, e allora contatemi per morto a tutta la famiglia. Comunicate a Sinibaldi la mia intenzione, e state sano. Vostro aff.mo zio ecc.

A GIULIO PERTICARI - PESARO.

Milano, 23 agosto 1821.

Mio caro Giulio. Il Marietti mi ha prontamente recapitata la carissima tua inviatami pel Corriere Inglese, ma nessuna delle altre che m'accenni, nessuna m'è pervenuta, né alcuna io pure in tutto il tratto della tua infermitá te n'ho scritta, perché ignorando questo giusto motivo del tuo silenzio ho temuto di riuscirti molesto con lettere che potevano aver sembianza di poca discrezione, sollecitando con importuna insistenza la spedizione del promesso scritto al Trivulzio; al che mi credeva che tu non avessi piú volto il pensiero. Ora che per lettere di Costanza e per le tue tutto è spiegato, e che tu con tanta pienezza d'amor mi accerti di esser sempre il mio Giulio, mi sento tolto dal cuore un gran peso, e ne ho tanta gioia che mi torna in dolce ogni amaro. E poiché tu medesimo hai tocca la fibra delle mie afflizioni, non voglio dissimularti che da cinque mesi sto in pena, non ben sicuro di conservare l'avanzo della mia passata fortuna. Che anzi, vedendo che per li nuovi regolamenti e Oriani e Volta sono stati privati della pensione annessa alla loro giubilazione, io mi teneva disperato giá della mia. Ma ora sembra che il cielo si rassereni. Perciocché l'anima nobile e virtuosa del Viceré, informato dell'accaduto a Volta e ad Oriani, e della dolorosa impressione che il loro caso avea fatta nel pubblico, ha preso altrimenti a proteggere la causa di questi due gran lumi della Nazione, onde piú non si dubita che le loro pensioni non debbano essere rintegrate. E in quanto a me, dietro i rapporti del Fisco e del Governo amplissimi e favorevolissimi, ai quali posdimani in piena congregazione si dará corso, non solamente ho tutto il fondamento di sperare che la pensione di cui tuttavia sono in possesso mi sará confermata, ma l'ho anche di lusingarmi che mi verrá restituita la prima o che almeno mi verrá mantenuta la maggiore che è la perduta.

Insomma, mio caro, la benevolenza, lo zelo, l'impegno con cui la mia ragione si è trattata e si tratta è tale, che non mi è piú lecito di dubitare della singolare e generale stima ed amorevolezza di questo paese verso la povera mia persona. Il che quanto conforto mi rechi al cuore di sua natura tenero e riconoscente, tu che ben mi conosci puoi fartene la figura. E sappi di piú che qualora la mia trista fortuna mi percuotesse a segno di rimaner privo dell'una e dell'altra pensione, si è formata una nobile societá la quale per organo di grandissimo personaggio mi ha fatto intendere che la cittá *per niun conto vuole che Milano rimanga priva di Monti* (sono sue parole), assumendosi essa il pensiero di compensarmi d'ogni mia perdita: ed altre cose che intenderai a voce quando ti avrò fra le braccia, siccome mi fai sperare, nell'entrante. La qual tua venuta giá affretto con tutte le forze del desiderio, e il cuore mi dice che per compimento delle mie consolazioni non verrai solo. Venite adunque, volate, miei cari figli, a far lieto dopo tante amarezze il tenero vostro padre, che vi porta nel piú bel mezzo del cuore, e che da voi separato non può piú gustare il poco di vita che gli rimane. E ricordatevi bene che il ritratto della mia Costanza fatto dall'Agricola vi dee tener compagnia; che quel ritratto, sotto la santitá delle vostre promesse, è giá mio, né voglio rinunziare al mio diritto che colla vita. Passiamo adesso ad altri punti della tua lettera.

Mustoxidi, ritornato qui da Venezia ieri sera, nulla sa dell'edizione ivi fatta del *Dittamondo*. Ben mi dice d'averne udito qualche sussurro come di cosa goffa, e oggi stesso egli scrive a Venezia perché subito gli si mandi. Concorro pure nell'opinare che quel pedestre poema non sia tutto degno delle tue cure, e lodo che tu volga l'animo a cose piú alte e piú convenienti all'eminente tuo ingegno. Di ciò a voce ci risolveremo, e intanto sovvengati di portare teco Cola da Rienzo, la cui vita ti sará preludio alla grande storia d'Italia, a cui non può darsi penna piú alta della tua, tutta piena di gravitá consolare, tutta romana.

Lodo ancora che tu non ti abbassi a rispondere direttamente a quei gaglioffi dell'Arno; ma qualche manrovescio sul viso a data occasione farebbe gran piacere a tutti i buoni Italiani, te l'assicuro.

Ho letto o per meglio dire ho fatto prova di leggere il *Cadmo* del Bagnoli, cui i ladri infarinati, capitano il Rosini, portano le mille miglia di lá delle stelle. Che bambolaggine, Gesú mio!

So per lo contrario che il Niccolini va furibondo per disdegno di tanta gagliofferia, e me l'ha fatto sapere pregandomi di annunziare ai Lombardi che i buoni Toscani se ne vergognano. Io non ho né tempo, né pazienza da ingolfarmi nel brago di questo sciagurato poema, ma per Dio sarebbe peccato il perdere cosí bella occasione di svergognare i suoi stolidi ammiratori, tutti Accademici della Crusca. Pensaci un poco e fa che il *Giornale Arcadico* ne dica quattro parole.

Giordani è in campagna, e l'aspettiamo questa sera; quanto sará lieto dell'udire che presto l'abbraccerai in Milano! Trivulzio è in Firenze, e questa sera gli scriverò annunziandogli la tua venuta, il che son certo gli sará stimolo a sollecitare il suo ritorno.

Dirai a Costanza che sua madre nulla ha ricevuto per l'importo dello *sciallo,* e grazie a Dio si è rimessa in salute. Essa vi abbraccia ambedue teneramente e vi aspetta con impazienza: cosí pure Aureggi e tutti gli amici. *Valetudinem tuam cura diligenter,* ed ama il tuo aff.mo padre ed amico ecc.

P. S. Avvisami, te ne prego, del quando ti metterai in viaggio, e se puoi anche del giorno in cui crederai di poter porre il piede in Milano.

ALL'AB. ANGELO DALMISTRO - VENEZIA.

Milano, 27 ottobre 1821.

Signor Abate pregiatissimo ed Amico carissimo. Con maraviglioso piacere ho riletta la poetica vostra epistola al dottor Marzari; [40] e quanto io goda d'avervi compagno nella difesa della comune italica lingua e delle dottrine dal Perticari e da me professate dietro gl'insegnamenti del gran padre Alighieri, mi riserbo a farvelo manifesto in persona; perciocché circa il 20 dell'entrante e Perticari ed io abbiamo speranza d'abbracciarvi in Venezia; non giá (secondo il cortese vostro giudizio) in qualitá di capitani della battaglia contra i Cruscanti (ché il gran capitano sotto cui militiamo è Dante), ma in qualitá di vostri confratelli e commilitoni. Se i Padri Infarinati non avessero stretta agli occhi la benda, il solo vostro discorso preliminare sarebbe d'assai per illuminarli. Ma quel brutto figlio dell'ignoranza, l'orgoglio, e la smodata pretensione municipale gli acciéca. E ciechi ei si restino: a noi dee bastare che quanti in Italia e fuori d'Italia ragionano, ci abbiano giá data vinta la causa, e la vostra epistola è l'inno della vittoria.

Mio genero qui presente vi saluta, e vi rende grazie della cortesia con cui avete parlato della sua opera. Io fo altrettanto per la parte che mi riguarda, e desideroso di rinfrescare, abbracciandovi, l'antica nostra amicizia, mi raffermo vostro servitore ed amico.

A TERESA PIKLER MONTI - MILANO.

Venezia, 20 novembre 1821.

Per non lasciarti piú lungamente in desiderio di nostre nuove, colgo il momento che tutti dormono (non essendo che le cinque della mattina) per dirti che ieri sera abbiamo felicissimamente posto piede in Venezia. Narrarti le amorevolezze, le cortesie e la gara di ogni genere di amicizia con che siamo stati accolti dappertutto, sarebbe vanitá troppo lunga. Qui eravamo aspettati da parecchi giorni con impazienza; e appena giunti, la sorte ci ha portato lo scontro del barone Tordorò, che con invincibile festa ci ha stese le braccia al collo. E saputosi subito che andavamo a salutare l'Albrizzi, lá si è fatto concorso. Con quante dimostrazioni di gioia ci abbia accolti quella celebre Dama e tutta la colta sua compagnia, non si può dire. Vi siamo restati fino alle undici, e piú vi saremmo rimasti se non ci avesse richiamati all'albergo la fame (non avendo ancora pranzato) e la creanza di non far aspettare gli amici, che a tutta forza hanno voluto accompagnarci da Padova fino a Venezia. L'allegria della mensa si è prolungata fino all'una dopo la mezza notte; onde puoi vedere che non ho dormito che quattro ore scarse: e nulladimeno io sto sí bene in salute, che mai tanto in mia vita.

Oggi saremo a pranzo dal cavaliere Soranzo. Negli altri giorni non so; ma prevedo che alla cucina della locanda daremo poco da fare.

È nostra intenzione di non fermarci qui che fino a sabato, poiché ci è stato forza promettere, nel ripasso da Padova, di spender ivi la domenica in un geniale banchetto, di che i dotti di Padova vogliono a tutti i patti onorarci. Non saremo dunque in Ferrara che la sera del seguente lunedí, e di lá avrai nuovamente mie lettere.

Avrei bramato mandarti le stampe di alcuni versi che ci sono stati offerti dal torchio nell'occasione di visitare la tipografia del Seminario di Padova e quella della Minerva; ma tu sai che costa la posta. Gli avrai, spero, per altra via, e senza dispendio.

Un abbraccio ad Aureggi, e sta sana, che io per me sto sanissimo, e sono di cuore ecc.

A MARSAND, FEDERICI E FRANCESCONI - PADOVA.

Pesaro, dicembre 1821.

Giulio Perticari e Vincenzo Monti v'inviano *in osculo Domini* pace e salute: e mentre l'uno di noi in gran toga colla gravitá d'un Solone siedesi in tribunale e rende ragione, l'altro poltrisce, secondo il suo consueto, nel letto, e risponde per ambidue alla triplice e carissima vostra lettera.

E primieramente vi rendiamo amplissime grazie delle innumerabili cortesie con cui avete fatto lieto e beato il nostro soggiorno in Padova e in Venezia; e protestiamo di essere rimasti sí presi dalla singolare vostra gentilezza e benevolenza, che sempre, finché la vita ne durerá, vi porteremo in cima de' nostri pensieri, e vi ameremo tutti e tre di quel vero e santo amore che alle virtú vostre si deve, e fa bellissime le amicizie.

E per discendere alcun poco ai particolari, vogliamo che il nostro Federici sia certo che a suo tempo saremo ricordevoli delle promesse interpretazioni ed illustrazioni a quei passi di Dante de' quali a voce fu ragionato.

Preghiamo poi caldamente di una grazia l'amabilissimo Smemorato, che fa valere per passaporto la chiave della locanda, e la grazia è questa: di mandare l'elenco dei passi delle Vite degli uomini illustri del Petrarca citati dalla Crusca. Gli sia però raccomandata la discrezione di scrivere o fare scrivere cotesto elenco in carattere il piú minuto che sia possibile, perché nei felicissimi stati di Sua Santitá la gravezza della posta asciuga fieramente la borsa dei poveri letterati.

E Perticari poi prega e riprega il suo Francesconi a mantenergli la fede data per quelle osservazioni sul Facciolati; promettendogli ch'ei pure manterrá la promessa di venire in quest'altr'anno colla sua Costanza: la quale arde del desiderio di conoscere e di onorare tutte voi tre anime candidissime e santissime e degne che tutti v'amino.

AL FIORE DE' CAVALIERI [GINO CAPPONI - FIRENZE].

[Pesaro, 31 dicembre 1821].

Madama mi ha recato i vostri saluti, ed io ho letta e ben intesa la frase con cui li avete gentilmente sparsi di quella stilla d'amaro, *tornar in pace col Monti*. Or piacciavi d'ascoltare discretamente le mie discolpe.

Allorché mi venne da voi il cortese ed onorevole invito che ben sapete, io mi trovava in istato poco diverso da quello del nostro buon Niccolini. Le dolorose vicende de' miei amici (e voi sapete quali e quanti) mi avevano stretto sí l'animo e turbata la fantasia, ch'io giá avea fatto nell'animo mio il fiero decreto di non scrivere piú ad anima viva; tanto che per quattro e piú mesi sono stato crudele ed avaro delle mie lettere a' miei medesimi figli. Uscito di quel delirio, n'ebbi al cuore gran penitenza: ma la stagione di emendare appresso voi il mio fallo era giá trapassata. Non adorno di piú parole la tarda mia scusa, ma spero mi basterá il dirvi con Dante:

Se' savio, e intendi me' ch'io non ragiono.

Ora veniamo all'infermo nostro amico. Odo che i medici avvisano che una mutazione di aria gli tornerebbe a gran giovamento. Perdio, inviatelo a Pesaro. Qui la stagione è dolcissima, un riso perpetuo di primavera: ed io e mia figlia e mio genero gli verremo incontro a braccia aperte, e piú che nella casa lo riceveremo nel cuore, e gli daremo con ogni studio a conoscere quanto egli sia da noi amato, stimato e desiderato. Rifatto ch'egli sia nella salute, ve ne faremo pronta restituzione, e ve ne avremo quella obbligazione che vuolsi avere di grazia particolare.

Assoluto, qual sono, d'ogni mia colpa, pregovi di mantenermi la vostra benevolenza, che mi è preziosissima. Abbracciatemi Niccolini, salutatemi Collini ed amate il tutto vostro servitore ed amico ecc.

A TERESA PIKLER MONTI - MILANO.

Pesaro, 12 gennaio 1822.

Non a torto ti lagni della poca frequenza delle mie lettere; ma io studio e scrivo continuamente: e quando mi sto sepolto colla penna in mano tra i libri, tu sai che mi pesa il distrarmi, e mi dèi perdonare.

Niuna cosa mi è tanto cara, quanto l'udire che, malgrado delle nebbie e delle nevi che infestano la stagione in Milano, la tua salute non ne ha finora patito. Io ti scongiuro di averne diligentissima cura. La mia è perfetta. Non ho mai goduto d'un inverno cosí benigno: egli è tanto mite, ch'io vado vestito della stessa guisa che in ottobre a Milano.

Dei nostri affari co' nostri nepoti ti ho giá scritto quanto ti dee bastare per tranquillarti. Nulla si è concluso e nulla si concluderá, se la permuta o la vendita non torna in nostro vantaggio. L'entrare in dettagli sarebbe storia troppo lunga ed inutile.

Per aver cagione di prolungar la presente, voglio raccontarti cosa che ti fará ridere.

In Fano, distante dieci miglia da Pesaro, dura tuttavia un antico costume di celebrare, appunto di questi tempi, una giostra di tori, alla quale è molto il concorso dai paesi circonvicini; e giorni sono ebbe luogo il primo spettacolo. Fu mandato in arena un toro veramente feroce. Egli è legge che a ognuno, che ami di accingersi con queste bestie, sia libero di entrare nello steccato. Niuno osò presentarsi contra quel fiero; e quanti cani si arrischiarono per assalirlo, tanti ne furono lanciati in aria e sventrati. Finalmente si fece innanzi un villano, che, con istupore di tutti, si mise a fronte del tremendo animale. Gli si accostò francamente; e il toro, fatto mansuetissimo, lasciò avvicinarsi e carezzarsi e palparsi; e lambiva la mano che lo blandiva. A quel portento tutti restarono attoniti e muti; indi un batter di mani che andava alle stelle. Quand'ecco improvvisamente un uomo che s'alza, e grida: Costui è un mago. È mago, ripetono con voce furibonda alcuni altri dello stesso colore; e, fuoco al mago, fuoco al mago! s'intuona da tutte le parti. Il presidente della giostra, persuaso ancor esso che quel prodigio non poteva essere che mera opera del Diavolo, fa spiccare quattro gendarmi che intimano al mago di uscire dello steccato, e te lo menan prigione. Dimandato il perché di questa soperchieria, gli venne risposto: — Perché tu sei un mago, e n'andrai impiccato e bruciato. — E che mago mi andate voi cantando? ripete il villano. E non capisce Sua Eccellenza e Sua Riverenza che se il toro mi ha fatto carezze, egli è perché ha riconosciuto in me il suo padrone? — Pareva che tale risposta, conforme alla testimonianza di molti che per vero padrone del toro lo riconobbero e ne fecero giuramento, avesse dovuto far rinsanire il nobile presidente; ma il povero mago è ancor nelle carceri, e si disputa *quid agendum*.

Saluta Aureggi, e i soliti amici. Saluta anche Giasone e Luigi e la Peppa, e fa che io abbia sempre buone nuove di te, che sei e sarai sempre l'oggetto piú caro al mio cuore.

P. S. La Calderara mi ha mandato un bel regalo, una scatola con una graziosa pittura ad acquerello della Didina. Io scrivo all'una e all'altra una lettera di cordiale ringraziamento. Rigraziale tu pure quando le vedi; anzi fa loro espressamente una visita a nome mio.

La Costanza sta meglio e ti abbraccia. Lo stesso fa Giulio e Cassi e Antaldi.

AL CAV. PAOLO TAGLIABÒ - MILANO.

Pesaro, 12 gennaio 1822.

Veggo nell'affettuosa tua lettera la cara immagine della bell'anima che scalda il petto al mio amico. Come il cuore mi detta, e tu stesso mi suggerisci, scrivo all'ottimo nostro conte Strassoldo. Ma qui conviene che la viva tua voce soccorra al difetto delle mie parole, e mi aiuti a ringraziarlo, ed animare i sentimenti della mia riconoscenza. E veramente protesto di riconoscere da' suoi offici cortesi il benigno decreto che mette in salvo e in sicuro la mia pensione. Ti dico anzi piú, che sarei dolente del ricevuto beneficio, se mi fosse venuto da mano che io non amassi e stimassi, e che mi sarebbe gran peso la gratitudine; mentre andando debitore del bene che mi vien fatto a persona che sempre ho amata e stimata, questo peso medesimo mi diventa soave: ed io, finché mi dura la vita, lo porterò con letizia ed orgoglio. Quanto a te, mio caro, che con tanta sollecitudine ti sei mosso a darmi cosí lieta notizia, null'altro te ne dirò, se non che il cuore, tutto il mio cuore te ne ringrazia.

Ora, venendo ad altro, ami tu di sapere come io me la vivo? Beatissimo e non ozioso. Beatissimo, perché in braccio a' miei figli, e rallegrato da una stagione sempre dolce, e quasi sempre serena, a tale che l'inverno qui sembra un sorriso di primavera. Non ozioso, perché coltivo i miei studi, e scrivo, e finisco di carminare le parrucche agli arroganti e queruli Infarinati; a istruzione de' quali darò in ultimo un trattatello dell'arte critica, che coloro non hanno mai conosciuta; e pubblicherò una cospicua serie d'errori vergognosissimi, in cui sono bruttamente caduti, nel fatto della nostra favella, il Lami, il Bandini, il Salvini e tutta l'attual sinagoga, e quelli pure che ne son fuori, specialmente il Lampredi, che per insania di pretensioni municipali è sceso in arena contra me e Perticari. E appariranno tali e tanti loro spropositi, che Italia tutta, e tutti che discretamente ragionano, confesseranno che l'Accademia della Crusca con tutti i Cruscoboni, lungi dall'aver aiutato gli avanzamenti e la gentilezza ed il decoro della lingua italiana, son essi al contrario che l'hanno guasta e sformata, e la difformano e guastano tuttavia. In somma, la danza sará menata, spero, in maniera che l'onore dell'italica letteratura rimarrá vendicato per sempre, e per sempre sottratto alla tirannia di quei buffoni.

A chiunque si ricorda di me, i miei saluti; e tu ama chi ti porta sempre nel core.

A TERESA PIKLER MONTI - MILANO.

[Pesaro, verso la fine di marzo 1822].

Non andar meco in collera, mia cara Teresa. La ragione, per cui non ti scrivo da tanto tempo, pur troppo si è quella che hai saputo da altri: e s'io fin qui l'ho taciuta, è stato per non affliggerti, né voglio che tu ne resti in gran pena, perché lo stato dell'infermo mio occhio ha presa giá miglior piega, e spero che presto mi porrá in istato di mettermi in via per ritornare nelle tue braccia. Del resto sappi che tutti qui siamo in mala salute, e che Giulio medesimo, appena scritta a Bertoletti la lettera in cui toccava l'incomodo da me sofferto, cadde egli stesso gravemente malato, e lo è tuttavia. Costanza ancor essa è tuttavia travagliata da spessi affanni di petto, e da continui dolori che le errano per la vita, né mai la lasciano riposare. E s'ella non ti ha scritto nulla sulla mia calamitá, son io che, per la detta cagione di non contristarti, gliene feci la proibizione. Rispetto a me, se non fosse il disastro dell'occhio, che da un mese mi vieta ogni facoltá di leggere e scrivere, la mia salute sarebbe perfetta; ché mai il minimo dolor di capo, mai la piú piccola alterazione di polso m'ha disagiato; ma l'occhio è malamente condotto per la rottura de' vasi lagrimali degenerati in fistola, di che io stava giá in grande sospetto prima ancora di partire da Milano. Al presente bisogna armarsi di tutta pazienza; e quando saró in Milano ci risolveremo del resto. Non mi dilungo di piú per non affaticare la vista e perdere il frutto della cura a cui mi sono assoggettato. Porgi le mie nuove e i miei saluti agli amici. Io non fo conto della mia vita che per te, cui abbraccio con tutto il cuore. Il tuo ecc.

AL CONTE GIOVANNI ROVERELLA - CESENA.

Milano, 22 luglio 1822.

Mio caro. Parto infallibilmente domani alle quattro. Saró a Parma la sera, lunedí a Bologna, e martedí in braccio a Costanza e all'Elena e a te, dolcissimo degli amici. Non temere che lo strapazzo del viaggio mi abbatta. La mia salute è ferma abbastanza per sostenerlo, e l'amor di padre mi dá forza maravigliosa. Sul da farsi per gl'interessi, la discorreremo a voce, e la mia presenza in Pesaro spero mi dará finiti in poche parole tutti gli affari. Vi abbraccio tutti col cuore, e sono in fretta il tuo ecc.

A FRANCESCO CASSI - S. COSTANZO.

[Pesaro, luglio 1822].

Mio caro Amico. Se i pietosi offici di padre non rendessero qui necessaria la mia presenza a consolare la mia povera figlia tuttavia inferma di salute e piú di spirito, io volerei subito al vostro ritiro, non per darvi consiglio intorno all'uso da farsi degli autografi a voi fidati (ché in ciò il vostro senno non ha bisogno che altri lo guidi), ma per confondere le mie lacrime colle vostre. Voi avete perduto in quell'uomo divino un diletto amico e congiunto, ed io un amico, un figlio, un sostegno a' miei anni cadenti, un aiuto a' miei studi, un conservatore del mio nome dopo il sepolcro, e tutto insomma che mi rendea dolce la vita, e mi mettea speranza di non morire presso i futuri. Dissipate queste speranze, ogni cura dee volgersi ai monumenti ch'egli ci ha lasciati del suo celeste ingegno, e alla scelta di quelli che ponno crescere la sua gloria giá grande per sé medesima. Ciò sono i suoi manoscritti, intorno ai quali io proponea a Gordiano un privato congresso da celebrarsi con voi, con esso Gordiano, con Antaldi, e con altri che piú vi fosse piaciuto, tra i quali io confido che non vi sarebbe spiaciuto di ammettere la mia persona. Ed ora che voi espressamente m'invitate all'esame di queste carte, io volentieri concerterei con Antaldi la mia venuta a quest'effetto. Ma egli fino da ieri sera mi disse di trovarsi stretto ad andare colla famiglia alla fiera di Sinigaglia. Siccome però i nuovi regolamenti di Polizia mi obbligano di fermarmi in Pesaro qualche tratto di tempo onde aspettare da Roma il passaporto per Costanza, senza il quale ella non può uscir dallo Stato, cosí spero che in questo frattempo si troverá modo di abboccarci liberamente, onde venire su quegli scritti ad una risoluzione che torni a gloria dell'uomo che tutti piangiamo. E ci consoli che non siamo soli al pianto, perché la sua morte è perdita nazionale.

Il vostro messo attende risposta, e gl'infermi miei occhi, i quali tornano a risentirsi dell'aria pungente della marina, non mi consentono d'allungar questa lettera. Sebbene piú che i sali dell'aria è il continuo pensiero del perduto mio figlio che fa sgorgare da' miei occhi le lacrime; e giá ben lungi dal dolermi della ricaduta, che mi minaccia, desidero di rimaner cieco del tutto. Perdonate adunque se piú non aggiungo, e non private della vostra benevolenza l'infelice vostro amico Vincenzo Monti, il quale non tarderá molto a raggiungere il figlio dell'amor suo.

AL CAV. ANDREA MUSTOXIDI - MILANO.

Pesaro, 30 luglio 1822.

Da mia moglie avrai udito lo stato compassionevole in cui ho trovato la mia povera Costanza. La mia comparsa ha prodotto sul cuore di questa una felice rivoluzione; è stato un raggio di sole sopra un fiore abbattuto dalla tempesta. Ma il suo spirito tratto tratto è ancora smarrito, il sonno rifugge da' suoi occhi ad or ad ora pieni di lagrime: la convulsione dello stomaco è mitigata, ma non cessata: quella di un forte singhiozzo la travaglia tuttavia miseramente a due riprese il giorno, e talvolta tre. Debbo lodarmi molto degli uffici pietosi della sua suocera, vero angelo di bontá, e della cognata. Ma veggo che a preservare da pericolose conseguenze questa infelice, è forza l'allontanarla da' luoghi di rimembranze troppo funeste: ed io non porrei ritardo a partire, se i nuovi regolamenti della Polizia Pontificia non vietassero a chicchessia l'uscir dallo Stato senza passaporto firmato dall'Ambasciatore Austriaco in Roma. Tosto ch'io lo riabbia mi metterò in cammino, e a piccole giornate condurrò questo caro oggetto della mia compassione in braccio alla madre. E quando sará nota in Milano, come è notissima nella provincia, la virtú di che ella, negli ultimi momenti di suo marito, è stata capace, qualcuno, spero, dirá che la sua anima esce dal gregge delle comuni. E tu perdona ad un padre queste parole, se mai ti paressero troppo vanagloriose.

Ho scritto e fatto scrivere a Roma, a Napoli e altrove per l'acquisto di tutte le lettere di Giulio, che si potranno ricuperare. Ciò farai sapere all'ottimo Trivulzio, al quale, unitamente alla bell'*anima degl'infelici amica*, porgerai i miei ossequi e saluti. Ti prego de' medesimi offici alla contessa Nava; e non obbliare ch'io sto in continua aspettazione della bella canzone di Bellotti.

Cura la tua salute, ed ama ecc.

A URBANO LAMPREDI - FIRENZE.

Pesaro, 30 luglio 1822.

Caro Lampredi. Feci giá da Milano risposta alle affettuose tue condoglianze, e ti dissi che, rotto ogni indugio, io partiva a far prova se la presenza del padre potea recare qualche consolazione al disperato dolore della povera mia figliuola. Non mi sono ingannato. Eccomi da cinque giorni nelle sue braccia. Non v'ha parole che possano esprimere la commozione di questa infelice alla mia improvvisa comparsa, e l'impetuoso fiume di lagrime in che ruppe il suo profondo dolore, che, cupo e chiuso fino a quel punto, l'avea giá condotta a termini spaventosi. Ella ha deposto per amor mio il pensiero di gittar via la vita. Ma la sua salute, stancata da tante pene, mette ancor compassione.

Le ho dimandato se ha ricevuta la lettera che tu m'affermi d'averle giá scritto. E risposto che no, le mostrai l'altra tua a me diretta in Milano. Non poté leggere senza lagrime di tenerezza il compianto di tutti i buoni Toscani sulla perdita del suo Giulio. E giá le lettere di Capponi e di Niccolini a madama De Larche aveano portato in Pesaro la stessa notizia, con la nobile promessa che nell'*Antologia* di Firenze si sarebbe onorevolmente parlato di quell'ingegno divino, la cui perdita, per le lettere che da tutte le parti mi giungono, è unanimemente stimata perdita nazionale. Queste spontanee testimonianze di concorde pubblica stima a primo tratto riaprono alla povera Costanza la piaga, perché le fanno maggiormente sentire la grandezza del bene che ha perduto; ma passata questa prima considerazione, m'accorgo ch'elle spargono di grande dolcezza le sue ferite. Perciò duolmi che quella tua consolatoria non le sia pervenuta, e ti prego di significarmene la direzione, onde farne ricerca e ricuperarla. Intanto ella vuole ch'io te ne ringrazii, e ti prega di porgere a Capponi, a Niccolini e a Valeriani questa stessa espressione della sua e mia gratitudine.

E di un'altra grazia fa d'uopo che tu mi sia cortese. Il marchese Trivulzio, che grandemente amava e stimava il raro intelletto che noi piangiamo, fa d'ogni lato raccolta delle preziose sue lettere: ed io ho giá deposte nelle sue mani tutte quelle ch'io ne possedeva, e sono da cento. Datti adunque pensiero di spigolare per Toscana le molte o poche che ti verranno a notizia: e inviale direttamente al detto Marchese, ben certo che farai a quell'esimio cavaliere, e a Costanza e a me stesso, cosa gratissima.

Il mio occhio si risente non poco della mordente aria marina di Pesaro. Ma tutto soffro di buona voglia per la sventurata Costanza, la cui salute è ancor lontana dall'essere ristabilita. E nondimeno, giunto che sia da Roma il suo passaporto (cosí vogliono i nuovi regolamenti), io son fermo di allontanarla da luoghi per lei troppo pieni di dolorose rimembranze, e portarla in braccio a sua madre. Il tempo, la ragione, le carezze de' genitori, e l'assenza degli oggetti che piú la feriscono, condurranno, io spero, a miglior riva la sua afflitta salute. Ti abbraccio di cuore, e sono sempre il tuo ecc.

AL CAV. ANDREA MUSTOXIDI
Consigliere Aulico di S. M. l'Imperatore delle Russie - Milano.

Pesaro, 5 agosto 1822.

Mio dolcissimo Amico. Nella lettera che diretta a mia moglie ho giá mandata alla posta, m'è uscita di mente l'inchiesta fattami in nome tuo, risguardante le Vite illustri del Petrarca fidate a Giulio ed a me dal Rossetti. Non ti prenda di questo verun timore. Tutta l'opera è nelle mani d'Antaldi, il quale, avendo avuto gran parte nella collazione che si è fatta del suo Codice collo stampato per tutto il primo libro, ne ha giá scritto al Rossetti, da cui attende la prescrizione di quanto ei vorrá che si faccia per la remissione a Trieste, o altrove, di tutta l'opera.

Da ciò che scrivo a Teresa, intenderai le arti maliziose del Cassi per insignorirsi di tutte le carte del povero Giulio, e come per nasconderle agli occhi miei le abbia portate seco nella funesta solitudine di S. Costanzo, ov'egli si è occultato, come un gufo, al mio arrivo. V'è di piú. Il frataccio zio di Giulio ha trafugato alla povera Costanza in Savignano tutti i suoi manoscritti piú cari, e sono l'intera e bella traduzione di Cornelio Nipote, parecchie sue poesie, parecchie altre sue versioni di Tibullo e del Poliziano, quattro volumetti di sue osservazioni particolari sopra Dante, di cui era studiosissima, sopra il Petrarca, il Tasso e l'Ariosto, tra le quali alcune erano di pugno dello stesso Giulio, che l'aiutava in questi suoi studi, ed altre carte che alla sventurata mia figlia erano carissime, come puoi credere. Questa bricconeria, operata per mezzo d'una perfida cameriera, ha gittato la desolata Costanza in una seconda disperazione, e ponderata co' nostri amici la colpa, abbiamo risolto d'intentarne giudizio criminale, trattandosi di furto domestico, onde prevedo tra me e gli eredi di Giulio una clamorosa rottura, se per amichevoli vie, che ora si tentano, non si ottiene la restituzione di queste carte. Della infame congiura del Cassi e degli eredi di Giulio a discapito di Costanza, e contra me stesso, udirai a voce il disteso racconto in Milano. Non mi dilungo perché il corriere sta sulle mosse. Al nostro Trivulzio e all'anima antica mille ossequi e saluti. Altrettanti a tutta la casa Calderara. Addio. Il tuo ecc.

A DOMENICO VALERIANI - FIRENZE.

Milano, 8 settembre 1822.

Non è piú di tre giorni che ho fatto qui ritorno da Pesaro con la sventurata mia figlia e con gli occhi nuovamente sí offesi da quella pungente aria marina, ma piú dalle tante lagrime che mi costa la perdita del mio Giulio, che la stanca mia vista per la seconda volta è minacciata di tenebre sempiterne: sicché il leggere e lo scrivere mi è interdetto. Pure mi è scesa al cuore sí dolce ed amara nel medesimo tempo la cortesia della tua lettera (dolce per la ricordanza della nostra amicizia, ed amara pel funesto annunzio della perduta tua virtuosa compagna), che, mal grado di tutte le mediche proibizioni, voglio di proprio pugno ringraziarti delle tue tenere condoglianze per la disgrazia che m'ha percosso, e condolermi di quella che ha percosso te stesso: e maledetto sia il proverbio, che dice essere una consolazione l'avere compagni nella sventura. Ciò sará vero nelle avversitá de' nemici; ma in quelle degli amici è falsissimo, perché si raddoppia il dolore. Orsú, mio caro, facciamo coraggio, e abbandoniamo alla ragione ed al tempo la guarigione de' nostri mali.

La povera Costanza, sepolta sempre nel pianto, non ha potuto leggere la tua lettera senza commozione, e ti ringrazia della parte che prendi nelle sue pene. Piú volte s'è provata di rispondere all'affettuosa lettera dell'amico Lampredi; ma la piaga del suo cuore fa ancora sangue, e non può trattarla senza nuocere alla sua salute ancor vacillante, e non senza pericolo di ricaduta; perché essa pure è stata sul punto di raggiungere il perduto amor suo.

Ti preghiamo ambedue di abbracciare per noi caramente Lampredi e l'ottimo Castelnuovo. Conservami la tua preziosa amicizia, e credimi per sempre il tuo ecc.

AL CAV. ANDREA MAFFEI - VERONA.

Milano, 13 novembre 1822.

Come farò io a ottenere il tuo perdono? Con un semplice tocco, io spero, delle mie sventure.

Allorché mi venne quella dolcissima tua lettera che accompagnava le belle tue terzine in morte del buon Lorenzi, il mio povero occhio destro stava sotto il taglio del chirurgo, ed a me, bendato e sepolto come Edipo in una continua notte, era vietato severamente e il leggere e lo scrivere. Pregai quindi il fratel tuo di farti avvisato della ragione del mio silenzio a quella cortese dimostrazione della tua cara amicizia. Saldata appena la cicatrice della fistola, che per quasi tre mesi mi aveva tolta la vista, quali altre disgrazie piú dolorose mi abbiano percosso, tu lo sai. Né per anche si è rialzato il mio spirito, e mi sgomenta tuttavia il pericolo di perdere il poco che mi è rimasto, tanto poco, che non posso piú darmi o al leggere o allo scrivere che per intervalli. Sii dunque benigno all'involontaria mia negligenza.

Dopo di ciò viene una preghiera, ed è che piacciati di significarmi a che termine si trova la traduzione di Klopstock. Non è senza un perché la dimanda; e mi penso non debbati dispiacere, se in certo mio scritto prendo occasione di dirne anticipatamente qualche parola.

Salutami e riverisci per me tuo padre; ricordami agli amici, ed ama il tuo ecc.

AL SIGNOR ABATE BIGNARDI - SAVIGNANO.

Milano, 7 dicembre 1822.

Caro Bignardi. Le preghiere e i pianti di Costanza mi hanno fatto dire un sí, che volentieri terrei non aver mai detto. Parlo dell'assunto di esaminare le carte inedite di mio genero: non perché non mi stia a cuore la sua gloria, ma perché questa fatica torna tutta a profitto di un uomo ingrato e villano. Ma l'assenso è dato, e io terrò la parola.

Nell'elogio di Giulio due punti essenziali dovete prender di mira, l'uomo cittadino e l'uomo letterato. Potete anche nella prima parte contemplare le virtú private, cioè quelle di buon figlio, di buon marito, di buon amico, e poi l'uomo benefico quando coll'opera e quando col consiglio, e da questi lati agevolmente lo presenterete uomo perfettamente virtuoso. Da quello delle lettere è inutile qualunque suggerimento, sapendo voi troppo bene gli aiuti ch'egli mi ha dato a rendere vittoriosa la causa dell'italiana letteratura, e a sottrarre la lingua della Nazione al dispotismo toscano e a renderla bellissimo patrimonio comune. E il trionfo di questa causa molto piú a lui si deve che a me medesimo: e mi piacerá che in alcun luogo diciate ch'io sono il primo a rendergli apertamente questa giustizia. Sovvengavi particolarmente di toccare la novitá e gravitá del suo stile, che gli ha acquistato il nome di primo prosatore sopra quanti antichi e moderni ne vanti l'Italia: il che ha aperta fra noi una mirabile novella scuola di bello scrivere fra i due estremi che miseramente corrompevano l'eloquenza italiana, il pedantesco e il licenzioso. La Costanza sta bene e vi saluta e vi abbraccia teneramente. Gradiremo tutti la vostra mostarda e ve ne anticipiamo i ringraziamenti. State sano e amate il vostro ecc.

A DIONIGI STROCCHI - BOLOGNA.

[Milano, 22 gennaio 1823].

Due parole dal letto, ove per questi orribili freddi il reuma e la tosse mi hanno da piú giorni confitto. Mi onora il cortese invito dell'Accademia, e ne porgo all'egregio sig. Marchese Angelelli (cui molto stimo ed ammiro per le cose di lui vedute) e all'ottimo Valorani ed a voi, dolcissimo degli amici, i piú cordiali ringraziamenti. Vorrei anche potervi dar per sicuro che al tempo prefisso qualche mio componimento verrá con voi tutti a piangere il mio diletto figliuolo, il mio Giulio. Ma io mi trovo sí stretto dall'obbligo di attendere a tutt'uomo alla pubblicazione dell'ultimo volume della *Proposta*, ch'io non so se mi verrá fatto di scrivere in tanta angustia di tempo versi degni de' vostri orecchi e degni ad un tempo di quell'anima benedetta. Sto sul finire un dialogo di stile tutto severo tra Dante e il nostro Giulio. Se questa prosa può tener luogo del tributo poetico che dimandate, io m'affretterò a terminarla; e le lodi di Giulio poste in bocca dello stesso Dante acquisteranno per avventura piú peso che stemprate in poveri versi, ne' quali ben sento non esser possibile che il gelo degli anni non si faccia sentire piú che la mia propria caritá non vorrebbe.

Nel riandare, a proposito di quel dialogo, il *Convito* di Dante, ho incontrato in quest'opera guasti sí orrendi, che ne rendono disperata l'intelligenza. Ciò mi ha messo col mio coltissimo amico il Trivulzio all'impresa di risanarne, per quanto l'arte critica si può stendere, le gran piaghe. E quantunque le varianti di tutti i codici conosciuti che il Trivulzio possiede, non ci abbiano dato nessun aiuto, perché tutti sono viziati dagli stessi errori e difettivi delle stesse lacune, nulla di meno ne abbiamo a quest'ora ridotte piú di mille a buona salute. Fra i brutti abbagli poi della Crusca nelle citazioni di quest'opera, tali ne sono venuti agli occhi, che per l'immensa loro mostruositá faranno sbalordire il lettore. E ben duolmi che per troppa fede a quell'oracolo a testa di legno, il mio Costa gli abbia trasfusi tali e quali nel suo dizionario. Salutalo caramente, se il vedi, e digli che fra gli altri faccia un poco d'esame all'articolo *cavillitá*; perché quivi egli ha lasciato correre uno de' piú bestiali spropositi della Crusca.

La mia vedovella ti saluta caramente, ed io sono senza limiti d'amicizia il tuo ecc.

P. S. Al gran Cardinale mille devotissimi ossequi per parte mia.

A PARIDE ZAJOTTI - VERONA.

Milano, 27 aprile 1823.

No, caro Zajotti, la pietosa lettera vostra a consolazione della gran perdita da me fatta nel figlio dell'amor mio non è andata smarrita. Ma ella mi giunse in un punto ch'io era fuor di me stesso. Il dolore m'avea reso insensato e impotente a parlare nonché a trattare la penna. La mia favella non era che pianto. Aggiungerete a questo l'angoscia in che mi gettava la disperazione della mia povera figlia, e il trovarmi lontano dall'infelice, e il dover correre precipitosamente a confondere le mie lagrime colle sue e a prestarle assistenza nel pericoloso stato in cui si trovava; perocché le lettere del prof. Tommasini mi metteano in grande timore d'una seconda sciagura. In questo stato di cose non vorrete voi perdonare al vostro misero amico una negligenza di che egli si fece reo verso tanti altri benevoli che in quella occasione gli scrissero a fine di consolarlo, e a niuno egli ebbe forza a rispondere?

Direte: perché nol facesti riavuto da quella tua stupidezza? Risponderò che io stava appunto in aspettazione di opportuno momento a ciò convenevole; e se la vostra carissima del venti corrente avesse tardato di poco piú che una settimana, avreste veduto comparirvi dinanzi un manifesto d'associazione a certa mia stampa ch'io intendeva di raccomandarvi: e in breve la riceverete; e voi e il nostro Maffei, e gli amici spero la proteggerete, non per me ma per amore del nostro gran padre Alighieri, alla cui gloria è consacrata tutta la mia fatica, e la piú dura di quante il mio povero ingegno abbia mai sostenute.

Ho letto l'articolo da voi accennato. Le lodi che con tanta e sí viva eloquenza avete date al mio figlio e al mio amico mi sono andate al cuore con maraviglioso piacere: ma quelle che a me profondete mi hanno fatto montare al viso i rossori, sapendo di esserne sí poco degno. Tuttavia perché la lode generata dalla cortesia dell'amico è sempre prova d'amore, ve ne ringrazio: il che certamente non saprei fare rispetto alla palinodia che mi ha cantata il vostro avversario. Non voglio però tacervi (e giuro che il mio avviso è dettato dal vero amor che vi porto, e dal desiderio che siate amato da tutti), non voglio, dissi, occultarvi che a coloro medesimi di cui avete giustamente meritata colla forte eloquenza de' vostri scritti la stima, è rincresciuto il fiero processo fatto al Rosmini. So che v'ha gran parte il comando, ma non tutti i comandi son belli a obbedirsi; e una penna peregrina come la vostra non è fatta per gridar guerra *tra quei che un muro ed una fossa serra,* ma fatta per gridar col

Petrarca *pace, pace, pace*. Voi m'intendete, e io son certo che un ingegno bellissimo come il vostro non può tanto adirarsi che al tutto si chiuda alle voci della gentilezza: di quella gentilezza che Dante appella bontá dell'anima, e la chiama seme divino, e non vuole che cada da' leggiadri intelletti. Ed intelletto piú leggiadro del vostro nol so vedere.

Abbracciate per me mille volte il mio bravo e buono Maffei, ed amate quant'egli v'ama e vi stima il vostro ecc.

A BARNABA ORIANI - MILANO.

[Milano, 1 maggio 1823].

Caro degli astri indagator sovrano. Andate voi domenica alla funzione? E andandovi, come mi figuro, con Cesaris e con Carlini, potrebb'ella questa astronomica trinitá accettare per quarto nella carrozza un povero disgraziato che si vergogna andar solo, e non ha troppo denaro da gittarlo in una vettura? E questo disgraziato sapete chi è? Il vostro povero Monti.

Siatemi cortese d'una risposta che per comodo vostro non oltrepassi un *sí* od un *no*: e Iddio vi mandi, per tenervi occupato, una dozzina di comete, ma non di quelle che il Gigli desiderava.

AD ANTONIO PAPADOPOLI - VENEZIA.

Milano, 2 luglio 1823.

Fra i molti generosi desiderj del divino intelletto di Perticari, nobilissimo era quello che le iscrizioni moderne, massimamente le mortuarie, si dovessero porre non piú latine, ma italiane; parendogli che nell'altezza a cui è salito il nostro parlare, la grave lingua di Dante ben valga l'orrida maestá di quella di Catone e di Ennio. Di che egli fece mirabile prova, siccome potete osservare in alcuna delle sue lettere giá pubblicate; ed un'altra ne date voi stesso, mio caro, nell'iscrizione consacrata dal vostro dolore alla memoria del vostro amato fratello. Vi ringrazio d'avermi creduto degno di gustarne l'effetto, e ve la lodo sinceramente; e al mio giudizio s'unisce quello del nostro Andrea, tornato giá da Ginevra.

L'ultimo volume della *Proposta* è giá sotto il torchio, e ne sarebbe giá fuori, se le molte afflizioni che da un anno mi hanno posto assedio al cuore e allo spirito, non ne avessero impedito la pubblicazione. E dello stato doloroso in cui vivo, vi facciano fede gli acclusi versi, de' quali sarò sforzato a permettere la stampa per ovviare alle viziate lezioni delle varie copie che giá ne corrono per Milano.

Salutate gli amici, ed amate il vostro ecc.

AL DOTT. GIO. DOMENICO ANGUILLESI - PISA.

[Milano], 4 luglio 1823.

Lontano, dai pericolosi romori della cittá, sono stato quaranta giorni a vegetare in Brianza, e tornato ieri l'altro in Milano ritrovo qui la carissima vostra del 14 giugno, alla quale se brevemente rispondo, mi scusi l'interdetto dello Scarpa, che, sotto la minaccia di restar cieco del tutto, mi condanna a poco leggere e meno scrivere.

L'invito a poetar qualche cosa per la sacra festa che mi accennate, mi onora e ve ne ringrazio; ma senza andar per le lunghe, m'è forza di dirvi che al buon volere non risponde il potere; perché mai non mi sono trovato sí stretto da altre cure come al presente. E il sa Dio con che pienezza di voglia, se fossi libero di me stesso, avrei colta questa occasione di far cosa grata e a voi e alle cortesi persone che, come mi significate, si degnano di desiderare in tal circostanza qualche strillo della mia povera musa. Per la qual cosa siate voi pressso di esse l'interprete del mio rammarico, e fatene le mie scuse, tanto piú giuste quanto che all'ultimo il danno è tutto mio.

Continuatemi la preziosa vostra amicizia, e immutabilmente credetemi ecc.

P. S. Amerei di sapere se, oltre i Codici del *Convito* di Dante notati nell'edizione del Biscioni, alcun altro ne sia stato posteriormente scoperto, siccome mi vien fatto credere, e in che mani si trovi.

A CLEMENTINA FANTINI FERRETTI - ROMA.

Milano, 12 settembre 1824.

Se le vostre disgrazie sono gravi, le mie non sono leggere né poche. Diciotto mila lire di annuo soldo perdute, la morte di mio genero, il ritorno della vedova sua moglie nella casa paterna, la rovina del mio piccolo patrimonio per la mala altrui amministrazione, e sopra ciò la infermitá della vista, che per una doppia operazione della fistola all'occhio destro avevo quasi perduta, e sono giá due anni che m'è vietato il leggere e lo scrivere, salvo pochi momenti, queste, senza contare la prostrazione dell'animo, queste sono, per piccolo cenno, le mie disavventure, le quali per la compassione di me stesso, mi tolgono ogni mezzo di dar conforto alle altrui. E volesse Dio che in alcun modo fossi in istato di portar qualche aiuto alle vostre; ma vi giuro che nel piede in cui mi trovo, non posso. Ho qualche speranza di migliorar condizione. Se di ciò la sorte mi sará benigna e cortese, prometto che ne proverete gli effetti, perché io sono tuttavia e sarò sempre il vostro ecc.

ALL'AB. ANTONIO DE' ROSMINI SERBATI - ROVERETO.

Milano, 1º gennaio 1825.

Pregiatissimo Signore. Dopo piú giorni di dolorosa oftalmia, per cui i miei poveri occhi gittavano sangue come quelli di Edipo, ho finalmente tanto di tregua da poter porre, in risposta alla gentilissima di V. S. due parole di proprio pugno in iscritto. La corretta edizione da lei procurata della vita di S. Girolamo, e corredata da un Errata-Corrige cosí giudizioso, è una forte novella prova che il por mano alla pubblicazione dei codici antichi sulla fede superstiziosa all'autoritá d'ignoranti copisti, senza mai consultare l'eterno e sicuro codice della critica, ad altro non riesce che a maggiormente contaminare il puro fonte della divina nostra favella, falsificandola con insensati vocaboli e locuzioni, e assassinando la riputazione dei vecchi suoi fondatori. Ciò vorrebbesi predicato particolarmente ai reverendi Padri Infarinati, e al nostro buon Cesari, che, per difetto appunto di critica, ha lasciato correre nella edizione veronese di quella vita tutti i madornali spropositi da lei acutamente osservati e corretti. Io le rendo grazie moltissime di questo dono, e godo di avere in lei un sí valente compagno alla predicazione delle veritá si eloquentemente inculcate e mostrate da quel divino ingegno del mio genero Perticari.

Mi auguro l'occasione di poterle col fatto dare a conoscere la stima che sincerissima le professo, e sono divotamente ecc.

A FRANCESCO MARIA TORRICELLI - FOSSOMBRONE.

Milano, 10 gennaio 1825.

Mio dolce Amico. La vostra lettera, mio caro conte, per le solite negligenze postali, o piuttosto per le troppe diligenze di chi regola questi offici, mi è giunta piú tardi che non dovea, ma tanto piú grata per la preziosa notizia che mi arreca, e che tutto m'ha consolato. Benedetto sia il giorno che feci l'acquisto della vostra amicizia, e benedetto siate voi mille volte che avete dato fine alla mia disperazione per la perdita dell'autografo da voi ritrovato di quella mia povera *Feroniade,* di cui non erano rimasti in mia mano che brani sopra carte volanti e confuse; della parte, vo' dire, che era passata in mano di Giulio, e il come non so comprenderlo, né ricordarlo. Comunque ciò sia accaduto, non mette conto il pensarvi. Ciò che importa è il trovar modo di farmi giungere senza pericolo il manoscritto. Il commetterlo alla posta, oltre il dispendio che qui passa misura, non è neppure mezzo sicuro. Giudico adunque miglior partito il procurarmene la spedizione per qualche occasione particolare, e anche in questo caso, per mettervi al coperto d'ogni rischio, mandarne non l'autografo (di cui volentieri vi fo dono), ma la copia. E se avete persona che sia capace di ridurlo a minuto carattere in poche pagine e a doppia colonna, allora potete anche per la posta farmene la spedizione, tuttoché pure per questa via si corra il pericolo che le carte caschino in mano di tali che non vorrei. Fatene in somma il vostro senno, ché io ne abbandono alla prudente vostra amicizia tutto il pensiero.

Oh quanto mi rallegra l'udire che avete fatto l'acquisto d'una sposa saggia, bella e gentile! Le sue virtú vi renderanno felice, e crediate che l'alloro delle Muse colle rose d'Amore fa buona lega: di che verrá che i lavori dell'ingegno acquisteranno piú grazia e piú vita. Le due ottave iniziali e finali sulla tomba del gran guerriero mi hanno messa in core gran voglia di vederle tutte, coll'altre poesie che a primavera mi promettete. E io prometto a voi che molta sará la lode che ve ne risulterá, facendone sicuro giudizio sul poco che in Pesaro me ne leggeste, e non furono che alcuni sonetti, ma tali che in voi mi scopersero tutto il carattere di valente poeta, e ben incamminato giá per la via che drittamente conduce all'eccellenza dell'arte. State sano, siate felice, e amate il vostro ecc.

AD ANSELMO RONCHETTI Calzolaio - MILANO.

Di casa, 30 gennaio 1825.

Mi avete detto che quello de' vostri figli che trovasi in Pavia, ama molto le Muse, e legge volentieri le cose mie. Piacciavi adunque di fargli aggradire le alcune mie opere che vi trasmetto, pregandolo di accettarle come prova del desiderio che ho di conoscerlo personalmente e chiederne l'amicizia. Unisco a questo piccolo segno della mia gratitudine una stampa di bellissimo quadro del famoso Agricola, che spero non sará indegna del vostro bel gabinetto, né a voi discara, perché rappresenta quel divino Dante che voi amate, e la sua Beatrice nell'atto di rimproverargli i trascorsi della vita passata. Per meglio intenderne la bellezza leggete il canto XXX del Purgatorio. Era mia intenzione di accompagnarla con quattro versi, ma essi mi sono riusciti sí poveri d'ogni grazia, e sí poco degni del cortese donatore dei Ronchettini, che non ho cuor di trascriverli. Nulladimeno, se il volete, essi sono a vostra disposizione come il sono io tutto medesimo. Fatene con qualche vostro comando la prova, e mi troverete senza riserva vostro affezionatissimo ed obbligatissimo servitore ed amico ecc.

AD ANTONIO PAPADOPOLI - BOLOGNA.

Milano, 6 febbraio 1825.

Nel far giudizio delle cose proprie, spesse volte gli scrittori pigliano errore. Onde allo stesso Costa ed a voi rimetto la scelta de' miei componimenti, che a voi due parranno meno indegni di entrare nella vostra raccolta.

Mi riempie l'animo di consolazione l'udire che il nostro Tommasini abbia ridotto a buona condizione la vostra salute, che, governata dal suo sapere, in breve si fará, spero, tutta salda e perfetta. Ed ho partecipe di questa allegrezza il buon Maffei, che è sempre meco, e vi manda un caro saluto, anzi mille, come fo io, che sempre vi amo d'amor vero e infinito.

Ma il piú dolce di tutti i saluti si è quello che l'egregia Nina vi ha commesso per me. Ringraziatela cordialmente di tanta benevolenza, e fate altrettanto col Pepoli e coll'ottimo degli amici Costa, a cui mi sento legato co' piú stretti vincoli d'amicizia.

La mia salute, in quanto a star bene, è perfetta: ma la mia povera vista va sempre di male in peggio a tale, che ad ogni poco di scrittura o lettura mi si offusca miseramente, e m'è forza gettar il libro o la penna. Compiangetemi, e dalla mia sciagura pigliate cagione di amare il tutto vostro ecc.

A URBANO LAMPREDI - PARIGI.

Milano, 22 febbraio 1825.

Poche righe, mio caro Lampredi, perché poche la mia povera vista me ne consente, e vorrei poterne molte per degnamente lodare la tua bella Ode in morte della contessa d'Orloff. Se cotesta donna era veramente ornata delle rare virtú cantate ne' tuoi magnifici versi, hai ragione di dire che al tuo pianto e a quello di tutte le belle anime che la conobbero viva, non è misura; e ch'ella realmente le possedesse, si può facilmente arguire dall'abbondanza del cuore che traspira nelle tue rime tutte nobili e classiche. Ti rendo grazie dell'avermene fatto parte, e dato nello stesso tempo un dolce segno dell'amor tuo. Ti fo i saluti della mia buona Teresa, ma non quelli della mia cara Costanza, perché essa è da cinque mesi in Romagna, occupata de' suoi affari da me mal condotti per troppa fede a chi perfidamente amministrava le cose mie. In mille circostanze della mia vita ho dato a conoscere essere veramente il priore della confraternita di

S. Simpliciano, ma in nessuna mai tanto, quanto nel guidare i miei interessi. Privo adunque siccome sono della presenza di un oggetto sí caro, e vecchio, e cieco, e sordo, puoi figurarti la triste vita ch'io meno. Compiangimi, ed ama ecc.

A GIACINTO MARIETTI Libraio - TORINO.

Milano, 28 maggio 1825.

Signor Marietti carissimo. Allorché vi promisi un qualche mio scritto che a modo di prefazione dovesse precedere all'edizione da voi impresa delle opere del celebre concittadino Daniello Bartoli, io non presi consiglio che dal desiderio di compiacervi. Ma quella promessa (candidamente il confesso) fu inconsiderata; perché non previdi la sopravvenienza di altre brighe che, al momento di dovervi mantenere la mia parola, avrebbero impedito l'effetto della mia buona intenzione: e di ciò v'ha giá dato un cenno lo Stella. Fu anche per mio rossore presuntuosa; perché entrando, come pur si dovea, nelle lodi del Bartoli, io mi sarei messo in un pelago che, per dirla con Dante, *non è da piccola barca,* come la mia. Aggiungete che intorno ai meriti di questo sommo scrittore, massimamente in ciò che risguarda i pregi della favella, io non avrei potuto dir cosa che eguagli la lode, che amplissima gli ha renduta in poche parole Pietro Giordani: le quali messe in fronte alla vostra edizione possono tener luogo di qualsiasi piú magnifica prefazione. E la sentenza del Giordani si è questa: *Quanto vaglia una profonda e veramente filosofica arte nel condurre come in ordinanza stretta i pensieri, e dalla destrissima collocazione delle parole ottenere chiarezza lucidissima, senza mai niuna ambizione, e nobile e grato temperamento di suoni, ce lo mostrò nelle sue istorie il Bartoli, appena conosciuto da qualcuno, quando tutta Italia non potrebbe mai dargli di ammirazione e di gratitudine tanto che bastasse.* Che volete voi di piú per raccomandare le opere di quel leggiadro scrittore agli studiosi del bello scrivere? Siate adunque contento di sí solenne e grave testimonianza migliore d'ogni mio detto, e state sano.

AD ANTONIO PAPADOPOLI - BOLOGNA.

Milano, 30 agosto 1825.

Mio dilettissimo. Ritorno in questo punto dal lago di Como, ove lietamente ho passato diciotto giorni in seno all'amicizia, e trovo qui giacente la tua carissima, alla quale rispondo subito.

Il mio Costa, cui abbraccio di cuore, mi attribuisce nei versi da te notati un pensiero che, ove mi fosse passato pur per la mente, mi meriterebbe la croce. A ridurre in una molte parole, mettete fra due virgole, oppur tra parentesi, l'emistichio *Se il ciel non crolla,* e avrete chiara la mia sentenza, la quale in prosa si è questa: — Se non casca il cielo, se non vien meno la Veritá figlia di Dio, anzi lo stesso Dio (*ego sum Veritas*), ogni sforzo sará vano a sostenere in trono l'errore. Il mio concetto adunque torna tutto il contrario di quello che Costa e tu mi apponete.

Sulla lettera di Cassi, Costanza mi ha scritto una lunga e dolorosa querela, che profondamente mi ha rattristato. Quella infelice ha dentro sé un carnefice che l'uccide, la troppo infocata sua fantasia che le dipinge in nero tutte le cose e le toglie la forza di riposarsi su la nobiltá del suo cuore, e il far uso della grande sentenza cosí necessaria alla virtú sventurata: — *Nil conscire sibi, nulla pallescere culpa.* Io le ho risposto in termini da porla in pace con sé medesima. Ma la sua impetuosa eloquenza atterra tutte le ragioni del suo povero padre, che alfine ne morrá di dolore.

Ti rendo grazie, mio caro, della preziosa benevolenza che mi conservi. Ah, disse pur bene Pitagora, che gli Dei mossi a compassione delle umane miserie, mandarono in terra l'amicizia per consolarci. All'amabil Sampieri mille rispetti, e al nostro buon Pepoli il saluto del cuore. Ti prego di non stancarti di amare il tuo ecc.

P. S. Nei fogli pubblici di Genova e di Milano avrai letto, credo io, un mio Sermone contro i Romantici. La marchesa Antonietta Costa, mia tenera amica, mi scrisse: — *Voglio e di piú vi comando di scrivere quattro versi per le nozze di mio figlio* ecc.; ed io, servo fedele ai precetti dell'amicizia, gittai in carta all'infretta il detto Sermone senz'aver tempo di accarezzarlo e lisciarlo; e tal quale fu subito pubblicato. L'ho in seguito castigato nell'ozio della villeggiatura. Se mai, per l'amore che tu porti alle cose mie, ti cadesse nell'animo il pensiero di ristamparlo, ti prego di aspettare la nuova e notabilmente ampliata edizione che qui ne uscirá quanto prima. Grandissima è l'impressione che quei dugento versi hanno fatta sul pubblico di Milano, e il deriso in cui il Romanticismo è caduto. Io spero che il rigido nostro Paolo ne sará contento.

ALLA SIGNORA CATTINA ZAJOTTI - TRENTO.

Milano, 3 settembre 1825.

Mia buona e cara Cattina. Sono stato ieri a salutare tua suocera e ad abbracciare le tue bambine. Oh le care creature! Mi hanno fatta intorno una festa di Paradiso con una bella e allegra furlana, che mi facea largamente ridere e nel tempo medesimo intenerire. Io le ho strette al cuore piú volte col trasporto che bacerei un angelo: ché angelici veramente sono i lor volti, e tutti i loro atti e parole, e perfino le grida: e quantunque la misera condizione de' miei orecchi non mi lasci ben intendere li acuti ed eloquenti loro strilli, nulladimeno io ne traeva un infinito e dolce diletto piú che da qualsiasi melodia. Ho chiesto loro che cosa bramavano ch'io ti scrivessi. Allora hanno tutt'e due ad un tempo sospesi i lor salti, e in tuono serio pregato di dirti che tu faccia presto ritorno; e in questo desiderio sa Dio quanto il mio cuore anch'esso ardentemente concorra. Perché a dir vero la tua assenza e quella di tuo marito mi attrista tutte le vie di Milano, e non vi trovo alcuna immagine d'allegrezza. L'unica distrazione alla noia che mi assedia è l'andar lavorando intorno alla mia povera *Feroniade,* la quale nei giorni andati ha sofferto una grande mia infedeltá, avendo io dovuto lasciarla da parte per far contenta la brama di un'antica e cara mia amica, la marchesa Antonietta Costa di Genova, in occasione delle nozze di suo figlio con una Durazzo. Ho scritto adunque un Sermone contro la setta romantica; sermone che ha destato e desta grande rumore, e di cui nel momento che ti scrivo sta sotto il torchio la quarta edizione con notabili accrescimenti, non avendo io potuto castigarlo e limarlo a mio senno prima d'inviarlo al suo destino.

Rispondo ora alla dimanda che mi fai intorno all'edizione Trentina della vita di San Girolamo. Il cortese editore me ne mandò un esemplare, ed io, come le buone creanze volevano, lodai l'opera sua per ciò che riguarda la critica sulla scelta delle varie lezioni, piú corrette sicuramente che quelle delle stampe anteriori. Ma sul merito di quel testo nulla dissi. Ecco tutto.

Odo da tua suocera che, terminata la cura dei bagni, tu passerai a Verona. Preveggo quindi che non seguirá cosí presto il tuo ritorno. Che farò io dunque misero abbandonato? Accetterò l'affettuoso invito che l'amico Aureggi mi fa di seguirlo con tutta la piccola mia famiglia in Brianza, come son solito tutti gli anni; tanto piú che la speranza d'aver qui il Patriarca per l'oggetto che tu ben sai, è svanita; e Maffei, il poltrone Maffei, non mi ha mai consolato pur d'una riga. Vedi che la disgrazia non vuol meco far parte. Ed io ho fatto decreto nel mio animo di calcarla e non lasciarmi vincere dalla ingiustizia. Avessi meco almeno il consiglio di tuo marito!... Nel prossimo ordinario ti manderò un esemplare del sopraddetto mio sermone, e un altro l'invierò a Zaiotti, a cui, chiusa la presente, scriverò due righe. E avendomi egli stesso raccomandato di amarti, gli farò intendere che la sua Cattina è cara come figliuola al tuo ecc.

A DON GIUS. ALBORGHETTI - S. GERVASO BRIANZA.

Caraverio, 3 ottobre 1825.

Pregiatissimo Signor Alborghetti. Il fischio dei tordi ha cominciato a farsi sentire, e del certo voi vi siete già messo al vostro solito agguato per pigliarli alla rete. Saremo noi (Aureggi e io) indiscreti, se un giorno verremo di bel mattino a sorprendervi? Questa si è veramente la nostra intenzione; ma per farne sicuri che la nostra visita non vi riesca discara, noi vorremmo averne dalla vostra viva voce l'assenso, che è quanto dire vorremmo aver prima il contento di abbracciarvi a Caraverio in persona, onde ottenere innanzi tutto dalla vostra gentilezza il perdono d'alcune nostre mancanze verso di voi: Aureggi il perdono d'aver lasciato senza risposta una vostra lettera nella lusinga di poter darvela a bocca in Milano, avendogli voi promesso di farlo ivi contento d'una vostra visita. Io poi mi vi confesso piú reo d'Aureggi, non essendo stato da tanto di accozzar quattro versi in risposta ai bellissimi che la vostra Musa m'indirizzò cantando i diletti della cacciagione.

Direte che il debito dei colpevoli vuole che essi vengano a cercar prima in persona l'assoluzione del loro fallo; ma dove la vergogna abbonda, bisogna che l'assolvente sia generoso; bisogna insomma che voi stesso veniate a dirci: *ego vos absolvo*; e allora le relazioni dell'amicizia rientreranno nell'ordine consueto degli anni scorsi, e voteremo in pace le tazze all'onore delle vostre reti. Mia moglie unisce le sue preghiere alle nostre, e tutti viviamo nlla speranza che non le lascerete cader senza effetto.

Aureggi vi abbraccia di tutto cuore. Io fo altrettanto, e godo protestare che sono senza riserva il vostro serv. ed amico ecc.

A PARIDE ZAJOTTI - MILANO.

Caraverio, 3 ottobre 1825.

Sopracarissimo mio Figliuolo ed Amico. Ho notizia che tu sei finalmente tornato a Milano e spero il medesimo della Cattina. Ambedue adunque siete ansiosamente aspettati a Caraverio, ed io in nome di Aureggi te ne rinnovo espressamente l'invito. Dopo tanta fatica tu hai bisogno di riposare, e non si dá miglior riposo di quello che si gusta in seno della vera amicizia. Qui la vita è liberissima come l'aria balsamica che si respira. Qui troverai non poca ed onestissima compagnia. Qui godrai il paradiso della beata poltroneria, e un soffice letto nuziale da Imperatore e cuori tanto fatti che ti desiderano. Non lasciar dunque cader indarno le nostre preghiere e tieni per certo che la salute della Cattina vi fará piú guadagno che ai bagni di Trento: perché l'ottima delle medicine è il cuor lieto e sicuro di essere amato da quanti ti circondano.

Non piú parole. S'egli è vero che tu mi ami (e ne sono certissimo) tu verrai, e darai un'infinita consolazione al tuo aff.mo come padre ed amico ecc.

P. S. La presente ti verrà consegnata dal mio buon amico Baretta, il quale è specialmente incaricato da mia moglie e da Aureggi di presentare a te ed alla Cattina le nostre suppliche.

A CARLO TEDALDI FORES - CREMONA.

Milano, 30 novembre 1825.

La diversitá delle opinioni fra le oneste persone non dee mai rompere le amicizie. Lungi dall'adirarmi che voi abbiate tolto a combattere le mie sentenze sopra la Mitologia, io son anzi lieto d'avervi data occasione di scrivere sí bei versi, e parlo sincero. Bensí m'adiro che al formolario dell'amicizia abbiate sostituito quello dei rispetti, unicamente perché all'ultima vostra non feci alcuna risposta, e vi parve appresso che il mio contegno, nella visita che mi faceste a Milano, non fosse quale si conveniva. Mio bell'amico, nel corso della vita abbiamo tutti certi momenti di afflizione e di sofferenza, ne' quali siamo divisi da noi medesimi. Allorché mi venne quella lettera vostra, oltre la fiera malinconia in che m'avea sepolto il divieto di affaticare colla penna la vista giá mal condotta dal replicato taglio della fistola all'occhio diritto, mi atterravano lo spirito altri colpi di avversa fortuna; e quando mi visitaste in Milano, io non aveva piú meco la testa: e questo misero stato mi è durato assai tempo anche dopo. Ma se voi aveste fatto ciò che in simili casi la schietta amicizia richiede, se mi aveste, cioè, dimandata ragione del mio non lieto contegno, avrei risposto: *mio caro amico, perdona, il mio cuore è in duro stato di sofferenza*: e mi rendo certo, che voi, discreto qual siete, senz'altra richiesta avreste rispettato il mio silenzio, e compatitolo. Ecco la mia discolpa al rimprovero che mi avete fatto; ed io ve ne ringrazio, perché mi avete aperta con esso la via di giustificare la falsa apparenza, che vi ha tratto a dubitare de' miei benevoli sentimenti.

Del resto ben godo d'avervi nemico, e me ne chiamo onorato; ma vi avverto che voi combattete una larva tutta sognata. Se voi richiamerete ben alla mente il consiglio ch'io vi diedi, di non caricare la poesia di troppi ornamenti mitologici; se, dando un'occhiata alla piú parte de' miei componimenti, farete attenzione, che, tranne la *Ierogamia* (in cui parve a me, e parve al pubblico intelligente ch'io avessi destramente trovata una felice allegoria, sotto il cui velo si celebravano altamente le nozze d'un uomo, che, malgrado de' suoi tanti difetti, nell'abbagliata immaginazione degli uomini avea piú del divino che dell'umano), negli altri ho gittato con la debita parsimonia gli ornati della mitologia, e nel piú di essi neppur una foglia di questi fiori, ben v'avvedrete, ch'io non son punto nemico di quel genere di poesia che voi chiamate romantico e io classico, e che, ridotto il tutto a poche parole, io non mi sdegno dall'una parte e dall'altra che dell'eccesso. E in quanto all'abuso della mitologia, parmi d'aver parlato assai chiaro, dicendo: *di gentil poesia fonte perenne* — (*a chi saggio v'attigne*), *veneranda,* — *mitica dea.* E in quanto ai romantici, chi può rimanersi dal dire che delirano, allorché pretendono di sbandirla affatto dalla poesia? e non solo sbandirla, ma volerla spenta del tutto? e spenta con essa la fonte del bello ideale nelle belle arti? I capolavori di Canova e d'Appiani sono nella piú parte tratti da questo fonte. E se Psiche, se Elena, come ho detto io nel Sermone, sono belle in marmo ed in tela, perché nol potranno essere egualmente, e piú, animate dalla poesia, da cui prendono affetti e parole, da mute e insensate che il marmo e la tela ce le presentano? Ciò è poco. Ogni poeta dee dipingere la natura; ma quella che gli sta sotto gli occhi. Io lodo adunque la poesia settentrionale, che si accorda perfettamente all'orrido cielo da cui riceve le sue inspirazioni. Ma l'italiana, inspirata da un cielo tutto di letizia e di riso, non è ella pazza quando va a farsi bella fra le nebbie e il gelo dell'Orsa maggiore, e si studia di dipingere una natura di cui ella non può avere idea che per imitazione? Ed inoltre la poesia, il cui principale officio è il diletto (e nella misera condizione dell'uomo il dilettare è giovare), dovrá ella presentarsi sempre burbera, sempre accigliata, sempre governata da una pedantesca severitá, a cui si dá il nome di filosofica? Possibile che non si sappia distinguere l'officio del poeta da quel del filosofo? che il parlar ai sensi è diverso dal parlare all'intelletto? che la nuda e rigida veritá è morte della poesia? che poesia... vale finzione, e che la favola non è altro che la veritá travestita? che questa veritá ha bisogno di essere ornata di rose onde avere liete accoglienze? E rose belle e freschissime sono quelle di che voi avete sparse le vostre *Meditazioni poetiche,* ove parlate della Grecia e d'Omero. Ma quando uscite dai campi di quella eterna bellezza di poesia, e dite che i pensieri de' Greci si agitavano in un'angusta sfera d'immagini, e, dopo questa bugia, a briglia abbandonata vi gettate nelle lodi del romanticismo, allora, mio bell'amico (perdonate se vi apro liberamente il mio parere), allora voi non siete piú quello. E s'io vi fossi stato al fianco al momento che scrivevate quel vostro tenero addio agli Dei della Grecia, vi avrei distolto dal farlo per non irritare l'ombra di Schiller, di quello Schiller, che, dopo Shakespeare, è l'amor mio piú che vostro d'assai. Ignorate voi forse che una delle piú belle e accarezzate sue Odi è *Gli dei della Grecia,* nella quale egli si adira della follia di coloro che gli hanno espulsi dal regno delle Muse, e fa voti perché siano richiamati a far bella la vita e la poesia? Ho trattato amichevolmente lord Byron nel suo soggiorno di quindici giorni a Milano. Sapete voi che egli fremea di sdegno, se alcuno, per avventura, credendosi di onorarlo, entrava nelle lodi della scuola romantica? E nel senso in che oggi s'intende, nessuno fu romantico piú di lui. Ma egli sdegnava un tal nome per non trovarsi compagno all'infinita turba degli sciocchi che disonorano questa nobile scuola. E persuadetevi bene, che parimenti nella scuola contraria v'ha tali, che per la stessa ragione accetterebbero piú volentieri il titolo d'ignoranti che di classici.

Non voglio farvi addosso il dottore, ma concedete alla vera amicizia che a voi mi lega, il finire con un consiglio che da molti anni ho preso per me medesimo: *inter utrumque vola*. E lasciando a cheto il furor delle sette, attendiamo secondo le nostre forze a far buoni versi. State sano ed amate il vostro affezionatissimo amico.

P. S. Salutatemi Cazzaniga e Mocchetti.

AL PROF. DOMENICO VALERIANI - FIRENZE.

Milano, 24 dicembre 1825.

Una consolazione e un dolore ad un tempo: grande consolazione l'udire l'ereditá conseguita dal nostro buon Niccolini, e il vedere che questa volta la sorte ha fatto pace colla virtú; e grande dolore la nuova che qui si è sparsa dell'afflitta salute di Gino Capponi. Io non so darmi a credere che sí bel fiore di nobiltá e gentilezza sia ridotto alla misera condizione che qui si dice: e il non avermene voi fatta parola mi tiene nella lusinga che non sia tutta vera la pubblica voce. Toglietemi, prego, di questa incertezza, e fate che con nuove piú liete possa allegrar l'animo dei non pochi che qui lo conoscono e l'hanno in pregio ed amore.

Il povero Montani anziché sdegno mi fa compassione. Egli si è messo a parlare di cosa che non intende, e confondendo stranamente l'officio del filosofo con quello del poeta, tira con tutti i deliranti suoi pari a distruggere, se fosse possibile, la poesia. S'egli intendesse bene lo spirito di quest'arte, se sapesse distinguere dalle operazioni della fantasia quelle dell'intelletto, s'egli insomma non si fosse lasciato prendere dalla smania ridicola di comparire filosofo non essendo poeta (ché ad esser tale, altro ci vuole che il suo mazzetto di *Fiorellini*) non avrebbe gettato via tanto inchiostro e giudizio in quella sua lunga predica dissennata contro il mio *Sermone,* né sarebbe trascorso a dire che al presente la scuola romantica è scuola cattolica. Legga egli il lungo articolo in data del primo corrente dicembre inserito nel Giornale dei *Débats,* e vegga con quanta ragione egli ha osato di dire che anco tutta Francia adesso è romantica. E quand'anche lo fosse, ne viene egli che debba romanticamente impazzire anche tutta Italia, il cui genio in fatto di letteratura è sí diverso da quello dell'orrido e scapestrato settentrione? L'articolo sopraddetto è sí bello e termina con una pittura sí viva e vera del pazzo romanticismo, che mai non fu scritta cosa piú grave condita del piú grazioso ridicolo. Leggilo, mio buon amico, e fallo leggere al Niccolini, cui caramente saluterai; e sta sano. Il tuo ecc.

AL CONSIGLIERE PARIDE ZAIOTTI - MILANO.

Caraverio, agosto 1826.

Mio carissimo come figlio, ...La mia salute è certamente migliore, e in quest'aria sento d'aver acquistata qualche forza nel corpo, ma nessuna nello spirito. Il mio stato è tale che non mi lascia entrare nell'animo alcuna speranza di riavermi. Quindi mi vo preparando al gran passo, e tu preparami l'articolo necrologico, nel quale poco ti resta a dire di me come uomo di lettere, ma spero non ti mancheranno le parole, se mi considererai come uomo di buon carattere, e di cuore ben disposto alle morali virtú. Sotto questo aspetto ti affermo che in nessun punto della mia vita ho mai cessato di essere onesto e leale...

Ti abbraccio, mio caro, con tutta l'anima, che sempre sarà tua fino all'ultimo respiro del tuo aff.mo come padre V. M.

A GIOVANNI ANTONIO MAGGI - MILANO.

Caraverio, agosto 1826.

Mio carissimo Maggi. La vostra lettera, tutta piena di tenera benevolenza, mi è stata un soavissimo balsamo alle ferite dell'animo, e sento per prova la veritá di quella divina sentenza di Pitagora, che gli Dei, mossi a compassione delle umane miserie, mandarono in terra l'amicizia per consolarci. Siate adunque benedetto voi, che mi mostrate, nella terribile mia disgrazia, tanta compassione; e benedetto il nostro Marchese che non si è dimenticato di me coi soci della Minerva. Ma in mezzo a questi conforti non vi dissimulo, mio dolcissimo amico, che il mio spirito è molto abbattuto, e ben veggo che da un momento all'altro può suonare la mia ultima ora; perciò mi ci vado preparando, leggendo e meditando le divine lettere di Seneca sul disprezzo della morte, la quale nel mio pensiero giá comincia a prendere faccia d'un bene da desiderare anziché da temersi, per uno che, come me, sia caduto nel fondo della sventura.

A GIAN GIACOMO TRIVULZIO - MILANO.

Caraverio in Brianza, 6 agosto 1826.

Veneratissimo e carissimo signor Marchese. La presente, se avrò forza bastante per terminarla, ha per oggetto primieramente il richiamare alla memoria dell'incomparabile marchese Trivulzio un povero suo servitore apopletico, condotto fra queste montane solitudini dalla speranza di migliorare alcun poco la sua salute, respirando un'aria piú attiva. Ma il mio sperare finora è riuscito vano, né sento di aver fatto guadagno. Troppo grave è il mio male; tutta la metá sinistra del mìo corpo è sempre perduta, non mi restando altro di vivo che il cuore, nel quale non ha piú luogo che il sentimento della mia disgrazia, e mi risuona dentro la fantasia a tutte l'ore una voce che mi grida quel terribile verso: *Lasciate ogni speranza,* ecc. Per la qual cosa mi vado giá disponendo con rassegnazione al gran salto, che per me sará quello di Leucade.

Il secondo oggetto che mi muove a scriverle è di significarle essere giunto il momento di dar corso alla raccomandazione ch'Ella con tanta bontá mi promise di scrivere al cav. Hammer per l'affare della mia pensione. Né di altro Ella deve pregare il nominato cavaliere se non di unire i suoi buoni offici a quelli del Patriarca presso il principe Metternich, onde questo protegga la mia supplica all'Imperatore, a cui il Patriarca con molta effusione di cuore promette di raccomandarla a viva voce del pari che al principe Metternich. E acciocché Ella possa meglio comprendere la disposizione dell'animo del Patriarca, non le sia grave il leggere l'acclusa del medesimo ad un mio amico. Le sia anche noto che a sua insinuazione ho scritto io stesso a Sua Altezza. Altrettanto ho pur fatto di proprio mio consiglio col conte Saurau, toccando una cosa a cui il cav. Hammer come letterato potrebbe dare un gran peso; ed è il far sentire tanto a S. A. che a S. M. che il miserabile stato in cui sono caduto procede, a giudizio de' medici che mi hanno curato, e giuro che non s'ingannano, da soverchio sforzo di applicazione nell'attendere per otto anni continui con tanto consumo di mente ad un'opera dal Governo medesimo comandata, senza alcuna rimunerazione, e senza altro frutto per me che la intima convinzione d'aver reso colla *Proposta* un grande servigio all'italiana letteratura, e fatto onore alla suprema Autoritá che l'ha comandata; e se facesse d'uopo una dichiarazione dell'Istituto, che il peso a lui imposto direttamente, la riforma, cioè, del Vocabolario, scaricò tutto sulle mie povere spalle, anche questa dichiarazione si otterrá, e apparirá sempre piú chiaro che per lo zelo di servire con lode alle superiori intenzioni, io ci ho rimessa la vita.

Un'altra cosa, veneratissimo signor Marchese, mi resta a chiederle, e a ciò mi sforzano le presenti mie ristrettezze; ed è il sapere se io possa fare alcun conto della convenzione corsa col signor Federici per l'edizione a lui conceduta del *Convito,* che il nostro Maggi prima della mia partenza per la Brianza mi disse esser giá molto avanzata: parlo dell'edizione normale che il di lei senno ha stimato bene doversi fare in Milano, onde la padovana riesca piú corretta e spedita. Fo fine perché la mano mi cade, e Dio faccia che questa non sia l'ultima lettera che co' sentimenti della piú viva riconoscenza e del piú alto rispetto ha l'onore d'inviarle il suo umilissimo servitore ed amico.

P. S. Mille ossequi all'inclita Bice e al Marchesino.

Riapro la lettera per aggiungere, che scrivendo al cavaliere Hammer, il punto su cui bisogna insistere si è di metter bene nel capo al principe Metternich, che in me il titolo d'istoriografo non è giá titolo d'impiego, come si volle far credere onde avere un pretesto di sopprimer la pensione, ma un puro titolo di onore senza alcun obbligo di scrivere alcuna storia, come giá ebbero in Francia Racine e Boileau, in Napoli Giambattista Vico sotto Carlo III di Spagna, e alla corte di Vienna Apostolo Zeno, istoriografo dell'austriaca monarchia; de' quali letterati niuno scrisse mai parola della storia, di cui godevano il titolo, e col titolo la pensione. E a pienamente convincersi di questa veritá, basta il considerare che la detta mia pensione non era giá a carico dello Stato, ma della Corona, onde che sempre venne portata sulla lista civile di Corte, il che la costituiva pensione privilegiata, del numero di quelle che S. M., prendendo il possesso di questo regno *cum honoribus et oneribus,* secondo la clausola dei forensi, si obbligò di mantenere, di modo che essa non si può sopprimere senza commettere una somma ingiustizia. Questo è il chiodo che bisogna battere e altamente conficcare nella testa del Sovrano e del Ministro.

A GIOVANNI ANTONIO MAGGI - MILANO.

Caraverio, 7 agosto 1826.

Se il nostro marchese Trivulzio è in Milano, fatemi il piacere di recargli l'acclusa. Se non v'è, raccomandatela al suo agente perché gli sia sollecitamente inviata, ovunque si trovi. Fra le parecchie cose di che lo prego, una ve n'ha di cui mi vergogno alcun poco, ed è il chiedergli se la convenzione fatta col Federici relativamente all'edizione del *Convito*, sussista a mio profitto, siccome da principio fu statuito. La dimanda non ha bella faccia, ma la scusi il bisogno; perché, sappi, mio caro, che (per servirmi d'una frase Cesariana) se mi accade di *basire*, l'autore della *Basvilliana* non ha di che pagare il becchino. Questo dirai per mia scusa al Marchese, e questa medesima cosa lo pregherai di scrivere liberamente al cav. Hammer, per l'oggetto ch'egli ben sa, e che qui sarebbe lungo a dire. Tanto è, mio dolcissimo; il tuo povero Monti da un giorno all'altro si aspetta di dover entrare nella barca di Caronte, sí poca è la speranza di riavermi, che che gli amici mi vadano pascendo di belle lusinghe. Né altro piú mi consola che la vista degli amici, che qui vengono a darmi l'ultima prova della loro benevolenza. Ond'io canto loro que' bei versi del Molza:

> *Ultima iam properant, video, mea fata, sodales,*
> *Meque aevi metas iam tetigisse monent.*
> *Si foret hic certis morbus sanabilis herbis,*
> *Sensissem medicae jam, miser, artis opem;*
> *Si lacrymis, vestrum quis me non luxit? et ulto*
> *Languentem toties non miseratus abit?*

Egli è vero che il Molza moriva di mal francese, ed io per piú onesta cagione; ma la conclusione è la stessa.

Se Fusi ha terminata l'edizione del mio Persio, pregoti di mandarmela, e se fosse possibile anche una copia di tutto ciò che finora si è stampato del *Convito*. Ti abbraccio, mio caro Maggi, con tutta l'anima, e sono sempre il tuo ecc.

Salutami tuo cognato e Resnati.

AL CONTE LEOPOLDO CICOGNARA - VENEZIA.

[Caraverio, agosto 1826].

A dispetto della mia paralisi eccovi altre quattro parole di mio pugno. Ma non prendete da ciò ragione di credere che la condizione del mio povero corpo sia migliorata. Io sperava che l'aria della Brianza, ove mi trovo, avrebbe in parte rifiorita la mia misera vita; ma finora nessuno o pochissimo giovamento. Tanto la gamba che il braccio sinistro sempre perduti, sempre impotenti. Aggiungete per soprassello alla mia disgrazia una incredibile inappetenza, che mi rende nauseoso ogni cibo. Ond'è che, non potendo abbastanza nutrirmi, vo perdendo, l'un dí piú che l'altro, le forze vitali, e con queste ogni speranza di riavermi. Di questa mortale inappetenza parlatene, vi prego, col sapientissimo Aglietti, se mai per caso egli sapesse qualche segreto, atto a risvegliarmi un poco l'appetito, o almeno a scemarmi questa orribile nausea ad ogni cibo. Mi ha contristato la descrizione che mi fate de' vostri incomodi, e sento per prova non esser vero l'odioso proverbio, che ai miseri sia sollievo l'aver compagni nella sventura, perché quando i compagni della disgrazia sono i nostri piú cari, come voi lo siete a me, non solamente i nostri mali non si scemano, ma si augumentano. Ben mi pare che voi vi troviate in condizione migliore assai della mia, perché voi siete provvisto di maggior coraggio che non son io, giá avvilito e omai disperato della vita, non tanto per la gravezza del male, quanto pel peso degli anni. L'unico mio conforto è il sentirmi ancor vivo il cuore, il quale si apre piú che mai ai sentimenti dell'amicizia, della quale voi mi date prove sí affettuose: di che io vi rendo grazie con tutta l'anima. E di vero egli è particolarmente nell'infortunio che si fa bella e divina la sentenza di Pitagora, quando disse che gli Dei, mossi a compassione dell'umane vicende, spedirono in terra l'Amicizia per consolarci: il che ho provato io nella presente mia calamitá, tali e tante sono state le dimostrazioni di benevolenza, di cui, sia detto senza vanitá, tutta Milano mi ha confortato. E mi rendo certo che voi, a tutti carissimo per le eccellenti vostre qualitá morali, direte altrettanto della vostra Venezia, nello stato in cui siete di sofferenza per la dolorosa infermitá che vi travaglia. E per parte mia vi giuro che ne sono afflittissimo. Spero però, che in breve udirò rifiorita la vostra salute. Cosí potessi io sperar della mia! Ma in voi ride ancora la gioventú, e in me piange l'ultima vecchiaia. Orsú, pochi giorni di piú o di meno nel corso della vita poco rilevano. Io mi sento maturo pel sepolcro, e sono giá disposto a discendervi coll'ultimo vale degli amici; fra quali m'è dolce il contar voi e i pochi che vi somigliano. Ritornate alla sempre amabilissima vostra moglie i saluti della mia con quelli della figlia, e ditele che nell'anno venturo, se non sono sotterra, verremo tutti e tre in persona a salutarla, e ad abbracciare Aglietti, Soranzo, Franceschinis e la Bettina, e tutti insomma gli amici del vostro ecc.

P. S. Se scrivete a Momolo e a Gino Capponi, salutateli senza fine.

ALLA CONTESSA CLARINA MOSCONI - MILANO.

Caraverio in Brianza, 18 settembre 1826.

Il marchese Trivulzio da parecchi giorni mi ha annunziata la vostra venuta in Milano. Per ultima delle tante disgrazie che mi percuotono, mancava ancor questa, ch'io dovessi esser privo della consolazione di baciarvi la mano e di professarvi a viva voce che, malgrado del lungo silenzio delle mie lettere, il mio cuore è sempre pieno di voi. Non potendo dunque venir di persona a salutarvi, commetto ad un altro me stesso, al celebre traduttore di Eschilo e di Sofocle, Felice Bellotti, la cura di adempiere per me questo ufficio di santa amicizia, ben sicuro che vi sarà grato il conoscere questo bel lume dell'italica poesia, come al mio Bellotti sarà gratissimo il conoscere in voi il fior delle dame tanto celebrato negli aurei versi del Pindemonte, al quale (sia detto per parentesi) farete per me molte congratulazioni pel tre volte bello, bellissimo suo poemetto sul Teseo di Canova. Il Bellotti, unitamente a queste poche mie righe (poche, perché l'apoplessia che mi ha colpito, avendomi morta la metá del corpo, mi ha morto ancor l'uso dello scrivere, ond'è che a grande stento mi è dato il mover la penna), vi presenterá un esemplare della nuova edizione che in Milano si va eseguendo delle mie ciance poetiche; edizione poverissima, perché di tutte quelle che ho scritte dal 1798 al 1814 né pure una sillaba mi è stato permesso di ristampare; ed è la parte meno cattiva delle mie poesie. Vi prego di gradire l'offerta, e di renderla accetta al *mio piccolo amico,* cioè a vostro figlio, al quale sapete che per vezzo amoroso io dava il nome di *mio piccolo amico,* e ben vi prego di abbracciarlo e baciarlo per me teneramente. Supplico poi vivamente l'incomparabile mia Clarina, che per pietá della grande disgrazia che mi ha visitato, voglia ridonare tutta l'antica sua benevolenza al suo vero servidore ed amico.

A GIACOMO TRIVULZIO - MILANO.

[Caraverio, settembre 1826].

Veneratissimo sig. Marchese. La Clarina mi ha scritto una lettera affettuosissima, quale appunto il core aspettava, ond'io ringrazio senza fine il mio carissimo e onorandissimo sig. Marchese d'aver sí ben eseguita la presentazione delle mie opericciuole commessagli dal verecondissimo Maggi. La mia ottima amica mi fa inoltre sapere per mezzo di Bellotti che, dovendo in breve far ritorno a Milano, non ne partirá senza darmi in un modo o nell'altro la consolazione di vederla: il che veramente mi fará un gran bene allo spirito sempre abbattuto dalla malinconia. E persistendo essa nell'intenzione di fare quest'opera di misericordia, io vi prego, Signore, di non atterrirla colla considerazione che, venendo a Caraverio, non si potrebbe tornare in cittá senza toccar la notte, perché la casa del cortese mio ospite è fornita di appartamenti e di letti da poter lusingar pure i sonni d'una regina, e alloggiare un re con tutta la corte: oltre di che il ripartire appena arrivati sarebbe troppo grande mortificazione al mio amico, il cui sommo studio e piacere si è il far onore a chi si degna di onorar la sua casa. Le acchiudo la risposta fattami dal conte Saurau, della quale s'ella fosse a tempo di dare un tocco al cav. Hammer per sua norma, mi avviso ch'egli si farebbe piú animo di parlare per me al principe Metternich, con piú efficacia e calore. Ma ciò sia rimesso al suo senno. Ne' giorni andati sono stato onorato di parecchie visite di belle donne, ond'io comincio a considerarmi qui come Prometeo incatenato alla rupe e visitato dalle Nereidi. Mi raccomando alla sua benevolenza e a quella dell'inclita Bice, a cui bacio rispettosamente le mani, e sono sempre con tutta l'anima il suo ecc.

A FELICE BELLOTTI - MILANO.

[Caraverio], 28 settembre 1826.

Mio dólcissimo Amico. Poiché tanta è la vostra bontá e cortesia che mi pregate di non fare risparmio dell'opera vostra, eccovi nuova occasione di obbligarvi la mia gratitudine. Vi è noto il cattivo stato di salute a cui la Costanza è ridotta. Ella ha bisogno di assistenza e consolazione. Siatele adunque padre e fratello. Di ciò vi prega pure sua madre, la quale, se non fosse la pessima condizione della mia stessa salute, sarebbe giá volata a prestare la sua assistenza alla figlia. Dico pessima la mia condizione, perché l'ostinato malore delle gengive mi tiene sempre impedito l'officio della masticazione, ond'è che, non potendo bene nutrirmi, rimango sempre privo di forze, e sempre oppresso da profonda malinconia senza speranza di riavermi. Non v'è che la presenza degli amici, che mi richiama sulle labbra il sorriso, e voi n'avrete prova se i vostri affari permetteranno che colla vedova d'Ettore veniate a rallegrare il vostro M.

A GIOVANNI ANTONIO ROVERELLA - FERRARA.

Caraverio in Brianza, 8 ottobre 1826.

Dovrò io dunque scendere nel sepolcro senza dare al mio Roverella l'ultimo addio? Non so quanti giorni ancora mi sará dato di strascinare questa vita, ma so che al mio male non è rimedio. Tutta la manca parte del mio corpo, braccio e gamba, è perduta. Non mi rimane che un poco di vitalitá alla mano destra, onde poter scrivere a stento qualche parola come i fanciulli che vanno sull'orma, e il puoi comprendere dal torto andamento della presente mia scrittura. In quanto alle facoltá morali, l'apoplessia non mi ha lasciato altro di vivo che il cuore e il sentimento della mia disgrazia, in mezzo alla quale ho nondimeno gustato qualche dolcezza, potendo assicurarti, mio caro, che non vi è ordine di persone che non siasi affrettato di consolarmi, non solamente in tutta Milano, ma in tutta Italia, per lettere piene di compassione e d'amore.

I soli che siansi mostrati indifferenti alla mia sciagura sono i miei cari nepoti, l'ingratitudine dei quali mi fa un male al core che non si può spiegar con parole, e solo al pensarlo mi casca di mano la penna.

Nella montana solitudine, a cui mi son condotto colla speranza che l'aria elastica di questo paradiso della Lombardia potesse invigorirmi la vita, ho ricevuto da' miei amici, e specialmente dal mio Bellotti, molte consolazioni, e dagli amici non solo, ma ben anche da stranieri e da belle donne, onde talvolta m'è paruto di essere il Prometeo di Eschilo conficcato alla rupe e visitato dalle Nereidi. In questa bizzarra idea potrai vedere che lo spirito poetico non è in me ancora morto del tutto. Ed infatti, cosí malandato qual sono, qualche buon verso m'è caduto dalla penna, e alcuni altri ne vo meditando nel punto che scrivo a te la presente, consacrati alla mia donna, la quale non mi ha mai abbandonato un momento dacché sono caduto in tanta calamitá; e se sono ancor vivo, il debbo principalmente alle sue tenere cure. La mano ricusa di scrivere piú oltre, onde fo fine, e ti prego quando sarò sotterra di ricordarti qualche volta del grande amore che sempre ti ha portato il tuo povero V. M.

A FRANCESCO VILLARDI - PADOVA.

Milano, 26 gennaio 1827.

Vi ringrazio delle sante orazioni che alzate al cielo per me, ma forte mi dolgo dell'ingiuria che mi fate trattandomi da miscredente. Perché qualche volta me la piglio colla superstizione e coll'ipocrisia dei fanatici religiosi, avete avuto il cuore di credere che io abbia rinunziato all'Evangelio? Dalle mie indignazioni contro i superstiziosi e gl'ipocriti dovevate conchiudere tutto il contrario. Orsú! perdono alla buona intenzione l'offesa che mi fate, ma pregovi di mutare opinione rispetto alla mia credenza, altrimenti io avrò finito d'essere il vostro affezionatissimo amico.

AD ALESSANDRO MANZONI - MILANO.

[Febbraio 1827].

Premesso alla cortesia del nostro Fauriel un vivo ringraziamento della briga ch'egli si prende per cagion mia, rispondetegli che, ove sia impossibile il far l'acquisto dell'opera intera di Raynouard, si tolga giú al tutto dal farne altra ricerca. Quell'opera è tale, che per gli studi della nostra lingua ogni volume è di molto momento, e io stimo che gl'Italiani non condurranno mai a buon porto il nostro Vocabolario, senza quel libro. Scrivete dunque all'amico, che tutto o nulla; e nel medesimo tempo rendetelo certo della mia gratitudine per la benevolenza di cui mi fa lieto nella disgrazia che mi ha percosso, della quale sento l'un dí piú che l'altro non potermi redimere che la morte!

A URBANO LAMPREDI - RAGUSA.

Milano, a' 27 di marzo 1827.

(Mio carissimo Amico e Maestro. Questa è in nome di mio padre e di me; ché entrambi veramente vi dobbiamo le piú sincere dimostrazioni di gratitudine per la tanta cortesia che avete adoperata verso di noi. Ma io specialmente, come significarvi il mio rossore e in uno la mia riconoscenza? Non in altra miglior guisa di certo il potrei, che in confessando essere stata tutto effetto e dono della vostra somma gentilezza la troppo onorevole menzione che fate di me nella bella ed erudita vostra epistola diretta a mio padre. E pari alla vostra fu la cortesia del signor Chersa, che in cosí aurei versi dipinse, non dirò già alcun mio merito, ché non oserei mai appropriarmi lodi tanto al di sopra del mio scarso valore, ma piuttosto la generosa sua indole. Siatemi or dunque voi intercessore appresso di lui cosí a ringraziarnelo, come a mantenermi viva la sua benevolenza, la quale, siccome la vostra, io tengo in quel pregio che tener si debbono le cose piú nobili e preziose. E ringraziatelo anche a nome di mio padre per la elegantissima versione latina ch'egli ha fatta del suo idillio. Ma poiché lo stesso mio padre desidera aggiungere alla presente alcune righe di suo pugno, lascerò ch'egli medesimo vi dica il di piú che spetta a' suoi sentimenti verso di voi e verso il signor Chersa. Mi è intanto ben dolce l'assicurarvi, che la salute di lui procede ognor meglio: sicché io spero che la novella stagione ridonandogli le forze del corpo, siccome ei serba sempre vigorose quelle dello spirito, il restituirá agli abbandonati suoi studi. Egli v'invia alcune copie della vostra epistola, alla cui stampa ha presieduto l'esimio signor Maggi, uomo caro per ogni titolo di peregrino ingegno alla repubblica delle lettere, e per quelli del cuore a tutti li buoni ed a mio padre specialmente. Non dubito quindi che non ne rimaniate a pieno soddisfatto. Addio, caro amico. Vi piaccia gradire la sincera protesta della mia stima e della mia piú affettuosa riconoscenza; e serbatemi la vostra amicizia, della quale sí giustamente mi onoro.

La vostra amica aff.ma e vera
Costanza Monti Perticari).

A soddisfazione dell'animo mio moltissime cose avrei bisogno di aggiungere alla lettera della mia buona Costanza; ma disusato da otto e piú mesi a scrivere, sono ridotto a tale da non poter far uso della penna, che al modo de' fanciulli che vanno sull'orma. Contentatevi adunque di poche parole, perché poche e stentate me ne concede la mia mano apopletica.

La vostra lettera in difesa della mia versione dell'*Iliade* mi ha recato meraviglioso piacere, non giá per le lodi delle quali mi siete sí liberale, ma per la benevolenza di cui il vostro scritto è tutto pieno. Ho raccomandato allo stampatore Silvestri di spedirvene quel maggior numero di esemplari che si potrá, e spero che in breve gli avrete. Spero anche non vi dispiacerá, che il mio ottimo amico Maggi, al giudizio che voi portate della mia versione, abbia aggiunto quello di Visconti del tutto conforme, acciocché gl'invidiosi non abbiano da incolparvi di essere voi il solo, che per soverchia bontá ed amicizia è trascorso in quella tanta lode. Unito al parere del Visconti leggerete anche quello di Mustoxidi, il cui voto mi onora e parmi degno di far bell'appendice al vostro ed a quello del Visconti; e questo triplice voto di tre sommi Ellenisti servirá, spero, non poco ad abbassare l'orgoglio dell'arrogante Mancini, che vantavasi di avermi subissato; e avrebbe dovuto accorgersi del contrario in vedendo nella stessa sua patria, in Firenze, ristampata giá per la quinta volta la mia traduzione, oltre la edizione di Pisa e le altre molte per tutta l'Italia. Ma il Mancini è sí pieno di sé medesimo, che chiama ciechi i suoi medesimi concittadini; e le beffe, che tutta Italia si fa della sua *Iliade italiana*, non servono che a renderlo piú insolente. Voi l'avete urbanamente concio secondo il merito; ma duole ai molti amici che qui avete, duole, ripeto, che vi sia uscita di mente la traduzione del piú maligno ed invidioso di tutti gli omerici traduttori. Parlo di Ugo Foscolo, che del certo non si alza punto sugli altri, ed è anzi al di sotto di quei medesimi ch'egli calpesta, tra' quali sono io il piú calpestato. Egli ha mandato da Londra in Italia i seguenti due versi da incidersi sotto il mio ritratto:

> Questi è Vincenzo Monti cavaliero,
> Gran traduttor dei traduttor d'Omero,

ai quali ho fatto risposta con altri quattro versetti che dicono:
> Questi è il rosso di pel, Foscolo detto,
> Sí falso, che falsò fino sé stesso
> Quando in Ugo cangiò ser Nicoletto:
> Guarda la borsa, se ti viene appresso.

Per intelligenza del terzo verso, egli è a sapersi che il suo nome di battesimo è Niccolò; e per intelligenza del quarto, vuolsi notare che il Foscolo in Londra si è fatto celeberrimo pei suoi stocchi e debiti d'ogni fatta. Ma dove sono io trascorso oltre la forza della mia salute, nulla anche dicendo dell'oggetto principale per cui vi scrivo? ch'era ed è quello di significare al signor Chersa, che io mi chiamo grandemente onorato dell'amicizia che egli mi concede, e che gli rendo grazie infinite dell'aver fatto sí bello, con l'aurea sua traduzione latina, il mio idillio, *Le nozze di Cadmo*. Pregovi quanto piú posso di accertarlo che il dono della sua amicizia mi è preziosissimo, e che l'apoplessia mi ha bensí tolta la metá del corpo, ma non il core. Con questo lo abbraccio, e ti abbraccio teneramente, mio diletto Lampredi, e caramente salutandoti per parte di mia moglie, sono senza riserva il tuo ecc.

A SAMUELE JESI - FIRENZE.

Milano, 19 aprile 1827.

In mezzo ai guai, che circondano la mia trista esistenza, avete trovato il segreto di consolarmi, annunziandomi il ben disposto animo dei Fiorentini a farmi lieta accoglienza nel caso che la misera condizione della mia vita mi permetta di venire ad abbracciare i miei dilettissimi amici Capponi, Niccolini, Giordani e Valeriani, poiché l'infermitá che mi ha morto la metá del corpo, non mi ha morto perciò il cuore, e questo non mi vive che pe' dolci sentimenti della amicizia; e se vengo, siccome vivamente desidero, ne darò prova sicura anche al Frullone, col quale protesto di non avere alcuna ruggine, tuttoché mi avesse precisa ogni via di accostamento il sapere che qualcuno de' suoi preclarissimi abburattanti ebbe giá parte alle turpissime villanie di Farinello Semoli, fuori di tutti i termini dell'onestá e della decenza. Or dunque sappiate che veramente ardo dal desiderio di rivedere Firenze prima di andar sotterra: al quale effetto ho risoluto nel prossimo giugno di recarmi ai fanghi di Abano in Padova, dai quali spero qualche rintegrazione di forze a potere intraprendere il viaggio, e ne ho giá scritto anche al gentilissimo marchese Manfredini dimorante in quelle vicinanze. Una spontanea cortesia di questo signore mi ha aperto l'adito alla sua corrispondenza. Cosí la visita che gli farò sará visita di gratitudine e insieme d'interesse, perché mi rendo certo di ottenere dalla sua bontá qualche lettera di raccomandazione che sempre piú mi conforti a venire a Firenze.

All'egregio signor cavaliere Puccini risponderò con mio grandissimo piacere, ma insieme con grande dispiacere di non poterlo fare contento dei versi che voi ed esso desiderate. Crediate, mio caro Jesi, che non sono piú atto a far versi. Tanto è vero che a dar fine alla *Feroniade* non mi mancando che una cinquantina di versi, non sono ancora da tanto da poterli accozzare, e mi dá inoltre molto rincrescimento la troppa prevenzione che si è sparsa nel pubblico su questa mia poesia antiromantica, contro la

quale i romantici hanno giá incoccato gli strali: e questa
è l'unica considerazione che mi fa sperarne buon esito
presso coloro che ancora credono doversi rispettare la
scuola di Omero e Virgilio.

Né la Tragedia del mio Niccolini, né il Pindaro del
signor Lucchesini, preziosissimi doni, mi sono ancora pervenuti,
ed io gli aspetto con grande ansietá. Gradirei
ancora un esemplare dell'edizione che mi dite essersi fatta
delle mie Tragedie con quelle dell'Alfieri.

State sano, ed amate il vostro ecc.

P. S. Mia moglie e mia figlia vi salutano caramente;
Aureggi è in campagna.

AD ALESSANDRO MANZONI - MILANO.

[Giugno 1827].

Mio dilettissimo. Papadopoli e Primo mi avevano
messa in core la dolce speranza che ieri mi avreste consolato
d'una vostra desideratissima visita. Deluso di questa
lusinga, e temendo che la vostra imminente mossa
per Roma mi tolga la consolazione di piú rivedervi, poiché
l'un dí piú che l'altro sento avvicinarsi il mio fine,
mi vi presento per iscritto per dirvi che vado ad aspettarvi
in cielo, ove ho certa speranza di rivedervi a suo
tempo.

Intanto prima che il mio don Abbondio m'intuoni il
Proficiscere, voglio ringraziarvi del prezioso dono fattomi
de' vostri *Sposi Promessi,* de' quali dirò quello che giá
dissi del *Carmagnola*: vorrei esserne io l'autore. Ho letto
la vostra Novella, e finitane la lettura, mi sono sentito
meglio nel core, ed aumentata la mia ammirazione. Sí,
mio caro Manzoni; il vostro ingegno è ammirabile, e il
vostro core è una inesauribile fontana di nobilissimi affetti,
cosa che rende singolare il vostro scrivere e vi pone

in un'altezza, a cui non possono aggiungere che i *pauci quos æquus amavit Iupiter*, alla guisa che pochi ponno amarvi e stimarvi come il tutto vostro ecc.

P. S. Se la preghiera non è superba, ponetemi a' piedi di quel caro miracolo di beltá e di senno, dico la celeste Giulietta, a cui

> l'antica gente Achea
> meritamente avrebbe arsi gl'incensi
> a Minerva concessi e a Citerèa.

A COSTANZA PERTICARI NATA MONTI - FERRARA.

Monza, 29 luglio 1827.

Mia cara Figlia. Sul supposto che tu giá sia giunta felicemente a Ferrara, dirigo la presente a Ferrara, di dove attendo con impazienza il risultamento del congresso legale sugli affari del nostro povero Giuseppino, la cui situazione mi stringe il cuore, e merita tutti i riguardi per l'onestissimo suo procedere in tanta ruina de' suoi interessi. Nel caso che i suoi creditori intendessero di estendere la loro azione anche sulla casa di Maiano, ricòrdati di produrre in campo il mio diritto sopra essa, in virtú di una particolare disposizione fattane da mio padre nel suo testamento, nel quale egli mi ha nominato compadrone della detta casa insieme con mio fratello Francesco, padre di Giuseppino. Tu non hai bisogno di altre parole per far valere la mia ragione su questo punto, sul quale io ti autorizzo a fare in mia vece tutte le necessarie proteste.

Lo stato della mia salute è sempre lo stesso, col desiderio sempre vivo di poter venire a Fusignano a confondere le mie con le sante ossa di mio padre e di mia madre. Tu abbi cura della tua salute, e Iddio piova sopra di te le sue benedizioni con quelle dell'amantissimo tuo padre.

ALLA « GAZZETTA » DI MILANO.

6 settembre 1827.

Nel n. 65 del *Diario di Roma* trovansi alcune righe che mi riguardano, ed alle quali per amore della mia riputazione e del vero debbo fare la seguente risposta: Non *conquistato,* ma sibbene di propria volontá, vedendo che la mia vita va sempre piú declinando, ho voluto procacciarmi i conforti della mia religione, in cui venni allevato e nudrito principalmente dall'esempio dell'ottimo mio padre, morto in opinione poco men che di santo, e dalla quale, quantunque abbia potuto traviar talvolta la mia penna, certo non se n'è ribellato il mio cuore. Io non sospettava nemmeno che questo semplicissimo fatto, del quale mi compiaccio tuttora, dovesse trovare chi lo giudicasse tanto difforme dalla passata mia vita, da attribuirgli i nomi di *conquista* e di *ritorno ai sani principj,* meno poi da ascriverlo a vanto di chi che sia. Lasciando il giudizio della mia e dell'altrui coscienza a Quel solo che ne ha il diritto, avrei creduto di mancare a me stesso, se non avessi protestato contro l'abuso che il giornalista di Roma ha fatto a mio danno di troppo importanti parole. Qualunque poi siasi il nome che dar si voglia alla cosa, debbo dichiarare, esser falso che sia stata opera dei RR. PP. Barnabiti di Monza, i quali io neppur conosceva (sebbene io abbia sempre nudrito la dovuta stima per la loro congregazione) in quel tempo in cui deposi i segreti della mia coscienza nelle mani di un mio amico sacerdote di Milano, e domandai di essere accolto al perdono di ogni mio errore. Cosí parimenti è del tutto supposta e non vera la lettera che il giornalista asserisce scritta da me al mio ch. collega ab. De Cesaris: e falso è finalmente che io divida ora il mio tempo fra la conversazione dei RR. PP. Barnabiti di Monza e la *Feroniade.* Queste cose mi parve di dover rispondere all'articolo del *Diario di Roma.*

VINCENZO MONTI.

AD ANTONIO PAPADOPOLI - VENEZIA.

Caraverio in Brianza, ottobre 1827.

Mio dilettissimo. Privo da molto tempo delle care tue lettere, e prossimo all'ultimo mio fine, vengo con queste poche righe a prender congedo per l'altro mondo, e non credere che m'inganni. Ho giá nel cuore la morte, e sinceramente sono stanco di vivere. Né mi duole di cessare una vita amareggiata dai piú crudeli disgusti che mai possano opprimere il tuo povero Monti. Sí, mio caro, io muoio infelicissimo e direi quasi disperato per la mala condotta di quelli che piú amo. Non vale che la mia buona Teresa, vera donna di virtú; non c'è che sol essa che mi salvi dalla disperazione del vedermi mal pagato di amore dalla Costanza. So che questa si è resa indegna della tua amicizia. Ma se mai avvenisse che tu le scrivessi, non lasciare di dirle che essa è quella che anticipa il sepolcro ad un padre che l'adorava. E tu, dolcissimo amico mio, non vorrai tu darmi la consolazione di teneramente abbracciarti prima di chiudere questi miei poveri occhi nella eterna notte? Deh vieni, deh vola a ricevere l'ultimo mio respiro: e fa ch'io mi lodi della tua pietá dinanzi a Dio, a cui spero di salire sull'ali del suo perdono.

Scrivo dal paradiso della Brianza ove sono passato da quello di Monza, e alla fine del corrente saremo di ritorno, se sarò vivo, all'inferno della cittá, abitato dai demoni, che sotto il colore dell'amicizia nascondono l'anima la piú perfida, e studiano la morte del tuo povero Monti.

P. S. Anche il barbaro silenzio di Monsignor Pyrker del mio affare contribuisce non poco a spingermi nella fossa.

AD ANTONIO PAPADOPOLI - VENEZIA.

[Caraverio, ottobre 1827].

Mio dilettissimo. Il desiderio di rivederti è grandissimo, ma se si oppone a quello di tuo padre, non fare che la brama dell'amico vinca la paterna. Fra le tante belle qualitá della tua bell'anima, piacemi che in te si lodi anche la filiale obbedienza.

Potessi io dire altrettanto della mia Costanza. Essa si è messa in guerra aperta con sua madre, dalla quale le si è fatto credere di essere odiata e perseguitata. Ed io, che so per prova quanto questa madre è amorosa verso l'ingannata sua figlia, mi sento lacerar l'anima per questo dissidio, e, piú che il misero stato in cui mi trovo, mi strazia l'errore in cui è stata con diabolico artifizio strascinata la sciagurata mia figlia.

Non è molto il profitto che ho tratto dall'aria della Brianza, ma posso chiamarmi contento, e se mi fosse dato il godere della presenza e dei conforti del mio Papadopoli, vorrei sperare di riavermi, se non del tutto, almeno quanto basta per rendermi cara la vita. Addio, *animæ dimidium meæ.*

A FRANCESCO VILLARDI - PADOVA.

Milano, 6 dicembre 1827.

Io non sono mai stato né un ateo, né Luterano, né Calvinista; e l'aver fatto ciò che fa e deve fare ogni buon cristiano ridotto agli estremi della vita, non parmi che ad un simile atto di religione debba darsi il nome di *conversione*; nome il quale suppone che io veramente abbia professato principj irreligiosi. Per la qual cosa apertamente vi dico che mi chiamo offeso del titolo che mi apponete, e che in verun modo non posso né debbo acconsentire alla pubblicazione della canzone di cui mi parlate. Questa lettera vi verrà recata dal mio dilettissimo amico Papadopoli, da cui piú nettamente intenderete il mio giusto sdegno contro l'articolo del *Diario Romano,* il quale articolo è tutto dettato dalla intenzione di farsi merito presso il pubblico. Non mi dilungo, perché il mio stato e l'impedimento della mano no' l consente. State sano, ed amate il vostro affettuosissimo amico.

[AD ANDREA MUSTOXIDI - VENEZIA].

[Milano, dicembre 1827].

Mio carissimo. Dalla viva voce del mio Papadopoli avrai le nuove del mio misero stato, sempre misero, se non in quanto mi rende ancor dolce la vita la presenza degli amici, tra' quali infinita consolazione mi ha portato e mi porta al cuore la tenera amicizia di Papadopoli, di cui non credo darsi al mondo anima piú nobile né piú generosa.

Ti sovverrá, mio caro, che io ti affidai in Milano alcune lettere di Giordani. Gli scherzi terribili della sorte mi hanno piú volte turbato il pensiero sulle vicende di quelle lettere. Per acquetare adunque i miei timori, piacciati, mio caro, di rimetterle alle mani del nostro amico. Vorrei aver libera la facoltá di scrivere onde poterti dire alcuna delle mille cose che mi stanno nel core. Ma lascio al nostro Papadopoli la cura di significarti quanto ti amo, e quanto desidero che i tuoi destini si volgano in meglio, e ti rendano interamente beato. Il tuo povero storpio V. M.

A FRANCESCO VILLARDI - PADOVA.

[Milano, 1827-28].

Io non debbo né posso entrar giudice nella questione insorta tra voi e il Cesari; ma parmi che cotesto vostro grande archimandrita del bello scrivere alle volte si metta in capo per belle cose certe stranezze da riderne tutto l'anno. E per vero io non so comprendere come si possano congiungere insieme l'idea della viltá a quella del coraggio, *vile ed ardita*. Credo adunque che voi vi abbiate piú che ragione, e che quelle sue *Bellezze di Dante* il piú delle volte siano un brutto delirio. La penna non risponde al desiderio che avrei di dire altre cose piú serie. Ma a buon intenditor poche parole. State sano ed amate il vostro ecc.

AD ANTONIO PAPADOPOLI - VENEZIA.

Milano, 3 gennaio 1828.

Mio dolcissimo Amico. Dopo la tua partenza sono stato sei giorni in poca buona salute con forte timore di ricaduta, per cui ho dovuto sottomettermi ad una generosa cavata di sangue. M'ha cresciuto anche malinconia e tristezza una lettera di mio nepote, la quale mi ha dato nuove non buone della salute di Costanza, per cui la meschina sará obbligata a passare a Fusignano tutto l'inverno. In mezzo a tutte queste cagioni di mal umore è giunta a tempo la tua carissima che non poco mi ha confortato, assicurandomi della tua preziosa amicizia. Non passa giorno che io non pensi alla *Feroniade,* e alla promessa fatta alla nostra Trivulzio, ma non trovo ancora di che contentarmi. Abbracciami caramente il mio Mustoxidi ed ama il tuo ecc.

P. S. Qui non si parla di altro che della destituzione di C... *per inaudita immoralitá.* Quelle parole sono terribili, s'egli è vero che siano quelle dell'imperiale decreto che lo condanna. Addio. Non istancarti di volermi bene. Mia moglie, Bellotti, Ambrosoli, tutti ti salutano teneramente, ma niuno con tanto affetto quanto il tuo ecc.

A GIULIO MONTI - FERRARA.

[Milano, 3 gennaio 1828].

Carissimo Nipote. — Mi rattrista l'udire che la salute di Costanza non è la migliore. S'ella si fosse risoluta di andare alle acque di Recoaro, mi rendo conto che n'avrebbe ricavato profitto come hanno fatto molte altre donne, che ne hanno fatto la prova. Ora essendone passata la stagione, sará bene se pensa di restarsene in Romagna tutto l'inverno, ed io vi avrò una grande obbligazione, se voi seguirete ad usarle tutte quelle attenzioni che il suo stato richiede.

Salutate l'ottima vostra moglie e abbracciate per me i vostri figli. La mia Teresa vi saluta caramente, ed io sono di cuore il vostro aff.mo zio.

AD ANDREA MUSTOXIDI - VENEZIA.

Milano, 20 febbraio 1828.

Mio dilettissimo come Figlio. Prima di scendere tutto nella fossa, la quale mi ha ingoiato piú che per metá, io sperava di abbracciarti in Milano. Disperato di questa consolazione, vengo a prendere congedo per l'altro mondo in iscritto. Ti abbraccio dunque di cuore, e se rimane nulla di noi dopo la morte, ti fo certo che anche tra gli estinti ti amerò di quell'amore che strigne, che lega il cuore d'un padre a quello d'un figlio. Siati raccomandata la mia memoria fra quelli che lascio, e addio per sempre. Il tuo M.

NOTE

(Poche e veloci; perché il Monti non è un poeta ermetico, né complicato, né faticosamente elaborato, mai; le sue parole son chiare, le sue immagini oneste, e i versi vanno che volano. Anche il fondo mitologico della sua poesia è noto fin dalla scuola. Di proposito non abbiamo voluto *notare* le reminiscenze — troppe — o addirittura i versi d'altri trasportati di pianta nella sua pagina, nel suo componimento, da farne spesso un copista. Il lettore queste cose le sa per conto suo e non ha piacere che gli si mettan sotto il naso. Che *le limacce al paragon son veltri*, sa che è di Dante; e *Donna dell'alma mia parte migliore*, prima che Vincenzo a Teresa, l'ha detto David a Micol nel 5º atto del *Saul*. Eccetera. Eccetera. Dopo Leopardi sappiamo tutti che il Monti è un poeta della memoria; d'una memoria che intende e tiene e ruba. Non ci scandalizziamo, non abbiamo bisogno di provarlo.

Proprio in questi tempi, piú volte ho sentito dir male del Monti. È cosa facile ma non prudente. Il Monti non è certo un poeta vicino al nostro cuore né alle nostre letture quotidiane. Però, quando si tratta di tirare le somme, come nel caso d'una collana di classici, non sappiamo disfarci di lui. Pesa ancora sul Monti — o su noi? — l'ammirazione che ne ebbe in un primo tempo il Manzoni, che ne ebbe sempre il Carducci. Né possiamo dimenticare certo fasto biografico, e l'essere egli stato l'incoraggiatore del giovane Leopardi, l'aver messa la penna nei versi dei *Sepolcri*, e l'averne scritti lui qualche centinaio che, come i pioppi, hanno i piedi nell'acqua. E poi tutto quello splendore di lingua che appartiene alla nostra riserva, quella vincente potenza di dire tutto ciò che vuole e fa di lui un battezzatore di stelle e di numi. E poi quell'*Iliade* che durerà quanto Omero e il ricordo di Troia. Insomma, lontano ma sempre degno di alta ammirazione).

L'ARCADE.

All'Amica.

1) Canzonetta musicata in Roma dal Maestro Guglielmini; a istanza, dicono, di bella donna. Abitudini graziose, e un po' leziose, del '700, quando giá la parola vaporava in musica. Tempo di Cimarosa e Paisiello e Porpora. Tempo di musica.

A Fille.

1) O Filli o Fillide. Nome di pastora d'Arcadia (non di donna particolarmente amata dal poeta). Nome di suono liquido, ricco, si presta alla rima. Ne ebbe molte.

2) *Favi iblei,* miele d'Ibla, in Sicilia; famosissimo nell'antichitá. Giá Virgilio nelle *Egloghe*... E Ovidio nei *Tristia*...

Poemetto anacreontico.

1) *Ninfa eridanina*; ninfa del Po, latinamente. La fantasia dei poeti popolò di fanciulle, — belle da parer dee — i fiumi i fonti i monti. Lume di vita, di gioventú.

2) S'è riferito largo tratto del poemetto per dare spicco all'aspetto dell'Arcade, quale fu il Monti in principio di carriera, e un po' sempre. Nel sufolo dell'Arcade c'è qualche eco scherzosa, qualche susurro tenero, qualche leggero spasimo.

Canzonetta.

1) *Castalie rive*; la fonte Castalia che s'apriva ai piedi dell'Elicona; sacra alle Muse e al loro dio, Apollo. Geografia mitologica, di quando gli Dei abitavano con gli uomini.

2) *Colori febèi*; colori vari suscitati dal sole (*Febo*).

3) *Aonie carte*; Aonia era antico nome della Beozia. Poesia greca, esiodea; ché v'era nato Esiodo.

4) *Barbaro Parana*; terra d'Argentina, terra lontana e inospite (allora!).

5) *Citerea*, Venere onorata a Citera; *Flora*, sposa di Zefiro. D'aprile e maggio in Roma si celebravano speciali feste in suo onore: le *Floralia*.

Anacreontica.

1) Può essere che il lettore, leggendo parti di questa anacreontica, pensi al *Ditirambo* del Redi. E qualche accento di quell'allegro polimetro c'è. *Biondo dio*; è naturalmente Apollo.

2) *Euterpe*, musa della musica.

3) *Ligurino dispettoso*; ne parla Orazio...

4) *Idalio mirto*; mirto di Venere, detta Idalia dalla città di questo nome nell'isola di Cipro, che le era sacra.

5) *Batillo*, giovane amato da Anacreonte. Piú tardi, un altro Batillo, mimo e coreografo, fu amato da Mecenate. *Catamito*, è il nome latino di Ganimede.

6) *Geta*; gente antica della Dacia, di stirpe tracia.

Canzonetta.

1) *Di Pindo abitator*; frase che il Manzoni riprenderá, caricandola d'ironia. («un sacro ingegno, *un abitatore del Pindo*, un allievo delle Muse» e parla del poeta).

2) *Le Driadi*. Bella figurazione delle ninfe — ninfe dei boschi — che escono dal tronco degli alberi, col capo verde; odoranti, chiomestillanti. Ma D'Annunzio, in *Versilia*, stravince nel descrivere queste apparizioni.

3) *La dea gentil*; Venere, che viene dalle sue isole belle, isole chiare.

4) *Talía*, musa della poesia satirica. Anche il Foscolo nei *Sepolcri*, parlando del Parini... Anche il Manzoni, al verso tre di *In morte di Carlo Imbonati*...

5) *Amabile terror*... Se ne impossessò poi il Manzoni, in *Ermengarda*, e il settenario parve nuovo; di tanto piú sincera passione seppe colmare l'accostamento ardito.

6) *Melpomene*; una delle nove sorelle, e presiedeva il teatro, la tragedia.

Il consiglio.

1) *Egle e Amarille*. Sorelle di Fille. Immagini di donne. Nomi della poesia. Giá in Virgilio «tristes Amarillidis iras». Nota la canzonetta tutta

briosa di capriccetti e graziette settecentesche (« Quel tuo voglio e poi non voglio — ch'è piú bello allor che offende » « Quante belle, quante v'hanno... » Eccetera).

La feconditá.

1) Dedicata a S. E. la principessa Donna Costanza Braschi-Onesti, in occasione della sua andata ai Bagni di Lucca nel giugno del 1786. La poesia, per il Monti, nasceva cosí; da queste occasioni. (Ora nascono le *occasioni* dalla poesia).

2) Strofe di costruzione complicata. Dice: — Bella del Tebro, guardami: guardami e riconoscimi: io sono la Feconditá, piacere del mondo, origine delle vite corporee, eccetera.

3) *Profondo gemito...* Dice il dolore, naturalmente profondo, di Papa Pio 6°, quando a sua nipote Donna Costanza andò male il primo parto.

4) È la abilitá, il virtuosismo del Monti che adornando amore d'un velo candidissimo, riesce a esprimere il palpito della feconditá, il sospiro segreto del cuore, eccetera.

5) *Naiade*; una delle solite ninfe. Abitavano i liquidi fonti. Il lettore che conosce un po' di Virgilio, e di Ovidio, se le ritrova.

Il cespuglio delle quattro rose.

1) Scritta per le nozze di Donna Rosa Trivulzio col conte Poldi-Pezzoli.

2) *La pudica dea del senno*; naturalmente Minerva, dea sapiente e severa.

3) *L'alma Bice*, la marchesa Beatrice Trivulzio, nata contessa Serbelloni.

Il ritorno d'Amore al cespuglio delle quattro rose.

1) Scritta per le nozze di Donna Cristina Trivulzio col conte Archinto. Nomi e notizie che ci danno, non appena l'occasione da cui nacque la poesia, ma il sentimento del tempo e della maravigliosa aristocrazia d'allora. Quasi nuova mitologia.

Le Grazie riformate.

1) Scritta per l'albo delle « amabilissime » fanciulle Isabella e Emilia Londonio. (Dicevano le cronache). Anche il titolo, resta una galanteria per le « amabilissime » fanciulle. Perché le Grazie non invecchiano.

2) *La divina Aretéa*, la Virtú; (dal greco ἀρητή).

Per l'albo di bella pittrice.

1) *Afrodite*, Venere; Venere stimolante.

Sonetto estemporaneo.

1) Si riporta per dar un segno della tracotante abilitá del Monti; in tempi in cui gli *improvvisi* erano all'ordine del giorno. Un diletto e una piaga.

Io d'Elicona...

1) Scritta per il Barone Francesco Ludovigo d'Erthal, eletto vescovo di Erbipoli nel 1779. *Abitatore d'Elicona*, fa il paio con *abitatore del Pindo*; presa in giro piú indietro.

59. - V. Monti, *Opere scelte*.

IL PINDARICO.

Prosopopea di Pericle.

1) Continua il metro della canzonetta arcadica, ma il tono è cresciuto, è piú adulto. È un'Ode. Ebbe l'onore d'esser posta in un quadretto dietro il busto di Pericle, in Vaticano. Splendori di storia esterna.

2) *Cecropidi*; da Cecrope, mitico fondatore di Atene. Ateniesi.

3) *Catilo*, figlio di Anfiarao e fondatore di Tivoli, nelle cui vicinanze l'anno 1779 fu dissotterrato il busto di Pericle; opera, pare, di Fidia.

4) *Sparsa le belle chiome*. Può ricordare *Sparsa le trecce morbide*... Accenti del Monti restarono sempre nell'orecchio del Manzoni. E nella penna.

5) *Pio*: Pio 6º, un Braschi di Cesena « donna di prodi ». Nominato papa nel 1775.

6) *Periandro*, uno dei sette sapienti, come *Biante*. *Antistene*, fondatore della scuola dei cinici. *Eschine*, oratore ateniese, come *Demostene* che è piú alto: tutto un consorzio di uomini grandi.

7) *Carnia*; il Peloponneso, cosí detto dalla cittá di Carnion.

8) *Le parie montagne*; monti di Paro, isola dell'arcipelago greco, famosa per il suo marmo bianco, splendente quasi d'interno lume.

Al Signore di Montgolfier.

1) Ode scritta nel 1784 per celebrare l'ascensione compiuta da Charles e da Robert su un pallone aerostatico inventato dal Montgolfier. *I verdi alipedi*; i cavalli di Nettuno, verdi come le alghe marine, veloci come il vento.

2) *Il Vate Odrisio*; Orfeo, nato in Tracia, detta anche Odrisia. Cantore nella spedizione degli Argonauti; cosí dolce da fermare il corso ai fiumi, da trascinare, ascoltanti, le querci.

3) *Novello Tifi*. Tifi fu il pilota degli Argonauti.

4) *Esonide*, Giasone figlio di Esone.

5) *Di Gallia il figlio*; è sempre Montgolfier, inventore del pallone aerostatico; o Charles, o Robert che l'hanno perfezionato e han volato.

6) *Stahllio e Black*; chimici famosi; il primo bavarese, l'altro scozzese.

7) *E mille bocche aperte*; e il Manzoni: *e mille barbe in aria*.

8) *Orizia*, figlia di Eretteo di Atene, rapita un giorno da Borea che la fece sua sposa.

9) *Teseo*, figlio di Egeo, re di Atene, discese all'inferno a rapire Proserpina, e, secondo Virgilio, vi restò per sempre: « Sedet æternumque sedebit - Infelix Teseus ».

La bellezza dell'universo.

1) Poemetto recitato con gran rumore in Arcadia l'agosto 1781 per le nozze del principe Luigi Braschi-Onesti — nipote del Papa — con la contessa Costanza Falconieri. L'entrata del Monti in Arcadia fu come il vento nella selva, che la fa tutta sfrascare.

2) *E questa selva...*, il bosco Parrasio, sede delle adunanze d'Arcadia, dove il Monti declamò il poemetto. È paragonato alla selva d'Ascra in Beozia, sacra alle Muse; e lí vicino era nato Esiodo.

3) *Luigi e Costanza...* Luigi Braschi-Onesti e Costanza Falconieri, sposi.

Per le quattro tavole.

1) *Alla gentil...* È S. E. la Duchessa di Sagan sul cui desiderio Filippo Agricola dipinse quattro tavole rappresentanti Dante con Beatrice, Petrarca

con Laura, Ariosto con Alessandra Benucci, Tasso con Eleonora d'Este: i poeti beati fra le donne.

Per la battaglia di Marengo.

1) Esalta la vittoria ottenuta da Napoleone sugli austriaci il 14 giugno 1800, nella pianura di Marengo. Ha una sua grandezza patriottica che la tien viva, balzante.

Le Api Panacridi.

1) *Api Panacridi*; nutrirono del lor miele Giove bambino in una caverna dei monti d'Ida, in Creta, detti anche Panacridi o Dittei. *Tonante Egioco,* è Giove. Egioco, dalla capra che lo allattò.

2) *Dittée pendici,* appunto, i monti Dittei (o Panacridi) in Creta.

3) *Pilo,* cittá della Messenia.

4) *Ismeno,* fiume che bagnava Tebe; e vicina era la fonte Dirce, presso cui nacque Pindaro.

5) *Lemene,* fiume sulle cui sponde sorge Alvisopoli, cittadina fondata da Alvise 1° nel 1800, a pochi chilometri da Portogruaro.

6) *L'aura di tal magnanimo...*; lui, Napoleone che, piú d'una volta, il Monti paragonò a Giove.

7) *Lane di ibera agnella*; pecore di pura razza e donatrici di lane fini.

8) *Egizia noce*; il cotone.

9) *Di Gradivo agl'impeti*; agli assalti di Marte.

10) *Germe divin...*; è la traduzione del virgiliano *Incipe, parve puer, risu cognoscere matrem.* Che piacque al Pascoli e se l'appropriò.

11) *Incunabulo*; culla.

Ode genetliaca...

1) Scritta nel marzo del 1807 in occasione del parto della Viceregina d'Italia, Augusta Amalia, sposata a Eugenio di Beauharnais.

2) *Gamelie vergini*; dee nuziali, ma godevan del titolo di Vergini: Giunone, Venere, Diana, le Grazie.

3) *Erettée nuore*; le donne ateniesi, mogli dei nipoti di re Eretteo.

4) *Flegra,* campagna in Macedonia, dove avvenne la battaglia definitiva tra Giove e i Titani.

5) *I procellosi alipedi*; (altrove detti *verdi*) i cavalli di Nettuno veloci e volanti: scuotitori, portatori di procelle.

6) *Tolti i figli all'oltraggio*; l'ode celebra il decreto del 14 marzo 1807 sui licei convitti, che permetteva anche ai figli dei poveri di frequentare le scuole, togliendoli cosí dalla umiliazione che impediva loro di potersi istruire.

7) *Le due sorelle*; pittura e scultura, sorelle artéfici.

8) *Di Zefiro l'amica*; Flora, sposa di Zefiro.

9) *Celate Driadi*; si serve dell'immagine mitologica per dire con vivezza la forza germinativa delle piante che, inerti per tutt'inverno, ora si scaldano e sbocciano in fiori, poiché la primavera è giunta. Ma giá i nomi rallegrano.

10) *Amalia, augusto sole*; perché, nella sua gioventú, ha fatto germinare questo umano fiore che è Giuseppina, la figliuola.

11) *Le vindeliche rive*; la Baviera (*Vindelicia,* anticamente) che ha dato una cosí buona regina.

12) *Il fiato d'Ilitía*; l'assistenza di Giunone, invocata dalle partorienti.

13) *La diva che mi assiste*; la mia Musa. Ed è bella finale e disinvolta.

L'EPICO.

In morte di Bassville.

1) Ugo Bassville, il 13 gennaio 1793 in Roma, dov'era venuto a far propaganda di idee rivoluzionarie, fu ucciso dalla folla, contraria alle dottrine della rivoluzione francese. Pio 6°, generosamente, fece porre in salvo il figlio e la moglie dell'ucciso, del quale curò i solenni funerali.

2) *Idre del capo*; particolare orribile d'inferno dantesco e, prima, virgiliano.

3) *Che contro Dite...* Rappresenta il famoso contrasto tra l'Angelo e il Demonio al letto del morente. Anche in Dante, c. 5° del Purgatorio, a proposito di Iacopo del Cassero.

4) *Del bel numero una*: una delle salvate. Espressione petrarchesca.

5) *L'orrido squillo*; delle trombe angeliche che suoneranno il giorno del giudizio. Uno potrebbe contare fino a quante volte il Monti adopera l'aggettivo *orrido* o, piú alto di suono, *orrendo*.

6) *Oltre il rogo..* Verso passato in proverbio, e nel tesoro della memoria. Entra a costituire il fondo etico della poesia montiana.

7) *Il rapito...*; San Giovanni, autore del 4° Vang. e dell'Apocalissi. Verso largo e un po' gesticolante e vano; come « *il biondo imperator della foresta* ».

8) *Le sarde sirti*. Ogni tanto, in Monti, c'è un verso mirabile. Ammiralo; il secondo, per esempio, di questa terzina; di ritmo e vagolamento giá pascoliano: « *Giunsero dove gemebondo e roco...* ».

9) *Nizza... Oneglia*. Nel '92 il generale Anselme conquistò Nizza commettendo atrocitá. Quello che, pur nel '92, fece l'ammiraglio Truguet su Oneglia.

10) *Starsi una croce col divin suo peso*. Pia e felice intuizione. Ci suggerisce un nuovo modo di guardare la croce, e quegli occhi chiusi...

11) Qui siamo vicini al Monti dov'è piú bello.

12) *Novella Circe*; Parigi, l'ingannatrice, la maga. È fama antica.

13) *Strage Camisarda*; ricorda la lotta atroce combattuta dai *camisardi* (calvinisti) contro i cattolici, in Linguadoca, sul principio del sec. 18°. Il nome (*camisardi*) par sia venuto dalla *camicia* che portavano sopra gli abiti.

14) *L'Arari* è la Saona; ed è il vecchio Arar di Cesare col suo stupor d'acque e l'incredibile dolcezza con cui cammina. *Ligeri*, è la Loira.

15) *Fè contra agli Angli...* Ricorda Giovanna d'Arco che nel 1429 liberò Orléans dall'assedio degli Inglesi.

16) *Il chiomato bardo...* ecc.; cantore della Gallia Celtica, dalle lunghe chiome.

17) *Cristo fuggir...* Fu, durante la rivoluzione, proibito di portare il viatico nelle case.

18) Tutte queste personificazioni e apparizioni ci portano naturalmente nel Libro 6° dell'*Eneide*, quando Enea discende all'Inferno.

19) *Diagora*; l'ateo piú ardito di tutta l'antichitá. *Epicuro* è piú noto e meno audace.

20) *Chelidri, anfesibene*; specie di serpenti alati.

21) *Damiens*, tentò di assassinare Luigi XV nel 1757. *Ankastrom*, assassinò Gustavo 3° re di Svezia, in una festa di ballo, nel 1792. *Ravaillac*, uccise il 14 maggio 1610 Enrico 4° a Parigi. Il quarto, che nasconde lo scritto con la mano, è Giacomo Clément, domenicano, che uccise Enrico 3° di Francia nel 1589. Gente di sangue. Nomi infamati.

22) *Sottil rudente*; la corda che teneva alta la scure.

23) *Di Quirino*... nome di Romolo, assunto in cielo.

24) *Scillea rupe;* lo stretto di Messina. Scilla, amata da Glauco, fu dalla rivale Circe cangiata in mostro di sei teste.

25) *La regal Sirena*; Napoli.

26) *Madianita altero*; ricorda il fatto biblico dei 300 di Gedeone che mettono in fuga i numerosissimi nemici Amaleciti e Madianiti; di notte, con grida, sui monti.

27) *Mie regali Congiunte*: le due zie del re Luigi 16°, rifugiatesi in Roma.

28) *A quel grande*; Pio 6°.

29) *Mosè, Amalecco*; altro fatto biblico. Dice di Mosè che, mentre Giosuè combatteva contro gli Amaleciti, stava sul monte Oreb pregando a braccia alzate, fino al calar del sole.

30) *Imporporati Aronni e i Calebidi*; i cardinali, dei quali sono immagini Aronne e Hur, figlio di Caleb, sacerdoti.

31) *Di quella che mirò...*; Micene, ove Atreo, a Tieste suo fratello che gli aveva sedotta la moglie, diede da mangiare le carni del figlio nato dall'incesto.

32) *Di Mineo...*; le figliole del re Mineo ateniese furon mutate in nottole, per aver sprezzato il culto di Bacco.

33) *Scendi, Pieria Dea*; la Musa nata sul monte Pierio in Tessaglia.

34) *È costui...*; Franc. Maria Arouet, detto Voltaire (m. 1778).

35) *Di sofo ha caro...*; Rousseau (m. 1778), autore del *Contratto sociale*, e delle *Lettere a Giulia*. Per queste e per il loro ardore si giustifica l'*afrodisio mirto*, o mirto di Venere.

36) *L'una...* è l'anima di d'Alembert (m. 1783), gran matematico; *l'altra* è l'anima di Guglielmo Tommaso Raynal (m. 1796), ex gesuita e curato di S. Sulpizio, che scrisse una *Storia filosofica e politica* in cui difese gli Americani contro gli Europei.

37) *Dove te lascio?* È Pietro Bayle (m. 1706) che scrisse un *Dizionario storico e critico* adunandovi tutte le possibili obiezioni contro la religione. Ateo e padre di atei.

38) *E te...*, Nicola Freret (m. 1749) altro propagandista di ateismo.

39) *Ipocrito d'Ipri*; è Giansenio, vescovo d'Ipres in Fiandra. Scrisse l'*Augustinus*, introducendovi false — e condannate — opinioni sulla Grazia.

40) *Borgofontana*, una Certosa, nella quale s'adunavano i Giansenisti per redigere le loro dottrine.

41) *L'un d'essi...*; d'Alembert.

42) *Un altro grida*: il Raynal.

43) *Il sal samosatense*: lo spirito dei *Dialoghi* di Luciano di Samosata, filtrato negli scritti di Voltaire.

44) *Infame congréga*, l'Assemblea Nazionale.

45) *Là dove...*, tra la costellazione del Cancro e quella d'Alcide, non molto lontano dall'Orsa maggiore.

46) *D'Egitto...* Ricorda il fatto biblico dell'Angelo che sterminò i figliuoli primogeniti d'Egitto per obbligare Faraone a lasciar partire gli Ebrei: i quali, per ordine di Dio e perché l'angelo li riconoscesse, avevan tinte di sangue le porte delle loro case.

47) *L'altro...*; è l'angelo che sterminò l'esercito di Sennacherib, re degli Assiri, in una notte, liberando Gerusalemme dall'assedio.

48) *Dalla spada del terzo...*; è un terzo angelo, esecutore della vendetta di Dio contro Israele, per castigare la superbia di Davide che aveva fatto il censimento del suo regno.

49) *L'ultimo...*; altro angelo, uno dei sei incaricati da Dio di uccidere tutti gli uomini di Gerusalemme che non avevan avuta la fronte segnata del *Tau* dalla mano di Ezechiele. Segno dei reprobi.

50) *Vogeso*, la catena dei Vosgi che separano l'Alsazia dalla Lorena. *Gebenna*, le *Cevennes*, monti di Linguadoca. *Bebricio Pirene*: i Pirenei, cosidetti da Pirene, figlia di Bebrice, che fu violata da Ercole, straziata dalle fiere e sepolta fra quei monti.

51) *Due donne...*; la Fede e la Caritá, virtú teologali. E terza è la Speranza.

52) *Il pellican...*; appunto, simbolo della carità. Si favoleggia che si apra il petto col becco per alimentare i figli col proprio sangue.

53) *Un Re fuggire*; Luigi 16º tentò di fuggire la notte del 21 giugno 1791.

54) *Una regina*. Ricorda che una torma di scalmanati, il 6 ottobre 1789, penetrarono nel castello di Versailles e, non avendo trovato a letto la regina, ne pugnalarono il letto.

55) *Donna del Carmelo*; la chiesa del Carmelo in Parigi era divenuta prigione di sacerdoti e vescovi che s'eran rifiutati di giurare obbedienza alla Costituzione.

56) *E chi sitía piú sangue...* Marat, membro della Convenzione, ucciso nel bagno da Carlotta Corday nel giugno del 1793.

57) *Tessale canzoni*; canzoni di magia. In antico la Tessaglia fu considerata come sede di arti magiche, di sortilegi e incantamenti.

58) *Aquile bellicose*; insegne dell'Austria, Prussia e Russia.

59) *Giglio*; insegna dei reali di Francia. (Anche il Caro: — *Venite all'ombra dei gran gigli d'oro*).

60) *La fatal giornata*; il 19 novembre 1734, Carlo Emanuele di Sardegna salvò i Francesi giá sconfitti dagli Austriaci.

61) Qui termina la cantica, che avrebbe dovuto finire con l'ingresso di Bassville nella gloria del Cielo.

La Mascheroniana.

1) La cantica fu scritta a Parigi nel 1800, in morte di Lorenzo Mascheroni, matematico insigne e poeta delicato. Di lui è soprattutto ricordato l'*Invito a Lesbia Cidonia*, poemetto in sciolti, composto a Pavia, dove insegnava scienze all'Universitá. Bergamasco di nascita, morí a Parigi, a 50 anni. Sacerdote.

2) *Poi le nove virtú...*; e tutta la terzina. Questo è un bel Monti, il piú bravo Monti.

3) *Colei che gl'intelletti...*, la scienza del calcolo, seguita dalla scienza geometrica.

4) *Ecco.... Ecco... Ecco...* Il compianto delle virtú — che furon sue — intorno al suo mesto letto, parve anche al Croce uno dei piú bei punti di tutta la cantica, di tutto Monti.

5) *Del terzo ciel la stella*; Venere, il cui cielo nel sistema tolemaico, è il terzo. Dante ne fece la sede degli spiriti amanti.

6) *D'un'altra Lesbia*; la prima è quella di Catullo (o invito ad amare); l'altra è questa *Lesbia Cidonia*, o contessa Paolina Secco-Suardi-Grismondi, di Bergamo (o invito a imparare).

7) *Me, di quattro*; Giove coi suoi quattro satelliti, scoperti da Galileo.

8) *La Giapezia prole*; il figlio di Giapeto, Prometeo. Mito caro al Monti.

9) *Specchi arditi*; Archimede e i suoi specchi ustori, che bruciavano le navi nemiche.

10) *Il Calabro antico*; Filolao, discepolo di Pitagora, insegnò per primo il movimento annuo della terra intorno al sole. (475 a. C.).

11) *Oriano*; Barnaba Oriani (m. 1833), sacerdote, matematico, astronomo.

12) *Borda e Spallanzan*; il primo fu un illustre matematico, morto nel 1799 (l'anno in cui muore il Parini); l'altro, di Reggio Emilia, fu naturalista di molto valore, e professore a Pavia. Parini è il terzo amicissimo qui ricordato.

13) *Euridice*; ninfa amata da Orfeo, che fece pazzie per lei; anche quella di scendere all'Inferno.

14) Siamo tra le personificazioni di cose astratte, cosí care al Monti.

15) In questi versi il Monti allude al Gianni e al Lattanzi, suoi nemici e, al loro tempo, lodati improvvisatori.

16) *Genuzi, Saturnini*; tribuni sanguinari di Roma.

17) *E i Bruti*; falsi patrioti, mangioni, beoni, viziosi.

18) *Il Nordico nembo*; l'invasione degli Austro-Russi.

19) *Il Tartaro ferro*; appunto, il Russo (e l'Austriaco).

20) *Paradisi e Fontana*; il primo, conte e letterato di Reggio Emilia; l'altro, scolopio e filosofo trentino.

21) *Caprara*; conte bolognese e membro del Direttorio Cisalpino insieme con *Moscati*, medico milanese.

22) *Containi e Lamberti*; uomini politici di gran valore.

23) *L'artiglia*. C'è, in questo verbo, nerbo dantesco. Potrebb'essere istruttivo studiare la forza di certi verbi, di molti verbi, nel Monti. La forza dello scrittore.

24) *Tornò la Madre*; la Repubblica francese, e *la figlia* è naturalmente la Repubblica Cisalpina.

25) *La vermiglia...*; il mar Rosso.

26) *Eufrate, Oronte*: il primo nasce dal Tauro in Armenia; l'altro dall'Antilibano in Siria.

27) *E l'onda*; ricorda il fatto di San Pietro (Bariona) che cammina a piedi asciutti sul lago di Genezaret.

28) *Il suol* ecc. Betlemme.

29) Qui, ai ricordi evangelici, mescola i ricordi di Roma; le lotte tra Cesare e Pompeo, e il fatto di Re Tolomeo che in Egitto uccide a tradimento Pompeo.

30) *Lunate antenne*; navi di Turchi con mezzaluna. *Abukir*, la vecchia Canopo, presso Alessandria d'Egitto. Nella baia antistante, Nelson distrusse la flotta francese nel 1798.

31) *D'Italia il paradiso*; Monti altrove chiamò Italia « il giardin della natura »; Dante, « il giardino dell'imperio »; e Petrarca « del mondo la piú bella parte ».

32) *E di lui...*; Trasibulo, che cacciò i trenta tiranni da Atene.

33) *Un vel*; un velo di tristezza.

34) *Menfi, Siene*: antichiss. città d'Egitto, sul Nilo. Siene, oggi Assuan.

35) *Si percosse* ecc. Anche un ricordo d'Ariosto: « Battersi ancor del folle ardir la guancia ».

36) Ricorda le varie vicende della guerra dei Confederati contro Francia, mentre Napoleone era in Egitto, impegnatissimo.

37) *Nuovo Fabio*: il Moreau, gran generale agli ordini di Napoleone.

38) *In Marengo...*; un verso proprio del Monti: tondo come la bocca del cannone.

39) *Dodici rocche*; dopo Marengo, gli Austriaci consegnarono ai Francesi 12 fortezze dell'Alta Italia. Quindi, dodici lauri.

40) *Il cantore*; il Parini, autore del *Giorno*, diviso in *Mattino, Mezzogiorno, Sera*, nel primitivo disegno. Piú tardi, alla *Sera*, sostituí il *Vespro* e la *Notte*.

41) *Progne*; moglie di Tereo; pazza di gelosia, uccise il figlioletto Iti. E fu mutata in rondine.

42) *Transe*; latinismo forte (da *transeo*); passò.

43) *Di Nemi il galeotto*; il Lattanzi; e di *Libetra*, il Gianni: inimicissimi al Monti. (*Libetra*, era fonte sacra alle Muse). *E quel sottile...*: è il ravennate Guiccioli, che accusò il Monti presso il Gran Consiglio.

44) *Pace la Senna*, ecc. Ed ecco il Monti creatore di figure rettoriche, come a dire metonimie, ecc. Il Monti piú noto e meno bello.

45) *Due virtú*; Giustizia e Pietá.

46) *Come zebe*; capre, caprette.

47) *Robespiero*; il famoso Robespierre, che iniziò il regno del Terrore. Fu poi ghigliottinato nel '94.

48) *Tu che l'alto spegni...*; Bonaparte.

49) *I due Lombardi*, Parini e Mascheroni; *con l'altro spirto*, il Borda.

50) *L'ombra d'un saggio*; il Verri (m. 1797), conte milanese. Scrisse le *Meditazioni su l'Economia politica* e un *Discorso su l'indole del piacere e del dolore*.

51) *Altra n'apparse*; il Beccaria (m. 1784) marchese milanese, autore dei *Delitti e delle pene*. Nonno di Alessandro Manzoni.

52) *Di colei*; la natura.

53) *Olimpia Dea*; la veritá, che vien dal cielo.

54) *Quel pianeta*; la terra, che unisce le anime ai corpi perché abbiano poi a patire.

55) *Il patrio nido*; Milano.

56) *Antenóra, Caína*; scompartimenti dell'ultimo cerchio dell'Inferno: accolgono i traditori della patria e dei parenti. *Radamanto*; giudice, con Minosse ed Eaco, dell'inferno pagano.

57) *Le Cábale*, le macchinazioni, le brighe che s'ingegnano di trovar nuovi inganni.

58) *Che fè lo stupro...*; ricorda la pioggia d'oro o la ingegnosa forma sotto la quale Giove giunse a Danae, chiusa nella torre da suo padre Acrisio.

59) *La figlia*; la Cisalpina.

60) *Men d'un Leopoldo*; moneta austriaca che recava l'immagine dell'imperatore Leopoldo. Moneta di poco.

61) *Senavra*; manicomio fuori Milano.

62) *Alla Vetra*; piazza di Milano dove si faceva giustizia dei malfattori.

63) *Agogna*; fiume presso Novara; la quale, tolta alla Cisalpina, era passata al Dipartimento della Sesia. *Verbano*, il lago Maggiore.

64) *Galvani*; bolognese (m. 1798), scopritore della teoria del magnetismo animale e dell'elettricità; perfezionata da Alessandro Volta (m. 1827) con l'invenzione della pila.

65) L'ombra che accusa, è quella dell'Ariosto, che è a spasso per certi suoi festeggiamenti.

66) *Divo di Cassino*; l'Ariosto, morto il 6 luglio del 1533, fu sepolto in Ferrara nella Chiesa dei Benedettini, o di S. Benedetto fondatore di Monte Cassino.

67) Segue una delle piú brillanti « descrizioni » del Monti. Brillante e bella.

68) Torno a chiamar l'attenzione su questo brano da antologia.

69) *La Garisenda*; torre pendente di Bologna; costruita, pare, da Oddo Garisendi nel 1110. L'effetto che fa una nuvola che ci passi sopra spintavi contro dal vento, vedilo in Dante, e godi. (Inf. c. 31).

70) *Il felsineo Anacreonte*, è (troppo!) Ludovico Salvioli (m. 1804), conte e senatore, bolognese e autore di canzonette leggiadre. *Palcani*, professore di Fisica all'Università di Bologna (m. 1802). *Canterzani* (m. 1819) professore di Astronomia e Fisica, pure a Bologna.

71) *La donna del Panár*, Modena. *La sorella*, è Reggio sul torrente Crostolo. *Emilia* è la regione, l'Emilia: il *rubro fiumicel*, il Rubicone.

72) *Il mio Melzi*; Francesco Melzi d'Eril, saggio e illuminato milanese. Dopo Marengo Bonaparte lo nominò vicepresidente della Repubblica Italiana. Morí nel 1816.

73) *Un fiume dalla Senna*; è una festosa e luminosa figurazione dell'Eroe glorificato nella cantica.

74) Dei e Dee del mare che, temendo la guerra, s'erano sprofondate, ora tornano a galla, poiché torna la pace offerta dall'Eroe: Dori e le figlie, Nettuno e Doto e Proto, Nereo e Galatéa; ed è tutta una festa di colori e sorrisi. « Tutto quanto l'Olimpo era un sorriso — d'amor ». Riso dantesco: « Ciò ch'io vedeva mi pareva un riso — dell'universo ».

75) *Cadde al commercio*; anch'esso si libera dalle sanzioni britanniche e fa rifiorire Italia, Europa.

76) *Lo scrittor*; il Beccaria.

Il Prometeo.

1) Il nostro parere, e le notizie, sul *Prometeo*, vedili nell'*Introduzione*.

2) *L'ascreo poeta*, Esiodo.

3) *Iperione*, titano ch'ebbe per figlio il sole. Il verso ricorda quello dantesco « Mi ripigneva lá dove il sol tace ».

4) *Figlio di Maia*, Mercurio; « il figlio alato » in Orazio.

5) D'Orizia ecc. Borea, che rapí la ninfa e la fece sua sposa. *Ispido*, perché rappresentato come un vecchio con barba e capelli pieni di ghiaccioli.

6) *Il Caonio frutto*, la ghianda. (La Caonia, regione dell'Epiro; celebre per le sue selve di querci).

7) *Metanira*, moglie di Celeo re di Eleusi, ebbe in figliolo Trittolemo; il quale, ammaestrato da Cerere, girò per il mondo su un carro tirato da serpenti alati, diffondendo l'agricoltura.

8) *Il rapitor cornuto*; dice di Giove che si convertí in toro per rapire Eurota, figlia del re fenicio Agenore. *I fratelli ledei*, cioè la costellazione dei Gemelli, Castore e Polluce.

9) *Di Dodona il vitto*, le ghiande.

10) *Al mar... le sue speranze crede*; credere nel senso latino di *affidare*. Sulla segreta bellezza di questo verbo, anche Leopardi ci contava.

11) Nota tutto il romanticismo di questa finale di canto. Ci scopri segrete lagrime.

12) *Bizeri, Macroni*... I nomi qui stanno a indicare terre lontane, terre selvagge e inospiti.

13) *E voi*... Ricorda gli Argonauti e la loro spedizione nella Colchide alla ricerca del vello d'oro. Favole, proverbi, incantamenti, di cui *splende* (ma non *arde*) la poesia del Monti.

14) *I lieti opimi campi*; pianure fertili, esultanti. Può ricordare gli *arva læta* di Virgilio. E *opimi* sará caro al traduttor dell'Iliade.

15) *Asopo*; fiume della Beozia, e Dio. Ebbe una figlia, Egina, amata da Giove.

16) *Citoro*, città lungo il Partenio, pieno di selve. *Cromma*, vicina a Citoro e famosa per le sue rose.

17) *Simplegadi*, isolotti rocciosi del Ponto Eusino.

18) *Eneti*, abitavano anticamente la Paflagonia, provincia dell'Asia Minore. Trapiantati, dopo varie vicende, divennero i Veneti.

19) *Sesamo*, cittá alla foce del Partenio. *Egialo*, altra cittá di Paflagonia. Famosi, lungo la costa, anche gli scogli *Eritini*, cosí detti dal loro color rosso.

20) Il Sangario è fiume che chiude, col Partenio, la Paflagonia.

21) *Di Dindimo*; monti della Frigia, dove si celebravano i misteri di Cibele. Pur nell'*Eneide* squilla come un chiaro campanello: « *Su pei Dindimi monti...* ».

22) *Acherusio speco*, apertura che mena giú all'Inferno. (Pare che in antico ce ne fossero parecchie: una in Argolide, una in Bitinia, una in Campania, a Cuma. Ora son tutte chiuse).

23) *Tesprozie rupi*, monti dell'antico Epiro.

24) *Cianée*, lo stesso che Simplegadi (viste sopra).

25) *Antandro*, villaggio ai piedi dell'Ida, nel golfo Adramitico. Luoghi d'Iliade; luoghi di naviganti.

26) *Echinadi*, o isole di Nasia, nell'Ionio, all'entrata del golfo di Corinto.

27) *Le querce camminar d'Elicona*; la selva che cammina è un motivo shakespeariano: le scene ultime del 5° atto del *Macbeth* ne son tutte inquietate.

28) *Ismen, Asopo*, fiumi della Beozia.

La Musogonia.

1) Canta l'origine delle Muse, e fin da principio le invoca e le chiama coi nomi lusinghevoli dei fonti e dei monti su cui son nate e vivono. Ma i nomi ancora olezzano.

La Feroniade.

1) *Pimplea favella*, favella poetica, degna delle Muse, cui era sacro il monte Pimpla in Macedonia.

2) *Isabella ed Emilia*, figlie di Carlo Londonio, ricco signore che piú volte ospitò il Monti nella sua bella villa di Cernobbio, terricciola del Comasco.

3) *Cerasunte*, sul Mar Nero, dove Lucullo debellò Mitridate, re del Ponto, e da dove par sia derivato in Italia l'albero detto *cerasus*, ciliegio.

4) *Ato*, il monte Athos nella penis. Calcidica; *Rodope,* monte della Tracia.

5) *Cangiato in Virbio*; parla di Ippolito che, maledetto da suo padre Teseo, fu trascinato in mare dai cavalli infuriati; ma Diana, che lo sapeva innocente, lo risuscitò e, sotto il nome di Virbio, lo diede in custodia alla ninfa Egeria.

6) *Priverne,* della cittá di Piperno, in prov. di Roma. *Setine,* presso le paludi Pontine.

7) *Trapunzio, Longula, Polusa,* ecc. tutti luoghi tra il monte Circeo e Anzio e Roma. Ora rivivono sotto altri nomi.

8) *Enopia terra,* l'isola di Egina.

9) *Ino,* avola di Bacco; *Tesifone,* una Furia.

10) *Gargafie fonti*; il fiume Gargafia, in Beozia.

11) *Agatirsi,* popoli della Scizia che adoravano Apollo Iperboreo e si dipingevano il volto. *Sacerdoti del Sorate*; allude a certa antica gente Ilpia che, nei sacrifici ad Apollo, presso il monte Soratte, camminavano a piedi scalzi sulla brage, senza bruciarsi. Per decreto del Senato furono perpetuamente esenti dal servizio militare.

12) *Sóspita*; appellativo di Giunone; Giunone salvatrice.

Il Bardo.

1) Piacque a Napoleone. Ma non piacque a Saverio Bettinelli, gran critico del tempo. Piace anche meno a noi. Ispirato al *Bardo* di Tommaso Gray, appartiene alla poesia bardita. Questo è il soggetto. « Contemplati dalla cima d'un colle che domina la valle d'Albeck, villaggio del Wurtemberg, gli eserciti austriaco e francese giá pronti alla battaglia, il vecchio bardo Ullino, in compagnia della figlia Malvina, scende, dopo la battaglia, al piano, vi raccoglie un giovine ferito, Terigi, e lo ospita in casa sua. Terigi e Malvina si innamorano, e il giovane, nella convalescenza, ricorda le proprie vicende, e, dei racconti di lui, si vale il poeta a celebrare le gesta di Napoleone ». Ma il poema rimase interrotto.

2) *Il 19 Brumaire.* (Dal canto 6º). Veramente, il *18 Brumaire* del 1799 (anno 8º della Repubblica), che ricorda il famoso colpo di Stato operato da Napoleone.

Sulla morte di Giuda.

1) I 4 sonetti recitati in Arcadia il Venerdí Santo del 1788.

IL DRAMMATURGO.

Dall'*Aristodemo.*

1) « L'argomento è tratto da Pausania nei *Messeni.* L'eccesso a cui l'ambizione e lo sdegno spinsero Aristodemo a uccidere la propria figlia, è quale egli stesso con tutte le sue orribili circostanze fedelmente racconta nella quarta scena dell'atto 1º. L'apparizione dello spettro, i rimorsi che in tutto il rimanente della vita lacerano quell'illustre colpevole, e la disperazione che finalmente lo condusse a darsi la morte sul sepolcreto della trafitta, ciò pure è tutta storica narrazione. Il resto è del poeta ». *Vincenzo Monti.*

Dal *Galeotto Manfredi.*

1) « Il fondamento della tragedia è tratto dal Machiavelli che, nell'ottavo delle *Istorie fiorentine,* cosí ne scrisse in poche parole. A questo tumulto di

Romagna, un altro se n'aggiunse. Aveva Galeotto, signore di Faenza, per moglie la figliuola di messer Giovanni Bentivogli principe in Bologna. Costei, o per gelosia o per esser male dal marito trattata ó per sua natura cattiva, aveva in odio il suo marito, e in tanto procedé nell'odiarlo, che deliberò di togliergli lo stato e la vita (31 maggio 1488). Il Machiavelli, lasciandone incerti sui veri motivi che spinsero la Bentivoglio a dar la morte al marito, io mi sono attenuto, libero nella scelta, al primo sospetto, dico alla gelosia; e, abbandonate tutte le altre circostanze storiche di quel delitto, sull'unico eccesso di quella fiera passione, fomentata da un ambizioso e perfido cortigiano, ho raggirata tutta la favola. Alla quale io misi la mano, non per elezione mia propria, ma per iscogliermi dalle preghiere d'una colta e amabile donna, la quale desiderò veder sulle scene un fatto domestico ». *V. Monti.*

P. S. La « colta e amabile donna » è la principessa Braschi.

Caio Gracco.

1) « C. Gracco erasi per molti anni adoperato a francare il popolo dalla tirannide della romana aristocrazia, quando i consoli e i senatori, nella guisa che avevan trucidato il di lui fratello, stabilirono di trucidare pur esso. Fatto dunque nel Campidoglio nascer tumulto fra i littori e i seguaci di Caio, il Senato mise a prezzo la di lui testa e il console Opimio con prezzolate soldatesche corse su l'Aventino contro i popolani a saziare la sua sete di sangue. Dopo lunga strage, vedendosi Caio stretto da tutte le parti senza speranza di scampo, pregò il suo schiavo che l'uccidesse; e fu fatto. Giunti i nemici, gli ebbero tosto tronca la testa, e, piantatavi la punta d'una picca, la portarono a guisa di trofeo per le strade di Roma. Cosí morí Caio Gracco, cui danno vari storici il nome di sedizioso. Ma, ben considerati gli uomini e gli eventi, appare chiaro che quelle dissensioni debbono ascriversi, anzi che a lui, ai suoi nemici ». *Vincenzo Monti.*

L'INTIMO.

A Bice.

1) « L'inclita Bice » Beatrice Serbelloni, sposata Trivulzio, madre delle « quattro rose » che formano « il cespuglio », cantato, decantato.

A Violante Perticari-Giacchi.

1) Il sonetto fu pubblicato nel 1822, con altri e altre canzoni, sotto il titolo « Un sollievo nella malinconia ». È una personificazione dell'amicizia nella donna che conforta il poeta infelice.

Al March. Antaldi.

1) « Della dottrina di questo coltissimo cavaliere sará bella prova il Catullo nuovamente illustrato colla scorta di tutti i migliori codici conosciuti, del quale sperasi ch'egli fará ricca l'italiana letteratura ». *V. Monti*. Ma non la fece ricca.

Per un dipinto dell'Agricola.

1) Rappresenta la figlia del poeta, Costanza, andata sposa al Perticari. Il piú bel sonetto del Monti; come ella era una delle piú belle donne del tempo.

In morte di Teresa Venier.

1) Sonetti scritti nel 1790. Bei versi. Alcuni bellissimi. « *Fe' un velo agli occhi delle rosee dita* ». Suggerito da Virgilio, sará imitato dal Pascoli.

Melpomene e Amore.

1) Quasi contrasto tra il coturno e la lira, la tragedia e la lirica. Scritto nel gennaio del 1788 quando il Monti iniziava il *Caio Gracco*. I due primi versi son molto belli.

A Don Sigismondo.

1) Sigismondo Chigi, romano, amicissimo del Monti. Maresciallo perpetuo di Santa Chiesa e Custode del Conclave.
Gli sciolti furono scritti nel 1783.

Pensieri d'amore.

1) Sono come la continuazione sentimentale degli sciolti a Don Sigismondo. E anch'essi scritti a cagione d'un giovanile amore per « una modesta e bionda giovinetta di nome Carlotta ».

Alla Marchesa Anna Malaspina.

1) Questi sciolti servirono come dedicatoria dell'*Aminta* del Tasso, pubblicato dal Bodoni. Risalgono al 1788.

2) *Quel di Siracusa*, Teocrito che scrisse gli *Idilli*. L'*infelice esul* è Ovidio mandato a Tomi da Augusto.

3) *E pur Comante*; Comante Egineticо è il nome arcade di Carlo Innocenzo Frugoni (m. 1768).

4) *Tutto contaminar*; parla dei frugoniani che furono la peste della poesia con le loro ampollosità. Del Frugoni, Monti ebbe altro concetto.

5) *Le figlie di Mnemosine*; le Muse.

6 *D'un altro Peripato*; l'antico, era la scuola di Aristotile nel Liceo di Atene; il nuovo (*l'altro*) è l'Università di Padova.

7) *Paciaudi*; Paolo Maria (m. 1785), teatino, bibliotecario a Parma.

Le nozze di Cadmo e d'Ermione.

1) Idillio dedicato al March. Gian Giacomo Trivulzio, in occasione delle fauste nozze di donna Elena Trivulzio col conte Pietro Scotti di Sarmato, piacentino; e di donna Vittoria Trivulzio col March. Giuseppe Carandini, modenese. Quattro piccioni a una fava. Ché veramente l'idillio è delle cose piú dolci del Monti.

2) *Figlio d'Agenore*, è Cadmo, il mitico fondatore di Tebe.

3 *Trivulzio sangue*; la casa del Trivulzio era come un tempio, perché cara alle Muse, vivo essendovi l'amore alla poesia, agli studi.

4) *La terza e quarta rosa*; Elena e Vittoria Trivulzio, spose.

5) *Bice*; la madre delle due spose: contessa Beatrice Serbelloni.

6) *All'avene sposar...*; unire i modi della poesia pindarica e civile a quella idillica di Teocrito.

Invito d'un solitario a un cittadino.

1) È un invito che il Monti fa a se stesso: al Monti disgustato delle Corti e dei fasti.

2) *Cui donaro il fatal vaso*; Pandora, a cui fu dato il vaso dei mali riversati poi su la terra.

3) *Druidi*; i francesi, discendenti dai Druidi. *Enceladi novelli*; ancora i francesi che si rivoltano contro Dio, come il gigante antico.

Ad Amarilli Etrusca.

1) È Teresa Bandettini di Lucca, facile e famosa improvvisatrice.

2) *Ciclopi* ecc. Dice che Apollo, dio della poesia, non è imbelle: a Delfo uccise il Pitone e s'impadroní dell'oracolo; a Troia e a Tebe, scagliò dardi mortiferi; e uccise i Ciclopi che avevan dato morte a Esculapio, suo figlio.

3) Ancora lanciò dardi nel campo greco e puní Agamennone che aveva mancato di riguardo al suo sacerdote, Crise.

4) *Maga in Colco*; la Maga Medea.

5) *Teo*, patria di Anacreonte; *Venosa*, di Orazio.

6) *I passeri aggiogando*; favoleggiarono i poeti che il carro di Venere fosse tirato dalle passere. Gentilissimo; per dee fatte di frusciante luce.

UNA POETICA.

Sermone sulla mitologia.

1) Il Sermone fu composto nel 1825, e dedicato alla March. Antonietta Costa di Genova. È contro i Romantici che volevano abolire la mitologia; fonte, secondo il Monti, della poesia.

2 *Tu del ligure Olimpo*; bellissima donna genovese, l'Antonietta. Olimpo di bellezze.

3) *Quel Nettuno...*; è egregiamente descritto il camminare del dio: « Move tre passi, e al quarto è giunto in Ega ». Ega nell'Acaia.

IL PROFESSORE.

Lezioni su Omero, Virgilio, Dante.

Son brani delle lezioni che il Monti tenne all'Universitá di Pavia nel 1802, con grandissimo successo. A qualcuna assisté anche il giovane Manzoni.

Virgilio.

1 *Lo Scaligero*; Gius. Giusto, filologo del 1500.

2) *Aurelio Vittore*; storico romano del sec. IV d. C. D'origine africana.

3) Virgilio qui ha seguito Apollonio Rodio.

IL FILOLOGO.

Dalla *Proposta*.

1) Il *Trattato intorno agli scrittori del Trecento*, è di Giulio Perticari, che sposò la figlia del Monti, Costanza; e molto lo aiutò nella redazione della *Proposta*.

2) Il *Dialogo delle Grazie*, è una fiacca operetta di Padre Cesari, e fu, in qualche modo, l'occasione dei litigi filologici Monti-Perticari-Cesari.

Dialogo tra Apollo ecc.

1) *Quell'altro che disse* ecc. È Gesú, nel Vangelo.

Dialogo III.

1) Del mese di Pianapsione: *Pyanapsion,* mese del calendario greco, e precisamente attico, era il quarto mese dell'anno, corrispondente alla seconda metá d'ottobre e alla prima di novembre. In esso si celebrava la festa delle pianopsie (nome d'una minestra di fave e altri legumi, mangiata in quell'occasione), in onore di Apollo e di Atena.

LE LETTERE O L'UOMO.

1) La poesia di cui si parla, è la *Visione di Ezechiello* « il primiero segnale — scrisse qualcuno in quei giorni — che era nato chi dovea ricreare la italiana poesia ».

2) *Gran protettrice, dama di Ferrara,* è la marchesa Maria Maddalena Trotti-Bevilacqua, a cui il poeta dedicò, piú tardi, il *Saggio di poesie,* scrivendole: « Questi versi sono vostri, perché vostro è il poeta che li ha scritti. Voi mi appendeste la cetra al collo in tempo che una mano troppo per me autorevole mi presentava la bilancia di Astrea. Cosí mi toglieste al pericolo d'essere un giorno la ruina di molti clienti ».

3) *All'Ab. Minzoni?* Buon poeta, buon canonico, buon cittadino ferrarese (m. 1817).

4) *Alcune strofette mal pensate.* Erano indirizzate al Duca di Belforte, Antonio di Gennaro, in Arcadia, *Licofronte Trezenio.* Sono tra le poesie del Monti perdute.

5) *La nuova carica;* la cattedra di storia e geografia nell'Accademia di Marina a Napoli.

6) *Il Dramma...* Quale sia stato questo Dramma che il Monti nomina ripetute volte nelle lettere agli amici in questo 1780, non si sa. Forse si tratta d'una *Cantata* per la ricuperata salute di mons. Spinelli, Governatore di Roma.

7) *Il vostro libro;* è l'*Elogio* dello Zorzi, sul quale, nelle *Effemeridi* romane aveva pubblicato un epigramma Raimondo Cunich, l'ex gesuita che aveva tradotto l'*Iliade* in latino: di cui si valse il Monti per comprendere Omero.

8) *Del signor Lagarinio;* il Vannetti, che aveva indirizzato al Monti una sua « epistola ».

9) *Un bacio per me;* si accenna a un amore del Monti per « una modesta e bionda giovinetta di nome Carlotta », figlia, forse, di una Rosa Stewart romana e dama di compagnia della duchessa di Corbara, la principessa Giustiniani.

10) *Il mio libro;* è il volume dei *Versi,* editi nell'83 dal Pazzini Carli, in Siena.

11) *Tre sonetti scritti sul vero;* per la Costanza Braschi, e cominciano: *Passa il terz'anno... Ben di tragiche forme... Sdegno, possente Iddio...*

12) *Napione Cocconato,* conte torinese, morto a 82 anni nel 1830. Scrisse « Dell'uso e dei pregi della lingua italiana ».

13) *Onorario di bussolante.* Come bussolante, il Monti aveva un certo stipendio che cedette poi al Card. Segretario di Stato, quale offerta gratuita per preparar nuove armi in caso di guerra. Quando il poeta fu nominato bussolante, ne scrisse con gioia al fratello Francesco: « Saprete che sono bussolante del Papa, e che ho messo collaro pavonazzo... ».

14) *Bassvilliana*. Il Monti non scrisse mai lettere con piú leggerezza, incoscienza, quasi perfidia. Francesco Salfi era un cosentino, pieno d'ira contro la Chiesa, come molti patriotti d'allora; morí nel 1832.

15) L'originale di questa lettera è nell'Archivio di Stato di Milano; d'autografo c'è solo la firma.

16) *Il vostro Idillio*; è l'*Adda*, ottantacinque endecasillabi sciolti che il giovane Manzoni nel 1803 aveva inviati al Monti, invitandolo in villa al Caleotto, sull'Adda.

17) *La vostra liberalitá*. Si tratta di 50 luigi d'oro che la Staël, per mezzo del Fortis, voleva donare al poeta. Che li ritirò, ma più tardi li restituí.

18) Madama Cicognara è la veronese Massimiliana Cislago che, divorziata dal conte Rotari, sposò in seconde nozze Lopoldo Cicognara nel 1794.

19) *Matilde Viscontini Demborvski*, gentildonna lombarda amata dal Foscolo.

20) *Malaspina*. Ricorda gli sciolti — fra i piú belli del Monti — scritti per la marchesa Anna Malaspina e usciti come dedicatoria dell'*Aminta*, con i tipi del Bodoni.

21) *Il vostro amico*; è Giuseppe Bonaparte.

22) *Madama Torlonia*; moglie di Marino T., banchiere della Staël in Roma.

23) *Il detto di vostra figlia*; la figlia della Staël, Albertina. « Ma petite fille disait l'autre jour assez joliment: — Maman n'a aimé que deux choses en Italie: la mer et Monti ».

24) Nel 1790 apparve in Roma una caricatura di Cesarotti traduttore di Omero: « un vecchio con la barba, vestito all'ultima moda, un codino alla parrucca, frappe alla camicia, soprabito a liste, scarpette a punta e la scritta: *Omero del Cesarotti* ».

25) *La damigella* a cui è diretta la lettera è Costanza giovinetta, che nel 1805 fu messa nel convento delle Orsoline in Ferrara.

26) L'incoronazione di Napoleone avvenne il 26 maggio 1805.

27) Tra l'altro, la lettera della Staël del 16 marzo diceva: « Je suis tombée par hasard l'autre jour sur la lecture d'un billet de la duchesse Braschi. Je voulais voir cette duchesse à cause de vos amours pour elle, et comme elle ne vint pas où j'étais, je me fis donner son billet. Il racontait avec les plus grands détails le mal au pied de son *cavalier servente*, et ajoutait: *l'amica scorta non potendo calzarsi il piede, non verrò per la sera*. Certainement, nous aurions longtemps ri en France d'une femme qui aurait dit dans son billet d'excuse que son amant ne pouvait pas se chausser: ici c'est tout simple, rien n'est ridicule, et cependant rien n'est naturel; ce n'est pas le sentiment qui échappe, c'est indécence, et l'on avoue tout, excepté qu'on aime ».

28) *De Lile*; Giacomo, morto nel 1813, poeta elegante freddo descrittivo.

29) *Mio fratello*; Francesco Antonio.

30) *Mio fratello cappuccino*; Gian Fedele che, tornato d'una predicazione in Toscana, fu colpito d'apoplessia.

31) *Noto affare*. Secondo il Bertoldi, che ha raccolto del Monti tutto quanto e ha tutto quanto illuminato, il *noto affare* sarebbe un ufficio d'ispettore scolastico che il Monti desiderava.

32) *Il pazzo articolo*; del drammaturgo tedesco Augusto di Kotzebue, nel quale si parla con incomprensione e goffaggine dell'Italia.

33) L'Abate G. B. Venturi di Reggio Emilia, morto nel 1822; matematico e naturalista, insegnante nelle Università di Modena e Pavia.

34) È interessante leggere la lettera con la quale, in data 23 gennaio 1809, il Foscolo rispondeva al Monti. Documento di fermezza, di fierezza.

35) *Dei tre Sepolcri*: cioè quelli del Foscolo, del Pindemonte, del Torti, pubblicati insieme dall'Edit. Bernardoni, in Milano, nel 1808.

36) È l'addio del Monti al Foscolo.

37) Il Governo Provvisorio del 1814 aveva sospeso al Monti la pensione. Egli ricorse al Bellegarde perché gli fosse continuata.

38) Nel 1813 il Ministro Vaccari, « informato che trovavansi in Padova i manoscritti del *Dizionario della volgare elocuzione* del padre teatino Gian Pietro Bergantini, e altri lavori congeneri in 19 volumi, li comprò e li spedí all'Istituto Nazionale, perché vedesse il modo di crescere gloria al nome italiano e secondar le premure dell'Imperatore, il quale, col far rivivere l'Accademia della Crusca e coll'accordare generosi premî ai piú purgati scrittori, ha dimostrato quanto gli stia a cuore l'incremento del nostro idioma ».

39) Tutta la lettera è viva d'arguzia finissima. Aspetto non infrequente sopratutto nel Monti della *Proposta*.

40) Si accenna all'*Epistola poetica intorno alla lingua italiana* diretta dal Dalmistro al prof. Marzari. .

INDICI

INDICE DEL TESTO

Introduzione di CESARE ANGELINI . . . . pag.   6

L'ARCADE.

All'amica . . . . pag. 77
A Fille 78
Dal « Poemetto anacreontico » 79
Canzonetta 82
Anacreontica 86
Canzonetta 89
Il consiglio 92
La feconditá 96
Il cespuglio delle quattro rose 99
Il ritorno d'Amore al cespuglio delle quattro rose 102
Le Grazie riformate 105
Per l'albo di bella pittrice 107
Sonetto estemporaneo con rime obbligate sopra gli occhi . 107
Io d'Elicona... 108

IL PINDARICO.

Prosopopea di Pericle . . . . pag. 111
La scoperta dei globi aereostatici 116
La bellezza dell'universo 121
Per le quattro tavole 131
Per la battaglia di Marengo 137
Le Api Panacridi in Alvisopoli 140
Ode genetliaca in occasione del parto di S. A. I. la Viceregina d'Italia 144

L'EPICO.

IN MORTE DI UGO BASSVILLE.

Canto primo .... pag. 151
Canto secondo 159
Canto terzo 167
Canto quarto 177

IN MORTE DI LORENZO MASCHERONI.

Canto primo 190
Canto secondo 197
Canto terzo 206
Canto quarto 214
Canto quinto 224

IL PROMETEO.

Canto primo 233
Canto secondo 252
Canto terzo 276

LA MUSOGONIA 292

LA FERONIADE.

Canto primo 309
Canto secondo 332
Canto terzo 347

DAL «BARDO»:

Il ferito in Albecco 364
Il 19 brumaire 372

DALL'«ILIADE»:

Il Libro primo 375
Lo scudo di Achille 398
Lotta col fiume Xanto 408

Sulla morte di Giuda 420

IL DRAMMATURGO.

DALL'«ARISTODEMO»:

    Atto I, scena IV .... pag. 425
    Atto V, scena III 434

DAL «GALEOTTO MANFREDI»:

    Atto I, scena II 438

CAJO GRACCO 445

L'INTIMO.

A Bice .... pag. 541
Per grave malattia a un occhio 541
La lontananza dalla donna 542
Alla contessa Violante Perticari Giacchi 542
Al marchese Antaldo degli Antaldi 543
Per un dipinto del signor Agricola rappresentante la figlia
    dell'autore 543
Sopra sé stesso 544
Sopra la morte 544
In morte di Teresa Venier 545
Affanno d'amore 546
Melpomene e Amore 546
Al principe Sigismondo Chigi 547
Pensieri d'amore 553
Alla marchesa Anna Malaspina della Bastia 560
Le nozze di Cadmo e d'Ermione 564
Invito d'un solitario ad un cittadino 571
Ad Amarilli Etrusca 573
Per l'onomastico della sua donna 575

UNA POETICA.

Sermone sulla mitologia 579

IL PROFESSORE.

L'eloquenza e Omero .... pag. 587
Virgilio 591
Dante 599

IL FILOLOGO.

DALLA « PROPOSTA »:

Per una sentenza di P. A. Cesari .... pag. 609
Dialogo tra Apollo, Mercurio e la Critica 621
Un pedagogo ed un fanciullo 645
Il Capro, il Frullone della Crusca e Giambattista Gelli 647
Un Lombardo e il gran Frullone della Crusca 659
Bastiano de Rossi, detto lo Inferigno, ed Egidio Forcellini 664
Un Francese ed un Italiano 668
Esame di alcune voci 677

LE LETTERE O L'UOMO.

A Fedele Maria Monti, Fusignano (27 aprile 1776) .. pag. 709
All'abate Onofrio Minzoni (25 maggio 1776) 710
All'abate Aurelio Bertola, Napoli (5 novembre 1779) 711
Allo stesso (3 dicembre 1779) 712
A Clementino Vannetti, Rovereto (6 maggio 1780) 714
Allo stesso (3 giugno 1780) 718
A Francesco Monti, Fusignano (5 dicembre 1780) 721
A Fortunata Sulgher Fantastici, Firenze (1782) 722
Alla stessa, Firenze (4 novembre 1782) 723
Alla stessa, Firenze (9 novembre 1782) 724
Alla stessa, Firenze (16 novembre 1782) 725
Alla stessa, Firenze (18 gennaio 1783) 726
Alla stessa, Firenze (15 febbraio 1783) 727
Alla stessa, Firenze (17 aprile 1783) 729
All'abate Don Cesare Baldini, Fusignano (14 giugno 1783) 730
A Melchior Cesarotti, Padova (14 agosto 1784) 734
All'abate Paolo Ferretti, Roma (1785) 735

INDICI

A Clementina Ferretti, Roma (1787) . . . . pag. 735
A Francesco Torti, Bevagna (3 agosto 1788) 736
Al conte G. Franc. Galeani Napione, Torino (26 mar. 1796) 737
Al Cardinale Segretario di Stato (24 ottobre 1796) 739
Al cittadino Francesco Salfi, Milano (18 giugno 1797) . . . 742
Al cittadino F. Marescalchi, Parigi (11 marzo 1801) 744
Allo stesso, Parigi (5 maggio 1801) 746
Al Comitato Governativo della Repubblica Cisalpina (dicembre 1801) 747
A Giuseppe Bernardoni, Cremona (11 aprile 1802) 748
Al Consigliere Ministro degli Affari Interni (19 aprile 1802) 749
Ad Alessandro Manzoni, Lecco (settembre 1803) 750
Al cittadino Giulio Cesare Tassoni, ministro della Repubblica italiana in Toscana (giugno 1804 751
Al cittadino Melzi D'Eril (16 giugno 1804) 752
Alla baronessa De Staël d'Holstein, Milano (gennaio 1805) 752
Alla stessa, Bologna (16 gennaio 1805) 753
Alla stessa, Roma (26 gennaio 1805) 755
Alla stessa, Roma (30 gennaio 1805) 758
Alla stessa, Napoli (20 febbraio 1805) 761
A Melchior Cesarotti, Padova (23 febbraio 1805) 763
Alla baronessa De Staël-Holstein, Roma (28 febbraio 1805) 766
Alla damigella Costanza Monti, Ferrara (1805) 768
Alla baronessa De Staël-Holstein, Napoli (10 marzo 1805) 769
Alla stessa, Napoli (15 marzo 1805) 770
Alla stessa, Roma (20 marzo 1805) 772
Alla stessa, Roma (23 marzo 1805) 773
Alla stessa, Roma (26 marzo 1805) 775
Alla stessa, Roma (6 aprile 1805) 778
A Melchior Cesarotti, Padova (6 aprile 1805) 780
Alla baronessa De Staël-Holstein, Torino (14 giugno 1805) 780
Alla stessa, Coppet (25 giugno 1805) 782
Alla stessa, Coppet (4 luglio 1805) 785
Alla stessa, Coppet (19 luglio 1805) 786
A Ferdinando Marescalchi, Parigi (12 agosto 1805) 787
Alla baronessa De Staël d'Holstein, Coppet (12 agosto 1805) 790
A Melchior Cesarotti, Padova (13 agosto 1805) 793
A Ferdinando Marescalchi, Parigi (29 agosto 1805) 794

A G. B. Venturi, Ministro per il Regno d'Italia a Berna
    (22 ottobre 1805) .... pag. 796
A Ugo Foscolo, Brescia (30 gennaio 1807) 797
Allo stesso, Brescia (marzo 1807) 798
A Ippolito Pindemonte, Verona (aprile 1807) 798
A Ugo Foscolo, Brescia (6 aprile 1807) 799
Allo stesso, Brescia (22 luglio 1807) 800
A Saverio Bettinelli, Mantova (5 agosto 1807) 801
Al dottor Giovanni Gherardini, Milano (6 agosto 1807) .. 802
Ad Antonio Canova, Roma (1808) 803
A Giuseppe De Cesare, Napoli (1808) 803
Al cav. Gregorio Cometti, Genova (24 febbraio 1808) ... 804
Ad Andrea Mustoxidi, Firenze (2 marzo 1808) 807
A Cesare Arici, Brescia (1808 o 1809) 808
A Vincenzo Cristini, Parigi (dicembre 1808 o gennaio 1809) 808
A Ugo Foscolo, Pavia (23 gennaio 1809) 809
Allo stesso, Pavia (23 o 24 gennaio 1809) 809
Allo stesso, Pavia (1809) 810
Allo stesso, Milano (10 aprile 1810) 810
A Ennio Quirino Visconti, Parigi (18 maggio 1810) 811
A Costanza Monti-Perticari, Pesaro (30 settembre 1812) . 812
A Paolo Costa, Bologna (4 dicembre 1813) 812
A Giulio Perticari, Pesaro (8 dicembre 1813) 813
Allo stesso, Pesaro (15 dicemre 1813) 814
Allo stesso, Pesaro (8 aprile 1814) 816
A S. E. il conte di Bellegarde, Governator militare e civile
    di tutte le Provincie Austriache dell'Italia (3 dic. 1814) 818
A Cesare Arici, Brescia (30 maggio 1815) 821
A S. E. il generale Saurau, Governatore di Milano
    (15 marzo 1816) 822
Alla contessa Marianna Azzali-Angeli, Imola (29 gennaio 1817) 832
A Giuseppe Acerbi, Direttore della *Biblioteca Italiana*,
    Milano (6 febbraio 1817) 833
A Giacomo Leopardi, Recanati (8 marzo 1817) 840
A S. E. il sig. Conte Saurau, Governatore di Milano
    (21 maggio 1817) 841
A Diodata Saluzzo, Torino (6 febbraio 1818) 842

INDICI

A Giambattista Niccolini, Firenze (5 luglio 1818) . . pag. 842
A Giovanni Torti, Milano (21 luglio 1818) 843
Al conte Giacomo Leopardi, Recanati (20 febbraio 1819) . 846
Alla contessa Clarina Mosconi, Verona (25 dicembre 1819) 846
A Giulio Perticari, Roma (dicembre 1819) 847
Alla contessa Clarina Mosconi, Verona (11 marzo 1820) . 849
A Camillo Ugoni, Brescia (19 maggio 1820) 850
Alla contessa Clarina Mosconi, Verona (29 maggio 1820) . 851
Alla stessa, Verona (1° giugno 1820) 853
Al conte Giuseppe Dalla Riva, Verona (4 giugno 1820) . . 854
A Giulio Perticari, Pesaro (agosto 1820) 855
Allo stesso, Pesaro (agosto 1820) 857
Allo stesso, Pesaro (4 novembre 1820) 857
A Giovita Scalvini, Brescia (12 aprile 1821) 858
A Giuseppe Monti, Fusignano (18 luglio 1821) 859
A Giulio Perticari, Pesaro (23 agosto 1821) 860
All'abate Angelo Dalmistro, Venezia (27 ottobre 1821) . . 863
A Teresa Pikler Monti, Milano (20 novembre 1821) 864
A Marsand, Federici e Francesconi, Padova, (dic. 1821) . 865
Al fiore de' cavalieri [Gino Capponi], Firenze (31 dicembre 1821) 866
A Teresa Pikler Monti, Milano (12 gennaio 1822) 867
Al cav. Paolo Tagliabò, Milano (12 gennaio 1822) 869
A Teresa Pikler Monti, Milano (marzo 1822) 870
Al conte Giovanni Roverella, Cesena (22 luglio 1882) . . . 871
A Francesco Cassi, San Costanzo (luglio 1822) 872
Al cav. Andrea Mustoxidi, Milano (30 luglio 1822) 873
A Urbano Lampredi, Firenze (30 luglio 1822) 874
Al cav. Andrea Mustoxidi, Consigliere Aulico di S. M. l'Imperatore delle Russie, Milano (3 agosto 1822) 876
A Domenico Valeriani, Firenze (8 settembre 1822) 877
Al cav. Andrea Maffei, Verona (13 novembre 1822) 878
Al signor abate Bignardi, Savignano (7 dicembre 1822) . . 879
A Dionigi Strocchi, Bologna (22 gennaio 1823) 880
A Paride Zajotti, Verona (27 aprile 1823) 881
A Barnaba Oriani, Milano (1° maggio 1823) 883
Ad Antonio Papadopoli, Venezia (2 luglio 1823) 883
Al dott. Giovanni Domenico Anguillesi, Pisa (4 luglio 1823) 884
A Clementina Fantini Ferretti, Roma 12 settembre 1824) 885

All'abate Antonio De' Rosmini Serbati, Rovereto (1° gennaio 1825) ....pag. 885
A Francesco Maria Torricelli, Fossombrone (10 gennaio 1825) 886
Ad Anselmo Ronchetti calzolaio, Milano (30 gennaio 1825) 888
Ad Antonio Papadopoli, Bologna (6 febbraio 1825) 888
A Urbano Lampredi, Parigi (22 febbraio 1825) 889
A Giacinto Marietti libraio, Torino (28 maggio 1825) 890
Ad Antonio Papadopoli, Bologna (30 agosto 1825) 891
Alla signora Cattina Zajotti, Trento (3 settembre 1825) . 892
A Don G. Alborghetti, San Gervaso Brianza (3 ott. 1825) 894
A Paride Zajotti, Milano (3 ottobre 1825) 895
A Carlo Tedaldi Fores, Cremona (30 novembre 1825) ... 896
Al Prof. Domenico Valeriani, Firenze (24 dicembre 1825) 899
Al consigliere Paride Zajotti, Milano (agosto 1826) 900
A Giovanni Antonio Maggi, Milano (agosto 1826) 901
A Gian Giacomo Trivulzio, Milano (6 agosto 1826 901
A Giovanni Antonio Maggi, Milano (7 agosto 1826) 904
Al conte Leopoldo Cicognara, Venezia (agosto 1826) ... 905
Alla contessa Clarina Mosconi, Milano (18 settembre 1827) 907
A Giacomo Trivulzio, Milano (settembre 1826) 908
A Felice Bellotti, Milano (28 settembre 1826) 909
A Giovanni Antonio Roverella, Ferrara (8 ottobre 1826) . 909
A Francesco Villardi, Padova (26 gennaio 1827) 910
Ad Alessandro Manzoni, Milano (febbraio 1827) 911
A Urbano Lampredi, Ragusa (27 marzo 1827) 911
A Samuele Jesi, Firenze (19 aprile 1827) 914
Ad Alessandro Manzoni, Milano (giugno 1827) 916
A Costanza Perticari nata Monti, Ferrara (29 luglio 1827) 917
Alla « Gazzetta » di Milano (6 settembre 1827) 917
Ad Antonio Papadopoli, Venezia (ottobre 1827) 919
Allo stesso, Venezia (ottobre 1827) 920
A Francesco Villardi, Padova (6 dicembre 1827) 920
Ad Andrea Mustoxidi, Venezia (dicembre 1827) 921
A Francesco Villardi, Padova (1827-1828) 921
Ad Antonio Papadopoli, Venezia (3 gennaio 1828) 922
A Giulio Monti, Ferrara (3 gennaio 1828) 923
Ad Andrea Mustoxidi, Venezia (20 febbraio 1828) 923

INDICE DELLE TAVOLE

Giacomo Bossi: Vincenzo Monti nel 1793 . . . . al frontespizio
Andrea Appiani: Vincenzo Monti . . . . a pag. 96
Abbondio Sangiorgio: Vincenzo Monti 168
Filippo Agricola: Costanza Monti Perticari 236
Carlo Labruzzi: Teresa Pikler Monti 352
Teca col cuore di Vincenzo Monti 416
Dall'autografo della « Giuditta » di Vincenzo Monti 480
Una lettera di Vincenzo Monti a F. A. Folicaldi 544
Una pagina del « Vocabolario della Crusca » postillata da Vincenzo Monti 640
Ultimi versi scritti da Vincenzo Monti 768
Vincenzo Monti: « Il bardo della Selva Nera », frontespizio dell'edizione bodoniana del 1806 848
Dedica a Napoleone del « Bardo della Selva Nera » 848

FINITO DI STAMPARE
IL 10-4-1940 - XVIII NELLE OFFICINE RIZZOLI E C.
ANONIMA PER L'ARTE DELLA STAMPA
PIAZZA CARLO ERBA
MILANO

CHI FVR LI MAGGIOR TVI